日本语句型辞典

前　言

　　人们一般是在什么时候使用词典呢？在不会写某个汉字时，在遇到意思不明白的名词或动词等单词时，国语词典是非常有用处的。比如，你想知道"うっかり"和"つい"的区别时，查一查类义语词典就可以解决。但是，也有许多问题是在以往的词典中查不到的。比如，"せっかく"一词，在以"せっかく…からには"、"せっかく…けれども"等形式使用时，各自表示什么意思呢？再如，"…にしてからが"、"…にしたところ"等是以怎样一种构想来使用的呢？"…ともかぎらない"、"…わけではない"、"…にちがいない"等形式在句子中添加了哪些意义呢？等等，以上列举的这些形式在以往的词典里并没有得到充分的解释。

　　在这一部词典当中，我们用"与句子、句节的意义·功能·用法相关的形式"这样一个宽泛的框架来把握句型，并试图简明易懂地记述它们在场景和语境中的使用方法。如果你想查一些在以往的词典中难以查到词语时，或者是想得到一些以往的词典所没有的信息时，那么，我们这部词典就将发挥出她应有的威力。

　　这部词典收录了日本《中·高级日语教科书句型索引》（砂川有里子等编）和由日本国际交流基金·日本国际教育协会举办的日语能力考试1·2级考题标准"语法功能词类解说"中的所有句型，并在此基础上，加进了编者从报刊·杂志·小说·电影剧本等收集到的各类句型，总共3000条。可以说相当广泛地函盖了对中级以上的日语学习者构成问题的句型。在编写注释方面，我们除了注意到要言简意赅，尽量做到使将日语作为外语来学习的人也能看懂以外，还特别留意了以下几点。

（1）为了能使读者通过例句弄懂用法，尽量准备了较多的例句。
（2）尽量做到不使用常用汉字表规定以外的汉字，并在汉字上标注了读音假名。
（3）为了提醒读者同时能注意到容易出错的地方，根据需要在解说中出示了一些误用例句。

（4）在解说当中，着重于句型的构造、句型的使用场景、以及类义表达方式的不同使用方法等，尽量涉及到有助于日语学习的各类事项。

（5）在本词典中积极收录了如 "なんていったっけ" 中的 "っけ"、"できっこない" 中的 "っこない" 等口语中的特殊表达方式。

（6）为了便于查找，本词典为读者准备了 "50音序索引" "末尾音逆序索引"、"意义・功能项目索引" 等3种索引。

这部词典从构思开始到现在已经经历了八年的岁月。我们这些有点心血来潮的编著者之所以能最后完成这项工作，多亏了有来自多方面的支持和鼓励。特别要提到的是，如果不是黑潮出版社的福西敏宏先生不惜放弃节假日甚至一年到头加班加点，恐怕这部词典也就不可能完成吧。同时也承蒙三户弓子、佐藤阳子两位女史的关照。在此，我们向以阿部二郎先生为首的全体编辑合作人员，以及平常一直和我们共同探讨有关此词典问题的朋友、同事们表示衷心的感谢。

衷心祝愿这部词典能对作为外语而学习日语的每一个学生，对从事日语教学的各位教师，以及对日语用法感兴趣的每一位读者都能发挥出应有的作用。

一九九八年二月

全体编著者

编著者：佳码析疑研究小组（注）
　　　　砂川有里子（代表）　驹田聪　下田美津子　铃木睦　筒井佐代
　　　　莲沼昭子　别凯休・安德烈　森木顺子
编辑合作者：
　　　　阿部二郎　小野正树　龟田千里　高木阳子　成濑真理　守时孼

（注）：研究小组的日文原名为 "グループ・ジャマシイ"。据介绍，这个名称只是取自几位编著者名字的字头组合而成，没有什么特别的意思，我们翻译时，也是取其音译。但从字面上也可以解释为 "好的代码＜佳码＞可以释疑＜析疑＞"。（——译者）

体 例

本词典的结构与用法

1 句型条目分为"大条目""中条目""小条目"三种，如下例所示，中条目标记为"1、2、3"，小条目标记为"a、b、c"。
2 语法信息在中条目、小条目后用符号标出。如果在条目中使用语法符号过于繁杂时，在[ ]内标出。
3 中文相应注释一般记在最基础的小条目后面，无小条目时记中条目后面，无中条目时记大条目下面。

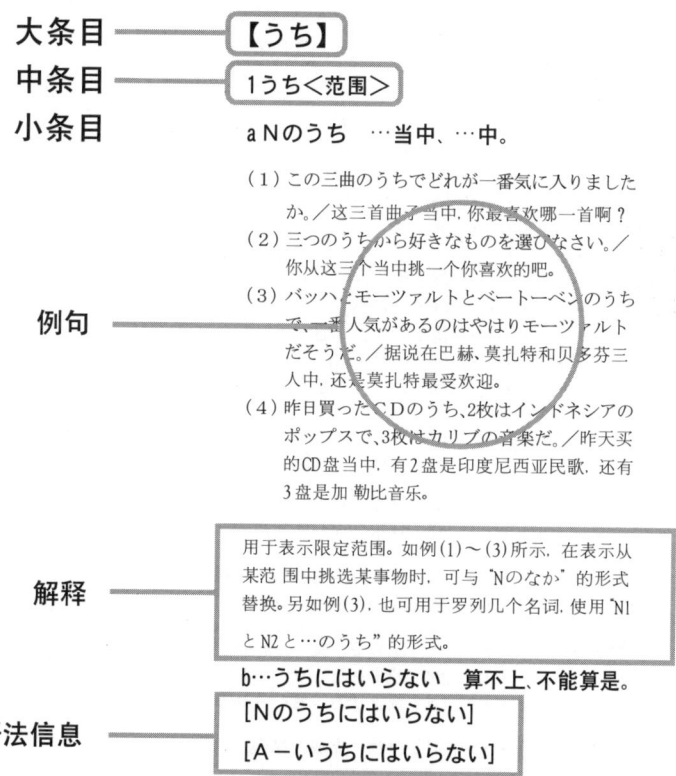

大条目 —— 【うち】
中条目 —— 1うち＜范围＞
小条目 —— a Nのうち　…当中、…中。

（1）この三曲のうちでどれが一番気に入りましたか。／这三首曲子当中，你最喜欢哪一首啊？
（2）三つのうちから好きなものを選びなさい。／你从这三个当中挑一个你喜欢的吧。
（3）バッハとモーツァルトとベートーベンのうちで、一番人気があるのはやはりモーツァルトだそうだ。／据说在巴赫、莫扎特和贝多芬三人中，还是莫扎特最受欢迎。
（4）昨日買ったCDのうち、2枚はインドネシアのポップスで、3枚はカリブの音楽だ。／昨天买的CD盘当中，有2盘是印度尼西亚民歌，还有3盘是加勒比音乐。

例句 ——

解释 —— 用于表示限定范围。如例(1)～(3)所示，在表示从某范围中挑选某事物时，可与"Nのなか"的形式替换。另如例(3)，也可用于罗列几个名词，使用"N1とN2と…のうち"的形式。

b …うちにはいらない　算不上、不能算是。

语法信息 —— [Nのうちにはいらない]
[A－いうちにはいらない]

4 大条目按照日语50音序列排序，其下属的中条目、小条目不受此限制。

5 如"てはいけない"、"とする"等复合程度较高的形式，本词典均按照原样设立了条目。如果是在普通的国语词典中，一般要查"いけない""する"词条，而本词典是在"てはいけない"、"とする"的条目下进行记述的。当然从"いけない"、"する"条目中去查，也能查到。总之，请读者按照想到的形态去直接查找。

6 在本词典卷尾设有"50音序索引"、"末尾音逆序索引"，并以附录的形式附设了"意义・功能项目索引"。在难以查到想查的条目时，或者想借助于意义和功能了解某种句型表达方式时，抑或是想从末尾音的形式来检索句型时请充分利用。

语法用语一览

＜词类及其他＞

名词 ・・・・・・・・ 例：花、希望
形容词 ・・・・・・・・ イ形容词、ナ形容词
イ形容词 ・・・・・・・ 例：暑い、面白い
ナ形容词 ・・・・・・・ 例：きれいだ、元気だ
动词 ・・・・・・・・・ 例：書く、話す、寝る
助词 ・・・・・・・・・ 例：が、を、は、も
副词 ・・・・・・・・・ 例：たくさん、のんびり、きっと
数量词 ・・・・・・・・ 例：ひとつ、一人、100グラム
量词 ・・・・・・・・・ 例：…人、…冊
数词 ・・・・・・・・・ 例：1、2、3
疑问词 ・・・・・・・・ 例：なに、どこ、いくつ

イ形容词词干 ・・・・ 例：暑、おもしろ
ナ形容词词干 ・・・・ 例：きれい、元気

五段动词 ・・・・・・・ 例：書く、話す、休む
一段动词 ・・・・・・・ 例：見る、食べる、寝る

自动词 ・・・・・・・・ 例：走る、生まれる、休む
他动词 ・・・・・・・・ 例：飲む、使う、見る

可能形 ・・・・・・・・ 例：読める、食べられる
被动形 ・・・・・・・・ 例：読まれる、食べられる
使役形 ・・・・・・・・ 例：読ませる、食べさせる

表示动作的名词 ・・・ 例：運動、完成、修理

动作的施事 ・・・・・ 例："お父さんが叱った／お父さんに叱られた"中的"お父さん"

＜文体与活用形＞

（1）简体

	名词＋だ	ナ形容词	イ形容词
词典形	休みだ	きれいだ	おもしろい
夕形	休みだった	きれいだった	おもしろかった
テ形	休みで	きれいで	おもしろくて
バ形	休みならば	きれいならば	おもしろければ
否定形	休みじゃない	きれいじゃない	おもしろくない
	休みではない	きれいではない	

	五段动词	一段动词	来る	する
词典形	書く	見る	くる	する
连用形	書き	見	き	し
夕形	書いた	見た	きた	した
テ形	書いて	見て	きて	して
バ形	書けば	見れば	くれば	すれば
否定形	書かない	見ない	こない	しない
命令形	書け	見ろ	こい	しろ
意向形	書こう	見よう	こよう	しよう

（2）敬体

	名词＋です	ナ形容词	イ形容词
词典形	休みです	きれいです	おもしろいです
夕形	休みでした	きれいでした	おもしろかったです
否定形	休みじゃないです	きれいじゃないです	おもしろくないです
	休みじゃありません	きれいじゃありません	おもしろくありません
	休みではないです	きれいではないです	
	休みではありません	きれいではありません	

	五段动词	一段动词	来る	する
マス形	書きます	見ます	きます	します
夕形	書きました	見ました	きました	しました
テ形	書きまして	見まして	きまして	しまして
否定形	書きません	見ません	きません	しません
命令形	書きなさい	見なさい	きなさい	しなさい
意向形	書きましょう	見ましょう	きましょう	しましょう

符号一览

＜与语法相关的符号＞

（1）名词

  N ・・・・・・ 名词 ・・・・・・・ 例：花、人、希望、昨日あった人、人にあったこと

（2）ナ形容词

  Ｎａ ・・・・・ ナ形容词词干・・・ 例：きれい、静か、元気

（3）イ形容词

  A ・・・・・・ 简体イ形容词・・・ 例：暑い、暑くない、暑かった
    例如："Aそうだ"表示"暑いそうだ、暑くないそうだ、暑かったそうだ"等。

  A－ ・・・・・ イ形容词词干・・・ 例：暑、おもしろ、楽し
    例如："A－そうだ"表示"暑そうだ、おもしろそうだ、楽しそうだ"等。

  A－い ・・・・ イ形容词词典形・・ 例：暑い、おもしろい、楽しい

  A－く ・・・・ イ形容词ク形・・・ 例：暑く、おもしろく、楽しく

  A－くない ・・ イ形容词否定形・・ 例：暑くない、おもしろくない、楽しくない

  A－くて ・・・ イ形容词テ形・・・ 例：暑くて、おもしろくて、楽しくて

  A－かった ・・ イ形容词タ形・・・ 例：暑かった、おもしろかった、楽しかった

  A－かろう ・・ イ形容词推量形・・ 例：暑かろう、おもしろかろう、楽しかろう

  A－かったろう ・・ イ形容词过去推量形・・・
    例：暑かったろう、おもしろかったろう、楽しかったろう

  A－ければ ・・ イ形容词バ形・・・ 例：暑ければ、おもしろければ、楽しければ

（4）动词

  V ・・・・・・ 简体动词 ・・・・ 例：書く、書かない、書いた
    例如："Vそうだ"表示"書くそうだ、書かないそうだ、書いたそうだ"等。

  R－ ・・・・・ 动词连用形(动词マス形去掉マス的形式)
    例：書き、読み、見、来、し
    例如："R－そうだ"表示"書きそうだ、読みそうだ、見そうだ、きそうだ、しそうだ"等。

  V－る ・・・・ 动词词典形 ・・・ 例：書く、読む、見る、来る、する

  V－た ・・・・ 动词タ形 ・・・・ 例：書いた、読んだ、見た、来た、した

Vーたろう‥	动词过去推量形・	例：書いたろう、読んだろう、見たろう、来たろう、したろう
Vーない‥‥	动词否定形‥‥	例：書かない、読まない、見ない、こない、しない
Vーて‥‥	动词テ形‥‥	例：書いて、読んで、見て、来て、して
Vーば‥‥	动词バ形‥‥	例：書けば、読めば、見れば、来れば、すれば
Vーよう‥‥	动词意向形‥‥	例：書こう、読もう、見よう、来よう、しよう
Vーれる‥‥	动词可能形‥‥	例：書ける、読める、見られる、来られる、できる
Vーられる‥	动词被动形‥‥	例：書かれる、読まれる、見られる、来られる、される
Vーさせる‥	动词使役形‥‥	例：書かせる、読ませる、見させる、来させる、させる

＜其他符号＞

／‥‥‥ 表示"或者"的意思。
　　例："Ｎ／Ｎaになる"表示"Ｎになる"或者"Ｎaになる"，"Ｖーた あとに／で"表示"Ｖーたあとに"或者"Ｖーたあとで"。另外，在例句翻译中，"／"放在中日文之间，以示区别。
　　例如："この三曲のうちでどれが一番気に入りましたか。／这三首曲子当中，你最喜欢哪一首啊？"

（　）‥‥‥ 表示其中的成分"可有可无"的意思。
　　例："それゆえ（に）"表示使用"それゆえ"和"それゆえに"都可以。

《　》‥‥‥ 表示例句所使用的场面和状况。
　　例：《手紙》まずご報告まで／《信函》特此报告

［　］‥‥‥ 表示关于该句型的语法信息。
　　例：［あまりＶーない］

＜　＞‥‥‥ 表示该句型的意义或功能等。
　　例：…みたい＜推量＞、Ｖーてくれない（か）＜委托＞：

（例）‥‥‥ 表示解说中的例句。
（误）‥‥‥ 表示使用错误的例句。
（正）‥‥‥ 表示使用正确的例句。
　→‥‥‥ 表示希望参照的项目。
下带数字‥ 用于相同形式设有两个以上的大条目时。
　　例：【のに₁】【のに₂】

『日本語文型辞典』中国語版への序文

　本書は、企画を始めた段階では、日本語を外国語として教えたり学んだりする人が主な対象となるだろうと想定しておりました。しかし、出版されてみると、日本語を母語とする学生や一般の方たちから大きな反響があり、編集者たちを大いに驚かせ、かつ喜ばせてくれました。その一方で、私たちが第一の利用者として想定した日本語を母語としない読者のために、彼らの母語による辞典を出せたらどんなによいだろうと考え続けておりました。その願望がこんなに早く実現することになろうとは、出版当初、考えてもみませんでした。これだけの分量の本を短期間で適切な中国語に訳してくださった訳者の方々のご努力に、心から感謝申し上げます。

　この辞典をまとめるときに心がけたことは、なるべく解説を簡潔にして、その代わりに多くの用例を載せようということと、用例は日本を知らない人にも分かりやすく、かつその使用の場面が想像しやすいものを作ろうということでした。また、探したい表現を見つけやすくするために、見出しや索引の工夫もいたしました。これらの工夫が読者のお役に立つことを望んでおります。

　中国語版が出たことで、より多くの中国の方たちにご利用いただけるようになり、編集者一同大いに喜んでおります。また、この辞典を介して日本語に関心を持つ中国の読者と日本の読者との間に意見交換の機会が増えますことを心から祈っております。

砂川有里子

《日本语句型词典》中文版序言

早在这部词典的策划阶段，我们就设定了，我们这部词典的主要对象是，把日语作为外语来进行教学、学习的读者。然而，没想到词典一经出版，首先在母语为日语的日本学生和日本的普通读者之间得到了巨大的反响。作为编者，我们在感到惊喜的同时也感到无比的高兴。另外，我们也还时时刻刻盼望着，能为我们最初设定的首要读者，即日语为非母语的读者们，尽快地出版以他们的母语为注解的词典，那该多好啊！而令我们更加惊喜的是，没想到我们的这一愿望竟能如此迅速地得以实现。我们从内心里，向能在这么短的期限之内，将这部词典准确无误地翻译成中文的每一位参与翻译的老师们，表示深深的感谢。

在编写这部词典的时候，我们特别注意要做到以下几点。即注释讲解要做到言简意赅，尽可能收录丰富多采的例句，而且这些例句，最好是对那些不很了解日本的读者来说，也能比较容易理解，容易想像它们的实际使用场面。另外，为了便于读者查找自己需要的句型和表达方式，我们在句型条目和索引的设置上也费了一番功夫。但愿我们的这些努力，能为读者们带来更多的方便。

我们非常高兴地看到，由于本词典中文版的问世，可以有更多的中国朋友们使用我们这部词典。同时，我们也衷心期待着，通过我们这部词典，能进一步促进对日语感兴趣的中国读者和日本读者之间的交流和友谊。

砂川有里子

日本語句型辞典

【あいだ】

1 Nのあいだ

a Nのあいだ＜空間＞ 之间、中间。

（1）ステレオと本棚の間にテレビを置いた。／把电视机放在了音响和书架的中间。

（2）古本を買ったら、ページの間に1万円札がはさまっていた。／买了一本旧书，发现书页中间夹着一张1万日元的钞票。

（3）大阪までの間のどこかで駅弁を買って食べよう。／在到大阪之间的某一站，买一个盒饭吃吧。

表示夹在两个地方或两个东西之间的空间。如要表示出双方时，按例（1）使用"NとNのあいだ"的形式。

b Nのあいだ＜関係＞ 之间、中。

（1）最近二人の間はうまくいっていないようだ。／最近他俩的关系好像不太好。

（2）そのホテルは安くて清潔なので、旅行者たちの間で人気がある。／那家饭店既便宜又干净，所以在顾客中很受欢迎。

（3）二つの事件の間にはなにか関係があるらしい。／这两起案件之间好像有什么关联。

表示"在几个人或几件事之间的关系"。用于叙述在其关系中的状态、动作，以及在其间发生的事情。

2 あいだ＜時間＞

a …あいだ 期间、时、时候。

[Nのあいだ]
[A-いあいだ]
[V-ている／V-るあいだ]

（1）彼は会議の間ずっといねむりをしていた。／开会期间他一直在打瞌睡。

（2）彼女が戻ってくるまでの間、喫茶店で本を読むことにした。／在等她返回来的这一段时间里，我决定在咖啡店看书。

（3）一生懸命泳いでいる間はいやなことも忘れてしまう。／在拼命游泳的时候，一些心烦的事情也就都忘掉了。

（4）子供が小さい間は、なかなか夫婦での外出ができなかった。／孩子小的时候，夫妻两人很难有机会一起出门。

（5）友子は、大阪にいる間は元気だったが、東京に引っ越したとたんに体をこわしてしまった。／友子住在大阪时身体一直很好，刚一搬到东京就把身体搞坏了。

（6）私たちがお茶の用意をする間、彼らは緊張して一言もしゃべらずに座っていた。／在我们准备茶水时，他们一直神情紧张地坐在那里，一句话也不说。

表示持续某种状态、动作的期间。后续句子为表示在其间持续的某种状态或同时采取的某种动作。后续句中的谓语为表示动作的动词时，多为"V-ている"、"V-つづける"等表示继续意义的形式。

（誤） 私が勉強している間、弟は遊んだ。
（正） 私が勉強している間、弟は遊んでいた。／在我作功课的期间，弟弟一直在玩儿。

在表示过去的事情时，也可以使用"V－ていた／A－かった"的形式。

（例） 彼はドイツに留学していた間、スウェーデン人の女の子と一緒に生活していたらしい。／他在德国留学期间好像一直和一个瑞典女孩子生活在一起。

b …あいだに　之间，趁…时候。

[Nのあいだに]
[Naなあいだに]
[A－いあいだに]
[V－ている／V－る　あいだに]

（1） 留守の間にどろぼうが入った。／不在家的时候，家里被小偷给偷了。
（2） 4時から5時までの間に一度電話をください。／请在4点到5点之间给我打一个电话。
（3） 家族がみんな寝ている間に家を出ることにした。／我决定趁家里人都睡了的时候离开家。
（4） リサが日本にいる間に一緒に旅行したかったのだが、残念ながらできなかった。／本想趁莉莎在日本的时候一起去旅行，但可惜的是没有能够实现。
（5） 私がてんぷらを揚げる間に、母はおひたしと酢の物と味噌汁まで作ってしまった。／就在我炸天妇罗这会儿功夫，母亲焯了菜、做了醋腌小菜，甚至把大酱汤也都做好了。
（6） あそこも日本人旅行者が少ない間に行っておかないと、きっとすぐに開発されて日本人だらけになるだろう。／那个地方也一样，如果不趁着日本旅行者还不多的时候赶紧去，肯定很快就会被开发，到时就挤满日本人了。
（7） 祖母が元気な間にいろいろ話を聞いておこう。／趁祖母身板儿还硬朗的时候，把这些事情都问问清楚吧。

表示持续某种状态、动作的期间。后续句子为表示在其时间内采取的某种动作或发生的某种事态等。后续句中的谓语为动词时，多为"…する"、"…しはじめる""…になる"等表示非继续意义的形式。

（誤） 授業の間にずっとおしゃべりをしていた。
（正） 授業の間に3回質問をした。／上课的时候提了3次问题。

在表示过去的事情时，也可以使用"…たあいだに"的形式。如例（5）那样，前后动作者不是同一人物时，则表示两人的动作同时进行的意思。

【あいまって】
→【とあいまって】

【あえて】
1 あえて（即使…）　还是要、敢。

4 あえて

(1) 私はあえてみなさんに規則の見直しを提案したいと思います。／我还是要提请大家重新考虑一下这一条规则。
(2) 誰も助けてくれないかもしれないが、それでもあえてこの計画は実行に移したいと思う。／也许谁都不帮我，即使这样，我也还是要实行这一计划。
(3) 恥を忍んであえてお聞きしますが、今のお話のポイントは何だったのでしょうか。／有点不好意思，但还是敢问您，您刚才讲的重点是什么啊。
(4) 反感を買うのを承知であえて言いたいのは、彼らにこの仕事を任せるのはリスクが大きいということだ。／明知会招来反感，但我还是要说，把这项工作交给他们风险太大。
(5) これができるのはあなたしかいないから、負担をかけることはわかっていても、あえてお願いしているのです。／因为只有你能做这项工作，所以明知会给你增加负担，但我还是得求你。

与"言う／提案する／お願いする"等表示发表意见等的动词或"やる／実行する"等动词一起使用，表示"这样做会招来别人的反感，或伴随很多困难和危险，但即使是这样，自己仍想这样做或认为应该这样做"的意思。用于强调自己的主张或坚持自己的看法。

2 あえてV-ば　勉强说，非要说。

(1) 反対されるのを承知であえて言えば、こんな計画は百害あって一利なしだ。／我知道有人要反对，但还是得说，这个计划有百害而无一利。
(2) 少々言いにくいことなのですが、あえて言わせていただければ、お宅のお子さんは他の学校に変わられた方がいいのではないかと思うのですが。／这话有点不好说，勉强让我说的话，我觉得你们家孩子最好换一所学校。
(3) この映画はあまりストーリー性がないのだが、あえて説明すれば、二組のカップルがあちらこちらを旅して回り、行く先々で事件が起こるというものだ。／这部电影没有什么情节性，非要解释一下的话，那就是描写有两对情人在各地周游，而在他们的所到之处发生了种种案件。
(4) まだこのプロジェクトの方針は漠然としているのだが、あえて言うとすれば、環境破壊が進んでいる地域に対して、民間の援助によってそれを食い止めようというものだ。／这一项目方针还很不确定，勉强解释一下，就是对于环境遭到破坏的地区，

依靠民间的援助阻止其继续遭受破坏。

与"言う／お話しする／説明する"等表示发表意见的动词一起使用。在想进行反驳或提出批评意见，抑或是不好明确表达意见时，作为一种引言或开场白使用。

3 あえて…ない　并(不)、没必要。

（1）そのやり方にあえて反対はしないが、不満は残っている。／我并不反对这种作法，但还是有意见。

（2）相手が偉い先生だからといって、あえてへりくだる必要もない。／没有必要因为对方是个知名学者就卑躬屈膝。

（3）親に反対されてまで、あえて彼と結婚しようとは思わない。／我并不想为了和他结婚而和父母闹翻了。

（4）みんなに嫌がられてまで、あえて自分の方針を押し通すこともないじゃないか。／没有必要为了坚持自己的主张而招致大家的反对嘛。

后续"する必要もない／することもない／しようとは思わない"等表达方式，表示如果这样做将遭到别人的反对或招致他人的反感，因而没有必要去冒这个险或不该这样做的意思。

【あがる】

1 R-あがる＜向上＞　…起来、向上…。

（1）彼は立ち上がってあたりを見回した。／他站起身来向四周看了看。

（2）妹は帰ってくるなり階段を一気にかけ上がって、自分の部屋に飛び込んだ。／妹妹一回来就一口气跑上了楼梯，钻进了自己的房间。

（3）彼女はライバルを押しのけて、スターの座にのしあがった。／她战胜了竞争对手，登上了明星的宝座。

（4）政治学の先生はひたいがはげ上がっている。／教政治学的老师有点谢顶。

（5）冬休みにみんなで温泉に行こうという計画が持ち上がった。／有人提出了一个寒假大家一起去温泉旅行的计划。

（6）ツアーの申し込み人数が少なすぎるので、家族連れで参加できることにしたら、人数が倍以上にふくれ上がって旅行会社は困っている。／由于申请旅行的人数太少，我们决定可以带家属去，结果人数一下子涨出了一倍多，使得旅行社很不好办。

（7）彼女はボーイフレンドにプロポーズされてすっかり舞い上がっている。／男朋友向她求婚，使她高兴得跳了起来。

（8）自分がリーダーになればみ

6　あくまで

んなついてくるに決まっているだって？思い上がるのもいい加減にしろ。／你以为你当了领导大家就肯定都跟着你干？你也别太自以为是了。

接在动词的连用形后面，表示动作、移动等向上或朝着上面的方向。例（5）～（8）是向上的比喻表达方式。

2 R-あがる＜极端的程度＞ （表示极端程度）。

（1）長い間雨が降らないので、湖も干上がってしまった。／由于长时间没有下雨了，湖水都干枯了。

（2）店員は男にピストルを突きつけられてふるえ上がった。／店员被抢劫犯用手枪顶住浑身发抖。

（3）ふだんほとんど叱らない先生をバカにしていた生徒は、タバコを吸っているのを見つかって大声でどなりつけられ、縮み上がっていた。／有个学生，平时专门气一个几乎从不训斥学生的老师，结果有一次他抽烟被那位老师发现大骂了一顿，吓得他不敢再说话了。

（4）その俳優は、たいして演技もうまくないのに周りの人たちにおだてられて、自分は誰よりも才能があるんだとのぼせ上がっている。／这演员演技并不高明却被周围的人吹捧，结果他就骄傲起来，以为自己比谁都有才能呢。

接在动词的连用形后面，表示该动词所表示的事态已发展到极端的程度。能适用的动词有限。

3 R-あがる＜完成＞　好、完。

（1）パンがおいしそうに焼きあがった。／面包烤得很香。

（2）みんなの意見を取り入れて、とても満足のいく旅行プランができあがった。／听取了大家的意见，制定出了一个非常满意的旅行计划。

（3）スパゲッティがゆであがったら、すばやくソースにからめます。／把意大利面条煮好了以后要马上浇上辣酱油。

（4）注文していた年賀状が刷りあがってきた。／订的贺年片都印好了。

接在动词的连用形后面，表示动作的完成。一般接在"編む／编织"、"練る／搅拌"、"刷る／印刷"等表示制作东西的他动词的后面，唯有自动词"できる"例外。

【あくまで】

1 あくまで（も）＜意志＞　无论如何、自始自终。

（1）私はあくまでもこの方針を貫くつもりだ。／我无论如何都要坚持贯彻这一方针。

（2）国連はあくまでも平和的な解決に向けて話し合いを続ける考えです。／联合国自始至终认为要继续通过谈判以

（3）彼はあくまでも知らぬ存ぜぬで押し通すつもりらしい。／他可能要自始至终坚持一问三不知的态度。
（4）彼女があくまでいやだと言い張ったので、他の候補を探さなければならなくなった。／她始终坚持说不愿意，所以不得不另外找候选人。

后续表示意志行为的动词，表示无论遇到什么困难，有谁反对，都要把自己的想法贯彻到底的坚强意志。是一种较生硬的表达方式。

2 あくまで（も）＜主张＞ 终归、到底。
（1）私が今申し上げたことはあくまでも試案ですので、そのおつもりで。／我刚才给您介绍的终归是一种草案，请您记住这一点。
（2）それはあくまでも理想論に過ぎず、実現は不可能なのではないか。／那终归不过是一种理想，是不可能实现的吧。
（3）この家はあくまでも仮の住まいで、ここに永住するつもりはない。／这个房子终归是个临时住处，我不打算在这里常住。
（4）断っておくが、彼とはあくまでも仕事の上の仲間でしかなく、それ以上の個人的なつきあいはいっさいしていないのだ。／我事先声明，我

和他只是工作上的关系，绝没有其他任何私人交往。

表示就某一件事，自己有信心并强烈主张或肯定的判断。一般多用于否定、修正原来的预想或者是听话人所持有的判断、信念、期待等。

3 あくまで（も）＜强烈的程度＞（表示彻底的程度）。
（1）空はあくまでも青く澄み渡り、砂浜はどこまでも白く続いていた。／天空蔚蓝透彻，沙滩一片白茫茫。
（2）どんなに疲れている時でも、彼はあくまでも優しかった。／无论多么累的时候，他都是那样的和蔼可亲。
（3）あくまで広い見渡すかぎりの菜の花畑の中に、真っ赤な服を着た女の子が一人立っていた。／在一望无际的油菜花盛开的田间，站着一个身穿鲜红衣服的小女孩。

表示彻头彻尾的状态。是一种带有文学色彩的表达方式。

【あげく】

1 …あげく 结果、最后。
[Nのあげく]
[V-たあげく]
（1）さんざん悩んだあげく、彼には手紙で謝ることにした。／苦苦思索的结果，决定写信向他道歉。
（2）考えに考えたあげく、この家を売ることに決めた。／经过

反復考慮,最后决定把这所房子卖掉。
(3) 弟は6年も大学に行って遊びほうけたあげくに、就職したくないと言い出した。/弟弟上大学以后,整整玩儿了6年,最后竟说出他不想工作。
(4) それは、好きでもない上司の御機嫌を取ったり、家族に当たり散らしたりの大騒ぎをしたあげくの昇進であった。/他在公司讨好并不喜欢的上司,回到家里来就对家里人发火,这样闹腾的结果才好容易升官了。
(5) 姉は籍を入れないだの一緒に住まないだのと言って親と対立し、すったもんだのあげくにようやく結婚した。/姐姐和父母吵闹不休,一会儿说不入户籍啦,一会儿提出不能一块儿住啦,最后好不容易才算结了婚。

后续表示某种事态的表达方式,表示前述状态持续以后的结局、解决方法及发展的意思。多用于该状态持续后造成精神上的负担或带来一些麻烦的场合。也可如例(5)用"あげくに"的形式。用于名词前时,如例(4)用"あげくのN"的形式。

2 あげくのはてに(は)　到末了、最后。
(1) 部長はますます機嫌が悪くなり、あげくの果てには関係ない社員にまでどなり散らすようになった。/部长脸色越来越难看,到末了甚至对毫不相干的职员大动肝火。
(2) 彼女は我慢に我慢を重ねたあげくの果てに、私のところに相談に来た。/她忍了又忍,最后忍不住了还是来找我商量了。

用于表示某种状态长期持续,达到极限后所导致的结果。多用于表示不好的状态。

【あげる】
1 R-あげる＜向上＞　起、起来。
(1) 男は大きな岩を軽々と持ち上げた。/那男人轻而易举地把那块大岩石搬了起来。
(2) 先生に漫画の本を取り上げられた。/被老师把连环画书给没收了。
(3) 彼女が髪をかき上げる仕草を見ているのが好きだ。/我喜欢看她用手撩起头发的动作。
(4) 彼女はあたりかまわず声をはり上げて泣きわめいた。/她肆无忌惮地大声嚎哭起来。
(5) その土地は自治体が買い上げて大きな遊園地を作ることに決まった。/已经决定由地方自治团体将这片土地购买并建造一座大型游乐园。

接在动词连用形后,表示将对象物

向上移动的动作。也用于如例（4）、（5）比喻动作。

2 R－あげる＜完成＞ 好、完、成、起来。

（1）大事なお客さんが来るので、母は家中をぴかぴかにみがき上げた。／因为家里要来贵客，母亲把家里擦得油光锃亮。

（2）彼は原稿用紙500枚の小説を一気に書き上げた。／他一气呵成地写完了一部足有500页稿纸的小说。

（3）クリスマスまでに何とかセーターを編み上げてプレゼントしようと思っていたのに。／本想在圣诞节之前一定要把这件毛衣织好送给他，可是…。

（4）刑事は犯人をロープで身動きできないようにしばり上げた。／刑警用绳索把罪犯捆了起来，叫他动弹不得。

（5）みんなで一晩中かかってまとめ上げたデータが何者かに盗まれた。／大家花了一夜时间整理好的数据不知被谁给偷去了。

（6）この織物は草や木の根などを集めてきて染めた糸で丹念に織り上げたものだ。／这种纺织品是用草和树根染成的线精心纺织而成的。

（7）何年もかかって築き上げてきた信頼が、たった一度の過ちで崩れてしまった。／经过多年建立起来的信誉，只因为一次过失就完全给毁了。

接在动词连用形后面。表示该动作完全做完。接如"書く"、"編む"等表示制作动词后时，表示制作完毕。多含有经过一番努力而完成的意思。

3 R－てあげる →【てあげる】

【あたかも】

　　就像、好像、宛如。

[あたかもＮ（であるか）の　ようだ]
[あたかもＮ（であるか）の　ごとし]
[あたかもＶかの　ようだ]
[あたかもＶかの　ごとし]

（1）その日はあたかも春のような陽気だった。／那天就像春天一样阳光明媚。

（2）人生はあたかもはかなく消える夢のごときものである。／人生宛如瞬间即逝的一场梦。

（3）彼は、あたかも自分が会の中心人物であるかのように振る舞っていた。／他的一举一动就好像他是这个会的中心人物似的。

（4）彼女はいつも、あたかも目の前にその光景が浮かび上がってくるかのような話し方で、人々を魅了する。／她所讲的一切，总是就像发生在眼前的真事一样，使听众

们倾倒。
（5）その人は、あたかもファッション雑誌からそのまま抜け出してきたかのような最新流行のファッションで全身を飾って、パーティーに現れた。／那人浑身上下穿着最时髦的时装，宛如刚从时装杂志上剪下来的人似地出现在晚会上。
（6）大火事がおさまると、街はあたかも空襲で焼き払われたかのごとく、ビルも家も跡形もなく燃え尽きてしまっていた。／大火熄灭以后，整个城镇就像刚刚遭受过空袭一样，建筑、房屋全都被烧尽了。

用于以某一种状态比喻说明另一种状态，表示虽不一样却非常相似的意思。口语中很少使用，多用于小说等书面语言。口语中则使用"まるで"、"ごとし"是文言。其词尾变化形式为"ごとき"、"ごとく"。

【あっての】

有…才…，没有…就不能（没有）…。
[NあってのN]
（1）学生あっての大学だ。学生が来なければ、いくらカリキュラムが素晴らしくても意味がない。／有学生才能称得上是大学。如果没有学生来，课程设置安排得再好也没有意义。
（2）私を見捨てないでください。あなたあっての私なんですから。／请不要抛弃我。因为没有你我是活不下去的。
（3）お客あっての商売なんだから、まずお客さんのニーズに応えなければならないだろう。／我们这个买卖只有来了顾客那才叫做买卖。所以必须首先满足顾客的需求。

以"XあってのY"的形式表示"因为有了X所以Y才成立"的意思。也含有"如果没有X，Y就不能成立"的意思。"X"一般多为表示人物的名词。

【あと₁】

1 あと＜空間＞　后面、后边。
[Nのあと]
[V-る／V-た　あと]
（1）みんな私の後についてきてください。／大家请跟我来。
（2）彼が走っていく後を追いかけた。／他跑过去以后，我跟在后面追上去。
（3）観光客が去ったあとには、お菓子の袋や空きかんが散らばっていた。／游客走后，散落了一地点心袋和空饮料罐儿。
（4）チューリップを抜いたあとに見たこともない草が生えてきた。／在拔掉郁金香的地方长出了一种从没见过的草。

表示在空间上某物体后面的意思。例（4）表示的是"在拔掉以后原来的地方"，也可以解释为2 b＜时间＞的用法。以下举例以"…をあとにして"的形式表

示"离开…"的意思。
（例）　彼は、ふるさとの町を後にして、都会へ出ていった。／他离开了自己的家乡到大城市去了。

2あと＜时间＞
a…あと　以后。
[Nのあと]
[V-たあと]
（1）　試験の後はいつも気分が落ち込む。／每次考试以后总是情绪低落。
（2）　今日は夕食の後、友達と花火をすることになっている。／今天晚饭以后，我要和朋友们一起放花。
（3）　パーティーが終わったあとの部屋はとても散らかっていた。／晚会结束以后，屋子里一片狼籍。
（4）　彼はアルバイトをやめたあと、特にすることもなくて毎日ぶらぶらしている。／他辞去了那份临时工作以后，没有什么特别要做的事情，每天无所事事。
（5）　彼女は新しい上司についてひとしきり文句を言ったあとは、けろっとして何も不満がないかのように働いていた。／她就新上司发了一通牢骚以后，好像就没意见了似的，又满不在乎地干起活来。

表示某一事情结束以后的阶段，后续当时的状态或下面发生的事情。

b…あと（で／に）以后。
[～のあと　で／に]
[V-たあと　で／に]
（1）　田中さんにはお世話になったから、引っ越しの後で改めてお礼にうかがおう。／我深受田中先生照顾，所以搬完家以后我要去正式致谢。
（2）　映画を見たあとでトルコ料理を食べに行きましょう。／看完电影以后，咱们去吃土耳其料理吧。
（3）　友達と旅行の約束をしてホテルも予約してしまったあとで、その日が実は出張だったことを思いだした。／和朋友约好去旅行而且都订好了饭店以后，这才想起来那天自己得去出差。
（4）　食事を済ませたあとに1時間ほど昼寝をした。／吃过饭以后睡了1个小时午觉。
（5）　みんなが帰ってしまったあとには、いつも寂しい気持ちにおそわれる。／大家走了以后总感到一种寂寞。
（6）　詳しい釈明を聞いた後にも、やっぱりおかしいという疑念は残っていた。／听了他的详细解释以后，仍然有一些疑虑。

表示"那以后"的意思。用于按照时间顺序叙述事情的发生经过。

c V-たあとから…（结束）以后（再）…。
（1）　募集を締め切ったあとから

応募したいと言ってこられても困る。／招聘都截止了，你又说要报名，这可办不了。
(2) 新製品の企画を提出したあとから、新しい企画は当分見合わせたいと上司に言われてがっかりした。／提交了新产品计划书以后，上司告诉我暂时不想搞新产品了，真是当头一棒。

表示"某事完全结束了以后"的意思。用于叙述其后发生与之相反事态的场合。

【あと2】

1 あと　另外、除此之外。
(1) 料理はこのくらいあれば十分ですね。あと、飲み物はこれで足りますか。／我看菜这些就够了吧。另外，饮料这些够吗？
(2) 以上でだいたい分かったと思いますが、あと、何か質問はありませんか。／通过以上讲解，我想大家基本上都明白了。除此之外，还有什么问题吗？
(3) A：メンバーはこれだけですね。／参加的人就这些了吧。
B：あ、あと、もしかしたら田中さんも来るかもしれないと言っていました。／啊，另外，田中也

说没准儿可能会来。

出现在句子或段落的开头。在会话中，用于根据情况想起必要的事情而进行补充时。

2 あと＋数量词　再有、还有。
(1) その仕事を片づけるにはあと3日で十分です。／完成这项工作，再有3天足够了。
(2) あと二人そろえば野球チームが作れる。／再有两个人就能组织一支棒球队了。
(3) あと10メートルでゴールインというところで、その選手は倒れてしまった。／在还差10米就跑到终点的地方，那个运动员摔倒了。
(4) あと少しで終わりますので、待っていただけますか。／还有一点儿就完了，能等我一会儿吗？

表示在现在的状态上加上一定的数量。用于表示加上该数量就具备了某事成立的条件时。反过来考虑，如下例所示，表示剩余数量。

(例1) 卒業式まであと1週間だ。／到毕业典礼还有一个星期。←あと1週間で卒業式だ。／再有一个星期就该举行毕业典礼了。
(例2) ビールはもうあと2本しかない。／啤酒就还只有两瓶了。←あと2本でビールはなくなる。／啤酒快没了，就还剩两瓶。
(例3) サラダがあと少し残っていますが、誰か食べませんか。／沙拉还剩一点儿，谁还吃啊？←あと少しでサラダも終わります。

再吃一点儿，沙拉就吃光了。

【あとから】

事后、之后、后来。

（1）あとから文句を言われても困るので、何か言いたいことがある人は今のうちに出してください。／有意见的人请现在就说出来，事后再发牢骚可不好。

（2）入学試験の合格通知が来たので喜んでいたら、あとからあれはまちがいだったという知らせがきて、がっくりした。／收到录取通知书我特别高兴，可后来又来了个通知说前一个通知搞错了，真叫人扫兴。

（3）ツアーに参加したいという人があとからあとから出てきて、調整するのに困った。／提出参加旅行的人一个接一个，都调整不过来了。

用于某事已告一段落或结束而又发生与之相关的事或与之相反的事的场合。

【あとで】

1 あとで　呆会儿。

（1）あとでまた電話します。／呆会儿我再给你打电话。

（2）あとで一緒に食事しませんか。／呆会儿咱们一起吃饭吧。

（3）A：おかあさん、お人形の首がとれちゃった。直してよ。／妈，布娃娃的脑袋掉了，你给修修吧。

B：はいはい、あとでね。／好好，呆会儿啊。

A：あとじゃなくて今。／别呆会儿，现在就修。

B：今忙しいんだから、ちょっと待ちなさい。／现在妈忙着呢，你等一会儿啊。

表示说话以后的时间。如例（3）所示，也用于现在不想做而拒绝的场合。

2 …あとで　→【あと1】2b

【あとは…だけ】

就等、只差、只剩。

（1）メンバーはほとんどそろって、あとは田中さんだけなのだが、なぜか予定の時刻を過ぎても現れる気配がない。／人基本都到齐了，就剩田中一个人了，不知为什么都过了预定的时间，还不见他来。

（2）料理は全部できあがったし部屋も片づいたし、あとはみんなが来るのを待つばかりだ。／菜都做好了，屋子也收拾好了，就等大家来了。

（3）コンサートのプログラムもとどこおりなく進み、あとは最後の難曲を残すのみとなった。／演唱会的节目顺利

进行，最后只剩下一首较难表演的曲目了。

后续"だけ／のみ／ばかり"等词，表示某事成立的条件。用于所有条件都基本具备，就差最后一点的场合(万事具备，只欠东风)。

【あまり】

口语中加强语气时说"あんまり"。

1 あまり／あんまり …ない 不太…、不(没)怎么…、没多少…。
[あまりNaで はない]
[あまりA－くない]
[あまりV－ない]

（1）今はあまりおなかがすいていないので、ケーキはいりません。／现在不怎么饿，所以不要蛋糕。
（2）弟はあまり背が高くないので、女の子にもてない。／我弟弟个儿不太高，所以在女孩子当中不吃香。
（3）このごろあんまり映画を見ていない。／最近没怎么看电影。
（4）けさはあまりごはんを食べなかった。／今天早上没怎么吃饭。
（5）今日はあんまりお金がないので、CDを買うのは今度にしよう。／今天没带多少钱，下次再买CD吧。

后续否定表达方式，表示程度不高。接动词后时，表示频率不高或数量不多。

2 あまり／あんまり

a あまりに(も)　太…、总是…。
あんまり(にも)

（1）あまりにおかしくて涙が出た。／因为太滑稽了，都笑出了眼泪。
（2）ゆったりしたシャツは好きだが、これはあまりにも大きすぎる。／我是喜欢穿宽松一点的衬衫，可这一件也太大了。
（3）ここのカレーはあまりにまずくて、とても食べられたものではない。／这儿的咖喱饭太难吃了，简直没法吃。
（4）その人の申し出はあまりにも急な話だったので、すぐにOKするのはためらわれた。／他提出的申请太突然了，所以我没有马上同意。
（5）彼があまりに僕の失敗を笑うから、だんだん腹が立ってきてなぐってしまった。／他老不停地取笑我的失误，我就火了，把他揍了一顿。

一般多与形容词一起使用，如例（5）所示，有时也与动词一起使用。表示该形容词或动词所表示事物的程度超出一般常识。多带有指责等贬义。常后续"…すぎる"。另外，后面还多伴有"…て／ので／から"等形式，表示由于程度过甚而导致的必然结果或从而得出的判断等意。

b あまりのN　に／で 太…、过度…。

（1）あまりの驚きに声も出なかった。／由于过度吃惊我都说不出话来了。

あまり 15

(2) 海水浴に行ったが、あまりの人出でぐったり疲れてしまった。／今天去海水浴了，由于人太多把我给累坏了。
(3) あまりの問題の複雑さに、解決策を考える気力もわかない。／由于问题过于复杂，没有情绪来考虑解决的办法了。
(4) あまりの忙しさに、とうとう彼は体をこわして入院するはめになってしまった。／由于过度繁忙，他终于搞坏了身体住进了医院。

与含有程度意义的名词一起使用，表示"由于其程度过甚，因而…"的意思。后续由于该原因而导致的必然结果。

(误) あまりの宿題に頭が痛くなった。
(正) あまりの宿題の多さに頭が痛くなった。／由于作业太多，我头都疼了。

c あまりに（も）…と　过于…(的话)、(要是)太…。

あんまり（にも）…と

(1) あまりボリュームを上げると隣の人が文句を言いに来るから気をつけてね。／音量调得过大的话，隔壁的人会有意见的，你可要注意点儿啊。
(2) あまりに安いとかえって心配だ。／太便宜了的话反倒令人担心。
(3) 大きいバッグは便利だけど、あまりにも大きいと、中身をたくさん入れすぎて重くなっ

て持ち歩くのがいやになるから、適当な大きさにした方がいいだろう。／大旅行包是方便，可是要是太大了，里面装的东西太多，就沉得拿不动了。所以还是选大小合适的为宜。

用以叙述程度过甚。后续因而产生的必然结果。

d…あまり（に）　过度、过于、太。
[Nのあまり（に）]
[V-るあまり（に）]

(1) 母は悲しみのあまり、病の床に就いてしまった。／母亲由于过度悲伤，病倒在床上。
(2) 彼は驚きのあまりに、手に持っていたカップを落としてしまった。／他由于过于吃惊，把拿在手里的杯子掉到了地上。
(3) 忙しさのあまり、友達に電話をしなければならないのをすっかり忘れていた。／因为太忙，把该给朋友打电话的事忘了个一干二净。
(4) 子供のことを心配するあまり、つい下宿に電話しては嫌がられてしまう。／因为太惦记孩子的事，结果老是给他的住处打电话招人讨厌。
(5) 何とか逆転しようと焦るあまり、かえってミスをたくさん犯してしまった。／因为急于要反败为胜，结果反倒失误更多。

（6） 彼女は彼のことを想うあまりに自分のことを犠牲にしてしまっている。／她考虑他的事情过多而牺牲了自己。

与表示感情或状态的名词和动词一起使用，表示其极端的程度，后半句叙述因而产生的不良结果。

3 数量词＋あまり　…多。
（1） その会の出席者は100名あまりだった。／出席这次会的大约有100多人。
（2） そこから5キロあまりの道のりを歩くだけの元気は残っていなかった。／我已经没有力气再从这里走5公里多的路程了。
（3） 事故発生から2ヵ月あまりが経って、ようやく原因が突き止められた。／事故发生两个多月以后才终于查出了事故原因。

表示比该数量多一些。不与过于严密的数字一起使用。属于书面性语言。
（误）　ベーコンを235グラムあまり買った。
（正）　ベーコンを200グラムあまり買った。／买了200多克的腊肉。

4 …なんてあんまりだ　→【あんまり】3

【あらためる】
改，改正。
[R－あらためる]
（1） この文章の内容を子供向けに書き改めてくださいませんか。／能把这篇文章改写成适合于儿童的读物吗？
（2） その泥棒は自分のしたことを悔い改めて、まともな仕事についた。／那个小偷痛改前非，找到了正当职业。

接在动词连用形后面，可接续动词有限。表示改正原有缺点重新做起。

【あるいは】
是书面性语言表达方式。在较郑重的口语中也可以使用。

1 あるいは
a N (か)あるいはN　或、或是。
（1） 黒あるいは青のペンで記入してください。／请用黑色或蓝色钢笔填写。
（2） 欠席する場合には、口頭かあるいは書面で届け出ること。／如若缺席，须有口头或书面申请。
（3） このクラブの施設は、会員あるいはその家族に限り、使用することができます。／本俱乐部的设施仅限于会员或其家属可以使用。
（4） 応募は、25歳以上、あるいは20歳以上で、職業をお持ちの方に限ります。／应征者仅限于25岁以上或20岁以上的有职业者。
（5） 被害者は、包丁あるいは登山ナイフのようなもので殺害されたらしい。／被害者像是被用菜刀或登山刀杀害的。

以"X(か)あるいはY"的形式,表示"或是X或是Y"的意思。经常用于如例(1)、(2)所示,"或是X或是Y,请任选一方"的场合。另外也用于例(3)、(4)的场合,表示"X或Y,只要使用其一方即可"。例(4)还可以表示X或Y,或者是XY双方均可的条件。例(5)则表示可以用于"有XY两种可能性,还不清楚"的场合。

类似的表达方式有"XかY"、"XまたはY"、"XもしくはY"等。在日常会话的口语中还经常使用"XかY"的形式。

b …か、あるいは　或…或…、或是…或是…、或者是…或者是…。

（1）申し込み書類は、郵送するかあるいは事務所まで持参してください。／申请材料或邮寄或直接送到事务所来。

（2）A：福岡へは、どうやって行ったらいいですかね。／去福冈怎么去好啊？
　　　B：そうですね。新幹線で行くか、あるいは飛行機で行くか、でしょうね。／去福冈啊,或是坐新干线去,或是坐飞机去。

（3）社会人大学院に入学するためには、定職についているか、あるいは25歳以上であることが条件である。／报考面向在职人员的研究生院的条件是,或者是有固定职业,或者是年龄在25岁以上。

（4）就職しようか、あるいは進学しようかと迷っている。／是找工作,还是继续升学,我还拿不定主意。

（5）A：被害者は、犯人は知らない男だと言っています。／被害者说凶手是一个不认识的男人。
　　　B：本当に知らないか、あるいは知らないふりをしているか、どちらかだな。／他要么是真不认识,要么是假装不认识。

（6）景気は数年で回復するのか、あるいは何十年もかかるのか、まったく予想できない。／经济景气的恢复,也许需要几年,也许需要几十年,完全无法预测。

以"XかあるいはY"的形式,表示"X或者是Y的其中之一"之意。例（1）、（2）是"X也行Y也行,任选其一"的用例。例（3）是"或符合X的条件,或符合Y的条件,哪一方都可以"的用例,符合XY双方的条件也可以。例（4）～（6）表示的是"有XY两种可能性,是哪一方还不清楚"的意思。

2 あるいは…かもしれない　或许、也许。

（1）このぶんでは、明日はあるいは雪かもしれない。／看这情况,明天也许要下雪。

（2）彼の言うことは、あるいは本当かもしれない。／他说的或许是真情。

（3）これで、手術は三度目だが、今回はあるいはだめかもし

れない。/这已经是第三次手术了，这次没准儿不行了。
（4）もう何年も国には帰っていない。両親でも生きていれば、あるいは帰りたいと思ったかもしれないが、知った人もほとんどいない今は、特になつかしいとも思わない。/已经有几年没有回家乡了。要是父母还健在，也许我会想回去，现在我认识的人几乎都不在了，所以也就不感到特别亲切了。

以"あるいは…かもしれない"的形式，表示说话人的推测。即"有这种可能性"的意思。类似的表达方式有"ひょっとすると"、"もしかすると"。

也经常与"あるいは…のだろう"、"あるいは…と思われる"等其他表示说话人推测的表达方式一起使用。

3 あるいは…あるいは　有的…有的…、时而…时而…。
（1）高校を卒業した学生たちは、あるいは進学し、あるいは就職し、それぞれの進路を歩み始める。/高中毕业以后的学生们，有的升学，有的找工作，各自开始走自己的人生之路。
（2）美しかった街路樹も、あるいは横倒しになり、あるいは途中から二つに折れて、台風の威力のすさまじさを物語っている。/原本很漂亮的沿街林荫树，有的倒伏，有的被拦腰截断，充分说明了台风的淫威。
（3）風の音は、あるいは泣くが如く、あるいは呻くが如く、高く低く、一晩中谷間に響いた。/风声时而如哭泣，时而似呻吟，忽高忽低，整夜在山谷间呼啸。

用于表述多种情形的状况。

如例（1）、（2）所示，以"あるいは…し、あるいは…し"的形式，表示"有的(人或物)…有的(人或物)…"的意思，用来表示复数的人或物各自的行动及状态。例（3）的意思则表示"有时…有时…"。是一种用于书面语的较拘谨的表达方式，在日常口语中一般不使用。

【あるまじき…だ】
[NにあるまじきNだ]　不该有的、不相称的。
（1）業者から金品を受け取るなど公務員にあるまじきことだ。/向工商业者收取钱物，这是不该发生在公务员身上的事情。
（2）酒を飲んで車を運転するなど警察官にあるまじき行為だ。/酒后开车，这是作为一名警察不该有的行为。
（3）「胎児は人間じゃない」などとは、聖職者にあるまじき発言である。/"胎儿不是人"，这种发言与神职人员的身分是不相称的。

接在表示职业或地位的名词后面，

表示"作为一个…是不应该有的(不相称的)"意思。后续"こと"、"行为"、"発言"、"態度"等名词，用于指责某人的言行。作为以"Nに"的形式所表示的人物来说，是与其资格、地位、立场不相称的。是一种书面性的、较生硬表达方式。

【あれで】

1 あれで＜褒义评价＞　别看…其实…。

（1）あの人はいつもきついことばかり言っていますが、あれでなかなか優しいところもあるんですよ。／别看他说话挺严厉的，其实他心眼儿还是挺好的。

（2）彼女、体は小さいけど、あれでけっこう体力はあるのよね。／别看她身材不大，可相当有劲儿啊。

（3）あのレストランって、一見きたなくてまずそうに見えるけど、あれでなかなかいけるんですよ。／别看那家饭馆儿看上去挺脏的，好像不好吃似的，其实吃起来味道还是蛮不错的。

与"なかなか"、"けっこう"等词一起使用。表示外表与内容不一样，其实比想像的要好的心情。在"あれで"后面表述值得称赞的一面。用以褒奖话题中的人或物。

2 あれで＜惊讶＞　（表示轻微的惊讶）。

（1）あのコート、あれで4万ならやすいものだ。／那件外套，要是4万日元，那可是够便宜的。

（2）え、彼女あれでスキー初めてなんですか。すごくうまいじゃないですか。／什么，那是她第一次滑雪吗？那可是滑得够棒的啊。

（3）今日の食堂の定食、あれでよく改善したって言えるよね。まるで豚のえさだよ。／今天食堂的套餐，那还能说是改善了吗。简直是猪食。

（4）あの映画、あれで(も)アカデミー賞受賞してるんですか。ちょっとひどすぎると思いませんか。／就那部电影，那还获得奥斯卡金像奖了哪。你不觉得太过分吗。

表示对"就这种状态还…／还有…的价值／还可以…"的说法表示轻微的惊讶。有用于如例（1）、（2）那样肯定的场合，也有用于如例（3）、（4）那样否定的场合。

【あれでも】

那还、那也是。

（1）あの人、患者の話を聞こうともしないで、あれでも医者なのですか。／那个人根本连患者的诉说都不听，那也叫医生啊。

（2）あれでも彼は手伝っているつもりらしいが、かえってじゃまだ。／可能他还以为他那是在帮忙呢，反而是添乱。

（3）子供ならあれでも楽しめるのだろうが、大人にはあんなバカげたゲームはとても耐えられない。／要是孩子，这可能还能对付着玩儿玩儿，大人可消受不了这么无聊的游戏。

（4）彼女、あれでもスキー初めてなんですよ。それにしてはうまいでしょ。／她这是第一次滑雪呀。那么说还是滑得蛮不错的吧。

就说话人和听话人都知道的第三者的言行或事情"あれ"发表意见，表示认为该事物脱离自己的标准或不同寻常的心情。多因此引出对该事物的指责。后面多伴有表示疑问或推量的表达方式。

【あんまり】

1 あんまり…ない　不(没)怎么…、没多少…。

（1）このごろはあんまり映画を見ていない。／最近没怎么看电影。

（2）今日はあんまりお金がないのでCDを買うのは今度にしよう。／今天没带多少钱，下次再买CD吧。

是"あまり"的强调形式。是一种口语表达方式。

→【あまり】2

2 あんまり　太…。

（1）あんまりおかしくて涙が出た。／因为太滑稽了，都笑出了眼泪。

（2）あんまり暑いと何も考えられなくなる。／天气太热的话什么也考虑不了。

（3）英語が下手だと馬鹿にされるが、あんまり上手だとかえって嫌がられる。ほどほどにできるのがいいようだ。／英语差会被人看不起，但是太棒了也反而会被人讨厌。所以最好是过得去就行。

是"あまり"的强调形式。是一种口语表达方式。

→【あまり】2a　【あまり】2c

3 …なんてあんまりだ　太过分、太过火。

（1）誰も私のことを覚えていてくれなかったなんて、あんまりだ。／谁都不记得我了，这也太过分了。

（2）A：君は明日から補欠だ。／从明天起，你作替补队员。

B：ええっ、監督、それはあんまりですよ。もう一度チャンスをいただけませんか。／什么，教练，这也太残酷了吧。能不能再给我一次机会？

（3）A：あの人、何をやらせてもミスが多いのよね。この間は大事な書類を電車に置き忘れるし。あの人が辞めてくれれば、もっと何でもスムーズにいくのに。／你让他干，他就净

22 いい

までの世界の人口増加を表したものです。/请看这张图表。看清了吗，它表示了到2001年为止的世界人口增长的情况。

使用时用升调。用于命令或求助对方之前提醒对方注意，以确认对方是否在听自己讲话。

d いいから/いいよ 行了、别说了。

（1）A：私があと3分早く着いていれば乗り遅れることもなかったのですが…。/我要是再早到3分钟也不至于坐不上车啊。
　　　B：もうそのことはいいから。それより今からどうしたらいいかを考えましょう。/这事就不用再提了，还是想想现在该怎么办吧。

（2）A：あ、タクシー1台来ました。どうぞ乗って下さい。次がいつ来るかもわかりませんし。/哎，来了一辆出租车。你先上吧。下一辆还不定什么时候来呢。
　　　B：いや、いいからどうぞ先に乗ってください。そちらの方が遠いんですから。/不，我不要紧，还是你先上吧。你的路远。

（3）A：ねえ、そんな道に入って行って大丈夫なの？迷ったらどうするのよ。/哎，走这条道儿行吗？迷了路怎么办。
　　　B：いいからまかせとけって。こっちの方が近道なんだから。/没事儿，你就听我的吧。这是一条近道儿。

（4）A：あ、数字の入力はそのキーじゃなくてこっちだよ。/啊，输入数字不是那个键，是这个。
　　　B：いいから、黙っててよ。/行了，用不着你说。

（5）A：私がちゃんと財布を鞄の中にしまっておけば、とられたりはしなかったのよね。クレジットカードだって別のところに入れておくべきだった。ガイドブックにもそうしろって書いてあったし…。私が悪いのよ。/我要是把钱包好好收在书包里也不会被偷了。信用卡也应该放在别处。再说，导游书上就是这样写的…。都是我不好。
　　　B：もういいよ。後悔したって始まらない。/行了，现在后悔也晚了。

就对方所说的事，表示"用不着那么说/那么想"的意思。有不让对方再继续说下去的作用。例（1）、（2）、（3）可用于轻轻安慰对方，告诉他不必担心。例（4）

给你出错。上次他就把一份重要的文件给忘在电车里了。如果他能辞职不干，也许我们这儿的工作还能更顺利一些。

B：そういう言い方ってあんまりじゃない。彼女まだ経験も浅いんだし、その割には頑張ってるじゃない。／你这么说是不是太过分了。她经验还不够丰富，但按她现在的程度她还是很努力的。

（4）ある日突然解雇するなんて、あんまりと言えばあんまりだが、彼にもそうされるだけの理由があるのだ。／有一天突然解雇，这要说过分也是够过分的，但他也一定有他的不是。

除"なんて"以外，还可以使用"って"、"は"、"とは"等表达方式。接着前面的话题，表示"这样太过分"的意思。主要用于口语。例（4）的"あんまりといえばあんまりだ"是一种惯用形式。

【いい】

1 いい

a いい＜赞赏＞　不错、真好。

（1）そのセーターいいですね。よく似合ってますよ。／这件毛衣不错啊。你穿着很合适。

（2）A：彼女、新婚旅行ギリシャだって。／听说她新婚旅行要去希腊。

　　B：へえ、いいなあ。／是吗，那多好啊。

用于表示赞赏、羡慕等时。常与"ね""なあ"等一起使用。

b いい＜拒绝＞　不要、不用。

（1）A：もう一杯どうですか。／再来一杯怎么样？

　　B：いえ、もういいです。／不，我不要了。

（2）A：ケーキがあるんだけど食べない？／有蛋糕，你吃吗？

　　B：いや、今はいい。／不，现在不要。

用于别人拿出些东西劝你时。与"けっこうです"意思相同。

c いい＜提醒＞　好了吗、注意啊。

（1）いいね、今言ったことは誰にもしゃべっちゃだめだよ。／记住了吗，刚才跟你说的话对谁也不许讲。

（2）いい、よく見ててね。ここを押すとスイッチが切れるから、それからコンセントを抜いてね。／好了吗，你好好看着啊。一按这里就关了，然后再拔掉插销。

（3）いいか、よく聞け。これからは俺がこのグループのリーダーだ。／你们都好好听着。从今以后，我就是这个团伙的头儿了。

（4）このグラフを見てください。いいですか。これは2001年

用于对方的担心是多余的. 叫他不要说话. 例(5)用于你再多说也没用等场合. 使用"いいから"的形式时, 有"不必担心, 别说话"的意思. 制止对方说话的语气更强烈.

2 …がいい
（1） 悪いことばかり覚えて、お前なんか、そのうち警察に捕まるがいいよ。／净学坏, 你呀, 早晚叫警察抓了去。
（2） 悪い奴らはみんな悪魔にとりつかれて死んでしまうがいい。／最好这些坏家伙都被恶魔缠身给弄死。

表示希望坏事发生的心情. 用于指责、咒骂或诅咒等. 是一种较陈旧的说法.

3 …ていい →【ていい】
4 …といい →【といい】

【いう】

尊他语时说"おっしゃる", 自谦语时说"申す"。

1 いう＜说话＞
a …という 说。
（1） みんなには行くと言ったが、やはり行きたくない。／虽然我跟大家说了我要去, 但是我还是不想去。
（2） 道子さんは「すぐに行きます」と言いました。／道子说, "我马上就去"。
（3） 道子さんはすぐに行くと言いました。／道子说马上就去。

用于引用他人的说话. 引用方法有两种. 一种为直接引用. 如例(2). 一种为间接引用. 如例(1)或例(3). 间接引用时, 引用部分用简体. 询问说话内容时可说"なんといいましたか(他说什么了)"或"どういいましたか(他怎么说)"。间接引用请求或命令句时. 用"…ようにいう"的形式.

→【いう】1d

b …といっている 说、说了。
（1） 山下さんはまだ決められないと言っている。／山下先生说, 现在还决定不了。
（2） みんな、それはめでたいことだと言っている。／大家都说这是件可喜的事。
（3） A：この件について、当局はどう言っているのでしょうか。／就此问题, 当局是怎么说的？
B：原因の分析がすむまで詳しいことは述べられないと言っています。／当局说, 在分析清楚原因之前, 详情无可奉告。
（5） 私は行きたくないと言っているのに、認めてもらえそうもない。／我说了我不想去, 可看来根本就不会有人同意。

表示某人说的话现在仍然有效. 多用于引用第三人称的话. 用于自己说的话时, 一般为别人听不进自己的意见时.

c …といわれている 据说、大家都说。
（1） この泉の水を飲めば若返ると言われている。／据说喝了

24　いう

这种泉水可以返老还童。
(2) この映画は日本映画史上の最高傑作だと言われている。／大家都称这部电影是日本电影史上的杰作之最。
(3) 現在世界に数千万人の難民がいると言われている。／据说现在世界上有几千万难民。

用于表述普遍的传说或评价。

d V-る／V-ない ようにいう　告诉。
(1) ここへ来るように言われました。／有人告诉我让我上这儿来的。
(2) 木村さんにすぐ本を返すように言って下さい。／请告诉木村，赶快还书。
(3) もっと静かにするように言いましょう。／咱们请他们再安静一些吧。

用于间接引用请求句或命令句的场合。

e Nをいう　说…。
(1) おじさんにお礼を言いなさい。／跟叔叔说声谢谢。
(2) 友達にひどいことを言って嫌われてしまった。／跟朋友说了非常失礼的话，结果他不理我了。

前接"お礼(道谢)"、"嘘(谎言)"、"ひどいこと(非礼之言)"等词，表示说了这样的话。

f Nを…という　说…(是)…。
(1) 彼はその子を妹だと言った。／他说那孩子是他妹妹。

(2) 先生は私の意見を面白いと言ってくれた。／老师称赞我的意见很有趣。
(3) あの人は私のことを馬鹿だと言った。／他说我是傻瓜。

就某人或某物，表述对其的评价或与之的关系。用于引用他人说话的场合。

2…という＜传闻＞　据说、传说。
(1) 彼は卒業後郷里へ帰って母校の教師をしているという。／据说他毕业以后回到家乡，在母校作了一名教师。
(2) その僧が去った後、その国は千年の間栄えたという。／据说，那个和尚走了以后，这个国家繁荣昌盛了一千年。
(3) アイルランドに蛇がいないのはセントパトリックが追い払ったからだという。／传说爱尔兰之所以没有蛇，是因为圣帕罗把它们都赶跑了。
(4) この島の人々は黒潮に乗って南方から渡ってきたのだという。／传说这个岛上的人是顺着黑潮从南方飘流过来的。

是一种表示传闻或传说的表达方式。表示传闻的意思只有"という"一种形式，说成"といった"、"といわない"则只表示单纯的说话。多用平假名书写。

3…という＜名称＞
a NをNという　叫…。
(1) あの人は名前を白山武彦といいます。／他的名字叫白山武彦。
(2) あの船の名前は、なんとい

（3）　私は中山一と申します。どうぞよろしく。／我叫中山一．请多关照。
（4）　A：これは日本語でなんといいますか。／这个用日语叫什么？
　　　B：扇子といいます。／叫扇子。
（5）　A：すみませんが、お名前はなんとおっしゃいますか。／对不起，您叫什么名字？
　　　B：山田和雄といいます。／我叫山田和雄。

以"XをYという"或"XはYという"的形式，用于表示X叫什么名字。"なんといいますか"中的"なんと"，在较通俗的口语中，可说成"なんて"。可用汉字书写成"言う"。例（3）中的"申す"是"いう"的自谦语，例（5）中的"おっしゃる"是尊他语。

b N（のこと）をNという　说…、说成…。

（1）　A：国連のことを英語ではなんといいますか。／联合国用英语怎么说啊？
　　　B：United Nationsといいます。／说United Nations。
（2）　中国語では「さようなら」を「再見」といいます。／"さようなら"用中文说是"再见"。

用于用另一种语言表述原语言当中的相同意思。除"…のことを"之外，还可以用"…とは"、"…って"的形式。

（例）　国連って英語ではなんといいますか。／联合国用英语怎么说啊？

"…って"用于口语。在非单纯语言的转换，进行解说或下某种定义时，不能用此句型。

（誤）　南風とは南から吹く風といいます。
（正）　南風とは南から吹く風のことです。／南风就是从南面刮来的风。

4 …というN　→【という2】
5 …というか　→【というか】
6 …ということ　→【ということ】
7 …というと　→【というと】
8 …というのは　→【というのは】
9 …というものだ　→【というものだ】
10 …というより　→【というより】
11 …といったらありはしない
　　→【といったらありはしない】【といったらありゃしない】
12 …といったらない
　　→【といったらない】
13 …にいわせれば
　　→【にいわせれば】

【いうまでもない】

1 …はいうまでもない　不用说、当然。
[Nはいうまでもない]
[N であるのはいうまでもない]
[Na であるのはいうまでもない]
[Na なのはいうまでもない]

[A／V のはいうまでもない]

(1) 全然学校に来なかった彼が卒業できなかったのは言うまでもない。／那还用说,他根本就没来上过学,当然毕不了业。

(2) 単位が足りなければ卒業できないのは言うまでもないが、足りていても卒業論文を書かなければ卒業できない。／学分不够当然不能毕业,就是学分够了,如果不写毕业论文,也毕不了业。

(3) 仕事につけば収入は増えるが自由時間は少なくなるというのは言うまでもないことだ。／那还用说,工作以后收入虽然增加了,可自由时间就少了。

(4) 上司にも気に入られ仕事の成績も伸ばしている彼の次期昇進の可能性は言うまでもない。／上司喜欢他,他工作又有成绩,下次提升,那是肯定没错的了。

(5) A：彼女、今度パリに出張だそうですよ。彼女ならフランス語も完ぺきだし交渉もうまいし、適任ですよね。／听说她要出差去巴黎。她法语又好,又会谈判,你看是可以胜任的吧。

B：ええ、それはもう言うまでもないですよね。／那还用说吗。

表示从常识来看理所当然,明摆着的事,谁都承认的意思。

2 いうまでもないことだが 很清楚、大家都知道。

(1) 言うまでもないことだが、ツアー旅行で勝手な行動をとって何か問題が起こっても、それはその人自身の責任だ。／我想大家都知道,在团队旅行中,如果擅自行动发生了问题,那是要其本人负责的。

(2) 言うまでもないことですが、この計画はみなさんの御協力があって初めて成功するものです。／很清楚,这个计划只有大家共同努力才能成功。

(3) 言うまでもないことだけど、結婚披露宴に白い服を着て行ってはいけないんだよ。／不用我说,参加婚礼是不能穿着白衣服去的。

用于句首,表示"这是大家都知道的事,没有必要再说"的意思。用来确认某种不言而喻的事,作为其开场白。

3 いうまでもなく 很明显、不用说。

(1) 言うまでもなく、私たちをとりまく環境はどんどん汚染されてきている。／很明显,我们周围的环境不断被污染。

(2) 私などが言うまでもなく、彼の芸術的な才能はこれまでの画家には不可能だった新

いか 27

しいものを生み出している。／不用我说，他的艺术天才正在把过去的画家们不可能做到的事情变为新的可能。
（3） 日本は高齢化社会になりつつあるが、言うまでもなく国の対応は遅れており、国民は不満を感じている。／日本社会老龄化程度正在不断发展，当然也是因为政府没有及时采取对策，国民对此极为不满。

用于句子或段落开头，表示"这是大家都知道的事，没有必要再说"的意思。用来确认某种不言而喻的事，作为其开场白。用于句首时，可以与"言うまでもないことだが"替换。

【いか】

1 数量词＋いか　…以下、不足…。
（1） なるべく4人以下でグループを作ってください。／最好4人以下组成一个小组。
（2） 500グラム以下のパックは50円引きです。／不足500克一包的便宜50日元。
（3） 3000円以下で何か記念品を買うとしたら、どんなものがあるでしょうか。／如果最多用3000日元买点儿纪念品的话，都有什么样的东西啊。

表示含该数量并在其以下的意思。

2 Nいか　…以下。
（1） 中学生以下は入場無料です。／中学生以下免费入场。
（2） 中型以下の車ならこの道を通ることができる。／中型以下汽车可以通行。
（3） B4サイズ以下のものでないとこの機械ではコピーできない。／如果不是B4以下的纸，这台机器没法复印。

接在表示有顺序、程度等含意的名词后面，表示包括其在内以及位于其下的意思。

3 Nいかだ　不如…、不是…。
（1） おまえはゴキブリ以下だ。／你还不如一只蟑螂。
（2） そんなひどい仕打ちをするとは、あいつは人間以下だ。／他竟做出这种事情，简直不是人。
（3） まったくあいつの頭ときたら小学生以下だ。／他那脑子还不如小学生呢。

表示还不如前接名词的意思。用于指责或咒骂。

4 Nいか＋数量词　以…为首（为主）以及…。
（1） わが社では、社長以下約300人が全員一丸となって働いています。／在我公司，以总经理为首，300名职工团结一致共同努力。
（2） 山田キャプテン以下38名、全員そろいました。／以山田队长为首38名全都到齐了。
（3） その企業グループは、A社以下12社で構成されている。／该企业集团以A公司为

主由12家公司组成。
用于说明某团体，表示以某代表者为首形成一个集体。N为人物时，一般多用职务名而不用人名。用于书面语或较郑重的口语。

5 いか　下面、以下。
（1）以下同文。／以下相同。
（2）詳細は以下のとおりです。／詳細情况如下。

在文章或讲演中，表示以下的部分。主要用于书面语。

【いがい】

1 …いがい　除…以外。
[Nいがい]
[V-る／V-た　いがい]
（1）来週のパーティーには、山田さん以外みんな行くそうです。／下星期的宴会，据说除山田以外大家都去。
（2）これ以外で／にもっといい辞書はありませんか。／除了这本以外还有更好一点的辞典吗？
（3）温泉に行ってのんびりする以外にも、何かいい案があったら出してください。／大家提提，除了到温泉好好休息一下以外，还有什么其他休闲的好方案吗。
（4）酔っぱらって転んで顔にけがをした以外は、今週は特に変わったこともなかった。／这星期除了喝醉了酒把脸磕伤了以外，也没有什么特别的事了。

表示"除…以外"、"另外"的意思。

2 …いがいに…ない　除…以外没有…。
[Nいがいに…ない]
[V-る／V-た　いがいに…ない]
（1）彼女以外にこの仕事を任せられる人はいない。／能委派这项工作的，除了她以外没有别人。
（2）単語は、自分で努力して覚える以外に、習得の方法はない。／单词只能靠自己努力去背，除此之外别无他法。
（3）スーパーの店員に文句を言った以外には今日は誰とも一言も話さなかった。／今天，除了在超市跟店员发了几句牢骚以外，没有跟任何人说一句话。

以"Xいがいに Yない"的形式，表示"能够Y的只有X"的意思。与"…のほかに…ない"、"…しか…ない"意思相同。

【いかなる】

"いかなる"后必须接名词。用于书面语。口语中多为"どんな"。

1 いかなるN（＋助詞）も　任何…都…。
（1）彼はいかなる困難にも負けないほど強い精神力の持ち主だった。／他有不怕任何困难的坚强毅力。
（2）いかなる罰則も暴走族の取り締まりには効を奏さな

かった。／任何处罚办法对于管制飞车族都没能奏效。

（3）この制御(せいぎょ)システムは、いかなる非常事態(ひじょうじたい)にも対応(たいおう)できるよう綿密(めんみつ)に作(つく)られている。／这套控制系统制作得非常严密，它可以应付任何突发事件。

（4）いかなる賞賛(しょうさん)の言葉(ことば)も彼女(かのじょ)の前(まえ)では嘘(うそ)になってしまうほど、彼女(かのじょ)はすばらしかった。／她太了不起了，以至于任何赞美之词用在她身上都显得那么微不足道。

表示"N中最极端的东西…"的意思。用以强调N，从而表示谓语所述事情确凿无误。

2 いかなるNでも　任何…都…、无论…都…、不管…都…。

（1）絵画(かいが)というのは、いかなる作品(さくひん)でもそこに作者(さくしゃ)独自(どくじ)の視点(してん)が反映(はんえい)されているものだ。／绘画这种艺术，任何一幅作品都反映了画家独特的视角。

（2）いかなる状況(じょうきょう)であれ、自分(じぶん)の職務(しょくむ)を離(はな)れるのは許(ゆる)されないことだ。／无论发生了什么情况，擅自离开自己的岗位都是不能容许的。

（3）それがいかなる方法(ほうほう)であれ、それによって結果的(けっかてき)に多(おお)くの人(ひと)が助(たす)かるのならやってみるべきではなかろうか。／不管是什么方法，只要它最终能使大多数人得救就值得

试一试吧。

（4）いかなる意見(いけん)であっても、出(だ)されたものは一応検討(いちおうけんとう)してみる必要(ひつよう)があるだろう。／不论什么意见，只要提出来了就有必要讨论一下吧。

以"いかなるNでも／Nであれ／Nであっても"的形式，表示"只要是N，不管它是多么极端的东西，或者是多么不一般的东西，都…"的意思。为后半句的前提，从而加强后半部分的主张。

3 いかなる…とも　无论…都…、不论…都…。

[いかなるNであろうとも]
[いかなるN＋助詞(じょし)＋V-ようとも]

（1）いかなる状況(じょうきょう)になろうとも、断固(だんこ)として戦(たたか)い抜(ぬ)く決意(けつい)だ。／我决心，无论遇到什么情况都坚决战斗到底。

（2）彼(かれ)なら、いかなる環境(かんきょう)におかれようとも自(みずか)らの道(みち)を歩(あゆ)んで行くことができるであろう。／他不论在什么环境中都能坚持走自己的道路。

（3）いかなることがらが起(お)きようとも、常(つね)に冷静(れいせい)に事態(じたい)を判断(はんだん)する能力(のうりょく)を身(み)につけなければならない。／我们必须具备无论发生什么事情都能冷静地判断情况的能力。

（4）いかなる役割(やくわり)であろうとも、与(あた)えられれば誠意(せいい)を尽(つ)くして精いっぱいやるのが私(わたし)たちの努(つと)めだ。／我们的职责就是，无论分配给我们什么任

务．只要领取了任务就要全心全意地尽一切努力去把它完成。
表示"无论遇到多么大的困难、多么极端的情况，多么不寻常的事情，都…"的意思。

【いかに】

用于书面语。口语中多为"どんなに"。

1 いかに…か　多么…(啊)。

（1）この町がいかに暮らしやすいかは、住んでいる人の表情からもうかがわれる。／在这个城镇里生活有多么舒适，这只要从这里居民的表情上就能看出来。

（2）この仕事がいかに精神的な苦労が多いか、手伝ってみて初めて実感できた。／做这项工作在精神上是多么劳累，只有在实际帮助做了以后才真正感受到了。

（3）あの人がいかにつきあいにくい人かおわかりいただけるだろうか。／你知道他是多么难交的人了吧。

（4）愛する夫を飛行機事故で失って、彼女がいかにつらい思いをしているか、想像しただけで胸が痛くなる。／在飞机失事中失去了自己心爱的丈夫，她该是多么痛苦啊，想起来就替她伤心。

"いかに"后接形容词或"V-やすい"／V-にくい"的形式，表示"多么…啊"的意思。多含有程度颇甚的意思。

2 いかに…ても　无论再…也…。

[いかにN／Na でも]
[いかにA-くても]
[いかにV-ても]

（1）いかに工夫をこらしても、家族は私の料理には何の関心も示さない。／不管我怎么下功夫去做，家里人对我做的菜都毫无兴趣。

（2）いかに精巧なコンピュータでも、しょせん機械はただの機械だ。／无论计算机精密到什么程度，机器到底只是机器。

（3）いかに歌が上手でも、人をひきつける魅力がなければ歌手にはなれない。／歌唱得再好，如果没有诱人的魅力也当不了歌手。

（4）いかに頭がよくても体が弱くてはこの仕事はつとまらない。／脑子再好，如果身体不行也胜任不了这项工作。

表示"无论多么…也…"的意思，加强后半部分叙述的语气。

3 いかに…といっても　再…也…。

（1）いかに彼が有能だと言っても、こんな難題を一人で処理することは不可能だろう。／他再有能耐也不可能一个人来解决这个难题。

（2）いかに医療技術が進んだと言っても、治療して必ず回復するとは限らない。／医疗

技术再发达也不能保证什么病都治了就能好。

（3）いかに彼女が多忙を極めていると言っても、電話１本をかける時間もないということはないだろう。／她再忙得四脚朝天，也不至于连打个电话的时间都没有吧。

表示"即使承认…是事实,也…"的意思。用于后半部分与前半部分相矛盾,在承认前半部分的基础上仍主张后半部分的场合。

4 いかに…とはいえ　虽说…但也…。

（1）いかに家賃が高いとはいえ、こんなに環境がいいのなら納得できるのではないか。／虽说房钱很贵，但周围环境这么好也就说得过去了吧。

（2）いかに才能のある芸術家であるとはいえ、こんなに難解な作品ばかりでは一般の人には理解してはもらえないだろう。／再怎么有才能的艺术家，如果光是作这种难懂的作品也就得不到普通人的理解了。

（3）いかに国全体が豊かになってきたとはいえ、まだまだ今の生活水準に満足していない人も多いのである。／虽说国家整体富裕起来了，但是还有许多人还远远不能满足现在的生活水平。

意思与"いかに…といっても"基本相同,但多少带有点文言文的色彩。

5 いかに…ようと（も）　无论多么…也…、不论怎样…也…。

[いかに修飾短句＋Nであろうと（も）]
[いかにNaであろうと（も）]
[いかにＡ－かろうと（も）]
[いかにＶ－ようと（も）]

（1）いかに便利な機械であろうと、それを使うことによって手で作る喜びが失われてしまうのだとしたら、使う意味はない。／无论多么方便的机械，如果因为使用了它而失去了手工制作的乐趣，那也就没有意义了。

（2）いかに困難であろうと、やってみれば何らかの解決策は見えてくるはずだ。／不管多么难的难题，只要动手去做，总会找到解决的办法的。

（3）いかにスポーツで体を鍛えようと、栄養のバランスが取れていなければ健康にはなれない。／无论怎样进行体育锻炼，如果营养失调也不可能健康。

（4）いかに環境保護に努めようと、ゴルフ場を作られてしまえば終わりだ。／再怎么想保护环境，如果在这儿让人家建了高尔夫球场，一切就都完了。

（5）いかにみんなにほめられようと、しょせん素人の作品じゃないか。それにこんな

値段(ねだん)つけるなんて信(しん)じられないよ。／大家再怎么褒奖，也不过是一幅外行人的作品。还给定了这么个价钱，简直令人难以相信。
(6) いかに仕事(しごと)が苦(くる)しかろうとも決(けっ)して文句(もんく)を言わない。／无论工作多么艰苦，绝不发牢骚。

　　意思与"いかに…といっても"基本相同，但多少带有点文言文的色彩。

【いかにも】

1 いかにも …らしい／…そうだ
a いかにもNらしい　的确像…、符合…。
(1) 今日(きょう)はいかにも秋(あき)らしい天気(てんき)だ。／今天真是一个秋高气爽的日子。
(2) 彼女(かのじょ)はいつもいかにも教師(きょうし)らしい服装(ふくそう)をしている。／她总是穿着一身非常符合教师身分的衣服。
(3) その家(いえ)はいかにも旧家(きゅうか)らしく、どっしりとした古(ふる)めかしい作(つく)りだった。／那座房屋的确像一个老建筑，又庄重又古色古香。

　　与"名词＋らしい"的形式一起使用，表示"具有该事物典型的特点、性质，或与之相称"的意思。以"いかにも"来加强"らしい"的意思。

b いかにも…そうだ　看上去就非常…。

[いかにもNaそうだ]

[いかにもA-そうだ]
(1) そのサンマはとれたてで、いかにもおいしそうだった。／那些刚打上来的秋刀鱼，看上去就特别好吃。
(2) その映画(えいが)はストーリーを聞(き)くといかにもおもしろそうなのだが、配役(はいやく)が気(き)に入(い)らないので見(み)に行(い)く気(き)が起(お)きない。／那部电影的情节听起来很有意思，但里面的演员我都不喜欢，所以不想去看。
(3) 新(あたら)しい電子(でんし)レンジはいろいろな機能(きのう)がついていかにも便利(べんり)そうだ。／新式微波炉带有各种各样的功能，看起来很好用。
(4) サッカーの試合見物(しあいけんぶつ)には母(はは)はいかにも行(い)きたくなさそうな様子(ようす)をしていたが、結局(けっきょく)一番(いちばん)楽(たの)しんでいたのは母(はは)だった。／表面上母亲做出根本不想去看足球赛的样子，但最终看的最欢的也还是母亲。

　　与"形容词词干＋そうだ"的形式一起使用，表示"看上去就显得非常…"的意思。以"いかにも"来加强"そうだ"的意思。

2 いかにも　确实、的确。
(1) A：結局(けっきょく)、この計画(けいかく)が成功(せいこう)するかしないかは、地域(ちいき)の住民(じゅうみん)の方々(かたがた)がどう反応(はんのう)するかにかかっているわけですね。／总之，这项计划是否能获得成功，关键是要看本地区

的居民做出如何反映了。

B：いかにもその通りです。ですから、予測(よそく)がつかないと言っているのですよ。／确实是这样。所以说是无法预测的。

（2） A：この指輪(ゆびわ)は特別(とくべつ)に作(つく)らせたものでございますか。／这个戒指是特别定做的吗？

B：いかにも。宝石(ほうせき)のデザインでは右(みぎ)に出(で)るものはいないという優(すぐ)れた職人(しょくにん)に頼(たの)んだものだ。／是的。是请了一位特别优秀的工匠给做的，在宝石雕刻方面，没有人能比得了他。

表示"是的"、"确实是这样"的意思。用于向对方表示同意。虽为口语但比较陈旧。尤其例(2)的用法是旧式男性用语，现在的女性或年轻的男性都不这样使用。

【いかん】

1 N いかん　要看…如何、能否…。

（1） これが成功(せいこう)するかどうかはみんなの努力(どりょく)いかんだ。／此事成功与否，全看大家努力的如何了。

（2） 環境破壊(かんきょうはかい)を食(く)い止(と)めることは、私達(わたしたち)一人一人(ひとりひとり)の心掛(こころが)けいかんだ。／要想阻止环境继续被遭到破坏，就要看我们每一个人是否时时处处都能注意了。

（3） 政治改革(せいじかいかく)の実現(じつげん)は、連立政権(れんりつせいけん)の結束(けっそく)いかんにかかっている。／实现政治改革，关键是能否团结起来建立联合政权。

表示"某事能否实现要由其内容、状态来决定"的意思。与"…しだいだ"意思相近。

2 N いかんで　根据…、要看…。

（1） 客(きゃく)の出足(であし)いかんでは1週間(しゅうかん)で上映(じょうえい)を打(う)ち切(き)られる可能性(かのうせい)もある。／根据观众的上座情况，也有可能一个星期就停演。

（2） あの人(ひと)いかんで予算(よさん)は何(なん)とでもなる。／根据他的意愿预算怎么都能做。

（3） 参加(さんか)するかどうかはその日(ひ)の体調(たいちょう)いかんで決(き)めさせていただきます。／是否参加请允许我根据当天的身体状况来决定。

表示"根据其内容、状态"的意思。与"…しだいで"的意思相近。

【いくら】

1 いくら

a いくら＜询问＞　多少钱。

（1） この本(ほん)はいくらですか。／这本书多少钱？

（2） 東京(とうきょう)まで片道(かたみち)いくらですか。／到东京单程多少钱？

（3） この絵(え)はいくらぐらいかなあ。／这幅画得多少钱啊？

用于不知价格而进行询问时。

b いくら＜不確定＞　多少。
（1）いくらなら案内してもらってもいいとこちらから先に提示した。／由我们先向他们提出，多少钱可以请他们给我们导游。
（2）フリーマーケットに出す品物は、それぞれいくらで売るということを決めてこの書類に金額を書き込んでください。／先决定拿到自由市场上的商品都要卖多少钱，然后把金额填写在这份表格里。
（3）いくら持ってきてくれという形で注文しないと、後でまた頼まなければならなくなったりするから、個数を確認してください。／你不按送多少个定货的话，以后还得重定，所以一定要确认个数。

表示价格或数量等不确定，用于说不清其数量或没有必要说清其数量时。

2 いくらでも　无论多少。
（1）ビールならまだいくらでもあるから、安心して飲んでください。／啤酒还有的是呢，你们就放心喝吧。
（2）これだけ暇ならいくらでも好きなことができる。／有这么多空闲，想干多少自己喜欢的事都行。
（3）あの人の代わりならいくらでもいるから、やめられても全然困らない。／能代替他的人有的是，即使他不干了也毫无关系。
（4）いくらでもいたいだけここにいてくれてかまわないよ。／你想在这儿呆多长时间就呆多长时间，没关系。

表示没有极限。"想要多少就有多少"的意思。

3 いくらも…ない　没有多少…。
（1）もうワインはいくらも残っていない。／葡萄酒已经没剩多少了。
（2）バスがでるまで時間はもういくらもない。／离发车已经没有多少时间了。
（3）駅までは歩いていくらもかからなかった。／走到车站没花多少时间。
（4）収入はいくらにもならないが、やることに意味がある。／这工作收入是没有多少，但其意义是在于参与。

表示数量特别少。

4 いくら…ても
a いくらV-ても　无论…也…、尽管…也…。
（1）いくら練習してもうまくならない。／无论怎么练也练不好。
（2）いくら食べても太らない。／怎么吃也不胖。
（3）彼はいくら誘っても一度もパーティーに顔を出してくれない。／无论怎么请，他也没参加过一次我们的宴会。
（4）私がいくら「お祝いにはバ

ラの花束をあげよう」と言っても、誰も賛成してくれなかった。／尽管我多次提议，"为了表示祝贺我们送一束玫瑰花吧．"可是没有一个人赞同。

表示"无论多少／多少次／多么拼命…也…"的意思。用于表示强调程度。

b いくら…といっても　再…也…。
[いくらNa だといっても]
[いくらA-いといっても]

（1）いくら給料がいいと言っても、残業がそんなに多いのでは就職するのはいやだ。／工资条件再好．要加这么多班．我也不愿意在这儿工作。

（2）いくら甘いものが好きだと言っても、一度におまんじゅうを3つは食べられない。／再怎么喜欢吃甜的．也不能一下吃三个大糖包啊。

（3）いくらここの食べ物がまずいと言っても、生協食堂よりはましだろう。／这儿的东西再不好吃．也比生协的食堂强吧。

表示"承认…．但即使这样也…．"的意思。用以强调后半部分。

c いくら…からといって(も)　不能因为…就…。

（1）いくら淋しいからと言って、夜中の3時に友達に電話するなんて非常識だ。／再怎么寂寞．半夜三点给朋友打电话也太没礼貌了吧。

（2）いくら体にいいからと言っても、毎日そればかり食べ続けていては病気になってしまう。／不能说对身体好就每天光吃这个．那非得病不可。

（3）いくら新しいのを買うからと言っても、何も古いのをすぐに捨ててしまうことはないんじゃないか。／不能说因为买了新的就马上把旧的给扔了吧。

以"いくらXからといって(も)Y"的形式．表示"也许你以为．因为X所以得出Y的结论．但这样做不对"的意思．带有轻微的责难口气。后面常伴有反对Y的理由。如例（1）．因为"X：淋しい(寂寞)"所以"Y：夜中に友達に電話する(半夜给朋友打电话)"．但这样做是"非常識だ(不懂礼貌的)"。

d いくら…からといっても　再…也…。

（1）いくら才能がないからと言っても、10年もピアノをやっていれば簡単な伴奏ぐらいはできるだろう。／再怎么没有才华．练了十多年钢琴了．简单的伴奏总还是能弹的吧。

（2）いくら不器用だからと言っても、それだけきれいにセーターが編めれば上出来だ。／再怎么说手不巧．能织这么漂亮的毛衣也不简单啦。

（3）いくら私が料理がうまいか

らと言っても、プロとは違うんだからそういうこったものは作れませんよ。／我做菜做得再好，终归不是专业厨师啊．所以做不了这么复杂的菜。

与4 c用法相似。但在形式上，"因为X所以Y"中Y的部分不表达出来。表示"即使X(也得不出Y的结论)．而应当是Z"的意思。后面陈述反对Y的理由。如例(1)．即使"X：ピアノの才能がない(没有弹钢琴的才华)"，也不是"Y：ピアノがひけない(不会弹钢琴)"．而"Z：簡単な伴奏はできるはずだ(应该会弹简单的伴奏)"．

e いくらなんでも （未免）也太…。

（1） そういう言い方はいくらなんでもひどすぎるよ。／你这种说法也太过分了吧。

（2） いくらなんでも、その服はお母さんには派手すぎないか。／这件衣服，对妈来说也太花哨了吧。

（3） この料理はいくらなんでも辛すぎてとても食べられない。／这菜也太辣了点儿了，简直没法吃。

是一种副词性惯用短句。常与"…すぎる"一起使用。表示"即使考虑多种情况仍然觉得不妥／不同寻常／超出了一般常识的范围"．带有责备的口气。

5 いくらV-たところで 即使…也…。

（1） いくらがんばってみたところで結果的には同じことだ。／再怎么拼命，结果也是一样的。

（2） いくら隠してみたところで、もうみんなにはばれているんだから仕方がないよ。／已经都被大家知道了，再怎么隐瞒也没用。

（3） いくらいいドレスを買ったところで、どうせ着ていくところがないんだから無駄になるだけだ。／买的礼服再漂亮．反正没有机会穿出去．买了也白搭。

（4） いくら話し合ったところで、彼らは自分の意見を変える気はないんだから、話し合うだけ無駄だ。／跟他们谈了也没用．因为他们根本没有改变自己意见的意思。

后面常伴有"同じだ(一样)／仕方がない(没办法)／無駄だ(没用)"等词．表示"无论怎样努力去做．也改变不了其状态"，"你这么拼命也无济于事"的意思。与4 a"いくら…ても"有相似之处．但伴有该行为的结果无济于事的达观之念。所以多用于劝说"最好不要这样做"的场合。

【いけない】
→ 【てはいけない】
【なくてはいけない】
【なければ】2

【いご】

1 Nいご （在某时、某事)以后、之后。

（1） あの事件以後、そこを訪れ

いささか―いざしらず 37

る人はほとんどいなくなった。/自从发生了那个事件以后，就很少有人到那里去了。
(2) 8時以後は外出禁止です。/八点钟以后，禁止外出。

接在表示某事件或时间的名词后，表示在那以后的时间。

2 いご　今后、以后。
(1) 以後私達はこの問題に関しては手を引きます。/今后我们不再过问这一问题。
(2) 以後この話はなかったことにしてください。/以后不要再重提这件事（就当没有这回事）。
(3) 以後よろしく。/今后请多关照。

表示"今から後(从今以后)"、"これから(以后)"的意思。

【いささか】

1 いささか　略微、有点儿。
(1) 今回の試験は前回に比べていささか難解すぎたように思う。/我觉得这次考试比上一次略微偏难了一些。
(2) みんなが自分勝手なことばかり言うので、いささか頭にきている。/大家都各说各的，真叫我有点儿火了。
(3) この部屋は事務所にするにはいささか狭すぎるのではないか。/这间屋子作办公室你不觉得太窄了点儿吗。

表示"有一点儿"、"有一些"的意思。也用于婉转地表示"很"、"相当"的意思时。

2 いささかも…ない　一点儿也(不)…。
(1) 今回の事件には私はいささかも関係ございません。/这起事件和我一点儿关系也没有。
(2) 突然の知らせにも彼はいささかも動じなかった。/尽管消息很突然，但他一点儿也没有产生动摇。
(3) 彼女は自分に反対する人に対してはいささかも容赦しないので、みんなから恐れられている。/她对于反对自己的人毫不留情，所以大家都怕她。

表示"一点儿也不…"、"毫不…"的意思。

【いざしらず】

(关于…)我不太清楚、姑且不论、还情有可原。

[Nはいざしらず]
(1) 昔はいざしらず、今は会社を10も持つ大実業家だ。/今非昔比了，他现在是一个有十家大公司的大企业家了。
(2) 両親はいざしらず、我々は兄弟として妹の結婚を許すわけにはいかない。/父母怎么想我们不管，我们是作为兄弟不能同意妹妹的这桩婚事的。
(3) 幼稚園の子供ならいざしらず、大学生にもなって洗濯

もできないとは驚いた。/要是幼儿园的孩子那还情有可原，都已经是大学生了，还不会洗衣服也太说不过去了吧。
（4）暇なときだったらいざしらず、こんなに忙しいときに客に長居されてはたまらない。/有空闲的时候还行，现在这么忙，客人还老呆着不走，真叫人没办法。
（5）国内旅行ならいざしらず、海外旅行に行くとなると、準備も大変だ。/国内旅行还可以吧，要是出国旅游，光准备就够你忙的。

用"は"、"なら"、"だったら"等形式提示名词，表示"关于…我不太清楚／姑且不论"的意思。如例句中所示，前后以"昔（过去）-今（现在）"、"幼稚園の子供（幼儿园的孩子）-大学生（大学生）"、"暇なとき（有空闲的时候）-忙しいとき（忙的时候）"等形成对比。表示后半部分叙述的事情要比前半部分叙述的事情程度严重或具有特殊性。最后多伴有表示惊讶或"情况非常严重"的词句等。例（1）是一种习惯说法，意思是"今非昔比"。

【いじょう】

1 数量词＋いじょう　（包括所提数量）以上，不少于，超过。

（1）体重が45キロ以上なら献血できる。/体重在45公斤以上就可以献血。
（2）65才以上の人は入場料がただになる。/65岁以上的老人可以免费入场。
（3）夏休みの間に食文化に関する本を3冊以上読んでレポートを書きなさい。/暑假期间，最少要读三本有关饮食文化的书，然后写一篇小论文。

表示包括所提数量在内，并比其还要多的数量。

2 いじょう　の／に

a…いじょうのN　超出、更多。
[N／V　いじょうのN]

（1）自分の能力以上の仕事を与えられるのは悪いことではない。/被安排做超出自己能力的工作并不是坏事。
（2）その薬は期待以上の効果をもたらした。/这种药带来了超出预想的疗效。
（3）彼はみんなが期待している以上の働きをきっとしてくれる人だ。/他绝不会辜负大家的希望，而且一定会做得更好。
（4）これ以上のことは今はお話しできません。/我现在只能讲这些。
（5）落ち込んでいる友達に対して、私には慰めの言葉をかける以上のことは何もしてあげられない。/对于情绪低落的朋友，我只能给他几句安慰的话，别的什么也帮不了他。

（6）新しく入ったアルバイトの学生は、命令された以上のことをやろうとしないのでほとんど役に立たない。／新来打工的学生，只会你叫他干什么他干什么，所以一点儿也不顶用。

表示"比该名词或动词所表示事物程度更高"的意思。该事物为上限，而要表示比其更高时如例（1）～（3），该事物为上限，要表示超不出该事物时如例（4）～（6）。

b …いじょうに 比…还要。
[N／V いじょうに]
（1）あの人は噂以上におっちょこちょいだ。／他比听说的还要滑稽。
（2）試験の点は想像以上に悪かった。／考试的分数比想像的还要差。
（3）彼女はタイの人なのに、日本人以上に日本の歴史について詳しい。／她虽然是泰国人，可比日本人还要了解日本历史。
（4）そのレストランはみんなが言う以上にサービスも味も申し分なかった。／这家饭店，无论服务还是口味都无可挑剔，而且我觉得比我听说的还要好。
（5）彼は思っていた以上に神経が細やかでよく気の付く人だった。／他比我想像的还要细心，会体贴人。
（6）ほかの人が練習する以上にやっているつもりなのに、全然ピアノが上達しないのはどういうわけだろう。／我觉得我比别人练得还要刻苦，可是为什么还是弹不好钢琴啊。

接名词或动词后，表示"比…更…"、"…已经相当…，但比其还要…"的意思。

3 これ／それ／あれ いじょう
a これいじょう＋修饰句＋Nは…ない （没有…）比…更…的。
（1）これ以上わかりやすいテキストは、今のところない。／目前没有比它更浅显易懂的教材了。
（2）あれ以上くだらない映画もめったにない。／你很少能看到比这部电影更无聊的电影了。
（3）あの人以上に賢い人は日本中探してもいないだろう。／找遍日本也找不到比他更聪明的人了。

主要接"これ／それ／あれ"后，表示其程度最高。类似于"一番…だ（最…）"。

b これいじょう…ば 比…更…、再…。
（1）これ以上水かさが増すと大変なことになる。／水要再涨，可就了不得了。
（2）これ以上雨が降らなければ、畑の作物は全滅するだろう。／再不下雨，田里的庄稼可就都完了。

(3) それ以上努力してもおそらく何の成果もあがらないと思うよ。／即使再怎么努力，可能也毫无结果。
(4) あんな忙しい生活をこれ以上続けたら、きっと彼は体をこわしてしまうだろう。／他要再这么忙下去，肯定会把身体搞垮的。
(5) 明日の講演が今日の以上につまらないのなら、行くだけ時間の無駄だ。／明天的讲演报告要是比今天的讲演更没劲的话，那去都是白浪费时间。
(6) 今以上にいろいろ工夫して料理を作っても、誰もほめてくれなければつまらない。／要是比现在更花功夫去做菜，还没有人夸，那就太悲惨了。

除"これいじょう"以外，也可用"それいじょう"、"あれいじょう"等。另外除后续"ば"以外，也可后续"と／たら／なら／ても"等。表示"如果比现在的程度更高"或"即使比现在的程度更高"的意思。往往含有"现在的程度已经很高，更何况"的意思。

c これいじょうV‐て　再继续…。
(1) それ以上頑張ってどうなると言うのだ。／再这么坚持下去管什么用啊。
(2) 彼女、あんなに細いのに、あれ以上ダイエットしてどうするんだろう。／她那么瘦，干吗还要减肥啊。
(3) あなた、これ以上お金をためて、いったい何に使おうって言うのよ。／我说，你还要攒钱，到底作什么用嘛。

主要接"これ／それ／あれ"后，表示"比现在的状态更加…"的意思。后面多伴有"どうなるのか／どうするか／何をするのか／何になるのか"等语句，表示"即使这么做也毫无意义，没用"的意思。

d これいじょう…は＋含否定意义的表达方式　不能再…。
(1) お互いこれ以上争うのはやめましょうよ。／咱们之间不要再争了吧。
(2) もうこれ以上今のような忙しい生活には耐えられない。／我再也忍受不了像现在这样紧张的生活了。
(3) さすが田中さんだ。ほかの人にはあれ以上の発明はちょっとできないだろう。／到底是田中。换了别人绝搞不出么好的发明。
(4) 雪もひどくなってきたし、もうこれ以上先へ進むのは危険だ。ここであきらめて下山しよう。／雪下大了，再往上爬就很危险了。咱们还是就爬到这儿，下山吧。
(5) A：もっと安くなりませんか。／不能再便宜点儿吗。
B：もうこれ以上は勘弁してくださいよ。これでももうほとんどうちの方はもうけがないくらいなんですから。／不能再

便宜了。就这样我们都一点儿赚头儿都没有呢。

主要接"これ／それ／あれ"等后面，后续"できない(不可能)／難しい(很难)／耐えられない(受不了)／やめよう(算了吧)"等含否定意义的表达方式，表示现在的状态是最佳状态，不可能有更大进展的意思。

4 Vいじょう(は)　既然…。

(1) 絶対にできると言ってしまった以上、どんな失敗も許されない。／既然你说绝对没问题，就不允许有一点失误。
(2) 全員一致で選ばれてクラブの部長になる以上、みんなの信頼を裏切るようなことだけはしたくない。／既然大家一致选举我当俱乐部的负责人，我就绝不能辜负了大家的期望。
(3) 大学をやめる以上、学歴に頼らないで生きていける力を自分で身につけなければならない。／既然决定了不上大学，就必须掌握不靠学历的生活本领。
(4) こういうことになってしまった以上、私が責任を取って辞めるしか解決策はないだろう。／事情已经到了这一步，就只有我来引咎辞职了，除此之外别无他法。
(5) 私に通訳がちゃんとつとまるかどうかわかりませんが、お引き受けした以上は精一杯の努力はするつもりです。／能不能作好这次翻译，我自己也没有自信，但既然已经答应了，就要努力去作。

接在表示某种责任或某种决心的动词后，表示"在做／做了这件事的情况下"的意思。后续表示与之相应的决心、奉劝、义务等表达方式。

5 いじょう

a いじょう(の)＋数量詞／N　以上、上述。

(1) 田中、木村、山本、吉田、以上の4人はあとで私のところに来なさい。／田中、木村、山本、吉田，以上四人一会儿到我这里来一下。
(2) 東京、大阪、京都、神戸、福岡、札幌、以上6つの都市が今回の調査対象となります。／东京、大阪、京都、神户、福冈、札幌，上述六所城市为这次调查的对象。
(3) 自分の長所、短所、自慢できること、今一番関心のあること、将来の夢、以上5点をはっきりさせて自己紹介文を書いてください。／自己的优点、缺点、特长、现在最感兴趣的事情、将来的理想，在写自我介绍时，一定要把以上五点写清楚。
(4) 植物をむやみに採らないこと、火の後始末に気を付けること、トイレはきれいに使うこと、以上のことを必

ず守ってキャンプしてください。/不随便采摘植物、注意扑灭篝火、维护公厕卫生，在夏令营中一定要遵守以上三条。

(5) 発音はきれいか、言語表現は適切か、内容は興味を感じさせるか、訴えたいことははっきり伝わってくるか、以上のような点がスピーチの審査の時におもにポイントとなる。/发音是否标准、语言表达是否贴切、内容是否有趣、观点是否感人。以上几点是评审演讲时的主要得分内容。

用于列举几项内容后，将其归纳时。

b いじょう 完、完了。

(1) 作業が終わり次第、必ず報告に来ること。以上。/完成生产程序以后，必须来报告。完。

(2) 次の品物を記念品として贈呈します。置き時計一つ、木製本棚二つ、百科事典全20巻一式。以上です。/作为纪念赠送以下物品。座钟一只、木制书架两个、百科辞典20卷一套。完。

表示"到此全部说完"、"完了"的意思。多用于事务性的文件或目录等。

【いずれ₁】

1 いずれ 哪、哪一个、任何一个。

(1) 進学と就職といずれの道を選ぶのがいいか、自分でも決めかねている。/是升学，还是工作，选择哪一条路好，连自己都还没有决定。

(2) 「はい」「いいえ」「どちらでもない」のいずれかに○をつけてください。/请在"はい""いいえ""どちらでもない"的任何一栏上画"○"。

表示两个或两个以上中的其中一个。是"どちら"、"どれ"的书面性用语。

2 いずれにしても 总之、无论怎样、反正。

(1) 山田は仕事の都合で遅れるとは言っていたが、いずれにしても来ることにはなっている。/山田说因工作要晚一点儿来，总之他是要来的。

(2) 後遺症が出る可能性もあるが、いずれにしても回復に向かっていることだけは確かだ。/可能会有后遗症，但无论怎样现在的确是在慢慢恢复。

(3) 彼が辞めるのがいいのかどうかはわからないが、いずれにしてもこのまま放っておくわけにはいかない。/我也说不准他是辞了工作好，还是不辞工作好，但不管怎样我们都不能这样放任不管的。

(4) A：ここでついでにお昼ご飯食べましょうか。/就顺便在我们这儿吃了午饭吧。

B：そうですね。いずれにしても、どこかで食べておかなきゃならないんだし。／我看行吧，反正也得找地方去吃饭。

用于句子或段落的起始，表示"虽有各种可能性，但不管取哪种可能性，反正都…"的意思。"いずれにしても"的后面为说话者的重点，表示该事物才是千真万确的。既可用于口头语言，也可用于书面语言。在较郑重的场合，还可使用"いずれにしろ"、"いずれにせよ"。并可以与"何にしても"替换。

3 いずれにしろ　不管怎样、总之。

（1）やりたい仕事はいろいろあるが、いずれにしろこんな不況では希望する職にはつけそうもない。／想干的工作很多，但不管你怎么想，在这种不景气的情况下，是不可能找到自己完全满意的工作的。

（2）ちょっと来客があったりするかもしれませんが、いずれにしろこの日なら時間が取れるので大丈夫です。／可能中间会有客人来，但不管怎样，这一天我是可以腾出时间的，所以没关系。

（3）もっといい機種が出るまで待ってもいいけれど、いずれにしろいつかはパソコンを買わなければならないのなら、この機会に買ってしまったらどうか。／也可以再等等出更好的机型，但反正早晚是要买计算机的，还不如趁此机会买了算了。

是"いずれにしても"的较郑重的说法。

4 いずれにせよ　总之。

（1）今日はこの問題にはもう触れませんが、いずれにせよ今後も考えていかなければならないとは思っています。／今天就不再谈这个问题了，总之，我想今后还要继续考虑这个问题。

（2）今後誰にこのプロジェクトを任せるかは未定だが、いずれにせよ彼には降りてもらうことに決めた。／虽然今后谁来负责这一项目的问题还没有决定，但有一点是肯定的了，就是不能再由他来负责了。

是"いずれにしても"的较郑重的说法。

5 いずれも　全都、不论哪一个都。

（1）ここにございます宝石類は、いずれも最高級品でございます。／这里所有的宝石都是最高级的产品。

（2）今日の講演会のお話はいずれも大変興味深いものでした。／今天讲演会上的所有报告都很有意思。

是"どちらも"、"どれも"的较为郑重和礼貌的说法。

【いずれ₂】
早晚、最近。

(1) いずれまた近いうちにおうかがいします。／改日(不久)我还会来的。
(2) 今はよくわからなくても、いずれ大人になればわかる時がくるだろう。／虽然你现在还不明白,但等你长大了,早晚是会明白的。
(3) その事件については、いずれ警察の方から詳しい説明があることになっています。／就这一起事件,最近警方会有详细说明的。
(4) いずれこのあたりの山も開発が進んで、住宅地になってしまうだろう。／早晚这一带的山也会被开发,变成住宅区的。
(5) 円高もいずれ頭打ちになることは目に見えている。／很明显,日圆升值最近也快到顶了。

表示从现在起在未来的某一时间。虽然该时间尚不能确定,但坚信发生某一事态的时间一定会到来。用于书面语言,语气较死板。

【いぜん1】

依然、仍然。

(1) その問題はいぜん解決されないままになっている。／这一问题依然没有得到解决。
(2) 裁判ざたになっているにも関わらず、彼は依然自分は何も知らないと言い張っている。／尽管已经被提起诉讼,但他仍然坚持说自己什么都不知道。
(3) ゴルフ場建設の工事は、依然として再開されていない。／建设高尔夫球场的工程仍然没有重新开始。

表示某一状态在很长时间内没有变化。用于书面语。"依然として"是一种惯用形式。

【いぜん2】

1 いぜん　以前、以往。

(1) 以前一度このホテルに泊まったことがある。／以前曾经在这家饭店住过一次。
(2) 彼女は以前の面影はまったくなく、やつれてしまっていた。／她已经完全失去了以往的容貌,变得非常憔悴。
(3) 以前から一度あなたとはゆっくりお話ししたいと思っていました。／很早以前就想有机会和你好好谈一次。
(4) 先生は以前にも増してお元気そうで、とても70才とは思えないほどだった。／老师的身体比以前更好了,看上去根本就不像70岁的人。

表示"很久以前"的意思。比"前(以前)"要显得语气郑重。

2 Nいぜん＜时间＞　以前。

(1) 彼は予定していたはずの3月31日以前に引っ越してしまったので、連絡がつかな

いぜん　45

い。／他在预定的3月31日以前搬了家，所以联系不上了。
（2）その地方では先週の大地震以前にも何度も小さな地震が起こっていた。／在这一地区上星期发生大地震以前，曾发生过几次小地震。
（3）彼の20才以前の作品には他の画家の影響が強く見られる。／在他20岁以前的作品当中，可以明显看到其他画家对他的影响。
（4）この間捕まった男は、それ以前にも何回も同じ手口で子供を誘拐していたらしい。／前不久抓到的那个男人，以前也好像曾使用相同手法拐骗过儿童。

表示前续名词所示时间以前的某一时间。

3 V-るいぜん　以前、前
（1）二人は結婚する以前から一緒に暮らしていた。／两个人结婚以前就在一起生活。
（2）彼は映画監督になる以前は画家だったらしい。／他在当电影导演以前好像曾经是画家。
（3）家具を買う以前に、引っ越し先を決めなければ。／在买家具前，首先得决定搬家的地方。
（4）新しい企画を始める以前に、今までのものをもう一度見直してみる必要もあるのでは

ありませんか。／在开始新项目以前，是否有必要先重新考虑一下原有的项目。

表示"发生某事情以前"的意思。用于表示在一个较长的时间段中，按照一定程序事件连续发生的前后事件关系。
（误）私はいつも寝る以前に日記を書く。

4 N いぜん＜阶段＞　以前。
（1）そんなことは常識以前の問題だ。知らない方がおかしいのだ。／这是基本的常识问题。连这都不知道就太不可思议了。
（2）挨拶がきちんとできるかどうかは、能力以前の話だ。いくら仕事ができても礼儀を知らないような人はお断りだ。／会不会寒喧客套，这是最基本的能力问题。工作再好，但不懂礼貌，这样的人我们不能要。
（3）受験者の動機や目的は面接以前の段階での調査項目だ。面接ではもっとほかのことを質問するべきだろう。／考试者的动机和目的，是面试以前就应该调查好的项目。面试的时候还有许多别的情况需要问的。
（4）まずコンセントを差し込んでから電源を入れるという、使い方以前の常識さえないような人にこの機械を任せるわけにはいかない。／先插

插销再开电源。这是使用方法中最基本的常识，连这点基本常识都没有的人，怎么能让他来使用这台机器呢。

表示尚未达到前续名词所表示的阶段。含有照常规应该达到的水平却未达到的意思。多用于对这种缺乏基本常识的现象表示谴责的时候。

【いたって】
→【にいたる】3

【いたっては】
→【にいたる】4

【いたっても】
→【にいたる】5

【いたり】

[Nのいたり]　无上、无比、非常。

(1) このたび我が社の長年の社会奉仕活動に対して地域文化賞をいただきましたことは誠に光栄のいたりに存じます。／此次，对于我公司长期致力于社会服务活动授予区域文化奖，我们感到无上光荣。

(2) このような後援会を開いてくださいまして、感激の至りです。／今天为我召开如此盛大的后援会，我感到无比激动。

(3) お二人の晴れやかな門出をお祝いできて、ご同慶の至りです。／今天能为二位开始新的人生进行祝贺，我们也感到同喜之至。

前续部分名词，表示达到极至，处于最高状态的意思。常用于较为郑重的致辞等，有"非常…"的意思。另外，如下例所示，也用于表示"由于某种原因所造成的结果"的意思。

(例) 彼があなたにずいぶん失礼なことを言ったようですが、若げのいたり（＝若さの結果としてのあやまち）と思って、ゆるしてやってください。／他好像对您讲了许多失礼的话，那都是由于他太年轻幼稚（＝由于年轻幼稚的结果导致的错误），请您原谅他吧。

【いたる】
→【にいたる】

【いちがいに…ない】

(不能)笼统地、统统地、一概地。

(1) 有機野菜が安全だといちがいには言えない。／不能笼统地说，有机肥料种植出的蔬菜就都安全。

(2) 私の意見を一概にみんなに押しつけることはできない。／不能把我的意见统统地都强加给大家。

(3) 外国人労働者はどんどん受け入れればいいとは一概に主張できない。／不能不加区别地认为大量地接受外国

（4） 彼（かれ）はまちがっていると一概（いちがい）に非難（ひなん）することもできないのではないだろうか。／也不能完完全全地把错误都归咎于他吧。
（5） 彼（かれ）の案（あん）にも利点（りてん）はあるのだから、そんなことはやっても無駄（むだ）だと一概（いちがい）に決（き）めつけることはできないだろう。／他提出的方案中也有长处，所以并不能一概而论地说照他的方案做就是白费工。

后续"できない"、"言えない"等表示否定某种可能性的表达方式。表示"不能单纯地／不考虑其他情况地／只凭自己意愿地…来做某事"的意思。言外之意即要考虑其他条件或情况。

【いちど】

1 いちど Vと／V-たら 一旦。

（1） タイ料理（りょうり）は一度（いちど）食（た）べると病（やみ）みつきになる。／一旦吃过一次泰国料理就会上瘾的。
（2） あの森（もり）は一度（いちど）迷（まよ）い込（こ）んだらなかなか外（そと）に出（で）られないらしい。／据说在那片森林里，你要是一旦迷了路，是很难走出来的。
（3） あの作家（さっか）の小説（しょうせつ）は一度（いちど）読（よ）み始（はじ）めるとついつい最後（さいご）まで一気（いっき）に読（よ）んでしまう。／那位作家写的小说，你一旦读了开头，就会被它吸引住，一直读到最后都不撒手。

（4） 一度（いちど）いいワインの味（あじ）を知（し）ってしまうと、もう安物（やすもの）は飲（の）めなくなる。／一旦晓得了上等葡萄酒的味道，便宜的就没法喝了。

表示"一旦经历了某一件事／一旦达到某一状态，就回不到以前的状态了"的意思。

2 いちど V-ば／V-たら 一次、一旦。

（1） こんなところは一度（いちど）来（く）ればたくさんだ。／这种地方，来一次就够了。
（2） 一度（いちど）こういう苦労（くろう）を経験（けいけん）しておけばもう安心（あんしん）だ。何（なに）があっても耐（た）えられる。／有一次这种吃苦的经历就行了。以后再有什么情况都能经受的住。
（3） 一度（いちど）やり方（かた）がわかれば、後（あと）は応用（おうよう）がきく。／一旦明白了作法，以后还可以有所发挥。

表示"只要有一次经历／明白了某一件事就足够了／再发生相似的情况时就可以应付"的意思。含有"没有必要再有第二次"的意思。如例（3）后续表示状态的表达方式时，可以与"いちどVと"互换。

【いつか】

1 いつか 不知不觉、不知什么时候。

（1） 本（ほん）を読（よ）んでいる間（あいだ）にいつか眠（ねむ）り込（こ）んでしまったようだ。／读着读着书，不知不觉就

睡着了。
(2) いつか雨はやみ、雲の間から日が射していた。／不知什么时候雨停了，阳光从云缝中照射下来。
(3) 動物園はいつか人影もまばらになり、閉園のアナウンスが流れていた。／不知不觉中，动物园里的游人渐渐稀少下来，喇叭里传来即将清场的广播。

表示"没注意到"、"不知不觉之中"的意思。多用于书面语。口语中常用"いつのまにか"。带文学色彩时可用"いつしか"。

2 いつか V-た （记不清什么时候）以前、曾经。
(1) いつか見た映画の中にもこんな台詞があった。／以前看过的电影当中也有这么一段台词。
(2) 彼とはいつかどこかであったことがあるような気がする。／我好像曾经在什么地方见过他。
(3) この道は前にいつか通ったことがあったね。／这条路以前好像走过吧。

用于表示过去事件的文章中，表示不能清楚地确定的过去的某一时间。

3 いつか(は)　早晚、迟早、有机会。
(1) あいつもいつかはきっと自分の間違いに気づくだろう。／早晚他也一定能认识到自己的错误。
(2) がんばっていれば、いつかはだれかがこの努力を認めてくれるはずだ。／只要坚持下去，迟早会有人承认你的努力的。
(3) いつか一度でいいから世界中を放浪してみたい。／如有机会，哪怕只有一次，我也想周游一下世界。
(4) あの美術館へいつかは行こうと思いながら、全然行く暇がない。／总想找机会去那家美术馆看一看，可就是没有时间去。

用于表示未来事件的文章中，表示不能清楚地确定的未来的某一时间。后续句尾中，除可以有"…する"的形式，还可以有"…するはずだ／するだろう／したい／しよう"等其他形式。同时还多伴有"きっと（一定）／かならず（肯定）"等副词。

4 いつかの N　上回、上次。
(1) いつかのセールスマンがまた来た。／上回那个推销员又来了。
(2) 彼はいつかの交通事故の後遺症がいまだにあって苦しんでいるそうだ。／据说他那次遇到交通事故以后，还留有后遗症，现在还很痛苦。
(3) いつかの件はどうなりましたか。ほら、田村さんに仕事を頼んでみるって言っていたでしょ。／上回那件事怎么样了？嗯，对了，你不说要求

田村办点儿事吗。
（4）いつかのあの人にもう一度会いたいなあ。／上次见到的那个人，有机会还想见一见啊。

表示不能清楚地确定的过去某一时间。言外之意暗含那时发生过某事，但具体发生了何事要根据上下文来理解。如例句中的"いつかのセールスマン（上回的推销员）"可以有"上回来过的／上回我跟你讲过的／上回来过电话的"等种种可能性。

【いっこうに】

根本（不）…、一点儿也（不）…。

[いっこうに V-ない]

（1）30分待ったが、彼はいっこうに現れない。／等了半个小时，根本不见他来。
（2）薬を飲んでいるが、熱はいっこうに下がる気配がない。／吃了药了，可烧一点儿也不见退。
（3）毎日練習しているのに、いっこうに上手にならないのはどういうわけだろう。／每天都在练，可为什么就一点儿都没有长进呢。
（4）何度も手紙を出しているのに、彼女はいっこうに返事をよこさない。／我写了好几封信了，可她一封也不回。

表示"全然…ない（根本不…）"的意思。强调否定。用于表示为期待某事发生而不断努力，但期待终不得实现，含有焦躁、疑惑的语气。语气较生硬。

【いっさい】

（没有）任何…、一点儿也（不）…。

[いっさいない]

[いっさい V-ない]

（1）計画の変更はいっさいない。／计划没有任何变更。
（2）そのような事実はいっさいございません。／绝对没有这种事情。
（3）なにか問題が起こっても、こちらはいっさい責任を持ちませんので、その点御了承ください。／无论发生任何问题，我方一概不负责任，这一点请您听明白。
（4）詳しいことについての説明はいっさいなされなかった。／至于详细情况，他未做任何说明。
（5）彼は料理にはいっさい手をつけず、お酒ばかり飲んでいた。／他一点儿菜都没沾，光喝酒了。

表示"一个也不…／一点儿也不…"的意思。强调否定。与"まったく…ない"、"全然…ない"相似。是书面语。

【いつしか】

不知不觉、不知什么时候

（1）いつしかあたりは薄暗くなり、人影もまばらになっていた。／不知不觉周围暗了下

（2）山もいつしか紅葉に染まり、秋が深まっていた。／不知不觉中山野被枫叶染红，秋意更浓了。
（3）いつしか雨も止んで、空には虹がかかっていた。／不知什么时候雨停了，天空中出现一道彩虹。
（4）去年まいた種がいつしか芽を出し、中にはつぼみをつけているものもあった。／去年撒的种子不知什么时候发了芽，其中还有带着花蕾的。

比"いつか"语气要强。表示"不知不觉之中"、"不知什么时候"的意思。是书面语。多用于文学作品之中。
→【いつか】1

【いっそ】

1 いっそ　干脆、倒不如。

（1）こんなにつらい思いをするくらいなら、いっそ離婚してしまいたい。／与其现在这么受苦，不如真想干脆离婚算了。
（2）彼に見放されるくらいなら、いっそ死んでしまった方がましだ。／与其被他抛弃不如一死了之。
（3）今の職場はストレスがたまるばかりだし、いっそ思い切って転職してしまおうか。／在现在的单位，精神越来越紧张，干脆换个工作单位算了。
（4）そんなに住み心地が悪くて困っているのなら、いっそのこと引っ越したらどう。／要是住得那么不舒心，不如搬家换个地方怎么样啊？
（5）ステレオは修理に出しても修理代がかさむし、もうこうなったら、いっそのこと新しいのに買いかえた方がいいかもしれない。／立体音响拿去修理还要花修理费，那也许还不如买一台新的好呢。

句尾常伴有表示意志（…よう）、欲望（…たい）、判断（…べきだ）、劝诱（…たらどうか）等的表达方式。表示"要想解决这一问题，就必须有大胆的转换"等心情。例（5）中"いっそのこと"是一种惯用形式。虽为口语但有些陈旧。

2 よりいっそ（のこと）　（与其…）不如…。

[N／V よりいっそ（のこと）]

（1）休職よりいっそ転職を考えてみたらどうですか。／与其停职不如考虑换个工作怎么样？
（2）彼に誘われるのを待っているより、いっそのこと自分から誘ってみたらいいんじゃないでしょうか。／与其等他来约你，不如你主动去约约他怎么样啊？
（3）このステレオはもう古いし、3万も出して直すよりいっそ買いかえた方がいいかも

2 いまごろ V-ても／V-たところで

（1）今ごろ佐藤さんに電話しても、もううちを出ているのではないだろうか。／到现在才给佐藤打电话，他是不是已经出来了。

（2）君ねえ、今ごろ来ても遅いよ。もう仕事はすんでしまったよ。／告诉你，现在来已经晚了，工作都已经干完了。

（3）今ごろがんばってみたところで、もう結果は変わらないだろう。／事到如今，再怎么努力也改变不了现在的结果了。

（4）今ごろ行ってみたところで、もう食べ物も残っていないだろうし、行くのはよそう。／到现在再去，什么吃的也没有了，别去了。

与"いまごろになって"意思相同。表示现在去已为时过晚，白搭的意思。

【いまさら】

1 いまさら　事到如今，事已至此。

（1）もうその問題は解決済みなのに、今さらどうしようというのですか。／那个问题已经处理完了，事到如今已毫无办法了。

（2）今さら何が言いたいのだ。／事已至此你还想说什么呀。

（3）今さら謝ってももう遅いよ。／到现在你来道歉已经晚了。

（4）結婚して何を今さらという感じだが、私は来月から料理学校に通うことにした。／可能你会感觉都结婚了为什么现在又提起这事，但我还是决定从下个月开始去烹饪学校学习一下。

表示"到现在"的意思。用于某事已了结或已解决时又有人重新提起时。多用于当对方重提时，表示责难的场合。例（4）中的"何を今さら"是一种惯用形式。表示"做这种事情的时期已过去"的语气。

2 いまさらV-ても　(到)现在才…。
いまさらV-たところで

（1）今さら文句を言われてもどうしようもない。／你现在冲我发牢骚也无济于事了。

（2）今さら勉強しても、試験にはとうてい間に合わない。／从现在才开始学习，考试已经来不及了。

（3）今さらいやだと言ったところで、しなくてすむわけではない。／你现在再说不愿意干也不行了。

（4）今さら隠してみたところで、もうみんな知っているんだから、この場できちんと婚約発表したらどうだ。／你现在还要隐瞒啊，大家都已经知道了，我看你不如趁此机会就宣布订婚了呢。

表示"到现在再做…已经晚了"的意思。／这台音响已经旧了，与其花3万多日元去修，也许还不如换一台新的好呢。

（4）結果をあれこれ思い悩むより、いっそのこと行動に移してしまった方が気が楽になりますよ。／与其在这儿思前想后的烦恼，还不如赶快付诸行动，这样心情还会更轻松一些。

以"XよりもいっそY"的形式，表示在面对某一问题时，不要老是X，而要大胆的进行Y。句尾多伴有表示意志(…よう)、欲望(…たい)、判断(…べきだ)、劝诱(…たらどうか)等的表达方式。

【いったい】

到底、究竟。

[いったい+疑問表達方式]

（1）いったい彼は生きているのだろうか。／他到底还活着呢吗？

（2）祝日でもないのに、この人の多さはいったい何なのだ。／今天又不是节假日，这么多人到底是发生了什么啊？

（3）いったい全体何が起こったのか、さっぱり見当がつかない。／简直闹不明白到底发生了什么事情。

（4）いったいあいつは今ごろどこで何をしているのだろう。／那家伙现在究竟在什么地方，在干什么呢。

用于疑问表达方式中，表示根本闹不明白的强烈语气。"いったい全体"的语气则更强。

【いったらありはしない】
→【といったらありはしない】

【いったらない】
→【といったらない】

【いったん…と】

一旦，只要。

（1）彼女はおしゃべりな人で、いったん話し出すと止まらない。／她是个爱说话的人，一旦开了腔就没完。

（2）いったんテレビゲームを始めると2時間ぐらいはすぐに経ってしまう。／只要玩儿上游戏机，两个小时一会儿就过去。

（3）いったんこの段階まで回復すれば、後はもう大丈夫だ。／只要恢复到这个阶段，后面就没有问题了。

（4）このお菓子はいったんふたを開けるとすぐに湿ってしまうので、早く食べなければならない。／这种点心开盖后很容易受潮，所以要尽快吃掉。

（5）いったんこんなゆとりのある生活に慣れてしまったら、もう前のような忙しい生活には戻れない。／一旦适应了这种悠闲的生活，就再也回

不到以前的那种繁忙的生活中去了。

除了"と"以外，还可以与"たら/ば"等一起使用。表示"变为某一状态后，或某一事物开始后，就回不到从前的状态了"的意思。

【いっぽう】

1 いっぽう

a V-る＋いっぽう(で)　一方面…一方面…、一边…一边…。

（1）自分の仕事をこなす一方で、部下のめんどうも見なければならない。／一方面要完成自己的工作，一方面又要照顾部下。

（2）彼は全面的に協力すると言う一方、こちらが何か頼んでも忙しいからと言って断ってくる。／他一方面说要全面给予协助，可一旦真求他做点儿什么又总是说太忙不帮助。

（3）彼女はお金に困っていると言う一方で、ずいぶん無駄遣いもしているらしい。／她一边喊没钱没钱，可又一边乱花钱。

表示"在做某事的同时"的意思。后面多叙述同时做的另一件事。

b いっぽうでは…たほうでは　一方面…而另一方面却…。

（1）この映画は、一方では今年最高との高い評価を受けていながら、他方ではひどい出来だと言われている。／对于这部电影，一方面有人评价它是今年最好的作品，而另一方面又有人说它拍得很糟糕。

（2）彼は、一方では女性の社会進出は喜ぶべきことだと言い、他方では女子社員は早く結婚して退職した方がいいと言う。／他一方面说女性走上社会是值得高兴的事，而另一方面又主张女职员最好早早结婚离开工作岗位。

（3）彼女は、一方ではボランティア活動は大事だと言っているが、他方では何かと理由をつけて参加するのを避けている。／她一方面说志愿者活动非常重要，而另一方面又总找一些借口回避参加。

（4）政治に対する関心は、一方では高まっているものの、他方では腐敗しきった政府に対する諦めのムードがまん延している。／一方面对于政治的关心越来越浓厚，而另一方面对于腐败政府失去信心的情绪也越来越蔓延开来。

用于并列叙述两个完全对立的事物。后面多带有表示逆接的表达方式。如"いっぽうでは…が/のに/ながら/ものの"等。

c いっぽう　而（另一方面）。

（1）花子はみんなが帰ったあとも毎日残業していた。一方桃子は定時退社し、毎晩遊び回っていた。／每天大家回去以后，花子还要留下来加班，而桃子每天都定点下班，然后晚上到处去玩儿。

（2）日本では子供を生まない女性が増えている。一方アメリカでは、結婚しなくても子供はほしいという女性が増えている。／在日本不要孩子的女性越来越多，而在美国，越来越多的女性却不结婚而想要孩子。

用于句子或段落之首。后面叙述与前文相对立的事物。有时也可用"その一方で"。

（例）土地の値下がりは現状を見ると絶望的だが、その一方で期待できる点もないわけではない。／从现状来看，地价下跌是令人绝望的，而另一方面也并不是没有给人以希望的地方。

2 V-るいっぽうだ　越来越、一直、一个劲儿。

（1）事態は悪くなる一方だ。／事态越来越糟。

（2）父の病状は悪化する一方だった。／父亲的病情一直在恶化。

（3）仕事は忙しくなる一方で、このままだといつかは倒れてしまいそうだ。／工作越来越忙，照这样下去非累垮了不可。

（4）最近、円は値上がりする一方だ。／最近日元一个劲儿地升值。

表示某状况一直朝着…发展，没有止境。多为贬…

【いない】

以内，不超过。

[数量词＋いない]

（1）10人以内なら乗…人以内可以乘…

（2）おやつは500…なさい。／买…500日元。

（3）10分以内に戻…待っていてく…分钟以内就能…着我。

（4）ここから2キ…か広くて安い…りませんか。／…以内有没有既…公寓啊。

表示"含该数量在内…"不超过该数量的范围"的…

【いまごろ】

1 いまごろになって

（1）注文していた…になってやっと…早订的书到现在…

（2）今ごろになって…予約しようと思…遅いよ。／到现在…已经晚了。

意思虽与"今(现在)"…现在再做此事为时过晚…

思。常与否定形式相呼应,多用于"いまさら…ても…ない"的形式。

3 いまさらながら 再一次(感到)、重新(感到)。

（1） 今さらながら彼の賢さには感心する。／再一次对他的聡明才智感到钦佩。

（2） 祖父が亡くなって１年たつが、今さらながらもっと長生きしてくれたらよかったのにと残念に思う。／祖父已去世一年了。现在仍痛感他老人家要多活一些时候多好呀。

（3） 先生は本当に親身になって心配してくださったんだなあと、今さらながらありがたく思う。／现在再一次深深地感受到老师真是设身处地地为我们着想了。

（4） あいつは本当にいつもへまばかりしていてどうしようもない奴だったが、今度の事件で今さらながらあいつの馬鹿さ加減にあきれている。／那家伙光闯祸,简直拿他没办法。通过这次事件,再一次感到他真是不可救药了。

后续"ありがたい(庆幸)"、"残念だ(可惜)"等表示感情色彩的表达方式,表示以前就曾有某种感情或想法,通过某一件事,现在又重新加深了这一感情或想法的意思。

4 いまさらのように 仿佛刚刚想起、仿佛现在才意识到。

（1） そういえば昔はここでよく友達と鬼ごっこをしたなあと、今さらのようになつかしく思った。／对了,小时候常常和小朋友们一起在这里玩儿捉迷藏。他仿佛刚刚想起来似地感到非常亲切。

（2） 昔の写真を見ると、当時の苦労が今さらのことのように思い出される。／看着过去的照片,当年那些痛苦的经历又像刚刚发生过似地浮现在眼前。

（3） 母はお前も地元で就職すればよかったのにと、今さらのように言う。／母亲仿佛刚意识到似地说,要是你也能在本地就职就好了。

后续"思う(想)"、"なつかしむ(感到亲切)"、"言う(说)"等表达方式,表示对过去的事情、已了结的事情、已忘却的事情等等重又勾起思绪的意思。也可像例（2）那样说"今さらのことのように"。

【いまだ】

1 いまだに 仍旧、还。

（1） あの人いまだに病気で寝込んでるんだって。／听说他仍旧卧病在床呢。

（2） その喫茶店は客もめっきり減ってしまったが、いまだにがんばって経営を続けている。／那家咖啡馆的顾客骤然减少,但他们仍然努力维持着经营。

（3）彼はいまだに大学のジャズ研究会に籍をおいて、活動を続けているそうだ。／听说他还在大学的爵士乐研究会里进行着活动。
（4）祖父が亡くなって7年もたつというのに、いまだに祖父宛の年賀状が何通か届く。／尽管祖父已去世7年了，但仍旧每年收到几封有人寄给祖父的贺年片。

后续肯定表达方式，表示按常规早已不应是这种状态，但这种状态仍旧在继续的意思。是书面语。现在仍旧的意思。

2 いまだ(に) V-ない　还(没有)、仍旧(未)。

（1）行方不明の二人の消息は未だにつかめていない。／去向不明的两个人还没有任何消息。
（2）申し込んでから1ヶ月以上たつのに、未だに連絡が来ない。／都申请了一个多月了，可仍旧不见有人来联系。
（3）今回の催しはもう日程まで決まっているのに、内容については未だ何の具体案も出されていない。／这次的演出连日程都定好了，可就演出内容还没有一个具体方案。
（4）本来ならもうとっくに完成しているはずなのですが、工事は未だに中断されたままで、再開のめども立っていません。／本来应该早就完工了，可直到现在工程仍旧停滞在那里，没有一点重新开工的迹象。

后续否定表达方式，表示本应发生某种情况，但实际上尚未发生的意思。表示说话人的期待与现实相互矛盾的心情。比使用"まだ"感觉意外的语气更强。书面语。

【いまでこそ】

现在是…。
[いまでこそ　…N／…Na　だが]
[いまでこそ　…A／…V　が]

（1）二人は今でこそ円満に暮らしているが、結婚当初は毎日喧嘩が絶えなかった。／现在两人过得是挺和睦的，可刚结婚那会儿天天吵架。
（2）今でこそこの仕事に全力を尽くしているが、以前は何度やめようと思ったかしれない。／现在我是全力在做这份工作，可以前我曾几次想辞掉它不干了。
（3）いまでこそ留学も珍しくないが、お父さんが子供の頃は、留学など夢のまた夢だった。／别看现在留学不是什么新鲜事了，爸爸小的时候那会儿，留学那是做梦都不敢想的。
（4）今でこそ何度も海外旅行をすることも当たり前になっているが、つい10年ほど前までは、一生に一度新婚旅

行で行くのがやっとというこう い感じだった。／现在一个人几次到海外去旅行都不新鲜了,可就在十年前,去海外旅行也就是一辈子一次的新婚旅行才能去的。

表示"现在这种事已经是理所当然的事了"的意思。后续一般为"在过去根本没有这种事,或正相反"。

【いまに】

早晩、不久。

(1) あんなに働いていたら、あいつは今に過労で倒れるだろう。／像他那么干,我看早晚得劳累过度病倒的。

(2) 田中さんも今にすばらしい小説を書いてくれると信じています。／我相信田中不久一定能写出非常优秀的小说。

(3) 見ていてごらんなさい。今にここの海も汚染されて魚もとれなくなりますよ。／你瞧着吧,用不了多久这片海域就会被污染打不到鱼了。

(4) いたずらばかりしていると、今にひどい目に会うぞ。／你要是光淘气早晚要吃亏的。

(5) 今に見ていろ。きっと大物になってみせる。／你等着瞧吧,我一定要做个大人物给你瞧瞧。

表示"不久即将"的意思。用于坚信在不久的将来会发生某事。用于对方时可表示忠告、警告等。例(5)的用法是一种惯用形式.表示一种对某人的挑战心情。

【いまにも】

眼看、马上。

[いまにも V-そうだ]

(1) 今にも雨が降りそうだ。／眼看就要下雨了。

(2) 彼女は今にも泣き出しそうな顔をしていた。／她哭丧着脸,眼看就要哭出来似的。

(3) 「助けてくれ」と彼は今にも死にそうな声を出した。／"救命啊!"他发出了眼看要死似的呼救声。

(4) 嵐はますます激しくなり、小さな船は今にも沈みそうに波にもまれていた。／暴风雨越来越大,小船被波涛拍打着,好像马上就要沉没似的。

表示某事马上即将就要实现的样子。用于非常紧迫的场合。

【いまや】

现在、如今。

(1) 彼女は今や押しも押されもせぬ花形スターだ。／现在她已经是一个大家都公认的明星了。

(2) 今や時代は物より心である。／现在这个时代,人们不重物质更重精神。

(3) 5年前はこのワープロも最新機種だったが、今やこんなのは無用の長物だ。／5

年前，这种文字处理机还是最新的机种，现在就已经成了废物了。
(4) 昔は新婚旅行と言えばハワイだったが、今やトルコやエジプトも珍しくない。／过去，一说新婚旅行就是夏威夷，如今去土耳其，去埃及都不新鲜了。

表示"在现在"的意思。用于与过去相比较，那种旧的状态已成为过去，现在完全是一种新的状态的场合。

【いらい】

1 いらい

a N いらい　以后、以来。
(1) あれ以来彼女は姿を見せない。／打那以后再没见到她。
(2) 先週以来ずっと会議続きで、くたくたに疲れきっている。／从上周以来一直在开会，累得筋疲力尽。
(3) 母は、去年の入院以来気弱になってしまった。／母亲自从去年住院以后变得非常虚弱。

接表示时间或事件的名词后，表示从那以后一直到现在的意思。

b V-ていらい　以后。
(1) 夏休みに風邪で寝込んで以来、どうも体の調子が悪い。／自从暑假感冒病倒以后，身体一直不好。
(2) インドから帰ってきて以来、彼はまるで人が変わったようだ。／自从印度回来以后，他好像变了一个人似的。
(3) スポーツクラブに通うようになって以来、毎日の生活に張りが出てきた。／自从加入体育俱乐部以后，每天的生活过得很有活力。
(4) この家に引っ越して以来、毎日のようにいたずら電話がかかる。／自从搬到这个家来以后，每天都有搔扰电话来捣乱。

表示自过去发生某事以后直到现在的意思。不能用于刚刚发生不久的事。

(误) 弟は夕方うちに帰ってきて以来、部屋に閉じ込もったきりだ。
(正) 弟は先月イギリス出張から帰ってきて以来、忙しくて毎晩夜中まで帰ってこない。／弟弟自上个月从英国出差回来以后，每天都忙得半夜才回家。

c V-ていらいはじめて　…以后第一次。
(1) 引っ越してきて以来、初めて隣の人と言葉を交わした。／搬到这里来以后第一次和邻居说话。
(2) 大学に入って以来、初めて図書館を利用した。／上大学以后第一次利用图书馆。
(3) この冬になって以来初めての寒波で、死者が6人も出た。／这是今年冬天以来的第一次寒流，结果死了6个人。

表示自从过去某一时间直到现在第一次的意思。

2 N は、…いらいだ　…以后、第一次

…。

[Nは、 Nいらいだ]
[Nは、 V-ていらいだ]

（1） お会いするのは、去年の9月以来ですね。／从去年9月以来，咱们见面这还是第一次啊。

（2） 海外旅行はおととしトルコに行って以来だ。／从前年去了土耳其以后，海外旅行这还是第一次。

（3） 数学の問題を解いたのは大学入試以来のことだから、もう何年ぶりになるだろうか。／解数学题还是在考大学时的事了，有多少年没做了。

（4） 郷里に帰るのは、7年前に祖父の法事に出た時以来なので、町はかなり様子が変っていた。／自从7年前给祖父做法事以来，回家乡这还是第一次，城镇的面貌变化真大呀。

接表示过去时间或事件的名词后，表示打那以后过了很久的意思。

【いわば】

好比、好像、可以说、比喻为。

[いわばNのような]
[いわばVような]

（1） 彼女の家は石造りの洋館で、いわばドイツのお城のような造りだった。／她的家是一座石头造的洋式小楼，打个比方就好像一座德国小城堡。

（2） 多くの若者に慕われている彼は、いわば悩み多き人々を救済する神様だ。／有许多年轻人都崇拜他，他就好像是一个满心烦恼的人们的救世主一样。

（3） そんな商売に手を出すなんて、いわばお金をどぶに捨てるようなものだ。／做这种买卖就好比把钱往臭沟里扔。

（4） この小説は、いわば現代の源氏物語とでもいったような作品だ。／这部小说可以说是现代的源氏物语。

（5） コンピュータ・ネットワークは、いわば脳神経のように地球全土に張り巡らされていると言ってもいいだろう。／计算机网络，我们可以把它比喻为遍布地球的大脑神经。

表示"比方说"、"可比喻为"的意思。用于使说明通俗易懂，使用比喻时。后续多为容易理解，有形象概念的名词或动词。是书面语。例（2）中省略了"ような"。例（5）在谓语前使用了"ように"。

【いわゆる】

所谓。

[いわゆるN]

（1） これがいわゆる日本式経営というものですか。／这就是所谓的日本式经营方法吗？

（2） 彼女はいわゆる普通のOLで、役職につきたいなどとは考えたこともなかった。／她就是那种大家常说的女职员，

(3) 彼も、いわゆるワールドミュージックのブームに乗って、世界的に売れるようになった歌手の一人だ。／他也是趁着所谓世界音乐之潮在世界各地开始走红的歌手之一。

(4) A：うちの大学、最近またアメリカの大学と姉妹校になったんです。これで8校目ですよ。／我们大学最近又和美国的一所大学结成了姉妹学校。这已经是第八所了。

B：ああ、いわゆる「大学の国際化」というやつですね。そういうのが国際化だと思っている人が、まだたくさんいるんですねえ。／啊，就是所谓的"大学国际化"吧。现在仍有不少人把这种作法就认为是国际化呢。

表示"一般都这么说"的意思。用于为了简单明了地说明某一事物而使用一种最常说的说法。也用于如例（4）所示的场合，表示说话人并不大喜欢这种说法或概念。

【うえ】

1 Nのうえで(は)　在…上、根据…来看。

(1) 暦の上ではもう春だというのに、まだまだ寒い日が続いている。／在日历上已经是春天了，可是这些天来还是那么冷。

(2) データの上では視聴率は急上昇しているが、周りの人に聞いても誰もそんな番組は知らないと言う。／从统计数据上来看，收视率增长很快，可是问问周围人，谁也不知道这个节目。

(3) その公園は地図の上では近くてすぐ行けそうに見えるが、実は坂がたくさんあってかなり行きにくい場所なのだ。／那个公园从地图上看，好像很近很好去似的，可实际上要经过许多山坡，很不好去。

(4) 間取りは図面の上でしか確認できなかったが、すぐにそのマンションを借りることに決めた。／虽然只是从图纸上确认了一下这所公寓的开间，但马上就决定把它租下来了。

接表示数据、图纸等的名词后，表示"根据这一信息"的意思。

2 V-るうえで　在…时、在…方面。

(1) パソコンを買う上で注意しなければならないことは何ですか。／在买计算机方面需要注意的是什么啊？

(2) このプロジェクトを進めていく上で障害となるのが、地元の住民の反対運動だ。

（3）女性が結婚相手を選ぶ上での重要なポイントとして、「三高」ということが言われていた。／大家都说，女性在选择结婚对象时的重要条件有"三高"。
（4）留学生を実際にホームステイさせる上で、おそらく今までに予想もしなかった問題がいろいろ出てくるものと思われますので、そのための相談窓口を設けました。／在真正安排留学生到普通家庭去体验生活时，会出现许多迄今为止没有预想到的问题，所以为此开设了这个咨询窗口。

　　表示"在做某事时／在做某事的过程中"的意思。用于叙述在这时或这一过程中所出现的问题或应注意的事项。

3 V-たうえで　在…之后。
（1）では、担当の者と相談した上で、改めてご返事させていただきます。／那么，我们和具体负责的人商量了以后再给您答复。
（2）一応ご両親にお話しなさった上で、ゆっくり考えていただけっこうです。／你可以和父母商量一下以后再慢慢考虑。
（3）金を貸してやると言ったのは、お前がちゃんと職について／在实行这一项目时，当地居民的反对运动将成为阻力。つ
いてまともな生活に戻った上でのことだ。働かないで遊んでばかりいるやつに金を貸すわけにはいかない。／我说要借钱给你，那是指你确实找到了正当的工作并重新老老实实生活以后。谁也不会把钱借给一个不干工作游手好闲的人的。

　　表示"先做前接动词所表示的动作"的意思。后续部分表示"根据其结果再采取下一动作"的意思。

4 V-る／V-た　うえは　既然…。
（1）やると言ってしまったうえは、何がなんでもやらなければならない。／既然说了要做，那就不管遇到什么困难都必须得做。
（2）留学を決心した上は、少々のことがあっても一人で乗り越えていけるだけの強さを養ってほしい。／既然下决心去留学，就要培养出遇到小挫折能自己克服的坚强性格。
（3）みんなに期待されて出馬する上は、どんなことがあっても当選しなければならない。／既然在众人期待之下出山参加竞选，就要克服重重困难一定当选。
（4）他の仲間を押しのけてレギュラーメンバーになる上は、必ず得点してチームに貢献してみせる。／既然排挤掉其他人成为正式队员，就必须

多得分为全队做出贡献。

接表示某种责任、决心等行为的词语后面。表示"正因为要做／做了这件事"的意思。后续表示"必须采取与之相适应的行动"意思的表达方式。类似表达方式有"…からには"、"…以上は"等。是比较郑重的表达方式。

5 …うえ(に) 加上、而且。
[Nであるうえに]
[Naなうえに]
[A／V うえに]

（1）今年は冷夏である上に台風の被害も大きくて、野菜は異常な高値を記録している。／今年夏天气温低，再加上又遭受了严重的台风袭击，所以蔬菜价格创历史新高。

（2）彼女は、就職に失敗した上、つきあっていた人にもふられて、とても落ち込んでいた。／她没有找到工作，加上又被与之交往的男朋友给甩了，所以她意志非常消沉。

（3）その選手は日本記録も更新した上に銀メダルももらって、自分でも信じられないという顔をしていた。／那个运动员不仅刷新了日本记录，而且还获得了银牌，连他自己都表现出有点不敢相信的神色。

（4）彼は博士号を持っている上に教育経験も長い。周囲の信頼も厚く教師としては申し分のない人だ。／他有博士学位，而且教龄又长。还得到周围人的深厚信任，所以作为教师他是再合适不过的了。

（5）その壁画は保存状態がいい上に図柄もこれまでにない大胆なもので、考古学者たちの注目の的となっている。／那幅壁画保存状态良好，加之图案大胆新颖，从未见过，所以得到了考古学家们的青睐。

（6）今年は冷夏であり、そのうえ台風の被害も大きくて、野菜は異常な高値を記録している。／今年夏天气温低，再加上遭受了严重的台风袭击，所以蔬菜价格创历史新高。

（7）このあたりは閑静なうえに、駅にも近く住環境としては申し分ない。／这一带既安静，离车站又近，作为居住条件是再好不过的了。

表示本来有某种状态或发生了某事，在此基础之上，发生了比其更好的状态和事物。接名词时，采取"Nである／だった／であった"的形式。例（6）中的"そのうえ"一般用于句子或段落的起始。

【うち】

1 うち＜范围＞
a Nのうち …当中、…中。

（1）この三曲のうちでどれが一番気に入りましたか。／这三首曲子当中，你最喜欢哪一首啊？

（2） 三つのうちから好きなものを選びなさい。／你从这三个当中挑一个你喜欢的吧。
（3） バッハとモーツァルトとベートーベンのうちで、一番人気があるのはやはりモーツァルトだそうだ。／据说在巴赫、莫扎特和贝多芬三人中，还是莫扎特最受欢迎。
（4） 昨日買ったCDのうち、2枚はインドネシアのポップスで、3枚はカリブの音楽だ。／昨天买的CD盘当中，有2盘是印度尼西亚民歌，还有3盘是加勒比民族音乐。

用于表示限定范围。如例（1）～（3）所示，在表示从某范围中挑选某事物时，可与"Nのなか"的形式替换。另如例（3），也可用于罗列几个名词，使用"N1とN2と…のうち"的形式。

b …うちにはいらない 算不上、不能算是。
[Nのうちにはいらない、]
[A-いうちにはいらない]
[Vうちにはいらない]
（1） 通勤の行き帰りに駅まで歩くだけでは、運動するうちに入らない。／光是上下班来回走到车站，那不算运动。
（2） 5分やそこら漢字の練習をしたって、それではやったうちには入らない。／光写三、五分钟的汉字，那不算练。
（3） ラーメンを作るのが得意だなんて、そんなの料理のうちに入らないよ。／你说你做汤面做得好，那不能算会做菜。
（4） 彼はきびしい教師だと評判だが、宿題を忘れた生徒を廊下に立たせるぐらいなら、特にきびしいうちには入らないと思う。／听说大家都说他是一位很严厉的老师，但我以为光是让忘带作业的学生在走廊罚站，那还算不上是严厉的老师。

表示"不能进入其范围，还不够进入这一范围"等意思。

2 うち＜时间＞
a …うちに 在…之内、趁…时。
[Nのうちに]
[Naなうちに]
[A-いうちに]
（1） 朝のうちに宿題をすませよう。／早上把作业都做了吧。
（2） 朝のすずしいうちにジョギングに行った。／趁早上凉快去跑了跑步。
（3） ここ数日のうちには何とかします。／在这几天之内我一定想办法。
（4） ひまわりは留守のうちにかなり大きくなっていた。／不在家这几天，向日葵可长大了不少。
（5） 父親が元気なうちに、一度一緒に温泉にでも行こうと思う。／我想趁父亲身体还好，同他一起去洗一次温泉。

(6) 電車が出るまでまだ少し時間があるから、今のうちに駅弁を買っておいたらどう？／离开车还有一段时间，趁这会儿去买个盒饭来怎么样。

与表示一段时间的表达方式一起使用，表示"在这一状态持续的期间"、"在这段时间内"的意思。例(6)中的"今"表示的也不是"现在"这一瞬间，而是表示"从现在的这一状态到该状态发生变化的那一段时间"，即有一定长度的时间段。

b V-ている／V-る うちに …着…着。
(1) 彼女は話しているうちに顔が真っ赤になった。／她说着说着脸变得通红。
(2) 手紙を書いているうちに、ふと彼が今日こっちに来ると言っていたことを思いだした。／写着写着信，忽然想起来他说他今天要到这里来的。
(3) 読み進むうちに次第に物語にのめり込んでいった。／读着读着，渐渐地被故事情节给迷住了。

表示"在做某事期间"的意思。后续表示发生另一事物或变化的表达方式。多使用"V-ている"的形式，也有"V-るうちに"的形式。

c V-ないうちに 还没有…之间、趁还没有…时。
(1) 知らないうちに隣は引っ越していた。／不知不觉当中，邻居就搬走了。
(2) あれから10分もしないうちにまたいたずら電話がかかってきた。／那以后还不到10分钟，又有搔扰电话打来。
(3) 暗くならないうちに買い物に行ってこよう。／趁天还没黑去买点儿东西吧。
(4) お母さんが帰ってこないうちに急いでプレゼントを隠した。／趁妈妈还没有回来，赶紧把礼物藏了起来。

表示"还没有…的状态持续期间"的意思。如例(3)、(4)所表示的该状态早晚要发生变化的场合时，可与"V-る前に"的形式替换。

d V-るかV-ないうちに 刚…还没…时。
(1) 夕食に手をつけるかつけないうちに、ポケットベルで呼び出された。／正要吃晚饭还没吃呢，就被人用BP机给呼出来了。
(2) 朝まだ目がさめるかさめないうちに、友達が迎えにきた。／早上刚醒，朋友就来接我了。
(3) その手紙の最初の一行を読むか読まないうちに、もう何が書いてあるのかだいたい分かってしまった。／只刚刚读了第一行，就大体知道这封信写的是什么了。

重复使用同一动词，表示"刚刚开始某一动作几乎没过一点儿时间"的意思。

e …うちは 在…的时候、在还没…的时候。

[Nのうちは]
[Na なうちは]
[A-いうちは]
[V-る／V-ている　うちは]
[V-ない　うちは]

（1）明るいうちはこのあたりはにぎやかだが、夜になると人通りもなくなり、一人で歩くのは危ない。／白天的时候，这一带还是很热闹的，可是到了晚上，路上行人很少，一个人就比较危险了。

（2）記憶力が衰えないうちは、何とか新しい外国語も勉強できるだろう。／我想趁着记忆力还没有衰退，还是可以学一门新外语的吧。

（3）息子が大学生のうちは私も生きがいがあったが、就職して家から出て行ってしまってからは毎日がむなしい。／儿子上大学的时候，我感到每天生活得还挺充实，等他工作离开了家以后，我感到每天都很空虚。

（4）父は働いているうちは若々しかったが、退職したとたんに老け込んでしまった。／父亲在工作的时候还显得很年轻，这一退休马上显得老了许多。

（5）体が健康なうちは健康のありがたさに気づかないが、病気になってはじめてそれが分かる。／身体没病的时候不知道健康的重要性，有了病以后才终于明白了。

表示"某一状态没有发生变化仍在持续期间"的意思。多用于与其发生变化后的状态进行比较的场合。

f …うちが　在…时最…。

[Nのうちが]
[Na なうちが]
[A-いうちが]
[V-る／V-ている　うちが]
[V-ていない　うちが]

（1）若いですねと言ってもらえるうちが花だ。／还有人说你年轻，那对你来说就是好时光啊。

（2）天体写真は雲が出ていないうちが勝負だ。／拍天体照片，关键是在没有云彩的时候。

（3）どんなに苦労が多くつらい毎日でも、生きているうちが幸せなのであって、死んでしまったら元も子もない。／尽管每天都有许多痛苦，但只要活着就是幸福，死了就什么都完了。

（4）いくら福祉施設が充実しても、やっぱり人生は体が丈夫なうちが楽しい。／福利设施再多也没用，人还是身体好的时候最快乐。

（5）人生、若いうちが花だ。／人的一生，青年是黄金时代。

后续"花だ／勝負だ／いい／幸せだ"等词语，表示"在某一状态不发生变化，持续的期间最好、最重要、最宝贵"的意思。

g　そのうち
　　→【そのうち】

【うる】

　　能、可能。
　[R-うる]
（1）彼が失敗するなんてありえない。／他能失败？那是不可能的。
（2）それは彼女になしえた最大限の努力だったに違いない。／那肯定是她能做出的最大限度的努力。
（3）その絵のすばらしさは、とても言葉で表しうるものではない。／那幅画的精彩之处是很难用语言表达的。
（4）確かに外国人労働者が増えればそういう問題も起こり得るだろう。／的确，外国工人增加以后很有可能发生这种问题。
（5）彼の自殺は誰もが予期し得なかったことだけに、そのショックは大きかった。／正因为谁也没能预料到他可能自杀，所以大家受到的打击更大。
（6）彼の仕事ぶりには失望の念を禁じ得ない。／对于他的工作情况，不能不感到失望。

接动词连用形后。其词典形可以有"うる／える"两种形式。使用マス形时只有"えます"。使用否定形时只有"えない"。使用夕形时只有"えた"的形式。表示"能够采取这一行为，有发生这种事情的可能性"的意思。使用否定形时，表示"不能采取这种行为，没有发生这种事情的可能性"的意思。如"書ける"、"読める"等日语中表示可能的"V-れる"的动词，只能用于表示有意志的动词，而使用"うる"时，如例（1）、（4）所示，也可以用于非意志的动词。因而它与表示可能的"V-れる"形动词不同，不能用于表示能力的场合。
（误）彼はフランス語が話しうる。
（正）彼はフランス語が話せる。／他会讲法语。
　　一般用于书面语言，而"ありえない"的形式也经常用于口语会话。

【える】

　　能、可能。
（1）21世紀には人が月で生活することもありえるかもしれない。／到了21世纪，也许人类就能在月球上生活了。
（2）私一人の力ではとてもなしえないことでした。／这是靠我一个人的力量怎么也做不到的事情。
→【うる】

【お…いたす】

　　我为您(们)做…。
　[おR-いたす]
　[ごNいたす]
（1）お食事をお持ちいたしま

しょうか。/我把您的饭端到这儿来吧。
（2）お名前(なまえ)をお呼(よ)びいたしますので、それまでここでお待(ま)ちください。/一会儿我会叫您的名字的。在叫到您之前请在这里等一下。
（3）のちほどこちらから改(あらた)めてご連絡(れんらく)いたします。/一会儿我们再跟您联系。
（4）それではレセプション会場(かいじょう)の方(ほう)へご案内(あんない)いたします。/下面，我就领大家去宴会厅。
（5）今回(こんかい)の件(けん)につきましては、皆様(みなさま)の納得(なっとく)の行(い)くまでご説明(せつめい)いたしたいと存(ぞん)じます。/就本次事件，我想给各位说个清楚。

中间使用动词连用形或表示带行为动作意义的汉语词汇。如例（3）、（4）、（5）所示，使用汉语词汇时多使用"ごNいたす"的形式。比"お…する"的形式显得更加郑重礼貌。主要用マス形文体。
→【お…する】

【お…いただく】

请您做…。
[おR-いただく]
[ごNいただく]

（1）今日(きょう)は遠(とお)いところをわざわざお集(あつ)まりいただきましてありがとうございます。/今天请大家远道而来，我表示衷心的感谢。
（2）ここにお名前(なまえ)とご住所(じゅうしょ)をお書(か)きいただいて、あちらの窓口(まどぐち)へお出(だ)しください。/请您在这里填上姓名、住址，然后交到那边那个窗口。
（3）お忙(いそが)しいのにご連絡(れんらく)いただき、まことに恐縮(きょうしゅく)しております。/您这么忙，还特意来通知我，真是不敢当。
（4）ご住職(じゅうしょく)にご教示(きょうじ)いただいた禅(ぜん)の心(こころ)を、これからは生活(せいかつ)の中(なか)で実践(じっせん)していきたいと思(おも)います。/住持大人指教我的禅宗之理念，我一定要在今后的生活中加以实践。
（5）《案内状(あんないじょう)》先生(せんせい)にはぜひご出席(しゅっせき)いただきたく、お知(し)らせ申(もう)し上(あ)げます。/《通知》现在通知您，请您务必出席。

中间使用动词连用形或表示带行为动作意义的汉语词汇。与"ていただく"相同，是一种表示自谦的表达方式。但比其更显礼貌郑重。如例（3）、（4）、（5）所示，使用"連絡する"、"教示する"、"出席する"等表示带行为动作意义的汉语词汇时，多使用"ごNいただく"的形式。而使用"電話する"时，也可以说"お電話いただく"。

【お…ください】
→【お…くださる】

【お…くださる】

为我(们)做…。
[おR-くださる]
[ごNくださる]

(1) 今日お話しくださる先生は、東西大学の山川先生です。／今天给我们作报告的是东西大学的山川先生。
(2) 今日ご講演くださる先生は、東西大学の山川先生です。／今天给我们讲演的是东西大学的山川先生。
(3) お忙しいのにおいでくださって、本当にありがとうございます。／百忙当中您还能来，我们非常感谢。
(4) 大した料理ではございませんが、どうぞお召し上がりください。／没有什么好菜，请您尝尝。

中间使用动词连用形或表示带行为动作意义的汉语词汇。与"てくださる"相同，是一种尊他的表达方式，但比其更显敬重。如例(2)使用表示带行为动作意义的汉语词汇时，多使用"ごNくださる"的形式，而使用"電話する"时，也可以说"お電話くださる"。又如例(4)，可使用"おR－ください"的形式，可表示较有礼貌地对人进行劝诱的意思。

【お…する】

我为您(们)做…。
[おR－する]
[ごNする]
(1) 先生、お荷物をお持ちします。／老师，我来给您拿行李。
(2) 部長をお宅まで車でお送りしました。／我用车把部长送回家了。
(3) ご注文の品をお届けしました。／我把您订的货送来了。
(4) お部屋へご案内しましょう。／我领您去房间吧。
(5) あとでこちらからご連絡します。／一会儿我们主动跟您联系。

中间使用动词连用形或表示带行为动作意义的汉语词汇。是一种自谦的表达方式，表示"自己为对方做某事"的意思。如例(4)、(5)所示，使用汉语词汇时，多使用"ごNする"的形式，但使用"電話する"时，则使用"お電話する"的形式。又如例(1)所示，可使用"おR－します"的形式，表示自己主动提出为对方做某事。用"お…いたす"的形式显得更加谦恭。

【お…です】

您…。
[おR－だ]
[ごNだ]
(1) 林先生は信州に別荘をお持ちだそうですよ。／听说林先生在信州有一幢别墅啊。
(2) 今年の夏休みはどちらでお過ごしですか。／您今年暑假在哪儿过啊？
(3) 昨日は大阪にお泊まりでしたか。／昨天您是住在大阪了吗？
(4) 《ファーストフードの店で》こちらでお召し上がりですか。／《在快餐店》您是就在

这儿吃吗？
（5）原田部長は明日からご旅行で2週間いらっしゃらないそうです。／听说原田部长从明天起去旅行，要有两个星期不到公司来。
（6）お宅のご主人は本社にご栄転だそうですね。／听说你先生高升到总公司去了。

中间使用动词连用形或表示带行为动作意义的汉语词汇。如例（5）、（6）所示，使用汉语词汇时，多使用"ごNだ"的形式。与"お…になる"的形式相似，是一种尊他表达方式，但可使用的词汇有限，形成较固定的惯用形式。

【お…なさい】
  →【なさい】

【お…なさる】
  您做…、请(您)做…。
[おR-なさる]
[ごNなさる]
（1）あの先生がお話しなさったことは、多くの人たちにとって生きていく心の支えとなるだろう。／那位先生所讲的话，一定会成为许多人生存下去的精神支柱。
（2）ケニアへはいつご出発なさるんですか。／您什么时候出发去肯尼亚啊？
（3）今度あなたがその方達とお食事なさるときにでも、一度ご一緒させていただけるとうれしいのですが。／下次您再和他们吃饭的时候，是不是也能让我坐陪一下啊。
（4）どうぞ、お食べなさい。／请吃吧。
（5）明子、自己紹介なさい。／明子，你自我介绍一下。

中间使用动词连用形或表示带行为动作意义的汉语词汇。与"おR-になる"相似，是一种尊他表达方式。使用动词连用形说"お話しなさる"、"お食べなさる"时，给人感觉用法较陈旧。此时，使用"おR-になる"的形式较多。又如例（2）所示，使用汉语词汇时，多使用"ごNなさる"的形式。使用例（4）、（5）中的"なさい"形式，可表示较亲昵的命令口吻。此时，不能对身分、地位高于自己的人使用。

【お…になる】
  您做…、请您做…。
[おR-になる]
[ごNになる]
（1）村田さんはもうお帰りになりました。／村田先生已经回去了。
（2）このさし絵は山本さんご自身がお描きになったそうです。／听说这幅插图是山本先生自己画的。
（3）今度大阪においでになる時には、ぜひうちにお泊まりになってください。／下次再来大阪的时候，请您一定到我家来住一下。

(4) どうぞ、おかけになってください。／您请坐。
(5) 野村先生は1972年に京都大学をご卒業になりました。／野村先生是1972年从京都大学毕业的。
(6) ご家族の方は半額の会費ですべてのスポーツ施設をご利用になれます。／家属只要交一半会费就可以利用所有的运动设施。

中间使用动词连用形或表示带行为动作意义的汉语词汇。是一种尊他表达方式。如例(5)、(6)所示，使用汉语词汇时，多使用"ごNになる"的形式，但能使用的词汇有限。又如例(4)，使用"てください"的形式，可表示较有礼貌的劝诱表达方式。

【お…ねがう】

请您做…、请求您做…。

[おR-ねがう]
[ごNねがう]

(1) 明日うかがいたいと、山田さんにお伝え願えますか。／请您转告山田先生，我想明天去拜访他。
(2) 来月のシンポジウムにご出席願いたいのですが、ご都合はいかがでしょうか。／想请您出席下个月的学术研讨会，您有时间吗？
(3) 何か一言お話し願うことになるかもしれませんので、そのときはよろしくお願いします。／也许要请您讲几句话，届时请您赏光。
(4) 係員の指示を守っていただけない場合は、ご退場願うこともあります。／如果不听从管理人员的指挥，可能会请您退场。
(5) ご起立願います。／请起立。

中间使用动词连用形或表示带行为动作意义的汉语词汇。在表示"请求…做…"的意思时，如例(1)、(2)，多使用"願えますか／願いたいのですが"等的形式。又如例(2)、(4)、(5)等所示，使用汉语词汇时，多使用"ごNねがう"的形式。是一种较为郑重的表达方式。

【おいそれと(は)…ない】

轻易、贸然、很容易地。

[おいそれと(は)V-れない]

(1) 子供を産んだばかりの母ネコにはおいそれとは近づけない。／不能轻易地接近刚刚生了小仔的母猫。
(2) 君ならできるとおだてられても、あんな大役は責任も重いし、おいそれとは引き受けられない。／尽管有人捧我说你行，但是那个工作责任太重，我不敢贸然接受。
(3) 当時は大変な不景気で、大学を出たからといっておいそれと就職できるような時代ではなかった。／当时经济状况很不景气，即使大学毕业了，也不是很容易就能找

到工作的。

（4）お礼にと言ってお金を差し出されたが、何か下心がありそうなので、おいそれと受け取るわけにはいかなかった。／他说是表示感谢，并拿出了钱，我感觉他好像别有用心，所以没敢贸然接受。

表示"因某种理由不能轻而易举地"的意思。句尾常使用表示可能的"V-れる"型动词的否定形，表示不可能做这一动作。又如例（3）所示，也可以"おいそれと…する"的形式修饰名词。此时，在名词后要使用表示否定的表达方式。例（4）中的"V-るわけにはいかない"，表示不可能。

【おいて】

除…之外，把…放下。

（1）この研究分野の第1人者ということなら、加藤先生をおいてほかはないでしょう。／要说这一研究领域里水平最高的人，除加藤先生再没有别人了。

（2）何をおいても期日には間に合わせなければならない。／不论放下什么事也得要赶上期限。

→【をおいて】

【おうじて】

→【におうじて】

【おかげだ】

→【のは…だ】4

【おかげで】

多亏，幸亏，由于，托您的福。

[Nのおかげで]
[Na な／だった おかげで]
[A おかげで]
[V-た おかげで]

（1）あなたのおかげで助かりました。／多亏了你帮忙啊。

（2）祖父は生まれつき体が丈夫なおかげで、年をとっても医者の世話にならずにすんでいる。／祖父幸亏生来身体就好，所以上了年纪以后也没有用医生关照。

（3）あなたが来てくれたおかげで、楽しい会になりました。／幸亏你来了，今天这个会才搞得这么快乐。

（4）A：お子さんのけがはどうですか。／您孩子的伤势怎么样啊？
   B：おかげさまで、だいぶ良くなりました。／托您的福，好多了。

（5）まったく、君に頼んだおかげでかえってややこしいことになってしまったじゃないか。／真是的，就是因为求了你，结果反而把这事搞得那么复杂。

（6）今年は夏が涼しかったおか

げで冷房はほとんど使わずにすんだ。／由于今年夏天很凉快，所以基本上没有使用空调。

用于因为某种原因、理由导致好的结果。导致坏结果时则使用"…せいで"的形式。

(例)　あなたのおかげで成功した。／多亏了你，取得了成功。

(例)　あなたのせいで失敗した。／就是因为你，才失败了。

在表示对方的动作时，多使用"Ｖ－てくれた／てもらったおかげで"的形式。例(4)的"おかげさまで"，是一种惯用的客套话。有时也如(5)所示，带有讽刺的口吻。

【おきに】

每隔…。

[数量词＋おきに]

(1)　大学行きのバスは10分おきに出ている。／去大学的公共汽车，每隔10分钟发一趟。

(2)　この薬は2時間おきに飲んでください。／这种药，请每隔两小时服一次。

(3)　この道路には10ｍおきにポプラが植えられている。／这条街上，每隔10米种着一棵白杨树。

(4)　このあたりは高級住宅街で、2軒おきぐらいに外車を持っている家がある。／这一带是高级住宅区，差不多每隔两家就有一家有外国进口小轿车。

(5)　映画館に入ると、座席は一つおきにしかあいていなかったので、友達とは離れて座ることになった。／进电影院一看，坐位没有挨着的了，我和朋友就只好分开坐了。

主要接表示时间或距离的词语后，表示"相隔这么长的时间或距离"的意思。例(4)、(5)中的词语虽不表示距离，但由于其表示的事物排列成行，在这里也可以作为距离来理解。如例(1)～(3)所示，在表示时间轴或一段距离上的一个点时，可与"ごとに"替换。但当数字为"1"时，将"おきに"替换成"ごとに"，表达的意思会发生变化。

(例)　1年おきに大会が開かれる。(2年に1回)／隔一年开一次大会(两年开一次)

(例)　1年ごとに大会が開かれる。(1年に1回)／每年开一次大会(一年开一次)

【おそらく】

大概、很可能、估计。

(1)　おそらく彼はそのことを知っているだろう。／他大概知道那件事吧。

(2)　相手チームはおそらくこちらのことを何から何まで詳しく調べているだろう。／对方很有可能已经把我们的情况调查得一清二楚了。

(3)　台風12号は、おそらく明日未明には紀伊半島南部に上陸するものと思われます。／第12号台风预计会在明天天亮

之前在纪伊半岛的南部登陆。

（4） おそらくは首相も今回の事件に関わっているにちがいない。／估计首相肯定也与此次事件有关。

后续"…だろう"、"…にちがいない"等表示推量的表达方式，表示说话人推测的心情。多用于相当肯定的场合。如例（4）所示，也可说"おそらくは"。是较拘谨的表达方式。口语中较随便时，多使用"たぶん（多半）"、"きっと（肯定）"。

【おそれがある】

有…危险、担心、恐怕。

[Nのおそれがある]
[V-るおそれがある]

（1） 今夜から明日にかけて津波の恐れがあるので、厳重に注意してください。／从今晚到明天有发生海啸的危险，请大家严加防范。

（2） 再び噴火する恐れがあるため、警戒区域の住民に避難勧告が出された。／因为担心火山再次喷发，所以向警戒区域内的居民发出了避难通告。

（3） 親鳥に気付かれる恐れがあることから、撮影チームはそれ以上巣に近づくことをあきらめた。／因为怕被母鸟发觉，所以摄影队决定不再继续向鸟巢靠近。

（4） ハリケーンの被害が拡大する恐れが出てきたため、大統領は各国に緊急援助を求める予定である。／由于飓风受灾区域有继续扩大的危险，总统准备向其他各国请求紧急援助。

表示有发生某种事情的可能性，但只限于表示不可喜的事件。相同的表达方式还有"危険がある"、"不安がある"等。是书面语。常用于新闻或讲解报导等。

【おなじ】

1 …とおなじ 一样、相同。

[Nとおなじ]
[Vのとおなじ]

（1） このステレオはうちのと同じだ。／这台音响和我们家的那台一样。

（2） この本はあの本と出版社が同じだ。／这本书和那本书是同一个出版社。

（3） この点で妥協することはすべてをあきらめるのと同じことだ。／在这一点上妥协让步，就等于放弃一切。

（4） あの人が食べているのと同じものをください。／请给我来一份和那个人一样的套餐。

（5） ヒンディー語は英語と同じインド・ヨーロッパ語族の言語だ。／印地语和英语一样，同属于印欧语系。

表示两样东西或两件事情相同。

2 おなじV-る なら／のだったら 同样是…、既然、反正要…。

（1） 同じ買うなら、少々高くて

も長持ちするものの方がいい。／同样是买，最好还是买贵一点儿又经用的。
（2）久しぶりの旅行なんだから、同じ行くんだったら思い切って遠くに行きたいな。／好久没有旅行了，既然要去就干脆去一个远的地方。
（3）同じお金をかけるのなら、食べてなくなるものでなく、いつまでも使えるものにかける方が意味があると思う。／如果同样是花钱，别光花在吃了就没了的东西上，而要花在经久耐用的东西上才有意义。
（4）A：一緒にフランス語か何か習いに行かない？／咱们一起去学点儿法语或别的什么吧。
B：そうねえ、フランス語もいいけど、同じ習うんだったら人のやってないような言語の方がいいと思わない？／行啊，当然法语也可以，但我觉得同样是学，还不如学一个别人没学过的语言，你不这样认为吗？

表示"既然同样是做这么一件事，那就要…"的意思。用于表述"做某事有各种各样的作法和方法，其中最理想的是…"时。类似表达方式还有"どうせなら"、"せっかくなら"等。

【おぼえはない】

1 V-られるおぼえはない　不曾…过，你难道想…吗。

（1）きみにそんなひどいことを言われる覚えはない。／我不曾有过让你这么数落的体验。
（2）おまえになぐられる覚えはない。／难道你还想打我不成！
（3）あなたのように冷たい人に"冷淡だ"などと非難される覚えはありません。／像你这么冷冰冰的人还有资格说我"对人冷淡"吗。

接被动形"V-られる"后。对对方的某种行为表示"我不曾有受过你这种行为的体验"的意思。含有谴责对方的心情。

2 V-たおぼえはない　我不记得。

（1）彼があんなに怒るようなことを言った覚えはないんだけど。／我不记得他发过那么大的火。
（2）A：この間の1万円、早く返してもらえませんか。／上次借给你的那1万日元，你能不能赶快还给我。
B：何のことですか。私はあなたにお金を借りた覚えはありませんが、他の人と間違えているのではないですか。／什么，我不记得跟你借过钱啊，你是不是把我跟别人搞

（3） こちらは山田にいじめられた覚えはないのだが、山田は「いじめて悪かった」と謝ってきた。／我并不记得山田欺负过我，可他却来道歉说"我欺负你了，真对不起"。

表示"我自己并不记得有这种经历"的意思。用于别人指责自己，而自我辩解时。

【おまけに】

再加上、而且、还。

（1） あたりはすっかり暗くなり、おまけに雨まで降ってきた。／周围完全黑了下来，而且又下起雨来了。
（2） 友達の引っ越しを手伝いにいったら本人は、風邪がひどくて重い荷物を運ばされ、おまけに掃除までやらされた。／我去帮朋友搬家，没想到他得了重感冒，结果什么重东西都得我搬，最后还让我帮他打扫了卫生。
（3） きのう、おばさんに映画に連れていってもらって、おまけに夕食までごちそうになった。／昨天，婶婶领我去看电影，后来还请我吃了晚饭。
（4） 彼は背が高くて、ハンサムでユーモアがあって、おまけに金持ちときては、女性にもてるわけだ。／他个儿高，长得又帅，再加上有钱，当然讨女孩子喜欢了。
（5） 洋子はかわいいし、明るいし、おまけにやさしいから、だれにでも好かれる。／洋子长得可爱，性格又开朗，加上又那么温柔，所以谁都喜欢她。

表示罗列几件事以后，又再加上一件的意思。与"そのうえ"意思相同。如例（1）、（2）、（3）使用"おまけに…まで"，表示程度更甚。是口语中较通俗的表达方式。

【おもう】

1 …とおもう

a …とおもう　想、感觉、认为、觉得、希望、记得。

（1） 今日は雨が降ると思います。／我感觉今天要下雨。
（2） 山田先生は来ないと思う。／我想山田先生不会来的。
（3） あの人のやり方はひどいと思います。／我认为他的作法太过分。
（4） 彼の言ったことはうそだと思う。／我觉得他说的是谎话。
（5） 確か、机の上に置いたと思う。／我记得的确是放在桌子上了。
（6） あなたには幸せになってほしいと思うから、あえてこういうきつい忠告をするの

です。／正因为我希望你幸福，才会给你提出这么不中听的劝告。
(7) こんな忙しい会社にいつまでもいては過労死しかねないと思って、思いきって転職することにした。／我想要是老在这么繁忙的公司干下去非累死不可，所以才下决心决定换工作了。

接一段话，表示该内容是说话人的主观判断、个人意见。用于疑问句时，表示询问听话人的个人判断或意见。使用"と思う／思います"等词典形或マス形时，主语始终是说话人而不能是第三者。如例(2)"思う"的主语只能是"私"，而不能是"山田さん"。如果要表示是"山田さん思う"，那就要说"山田さんは(田中さんが来ない)と思っている。／山田认为(田中不会来的)。"即需要使用"思っている"的形式。但如下例所示，当使用"思う"的夕形时，也可以表示第三者的判断。
(例) 山田さんは来ないと思った。

这时，此例句可以有"私は山田さんは来ないと思った。／(当时)我想山田不会来的。"和"山田さんは(誰かが)来ないと思った。／(当时)山田认为(谁)不会来的。"这样两种解释的可能性。

b…とおもっている　想、感觉、认为。
(1) 私は自分のしたことが正しいと思っている。／我现在还认为自己做的没有错。
(2) イギリスに留学してよかったと思っている。／我感觉到英国来留学这条路走对了。
(3) 警察はあの男が犯人だと思っている。／警察认为他就是罪犯。
(4) その実力で合格できると思っているの。／他认为靠他的实力是可以考上的。

接一段话，表示其内容是说话人或第三者的意见、判断或信念。与前面a的"思う"相比较，"思う"主要表示说话人当场所做出的判断，而"思っている"则表示从以前一直到现在说话人都持有这种意见或信念。另外如例(3)、(4)所示，"思っている"还可以表示第三者的意见或判断。这一点也与"思う"有所不同。

c…とおもわれる　(可以客观地)认为、(一般都这样)认为。
(1) このままの状態では環境汚染は進む一方だと思われる。／大家都认为如果这样发展下去，环境污染将会越来越严重。
(2) 私にはこのことが正しいとは思われません。／我不能认为它是正确的。

表示"某种判断自然而然的成立"。用于表示自己的判断并不是自己的主观独断而是客观存在，或缓和自己主张的场合。多见于论文、讲义或讲演等文体的书面语中。另外可以使用"ように"来代替"と"，即使用"ように思われる"的形式。

2…とはおもわなかった　没想到。
(1) まさか今日あの人が来るとは思わなかった。／万万没想到他今天会来。
(2) こんな街中にこんな静かな公園があるとは思わなかっ

おもう 77

た。／没想到在这么热闹的市中心还有这么幽静的公园。
(3) 独身寮の部屋は狭いとは聞いていたが、こんなに狭いとは思わなかった。／我听说了单人宿舍房间很狭窄，但没想到会这么窄。
(4) いつも反抗的なお前がそんなに素直に謝るとは思わなかったな。／没想到总是爱顶撞的你，今天却那么老实地就认错了。
(5) A：引っ越し先のおとなりが田中さんだなんて思ってもみませんでしたよ。奇遇ですね。／真没想到搬到了田中先生家的隔壁，这真是太巧了。
B：いや、ぼくも隣に越してくるのが君だとは思わなかったよ。／我也没想到搬到我们家隔壁的就是你呀。

表示"根本没有预料到这种事情"，多含有惊讶的心情。

3 R-たいとおもう　我想…。
(1) アメリカに留学したいと思います。／我想去美国留学。
(2) 結婚式には是非参加したいと思っております。／我想一定要参加你的结婚典礼。
(3) 一流会社に就職したいと思っている。／我想到第一流的公司去工作。
(4) では、ご一緒に乾杯をしたいと存じます。／下面，我想提议咱们大家一起干杯。

接表示说话人的愿望或要求的"～たい"后面，起到避免直接说出，使人感到比较委婉、有礼貌的作用。如想使表达更显礼貌，还可如例(4)使用"存じます"。如果只使用"～たい(です)"断句来表示自己的愿望，会给人非常幼稚的印象，所以作为成人的会话或较正式的场合，一般都应加上"思う"或"のだ"。

4…おもう　感到、觉得。
[Na におもう]
[A-くおもう]
(1) 先生に指導していただけることになって、本当に幸せに思います。／能接受先生的指导，我感到非常幸福。
(2) バスが全然来ないので、不思議に思って聞いてみたら、昨日からダイヤが変わったとのことだった。／公共汽车老不来，我感到非常奇怪，结果一问才知道，从昨天开始时刻表改了。
(3) この度の突然のご逝去をまことに辛く悲しく思います。／对他的突然逝世，我们感到痛苦和悲伤。
(4) お会いできてうれしく思います。／今天能见到您，我感到非常高兴。
(5) このような賞をいただくことができ、まことに光栄に存じます。／现在我能获得这

78　おもう

　　　一奖项，我感到无上光荣。
　　接表示心情、感情意义的イ形容词、ナ形容词的连用形后，表示说话人"有这种感受"的意思。也可如例(2)、(3)所示，使用"XをYに(Yく)おもう"的形式。在询问对方的感受时，可如下例使用"どう思う/思いますか"的形式。
（例）　あの人についてどう思いますか。/你觉得他怎么样？

5 V-ようとおもう　我要、我想。
（1）　今日はゆっくり休もうと思う。/今天我要好好休息一下。
（2）　この仕事をやめようと思っている。/我想不干这个工作了。
（3）　A：夏休みはどうするつもりですか。/暑假你打算怎么过啊？
　　　B：ヨーロッパを旅行しようと思っています。/我想到欧洲去旅行。
（4）　将来、どんな仕事をしようと思っているんですか。/将来你想做什么工作啊？

　　接动词的意向形，用于表示说话人的打算或意图。用于疑问句时，表示对听话人的意图的询问。如下例，"と思う"接动词的词典形时，表示说话人自己的打算还不很确定。作为表示意愿的表达方式是不正确的。
（例）　私は来年アメリカに行くと思う。/我明年可能要去美国。

6 …ようにおもう　我觉得、我想、我认为。

[N／Na　であるようにおもう]

[A／V　ようにおもう]
（1）　太田くんは内気なので、ウェイターの仕事は向いていないように思う。/我觉得太田君性格太内向，不大适合做餐厅服务员的工作。
（2）　住民の多くが反対していることを考えると、マンションの建築は見合わせた方がいいように思う。/考虑到大多数的居民都持反对意见，我想建高级公寓的事最好还是先放一放。
（3）　この社員旅行のプランはちょっとゆとりがなさすぎるように思うのですが。こんなに短期間であちこち動き回っても疲れるだけではないでしょうか。/我觉得这个职员旅行的计划日程排得太紧张了。这么短的时间跑那么多地方，那不是太累了嘛。
（4）　《上司に》パソコンは一人に一台あった方が仕事の能率も上がるように思うのですが、購入するわけにはいきませんか。/《对上司》我想如果能每人一台电脑，一定会提高工作效率，能不能每人给我们买一台啊。
（5）　国民一人一人の幸せを考えることは首相としての当然の義務であるように思われますが、首相はいかがお考

えでしょうか。/我们认为，考虑每一个国民的幸福是首相义不容辞的责任，首相您以为如何呢？

用于婉转地提出自己的意见。多见于对方有可能持有与自己不同的意见，或提出对方不大容易接受的意见等场合。如想显得更婉转，可使用"ように思われる"的形式。

7 N（のこと）をおもう　想念、想着、想到、想起

（1）親が子供を思う気持ちは何にも変えられない。/父母想念孩子的这种心情是什么也改变不了的。
（2）いつもあなたのことを思っている。/总是想着你。
（3）試験のことを思うと心配で眠れない。/一想到考试就耽心得睡不着觉。
（4）母の優しさを思うと気持ちが安らぐ。/一想起母亲的温柔就感到心情非常舒畅。

接名词或"名词+のこと"的形式，表示为此心有所动。根据前面的词意，可以表示"想到、想起、想念、惦记、思恋"等多种意思。

8 Nを…とおもう　以为、觉得、认为。

[Nを　N／Na　だとおもう]
[Nを　A／V　とおもう]

（1）最初は保子さんを男の子だと思った。/起初我还以为保子是个男孩子呢。
（2）人々は私の考えを奇想天外だと思ったようだ。/人们好像都觉得我的想法太异想天开了。
（3）みんな、彼の提案を実現不可能だと思って相手にしなかった。/大家都认为他提的方案不可能实现，所以都没有理睬他。
（4）彼女の横顔を美しいと思った。/我觉得她的侧脸非常漂亮。
（5）みんなが彼のことを死んだと思っていた。/大家都以为他死了呢。
（6）彼は自分のことを天才だと思っている。/他以为他自己是一个天才。

用于就某事物发表感想、印象或判断。也可用"Nが"代替"Nを"。

（例）人々は私の考えが奇想天外だと思ったようだ。/人们好像都觉得我的想法太异想天开了。

又如例（1）所示，还可用于"把某事错认为是…"的场合。

【おもえば】

1 おもえば　想起来、说起来。

（1）思えば、学生時代はみんな純粋だった。/想起来，在学生时代，那时咱们都很单纯啊。
（2）思えば、あのころはよくあなたと徹夜で議論しましたねえ。/想起当年来，那时咱俩经常是一讨论就是一个通宵啊。

（3） A：中島さん、あのころは毎日朝から晩までお酒飲んでましたよね。／中岛，那时你每天从早到晚光知道喝酒啊。

B：ええ、思えば、よくもあのときアル中で死ななかったものですよね。もう体じゅうぼろぼろでしたからね。／可不是嘛，想起来当时竟然没有酒精中毒死掉。要知道那时我身体简直糟透了。

（4） 思えば、あのとき彼女に引き止められなければ、私はあの墜落した飛行機に乗って死んでいたのだ。彼女は命の恩人だ。／说起来，要不是当时她拖住我不叫我走，我就坐上那架坠毁的飞机早摔死了。她是我的救命恩人啊。

置于句首，用来怀着一种眷恋之情回忆起往事。

2 いまからおもえば 现在想想、现在想起来。

（1） 母は、私が下宿するのに猛反対したが、今から思えばその気持ちもわからなくもない。／当时母亲是极力反对我在外面借宿上学的，现在想想也不是不能理解她的心情的。

（2） あのときは彼の運営方針に反発したが、今から思えば彼がああいう方針をとったことも理解できる。／当时我是反对他的经营方针的，现在想起来，他当时采取那种方针也是可以理解的。

（3） 今から思えば、あのとき転職しておけばよかったとつくづく思います。当時は転職してもいい仕事ができるとは限らないと思ってしりごみしたのですけどね。／现在想起来，当时要是换了工作就好了。可当时我觉得即使想换工作也未必能找到好工作，所以就犹豫了。

（4） 今から思えば、あのとき結婚するのをやめてよかったと思う。婚約を破棄したときは、本当にこれでいいのかと思って、ものすごく不安だったが。／现在想想，当时决定不结婚真是对了。当办理解除婚约手续时，我心理还真是觉得这样行吗，感到非常的不安呢。

表示就过去的某一件事情，"现在想想看"的意思。用于表示过去和现在自己的知识或想法发生了变化，对于某一事物自己有了另外的看法的场合。如对别人的行为，过去自己不能理解，现在能理解了，对自己过去做过的事，以前以为正确，现在觉得做错了，或者是正相反等。例（1）的意思是，"当时不能理解母亲为什么反对，现在理解了"。例（3）的意思是，

"当时觉得不换工作为好，但现在看来，如果当时换了工作也许现在能做得更好"。多用于将过去和现在进行对比的表达方式中。也可以说"今から思うと"。

【おもったら】

忽然发现…、开始觉着…。

[N／Na　だとおもったら]
[A／V　とおもったら]

（1）息子の姿が見えないと思ったら、押し入れの中で寝ていた。／忽然发现儿子不见了，一找原来钻在壁橱里睡着了。

（2）なんだか寒いと思ったら、窓が開いていたのか。／我说怎么觉着冷呢，原来开着窗户呢。

（3）めがねがないないと思ったら、こんなところに置き忘れていたよ。／从刚才就找不着眼镜，原来是忘在这儿了。

（4）冷蔵庫においしそうなケーキがあると思ったら、お客さん用だった。／忽然发现冰箱里有非常好吃的蛋糕，后来才知道那是给客人准备的。

（5）最近上田さんが学校に来ないと思っていたら、交通事故で入院しているらしい。／最近觉得上田怎么老不来学校啊，原来他好像是出了交通事故住院了。

（6）誰もいないのにうちに電気がついていると思ったら、弟が遊びに来て勝手に上がり込んでいたのだった。／开始觉得奇怪，家里一个人没有怎么会亮着灯呢，原来是弟弟来玩儿，私自进了我的房间。

接一段话，表示对该事物或其原因、理由不可思议的心情。后面多续有表示原因、理由、解释的表达方式，表示最终搞明白了的心情。如例（1），"儿子不见了，觉得很奇怪，后来发现他睡在壁橱里才算放心了"。例（2），"开始不知为什么感觉到冷，后来发现窗户开着呢，才明白了"。如果不可思议的状态一直持续的话，可如例（5）使用"と思っていたら"的形式。

【および】

以及、及、和。

[NおよびN]

（1）会議終了後、名札およびアンケート用紙を回収します。／会议结束以后，要将胸卡和征询意见调查表收回。

（2）この近辺ではとなりの児童公園および小学校の運動場が、災害が発生した場合の避難場所に指定されている。／在这一带，隔壁的儿童公园以及小学校被指定为发生自然灾害时的避难场所。

（3）お祭りの前日および前前日は準備のため休業させていただきます。／因要准备过节，节日的前一天和前两天本店

停业．特此公告。
（4）近隣住民から苦情のあったマンション内の騒音及びペットの問題が、次回の組合総会の議題となった。／关于引起附近居民不满的公寓内噪音问题以及养宠物的问题，决定在下次自治会全会上讨论。
（5）試験の日程及びレポートの提出期限については、追って掲示します。／关于考试日期及提交论文期限，随后立即公布。

用于罗列相同或类似事物。与"NとN"意思相同．但是书面语。

【おり】

1 おり（に） 时候、机会、时机。
[Nのおり（に）]
[V-る／V-た おり（に）]
（1）前回の書類は今度の会議のおりにお渡しします。／上次会议的文件，我这次开会时交给您。
（2）また何かのおりにでもお会いしましょう。／咱们什么时候再有机会见面吧。
（3）今度お宅におうかがいするおりには、おいしいワインをお持ちします。／下次我去府上拜访的时候，我给您带一瓶好葡萄酒去。
（4）仕事で札幌に行ったおりに、足をのばして小樽に寄ってみた。／趁工作出差到札幌去的机会，顺便去了一趟小樽。
（5）高校時代の恩師にお会いしたおり、先生のお書きになった本を見せていただいた。／在见到高中时的恩师时，趁机让老师给我们看了看他写的著作。

表示"时候"、"机会"的意思。是比较郑重、有礼貌的表达方式。

2 おりから
a おりから 时下正是、正值。
[A-いおりから]
[V-るおりから]
（1）残暑の続くおりから、お体には十分お気をつけください。／时下秋老虎正猛，请您多多注意身体。
（2）冷え込みの厳しいおりから、お風邪など召されませんように。／正值气温骤降，请您注意不要感冒。

表示"时候"、"季节"的意思。主要用于书信。一般先叙述气候不太正常，然后讲一些关心对方的话。

b おりからのN 正好赶上、又赶上。
（1）山は嵐のような天候になり、小さな山小屋は、おりからの風にあおられて簡単に吹き飛んでしまった。／山里暴风雨大作，小小的山间小屋被这一阵狂风一下子就给吹走了。
（2）最近、ホームレスの人が増え

ているが、おりからの寒波(かんぱ)で凍死(とうし)した人(ひと)もいるそうだ。／最近无家可归的人又有所增加，又赶上这一阵寒流．据说有的人都冻死了。

(3) もともと女子(じょし)の就職状況(しゅうしょくじょうきょう)は男子より悪(わる)かったが、今年(ことし)はおりからの不況(ふきょう)でますます女性(じょせい)には不利(ふり)になっている。／本来女性就没有男性好找工作，又赶上现在经济不景气，越发对女性不利了。

(4) 海外旅行(かいがいりょこう)ブームがますます盛(さか)んになっているところへ、おりからの円高(えんだか)で、連休(れんきゅう)の海外旅行客(かいがいりょこうきゃく)は40万人(まんにん)を越(こ)えるそうだ。／海外旅行的热潮越来越高，又赶上日元升值．据说这次连续休假去海外旅行的人数要超过40万人。

表示"正好赶上这个时候的…"的意思。一般后续主要有"雨、風、嵐、寒さ"等表示恶劣天气的名词或"不況、不景気、円高"等表示某种社会状况的名词。用以表示由于某时开始的某种状况而引发了某种事情的场合。是书面语。

【か】

1 …か…か 或、或者、是否、还是、有没有。
[NかN(か)]
[NaかNaか]
[AかAか]
[VかVか]

(1) 電車(でんしゃ)かバスで行(い)くつもりだ。／我打算坐电车或者是坐公共汽车去。

(2) 水曜(すいよう)か金曜(きんよう)の夜(よる)なら都合(つごう)がいいのですが。／如果是星期三或星期五的晚上，我比较方便。

(3) ネクタイはこれかそれかどっちがいいだろう。／这条领带或那条领带，哪一条好啊？

(4) 進学(しんがく)か就職(しゅうしょく)かで悩(なや)んでいる。／正在为是升学还是找工作而烦恼。

(5) その映画(えいが)がおもしろいかおもしろくないかは見(み)てみなければわからない。／这部电影有没有意思，你只有看了才会知道。

(6) 二次会(にじかい)は、カラオケに行(い)くかもう少(すこ)し飲(の)むか、どっちがいいでしょうか。／宴会后的二次会，咱们是去唱卡拉OK呢，还是找个地方再喝点儿酒呢。

(7) 夏休(なつやす)みは、香港(ほんこん)か台湾(たいわん)かシンガポールに行(い)きたい。／暑假的时候，我想去香港或台湾，或者是新加坡。

(8) 体(からだ)が健康(けんこう)か不健康(ふけんこう)かは顔色(かおいろ)で判断(はんだん)できることもある。／身体健康不健康，有时从脸色上也能看出来的。

表示在X和Y中任选一个。使用形容词或动词时，可如例(5)或下例所示，将肯定形和否定形成对使用。

(例) 行くか行かないか決めてください。／请决定去还是不去。

又如例(7)所示，有时还可以用于列举两个以上的事物。

2 Nか＋疑問詞＋か　…或別的…。

（1）プレゼントはコーヒーカップかなにかにしよう。／礼物准备送咖啡杯或别的什么东西。

（2）その仕事は内田さんか誰かに頼むつもりだ。／这项工作准备交给内田或其他某一个人。

（3）夏休みは、北欧かどこか、涼しいところに行きたい。／暑假的时候，我想去北欧或别的比较凉快的地方。

（4）また来週かいつかお電話しましょうか。／下周或什么时候我再给你打电话吧。

用于在几个选择项中举出其中最主要的一项。

3 …か…かで　要么…要么…、不是…就是…。

[NかN(か)で]
[NaかNaかで]
[AかAかで]
[VかVかで]

（1）あの人の話は、たいてい自分の自慢話か仕事の愚痴かで、聞いているとうんざりする。／他一开口，要么是吹嘘自己，要么就是对工作发发牢骚，都听腻了。

（2）あの人は毎晩飲み屋で飲んでいるかカラオケバーに行っているかで、電話してもほとんどつかまらない。／他每天晚上不是去酒馆儿喝酒，就是去卡拉OK酒吧，你打电话也基本上找不到他。

（3）最近の学生はアルバイトで忙しいかクラブ活動で疲れているかで、あまり家で勉強していないようだ。／现在的学生，要么是忙于打工，要么就是搞运动队活动累得不行，基本上不怎么在家学习。

（4）家賃が安い家は交通が不便か部屋がきたないかで、どこか欠点があるような場合が多い。／房租便宜的房子，不是交通不方便，就是房间很破旧，一般都有某些缺陷。

举出两种不利因素，表示不是这个就是那个的意思。后面多为表述因此而产生的麻烦或不便的内容。也可如下例所示，使用"XかYかしていて"的形式。

（例）彼はパーティーでずっと飲むか食べるかしていて、全然他の人としゃべろうとしない。／在宴会上，他一直不是喝就是吃，跟谁都不讲话。

4 …かどうか　是否、是…还是(不)…。

[N／Na／A／V　かどうか]

（1）あの人が来るかどうか知っていますか。／他来还是不来，你知道吗？

（2）それが本物のパスポートかどうかはあやしい。／这本护照是真是假，非常可疑。

（3）その映画がおもしろいかど

うかは見てみなければ分からない。/这部电影是否有意思，你只有看了才会知道。

（4）このようなアドバイスが適切かどうかわかりませんが、お役に立てれば幸いです。/我也不知道这个建议是否合适，如果能对你们起到参考作用，我将感到非常荣幸。

表示"是做…还是不做…"、"是…还是不是…"的意思。用于将以"はい"、"いいえ"来回答的选择疑问句换成名词的成分填入句子一部分的场合。如例（1），就是将"あの人は来ますか(他来吗)"这一短句代入"あなたはそれを知っていますか(你知道不知道这件事)"中"それ(这件事)"的部分。后续一般为"知らない(不知道)/分からない(不明白)/あやしい(可疑)/自信がない(没有自信)/決める(决定)"等词语。

5 …か…ないか

a …か…ないか　是…还是(不)…。

（1）行くか行かないか決めて下さい。/请决定去还是不去。

（2）面白いか面白くないか分からない。/我也闹不明白是有意思还是没意思。

→【か】1

b …か…ない(か)　刚一…时，只要一…。

[V-るかV-ない(か)]
[V-たかV-ない(か)]

（1）去年彼女に会ったのは、たしかゴールデンウイークに入るか入らないかの頃だったと思います。/我记得去年见到她的时候，好像是刚要进入黄金周的时候。

（2）ベルが鳴り終わるか終わらないうちに、生徒達は外へ飛び出していった。/铃刚一响还没响完，学生们就已经跑出教室去了。

（3）聞こえるか聞こえないかぐらいの程度だが、このレコードには変なノイズが入っている。/声音很微弱，几乎都听不见，可确实这张唱片里有一种奇怪的杂音。

（4）この銃は引き金に指が触れるか触れないかで弾が飛び出すので、慎重に扱う必要がある。/这支枪，你只要轻轻一碰扳机子弹就会飞出来，所以要特别小心。

接同一动词的肯定形和否定形后，表示"不知是已做了…还是还没有做…"这样很微妙的阶段。在描述过去的事情时，除如例（1）所示形式外，也可以使用"入ったか入らないか"的形式。

6 疑问词…か　（表示不明确）。

（1）彼がいつ亡くなったか知っていますか。/你知道他是什么时候去世的吗？

（2）パーティーに誰を招待したか忘れてしまった。/宴会上请了谁，我都忘了。

（3）人生において重要なのは、何をやったかではなく、いかに生きたかということであろう。/人的一生，重要的

(4) 人類の将来は、地球環境をいかに守っていくかにかかっていると言っても過言ではない。／可以毫不夸张地说，对于人类的未来，关键是如何保护好地球的环境。

用于将带有疑问词的疑问句作为名词成分代入另一个句子中，作为该句子的一部分。如例（1），就是将"彼はいつ亡くなりましたか（他是什么时候去世的）"代入"あなたはそれを知っていますか（你知道不知道这件事）"句中"それ（这件事）"的部分。"か"前面要使用谓语的简体。

7 疑问词＋か

a 疑问词＋か（表示不确定）。
(1) 彼はどうも何かを隠しているらしい。／他好像隐瞒了什么。
(2) 誰かに道を聞こう。／找谁问问路吧。
(3) あの人にはいつか会ったことがある。／我曾经什么时候见过他。
(4) 郊外のどこかに安くて広い土地はないだろうか。／郊区或什么地方就没有又便宜又宽敞的地方吗。

接"なに・だれ・どこ・いつ"等疑问词后，表示不确切的、不肯定的，或没有必要说明的事物。

b 何＋数量词＋か／いくつか 几…。
(1) ビールなら冷蔵庫に何本かある。／要啤酒，冰箱里还有几瓶。
(2) 鉢植えをいくつか買ってきてベランダに置こう。／买几盆花来放在阳台上吧。
(3) 男子学生を何人か呼んできて手伝ってもらえば、これくらいの荷物はすぐ運べる。／叫几个男生来帮忙，这点儿行李一会儿就能搬完。
(4) いつかアフリカに何年か住んでみたい。それが私の夢だ。／有机会我想到非洲去住上几年，这是我的理想。

"か"接"何本"、"いくつ"等表示不确定的数量词后，表示有说不太清楚的数量，但数量不多的意思。

8 疑问词＋だか 不知…。

(1) なんだか寒気がします。／不知为什么有点儿发冷。
(2) なぜだか分からないけれど、父を怒らせてしまったようだ。／不知怎么搞的，好像把父亲给惹火了。
(3) 真っ暗で、誰が誰だか分からない。／漆黑一片，分不清谁是谁。
(4) 何が何だか分からないうちに、勝負がついてしまった。／还没闹明白怎么回事呢，就定了输赢了。

作副词使用，表示不能明确确定的样子。另外可如例句使用"誰が誰だか"、"何が何だか"的形式，表示不能确定的意思。

9 …からか／…せいか／…のか

也许是因为、大概是因为、可能是因为。

（1）彼女は自分も留学経験があるからか、留学生の悩みの相談によくのってあげている。／也许是因为她自己有过留学的经历，所以当留学生有困难时，她总能听他们诉说并帮他们出主意。

（2）今日は風があるせいか、日差しが強いわりには涼しく感じられる。／大概是因为今天有风，所以尽管阳光很充足但是却感觉凉飕飕的。

（3）彼はそれを知っていたのか、私の話を聞いても特に驚いた様子はなかった。／他可能已经听说了这件事，所以当我告诉他时，他一点也没吃惊。

（4）彼は家が本屋だからか、いろんな分野の本をよく読んでいるし、趣味で小説も書くらしい。／大概是因为他们家开书店，所以他读过许多方面的书，而且好像还业余写点小说。

使用"Xからか、Y"等的形式，用于表示推测产生Y的理由也许是X。表述的重点在Y。与"か"相关的部分多为"からか・せいか・ためか・のか"等表示理由的形式。如例（1）的意思是"今天感觉凉飕飕的。这大概是因为有风的缘故吧"。

10…ことか　→【ことか】
11…ところか　→【ところ】
12…ばかりか　→【ばかりか】
13…ものか　→【ものか】

【が₁】

1 Nが（表示谓语的主体或对象）。

（1）あの人が山本さんです。／那个人就是山本。

（2）隣のうちには猫が3匹いる。／隔壁家里有3只猫。

（3）あ、財布が落ちている。／啊，地上掉了一个钱包。

（4）この本は表紙がきれいです。／这本书的封面很漂亮。

（5）私はジャズが好きです。／我喜欢爵士乐。

（6）外交官になるには語学力が必要だ。／当一个外交官需要很强的外语能力。

（7）彼は10ヶ国語ができるらしい。／他好像会讲10种外语。

接névere名词后，如例（1）、（2）、（3）、（4）所示，可表示该名词是后续谓语所表示的动作、状态的主体。又如例（5）、（6）、（7）所示，也可表示该名词是后续谓语所表示的状态的对象。再如"負けるが勝ち／失败即是胜利"，在一些成语当中还可以接在名词以外的句子成分之后。

2 NがNだから（表示一种负面评价）。

（1）親が親だから、子供があんなふうに生意気になるのだ。／连父母都这样，孩子当然会变得那么狂妄了。

（2）もう時間が時間だし、今から行ってもあのレストラン

は閉まってるかもしれないよ。／时间已经这么晚了，你现在去，那家饭馆恐怕已经关门了。

（3）デパートをぶらぶら歩いていて、かわいいネックレスを見つけた。とても気に入ったのだが、なにしろ値段が値段だったので買うのはあきらめた。／在百货公司里随便逛的时候，看到了一条非常中意的项链。虽然我非常喜欢，可是价钱太贵了，结果还是没有舍得买。

（4）A：再就職しようと思ったけど、なかなかむずかしいわ。／本来想再找一份工作，可是看来很难啊。
B：そりゃ、年が年だもの。37の女なんか今どきどこも雇ってくれないわよ。／可不是吗，年龄都这么大了。现如今谁还会雇用37岁的女人啊。

使用同一名词的反复，后续多为"だから"或"ので·し·だもの·もので"等表示理由的词语。多用于对该名词给以负面的评价，后面叙述由此而导致的必然结果。如例（1）即表示"父母对孩子太娇惯了"，例（2）则表示"现在去吃饭已为时过晚"，例（3）表示"价钱太贵买不了"，例（4）表示"再找工作年龄已经太大"等意思。

3 NがNだけに　（表示从其性质考虑）。

（1）ここの料理は、素材が素材だけに味も格別だ。／这家菜馆对做菜的材料非常讲究，所以味道也非常特别。

（2）この店は味は大したことはないが、場所が場所だけにたいていいつも満員だ。／这家店的味道其实并不是太好，可是地点特别好，所以客人总是满满的。

（3）この店はとても気に入っているのだが、場所が場所だけにそうしょっちゅうは来られないのが残念だ。／我特别喜欢这一家店，可遗憾的是地方不是那么太方便，所以不能常来。

（4）その映画は戦時中の日本軍の侵略を扱ったもので、多くの評論家が絶賛している優れた作品だが、内容が内容だけに、一般的な娯楽映画と比べると興行成績は格段に悪かった。／这部电影描写的是战争时期日军侵略其他国家的内容，尽管受到了许多评论家的好评，但由于它的内容所致，与一般娱乐性的电影相比，它的票房收入就差多了。

（5）学長が収賄容疑で逮捕された。今までも小さな不祥事はあったが、マスコミには騒が

れないよう注意してきた。しかし、今回はことがことだけに、マスコミの取材からは逃れられないだろう。／大学校长因受贿嫌疑被逮捕。以往也发生过一些小的丑闻，我们都尽量避免被新闻媒体炒作。但此次事件非同小可，恐怕逃不过新闻界的采访了。

使用同一名词的反复，表示"从该名词的性质考虑，理所当然地…"的意思。后面引发出因其而产生的必然结果。但结果性质如何，不听完最后的部分也是难以判断的。如例(1)，从例句的后半句"味も格别だ／所以味道也非常特别"来看，可以知道这里讲的材料一定是特别好的材料。但如果说成"素材が素材だけに、大した料理はできやしない／从他用的材料就知道他做不出什么好菜"，又可理解为这里讲的材料是非常坏的材料。又如例(2)表示的是非常方便，人们很容易去的地方，可到了例(3)则相反，表示的是非常不方便，很难去的地方。例(5)的"ことがことだけに"，是一种惯用表达方式，在这里表示的意思是"因为事情非同小可"。

4 NがNなら…(が) 要是…就…了(但实际上…)。

(1) 時代が時代なら、この本も売れたかもしれないが、今の時代では人間の生き方を問うような本は若い人には読まれない。／要是时代还是认真考虑人生的时代，这种书没准儿还能卖得出去，可现在，像这种讲人生的书，年轻人根本就没有兴趣去读。

(2) 世が世ならあいつも出世できただろうに。／要是世道公平，也许他早就升上去了呢。

(3) 俺も大学が大学ならもう少ししましな仕事にもつけたのだろうが、この大学ではせいぜいこの会社ぐらいがいいところだ。／要是能上个好一点的大学，我没准儿还能找到更好一点的工作，就这大学，能找到现在这家公司就算不错了。

使用同一名词的反复，表示"假定如果有与之相符的情况的话"的心情。后续"…だろうが／だろうに／かもしれないが"等词语，最后陈述现实情况并非如此。如例(1)表示"如果是有许多人认真考虑人生的时代的话"，例(2)表示"如果是能正确评价他的那样的世道的话"，例(3)则表示"要是更好一点的大学的话"等意思。即假定一种比现实情况要好的状态，表示"要是那样的话，就能有一个好结果"的意思。但事实上这种假定是不可能实现的，所以表现了说话人一种遗憾、懊悔、达观的心情。

5 NがNならNもNだ (表示对两者的指责)。

(1) この生徒はいつも教師に口答えばかりして困る。親もすぐ学校にどなりこんでくるし、まったく、親が親なら子も子だ。／这学生净跟老师顶嘴真不好办，而他父母也动不动就跑到学校来吵闹。真是，有其父必有其子啊。

（2） まったく、おじさんがおじさんなら、おばさんもおばさんだよ。おじさんが頑固なのはわかっているんだから、嘘でも「ごめんなさい」って言えば喧嘩なんかすぐにおさまるのに。／真是，叔叔倔吧，婶婶也够倔的，俩人是针尖对麦芒。婶婶，你明知道叔叔倔，哪怕是违心的呢，只要说一声"对不起"，也不至于打起来啊。

"NがNなら"部分的名词与"NもNだ"部分的名词虽不同但有关联。表示一种"两个N一样都不好"的负面评价。如例（1）表示"父母和孩子一样都有问题"，例（2）则表示"叔叔和婶婶都倔，都不好"的意思。用于对两者都进行指责的场合。

6 V-たがさいご　→【がさいご】
7 V-るがはやいか　→【はやいか】

【が₂】

[N／Na　だが]
[A／V　が]

1 が＜逆接＞　可、但。
（1） 彼は学生だが、私は社会人だ。／他是学生，而我已经工作了。
（2） 昨日は暑かったが、今日は急に涼しくなって風邪をひきそうだ。／昨天那么热，可今天一下子又凉快起来，我看要感冒啊。
（3） 今日の試合は、がんばったが負けてしまった。／今天的比赛，虽然大家都很努力，但还是输了。
（4） 種をまいたが、芽が一つも出なかった。／撒了种，可一个芽也没发。

用于连接两个对立的事物。表示前后内容相互对立，或后面产生的结果与从前面事物预想的结果相反。

2 が＜引言＞　（表示开场白）。
（1） 山田と申しますが、陽子さんいらっしゃいますか。／我叫山田，阳子小姐在吗？
（2） 今日広田さんに会うんですが、何か伝えておくことはありますか。／我今天要见广田先生，你有什么事情要转告他吗？
（3） 先日お願いいたしました件ですが、引き受けていただくことはできませんでしょうか。／前几天求您的那件事，您能否答应啊。
（4） 先月パソコンを買ったのですが、使い方がよくわからないので教えてほしいんですが。／上个月我买了一台电脑，可是不知道怎么用，想请您指点一下。

在向对方询问、请求、命令之前，作为一种开场白使用。

3 が＜言尤未尽＞　（表示委婉）。
（1） 《コピーしている人に》あのう、ちょっと1枚だけコピーしたいんですが。／《对正在复印的人》对不起，我只复印

1张。
（2）すみませんが、ちょっとお先に失礼させていただきたいんですが。／对不起，我想先走一步。
（3）あのう、実は明日の会議に出られないんですが。／那个，我有点事参加不了明天的会。
（4）この辞書に書いてること、間違っていると思うんですが。／我觉得这本辞典里有错误。

在讲一些难以启齿的事情或不好请求的事情时，用于句尾，可使语气显得委婉。

【かい】

1 かいが ある／ない （有／无)效果、回报。
[Nのかいが ある／ない]
[V-たかいが ある／ない]
（1）努力したかい(が)あって、無事合格することができた。／没有白努力，总算考上了。
（2）コンクールで優勝できるなんて、一日も休まず練習したかいがあったね。／他在比赛中得了冠军啊。这么多天，他一天都不休息，天天练，总算工夫没白费啊。
（3）警官の懸命の説得のかいもなく、その男性は警官の顔をしばらくじっと見つめた後、屋上から飛び降りてしまったという。／据说警察拼命地劝他也没用，那个男的凝视了一会儿警察以后，就从屋顶上跳了下来。
（4）今になってまったく違う意見を主張されたのでは、せっかくみんなが歩み寄って意見を調整したかいがなくなるじゃないか。／到现在又提出不同意见，那咱们费了半天劲，好不容易让大家取得了一致意见，不都白努力了吗。

接表示动作的动词或表示行为的名词后，表示"该行为得到了预期的效果，该行为得到了回报"的意思。使用否定形时，表示"其努力没有得到回报／没有效果"的意思。

2 R-がい 值得…、不白…。
（1）やりがいのある仕事を求めて転職する。／为了找到更值得一干的工作而改行。
（2）仕事のほかに生きがいを見出せないような人生ではあまりにも寂しいではないか。／除了工作就没有别的人生价值，你不觉得这样的人生太乏味了吗。
（3）もっと働きがいのある職場に移りたいと思うが、この不況では転職もなかなかむずかしそうだ。／我想换个单位，找到更有价值的工作，但现在这种经济不景气的状况下，要想换个工作是很不容易的。
（4）こんなに喜んでもらえるの

だったら、料理のしがいがある。/大家吃得那么高兴，我这菜也没白作。

(5) 一度失われた森林を元に戻すのは大変なことではあるが、そこに住む人たちの暮らしもかかっているだけに、苦労のしがいもあるというものだ。/让失去的森林再恢复原貌，是一件很困难的事情，但这关系到住在这里的人们今后的生活，所以我们吃点苦也值得。

接动词连用形后，表示做这一动作值得、有效，可以得到回报的意思。能够使用的动词有限。如例（4）、（5）所示，完成该动作很难、很费力时，表示吃这种苦值得、有意义的意思。

【かえって】

反倒、反而、相反。

(1) 親切で言ったつもりなのだが、かえって怒らせてしまったようだ。/本想好意对他讲，可反倒把他给惹火了。

(2) 間に合うようにと思ってタクシーに乗ったのに、渋滞のせいでかえって遅くなってしまった。/想尽量赶上就坐了出租车，哪想到反而遇上堵车倒晚了。

(3) 昨日買ったカーテンは少し派手すぎたかなと思っていたが、かえって部屋が明るくなってよかった。/开始我以为昨天买的窗帘太花哨了，没想到反而使得房间显得更明亮，还买对了。

(4) A：お見舞いに来てくれたお礼に、川井さんにはお菓子でも持って行こうか。/为了感谢他们来看望，给川井他们带点儿点心去吧。

B：いや、そんなことをしたら、かえって向こうが気を遣うよ。/别了，那样相反会使他们觉得见外了。

(5) A：この間はひどいことを言ってしまって、悪かった。/上次我说话太不注意，真对不起。

B：いや、かえって良かったよ。あれから君の言葉を思い出してぼくもいろいろ反省したんだ。/没有的事，相反多亏你说了。后来我想起你说的话，自己也反省了许多。

做某一事后，一般会预想到一个必然的结果，此句型用于其结果与自己的意愿、预料相反的场合。如例（1）表示"自己出于关心对方才讲了一番话，可与预料相反，结果反倒把对方给惹火了"，例（4）表示"自己预想给对方带去点点心会使对方高兴，可相反会使对方觉得见外"，例（5）则表示"由于自己说话不注意觉得可能伤害了对方，可相反对方觉得自己说了这话倒使他有了反省的机会"。即用于其结果与一般常识性的预想相反的场

合。至于只限于当时的一种临时性的预想时，不能使用。
(误) 今日は雨が降ると思っていたが、かえっていい天気になった。
(正) 今日は雨が降ると思っていたが、いい天気になった。／本以为今天要下雨呢，可没想到是个好天儿。

【かえる】
　　　　改…、换…、重…。
[R－かえる]
(1) 次の文を否定文に書きかえなさい。／把下面的句子改写成否定句。
(2) 次の駅で急行に乗りかえましょう。／在下一站咱们换乘快车吧。
(3) 電球を新しいのと取りかえたら、部屋が見違えるように明るくなった。／换了一个新灯泡儿以后，屋里一下子亮了起来，好像变了一个家似的。
(4) もらってきた花を花びんに生けてあった花と入れかえて玄関に飾った。／把花瓶里原来插的花换上朋友送的花，然后摆在了大门口。
(5) 家を建てかえたので、ついでに家具も全部買いかえた。／因为翻修了房屋，所以顺便把家具也全部都换了。
(6) 名札をジャケットからシャツに付けかえた。／把名签从外套上摘下来，戴在了衬衣上。
(7) 彼はとても器用で、卓球をやっているとき、ラケットを左右に持ちかえながらプレイすることができる。／他特别灵巧，打乒乓球时会左右手换着拍子打。

接动词连用形后，表示"变化""交换"等意思。如例(1)、(2)、(5)表示，将X换成另外一种东西，即换成Y。例(3)、(4)表示将X和Y进行交换。例(6)、(7)则表示将X的位置从Y移到Z的意思。其他经常可使用的词语有"移しかえる・置きかえる・掛けかえる・植えかえる・張りかえる"等。

【がかり】
这是从动词"かかる"派生出来的句型。与"時間／お金がかかる"搭配，有"花费"的意思。与"医者にかかる"搭配，有"依靠"的意思。与"雨がかかる"搭配，有"受其影响"的意思。与"仕事にかかる"搭配，有"开始着手"的意思等。

1 数量词＋がかり 花、用、一起。
(1) グランドピアノを5人がかりでやっと運んだ。／5个人一起抬，才终于把三角钢琴搬动了。
(2) 3日がかりで作り上げた巨大な雪だるまは、翌日のポカポカ陽気ですぐに溶けてしまった。／花了3天才堆起来的大雪人儿，没想到第二天阳光特足，一下子就把雪人儿晒化了。
(3) 5年がかりの調査の結果、

その湖の生態系は壊れかかっているということがわかった。／花了5年的时间进行调查，其结果表明这个湖泊的生态系统已开始遭到破坏。

（4）さすが横綱は体が大きくて力も強いので、高校生力士が3人がかりで向かっていってもまるで勝ち目はなかった。／到底是横纲，个儿大力气也大，3个高中生相扑队员一起上也赢不了他。

接"…人／日／時間"等词语后，表示做某动作时花费了这么多的人力或时间等。后续多为表示很难或很费力的动作的表达方式。

2 Nがかり　依靠、像…似的。

（1）彼女は30才にもなって、親がかりで留学した。／她都30岁了，还靠着父母去留学。

（2）男は「君はバラのように美しいね」などと、芝居がかりのせりふを吐いた。／那男的吐出了一句像戏剧台词似的话，"你漂亮得像一朵玫瑰花"。

此句型用于两种场合。一如例（1）所示，表示"依靠父母、受父母照顾"的意思。另一如例（2）所示，表示"带有戏剧的性质、像戏剧似的"的意思。例（1）的用法只有"親がかり"一种。例（2）的用法另外还有"神がかり（好似神仙鬼怪）"，但也极少。类似（2）的用法还可以说成"Nがかっている／Nがかった"，这时常用的有"青みがかった（带有绿色的）、左がかった（偏左的）"等词汇。

3 R-がかり　顺便、由于这种趋势。

（1）広場でトランペットの練習をしていると、通りがかりの人が何人も足を止めて聞いていった。／我在广场上练习吹小号，结果吸引了许多过路的人驻足欣赏。

（2）それは他の部署の企画だったが、担当者にいくらかアドバイスもしたので、行きがかり上しかたなく私も関わることになってしまった。／本来这是其他部门的一项计划，但由于开始我给承担项目的人提了些建议，到了这分儿上，现在我也不得不参与了。

例（1）表示"偶然路过"的意思。例（2）的"行きがかり上"表示"由于过去的这么一种原委"的意思，是一个惯用句，不能与别的动词一起使用。

【がかる】

带有…样子、有点像…。

[NがかったN]

（1）川井さんは青みがかった紫色のとてもきれいなワンピースを着ていた。／川井穿了一件特别漂亮的、有些泛青的紫色连衣裙。

（2）その絵は背景が赤みがかった空色で、まるで夕暮れの空のようだ。／这幅画的背景是带有点红色的天空颜色，就仿佛是晚霞中的天空一样。

（3）山本は考えることが左がかっ

ている(=左翼的だ)。/山本的想法有些偏左(=左倾)。
(4) あいつの行動はどこか芝居がかっていて、こっけいだ。/那家伙的行动有点像演戏,特别滑稽。
(5) その人は、村では神がかった存在として尊敬されおそれられている。/在村里,他就像个神仙,大家对他都特别敬畏。

接名词后,表示多少带一点该名词所表示事物的性质。可以使用的名词有限。如例(3)所示,也可以使用"Nがかっている"的形式。

【かぎり】

1 かぎり

a かぎりが ある/ない （有/无）极限。

(1) 資源には限りがある。無駄遣いしてはいけない。/资源有限,不得浪费。
(2) 限りある資源を大切にしよう。/要爱惜有限的资源。
(3) 宇宙の広がりには限りがないように思える。それが魅力だ。/我觉得宇宙是广阔无垠的。这就是它的魅力。
(4) 宇宙には限りない魅力がある。/宇宙具有无限的魅力。
(5) ワープロには数限りない機種があるため、どれを選んだらいいのか、選択に困る。/文字处理机有数不清的机型,

所以不知道选哪一种是好。

表示时间、空间或事物的程度、数量都是有限的意思。例(2)、(4)是修饰名词的形式。是一种惯用句。也可以说"限りのある/ない"。例(5)的"数限りない"也是一个惯用句,修饰名词,用于可数性的事物,表示其数量极多。也可以使用其副词形,说"数限りなく"。

b かぎりなく N にちかい　極其接近、特别像。

(1) その着物は限りなく白に近い紫だった。/这件和服的颜色是极其接近白色的淡紫色。
(2) その真珠のネックレスは限りなく本物に近い偽物で、見ただけでは偽物であることがわからない。/这条假珍珠项链特别像真的,从表面上看,你根本看不出是假的。
(3) キムさんの日本語の発音は限りなく日本人に近いが、注意して聞くとやはり韓国語の影響が残っている。/金先生的日语发音极其像日本人,但是仔细听,还是能听出一点朝鲜语音的影响。

表示与该名词性质极其相近,几乎一样的意思。

2 …かぎり＜期限＞

a N かぎり　只限于…、到…为止、以…为限。

(1) 彼女は今年限りで定年退職することになっている。/她到今年为止就要退休了。
(2) その演劇の公演は、今週限りで打ち切られる。/这部戏

（3）勝負は1回限りだ。たとえ負けても文句は言うな。／比赛就这一次。即使输了也不许有意见啊。
（4）あの人はその場限りの思いつきの意見しか言わない人だ。／他就只会当场凭着灵感提意见。
（5）今の話はこの場限りで忘れてください。／刚才这话咱们就在这儿说，说完就忘了吧。

接表示时间、次数、场所的名词后，表示"只限于此"的意思。表示场所的词，只能使用"この場／その場／あの場"等。如例（1）表示"以今年为限度"，例（4）表示"只限于当场"的意思。

b…かぎり　尽、尽量、竭尽。
[Nのかぎり]
[V-るかぎり]
（1）力の限り戦ったのだから負けても悔いはない。／已经竭尽全力拼搏了，所以即使输了也不后悔。
（2）選手たちは優勝をかけて命の限り戦ったが、惜しくも敗れてしまった。／尽管队员们为争取冠军拼命苦战，但最终还是失败了。
（3）あの大統領は、権力の絶頂にあった頃ぜいたくの限りを尽くしていたそうだ。／据说那个总统在他权力鼎盛时期，竭尽了奢华之能事。
（4）難民たちは持てる限りの荷物を持って逃げてきた。／难民们拿着所有能拿得了的行李逃了出来。
（5）できる限りの努力はした。あとは結果を待つだけだ。／我已经尽了最大的努力。下面只有听天由命了。
（6）そこは見渡す限り（の）桜の花だった。／那里是一望无际的樱花。

表示"达到最高限度、极限"、"尽其所有一切"的意思。接名词的例（1）～（3）中的"力の限り"、"命の限り"、"ぜいたくの限り"均为惯用句。例（6）中的"見渡す限り"也是表示"可以望见的所有范围"意思的惯用句。接动词时，多接表示可能的"V-れる"形动词。

3 かぎり＜范围＞
a V-る／V-ている／V-た かぎり　在…的范围内。
（1）私の知る限り、彼は絶対そんなことをするような人ではない。／据我所知，他绝对不是做这种事情的人。
（2）私が聞いている限りでは、全員時間どおりに到着するということだ。／我所听说的是，全体人员都要按时到达啊。
（3）私の見た限りで「樹神（こたま）」という姓の人は、電話帳に2軒しか載っていなかった。／在我查看的范围内，姓"树神"的人在电话本上就只有两家。

（4） この植物は、私が今まで調べた限りでは、まだ日本では発見されていないようだ。／据我到目前为止的调查，这种植物在日本好像还没有被发现。

接"見る(看见)・聞く(听说)・調べる(调查)"等表示认知行为的动词后。表示"根据我的知识、经验的范围来判断的话"的意思。也可以说"かぎりで"、"かぎりでは"。

b Ｖ－る／Ｖ－ている かぎり　只要…就…、除非…否则就…。

（1） この山小屋にいる限りは安全だろう。／只要呆在这个山间小屋里就会安全的吧。
（2） プロである限り、その大会への出場資格はない。／只要是职业运动员就没有资格参加这次运动会。
（3） あいつが意地を張っている限りは、絶対にこっちも頭を下げないつもりだ。／只要他还坚持己见，咱们也决不会低头的。
（4） Ａ：英会話なんか、ちょっと本気でやりさえすればすぐに上達するさ。／不就英语会话吗，只要我稍稍努把力，很快就能提高的。
　　 Ｂ：おまえ、そんなこと言ってる限り、いつまでたってもうまくならないぞ。／你呀，除非你改变这种想法，否则你的英语总也好不了。

表示"在这种状态持续期间"的意思。用于表述条件范围。后续为在这种条件下发生的状态。含有如果其条件变化了，产生的状态也有变化的可能性之意。

c Ｖ－ないかぎり　只要不…就…、除非…否则就…。

（1） 練習しない限り、上達もありえない。／你不练习就提高不了。
（2） あいつが謝ってこない限り、こっちも折れるつもりはない。／除非他来认错，否则我决不让步。
（3） 絶対にやめようと自分で決心しない限り、いつまでたっても禁煙なんかできないだろう。／除非你自己下决心戒烟，否则到什么时候你这烟也戒不了。
（4） 今の法律が変わらない限り、結婚したら夫婦はどちらか一方の姓を名乗らなければならない。／只要现在的法律不变，结婚以后，夫妇就得姓一方的姓。

表示"在这种事情不发生期间"的意思。用于表述条件范围。后续为在这种条件下发生的状态。含有如果其条件变化了，产生的状态也有变化的可能性之意。

【かぎりに】
→【をかぎりに】

【かぎる】

1 …にかぎる　最好…。
[Nにかぎる]
[Naなのにかぎる]
[Aのにかぎる]
[V-るにかぎる]

（1）和菓子ならこの店にかぎる。／要说和式点心，这一家店铺的最好。
（2）疲れた時は温泉に行くにかぎるね。／累了的时候，最好去洗洗温泉。
（3）せっかくテレビを買いかえるのなら、画面がきれいなのにかぎる。／好不容易要买一台新电视，最好是买一台画面清晰的。
（4）ヨーロッパを旅行するなら電車にかぎるよ。安くて快適だしね。／在欧洲旅行最好是乘电车旅行，既便宜又舒适。
（5）家族みんなで楽しみたかったら、ディズニーランドに行くに限る。／如果全家都想玩儿得高兴，那最好是去迪斯尼乐园。

用于表示"最好是…"的意思。前面多伴有"…なら／たら"等表达方式。

2 Nにかぎったことではない　不光是、不只是、不仅仅。

（1）あの人が遅刻するのは今日にかぎったことではない。／他迟到不光是今天一次啦。
（2）レポートのできが悪いのはこの学生にかぎったことではない。／小论文写得不好的不只是这一个学生。
（3）日本の物価の高さはなにも食料品にかぎったことではない。／日本物价贵，不仅仅是在吃的方面。
（4）エンジンの故障が多いのはこの車種に限ったことではないらしく、同じメーカーの他の車種でも同じようなトラブルが起こっているということだ。／据说引擎经常发生故障的不只限于这种车型，同一厂家的其他车型也经常发生类似毛病。

表示"问题不仅限于此"的意思。一般用于负面评价，表示不仅有这种情况，还有其他情况。

3 …とはかぎらない
→【とはかぎらない】

4 …ともかぎらない
→【ともかぎらない】

【かくして】

就这样、如此。

（1）かくして市民による革命が成し遂げられたのであった。／就这样，由市民们发起的革命取得了成功。
（2）かくして長かった一党独裁の時代が終わりを告げたのである。／如此，长期一党独裁的时代宣告结束了。

在一段较长的文章以后，用于结论

性、总结性文章的段首。表示"就这样"、"如此"的意思。也可以说"かくて"。多用于讲述历史等较严肃的书面语。

【かくて】

→【かくして】

【かけ】

做一半、没做完、快…了。
[R-かけ]
(1) やりかけの仕事が残っていたので、会社に戻った。/因为还有没做完的工作，所以又返回了公司。
(2) 彼女の部屋には編みかけのセーターが置いてあった。/她的房间里放着一件织了一半的毛衣。
(3) その本はまだ読みかけだったが、友達がどうしても貸してほしいと言うので貸したら、そのまま戻ってこなかった。/那本书我刚看了一半，可朋友非要借，结果一借给他就再也没回来。
(4) 私は友達にもらった壊れかけのテレビを、もう5年も使っている。/一台朋友送给我的快坏了的电视机，我用了5年多了。
(5) 食事を作ろうと思ったら、冷蔵庫の中には腐りかけの野菜しかなかった。/本想做饭，可打开冰箱一看，就只有

些快烂了的蔬菜。

接动词连用形后，表示动作、状态等正在一个过程当中。如例(1)、(2)、(3).表示一种受意志支配的动作正进行到一半，而例(4)、(5)则表示一种非意志的状态已经开始发生的意思。

【かけて】

→【にかけて】

【かける】

1 R-かける＜涉及对方＞ 跟、对、和。
(1) 電車の中で酔っぱらいに話しかけられるたびに、私は日本語がわからないふりをすることにしている。/每当在电车上遇见醉汉跟我说话时，我都装做听不懂日语的样子。
(2) みんなに呼びかけて、いらなくなった衣類や食器などを持ってきてもらおう。/号召大家把不用了的衣物、餐具等捐出来吧。
(3) その子は、人と目が合うたびにやさしく笑いかけるような、そんな、人を疑うということを知らないような子だったと言う。/据说那孩子只要看见别人就会对别人笑，是一个从不知道怀疑人的孩子。
(4) リサイクル運動の市民グループを作りたいと思って、周り

の友達に相談を持ちかけてみたが、みんな忙しいと言って話に乗ってこなかった。／我想发起组织一个搞废物回收利用运动的市民团体，可是和周围的朋友一商量，大家都说忙，没有一个人响应。

接动词连用形后，表示向对方做某种动作或施加某种影响。例（4）中的"人に相談を持ちかける（和别人商量）"，是一种惯用的句式。另外常用的还有"問いかける"、"語りかける"、"誘いかける"等。

2 R-かける＜做一半＞ 做一半、没做完、快…了。

（1）友達に大事な相談の手紙を書きかけたとき、玄関のベルが鳴った。／有重要的事情要写信给朋友商量，可刚写了一个开头儿，就听见门铃响了。

（2）「じゃあ」と言って受話器を置きかけて、しまったと思った。彼に用件を言い忘れていたことに気づいたのだ。／说了声"再见"，刚要把话筒放下，忽然想起坏了，把本该跟他讲的事情给忘了。

（3）その猫は飢えでほとんど死にかけていたが、世話をしたら奇跡的に命を取り戻した。／那只猫本来饿得都几乎快要死了，可我养了几天，它竟奇迹般地又活下来了。

（4）忙しい日々の中で忘れかけていた星空の美しさを、この島は思い出させてくれた。／来到这个岛上，使我又想起了在繁忙的日子中都快要忘却了的美丽的星空。

接动词连用形后，表示"动作做到一半"的意思。如例（1）、（2），表示一种受意志支配的动作正进行到一半，而例（3）、（4）则表示一种非意志的状态已经开始发生的意思。

【がさいご】

（既然…）就必须…、（一…）就非得…。

[V-たがさいご]

（1）ここで会ったが最後、謝ってもらうまでは逃がしはしない。／今天在这儿见到你了，你就必须得给我陪不是，否则我不会放你走。

（2）この計画を聞いたが最後、あなたもグループに加わってもらおう。／你已经听到我们这个计划了，就必须得参加我们这个组织。

（3）学校内でタバコを吸っているのを見つかったが最後、停学は免れないだろう。／既然在校内抽烟已经被发现了，我看停学处分是逃不掉的。

（4）その茶碗は、一度手に取ったが最後、どうしても買わずにはいられなくなるほど手触りや重さ、色合いなどが私の好みに合っていた。／这茶

碗一拿到手上就觉得非买不可了，因为它那手感、轻重、颜色等都那么合我的口味。

表示"某事一发生就必定…"的意思。后续为表示说话人意志或必然发生的状况的表达方式。例（1）表示"今天总算在这里遇见你了，所以今天必须要让你道歉"，带有一种威慑感。例（2）表示"你已经听到我们的计划了，所以你必须参加我们的组织"，带有一种命令的口吻。又如例（3）、（4）所示，也可以用于叙述一般性事物。

【がたい】

难以、不可、不能。

[R-がたい]

（1）信じがたいことだが本当なのだ。／这件事虽然难以置信但确实是真的。

（2）あいつの言うことは何の根拠もないし常識はずれで、とうてい理解しがたい。／他说的话没有任何根据，又不符合一般常规，实在叫人费解。

（3）日本が戦時中にアジア諸国で名もない人たちを理由もなく殺したことは、動かしがたい事実である。／日本在战争中无故杀害了许多亚洲国家的平民百姓，这是不可动摇的铁的事实。

（4）彼は部下の女性に対するセクシャル・ハラスメントで告発されたにもかかわらず、まるで反省の色が見えないばかりか、あの女は無能だなどと言いふらしており、まったく許しがたい。／虽然他的女部下告发了他性骚扰，但他不仅毫无反省之意，甚至还到处跟人讲那个女部下如何如何无能等等，简直是令人不能容忍。

接动词连用形后，表示做该动作很难或不可能的意思。除常用的"想像しがたい（难以想像）・認めがたい（不能承认）・（考えを）受け入れがたい（难以接受）・賛成しがたい（不能赞成）"等表示认知的动词以外，还经常使用"言いがたい（难以启齿）・表しがたい（难以表达）"等与讲话等有关的动词。例（3）的"動かしがたい事実"是一种惯用句，表示"不容否认，是铁的事实"的意思。书面语。

【かたがた】

顺便、兼。

[Nかたがた]

（1）友達が風邪をひいたというので、お見舞いかたがた家を訪ねることにした。／听说朋友感冒了，我决定去看看他，正好顺便也拜访一下他家。

（2）散歩かたがたパン屋さんに行ってこよう。／散步去的时候顺便去一下面包房。

（3）《手紙文》以上お礼かたがたお願いまで。／《书信》以上特此致谢并兼请求。

接表示动作的名词后，表示在做这

一动作时，顺便兼做后面的动作的意思。如"お見舞い"、"散歩"等，可使用的名词有限。

【かたわら】

1 …かたわら＜旁边＞ 在…旁边。
[Nのかたわら]
[V-るかたわら]
（1） 母が編み物をするかたわらで、女の子は折り紙をして遊んでいた。／母亲在织毛衣，在她的身边，一个女孩子在折纸玩儿。
（2） 楽しそうにおしゃべりしている田中くんのかたわらで、田川さんはしょんぼりうつむいていた。／田中兴致博博地说个不停，而在他的旁边，田川却一言不发地低着头。

接表示动作的名词或动词后。表示"在…旁边"的意思。多用于情景描写。见于故事等书面性语言。

2 …かたわら＜次要动作＞ 一边…一边…、同时还…。
[Nのかたわら]
[V-るかたわら]
（1） その教授は、自分の専門の研究をするかたわら、好きな作家の翻訳をすることを趣味としている。／那位教授一边从事自己的专业研究，一边还翻译一些他所喜欢的作家的作品，以此来作为自己的业余爱好。
（2） そのロック歌手は、演奏活動のかたわら、中高生向けの小説も書いているそうだ。／据说那位民歌歌手，在从事演出活动的同时还写一些面向高初中生的小说。
（3） その年老いた職人は、本職の家具作りのかたわら、孫のために簡単な木のおもちゃを作ってやるのが楽しみだった。／那位老工匠，除他自己的本职工作做家具以外，最大的乐趣就是给他的孙子做一些简单的木制玩具。

表示"在做主要的活动、工作以外，在空余的时间还做…"的意思。是书面性语言。

【がち】

1 Nがち 经常…、总是…、带有…倾向的。
（1） その作家は、ここ数年病気がちでなかなかまとまった仕事ができないと言っている。／那位作家说，这些年来经常生病，所以很难写出大部头的作品。
（2） このところ、はっきりしない曇りがちの天気が続いているので、洗濯ものが干せなくて困る。／最近天气总是那么阴沉沉的，洗了的衣服也晾不干，真烦人。
（3） どうしてあんなことをしたんだと問いつめると、彼女は

伏し目がちに、どうしてもお金がほしかったのだと答えた。／当我追问她为什么会做出这种事时，她略微低着头回答说，因为我急需要钱花。
（4）「よかったらうちまで車で送ってもらえないでしょうか」と、彼女は遠慮がちにたずねた。／她非常客气地问道，"您能不能开车送我一下啊？"

接名词后，表示"容易产生该名词所表示的状态，具备相当多的该名词所表现事物的性质"的意思。如该状态不同于寻常则带有一种负面评价的含意。可使用的词汇有限。例（3）、（4）是一种惯用句。

2 R-がち　容易…、往往会…。
（1）寒い季節は家の中にこもりがちだが、たまには外にでて体を動かした方がいい。／寒冷季节的时候，容易总呆在家里，其实最好还是时不时到外面去活动活动为好。
（2）彼女に電話すると、どうしても長話になりがちで、いつも父親に文句を言われる。／一给她打电话，往往话就长了，老是为此受到父亲的训斥。
（3）甘いものはついつい食べ過ぎてしまいがちなので、ダイエット中は気をつけましょう。／甜东西，稍不注意就容易吃多，所以在减肥期间一定要节制。
（4）惰性で仕事を続けていると、この仕事に飛び込んだ頃の若々しい情熱をつい忘れがちになる。／只靠一种习惯性来做工作的话，往往就会忘却刚刚参加到这项工作里来时的那种朝气蓬勃的热情。
（5）「『役不足』とは『その役を務めるには能力が不足している』という意味だ」という解釈は、ありがちな間違いだ。／把"舔稍颃（大材小用）"一词解释成为"不具备承担这一工作的能力"的意思，这是经常有的一种错误。

接动词后，表示即使是无意的也容易这样做的意思。用于表述负面评价的动作。多与"どうしても・つい・うっかり"以及"てしまう"等词语一起使用。例（5）中的"ありがちな"表示"经常会有"的意思。

【かつ】
且…、既…又…、又…又…、一面…一面…。
[N（であり）かつN]
[Na かつNa]
[R かつV]
（1）これで、福祉会館建設に関する議案を提出するのに必要かつ十分な条件が整った。／这样我们就具备了提出有关建设福利会馆方案所必须且充分的条件。

（2）今回の大胆かつ巧妙な手口の犯行は犯人像を割り出す手がかりになるものと思われる。／我想这次既大胆又巧妙的作案手段,将成为我们推断罪犯形象的重要线索。
（3）その知らせを聞いて一同皆驚きかつ喜び、中には涙を流す者さえいた。／听到这一消息后,大家又惊又喜,有的人甚至流下了眼泪。
（4）我々は久しぶりの再会に、陽気に騒ぎかつ大いに飲み、時間のたつのも忘れた。／我们为这次久别重逢一面大声欢闹一面开怀畅饮,竟忘记了时间的流逝。
（5）彼は私の親友であり、かつライバルでもある。／他既是我的亲密朋友又是我的竞争对手。

当某事物同时具备两种状态时,用以将其同时罗列表述。与"そして(而且)"意思相同。是书面语。在口语中多为"必要で十分"、"騒いで飲む"等,即使用"…て"的形式。

【かつて】

曾、曾经、以往。

（1）このあたりは、かつては有名な米の産地だった。／这一带曾经是著名的大米产地。
（2）彼女はかつて新聞社の特派員として日本に滞在したことがあるそうだ。／据说她曾经作为报社的特派记者在日本常驻过。
（3）今度この地方で地震が起こるとすれば、それはかつてないほどの規模のものになる恐れがある。／如果这一地方再发生地震,恐怕会是前所未有的极大地震。
（4）久しぶりに会った彼は、相撲取りのように太っていて、かつての精悍なスポーツマンの面影はどこにもなかった。／多年不见的他,胖得像个大相扑力士,以往那种精悍的、运动员似的相貌已不复存在。
（5）わが国が主食である米の生産を外国に頼るなどということは、未だかつてなかった。／成为我国主食的大米要靠外国生产,这种情况过去还从未有过。

表示"以往"、"过去"的意思。也可以说"かつて"。例(3)、(5)中的"かつてない",即其否定形式表示"到目前为止没有发生过一次"的意思。"かつてない"、"未だかつて…ない"均是一种惯用句。书面语。

【がてら】

顺便、在…同时、借…之便。

[Nがてら]
[R-がてら]

（1）買い物がてら、その辺をぶらぶらしない？／咱们去买东

西，順便到那面逛逛好吗？
（2）散歩がてら、パンを買いに行こう。／我去散步，顺便买点儿面包回来吧。
（3）引っ越してきてから2週間ほどの間、私は運動がてら近所の町を歩き回った。／搬过来以后两个多星期，我在出去锻炼的同时把附近的街道都转了转。
（4）彼は映画評論家なので、仕事がてらよくアジアの映画を見ることがあるそうだ。／因为他是一位电影评论家，所以据说他借着工作的方便经常看一些亚洲国家的电影。
（5）京都においでの節は、お遊びがてらぜひ私どものところへもお立ち寄りください。／到京都来时，一定在游玩的同时顺便到我家来坐坐。

接表示动作的名词或动词连用形后。以"Xがてら Y"的形式表示"在做X的同时，顺便把Y也做了"的意思。一般多用于做Y其结果也可以完成X的场合。也可以说"…をかねて"、"…かたがた"等。

【かというと】

1 …かというと　至于是否…、是不是（就）…。
[N／Na（なの）かというと]
[A／V（の）かというと]
（1）彼女はその仕事が気に入っているそうだ。しかし自分の時間を犠牲にしてでも打ち込んでいるかというと、そこまでは行かないらしい。／据说她很满意这项工作。但至于是否能做到牺牲自己的时间，全身心地去投入工作，好像还没有达到这一地步。
（2）私はこの国に失望させられた。しかし、まったく見捨ててしまったのかというと、そうでもない。／我对这个国家已经失去希望了。但是不是就完全要抛弃它，那也未必。
（3）彼女はケーキ作りがとても上手なのだが、甘いものが好きなのかといえば、そうでもない。／她蛋糕做得特别好，那是不是她就喜欢吃甜食呢，其实也不尽然。
（4）彼は入社して3ヶ月で会社を辞めてしまった。仕事や給料が不満だったのかというとそういうわけではなくて、もともと大学院に行きたかったので就職する気はなかったのだということだった。／他进公司3个月就辞职不干了。是不是对工作或报酬有所不满呢，其实并不是，他原来就想考研究生不想工作来着。

以"Xかというとそうではない"、"Xかというとそうとは限らない"等形式。后面多伴有否定X的表达方式。用于先提出从前文导出的必然结果X，然后

对其加以否定的场合。如例（1）表示的是，从"她很满意这项工作"可以预想到"她会牺牲自己的时间，全身心地去投入工作"，但实际上不是这样的意思。也可以使用"かといえば"。

2 疑问词＋かというと　要说…、要问…。

（1）私は彼がきらいだ。どうしてかというと、いつも人の悪口ばかり言っているからだ。／我很讨厌他。要说为什么，就是因为他老说别人的坏话。

（2）私は一度も海外に行ったことがない。どうしてかというと、飛行機に乗るのが恐いからだ。／我一次也没有出过国。要问为什么，就是因为我害怕坐飞机。

（3）祖父がいつごろこの家を建てたかというと、戦争が終わってすぐの頃、食べるものも満足に手に入らないような苦労の時代だ。／要问我祖父是什么时候盖的这个房子，那还是在战争刚刚结束，连肚子都吃不饱的那个艰苦时代呢。

（4）彼は入社して3ヶ月で一流企業を退職してしまった。やめて何をするかというと、インドへ行って仏教の修行をするらしい。／他进公司才3个月就辞去了这家一流公司的职业。要问他辞职以后去干什么，好像是要到印度去修行佛教去似的。

（5）機械の苦手な私がどうやってパソコンに慣れたかというと、友達とパソコンでゲームをして遊んでいるうちに、だんだん恐くなくなってきたのだ。／我对机器很不擅长，那么我又是怎么能习惯使用电脑的呢，这还多亏了是和我朋友一起玩儿电脑游戏，渐渐地我就不那么怵电脑了。

（6）A：なんで引っ越すの。今のアパート、家賃も安いし広いのに。／你干吗要搬家啊？现在这间公寓不是又便宜又宽敞吗。

B：なんでかっていうとね、大家さんがうるさくて、友達を呼ぶと文句を言われるし、おまけに壊れたところも直してくれないのよね。／干吗搬家？那还不是因为房东太烦人，每次来个朋友他都要唠叨半天，房间的设备坏了他也不管给修理。

接带疑问词的疑问句，用以指示疑问的焦点。后续作为解答的句子。如例（1）所示，在后面陈述理由时，多伴有"からだ／ためだ／のだ"等表达方式。"どうしてかというと／なぜかというと"等为惯用句，用于就某事自问自答的场合。也可使用"かといえば"的形式。

【かといえば】
→【かというと】

【かとおもうと】
刚一…就…。
[V-たかとおもうと]
（1）　急に空が暗くなったかと思うと、はげしい雨がふってきた。／天空一下子就暗下来了，接着又下起了瓢泼大雨。
（2）　やっと帰ってきたかと思ったら、また出かけるの？／这刚回来就又要出去啊？
→【とおもう】9

【かとおもうほど】
几乎觉得…。
（1）　いつ寝ているのかと思うほどいそがしそうだ。／忙得几乎都不知道什么时候睡觉。
（2）　死ぬんじゃないかと思うほど苦しかった。／痛苦的几乎觉得要死了。
→【とおもう】1

【かとおもうまもなく】
→【とおもう】8

【かとおもえば】
既有…又有…，有…又有…。
[V-るかとおもえば]
（1）　葉がぜんぶ落ちた木があるかとおもえば、まだたくさん残っている木もあった。／既有树叶都落光了的树，也有树叶还很茂密的树。
（2）　校庭のあちらではけんかをしている子供たちがいるかと思うと、こちらではじっと池の魚を観察している子もいる。／校园那边有的孩子在打架，而这边又有的孩子在静静地观察池中的游鱼。
→【とおもう】2

【かとおもったら】
才…又…，以为…原来…。
（1）　帰ってきたかと思ったら、また出かけていった。／才看到他刚回来，没想到又走了。
（2）　何をやっているのかと思ったら、昼寝をしていたのか。／我以为你干什么呢，原来是在睡午觉啊。
→【とおもう】4

【かな】
（表示怀疑或疑问）。
（1）　山田さんは今日来るかな。／山田今天能来吗？
（2）　これ、おいしいのかな。／这个，好吃吗？
（3）　これ、もらって帰ってもいいのかな。／这，我能拿走吗？
（4）　ちょっと手伝ってくれないかな。／你能稍微帮我一下吗？

（5） 今度の旅行はどこへ行こうかな。／这次旅行去哪儿好啊。
（6） 最近なんでこんなに疲れやすいのかなあ。／最近我怎么那么容易累啊。

由表示疑问的"か"后接"な"构成,用于句尾,表示向自己提问的心情。一般为自言自语地表示怀疑或疑问的心情,用于对方时,则通过将疑问向对方表明,间接地起到表示请求、期望的作用。不用于礼貌语体。是比较随便的口语形式。有时可拉长尾音说成"…かなあ"。

【がな】

（表示奇怪、感叹或愿望）。

（1） 山田さんはまだ来ないの？遅れずに来るように言っておいたんだがな。／山田还没来吗？我可告诉他不要迟到了嘛。
（2） 今度の試験も駄目だった。一生懸命勉強したつもりなんだがなあ。／这次考试又完蛋了。我觉得我挺努力复习的了。
（3） あした運動会だろう？雨が降らないといいがなあ。／明天开运动会吧。要是不下雨就好了。
（4） 彼らももう少し本気で仕事に取り組んでくれるようになるといいんだがなあ。／他们工作要是能再认真一点就好了。

（5） 田口君、今、暇？ちょっと手伝ってくれるとありがたいんだがな。／田口,你现在没事吗？你能不能帮一帮我呀？

由表示逆接的"が"后接"な"构成,用于句尾,表示奇怪为什么自己做的事情与实际发生的情况不符,或希望实际尚未发生的情况能够实现等的心情。如例（5）,有时也用于请求。不用于礼貌语体。一般为自言自语或较亲近的人使用,是男性用语,口语。有时可拉长尾音说成"…がなあ"。女性则使用"…けどな",意思相同。

【かなにか】

→【なにか】3

【かならず】

一定、必须、务必。

（1） 休むときはかならず連絡してください。／你要休息不来的时候一定要跟我联系。
（2） 宿題はかならずしなければならない。／作业必须得做。
（3） これからは、かならず朝ごはんを食べるようにしよう。／今后我一定坚持吃早饭。
（4） ご招待ありがとうございます。かならずうかがいます。／谢谢您的邀请。我一定来。
（5） そうですか。かならず来てくださいよ。お待ちしていますから。かならずですよ。／是啊,那您务必得来啊。我

们等着您呢。务必啊。
表示"没有例外的"、"绝对"的意思。用于表示强烈的意志。如例(3)、(4)表示要求。如例(1)、(5)表示义务。如例(2)等。又如例(4)、(5)所示，在带有"邀请"意义时，可以与"きっと"替换。不能用于否定表达方式。

（误）　かならず行きません。
（正）　ぜったい行きません。／绝对不去。

【かならずしも…ない】

不一定、未必、不尽然。

（1）金持ちがかならずしもしあわせだとは限らない。／有钱人并不一定就幸福。
（2）語学が得意だからといって、かならずしも就職に有利だとは限らない。／并不一定擅长外语就一定对找工作有利。
（3）日本人は礼儀正しい人々だと言う人もいるようだが、実態は必ずしもそうではないとわたしは思っている。／有人说日本人都很懂礼貌，但我以为实际上也不尽然。
（4）政治家たちは国連は重要だと言う。しかし、必ずしも、常に尊重しなければならぬものだと思っているわけではない。／政治家们虽然口头上说联合国很重要，但他们心里却觉得并不一定要时时刻刻都尊重联合国的意见。

表示"如果X，就一定Y"的道理并不是时时刻刻都适用的意思。如例(2)表示，"擅长外语就对找工作有利"这样一个道理并不是时时刻刻都适用。常与"わけではない"、"とはかぎらない"等表达方式一起使用。是书面语。

【かにみえる】

→【みえる】2f

【かねない】

很可能。

[R-かねない]
（1）風邪だからといってほうっておくと、大きい病気になりかねない。／说是感冒就不管它，很可能会转成大病。
（2）君は、彼がそんなことをするはずがないと言っているそうだが、ぼくはあいつならやりかねないと思うけどね。／你说他不会做这种事，可是我觉得他很有可能做这种事。
（3）政府の今回の決定はいくつかの問題点をはらんでおり、近隣諸国の反発をまねきかねない。／政府这次的决定有几个重大问题，很可能会招致周边国家的反对。
（4）今回の土砂崩れは二次災害を引き起こしかねないものであり、対策を急がねばならない。／这次的塌方很可能会引起第二次险情，所以必须尽快采取措施。

表示"有这种可能性、危险性"的意思。意思虽与"かもしれない"、"ないとは言えない"等表达方式基本相近，但"かねない"只能用于说话人对某事物的负面评价。
（误）　私のこどものこの病気はなおりかねない。
（正）　私のこどものこの病気はなおるかもしれない。／我小孩的病可能会好的。
是书面性表达方式。

【かねる】
　　　　不能…、难以…、…不了。
　　[R-かねる]
（1）そのご意見には賛成しかねます。／您这个意见，我不能赞成。
（2）残念ながら、そのご提案はお受けいたしかねます。／很遗憾，您的这条建议，我们很难接受。
（3）その中学生の死は、同級生のいじめにたえかねての自殺と見られている。／这个中学生的死，被认为是因为忍受不了同学的欺负才自杀的。
（4）その人が、あまりにもこどもの心理を理解していないようなしかり方をするものだから、見かねて、つい口を出してしまったんだ。／那个人在训斥孩子的时候，一点儿也不能理解孩子的心理，我实在是看不下去了，所以才插了嘴。

接动词连用形后，表示这样做有困难或不可能之意。有"即使想做／即使努力了，也不可能"的含意。惯用句有"決めるに決めかねる（难以决定）""見るに見かねて（不忍目睹）"等。是比较郑重的书面性语言。

【かのごとき】
　→【ごとし】

【かのよう】
　→【ようだ1】1b

【がはやいか】
　　　　刚一…就…。
　　[V-るがはやいか]
（1）そのことばを聞くがはやいか、彼はその男になぐりかかった。／刚一听到这句话，他就扑上去揍了那个男人。
（2）その男はジョッキをつかむがはやいか一気に飲みほした。／那个男人抓起大啤酒杯，一口气就喝干了。
（3）こどもは、学校から帰って来ると、玄関にカバンをおくが早いか、また飛び出していった。／孩子从学校回来，把书包往大门口一放就又跑出去了。
（4）その鳥は、ウサギをするどいツメでとらえるが早いか、あっと言う間に空にまい上

がった。／那鸟，用它那锋利的爪子刚把兔子抓起来，一眨眼又飞上了高空。

使用"XがはやいかY"的形式，表示几乎与X同时发生Y的意思。与"…やいなや"、"…とたんに"等意思相近，是书面语。

【かもしれない】

[N／Na／A／V　かもしれない]

口语中有时也使用"かもわからない"的形式。在较随意的会话中，还可省略为"かもね"、"かもよ"等形式。"かもしれぬ"、"かもしれず"则用于较拘谨的书面语。

1 …かもしれない　也许、可能、没准儿。

（1）A：あの偉そうにしている人、ひょっとしてここの社長かもしれないね。／那个很傲气的人，说不准也许是这儿的总经理吧。

B：そうかもね。／也许吧。

（2）ここよりもあっちの方が静かもしれない。行ってみようか。／那边也许比这边安静一些。咱们到那边去吧。

（3）雨が降るかもしれないから、かさを持っていったほうがいいよ。／可能要下雨，最好还是带着伞去吧。

（4）A：来週のパーティー、行くの？／下星期的宴会，你去吗？

B：まだ決めてないんだ。行くかもしれないし、行かないかもしれない。／还没定呢。也没准儿去，也没准儿不去。

（5）ノックをしても返事がない。彼はもう寝てしまったのかもしれない。／怎么敲门也没反应。他也许已经睡了。

（6）交渉相手が依然として強気の姿勢をくずさないということは、もしかすると何か強力な材料をもっているのかもしれない。／谈判对方仍然坚持强硬的态度，看来也许他们手里掌握着什么有力的材料。

（7）見合い話が壊れて、さぞがっかりしているだろうと心配していたが、それほど気にしている様子もない。当の本人は案外平気なのかもしれない。／本来耽心对象没谈成，他一定会很垂头丧气，可看起来他并不是很在意的样子。也许人家本人并没有把这事看得很重。

（8）ちょっと待って。今山田君が言ったそのアイデア、ちょっとおもしろいかもしれないよ。／等一下。山田刚才说的这个想法，我觉得还挺有意思的。

表示说话人说话当时的一种推测。

即"有这种可能性"的意思。与"にちがいない"或"だろう"相比较，"かもしれない"所表示的可能性程度较低，即也含有也许没有这种可能性的含意。"のかもしれない"是在"のだ"后加上"かもしれない"构成的。

如例（8）所示，说话人在避免武断，使自己的意见较委婉时也可使用。另如"御存知かもしれませんが（也许大家已经听说）"、"私が間違っているかもしれませんが（也许我说的不对）"等，在说话人陈述自己的主张时，可用以作为开场白。

在日常会话中一般都使用"かもしれない"的形式。而在视角可自由变换的小说行文当中，如下例所示，有时也使用"かもしれなかった"的形式。

（例）このままでは、達彦自身の会社も危なくなるかもしれなかった。／这样下去的话，达彦自己的公司也许就危险了。

2 たしかに…かもしれない　的确是…（但是…）。

なるほど…かもしれない

（1）A：この計画は危険すぎますよ。／这个计划太危险了。

B：確かに、危険かもしれない。しかし、やってみるだけの価値はあると思う。／的确可能是有危险的。但我觉得还是值得一试的。

（2）A：今の時代、小さいころから受験勉強を始めなければ、いい大学には入れないんですよ。／现在这个时代，如果不从小就接受应试教育就上不了好大学。

B：なるほど君の言うとおりかもしれない。でも、いい大学に入れなくったって、いいじゃないか。／的确，正像你所说的。可是，上不了好大学又有什么关系呢。

（3）女性は強くなったといわれている。確かに、昔に比べれば女性も自由になったかもしれない。しかし、就職ひとつを例にとっても、真の男女平等と言うにはほど遠いのが日本の現状だ。／都说女性权利增强了。的确，与过去相比，女性是自由了许多。但拿找工作这一条来说，离真正的男女平等还相差甚远，这就是日本的现实。

用于先承认对方所说的或一般的见解可能是正确的，但进一步阐述与之不同的己见时。

3 …ば／…たら …かもしれない

a …ば／…たら　V-るかもしれない　（如果…）就可能…。

（1）ここで代打がホームランでも打てば、形勢は逆転するかもしれない。／如果这时替补击球队员能打出一个本垒打，那形势就可能发生逆转。

（2）もう少しがんばれば、志望校に合格できるかもしれな

い。／再努一把力，就有可能考上你想上的大学。

表示在假定某种条件下，说话人对该条件下可能发生的情况做出的推断。

b …ば／…たら V-たかもしれない
（要是…）就可能…。

（1） あの時彼女を引き留めていたら、僕たちは別れずに済んだかもしれない。／如果当时我要留住她，我们也许就不会分手了。

（2） もう少し早く手術をしていれば、あるいは助かったかもしれない。／要是早做手术也许就得救了。

（3） もし、あの時、救急車の到着があと5分遅かったら、私は今こうして生きていなかったかもしれない。／如果当时急救车再晚到5分钟，我也许就活不到今天了。

就过去已经发生的事，表示"如果条件不同，也许就是另一种结果了"的意思。用于表达说话人后悔或庆幸自己未遭恶运等心情的场合。

【かもわからない】

1 …かもわからない 也许、可能。
[N／Na／A／V かもわからない]

（1） 私は明日来られないかもわからない。／明天我也许来不了。

（2） きょうは山田さんも来るかもわからないから、日本酒も用意しておこう。／今天可能山田也来，准备点儿日本酒吧。

意思与"かもしれない"一样，但不太常用。

2 …か(も)わからない 连…都不知道、不清楚、不明白。
[N／Na か(も)わからない]
[A／V か(も)わからない]

（1） 先生の言っていることがわかりません。何について話しているかもわかりません。／我听不懂老师讲的课。连老师讲的是关于什么内容我都没听明白。

（2） 社長が今どこにいるのかもわからなくて、秘書がつとまると思っているのか。／连总经理现在在哪儿都不知道，你还配当个秘书吗？

（3） はたしてその計画をスタートさせることができるかどうかも分からないのに、成功した後のことをあれこれ言うのは早すぎる。／甚至连能否启动这一计划都不清楚，现在就来议论成功以后的事情，为时过早。

接疑问表达方式后，表示不仅其他的事情，就连"か"所指示的事情都不清楚的意思。多用于按一般情况应该知道却不知道的场合。

→【かもしれない】

【がゆえ】

→【ゆえ】3

【がよかろう】
→【よかろう】

【から₁】
1 Nから
a Nから 从、由、因、根据。
(1) この町には、国じゅうからたくさんの人があつまってくる。／许多人从全国各地汇集到这个城市来。
(2) あのクラスでは、試験の成績と出席率から成績が決められるそうだよ。／据说在那个班，是根据考试成绩和平时的出席情况来决定成绩的。
(3) 窓からひざしがさしこんでいて、その部屋はとてもあたたかかった。／阳光从窗户照射进来，我感觉那间屋子很暖和。
(4) 父からはこっぴどくしかられるし、母からはいやみを言われるし、さんざんな失敗だった。／挨了爸爸一顿臭骂，又挨妈妈唠叨，简直糟透了。
(5) 成績不振から解雇されたそのチームの監督はいまテレビの解説者をしている。／因成绩不佳而被解雇的那个运动队的总教练，现在在电视台作体育节目解说员。
(6) 日本は衆議院・参議院からなる二院制を取っている。／日本采取的是由众议院、参议院构成的两院制。

表示各种动作、现象的起点、开始、由来等。

b Nから Nまで 从…到…。
(1) ここから目的地までは10キロほどあります。／从这儿到目的地大约有10公里左右。
(2) 10日から15日まで休みます。／从10号到15号休息。
(3) 子どもから大人まで楽しめる番組です。／从大人到小孩都可以看的节目。

表明起点和终点，表示距离或时间的范围等。

c Nから…にいたるまで 从…到…。
(1) あの会社はヒラ社員から社長にいたるまで全員が制服を着ている。／那家公司从普通职员到总经理都穿着工作制服。
(2) この番組は、北海道から九州、沖縄に至るまで、全国ネットでお送りしています。／这个节目，从北海道到九州、冲绳，利用全国广播网进行播放。
(3) 当社は、設計・施工からアフターサービスに至るまで、みなさまの大切な住宅をお世話させていただきます。／大家的宝贵住宅，从设计、施工到售后维修服务都由本公司来承担。
(4) 一日の過ごし方から政治思

から 115

想に至るまで、私があの思想家の影響を受けなかったものはない。／从每一天的生活方式到政治思想，我几乎没有一处不受那位思想家的影响。

表明起点和终点，表示其范围很大的样子。是书面性语言。

２Ｎからいうと →【からいう】
３Ｎからが →【にしてからが】
４Ｎからして →【からして】
５Ｎからすると →【からする】
６Ｎからみると →【からみる】
７…こと／…ところ から 因、因为、所以。

[Ｎ である こと／ところ から]
[Na である こと／ところ から]
[Na な こと／ところ から]
[Ａ／Ｖ こと／ところ から]

（１）この魚は、ヘビそっくりなところから、ウミヘビという名前をもつ。／这种鱼因其长得跟蛇一模一样，所以取名叫海蛇。

（２）カボチャは、カンボジアからやってきたと言われているところからその名がついたそうだ。／南瓜是因为从柬埔寨传来的，所以才得了这么个名称（注：日语中，"南瓜"与"柬埔寨"发音相近）。

（３）車のバンパーから被害者の衣服の繊維が検出されたことから、その車の所有者にひき逃げの容疑がかかっている。／根据从汽车保险杠上检查出被害者服装的纤维，所以怀疑这辆车的车主是肇事逃匿的嫌疑犯。

（４）その人物が殺害されたことを記録した文書が全く存在しないところから、実はその人物は生き延びて大陸に渡ったのだという伝説が生まれたらしい。／由于完全没有该人物被杀害的文献记录，所以才产生了他活下来并且逃到了大陆的传说。

（５）彼女は父親が中国人であるところから、中国人の知り合いも多い。／她因为自己的父亲是中国人，所以有许多中国朋友。

表示根据或来历。如例（１）、（２）所示，表示某种名称的来历时，常与"ところ"一起使用。是较严肃的，书面性语言表达方式。

８Ｎにしてからが →【にしてからが】
９数量词＋から
ａ数量词＋からのＮ …多。

（１）その説明会には1000人からの人々がつめかけたと言う。／据说那次说明会上聚集了1000多名听众。

（２）あの人は3000万からの借金をかかえているそうだ。／听说他借了3000多万日元的债。

表示"某一数量以上"的意思，有数量很多的含意。是较拘谨的表达方式。

b 数量词＋からある／からする
有…、值…。

（1）その遺跡からは、20キロからある金塊が出土した。／从这处遗迹中，出土了重达20公斤的金砖。
（2）自動車産業は好調で300万からする車が飛ぶように売れている。／汽车产业发展迅速，价值300万日元的小汽车卖得飞快。
（3）その種の陶器は今では貴重で、小皿1枚が10万からしている。／现在这种陶器特别贵重，一个小碟子就值10万日元。

表示"大约有这么多，或比这更多"的意思。在表示重量、长度、大小时一般使用"からある"，在表示价值时，一般使用"からする"。

10 Ｖ－てから →【てから】

【から₂】

[Ｎ／Ｎa だから]
[Ａ／Ｖ から]

1 …から （因为…）所以…。

（1）今日は土曜日だから、銀行は休みですよ。／今天是星期六，所以银行是不办公的。
（2）それは私が持ちますから、あれを持って行っていただけますか。／这个我来拿，您拿一下那个好吗？
（3）星が出ているから、あしたもきっといい天気だろう。／今晚有星星，所以明天也肯定是一个好天儿。
（4）この辞書じゃよくわからないから先生に聞こう。／查本辞典也查不明白，还是去问问老师吧。

既用于简体也用于敬体。用于表述说话人出于主观的请求、命令、推测、意愿、主张等的理由。因此，较之"ので"主观性要强。

2 …から＜句尾用法＞ （表示警告或安慰）。

（1）いつか、しかえししてやるからな。／总有一天我会报复你的。
（2）おとなしく待ってろよ。おみやげ買ってきてやるからな。／你乖乖地在这儿等着啊。我会给你买礼物来的。
（3）Ａ：たまご、買って来るの忘れちゃった。／哎呀，忘了买鸡蛋了。
Ｂ：いいから、いいから。それより、はやく手をあらいなさい。／没关系，没关系。你还是快点儿把手洗了吧。

用于句尾，表示警告或安慰等语气。即不使用明确的词语而对对方表示各种各样的口气。如"いつかしかえししてやるから、覚えてろ(总有一天我会报复你的，你记着点儿)"、"いいから、早く手を洗いなさい(没关系，你快去洗手吧)"等例句中的划线部分，一般在语言表达中会省略或倒置。常用于口语会话中。

3 …からいい →【からいい】

4 …からこそ →【からこそ】
5 …からだ
a …のは…からだ …是因为…。
(1) 試験に落ちたのは勉強しなかったからだ。／考试不及格是因为没好好学习。
(2) 今日こんなに波が高いのは台風が近づいているからだ。／今天浪这么大是因为台风快要来了。
(3) 君はまだ気がついていないのか。彼女が君につめたいのは、君がいつもからかうようなことを言うからだよ。／你还没察觉出来吗？她对你那么冷淡是因为你总取笑她的原因。

将表示理由的句型"XからY"颠倒过来，就成为"YのはXからだ"的形式。这时句型中的"から"不能替换成"ので"。

(误) 試験に落ちたのは勉強しなかったのでだ。

b …からだ 是因为…。
(1) 試験に落ちたんだってね。勉強しなかったからだよ。／听说你考试没及格。那还不是因为你没好好学习嘛。
(2) A：今日は二日酔いだ。／今天我还醉得头发晕呢。
B：きのうあんなに飲んだからだよ。／那是因为你昨天喝得太多了。

句型"YのはXからだ"中"Yのは"的部分，根据前后语境可以明确判断，所以被省略。

6 …からって →【からって】
7 …からといって →【からといって】
8 …からには →【からには】

【からある】
→【から1】9b

【からいい】
[N／Na だからいい]
[A／V からいい]
1 …からいいが 因为…倒也…(但…)。
(1) まだ時間はあるからいいが、今度からはもうちょっと早く来るようにしなさい。／今天还有点儿时间倒没什么关系，下次可得早点儿来啊。
(2) ネギ、買ってくるの忘れたの？まあ、少し残っているからいいけど。／忘买大葱了？咳，还有点儿剩的，就算了吧。
(3) え？今日も休むの？まあ、あまり忙しくない時期だからいいけど。／啊？今天你又休息？咳，现在倒是不太忙，休就休吧。

以"…からいいが"、"…からいいけど"等的形式，表示"因为…倒也没多大关系"的意思。用于口语会话。

2 …からいいようなものの 因为…幸好没…(但…)。
(1) 大きな事故にならなかったからいいようなものの、これ

からはもっと慎重に運転しなさい。／幸好还没有造成大事故，以后开车可得注意点儿啊！
(2) だれも文句を言ってこないからいいようなものの、一つ間違えば大事故になっていたところだ。／谁都没说什么还算是幸运，差一点儿就酿成一起大事故啊！
(3) 保険をかけてあるからいいようなものの、そうでなければ大変なことになっていたよ。／幸亏上着保险呢，要不然可就不得了。
(4) ちょうどタクシーが通りかかったからいいようなものの、あやうく遅刻するところだった。／正巧有一辆出租车路过，要不差一点儿就迟到了。
(5) 大事に至らなかったからいいようなものの、今回の事故によって、政府の原子力政策は見直しをせまられそうだ。／幸好没有发生重大事故，不过由于这次事故，政府要被迫重新审视现在的核能政策。

表示"因为…幸好没有导致那么严重的后果"的意思。言外含有，从结果来看当然避免了最坏的事态，但也不是很好的含意。意思虽与"からいいが／けど"相似，但指责、责备的语气要重得多。

【からいう】

1 Nからいうと　从…来说。

(1) 私の立場から言うと、それはこまります。／从我的立场来说，这件事太为难。
(2) 先生の見方から言うと、私のやりかたはまちがっているのかもしれませんが、私はこれがいいんです。／从老师的观点来说，也许我的作法是错的，但我觉得也只能这样做。
(3) あなたの考え方から言うと、私の主張していることなんかは急進的すぎるということになるんでしょうね。／从你的想法来说，肯定会觉得我的主张太激进了吧。
(4) 民主主義の原則から言えば、あのやり方は手続きの点で問題がある。／从民主主义的原则来说，这种作法在程序上是有问题的。

以"Nからいうと／からいえば／からいったら"的形式，表示"站在某一立场上来判断的话"的意思。意思与"からみると"相同，与"からみると"不同的是，不能直接用于表示人物的名词。

(误) 彼から言うと、それはまちがっているそうだ。
(正) 彼の考え方から言うと、それはまちがっているそうだ。／从他的想法来看，那是错误的。
(正) 彼から見ると、それはまちがっているそうだ。／从他来看，那

是错误的。

2 Nからいって 从…来看。

（1）さっきの返事のしかたから言って、私はあの人にきらわれているようだ。／从刚才的答话情况来看，他好像不喜欢我。

（2）あの態度から言って、彼女は引き下がる気はまったくないようだ。／从她的态度来看，她没有丝毫要退让的意思。

（3）あの口ぶりから言って、彼はもうその話を知っているようだな。／从他的口气来看，他好像已经知道这件事了。

（4）あの人の性格から言って、そんなことで納得するはずがないよ。／从他的性格来看，他不会就这样答应的。

表示判断的依据。也可以说"からして"、"からみて"等。

【からいったら】
→【からいう】1

【からこそ】

正是因为…。

[N／Na だからこそ]
[A／V からこそ]

（1）これは運じゃない。努力したからこそ成功したんだ。／这不是靠运气。正是因为努力了才取得了成功。

（2）A：君はぼくを正当に評価していない。／你没有正确地评价我。
　　B：評価しているからこそ、もっとまじめにやれと言っているんだ。／正是因为对你做了评价，才要你更加努力地去学。

（3）愛が終わったから別れるのではなく、愛するからこそ別れるという場合もあるのだ。／有时不是因为爱情结束了才与对方分手，而正是因为爱对方才与对方分手的。

（4）忙しくて自分の時間がないという人がいるが、私は忙しいからこそ時間を有効に使って自分のための時間を作っているのだ。／有人说忙得都没有自己的时间，我正是因为太忙才更有效地使用时间，从而挤出自己的时间来。

特别强调原因或理由的表达方式。多与"のだ"一起使用。在理由上加"こそ"是为了表示"不是因为别的，正是因此"的主观心情，所以在表示客观的因果关系等时不能使用。句尾多以"…のだ"结句。

（误）今、東京は朝の9時だからこそ、ロンドンは夜中の12時だ。

（正）今、東京は朝の9時だから、ロンドンは夜中の12時だ。／现在，东京是上午9点，所以伦敦是半夜12点。

【からしたら】
→【からする】1

【からして】
1 Nからして＜举例＞　就连…都…、就从…。
（1）リーダーからしてやる気がないのだから、ほかの人たちがやるはずがない。／就连领导都没有心思干，别人当然不会干的。
（2）課長からして事態を把握していないのだからヒラの社員によくわからないのも無理はない。／就连处长都不掌握这一情况，何况一个普通职员，当然不会知道。
（3）ほら、その君の言い方からして、外国人に対する偏見が感じられるよ。／你瞧，就从你这种说话的口气，就能感觉到你对外国人有偏见。
（4）君はいろいろ言うが、まずこの問題には自分はまったく責任がないと信じ込んでいることからして私には理解しかねる。／你可说了不少，但首先从你自认为自己对这一问题毫无责任的态度，我就理解不了。

由于举出极端或典型的例子，表示"连…都这样呢，更何况别的，不用说了"的意思。多为负面评价。也可以说"にしてからが"。

2 Nからして＜依据＞　从…来看。
（1）あの言い方からして、私はあの人にきらわれているようだ。／从他的口气来看，他好像不喜欢我。
（2）あの態度からして、彼女は引き下がる気はまったくないようだ。／从她的态度来看，她没有丝毫要退让的意思。
（3）あの口ぶりからして、彼はもうその話を知っているようだな。／从他的口气来看，他好像已经知道这件事了。
（4）あの人の性格からして、そんなことで納得するはずがないよ。／从他的性格来看，他不会就这样答应的。

表示判断的依据。也可以说"からすると"、"からみて"、"からいって"等。

【からする】
1 Nからすると　从…来看。
（1）あの言い方からすると、私はあの人にきらわれているようだ。／从他的口气来看，他好像不喜欢我。
（2）あの態度からすると、彼女は引き下がる気はまったくないようだ。／从她的态度来看，她没有丝毫要退让的意思。
（3）あの口ぶりからすると、彼はもうその話を知っているようだな。／从他的口气来看，

（4）あの人の性格からすると、そんなことで納得するはずがないよ。／从他的性格来看，他不会就这样答应的。

以"Nからすると／すれば／したら"的形式，表示判断的依据。也可以说"からして"、"からみて"、"からいって"等。

2 数量词＋からする
→【から1】9b

【からって】

说是因为…。
[N／Na だからって]
[A／V からって]

（1）頭が痛いからって先に帰っちゃった。／他说他头疼就先回去了。
（2）金持ちだからって何でも自由にできるというわけではない。／并不是说有钱就什么都可以随心所欲。

是"からといって"的较通俗的说法。
→【からといって】

【からでないと】
→【てから】2

【からでなければ】
→【てから】2

【からといって】

[N／Na だからといって]

[A／V からといって]
1 …からといって 说是(因为)…。
（1）用事があるからと言って、彼女は途中で帰った。／说是有事，她半截儿回去了。
（2）電車の中でおなかがすくといけないからと言って、見送りに来た母は売店であれこれ買っている。／来送行的母亲说是不能在电车里饿着，于是在小卖铺里买了许多东西。

用于引用别人陈述的理由。

2 …からといって＋否定表达方式 (不能)仅因…就…。
（1）手紙がしばらく来ないからといって、病気だとはかぎらないよ。／也不能因为有段时间没来信了，就认定是生病了。
（2）いくらおふくろだからといって、ぼくの日記を読むなんてゆるせない。／不能因为是我母亲就能看我的日记啊，我不能容忍。

表示"仅仅因为这一点理由"的意思。后续否定表达方式，表示"Xだから Y"的理由并不能成立的意思。

【からには】

[Vから(に)は] 既然…。
（1）約束したからにはまもるべきだ。／既然约定好了就必须遵守。

(2) 戦うからには、ぜったい勝つぞ。／既然要打，就一定要打赢。
(3) この人を信じようと一度決めたからには、もう迷わないで最後まで味方になろう。／既然一旦决定要相信这个人，就不能犹豫，一直到最后也要站在他一边。
(4) こうなったからは、覚悟を決めて腰をすえて取り組むしかないだろう。／既然到了这一地步，就只有下决心踏踏实实地去干了。

表示"既然到了这种情况"的意思。后续表示"要一直干到底"的表达方式。用于表示请求、命令、意愿、应当等的句子中。

【からみたら】
→【からみる】1

【からみる】
1 Nからみると 从…来看。
(1) イスラム教から見ると、それはおかしな考え方だ。／从伊斯兰教的立场来看，这种想法是很奇怪的。
(2) 先生から見ると、私のやりかたはまちがっているのかもしれませんが、私はこれがいいんです。／从老师来看，也许我的作法是错的，但我觉得也只能这样做。
(3) 私の立場から見ると、その見とおしは楽観的すぎると言わざるをえません。／从我的立场来看，我不能不说这种估计过于乐观。
(4) あなたのような人から見ると、私の主張していることなんかは急進的すぎるということになるんでしょうね。／从你们这些人来看，肯定会觉得我的主张太激进了吧。
(5) 子供たちから見ると、おとなはいったい何をやっているんだ、ということになるんだろうね。／从孩子们来看，肯定会觉得大人们到底在搞什么名堂啊。

以"Nからみると／みれば／みたら"的形式，表示"从某一立场来判断的话"的意思。意思虽与"からいうと"相同，但用法与"からいうと"不同。可以直接接在表示人物的名词后。

2 Nからみて 从…来看。
(1) あの言い方からみて、私はあの人にきらわれているようだ。／从他的口气来看，他好像不喜欢我。
(2) あの態度から見て、彼女は引き下がる気はまったくないようだ。／从她的态度来看，她没有丝毫要退让的意思。
(3) あの口ぶりから見て、彼はもうその話を知っているようだな。／从他的口气来看，他好像已经知道这件事了。
(4) あの人の性格から見て、そ

んなことで納得するはずがない。／从他的性格来看，他不会就这样答应的。

表示判断的依据。

【がり】
→【がる】

【かりそめにも】
万万(不能)、绝对(不)。

（1）かりそめにもそのような恐ろしいことを口にしてはならない。／万万不能说这种可怕的话啊。

（2）かりそめにも一城の主たる方が、こんなところにお泊まりになるはずがない。／作为一城之主是绝对不可能住在这样的地方的。

是"かりにも"旧式的说法。
→【かりにも】

【かりに】
1 かりに …たら／…ば　假定、假如、如果。

（1）かりに3億円の宝くじに当たったら、何をしますか。／假定你中了3亿日元的彩票，你打算怎么用啊？

（2）仮に関東大震災と同程度の地震が今の東京に起こったら、東京はどうなってしまうだろうか。／假如现在东京发生了相当于关东大地震一样严重的大地震，东京将会怎样啊。

（3）仮に予定の時間までに私がもどってこない場合は、先に出発してください。／如果到了预定的时间我还没有回来，你们就先走吧。

与"たら"、"ば"或"場合は"等表示条件或状况的表达方式相呼应，表示"假定发生了这种情况，那时将…"的意思。意思虽与"もし(も)"相似，但"かりに"所含有的无论现实情况如何，暂且假定的意识要更强一些。关于"かりに"与"もし"的不同点，详细说明请参见【もし1】条目。

2 かりに …とすれば／…としたら　假定、假设、假如、如果。

（1）かりに100人来るとしたら、この部屋には入りきらない。／假定如果来了100人，那这间屋子可装不下。

（2）仮にあなたの話が本当だとすれば、彼は嘘をついていることになる。／假如你说的话是真的，那就是说他在撒谎。

（3）仮に私の推測が正しいとすれば、あの二人はもうすぐ婚約するはずだ。／如果我的推测没有错的话，他们俩很快就要订婚了。

（4）仮に時給千円とすれば、一日5時間働けば5千円もらえることになる。／假设一个小时的工钱是1千日元，一天干5个小时，就能挣5千日元。

与"とすれば／としたら"、"とする"、"と呼ぶ"等表达方式相呼应。表示"假定…时"、"假设…"的意思。基本用于假设一种情况，在这种情况成立的条件下来叙述以后情况的场合。如下例所示，有时也可以不使用"ば"、"たら"。

（例1）いまかりにXの値を100としよう。／现假设X的值为100。

（例2）かりにこの人をA子さんと呼んでおく。／我们先假定这个人的名字叫A子。

（例1）的情况多见于数学算式。

3 かりに …ても／…としても　即使、即便。

（1）かりに参加希望者が定員に満たないような場合でも旅行は決行します。／即便申请者定額不满也照常开始旅行。

（2）かりに予定の日までに私が帰って来ないようなことがあっても、心配しないで待っていてくれ。／即使到了预定的日期我还没有回来，也不要着急，要耐心地等待。

（3）仮にその話がうそだとしても、おもしろいじゃないか。／即便这件事不是真的，不也挺有意思的嘛。

（4）仮に手術で命が助かったとしても、一生寝たきりの生活となるだろう。／即便做了手术可以得救，也要终生瘫痪了吧。

与"ても／としても"等表示逆接条件的句式呼应。表示"即使发生了这种情况／即使这是真的"的意思。

【かりにも】

是表示"即便假定…也…"意思的副词。是比较拘谨的书面性表达方式。也可以说"かりそめにも"、"かりにもせよ"。

1 かりにも＋　禁止／否定表达方式　絶対(不…)、无论如何(不…)、万万(不能…)。

（1）かりにもこのことは人に言うな。／这件事绝对不要对别人讲。

（2）かりにも人のものを盗んだりしてはいけない。／无论如何不能偷人家的东西。

（3）仮にもそのようなことは口にすべきではない。／万万不能说这种话。

（4）仮にも死ぬなんてことは考えないでほしい。／千万千万不能想死啊。

（5）仮にもあんな男と結婚したいとは思わない。／我绝对不会想和那种男人结婚。

与表示禁止或否定的表达方式相呼应。表示"即便这种行为是假定的，也不要做／不应该做／不许做／不做"的意思。

2 かりにも …なら／…いじょうは　既然是、如果是。

（1）かりにも大学生なら、このくらいの漢字は読めるだろう。／如果是大学生，这个汉字就应该会读。

（2）かりにもチャンピオンである以上は、この試合で負けるわけにはいかない。／既然是冠军，在这场比赛中就不

（3）仮にも教師であるからには生徒に尊敬される人間でありたい。／既然当老师，就要做一个受学生尊敬的人。

（4）仮にも学長という立場にある以上は、大学の経営についても関心を払うべきだ。／既然在校长这个位置上，就应该关心大学的经营情况。

（5）仮にも医者ともあろうものが患者を犠牲にして金もうけを行うとは信じがたいことだ。／一个医生，竟然为了赚钱而不惜牺牲患者的利益，简直令人难以置信。

接表示职业或社会地位、位置等的名词或短句后。表示"如果是这种地位的人的话"、"如果是称得上这种人的话"的意思。常使用"Xなら／いじょうは／からには／ともあろうものがY"的句型。Y表示如果X成立，Y也当然应该成立或是处于该位置的人当然应该做的。例（5）中"Xともあろうものが"用于表示"X做了不应该做的行为，而对其进行责难"的场合。

【がる】

（表示觉得、有这种感觉）。

[Na がる]
[A-がる]
[V-たがる]

（1）注射をいやがるこどもは多い。／怕打针的孩子很多。

（2）その子は自分と同じくらいの大きさの犬をかわいがっている。／那孩子喜欢一只长得和他差不多高大的狗。

（3）妻の死をいつまでもかなしがってばかりはいられない。わたしには残されたこどもたちをそだてていく義務がある。／我不能总沉浸在妻子之死的悲伤中，我还有义务要扶养她留下的孩子们。

（4）こわがらなくてもいいのよ。この人はおかあさんのともだちなの。／别怕。这个人是妈妈的好朋友。

（5）そのラーメン屋は朝8時から夜の2時までやっているうえに安くてうまいので、近所の学生たちに重宝がられていた。／这家面馆儿不光是从早上8点开到夜里2点，而且又便宜又好吃，所以附近的学生们都将它视为一块宝地。

（6）こどもがおもちゃをほしがって地べたにすわりこんで泣いていた。／那孩子为了要让大人给他买玩具坐在地上哭起来。

（7）人の話を最後まで聞かずに口をはさみたがる人がときどきいる。／有时总有人不等听别人把话说完就插嘴。

接形容词或表示愿望的"V-たい"形式的词干后。表示这样想，有这种感觉，要这样做等意思。因新构成的动词是一

个表示客观叙述的动词，所以除小说叙述部分或如例（3）客观地审视自己的情况以外，一般不用于第一人称。"本が読みたい（想看书）"、"車がほしい（想要汽车）"等句中的"が"，如"本が読みたがる"、"車をほしがる"所示，在这一句型中要变成助词"を"。除例句中所示词语外，常用的还有"はずかしがる（觉得害羞）"、"さびしがる（觉得寂寞）"、"なつかしがる（觉得很亲切）"、"けむたがる（觉得呛，觉得不好接近，）"、"つよがる（逞强）"、"いたがる（觉得疼）"、"とくいがる（觉得很拿手）"等。

"…たがり"或"あつがり"、"さむがり"、"さびしがり"、"はずかしがり"、"こわがり"等，以"がり"的形式构成的名词，表示有这种想法、有这种感觉、要这样做的人的意思。

【かれ】

不论…。

[A-かれA-かれ]
（1）遅（おそ）かれ早（はや）かれ、山田（やまだ）さんも来るでしょう。／早晚山田也会来的。
（2）人（ひと）は多（おお）かれ少（すく）なかれ、悩（なや）みをもっているものだ。／人多少都会有些烦恼的。

表示"不论哪种场合"的意思。用于具有反义的イ形容词。例（1）表示"也许时间有早有晚，但总会"，例（2）表示"也许数量有多有少，但都有"的意思。一般多为惯用形式，常用的还有"よかれあしかれ（不论好坏）"等。

【かろう】

（表示推测）。

[N／Na ではなかろう]
[A-かろう]
[A-く(は)なかろう]
（1）その話は真実（しんじつ）ではなかろう。／这话不是真的吧。
（2）親（おや）をなくしてはさぞや辛（つら）かろう。／父母死后一定很艰难吧。
（3）少（すこ）しは苦（くる）しむのもよかろう。／稍微吃点苦也好啊。
（4）手術（しゅじゅつ）はさほどむずかしくはなかろうと存（ぞん）じます。／我觉得手术不是很难吧。

接イ形容词或"だ"的否定形"ではない"去掉词尾"い"的形式后，与"だろう"一样表示推量的意思。与动词"V-よう"的推量用法相对应。是一种带有文言色彩的较陈旧的说法，适用于书面语或口语中较郑重的场合。一般口语中多使用"だろう"。

【かろうじて】

是较拘谨的书面性语言。在日常会话中更经常使用"どうにか"、"なんとか"等。其他与之相似的表达方式还有"やっと"、"ようやく"等。

1 かろうじてV-た　勉强、终于、总算。
（1）試験（しけん）の開始時間（かいしじかん）に、かろうじて間（ま）に合った。／勉强才赶上了考试开始的时间。
（2）試験（しけん）のできは良（よ）くなかったが、かろうじて合格（ごうかく）できた。／考试成绩不太好，可勉强及格了。
（3）雨（あめ）でタイヤがスリップした。

危ないところだったが、かろうじて事故はまぬがれた。／下雨轮胎直打滑。真够危险的，可总算没有出事故。
（4）国連の介入で、かろうじて武力衝突は避けられた。／由于联合国的介入才终于避免了武装冲突。
（5）ひどい怪我だったが、かろうじて死なずにすんだ。／伤势虽然很重，可总算捡了条命。

表示"好不容易，终于…"、"总算勉勉强强…"的意思。用于勉勉强强得到一个好结果或终于避免了一个坏结果等场合。常用"かろうじて…をまぬがれた"、"かろうじて…せずにすんだ"、"かろうじて…は避けられた"等形式。使用"やっと"时，有"经过很长时间的努力"、"吃了很多苦"的含意，而使用"かろうじて"时，则并不很重视过程。表达的重点在于结果。与"やっと"比较，是较拘谨的书面性表达方式。

2 かろうじてV-ている　勉强。
（1）毎日の生活は苦しいが、かろうじて借金はせずに済んでいる。／每天的生活虽然很苦，勉强还可以不用借钱。
（2）病人は機械の力を借りて、かろうじて生きている。／病人的生命是靠着医疗器械勉强维持着的。
（3）現代人は、毎日のストレスに耐えて、かろうじてバランスを保っているに過ぎない。／现代的人们，每天都忍受着各种各样的劳累，不过是勉强保持着平衡。
（4）彼女も、かろうじて涙をこらえているようだった。／她好像是在强忍着泪水。

表示"好不容易，终于…着"、"总算勉勉强强…着"的意思。如例（1）～（3）表示"状态虽不太好，但没有到最坏的状态。勉强维持着现在的状态"的意思。又如例（4）用于表示经过艰苦的努力才终于保持着现在状态的场合。例（4）的意思是"眼看就要哭了，但还努力强忍着"。

3 かろうじてV-るN　勉强、将将。
（1）この道は、車二台がかろうじてすれ違える広さしかない。／这条路很窄，两辆车将将能错过去。
（2）列車の寝台というのは、人ひとりが、かろうじて横になれる大きさだ。／列车的卧铺只有将将能横躺下一个人那么大。
（3）その家は、僕にもかろうじて買えそうな値段だ。／那所房子的价钱，连我都可以勉强买得起。
（4）私の英語は、かろうじて日常会話ができる程度だ。／我的英语的程度只能勉强说点儿日常会话。

如例（1）～（4）所示，常与表示可能的表达方式一起使用。表示"勉强／将将能够…的N"的意思。用于"虽然很难，但将将可以…，也不能再多"的场合。

【かわきりに】
→【をかわきりに】

【かわりに】

代替、相反。
[Nのかわりに]
[Vかわりに]

（1）わたしのかわりに山田さんが会議にでる予定です。／准备由山田替我出席会议。

（2）ママは熱があるので、きょうはパパがかわりにむかえに行ってあげる。／妈妈发烧，所以今天爸爸替妈妈去接你。

（3）じゃあ、きょうはぼくが作るかわりに、あしたかぜがなおってたらきみが料理するんだぞ。／那今天我来做，不过明天你感冒好了你可得做啊。

（4）今度転勤して来たこのまちはしずかでおちついているかわりに交通の便がややわるい。／这次调动工作来到的这个城市，虽然很安静但交通稍稍有些不太方便。

（5）彼女のような生き方をしていたんでは、大きな失敗もしない代わりに、胸おどるような経験もないだろうね。／像她那样生活的话，尽管不会有很大的失败，但也不会有令人惊心动魄的经历。

如例（1）、（2）、（3）所示，可用于表示由另外的人或物所代替的意思。又如例（4）、（5）所示，也可用于就某事而言，既有可取的一面，相反也有不可取的一面的场合。

【きく】

→【ときく】

【きっかけ】

契机、机会。
[Nをきっかけに(して)]

（1）彼女は卒業をきっかけに髪をきった。／她借毕业的机会，把头发剪短了。

（2）彼は、就職をきっかけにして、生活をかえた。／他以找到工作为转折点，改变了自己的生活方式。

（3）日本は朝鮮戦争をきっかけにして高度成長の時代にはいったと言われる。／人们都说，日本是以朝鲜战争为转机进入了经济高速增长的时代。

（4）こんなところで同じ高校の出身の方と出会うとは思いませんでした。これをきっかけに今後ともよろしくお願いいたします。／真没想到在这儿还能遇上同一个高中的毕业生。从今往后，还请你多多关照啊。

表示"以某事为机会、线索、契机"等的意思。

【きっと】

一定、肯定。

（1）鈴木さんもきっと来るでしょう。／铃木也一定会来的吧。

(2) 雲が出てきた。今夜はきっと雨だろう。／云上来了。今天晚上肯定会下雨吧。
(3) 彼女はきっとあのことを知っているにちがいない。／她肯定是已经知道那件事了。
(4) ご招待ありがとうございます。きっとうかがいます。／谢谢您的邀请。我一定来。
(5) そうですか。きっと来てくださいよ。お待ちしていますから。きっとですよ。／是啊。那请您一定来。我们等着您。一定啊。

表示"确切"、"肯定"的意思。用于如例(1)～(3)表示说话人的推断(比"たぶん"语气要强), 如例(4)表示说话人强烈的意志, 如例(5)表示对对方强烈要求的场合等。在用于如例(4)、(5)表示约定某事时, 可与"かならず"替换, 但此时不能使用否定表达方式。
(误)　きっと行きません。
(误)　きっと来ないでください。

【ぎみ】

稍微、有点儿。
[Nぎみ]
[R-ぎみ]
(1) ちょっとかぜぎみで、せきが出る。／稍微有点儿感冒, 咳嗽。
(2) 彼女はすこし緊張ぎみだった。／她刚才稍微有点儿紧张。
(3) ここのところ、すこしつかれぎみで、仕事がはかどらない。／最近稍微有点儿累, 工作不见进展。
(4) 現在の内閣の支持率は発足時よりやや下がり気味である。／现在的内阁支持率比刚成立时有所下降。

表示有这种样子. 有这种倾向的意思。多用于不好的场合。

【きらいがある】

有点儿…、总爱…。
[Nのきらいがある]
[V-るきらいがある]
(1) 彼はいい男だが、なんでもおおげさに言うきらいがある。／他是个好人, 就是有点儿爱吹牛。
(2) 最近の学生は自分で調べず、すぐ教師に頼るきらいがある。／最近的学生, 什么都懒得自己去做, 总是有点儿事就去找老师。
(3) あの先生の講義はおもしろいのだが、いつの間にか自慢話に変わってしまうきらいがある。／那个老师的课讲的挺有意思, 就是不知不觉地就开始炫耀自己。
(4) あの政治家は有能だが、やや独断専行のきらいがある。／那个政治家挺有才干, 就是有点儿独断专行。

表示有这种倾向. 容易这样的意思。

用于不好的场合。是书面性语言。

【きり】

在口语中常为"っきり"的形式。

1 Nきり 只有,仅有。
（1） ふたりきりで話しあった。／只有我们两个人进行了谈话。
（2） のこったのは私ひとりきりだった。／留下来的就只有我一个人。
（3） 見て。残ったお金はこれ(っ)きりよ。／你瞧,剩下的钱就这么一点点啊。

接名词后,用于表示限定"只有这些"的范围。接"これ"、"それ"、"あれ"后时,多为"これっきり"、"それっきり"、"あれっきり"的形式。

2 R-きり 一直,全身心地。
（1） 彼女は3人の子供の世話にかかりきり(で)、自分の時間もろくにない。／她全身心地照看3个孩子,没有一点自己的时间。
（2） 熱を出した子供をつき(っ)きりで看病した。／一直守护在发烧的孩子身边,照顾他。

接动词连用形后,表示不做别的一直做这一件事的意思。

3 V-たきり…ない 一…就…(再没…),只…(再没…)。
（1） 彼は卒業して日本を出ていったきり、もう5年も帰ってこない。／他一毕业就离开了日本,已经有5年多没回来了。
（2） あの方とは一度お会いしたきり(で)、その後、会っていません。／我和那位先生只见过一面,后来就再没见过。

多使用"たきり…ない"的形式。表示以此为最后机会,再也没有发生预想的事态的意思。也可以说"これっきり"、"それっきり"、"あれっきり"。

（例） あの方とは一度お会いしましたが、それ(っ)きり会っていません。／我和那位先生见过一面,从那以后就再没见过。

【きる】

接动词连用形后,给该动词所表示的动作添加种种意义。

1 R-きる＜完了＞ …完、…尽。
（1） お金を使いきってしまった。／把钱全都用光了。
（2） 山道を登りきったところに小屋があった。／爬到山路尽头,那里有一间小房子。
（3） 長編の冒険小説を1週間かけて読み切った。／花了一星期的时间,把这本长篇冒险小说读完了。

表示"把…做到最后"、"把…做完"的意思。

2 R-きる＜极其＞ 充分、完全、到极限。
（1） 無理な仕事をして疲れきってしまった。／工作过度,累极了。
（2） そんな分かりきったことを

いつまで言っているんだ。／那么明白的事，你还要唠叨到什么时候呢。
（3）　この絵はその情景を十分に描き切っているとは言えない。／这幅画并没有把那个景致全部描绘出来。
（4）　彼女は絶対に自分が正しいと言い切った。／她断言自己绝对是正确的。

表示"充分…"、"坚决…"的意思。

3 R－きる〈切断〉 切断、断念。
（1）　大きな布を二つに断ち切った。／把一块大布裁成两块。
（2）　別れてからも彼女のことを思い切ることができない。／分手以后，仍断不了思念她的心情。
（3）　故郷にとどまりたいという思いを断ち切って出発した。／他彻底打消了留在家乡的念头以后出发了。

表示切断的意思。进而可表示抛弃（某种念头）、断念的意思。

4 R－きれない 不能完全…。
（1）　それはいくら悔やんでも悔やみきれないことだった。／那是一件追悔莫及事情。
（2）　その人との別れは、あきらめきれないつらい思い出として、今でも私の胸の奥底にある。／与他的分手成为一段无法断念的追忆，至今仍留在我的心中。

表示"不能完全…"、"不能充分…"的

意思。

【きわまりない】
极其、非常。
[Na（なこと）きわまりない]
[A－いこときわまりない]
（1）　その探検旅行は危険きわまりないものと言えた。／那次探险旅行可以说是极其危险的。
（2）　その相手の電話の切り方は不愉快きわまりないものだった。／对方挂断电话的方式令人非常不愉快。
（3）　そのような行動は、この社会では無作法（なこと）きわまりないものとされている。／这种行为在我们这个社会被视为非常粗鲁的行为。
（4）　丁重きわまりないごあいさつをいただき、まことに恐縮です。／您一番极其诚恳的讲话，使我们诚惶诚恐。
（5）　そのけしきは美しいこときわまりないものだった。／那里的景色真是美极了。

表示达到了极限的意思。另有"無作法／丁重／不愉快きわまる"的形式，意思相同，但只能用于接ナ形容词词干之后。是较郑重的书面语。也可以说"…ことこのうえない"。

【きわまる】
　　→【きわまりない】

【きわみ】

极限、顶点。

[Nのきわみ]

（1）このような盛大なる激励会を開いていただき、感激のきわみです。／今天为我们开了这么盛大的表彰会，我们真是感激致极。

（2）彼が自殺してちょうど一か月たつ。あの日何か話をしたそうな様子だったのに忙しくてそのままにしてしまった。いま思うと痛恨の極みだ。／自从他自杀以后整整过去一个月了。想起那天他好像有话要对我说，可是由于太忙，我就没有去理会他。现在想起来真是悔恨极了。

（3）不慮の事故でわが子を失った母親は悲嘆の極みにあった。／由于不测的事故失去孩子的母亲，万分悲痛。

（4）資産家の一人息子として、贅沢の極みを尽くしていた。／作为一个资产家的儿子，他真是奢侈透顶了。

接"感激"、"痛恨"等一部分名词后，表示达到极限、顶点的意思。

【きんじえない】

→【をきんじえない】

【くさい】

1 Nくさい＜气味＞　气味、味道。

（1）あれ？ガスくさいよ！／哎？有煤气味儿啊！

（2）この部屋はなんだかカビくさい。／这间屋子好像有股发霉的味道。

（3）昨日火事があったところは、焦げくさい臭いが充満していた。／昨天发生过火灾的地方散发着一股焦糊的气味。

表示有某种气味的意思。用于不好气味的场合。

2 Nくさい＜样子＞　很有…的样子。

（1）インチキくさい商品だなあ。／这商品，我看有假。

（2）子供たちに信頼される教師になりたいのなら、そのインテリくさいしゃべり方を止めろ。／你要想当一名让孩子们信赖的教师，就得改掉这种文邹邹的说话方法。

（3）彼女はバタ臭い顔立ちをしている。／她长着一副洋气十足的面孔。

表示很像那么一种样子的意思。多用于说话人认为这种样子不太好的场合。

3 Na／A くさい＜强调＞（表示加强语气）。

（1）あんた、いつまでそんな古くさいこと言っているつもり？／我说你呀，什么时候能改变你那一套陈词滥调啊？

（2）そんな面倒くさいことは、だれか別の人に頼んでくれ。

／这么麻烦的事，你还是找别人吧。

（3）彼はけちくさいことばかり言うので、嫌われている。／他老说话那么小气，所以讨人嫌。

　　接表示贬义的形容词后，表示加强语气。

【くせ】
[Nのくせに]
[Na なくせに]
[A／V　くせに]

1 …くせに　可是、却。

（1）彼は、自分ではできないくせに、いつも人のやり方にもんくを言う。／他自己不会，可还却总是挑别人的毛病。

（2）もんく言うんじゃないの。自分ではできないくせに。／别挑人家毛病。你自己还不会呢。

（3）あの選手は、体が大きいくせに、まったく力がない。／那个运动员块头儿挺大却没有力气。

（4）こどものくせにおとなびたものの言い方をする子だな。／这孩子小小年纪说话却那么老成。

（5）好きなくせに、嫌いだと言いはっている。／他明明很喜欢，却偏偏说不喜欢。

　　使用"Xくせに Y"的形式，用于表示后续Y的事态与从X内容出发当然应该发生的情况不符的场合。事态Y多为贬义。也可如例（2）所示，"Y。Xくせに"使用倒装的形式。又如下例所示，主句和从句的主语不同时，不能使用"くせに"。

（误）犬は散歩に行きたがっているくせに、彼はつれて行ってやらなかった。

（正）犬は散歩に行きたがっているのに、彼はつれて行ってやらなかった。／小狗要去散步，可他却没领它去。

2 …くせして　可是、却。

（1）彼は、自分ではできないくせして、いつも人のやり方についてああだこうだと言う。／他自己不会干，可总还对别人的作法说三道四。

（2）人のやり方にけちつけるんじゃないの。自分ではできないくせして。／别挑人家毛病。你自己还不会呢。

（3）この人、大きなからだのくせして、ほんとに力がないんだから。／这个人，别看块头儿挺大可还真是没有力气。

（4）こどものくせしておとなびたものの言い方をする子だな。／这孩子小小年纪说话却那么老成。

（5）好きなくせして、嫌いだと言いはっている。／他明明很喜欢，却偏偏说不喜欢。

　　意思与"くせに"相同，但比其显得语气随和一些。

3 そのくせ　可是、却。

（1）彼女はもんくばかり言う。そのくせ自分ではなにもしな

い。/她对别人是一大堆意见，可自己什么也不干。
（2）彼女は自分ではなにもしない。そのくせ、もんくだけは言う。/她自己什么也不干，可是却光发牢骚。
（3）彼女はよく山田君はバカだと言ってるでしょ。そのくせ、私がそうだ、そうだというと、こんどはおこるのよ。/她老说山田笨吧。可是我要也说是啊，是啊，她还不高兴。
（4）日本人は他人には非常に冷淡な時がある、そのくせ身内に対しては異常なくらい仲間意識を持つという側面がある、とその研究者は言っている。/那位研究人员说，日本人有一个特点，就是有时对外人非常冷淡，而对自己人则表现出异常的同伴意识。

连接两个独立的句子。表示的意思与"くせに"相同，但不能如"くせに"的例（2）那样"もんく言うんじゃないの"，与表示禁止或命令的表达方式一起使用。
（误）自分では何もしないじゃない。そのくせもんく言うんじゃないの。

【ください】
→【てください】

【くださる】
→【てくださる】

【くらい】

也经常说"ぐらい"。与之相似的词语还有"ほど"，但"くらい"口语性更强。

1 数量词＋くらい＜概数＞ 左右、大概、多。

（1）この道を5分くらい行くと、大きな川があります。/从这条道儿向前走5分钟左右，有一条大河。
（2）修理には一週間ぐらいかかります。/修理要花一个星期左右的时间。
（3）これ、いくらだろう。3000円ぐらいかな。/这个，多少钱啊。是不是得3000日元左右啊。
（4）その島はこの国の3倍くらいの面積がある。/那个岛的面积大概是这个国家的3倍多。
（5）店内のお客さまに、まいごのお子さまのご案内を申し上げます。青いシャツと黄色のズボンの、2才ぐらいのお子さまがまいごになっていらっしゃいます。/现在向来本店的顾客广播一个通知。有一个2岁左右的儿童，穿绿色上衣和黄色裤子，他现在和大人走失了。

接表示数量的词语后，表示大致的时间或数量（概数）。在表示时间或日期时，要使用"…くらいに"的形式。

（正）3時ぐらいに来てください。/请3点钟左右来。

(误) 3時ぐらい来てください。

另外，还可以接在如下疑问词"どれ／どの"、"いくら"、"何メートル／キログラム／時間"等后使用，表示询问大致的程度，也可以接在"これ・それ・あれ"等指示代词后，用于表示具体的大小程度。

(例) A：テープを切ってくれない？／给我剪一段带子好吗？
B：どれくらい？／剪多长？
A：《指を広げて大きさを示しながら》これくらい。／《伸出手指比画长度》这么长。

2 Nくらい＜比較＞

a N1（とおなじ）くらい　与…相同、和…一样。

(1) A：物価は日本と比べてどうですか。／物价和日本相比怎么样啊？
B：あまり変わりませんよ。日本と同じくらいです。／差不多。和日本基本一样。
(2) A：田中君って、いくつぐらいだろう。／田中有多大岁数啊。
B：そうだね。うちの息子ぐらいじゃないかな。／我想想啊。好像跟我儿子差不多年龄。
(3) こんどのアパートは前のと同じぐらい広くて、しかも日当たりがいい。／这次搬的公寓和以前的一样宽敞，而且采光也好。

以"XはY（とおなじ）くらい…だ"的形式，表示X与Y程度基本相同。"ほど"没有这种用法。

b N（とおなじ）くらいのN　与…一样的…。

(1) このボールは、ちょうどリンゴくらいの大きさだ。／这个球大小正好像一个苹果。
(2) ジルさんは、トムさんと同じぐらいの成績だ。／基尔的成绩和汤姆一样。
(3) これと同じぐらいの値段でもっといいのがありますよ。／有价钱跟这个一样，比这个还好的。

以"XはYくらいのNだ"的形式，表示X与Y程度相同。N一般为"大小、轻重、高矮、温度、数量"等表示量或程度的名词。

c …くらい…Nはない　没有比…更…的了，…最…。

(1) タバコぐらいからだにわるいものはない。／没有比香烟对身体更有害的了。
(2) 山田さんくらい自分でこつこつと勉強する学生は少ない。／很少见到像山田那样自己吭哧吭哧用功学习的学生。
(3) この車くらい若者から年輩の人にまで人気のある車は他にない。／没有什么车能像这种车那样既受年轻人的欢迎又受老年人的青睐。
(4) 国民に見はなされた政治家ぐらいみじめなものはない。／最悲惨的就是被国民唾弃

了的政治家。

(5) いまの私にとって、まずしくて書物が自由に買えないことぐらいつらいことはない。／对于现在的我来说，最痛苦的就是太穷而没有足够的钱来买自己想买的书。

表示以"…くらい"所提示的事物是最高水准的事物。即"这是最…"的意思。句尾除"ない"以外，也可例(2)所示，使用"すくない(很少)"、"めずらしい(罕见)"等词语。还可以替换为"…ほどNはない"的形式。

d Vくらいなら　与其…不如…、与其…宁愿…、要是…还不如…。

(1) あいつに助けてもらうくらいなら、死んだほうがましだ。／与其求他帮忙，倒宁愿死了更舒服。
(2) あんな大学に行くくらいなら、就職するほうがよほどいい。／与其上那种大学，还不如工作呢。
(3) 上から紙を貼って訂正するくらいなら、もう一度はじめから書き直したほうがいいと思うよ。／我觉得与其贴上纸修改，还不如从头儿重写一次呢。
(4) 銀行で借りるくらいなら、私が貸してあげるのに。／早知道你要从银行贷款，我就借给你了。
(5) 君に迷惑をかけるくらいなら、僕が自分で行くよ。／要是给你添麻烦，还不如我自己去呢。

以"Xくらいなら Yのほうがましだ／ほうがいい／…する"等形式，表示"Y比X好"的意思。或在Y举出极端的事例，表示说话者对以"…くらい"所表示的事物极其厌恶，或用于表示说话人认为"X不很理想，还是Y好"的场合。

3 …くらい＜程度＞

a …くらい　简直，像…，那么…。

(1) その話を聞いて、息が止まりそうになるぐらい驚いた。／听了这话以后，我吃惊得简直快背过气去了。
(2) 顔も見たくないくらい嫌いだ。／我讨厌他，见面都不想见。
(3) 佐藤さんぐらい英語ができるといいのにな。／要能像佐藤英语说得那么流利该多好啊。
(4) 一歩も歩けないくらい疲れていた。／累得连一步都走不动了。
(5) コートがほしい(と思う)くらいさむい日だった。／那天很冷，甚至想要穿一件大衣。
(6) A：ずいぶん大きな声で怒っていたね。／刚才你训他声音好大啊。

B：うん、あいつにはあれぐらい言ってやらないとわからないんだ。／那家伙，你不那么大声训他，他是不会听的。

为说明动作或状态的程度,以比喻的形式或举出具体事例来进行说明。此种用法与"ほど"相同,但在程度严重时,不能使用。
(正) 死ぬほど疲れた。／简直累的要死了。
(误) 死ぬぐらい疲れた。

b …くらいだ　简直、甚至、那么…。
(1) 君が困ることはないだろう。困るのは僕のほうだ。もう、泣きたいぐらいだよ。／你有什么作难的。作难的是我。我简直都想哭了。
(2) 疲れて一歩も歩けないくらいだった。／累得连一步都走不动了。
(3) 寒い日で、コートがほしいくらいだった。／那天很冷,甚至想要穿一件大衣。
(4) 今のぼくのうれしさがわかるかい。そこらへんの人をみんなだきしめたいくらいだよ。／你知道我现在有多高兴吗？我甚至想要拥抱周围所有的人。
(5) おぼえてる?あの寒い夜ふたりでわけあって食べたラーメン。おいしくて、あたたかくて、世の中にこんなごちそうはないと思うくらいだったね。／还记得吗？在那个寒冷的夜晚,咱们两个分着吃的那碗热汤面,是那么香,那么温暖,我简直觉得世上没有比这更好吃的东西了。

用于举出具体事例来进一步说明前面叙述事物的程度。

c …くらいだから　（表示程度,为后续判断的根据）。
(1) あの人は、会社をみっつも持ってるぐらいだから、金持ちなんだろう。／他开着三家公司呢,肯定很有钱吧。
(2) 彼はいつも本さえあればほかにはなにもいらないと言っているぐらいだから、きっと家の中は本だらけなんだろう。／他总说只要有书别的什么也不要,那他家里肯定全是书吧。
(3) あの温厚な山田さんが怒ったくらいだから、よほどのことだったのでしょう。／连那么敦厚的山田都火儿了,肯定是相当严重了。
(4) 素人の作品でも、こんなにおもしろいくらいだから、プロが作ればもっとおもしろいものができるだろう。／连业余爱好者的作品都那么有意思,要是行家里手来做,一定会更有意思。

指出某动作或状态的程度,用以表示说话人做出某种判断或推测的根据。后续多为"のだろう／にちがいない／はずだ"等表示说话人推量的表达方式。

d …くらいの…しか…ない　最多只(能)…。
(1) 燃料が少なくなっているので、あと10キロくらい（の距

離)しか走れない。/燃料不多了，最多还能跑10公里左右(的距离)。

(2) 10年間も英語を習っているのに、挨拶くらいの会話しかできない。/学了10年的英语了，可还就只会点儿打招呼的日常会话。

(3) 体が丈夫で、風邪で数日寝込んだことくらいしかない。/身体很好，就只因得感冒病过几天。

(4) 今忙しいので、ちょっとお茶を飲むくらいの時間しかありませんが、いいですか？/现在比较忙，只有喝杯茶的时间，行吗？

(5) 学費を払うために無理をしている息子をなんとか助けてやりたいのだが、失業中の私たちには、励ましの言葉をかけてやるくらいのことしかできない。/儿子为了交学费在拼命工作，我们很想帮帮他，可是我们现在又都失业，也就只能用话来鼓励鼓励他而已。

以"Xくらいの Yしか…ない"的形式，举出程度较低的事物 X，来表示 Y 的程度还没有 X 高。后续常有表示不可能的表达方式，此时表示"做不到超过 X 的 Y"的意思。

4 …くらい＜蔑視＞　这么一点点（表示微不足道）。

(1) そんなことくらい子供でもわかる。/这点儿事连小孩子都明白。

(2) 山田さんは1キロメートルぐらいなら片手でも泳げるそうです。/要是1公里距离，据说山田一只手就能游到。

(3) ちょっと足がだるいぐらい、ふろにはいればすぐになおるよ。/不就是脚有点儿酸吗，洗个澡立刻就会好的。

(4) すこし歩いたぐらいで疲れた疲れたって言うなよ。/就走这么点儿路，别老喊累了累了的。

(5) 1回や2回試験に落ちたくらいがなんだ。このおれなんて、これまで払った受験料だけで大学がひとつ買えるぐらいだぞ。/你1回2回没考上算什么呀。告诉你吧，到现在我付的考试费都快可以买一所大学了。

(6) ビールぐらいしか用意できませんが、会議の後で一杯やりましょう。/我们只准备了点儿啤酒，开完会咱们喝一杯吧。

(7) あいさつくらいの簡単な日本語しか話せない。/我只会讲点儿打招呼的简单日语。

(8) 指定された曜日にゴミを出さない人がいる。自分一人ぐらいかまわないだろうと

軽（かる）く考（かんが）えているのだろう。／有人不按指定的日子倒垃圾。他可能以为就自己一个人这样做没什么关系。

表示某事物"不那么重要,没什么关系"的语气。意思是"这事情很简单,没意思"。后续内容多为"大したことではない(没什么关系)／容易である(很容易)／問題はない(没问题)"等。

5 …くらい＜限定＞

a N くらい （表示最起码的意思）。

（1）子供（こども）じゃないんだから、自分（じぶん）のことぐらい自分で決（き）めなさい。／你又不是孩子,自己的事情自己决定。

（2）A：もう、11時ですよ。／都11点啦。
B：いいじゃないか。日曜日（にちようび）ぐらい、ゆっくり寝（ね）かせてくれよ。／那怕什么呀。星期天你还不让我多睡一会儿啊。

（3）帰（かえ）りがおそくなるのなら、電話（でんわ）の一本（いっぽん）ぐらいかけてくれてもいいじゃないか。／你知道得晚回来,哪怕给我来一个电话也行啊。

（4）あいさつぐらいしたらどうだ。／打个招呼行不行啊。

以"…くらい"的形式,举出一个极端的事例,用以表示"最起码得…"的意思。

b …のは…ぐらいのものだ 就只有…才（还）…

（1）息子（むすこ）が電話（でんわ）をよこすのは、金（かね）に困（こま）った時（とき）ぐらいのものだ。／儿子来电话一般都是缺钱花的时候。

（2）仕事（しごと）が忙（いそが）しくて、ゆっくりできるのは週末（しゅうまつ）ぐらいのものだ。／工作太忙,也就周末还能清闲一点儿。

（3）そんな高価（こうか）な宝石（ほうせき）が買（か）えるのは、ごく一部（いちぶ）の金持（かねも）ちくらいのものだ。／能买得起这么昂贵的宝石的,也就只有极少部分的大款。

（4）社長（しゃちょう）に、あんなにずけずけものを言（い）うのは君（きみ）くらいのもんだよ。／也只有你才能那么毫不客气地跟总经理说话。

以"XのはYくらいのものだ"的形式,表示"X能成立的只有Y的场合"的意思。

【くらべる】
→【にくらべて】

【くれ】
→【てくれ】

【くれる】
→【てくれる】

【くわえて】
再加上。

[N くわえて N]

（1）規則正（きそくただ）しい食事（しょくじ）、適度（てきど）な運動（うんどう）、くわえて近所（きんじょ）の人達（ひとたち）と

の日常的なつきあい、そういったものがこの村のお年寄りの長生きの秘訣と考えられる。／有规律的饮食，适量的运动．再加上与邻居们的日常交往．这些被认为是这个村里老人们的长寿秘诀。

(2) 慢性的な不作、加えて百年に一度という大災害で食糧不足はいっそう深刻になっている。／连年的欠收．再加上百年不遇的天灾．使得粮食紧缺的问题更加严重了。

(3) 地場産業の衰退、加えて児童の減少による小学校の廃校がこの地域の人口流出に拍車をかけているようだ。／本地产业的衰退．再加上由于幼儿的减少而使得小学校关闭．更加加剧了这一地区的人口流失现象。

表示在此基础上再加上的意思．即"それだけでなく(不仅如此)"、"そのうえ(加之)"的意思。是书面性语言。在更加死板的书面语中也可以说"くわうるに"。

【げ】

(表示带有一种样子)。

[Na げ]
[A-げ]
[R-げ]

(1) その人は退屈げに雑誌のページをめくっていた。／他百无聊赖地翻看着杂志。

(2) 「そうですか」というその声には悲しげな響きがあった。／"是啊"那声音中仿佛含着一种悲伤。

(3) 彼女の笑顔にはどこか寂しげなところがあった。／她的笑脸中带着一股凄凉。

(4) 彼のそのいわくありげな様子が私には気になった。／他那欲言又止的表情令我不安。

接形容词词干或动词连用形后．形成一个表示带有这种样子的意思的新的ナ形容词。例句中的用法均能替换为"退屈そう"、"悲しそう"等"…そう"的形式．但"…げ"的形式书面语气息较浓。例(4)是一种惯用句形式。

【けっか】

結果、由于。

[Nのけっか]
[V-たけっか]

(1) 投票の結果、議長には山田さんが選出された。／投票表决的结果．山田被选为主席团主席。

(2) 調べた結果、私がまちがっていることがわかりました。／调查的结果表明是我错了。

(3) 3人でよく話し合った結果、その問題についてはもうこし様子を見ようということになった。／3个人商量的结果．决定对这一问题还要观察一段再说。

(4) 国会審議の空転の結果、この法案がこの会期中に採決

される見通しはなくなった。／由于国会审议毫无结果，这一法案在本次国会期间不可能被采纳了。

如例句"調べた結果を教えてください。／请把调查的结果告诉我。"所示，"結果"本来是名词，但也可以用于表示因果关系的表达方式。接在表示原因的词语后，表示"以此为原因"、"因此"等意思。后续表示因此而导致的结果。是书面语。

【けっきょく】
最后、最终、到底。

（1）バーゲンセールに行ったが、結局何も買わないで帰ってきた。／我去了正在进行大甩卖的商场，但是最后还是什么也没买就回来了。

（2）結局、世の中は万事金で決まるということだよ。／归根到底在这世上还是金钱决定一切啊。

（3）挑戦者も善戦したが、結局は判定でチャンピオンが勝利をおさめた。／挑战者也奋力拼博了，但最终裁判判定卫冕冠军取得了胜利。

（4）結局のところ、あなたは何が言いたいのですか。／你到底是想要说什么呀。

用于句首或句中，表示最终的结果或结论。如例（3）、（4）所示，有时也用作"結局は"、"結局のところ"。多见于无论你怎样努力或有何期待，结果是不为人的意志为转移的，即伴有一种"只好听天由命"悲观情趣的场合。因而当事情的结果正好符合愿望时不好使用或使用以后使句子显得有些不自然。

（误）猛勉強を続け、結局、彼は一流大学に合格した。

（正）猛勉強を続けたが、結局、彼は希望した大学に合格できなかった。／他虽然拼命学习了，但最终还是没有考上他想上的大学。

例（4）后续为疑问句，此时为催促对方下结论的表达方式。

【けっして…ない】
決(不)…、絶対(不)…。

（1）あなたのことはけっしてわすれません。／我决不会忘记你。

（2）いいかい。知らない人においでとさそわれても、けっしてついて行ってはいけないよ。／记住了吗？即使有生人叫你去，也绝对不能跟他去啊。

（3）きみのために忠告しておく。人前でそんなばかなことは決して言うな。／为了你我才告戒你。在众人面前可绝对不能说这种傻话。

（4）気をわるくされたのならあやまります。失礼なことを言うつもりは決してなかったのです。／如果惹你生气了我向你道歉。可我决不是有意要说不尊重你的话。

常与否定形或表示禁止的表达方式一起使用，表示加强语气或自己强烈的决心或意志。

【けど】

1 けど　可、可是。

（1）A：この本は、恵子にやるつもりだ。／我打算把这本书送给惠子。
　　B：けど、それじゃ、良子がかわいそうよ。／可那良子多可怜啊。

（2）このカメラ、貸してもいいよ。けど、ちゃんと扱ってくれよ。／这台相机可以借给你用。可是你可得小心点儿用啊。

是"けれど"较通俗的说法。一般在比较郑重的会话中不能使用。
→【けれど】

2 …けど　可、可是、但。

（1）みんながあの映画はいいと言うけど、わたしにはちっともおもしろいと思えない。／大家都说这部电影好，可我觉得一点儿意思也没有。

（2）これは給料はよくないけど、やりがいのある仕事だ。／这工作虽然报酬不高但却值得一干。

（3）A：これから、出かけるんだけど、一緒に行かない。／我现在要出门，你不一块儿去吗？
　　B：うん、行く。／好，一起去。

（4）役所は認めてくれませんけど、これは立派な託児所です。／虽然政府机关不承认，但这确实是一所很不错的托儿所。

（5）すみません、電話が故障しているらしいんですけど。／对不起，我家的电话好像出毛病了。

是"けれど"较通俗的说法。用于尊敬体时，显得有些女性化。
→【けれど】

【けれど】

1 けれど　但、但是、可。

（1）2時間待った。けれど、彼は姿を表さなかった。／我等了两个小时。但他终于没有来。

（2）パーティーではだれも知っている人がいなかった。けれど、みんな親切でとても楽しかった。／宴会上一个熟人也没有。但是所有的人都非常热情，所以过得非常愉快。

（3）この作品で3等賞ぐらいとれるかなと期待していた。けれど、結果は思いがけなく1等賞だった。／原来期待用这个作品差不多能获得个3等奖。可没想到，最后竟然获得了个1等奖。

用于句首，表示后续的事态发展与前面叙述事态预想的结果相反。与"しかし(但是)"比较，更为口语化。但在较随便的文章中也可以使用。

2 …けれど＜逆接＞　但、但是。

（1）2時間待ったけれど、彼は姿を現さなかった。／我等了两

个小时。但他终于没有来。
(2) あの人はきれいだけれど、意地悪だ。／那人长的很漂亮，但心术不正。
(3) 下手だけれど、ピアノを弾くのは楽しい。／我弹得虽然不好，但弹钢琴是我最大的乐趣。
(4) 野球もおもしろいけれどサッカーはもっとおもしろいと思う若い人が増えている。／越来越多的年轻人觉得，虽然棒球也很好玩儿，但足球更好玩儿。
(5) 係長はもうすぐ帰ると思いますけれど、ここでお待ちになりますか。／我们主任马上就回来，您就在这儿等他吗？

接前一短句后，表示后续的事态发展与前面叙述事态预想的结果相反。虽然表示逆接，但并不只限于表示逆接，如例（5）所示，也可以用于一般会话的前提。较为口语化，但在较随便的文章中也可以使用。

3 …けれど＜开场白＞（表示后面内容的开场白）。
(1) あしたの会議のことなんですけれど、実は都合が悪くて出席できなくなりました。／关于明天的那个会议，我突然有点事，不能参加了。
(2) こんなことを言ったら失礼かもしれないけれど、最近少し仕事の能率が落ちているんじゃないですか。／我这么说可能有些失礼，最近咱们的工作效率是不是不太高啊。
(3) お口に合わないかもしれませんけれど、どうか召し上がってください。／也许不大合您的口味，就请您随便尝尝吧。

用于作为下面表述内容的开场白，并对后面的叙述内容以及说法进行注释、说明。

4 …けれど＜话说一半＞（表示委婉的语气）。
(1) いま母は留守なんですけれど。／我母亲现在不在家，……。
(2) 来週は外国出張で、いないんですけれど。／下星期我去国外出差，不在，……。
(3) 紅茶は切らしています。コーヒーならありますけれど。／红茶卖完了，咖啡的话，还有，……。
(4) ちょっとコピー機が動かないんですけれど。／对不起，复印机停了，……。
(5) 書類が一枚足りないんですけれど。／材料还少一张啊，……。
(6) かあさん、友達が夏休みにうちへ泊まりに来たいって言ってるんだけれど。／妈妈，我有个朋友说暑假时想来咱们家住一住，……。

等于后半句省略的形式，用于表示

委婉的陈述理由，说明情况。如例（4）、（5）、（6）所示，还可以用于间接的向人提出请求。既可以用于敬体，也可以用于简体。接敬体时显得女性化。是口语。

【けれども】

1 けれども　但、但是、可。
（1）　2時間待った。けれども、一郎は姿を現さなかった。／我等了两个小时。但一郎终于没有来。
（2）　彼は話すのが下手だ。けれども、彼の話し方には説得力がある。／他不善于讲话。但是他说话的方式方法很有说服力。
→【けれど】1

2 …けれども＜逆接＞　但、但是、可。
（1）　あの人とは仲良く仕事をしたいと思っているんですけれども、なかなかうまく行きません。／我总想在工作中和他友好相处，可老是搞不好关系。
（2）　このままずっとここにいたいけれども、いつか国へ帰らなければならない。／我是想一直在这里呆下去，可是总有一天我必须得回国。
（3）　これは正式には発表されていないんですけれども、近いうちに大きな関心を呼ぶことになると思います。／这件事虽然还没有正式公布，但我想不久一定会引起人们极大的关注。

与"けれど"相同。接敬体表达方式时，也可以用于会议等正式场合。
（4）　結婚式の日取りはまだ決まっていないんですけれども、たぶん夏ごろになると思います。／结婚典礼的日期还没有定，我想可能得在夏天。
→【けれど】2

3 …けれど＜开场白＞（表示后面内容的开场白）。
（1）　受験のことなんですけれども、相談に伺ってもいいですか。／关于高考的事情，我能去找您商量商量吗？
（2）　つまらないものですけれども、召し上がって下さい。／没什么好吃的，请您用餐吧。
→【けれど】3

【げんざい】

現在、当前、目前。
（1）　彼が死んでしまった現在、もうそんなことを言っても意味がないよ。／现在他已经死了，你再说这个也没意义了。
（2）　失敗の原因が明らかになった現在、われわれは何をすべきか。／失败的原因已经找到，当前我们应该做什么呢？
（3）　あの改革案がいまだに大方の賛同を得られていない現在、新たな方策を考えてお

くことも重要なことではないか。／在目前这一改革方案还没有得到大多数人赞同的情况下，我们再考虑一个新的对策不也是很重要的吗。
(4) 地球環境の保護が叫ばれている現在、クリーンエネルギーの夢を広げるその計画への期待は大きい。／在人们都在呼吁保护地球环境的当前的这样一种情况下，对于能实现绿色能源理想的这一计划，人们都寄予很大的期望。

如"過去と現在(过去和现在)"、"現在の気温は２９度だ(现在的气温是２９度)"等例句所示，"現在"本来是一个名词。当它接在一个短句后时，也可以成为一个提示目前情况，而进一步表明说话人主张的表达方式。是较拘谨的书面性语言。

【ごし】

１　Ｎごし＜空間＞　隔着。
(1) となりの人とへいごしにあいさつした。／隔着院墙和邻居打了招呼。
(2) そのふるい映画には恋人どうしがガラスごしにキスをするシーンがあった。／那部旧电影中，有一个镜头是一对恋人隔着玻璃接吻。
(3) 窓越しに見える無数の星を見るのが好きだ。／我喜欢隔着窗户观看天上无数的星星。

表示"隔着某一物体"的意思。

２　Ｎごし＜时间＞　经过、历经。
(1) ３年ごしの話し合いで、やっと離婚した。／经过３年的协商，终于离婚了。
(2) 私にとっては１０年ごしの問題にやっとくぎりがつき、まとめたのが、この作品です。／对于我来说，一个历经１０年的问题终于有了结果，这部作品就是对它的总结。
(3) ７年ごしの交渉がようやく実を結び、両国の間に平和条約が結ばれた。／经过７年的谈判终于有了结果，两国之间缔结了和平友好条约。

多采取"…年ごしのＮ"的形式，表示某行为或状态在此期间一直持续的意思。

【こしたことはない】
→【にこしたことはない】

【こそ】

１　Ｎこそ　才是、正是。
(1) Ａ：よろしくお願いします。／请您多多关照。
　　Ｂ：こちらこそよろしく。／哪里，哪里（我才要请您多多关照呢）。
(2) ことしこそ『源氏物語』を終わりまで読むぞ。／今年我一定要把《源氏物語》从头到尾都读完。

(3) いまでこそ、こうやって笑って話せるが、あの時はほんとうにどうしようかと思ったよ。／现在我才能当笑话似的跟你说这件事，当时我真是觉得这下可完蛋了。

(4) そうか。彼はひきうけてくれたのか。それでこそわれわれが見こんだとおりの人物だ。／是啊，他接受了这项工作啦。这才像我们物色好的人嘛。

(5) A：やはり私は文学部に進みたいと思います。／我还是想上文学系。
B：そうか。それこそ、なくなったきみのお父さんものぞんでいたことだ。／是啊，这才符合你故去的父亲的遗愿啊。

强调某事物，表示"不是别的，这才是…"的意思。

2 …こそ あれ／すれ　只能(是)，只会。

[Nこそすれ]
[Na でこそあれ]
[R-こそすれ]

(1) あなたのその言い方は、皮肉でこそあれ、けっしてユーモアとは言えない。／你的这种说法，充其量只能是讽刺，决谈不上是什么幽默。

(2) あなたをうらんでいるですって？感謝(し)こそすれ、私があなたをうらむ理由があるわけがないでしょう。／你说我恨你？我感谢你还来不及呢，怎么可能恨你呢。

(3) 政府のその決定は、両国間の新たな緊張の火種になりこそすれ、およそ賢明な選択とは言いがたいものである。／政府的这一决定，只能成为引起两国新的紧张关系的导火索，很难说是一种明智的选择。

以"Xこそあれ／Xこそすれ、Yではない"的形式，用以强烈表示事实是X而决不是Y的意思。是一种为了强调不是Y，而有意拿出与之相对照的X来进行比较的表达方式。是一种书面性语言表达方式。例(3)中的用法也可以说成"火種にこそなれ"。

3 …こそ…が　虽然…(但是)，尽管…(可是)。

[Nこそ…が]
[Na でこそあるが]
[R-こそするが]

(1) この靴は、デザインこそ古いが、とても歩きやすい。／这双鞋虽然款式老了一些，但走起路来很舒服。

(2) 書きこそしたが、彼のレポートはひどいものだった。／他论文写虽然是写了，但水平太差。

(3) 彼はいちおう会長でこそあるが、実権はまったくない。／他虽然是个会长，但没有一点儿实权。

（4） あの学生は宿題こそいつもきちんと提出するけれども、試験をしてみると何もわかっていないことがわかる。／尽管那学生每次都按时交作业，可你一考他就知道，其实他什么也没学会。

（5） その作家は、ベストセラーこそないけれども、ある一群の読者たちにささえられて、一作一作着実に書いてきた。／这个作家虽然没有写出什么畅销书，但却有非常喜欢他的读者群，正是在这些读者的支持下，他扎扎实实地写出了一部又一部作品。

以"XはYこそ…"的形式，表示就X而言，可以说是Y…，但又进一步讲出与之相对立的事物。后面常使用"…が"、"…けれども"等表示逆接的接续词。是一种书面性语言表达方式。

4 …からでこそ →【それでこそ】
5 …からこそ →【からこそ】
6 …だからこそ →【だからこそ】
7 …てこそ →【てこそ】
8 …ばこそ →【ばこそ】

【こと】

1 …こと＜事情＞　事、事情。
[Nのこと]
[Naなこと]
[A／V　こと]

（1） なにかおもしろいことないかなあ。／有没有什么有意思的事情啊。

（2） 卒業したらやりたいと思っていることはありますか。／有没有毕业以后你想做的事啊？

（3） 私がきのう言ったこと、おぼえてる？／我昨天说的事情，你还记得吗？

（4） 世の中には君の知らないことがまだまだたくさんあるんだよ。／这世界上你不懂的事还多着呢。

（5） 本を読んで思ったこと、感じたことなどは、書名・著者名などといっしょにカードに書いておくとよい。／你可以把读了书以后想到的，感受到的，连同书名、作者名一起记在卡片上。

（6） なんでも好きなことをやってよい。／你喜欢做什么事就做什么事。

接短句下，用以表示思考、发言、所了解知识的事情，但又不具体去涉及其内容。与"もの"的区别，请参照【もの1】。

2 …（という）こと＜事実＞（表示一个具体事实）。

（1） 山田さんが魚がきらいなことを知っていますか。／你知道山田不喜欢吃鱼吗？

（2） 午後から会議だということをすっかりわすれていた。／我把今天下午开会的事忘得一干二净。

（3） きみが将来アフリカに行きたいと思っている（という）

ことは、もう彼女に話したのか。／你已经跟她说了你将来想去非洲吗？

(4) 彼は死んでもうこの世にない(という)ことが、まだわたしには信じられない気がする。／我到现在仍不能相信他已经去世，不在这个世上了。

接短句后，用以表示前面讲述的事情是真实的。接ナ形容词时，可如例(1)所示，说"魚がきらいなこと"，也可说"魚がきらいだということ"。

3 V-る／V-ない こと＜命令＞（表示命令）。

(1) 休むときは、かならず学校に連絡すること。／如果要请假，必须和学校取得联系。

(2) 期末レポートは、かならず縦書き400字づめ原稿用紙を使用すること(とする)。／期末小论文必须要使用竖格400字稿纸来写。

(3) 体育館には土足ではいらないこと。／禁止穿着鞋进入体育馆。

(4) 教室を授業以外の目的で使用するときは、前もって申請をすること。／除上课以外要使用教室的话，必须事先提出申请。

用于句尾，表示命令或说话人认为应该这样做的心情。是一种规定纪律或指示应遵守事项的表达方式。多用于书写形式。如例(2)所示，也可以"こととする"的

形式结束。

4 …こと＜感叹＞（表示感叹）。
[Nだこと]
[Na だこと／なこと]
[A-いこと]
[V-ていること]

(1) まあ、かわいいあかちゃんだこと。／啊，这个宝宝真可爱！

(2) あら、すてきなお洋服だこと。おかあさんに買ってもらったの？／哎呀，你这件衣服真漂亮。是你妈妈给你买的吗？

(3) あらあら、元気だこと。でも電車の中でさわいではいけませんよ。／哎呀，哎呀，真有劲儿。可是到了电车里可不许闹啊。

(4) え？この子まだ2才なの？まあ、大きいこと。／啊？这孩子刚刚两岁啊？个儿长的可真够大的。

(5) このネコ、見てよ。よくふとっていること。病気かしら。／你瞧，这只猫，多肥啊。是不是有病啊。

表示人或物的状态或性质的表达方式后，表示惊讶、感动或惊叹的心情。如例(3)接ナ形容词后时，也可以说"元気なこと"，即使用"な"。是一种口语，主要是女性使用。但在年轻人中，男女都不使用。

5 NことN 即。

(1) 小泉八雲ことラフカディオ・ハーンはギリシャ生まれの

イギリス人だ。／小泉八雲即拉福加迪奥・哈恩，是出生于希腊的英国人。
（2） これが、あの太陽王ことフランスのルイ14世が毎日使っていたワイングラスです。／这就是那位太阳国王，即法国路易14世每天使用过的葡萄酒杯。
（3） 漱石こと夏目金之助は1867年、東京に生まれた。／漱石即夏目金之助，于1867年出生在东京。

以"XことY"的形式，X显示通称、笔名、外号等，Y则显示本名或更加正式的名称，表示"X即Y"的意思。即显示X与Y是同一人物。书面语。

6 Nのこと （表示与…相关的事情）。
（1） 私のこと、すき？／喜欢我吗？
（2） あなたのことは一生わすれない。／我一辈子也忘不了你。
（3） 彼女のことはもうあきらめなさい。／你就对她死了心吧。
（4） パーティのこと、もう山田さんに言った？／宴会的事，你已经通知山田了吗？
（5） 最近私は、どういうわけか、ふとしたひょうしに、ずいぶん前に死んだ祖母のことを考えていることが多い。／最近也不知为什么，我总因一些小事就会想起很久以前就故去的祖母。

对于某一事物，不是将其作为一个单独的个体，而是将其周围的各种情况，以及对其的回忆，声音，有时甚至包括其气味等都混合在一起。多用来指称表示感觉、思考、感情、语言活动等动词的对象。

【ことうけあいだ】
保证、肯定、保管

（1） こんどあの人のところに行くときは花を持って行くといい。よろこんでもらえること請け合いだよ。／下次你再到她那儿去的话，可以拿着花儿去。保证她一定会高兴的。
（2） あんなやり方をしていたのでは、失敗することはうけあいだ。／这样做的话，肯定要失败的。
（3） この計画に彼を参加させるには、成功したら手にはいるばく大な金のことを話せばいい。乗ってくることうけあいだ。／你要想让他参加这个计划，就要告诉他一旦事情成功可以得到一大笔钱。这样保管他会答应的。

接短句后，用来表示对即将发生的事情自己有很肯定的判断或予以保证。如例（2）所示，中间也可以加入助词"は"。是比较陈旧的表达方式。

【ことか】

得多么…啊。

[疑问词＋Na なことか]
[疑问词＋ A／V ことか]

（1） つまらない話を3時間も聞かされる身にもなってください。どれほど退屈なことか。／你也设身处地地想想，这么无聊的讲话要听3个多小时，那得多烦呢。

（2） 続けて二人も子供に死なれるなんて。どんなにつらいことか。／连续失去了两个孩子，得多么痛苦啊。

（3） とうとう成功した。この日を何年待っていたことか。／终于成功了，这一天我们盼了多少年啊。

（4） それを直接本人に伝えてやってください。どんなに喜ぶことか。／这件事你要直接告诉他本人。他得多么高兴啊。

表示其程度之甚不可特定，含有非常感慨的心情。

【ことがある】

1 V-たことが ある／ない　曾经（不曾）…过

（1） A：京都へ行ったことがありますか。／你去过京都吗？
B：いいえ、まだないんです。／还没有呢。

（2） ああ、その本なら子供の頃読んだことがあります。／啊，这本书我小时候看过。

（3） そんな話は聞いたこともないよ。／这种事我连听都没听说过。

（4） 高橋さんにはこれまでに2度お会いしたことがあります。／过去我曾见过高桥两次。

（5） 高橋さんにはまだお会いしたことがありませんが、お噂はよく聞いています。／我虽然还没有见过高桥，但我经常听到有人提起他。

（6） このあたりは過去に何回か洪水に見舞われたことがある。／过去，这里曾遭受过几次洪水的冲击。

用以表述曾经经历或未经历过某事。主要与动词一起使用，但如下例所示，有时也可以"名词＋だった"的形式使用。

（例） あのホテルはできるだけ早く予約した方がいいよ。3ヶ月前に電話したのに満員だったことがあるんだ。／这家饭店最好早点预定。我曾经提前3个月打电话预定都没有定上。

另外有时也可以用"V-なかったことがある"的形式表示"没有…"的意思。

（例） 財布を拾ったのに警察に届けなかったことがある。／有一回我捡了一个钱包，但是没有交给警察。

2 V-る／V-ない ことがある　有时、偶尔。

（1）子供たちは仲がいいのですが、たまに喧嘩をすることがあります。／孩子们关系都很好，但偶尔也打架。
（2）これだけ練習していても、時として失敗することがある。／练得这么苦，有时还会出现失误呢。
（3）天気のいい日に子供と散歩することがあるぐらいで、ふだんはあまり運動しません。／顶多天气好的时候，有时跟孩子出去散散步，平时基本上不运动。
（4）A：最近、外で食事することはありますか。／最近有时在外面吃饭吗？
　　B：最近はあまりないですねえ。／最近没怎么在外面吃。
（5）長雨が続くと、害虫の被害を受けることがある。／老是这么淫雨连绵，就会遭受虫害。
（6）彼は仕事が忙しくて、食事の時間をとれないこともあるそうだ。／据说他有时候忙得甚至没有时间吃饭。
（7）乾期にはいると2ヶ月以上も雨が降らないことがある。／进入旱季以后，有时连续两个多月不下雨。

表示有时或偶尔发生某事。对于发生频率高的事情不能使用。

（误）このあたりはよく事故が起こることがある。
（正）このあたりはよく事故が起こる。／这一带经常发生交通事故。

【ことができる】

会、能、可以。

[V-ることができる]

（1）アラビア語を話すことができますか。／你会讲阿拉伯语吗？
（2）あの人は、ゆっくりなら20kmでも30kmでも泳ぐことができるそうだよ。／要是慢慢游，据说他能游二、三十公里呢。
（3）残念ですが、ご要望におこたえすることはできません。／很可惜，我们不能满足您的要求。
（4）その社会や階級の構成員を「再生産」するという観点から、「教育」というものをとらえ直してみることもできるだろう。／可以从"再生产"的角度来重新考虑对该社会或阶级的成员进行"教育"的问题。

可以表示有无"能力"（如例（1）、（2））或有无"可能性"（如例（3）、（4））。可以与"話せる(能讲)"、"泳げる(会游)"等表示可能的"V-れる"型动词替换，但在较正式的场合或较拘谨的文章中（特别是在表示"可能性"的场合），一般更倾向于使用"ことができる"。

【ことこのうえない】

无比、到极点。

[Na なことこのうえない]
[A-いことこのうえない]

（1）丁重なことこの上ないごあいさつをいただき、恐縮しております。／对于刚才的一番无比诚恳的讲话，我们表示衷心的感谢。

（2）その風景は、さびしいことこのうえ（も）ないものであった。／那地方的风景，简直凄凉到了极点。

（3）有権者の存在を無視したような、その政治家たちの舞台裏での争いは、見ぐるしいことこの上ないものであった。／政治家们在背后搞的那种无视选民的争斗，丑陋至极。

表示无以复加的意思。是较郑重的书面性语言表达方式。以上各例均可替换为"このうえなく丁重なあいさつ"、"このうえなくさびしい"、"このうえなく見ぐるしいもの"。

【ごとし】

是文言文表达方式，现在只用于书面语。"ごとし"是用于句尾的形式，词尾可有活用变化，如"ごときN"、"ごとくV"等。

1 ごとし 似、就像。

[Nのごとし]
[Nであるがごとし]

（1）光陰矢のごとし。／光阴似箭。

（2）時間というものは、矢のごとくはやくすぎさっていくものだ。／时光就像箭一样飞快逝去。

（3）山田ごときに負けるものか。／我哪能输给像山田那样的人啊。

用于比喻，即表示"像…似的"。

"Nごとき"的形式一般后接名词，即为"NごときN"的形式。但也可如例（3）所示，将"Nごとき"的形式作为名词使用。这时一般都只限于贬义。除谚语或惯用句以外，在现代日语当中，更多地使用"ようだ"。

2 …かのごとし 就好像。

（1）彼女はそのことを知っているはずなのに、まったく聞いたことがないかのごとき態度だった。／她应该知道这件事，却装出就好像根本没有听说过似的一副态度。

（2）そのふたりはまずしかったが、世界中が自分たちのものであるかのごとくしあわせであった。／他们两人虽然很贫穷，但他们感觉就好像拥有全世界似的，过得非常幸福。

（3）「盗作する」とは、他人の作品を自分の作品であるかのごとく発表することである。／所谓"剽窃"，就是把别人的作品拿来，就好像是自己的作品似的公开发表。

（4）あの政治家は、いつも優柔

不断であるかのごとくふるまってはいるが、実はそうかんたんには真意を見せないタヌキである。/那个政治家看起来好像优柔寡断似的,其实是一个不轻易表露真意见的老狐狸。

接句子,如是接名词或ナ形容词时,如例(3)、(4)所示,不使用"だ",而使用"である"。表示事实虽非如此却好像就是这样的意思。现在更多地使用"かのようだ"的形式。尤其结句形式"かのごとし"很少使用。

【ことだ】

1 V-る／V-ない ことだ 就得、该。

(1) 日本語がうまくなりたければもっと勉強することです。それいがいに方法はありません。/要想学好日语就得更加好好学习。除此以外没有别的办法。

(2) かぜをはやくなおしたいんだったら、あたたかくしてゆっくり寝ることだ。/要想感冒早点儿好,就得盖得暖和点儿好好睡一觉。

(3) まあ、ここは相手に花を持たせておくことだね。またチャンスもあるよ。/这时候你该把荣誉让给对方。你还有机会嘛。

(4) こどもにさわらせたくないというのなら、最初から手のとどく所におかないことだ。/要不想让孩子们动这东西,开始就不要放在他们够得着的地方。

讲述在某种情况下更加理想的状态或更好的状态,表示一种间接的忠告或命令。是一种口语形式。

2 …ことだ (表示各种感情)。

[Na なことだ]
[A-いことだ]

(1) 家族みんな健康で、けっこうなことだ。/全家人都健康,这太好了。

(2) いつまでもお若くて、うらやましいことです。/你老那么年轻,真让人羡慕啊！

(3) 夜はあぶないからって、あのおかあさん、こどもを塾までおくりむかえしてるんだって。ごくろうなことだね。/据说那孩子的妈妈,怕晚上危险,每天接送孩子去私塾。也真够累的。

(4) 道路に飛び出した弟を止めようと追いかけていって車にはねられるなんて…。いたましいことだ。/听说他是为了要拉住跑到马路上的弟弟而追上去,结果被车撞了…。真够惨的。

表示说话人的惊讶、感动、讽刺、感慨等心情。可使用的形容词有限。

3 …ということ →【ということ】

4 …とは…のことだ →【とは】

【ことだから】

（表示自己的判断依据）。

[Nのことだから]

（1）彼のことだからどうせ時間どおりにはこないだろう。／你还不知道他，反正不会按时间来的。

（2）あの人のことだから、わすれずに持ってきてくれると思うけどな。／他不会有错儿的，我想他一定不会忘记给我带来的。

（3）慎重な山田さんのことだから、そのへんのところまでちゃんと考えてあるとは思うけどね。／那么谨慎的山田，我想他一定会考虑到这一点的。

（4）あの人のことだから、この計画が失敗しても自分だけは責任をのがれられるような手はうってあるんだろう。／他这个人你还不了解，即使计划失败了，也一定会想好推卸自己责任的办法的。

主要接在表示人物的名词后，用于对说话人、听话人都熟知的人物的性格、行为习惯等做出某种判断。如例（3）所示，有时还可在人物名词前，加上诸如"慎重な"这样的修饰词语，以明确指出该人物的性格或特征来作为自己判断的根据。

【ことだし】

（表示陈述理由）。

[N／Na であることだし]
[Na なことだし]
[A／V ことだし]

（1）雨がふってきそうだから、きょうは散歩はやめておこうか。こどもたちもかぜをひいていることだし。／眼看就要下雨了，今天就别去散步了吧。而且孩子们也都感冒了。

（2）おいしそうな料理もでてきたことですし、私のへたなごあいさつはこのへんで終わりにしたいと存じます。／各种美味佳肴也都上齐了，我的蹩脚的致词也就到此结束吧。

（3）委員も大体そろったことだし、予定時間も過ぎているので、そろそろ委員会を始めてはいかがですか。／委员也都基本到齐了，而且也已经过了预定的时间，我想我们就开始开会吧。

接短句后，以"ことだ＋し"的结构，用以表述各种判断、决定、要求等的理由或根据等。例（2）中的"ことですし"是更加有礼貌的形式。例（3）表示陈述两种理由，例（2）只陈述一种理由，例（1）是在句末补充陈述的形式。虽是口语形式，但比单独使用"し"要显得郑重。

【ことだろう】

（表示推测）。

[Na な／である ことだろう]

[A／V　ことだろう]

（1）ながいあいだ会っていないが、山田さんのこどもさんもさぞおおきくなったことだろう。／好多年不见了．山田先生的孩子也一定长高了吧。

（2）市内でこんなにふっているのだから、山のほうではきっとひどい雪になっていることだろう。／市内都下这么大．山里一定在下大雪呢吧。

（3）《手紙》息子さん、大学合格とのこと。さぞかしお喜びのことでございましょう。／《书信》听说您的孩子已考取大学．您一定很高兴吧。

（4）この誘拐事件は人質の安全を考慮して今はふせられているが、公表されれば、まちがいなく社会に大きな衝撃をあたえることだろう。／考虑到人质的生命安全．现在还不能公布这起拐骗事件．一旦公布．肯定会对整个社会有巨大的震动。

接短句．表示推测。单独使用"だろう"也可以表示推测．但"ことだろう"则显得更加郑重．书面语气更强．用于带着某种感情色彩．对"现在、当前"尚不明确的事物进行某种推测。如例（1）所示．与副词"さぞ（かし）"一起使用．感情色彩则更浓。

【ことで】

关于…。

[Nのことで]

（1）さっきのお話のことで質問があるんですが。／关于刚才那件事情．我有一个问题。

（2）先生、レポートのことで、ご相談したいことがあるんですが。／老师．关于小论文的事情．我有事和您商量。

（3）君がきのう出した企画書のことで、課長が話があるそうだよ。／听说关于你昨天提交的计划书．处长要找你谈谈。

与"質問する（询问）・相談する（商量）・話す（谈话）"等表示"语言活动"的动词一起使用．表示"关于…"的意思。用于开始陈述理由、讲解情况等场合。

【こととおもう】

（表示推测）我想。

[Nこととおもう]
[Na なこととおもう]
[A／V　こととおもう]

（1）《手紙》「ごぶさたいたしておりますが、お元気でおすごしのことと思います。」／《书信》"久未通信．我想您还是那么健康如常吧"。

（2）《手紙》「このたびのおかあさまのご不幸、さぞお力落としのことと存じます。」／《书信》"这次为您母亲的不幸．一定很伤心吧"。

（3）みなさんもずいぶん楽しみになさっていたことと思い

ますが、旅行の中止は私もたいへん残念です。/我想大家都非常期待着这一天吧，但是旅行被迫中止，我也感到很遗憾。

　　接短句，表示对听话人现在状况的一种推测，并带有同情或安慰的感情色彩。多与"さぞ"、"さぞかし"、"ずいぶん"等副词一起使用。比单独使用"…とおもう"要显得郑重，书面语感更强，多用于书信。如例（2）使用"…ことと存じます"，显得更郑重，更有礼貌。

【こととて】
　　　　（表示原因）因为。
[Nのこととて]
[Vこととて]
(1) 子供のやったこととて、大目に見てはいただけませんか。/这是孩子干的事，您就原谅了他吧。
(2) なにぶんにも年寄りのこととて、そそうがあったらお許しください。/因为他们都上了年纪了，要是有什么不对的地方，还请原谅。
(3) 慣れぬこととて、失礼をいたしました。/因为我还不太习惯，对不起。
(4) 知らぬこととて、ご迷惑をおかけして申しわけございません。/因为我不知道，给您添了麻烦，对不起。

　　后面伴有表示道歉、请求原谅的表达方式，用以表示道歉的理由。是较陈旧的表达方式。例（3）、（4）中的"V-ぬ"是文言形式，相当于现代语的"V-ない"。

【ことなく】
　　　　不…。
[V-ることなく]
(1) ひどいゆきだったが、列車はおくれることなく京都についた。/虽然雪下得很大，但列车还是正点到达了京都。
(2) われわれは、いつまでもかわることなくともだちだ。/我们是永远的朋友，海枯石烂心不变。
(3) その子は、もうこちらをふりかえることもなく、両手を振り、胸を張って、峠の向こうに消えて行った。/那孩子头也不回地，摆着两臂，挺着胸膛消失在山的那一边。

　　如例（3）所示，也可以使用"…こともなく"的形式。意思与"…ないで(不…)"或"…ず(に)(不…)"相近，但"…ことなく"书面语感更强。而且从意思上来说，就上述例句来看，都分别含有原来有"おくれる(晚点)・かわる(变心)・ふりかえる(回头)"的可能性，但是并没有这样做的意思。

【ことなしに】
　　　　不…(而…)。
[V-ることなしに]
(1) 努力することなしに成功はありえない。/要想不付出努力就获得成功，那是不可能

的。
(2) 誰しも他人を傷つけることなしには生きていけない。／人只要活着就不可能不伤害别人。
(3) リスクを負うことなしに新しい道を切り開くことはできないだろう。／不承担风险就想开辟出新的道路，那是不可能的。

以"XすることなしにYできない"的形式，后面伴有否定某种可能性的表达方式，表示"如果不X，就不可能Y"，即"如果想要Y的话，X就是不可避免的"的意思。是较生硬的表达方式。

【ことに】

（表示某种情感）的是。
[Na なことに]
[A-いことに]
[V-たことに]

(1) 残念なことに、私がたずねたときには、その人はもう引っ越したあとだった。／遗憾的是，我去拜访的时候，他已经搬走了。
(2) おもしろいことに、私がいま教えている学生は、私がむかしお世話になった先生のこどもさんだ。／有趣的是，现在我教的这个学生，是过去教过我的老师的孩子。
(3) おどろいたことに、彼女はもうその話を知っていた。／令我吃惊的是，她竟然已经知道这件事情了。
(4) あきれたことに、その役所は知事の選挙資金のために裏金をプールしていた。／使人震惊的是，那个机关为了保证知事的竞选资金，竟然在暗地里建立了小金库。

接表示情感的形容词或动词后，用以提前表述说话人对即将叙述事件的感情色彩。是一种书面语。

【ごとに】

毎…。
[Nごとに]
[V-るごとに]

(1) この目覚まし時計は5分ごとに鳴る。／这个闹钟每隔5分钟响一次。
(2) この季節は、一雨ごとに暖かくなるという。／人们说，这个季节是每下一场雨就暖和一些。
(3) 列車が到着するごとに、ホームは人であふれそうになる。／每到达一列火车，站台上就挤满了人。
(4) グループごとに別の地域で行動した。／每个小组分别在不同的区域活动。
(5) 彼は、会う人ごとに、こんど建てた家のことを自慢している。／他每见到一个人都向人家吹嘘这次盖的房子。

表示"反复出现的事情的每一次"、"在所有完整事情的每一次"的意思。

"V-るごとに"的形式常可与"たびに"替换。然而"ごとに"主要表示每一次完整的事件反复出现，而"たびに"则不表示这一含意。

【ことにしている】

（表示因某种决定而形成的习惯）。

「Vことにしている]
（1）私は毎日かならず日記をつけることにしている。／我每天必写日记。
（2）夜はコーヒーを飲まないことにしているんです。／我晚上不喝咖啡。
（3）彼の家族は、家事はすべて分担してやることにしているそうだ。／听说在他们家，大家一起分担家务事。
（4）運動不足解消のため、私はこどもと公園に行くとかならず鉄棒をやることにしている。／为了解决运动量不足的问题，每次和孩子去公园我都要练练单杠。
（5）ずいぶん前から、不正をおこなった場合は失格ということにしています。／从很早以前我们就决定并实行，一旦发现使用不正当手段就取消资格。

表示根据某种决定而形成的某种习惯或规矩的意思。即"ことにする"所表示的决定、决心，最终形成了一种习惯。所以在表示一般意义的习惯、礼仪时不能使用。

（误）日本人は、はしを使ってご飯を食べることにしています。
（正）日本人は、はしを使ってご飯を食べます。／日本人使用筷子吃饭。

【ことにする】

1 …ことにする＜決定＞ 決定、決心。

[Vことにする]
（1）あしたからジョギングすることにしよう。／我决心从明天开始跑步。
（2）これからはあまりあまい物は食べないことにしよう。／我决定今后少吃甜食。
（3）きょうはどこへも行かないで勉強することにしたよ。／我决定了今天要学习，哪儿也不去。

表示对将来行为的某种决定、决心。如例（3）用作"ことにした"的形式，则表示这一决定或决心已经形成的意思。与之意思相同的"こととする"，则显得更加郑重，且为书面语。

2 …ことにする＜当做＞ 当作、算作、作为。

[～(だ)ということにする]
[Na だということにする]
[V-た(という)ことにする]
（1）その話は聞かなかった(という)ことにしましょう。／这话就当我没听见。
（2）その件は検討中(だ)ということにして、すこしなりゆき

を見まもろう。／这件事就作为我们正在研究过程中处理，我们再看一段它的发展吧。
（3）敵の攻撃に対する防御の時間をかせぐために、大統領はすこぶる健康だということにしておくべきだ。／为了对付敌人进攻，争取防御的时间，我们应该对外宣布总统身体很好。
（4）出張に行った（という）ことにして出張費を着服したり不正流用することを、俗に「カラ出張」と言う。／没去出差算作出差，将出差费用私吞或不正当使用，一般把这种行为叫作"出空差"。

接短句，表示将某事按照与事实相反的情况处理的意思。接名词时，如例（2）使用"N（だ）ということにする"的形式。接动词时，如例（1）、（4）所示，接动词的夕形。这时有无"という"均可。与之意思相同的"こととする"，则显得更加郑重，且为书面语。与"ことになる"的比较，请参照【ことになる】1。

【ことになっている】
规定着。按规定。
[Nということになっている]
[V-る（という）ことになっている]
[V-ない（という）ことになっている]
（1）やすむときは学校に連絡しなければならないことになっている。／学校规定，请假不上学时必须事先与学校取得联系。
（2）乗車券をなくした場合は最長区間の料金をいただくことになっているんですが。／按规定，丢失车票时要按最远距离票价补票。
（3）規則では、不正をおこなった場合は失格ということになっている。／按照纪律要求，在发现不正当行为时就取消资格。
（4）駐車場内での盗難や事故については、駐車場側は関知しないことになっております。／按规定，在停车场内发生的偷盗事件或事故，与停车场管理方面无关。
（5）パーティーに参加する人は、6時に駅で待ち合わせることになっている。／定好了，参加宴会的人6点钟在车站集合。
（6）夏休みのあいだ、畑の水やりは子供たちがすることになっている。／商量好了，暑假期间地里浇水的事情由孩子们负责。

表示约定、日常生活中的规定、法律、纪律以及一些惯例等约束人们生活行为的各种规定。即可将其视为"…ことになる"所表示的结论、结果的持续存在。

【ことになる】
1 …ことになる〈決定〉　决定。

160　ことには

[Nということになる]
[V-る（という）ことになる]
[V-ない（という）ことになる]

（1）　こんど大阪支社に行くことになりました。／决定了我这次调到大阪分公司。

（2）　ふたりでよく話し合った結果、やはり離婚するのが一番いいということになりました。／两个人反复商量的结果，决定还是离婚最好。

（3）　よく話し合った結果、やはり離婚ということになりました。／反复商量的结果，还是决定离婚了。

（4）　亡くなった山田さんは形式ばったことがきらいな人だったから、葬式などはしないことになりそうだな。／去世的山田先生生前最讨厌走形式的东西了，所以估计会取消葬礼的。

（5）　この問題は、細部については両政府の次官級協議にゆだねられることになった。／关于问题的细节，决定委托两国政府的副部长之间进行协商。

表示就将来的某种行为做出某种决定，达成某种共识，得出某种结果。另外一个句型"…ことにする"主要表现的是明确由某人做出了决定或下了决心，而这里的"ことになる"在这一点上则不明确，带有该结果，决定是自然而然，不知不觉过程中，自发形成的含意。如例（1）、

（2）、（4）所示，在实际例句中多使用"ことになった"的タ形。与之意思相同的"こととなる"则显得更加郑重，书面性语气更浓。

2 …ことになる＜换言之＞　也就是说，就是。

[Nということになる]
[V-る（という）ことになる]
[V-ない（という）ことになる]

（1）　4年も留学するの？じゃあ、あの会社には就職しないことになるの？／你要留学4年？那就是说你不去那家公司工作了？

（2）　りえさんはわたしの母の妹のこどもだから、わたしとりえさんはいとこどうしということになる。／理惠是我母亲妹妹的孩子，也就是说我和理惠是表兄妹关系。

（3）　これまで10年前と4年前に開いているので、これで日本での開催は3回目ということになる。／在过去10年前和4年前分别在日本举行过，这次再举行就是第3次在日本举行了。

用于换一种说法或换一个角度来指出事情的本质。

【ことには】

1　V-ることには　据…说。
（1）　その子供たちの言うことには、彼らの両親はもう二日も帰ってきていないらしい。／

(2) 学生たちの言うことには、ことしは就職が予想以上にきびしいらしい。／据学生们讲，今年找工作要比预想的严峻得多。
(3) 先生のおっしゃることには、最近の学生は言われたことしかしないそうだ。／据老师说，现在的学生只做老师给规定好了的事情。
(4) たぬきさんの言うことにゃ、きつねさんがかぜをひいたそうじゃ。／听狸猫说，狐狸感冒了。

据孩子们说，他们的父母已经有两天没有回来了。

多接"言う(说)"或表示类似意思的动词词典形的后面。用以指出被引用说话内容的说话者。如例(1)等于是说"その子供たちが、両親がもう二日も帰ってきていないと言っている(孩子们说，父母已经有两天没有回来了)"的意思。比较陈旧。是书面语。特别是像例(4)，用作"ことにゃ"，一般见于童话故事等。

2 V-ないことには 如果不…、要是不…。

(1) 先生が来ないことにはクラスははじまらない。／老师不来就没法开始上课。
(2) いい辞書を手にいれないことには外国語の勉強はうまくいかない。／如果搞不到好辞典就学不好外语。
(3) あなたがこころよく見おくってくれないことには、私としても気持ちよく出発できないよ。／你要是不高高兴兴地送我，我也不能心情舒畅地出发。
(4) とにかくこの予算案が国会で承認されないことには、景気回復のための次のてだてを講ずることは不可能だ。／总之，如果这一预算草案不能得到国会的承认，就不可能采取促进经济复苏的下一个手段。

以"Xないことにはヤない"的形式，表示"如果不实现X，也就不能实现Y"的意思。即X是Y能成立的必要条件。可以与"なければ"、"なくては"替换。

【ことは…が】

…是…但…。

[Na なことはNa だが]
[A ことはAが]
[V ことはVが]

(1) 読んだことは読んだが、ぜんぜん分からなかった。／读是读过了，可是根本就没读懂。
(2) あの映画、おもしろいことはおもしろいけど、もう一度金をはらって見たいとは思わないね。／那部电影是挺有意思的，但是我也不想花钱再看一遍了。
(3) おいしかったことはおいしかったけどね、でも高すぎるよ。／好吃是好吃，但就是太贵了。

（4） どうしてもやれと言うなら、いちおうやってみることは(やって)みるけど、うまく行かないと思うよ。／你要是说非做不可，我也可以做一次，但肯定做不好。

（5） A：ひさしぶり。元気だった？／好久不见了。你身体好吗？

B：元気なことは元気なんだけどねえ。なにかもうひとつ満たされない気分なんだなあ。／身体倒是挺好的。但就是总觉得有什么不如意似的。

用于同一词句的反复。表示一种让步，用以表示可以承认某事，但是并不能积极肯定。如例（1）、（4）。使用动词时，表示尽管做(做了)这一动作，但结果并不理想。此时多与"てみる"一起使用。如例（2）、（3）、（5）。使用名词或形容词时，则表示"尽管我不否认这一点，但…"的意思。比如例（2）就等于是说"おもしろくない（という）わけではないが（尽管我不是说它没有意思，但）"。在表述过去的事情时，如例（1）所示，可以两个词语都使用タ形，也可以只有第2个词语才使用タ形。

（例） 読むことは読んだが、ぜんぜん分からなかった。／读是读过了，可是根本就没读懂。

【ことはない】

用不着、不要。

[V-ることはない]

（1） 心配することはないよ。ぼくもてつだうからがんばろう。／用不着耽心。我也会帮你的，加把油干吧。

（2） こまったことがあったらいつでも私に言ってね。ひとりでなやむことはないのよ。／有什么困难随时都可以跟我提出来，不要一个人在那儿自寻烦恼。

（3） そのことでは彼にも責任があるんだから、君だけが責任をとることはないよ。／这件事他也有责任，不要只你一个人承担责任。

表示就某一行为，没有那个必要或不必那样的意思。用于鼓励或劝解别人时。

【ことはならない】

不能、不允许。

[Vことはならない]

（1） だめだ。あんな男と結婚することはならない。おまえはだまされているんだ。おとうさんはぜったいにゆるさない。／不行，你不能和这样的男人结婚。你是受骗了，爸爸决不会允许。

（2） 戦前は、天皇の写真でさえ顔を上げて見ることはならないとされていた。／战前，就连天皇的照片都不能抬头正脸去看。

（3） こどものころ、本や新聞をまたぐことはならぬとよく

おじいさんにしかられたものだ。／小时候，我爷爷管我，决不允许我从书或报纸上面跨过去。

有禁止或不允许的意思。如例（3）所示，也可以有"ならぬ"的形式。是较陈旧的说法。

【このたび】
这次。
（1）この度はご結婚おめでとうございます。／对您此番成婚表示祝贺。
（2）《あいさつ》この度、転勤することになりました。／《通知》这次我调动工作了。
（3）この度、会長に選ばれました佐々木でございます。どうぞよろしくお願いいたします。／我是这次被选为会长的佐佐木，请多多关照。

表示"这次"的意思，是一种较郑重的习惯用语。

【このぶんでは】
→【ぶん】3

【こむ】
（表示装入、进入、持续地…等义）。
[R－こむ]
（1）ここに名前を書きこんでください。／请在这儿填上你的名字。
（2）かばんに本をつめこんで旅にでかけた。／把书包里塞上书就上路旅行了。
（3）トラックに荷物を積みこむのを手伝った。／我帮他们把行李装上了卡车。
（4）その客は家にあがりこんで、もう5時間も帰らない。／那个客人进家来呆了5个多小时了还不走。
（5）日本の社会に溶け込むことと自分の文化を見うしなわないこととは両立するのだろうか。／溶入日本社会和保持自己本国文化，这两点可以同时并存吗？
（6）人の部屋に勝手に入り込まないでくれ。／不要随便进人家屋里来。
（7）友達と話し込んでいたらいつのまにか朝になっていた。／和朋友谈话忘记了时间，不知不觉就到了第二天早上。
（8）サルに芸を教え込むことと子供を教育することとの違いが分かっていない教師がいる。／有的教师甚至分不清教会猴子耍把戏和教育孩子有什么不同。
（9）部屋の片隅に座り込んで、じっと考え事をしている。／他呆呆地坐在房间角落里在想心事。

组成带有装入、填入等意义的他动词（如例（1）～（3））。或组成带有进入意义的自动词（如例（4）～（6））。还可以用于组成带有"深入地／持续地做…"意义

的动词(如例(7)～(9))等。

【ごらん】
看、瞧、试试看。

(1) どうぞ、ご自由にごらんください。／请随便参观。
(2) ごらん(なさい)、つばめがやってきた。／你瞧，燕子飞来了。
(3) ひとりでやってごらん。ここで見ててあげるから。／你自己做做试试看，我在这儿给你看着呢。
(4) こどもはいくらかな。駅員さんに聞いてきてごらん。／你去问问车站服务员，小孩票要多少钱。

是"見る(看)"的敬语。例(1)中的"ごらんください"是"見てください(请看)"的敬语形式。例(2)是作为"見なさい(你瞧)"较文雅的说法("ごらん"是"ごらんなさい"的省略形式)。例(3)、(4)的"てごらん"是"てみなさい(做做试试看)"的文雅形式。但应该注意的是，尽管如例(2)、(3)、(4)都可以说是较文雅的表达方式，但其仍有"…しなさい(表示轻度命令)"的意思，所以不能对身分、地位高于自己的人使用。

【これだと】
照这样、现在这种状况。

(1) これだと、ちょっと困るんですけど。／要是这样的话不太好办啊。
(2) これだと、まだ解決には遠いようですね。／现在这个样，离最后解决还差得远呢。
(3) これだと、人には薦められません。／要是这个，我没法向人家推荐。
(4) これだと、目的地に到着するまでまだ2～3時間かかりそうだ。／照这个速度，到达目的地还得要2～3个小时。

与"これでは"意思相同。
→【これでは】

【これでは】
照这样、现在这种状况。

(1) これでは、生活していけません。／照这样没法生活下去。
(2) これでは、問題の解決になっていない。／现在这个样，问题还没有解决。
(3) 君の作文は誤字が多すぎる。これでは、試験にパスしないだろう。／你的作文错别字太多。照这样考试是通不过的。
(4) 高速道路の渋滞がひどい。これでは目的地に到着するまで、2～3時間はかかりそうだ。／高速公路上车堵得太厉害。照这个速度，到达目的地还得要2～3个小时。

表示"照现在这种状况／现在这个条件"的意思。后面多伴有不好的判断或预测。

【さあ】

1 さあ （表示催促或劝诱时的声音）。

(1) さあ、いこう。／来，咱们走吧。
(2) さあ、いそいで、いそいで。／来，快点儿，快点儿。
(3) さあ、がんばるぞ。／啊，我要加油啦。
(4) さあ、春だ。／啊，春天来啦。
(5) さあ、ごはんができたぞ。／来啊，饭好啦。

用于催促或劝诱对方时。例(3)表示自己鼓励自己。例(4)、(5)虽然不像例(1)、(2)、(3)表面上含有"うながし(催促)"、"さそい(劝诱)"、"はげまし(鼓励)"等功能，但也可以说成"さあ、春だ。がんばるぞ(啊，春天来啦。我要加油啦。)"、"さあ、ごはんができたぞ。食べよう／食べなさい(来啊，饭好啦。吃饭吧／吃饭啦)"。上述例句，除例(3)以外，如果语境明显，都可以只用"さあ"就能表达。

2 さあ （表示不明情况、迟疑时的声音）。

(1) A：あの人、だれ？／那人是谁啊？
    B：さあ(、知りません)。／啊(，我不知道)。
(2) A：これから、どうする？／下边咱们怎么办啊？
    B：さあ、どうしようかな。／哎呀，怎么办呢。

用于听到别人提问或遇到某种情况时，不知道情况(如例(1))或不知怎样回答是好(如例(2))的场合。特别是如例(1)的场合，即不知道情况时，只有和自己关系非常密切的人，才能单独使用"さあ"。

【さい】

时候、时机。
[Nのさい(に)]
[Vさい(に)]

(1) お降りのさいは、お忘れ物のないよう、お気をつけください。／下车的时候，请不要把东西忘在车上。
(2) 先日京都へ行った際、小学校のときの同級生をたずねた。／前不久去京都时，我去拜访了我一个小学同学。
(3) このさい、おもいきって家族みんなでスペインにひっこさない？／还不趁此机会干脆全家搬到西班牙去不好吗？
(4) 国際会議を本県で開催される際には、次回はぜひとも我が市の施設をお使いくださるよう、市長としてお願い申し上げます。／我作为市长郑重请求，如果下次再有机会在本县举行国际会议，请务必要使用我们市的设施。

多数可与"とき(时、时候)"替换。与"とき"不同的是，(a)比"とき"语气显得拘谨。(b)同时带有机会、契机等意思。(c)很少接否定形后。另外如例(3)中的"このさい"，是一种以某事为契机而下决心的惯用表达方式，不能与"とき"替换。

【さいご】
→【がさいご】

【さいちゅう】
正在…。
[Nのさいちゅう]
[V-ているさいちゅう]
（1）大事な電話の最中に、急におなかが痛くなってきた。／正在接一个重要电话时，突然肚子疼起来了。
（2）きのうの断水のとき私はちょうどシャワーの最中でした。／昨天停水的时候，我正在洗淋浴呢。
（3）授業をしている最中に非常ベルが鳴りだした。／正在上课时，警报铃响了。
（4）その件は私たちの方で今話し合っている最中だから、最終結論を出すのはもうちょっと待ってくれないか。／关于这件事我们正在讨论，请再等一等我们就会拿出最后结论。

表示某一行为或现象正在进行过程中的意思。如例（1）～（3）所示。多用于表示在这一时刻突然发生了什么的场合。

【さえ】
1 さえ 连、甚至。
[N（＋助词）さえ（も）]
[疑问词…かさえ（も）]

（1）あのころは授業料どころか家賃さえはらえないほどまずしかった。／那时候我们穷得别说交学费了，就连房租都付不起啊。
（2）この本はわたしにはむずかしすぎます。何について書いてあるのかさえわかりません。／这本书对我来说太难了，我甚至连它写的是关于哪方面的内容都看不懂。
（3）そんなことは小学生でさえ知ってるよ。／这种事连小学生都明白。
（4）本人にさえわからないものを、どうしてあの人にわかるはずがあるんだ。／连人家本人都不知道的事，他怎么会知道呢。
（5）その小説はあまりにもおもしろくて、食事の時間さえもったいないと思ったほどだった。／那本小说太有意思了，我甚至连吃饭的时间都觉得可惜(连吃饭的时间都放不下)。
（6）A：ぼくたち、いつ結婚するんだ。／咱们什么时间结婚啊？
B：なに言ってるの。するかどうかさえ、私はまだ決めてないのよ。／你说什么呢。连结不结我还都没考虑好呢。

用以表述按常规理所当然的事都不能，就不要说其他的事情，就更不行了。接主格后时多用"でさえ"的形式。可以与"…も"替换。

2 …さえ …たら／…ば 只要…(就…)。

[Nさえ …たら／…ば]
[R-さえ したら／すれば]
[V-でさえ …たら／…ば]
[疑问词…かさえ …たら／…ば]

（1）あなたさえそばにいてくだされば、ほかにはなにもいりません。／只要有你在我身边，别的我什么也不需要。

（2）あなたがそばにいてさえくだされば、ほかにはなにもいりません。／只要有你在我身边，别的我什么也不需要。

（3）あなたがそばにいてくださりさえすれば、ほかにはなにもいりません。／只要有你在我身边，别的我什么也不需要。

（4）今度の試験で何が出るのかさえわかったらなあ。／哪怕只要能知道这次考试出什么题也好啊。

表示只要某事能实现就足够了，其余的都是小问题，没必要，没关系的心情。

3 ただでさえ →【ただでさえ】

【さしあげる】
→【てさしあげる】

【さしつかえない】
可以，没关系，无妨。

（1）さしつかえ（が）なければ、今夜ご自宅にお電話しますが…。／如果可以的话，我今天晚上想给您家里打个电话…。

（2）これ、来週までお借りしてほんとうにさしつかえありませんか。／这个，我下星期再还给你，真的没关系吗？

（3）わたしがおおくりしてさしつかえないのなら、山田先生はわたしの車でおつれしますが。／如果可以让我送的话，我就用我的车子送山田先生。

表示"没有妨碍"、"没关系"的意思。如例（2）、（3）所示，也可以用作"て（も）さしつかえない"的形式。例（1）的用法，中间可以加入助词"が"，但例（2）、（3）的用法就不能加。

【さすが】

1 さすが 到底是，果然名不虚传。

（1）これ、山田さんがつくったの？うまいねえ。さすが（は）プロだねえ。／这是山田做的吗？真棒。到底是专业的啊。

（2）さずが（は）山田さんだねえ。うまいねえ。／到底是山田。做的真棒。

（3）これ山田さんがつくったの？さすがだねえ。／这是山田做的吗？名不虚传啊。

（4） さすが(は)世界チャンピオン、その新人の対戦相手を問題にせずしりぞけた。／到底是世界冠军，没费吹灰之力就把那个新手给打败了。

多用于句首。有如例（1）、（2）、（4）那样的"さすが(は)Nだ"的形式，也有如例（3）那样的"さすがだ"的形式。用于表示某事的结果果然符合说话人所了解的知识或者他所持有的社会观念。意思与"やはり(还是)"相近，但"さすが"只能用于褒义。

2 さすがに　虽然…(也还是…)、别看…(还是…)。

（1） 沖縄でもさすがに冬の夜はさむいね。／虽说是冲绳，冬天的夜晚也还是挺冷啊。
（2） いつもはおちついている山田さんだが、はじめてテレビに出たときはさすがに緊張したそうだ。／别看山田平时都很镇静，据说第一次上电视时，也还是有些紧张了。
（3） 世界チャンピオンもさすがに風には勝てず、いいところなくやぶれた。／别看是世界冠军，终归也对付不了风，结果一败涂地。
（4） 最近調子を落としている山田選手だが、このレベルの相手とさすがにあぶなげなく勝った。／别看最近山田队竞技状态不太好，可是像这么个水平的对手，他到底还是轻而易举地就取胜了。

（5） ふだんはそうぞうしいこどもたちも今夜ばかりはさすがにお通夜のふんいきにのまれているようだ。／别看平时吵吵闹闹的孩子们，今天也好像被守夜的气氛给镇住了。

用于表示受到某种评价的人或事物，在某种特定的情况之下，表现出与评价不符的情况。如例（1），其意思是，在日本一般都认为冲绳是一个很暖和的地方，可是在冬天的夜晚这样一种情况下，其实也不尽然。既可用于褒义，也可用于贬义。

3 さすが(に)…だけあって　到底不愧是…、到底没白…。

[Nだけあって]
[Na なだけあって]
[A-いだけあって]
[Vだけあって]

（1） さすがプロだけあって、アマチュア選手を問題にせず勝った。／到底不愧是专业运动员，不费吹灰之力就把业余运动员给赢了。
（2） さすがに熱心なだけあって、山田さんのテニスはたいしたもんだ。／真是没白上心，山田的网球打得还真不错。
（3） さすがからだが大きいだけあって、山田さんは力があるねえ。／到底是块头大，山田还真有劲儿。
（4） 山田さんは、さすがによく勉強しているだけあって、この

させる 169

前のテストでもいい成績だった。/山田到底没白努力，上次的考试就取得了好成绩。
（5）彼女は、さすがに10年も組合活動をしているだけあって、なにごとも民主的に考えることのできる人だ。/她到底是搞了10年工会活动的老工会了．遇着什么事都能按民主的方式来考虑。

用于表示某事的结果果然符合说话人所了解的知识或者他所持有的社会观念。意思与"やはり（还是）"相近．但"さすがに…だけあって"只能用于褒义。

4 さすがに…だけのことはある 到底不愧是…、到底没白…。
[Nだけのことはある]
[Na なだけのことはある]
[A-いだけのことはある]
[Vだけのことはある]
（1）アマチュア選手が相手なら問題にしないね。さすがにプロだけのことはあるよ。/对付业余运动员根本不成问题啊。到底不愧是专业运动员。

用于就某事的结果或状态．用说话人所掌握的知识或持有的社会观念来对其原因或理由进行判断。意思与"やはり（还是）"相近．但"さすがに…だけのことはある"只能用于褒义。还可以与上面的"さすがに…だけあって"组合．说成"さすがに…だけのことはあって"。

5 さすがのNも　就连…（也…）。
（1）さすがの世界チャンピオンもケガには勝てなかった。/就连世界冠军也没能战胜身体的伤痛。
（2）さすがの山田さんも、はじめてテレビに出たときは緊張したそうだ。/据说就连山田第一次上电视时也有些紧张呢。
（3）さすがの機動隊も、ひとびとのからだをはった抵抗にたいしては、それ以上まえにすすむことができなかった。/面对人们不畏强暴的抵抗．就连防暴警察部队也没能再前进一步。
（4）私は小さいころよくいじめられるこどもだった。しかし、さすがのよわむしもおとうとやいもうとがいじめられているときだけは相手にとびかかっていったそうだ。/我小时候是个经常受别人欺负的孩子。但据说就是我这么个胆小鬼．在看到弟弟、妹妹被人家欺负的时候也勇敢地冲上去保护他们了呢。

用于表示受到某种评价的人或事物．在某种特定的情况之下．表现出与评价不符的情况。基本与作为副词使用的"さすが"意思相同。

【させる】

表示使役。"V－させる"中的V为五段活用动词时．如"行く→行かせる"、"飲む→飲ませる"所示．将该动词的词典形末尾的假名变为ア段再加"せる"。一段活用动词时．如"食べる→食べさせる"所

示. 在其词干"食べ"后加"させる"。"する"变为"させる"、"来る"变为"こさせる"。在口语中,也可以使用"行かす"、"飲ます"、"食べさす"等形式。

　　使役句的基本意义是,按照某人的命令或指示,另一个人去行动。但在实际的语言运用当中,可以用于表示"强制命令"、"指示"、"放任"、"允许"等,即比一般意义的使役要宽泛得多。

(例1) ＜强制命令＞犯人は銀行員に現金を用意させた。/凶犯勒令银行职员准备出现金。

(例2) ＜指示＞社長は秘書にタイプを打たせた。/总经理叫秘书打字。

(例3) ＜放任＞疲れているようだったので、そのまま眠らせておいた。/他好像很累,就让他那么睡了。

(例4) ＜允许＞社長は給料を前借りさせてくれた。/总经理允许我预支了工资。

(例5) ＜放置不管＞風呂の水をあふれさせるな。/别让澡盆里的水溢出来。

(例6) ＜照看＞子供にミルクを飲ませる時間です。/是该给孩子喂奶的时间了。

(例7) ＜自责＞子どもを事故で死なせてしまった。/(由于我不慎)在交通事故中死了孩子。

(例8) ＜原因＞フロンガスが地球を温暖化させている。/是臭氧在使地球变暖。

1 V－させる

a NがNにNをV－させる　叫、令、让。

(1) 教師が学生に本を読ませた。/老师叫学生朗读了课本。

(2) 犯人は銀行員に現金を用意させた。/凶犯勒令银行职员准备出现金。

(3) A：機械がまた故障なんですが…。/机器又出故障了。

　　B：申し訳ありません。すぐに係りの者を伺わせます。/对不起。我让修理人员马上就去。

(4) 山田はひどい奴だ。旅行中ずっと僕に運転させて、自分は寝てるんだよ。/山田这家伙真差劲。旅行中一直让我开车,他自己睡大觉。

　　表示强制命令、指示、放任等各种意思。是将使用他动词的主动句式"NがNをV(他动词)"改变为使役句式"NがNにNをV－させる"。这时他动词主动句式中的主语"Nが"变为"Nに"。

b NがN を／に V－させる　叫、令、让。

(1) 子どもを買い物に行かせた。/让孩子去买东西去了。

(2) 社長は、まず山田をソファーにかけさせて、しばらく世間話をしてから退職の話を切りだした。/总经理先让山田坐在沙发上,闲聊了一会儿,然后才开始谈退休的事。

(3) 最近は小学生を塾に通わせる親が多い。/最近有许多家

(4) 大きな契約だから、新入社員に行かせるのは心配だ。／这是一个大买卖，所以让新来的职员去，我有点不放心。

表示强制命令、指示、放任等各种意思。是将使用自动词的主动句式"NがV（自动词）"改变为使役句式"NがNを/にV-させる"。这时自动词主动句式中的主语"Nが"多变为"Nを"，但也可以变为"Nに"。

c NがNをV-させる＜人＞（表示使人…，把…弄成…的意思）。
(1) 彼は、いつも冗談を言ってみんなを笑わせる。／他总讲笑话逗大家笑。
(2) 就職試験を受けなかったために、父をすっかり怒らせてしまった。／由于没有去参加就职考试，把父亲彻底给惹火了。
(3) 私は子供の頃は乱暴で、近所の子をよく泣かせていた。／我小的时候很粗野，经常把街坊孩子给弄哭了。
(4) 二年も続けて落第して母をがっかりさせた。／连续两年都高考落榜，使母亲很失望。
(5) 厳しくしつけすぎて、息子をすっかりいじけさせてしまった。／由于管教太严，使得我儿子没有了一点闯劲儿。
(6) 子どもを交通事故で死なせてからというもの、毎日が失意のどん底であった。／自从在交通事故中死了孩子以后，每天每天没有一点兴致。

表示"某人促使…"、"某人是…的原因"等意思。是使用"泣く（哭）・笑う（笑）・怒る（发火）"等表示自己难以控制的动作的自动词的使役句。这时主动句"Nが V（自动词）"中的主语"Nが"在使役句中变为"Nを"。例(5)所表示的虽不是某人有意要怎样，或是成为这事的原因，但含有本来自己应该是起到一种保护的作用，却反倒造成了这样一种结果，有说话人自责的心情在里面。

d NがNをV-させる＜物＞（表示某事物使…成为…的意思）。
(1) シャーベットは、果汁を凍らせて作ります。／冰霜要用果汁冻成。
(2) 打撲の痛みには、タオルを水で湿らせて冷やすとよい。／跌打伤最好用凉水浸湿的毛巾冷敷。
(3) 貿易の不均衡が日米関係を悪化させている。／贸易不平衡使日美关系恶化。
(4) 金融不安が、日本の経済状態を悪化させる原因となっている。／金融不稳定是使日本经济状态恶化的原因。
(5) 子供達は目を輝かせて話に聞き入っている。／孩子们睁着大眼睛聚精会神地听着故事。
(6) 猫は目を光らせて暗闇に潜んでいる。／那只猫，两眼放光，隐匿蹲在黑暗中。

表示"某物促使…"、"某物是…的原因"等意思。如"凍る(冻冰)"、"湿る(湿)"等无对应他动词的自动词,将其变为使役态后,可具备与他动词相同的用法。例(5)、(6)中的"目を輝かせる／光らせる"属于一种惯用句用法。

2 V-させてあげる＜允許＞ （表示允许)让。

（1）そんなにこの仕事がやりたいのなら、やらせてあげましょう。／既然他那么想做这项工作,那就让他做吧。

（2）従業員たちもずいぶんよく働いてくれた。2、3日休みをとらせてやってはどうだろう。／这一段工人们干得非常卖劲儿。放他们两三天假吧。

（3）きのうの晩、ずいぶん遅くまで勉強をしていたようだから、もう少し休ませてあげましょう。／昨天晚上他学习到很晚,再让他多睡一会儿吧。

使役表达方式与"あげる"、"やる"等组合在一起,表示允许或放任的意思。

3 V-させておく＜放任＞ （表示放任)随、让。

（1）甘えて泣いているだけだから、そのまま泣かせておきなさい。／他哭是在撒娇,别管他,随他哭去吧。

（2）注意したってどうせ人の言うことなんか聞こうとしないんだ。勝手に好きなことをさせておけばいいさ。／你提醒他他也不会听你的。所以最好让他爱怎么着就怎么着吧。

（3）夕方になると急に冷え込みますから、あんまり遅くまで遊ばせておいてはいけませんよ。／傍晚会突然冷起来的,所以不要让他们玩儿得太晚啊。

使役表达方式与"おく"组合,表示放任的意思。

4 V-させてください＜请求允許＞ 请允许、让我来…。

（1）申し訳ありませんが、今日は少し早く帰らせてください。／对不起,今天请允许我早一点回去。

（2）A：だれか、この仕事を引き受けてくれませんか。／谁来做这项工作啊?
　　B：ぜひ、私にやらせてください。／我来做(请务必允许我来做)。

（3）A：私が御馳走しますよ。／我请客。
　　B：いや、いつも御馳走になってばかりですので、ここは、私に払わせてください。／不行,每次都是你请客,今天让我来做东吧。

（4）少し考えさせていただけますか。／能允许我考虑一下,好吗?

（5）期日については、こちらで決めさせていただけるとありがたいのですが…。／关于期限问题，最好能由我们来决定…。

使役表达方式与"ください"、"いただけますか"等表示请求的表达方式组合，表示请求允许的意思。也可如例（3）所示，作为一种很有礼貌的提议使用。

5 V-させて もらう／くれる＜接受恩惠＞（表示接受恩惠、恩准的意思）。

（1）両親が早く亡くなったので、姉が働いて私を大学に行かせてくれた。／由于父母早逝，是我姐姐工作挣钱供我上的大学。

（2）金婚式のお祝いに、子ども達にハワイに行かせてもらった。／为祝贺我们金婚，孩子们送我们去夏威夷旅行了。

（3）《結婚式のスピーチ》新婦の友人を代表して、一言ご挨拶させていただきます。／《在婚礼上的讲话》请允许我代表新娘的朋友讲几句话。

（4）《パーティーで》では、僭越ではございますが、乾杯の音頭をとらせていただきます。／《在宴会上》那么就恕我冒昧，请允许我来提议干杯。

使役表达方式与"もらう"、"くれる"等组合，表示由于对方的允许、放任使自己得到恩惠的意思。例（3）、（4）的用法是放在致词前的一种习惯表达方式，含有能让自己这样做感到非常荣幸的谦恭之意。

6 V-させられる＜使役被动＞（表示被迫）。
[NがNにVさせられる]

（1）きのうは、お母さんに3時間も勉強させられた。／昨天在妈妈的逼迫（监督）下，我学了3个多小时。

（2）先輩に無理に酒を飲まされた。／被前辈们灌了不少酒。

（3）この歳になって、海外に転勤させられるとは思ってもみなかった。／没想到，这么大年纪了还被调到海外去工作。

（4）山下さんは、毎日遅くまで残業させられているらしい。／山下好像每天都不得不加班到很晚。

（5）きのうのサッカーの試合は、逆転につぐ逆転で最後までハラハラさせられた。／昨天的足球赛，比分交错上升，看到最后都叫人捏一把汗。

是将"XがYにV-させる"的使役句，从Y的角度变成的被动句，便成为"YがXにV-させられる"的句式。用于表示被X强迫而做某动作的意思，含有Y感到"受害"、"不情愿"的心情。由"行く（去）"、"読む（读）"等五段活用动词变成的"行かせられる"、"読ませられる"，多可以说成"行かされる"、"読まされる"。

【さぞ…ことだろう】
→【ことだろう】

【さっぱり】

1 さっぱり…ない 一点儿也(不…)。

（1）あの人の話はいつもむずかしいことばがたくさんでてきてさっぱりわからない。／那人讲话老蹦出很多生涩难懂的词，一点儿也听不懂。

（2）最近山田さんからさっぱり連絡がないね。／最近山田没有丝毫音信。

（3）辞書をいくら使ってもこの本はさっぱり理解できない。／不管怎么翻字典也还是一点儿都看不懂这本书。

（4）これだけ努力しているのにさっぱり上達しないのは、これは私のせいではなく、日本語そのもののせいなのではないだろうか。／我这么努力还是一点长进没有，我看不是我的问题，还是日语本身有问题吧。

用于加强否定表达方式(多为动词)的语气。多含有事态发展不尽如意的意思。

2 さっぱりだ 不行、很糟糕。

（1）A：どう、調子は。／怎么样，最近？
　　　B：だめ。さっぱりだよ。／不行，简直糟透了。

（2）このごろ数学の成績がさっぱりだ。／最近数学成绩一蹶不振。

（3）暖冬の影響で冬物衣料の売れ行きがさっぱりだという。／据说因为今年冬天比较暖和，冬装的销售状况极差。

表示不好、不理想的意思。

【さて】

1 さて （表示要采取行动，或转换话题）。

（1）さて、そろそろいこうか。／那么，咱们该出发了吧。

（2）さて、つぎはどこへいこうかな。／呀，下面该去哪儿了啊。

（3）A：あの人、だれ？／那个人是谁呀？
　　　B：さて、だれだろう。／哎，那是谁来着。

（4）さて、話はかわりますが、…。／下面，换一个话题…。

当要转换话题或要采取下一步行动之前发出的声音。可用于如例(1)劝诱他人，如例(2)、(3)告诉听话人自己在考虑，如例(4)转换话题等场合。是比较郑重的表达方式。

2 さてV-てみると 一旦、果真。

（1）漢字がおもしろそうだったので日本語を勉強することにしたのだが、さてはじめてみると、これがけっこうむずかしい。／我是觉得汉字有意思才决定学习日语的，可是一旦开始学起来，没想到汉字还挺难的。

（2）頂上までいけば水ぐらいあるだろうと、むりをしてのぼっていった。ところが、さ

てついてみると何もないのである。／我想到了山顶起码能有点水吧，就拼命爬了上去。谁想一旦爬到山顶一看，什么也没有。

(3) 頂上までいけば水ぐらいあるだろうと、むりをしてのぼっていった。さてついてみると、あった、あった、そこには神社もあり水もあった。／我想到了山顶起码能有点水吧，就拼命爬了上去。结果爬上去一看，果真有，不仅有水，还有一座神社呢。

后面伴有表示某种结果的表达方式，用以表示抱着某种预想采取某种行动，进而看到其结果的意思。较之例(3)，其结果正如其预想的场合，更多的是如例(1)、(2)，其结果是自己预想之外的场合。是比较郑重的表达方式。

【さほど】

不太…、不怎么…。

[さほどNa ではない]
[さほどA－くない]
[さほどV－ない]

(1) きょうはさほどさむくない。／今天不怎么冷。
(2) きのうはさほど風がなかったので、公園でバドミントンができた。／昨天没什么风，我们在公园里打了羽毛球。
(3) さほど行かないうちにバス停が見えてきた。／没走几步路就看见了公共汽车站。

(4) その子は、熱もさほど高いわけではなかったので、朝まで待って、それから医者につれていくことにした。／那孩子烧也不太高，所以决定等到早上再带他去看医生。

与否定表达方式一起使用，表示程度不那么严重的意思。比"それほど…ない"的说法要显得拘谨。

【さも】

非常、很、仿佛。

(1) かれはさもおいしそうにビールを飲みほした。／他津津有味地把啤酒一气喝干了。
(2) 子供はさもねむそうな様子で、大きなあくびをした。／孩子显得非常困的样子打了一个大哈欠。
(3) 老人は、さもがっかりした様子で立ち去った。／老人显得非常失望的样子离去了。
(4) その子はさもうらやましそうな声で「いいなあ」と言った。／那孩子以很羡慕的口吻说了声"真不错啊"。
(5) その植木はさも本物らしく作ってあるが、よく見るとにせ物だということがわかる。／那盆花看上去仿佛像真的一样，仔细看才知道是假的。

是一种强调样子或状态的表达方式。表示"非常像…"、"仿佛…一样"的意思。常与"そうだ"、"らしい"、"ようすだ"等一起使用。

【さらに】

又、再、还有、更加。
[さらにNa／A／V]
[さらに＋数量词]

(1) 一日一回では効かないので、さらに薬の量を増やした。／因为一天吃一次不见效，所以又增加了药量。

(2) このままでも十分おいしいのだが、クリームを入れるとさらにおいしくなる。／就这么吃也挺好吃的，要是再加点儿奶油就更好吃了。

(3) さらに多くの方に利用していただけますように今月は入会金を半額にいたしております。またご家族でご入会いただきますと、さらにお得なファミリー割引がございます。／为了让更多的人参加进来，从这个月起，入会费为半价。而且，如果家属也入的话，还有更加划算的家属入会优惠。

(4) 途中の小屋まで5時間、それから頂上まではさらに2時間かかった。／到中途的山间小屋就花了5个小时，从那儿爬到山顶，又花了两个小时。

(5) さらに二人のメンバーが入って、団員は全部で18人になった。／又有两个人参加，队员总数达到了18人。

(6) 事故の全貌が明らかになるにしたがって、更に犠牲者が増える見込みである。／随着事故全貌逐步被查明，估计死亡人数还会有所增加。

表示程度还会比现在有所发展。是书面语。在较郑重的口语中也可以使用。与数量词一起使用时，表示"その上に（再加上）"的意思。可以与"もっと"替换，但"もっと"的口语性更强。而且如例（4）、（5），与数量词一起使用时，不能与"もっと"替换。

【さることながら】

→【もさることながら】

【ざるをえない】

不得不…。
[V-ざるをえない]

是将"V-ない"中的"ない"变为"ざる"而形成的。但"する"在接"ざる"时，要变为"せざるをえない"。

(1) 先生に言われたことだからやらざるをえない。／因为是老师吩咐的，所以不得不干。

(2) 先生に言われたことだからせざるをえない。／因为是老师吩咐的，所以不得不做。

(3) あんな話を信じてしまうとは、我ながらうかつだったと言わざるを得ない。／居然会相信这种事，连我自己都不得不承认太粗心大意了。

(4) これだけ国際的な非難を浴びれば、政府も計画を白紙

に戻さざるを得ないのではないか。／在国际上受到如此的谴责，恐怕政府也不得不重新来考虑这一计划吧。

表示除此以外别无选择的意思。可以与"V-するほかない"替换。多如例(1)、(2)、(4)所示，表示迫于某种压力或某种情况而违心地做某事。是书面性语言。

【されている】
→【とされている】

【し】

1 し＜并列＞
a …し　既…又…、…而且…。
(1) あの店は安いし、うまい。／这家店既便宜又好吃。
(2) このアパートは静かだし、日当りもいい。／这间公寓又安静，采光又好。
(3) 部屋にはかぎがかかっていなかったし、窓もあいていた。／房间没上锁，而且窗户也是开着的。
(4) 昨日は食欲もなかったし、少し寒気がしたのではやく寝た。／昨天既没有食欲，又发冷，所以我早早就睡了。

以"そして(而且)"的意思连接短句和短句。用于表示两个事物同时存在，或在说话人的意识中，两个事物有所关联。在表示事物时间先后顺序时，不能使用。

(误) 先週大阪へ行ったし、友だちに会った。
(正) 先週大阪へ行った。そして友だちに会った。／上星期我去了大阪，在大阪我去拜访了朋友。

b …し、それに…　…而且还…。
(1) 今日は雨だし、それに風もつよい。／今天下雨，而且还刮大风。
(2) この会社は給料もやすいし、それに休みも少ない。／这家公司工资又少，而且还老不休息。
(3) 家の修理にはお金がかかるし、それに時間もない。だから当分このままで住むつもりだ。／修理房屋要花钱，而且我也没有时间，所以我打算暂时先就这么住着。

表示"そのうえ(加之)"、"さらに(还有)"等添加的意思。

c Nも…し、Nも　又…又…、…也…、…还…。
(1) あの子は頭もいいし性格もいい。／那孩子脑瓜儿又聪明，性格又好。
(2) 新年会には山田も来たし、松本も来た。／新年会上山田来了，松本也来了。
(3) かれはタバコも吸うし、酒も飲む。／他又抽烟又喝酒。
(4) 小さな庭ですが、春になると花も咲きますし鳥も来ます。／院子虽然不大，但是到了春天，又开花，又有小鸟飞来。
(5) A：すきやきの材料は全部

買った?/日式牛肉火锅的材料都买来了吗？
B：ええ、ねぎも買ったし、肉も買ったし…。/都买了，你看，买了大葱，还买了牛肉…。

用于提示或罗列相同的事物。

2 し＜理由＞

a …し （表示因果关系）。

(1) もう遅いしこれで失礼します。/已经不早了，我告辞了。
(2) 暗くなってきたし、そろそろ帰りましょうか。/天快黑了，咱们该回去了吧。
(3) 今日はボーナスも出たし、久しぶりに外に食べに行こうか。/今天发了奖金，好久没在外面吃饭了，今天咱们到外面去吃饭吧。
(4) そこは電気もないし、ひどく不便なところだった。/那里又没有电，是一个非常不方便的地方。
(5) まだ若いんだし、あきらめずにもう一度挑戦してみてください。/你还年轻，别灰心，再试一次。

表示理由。与"ので"或"から"比较，前后的因果关系不是那么紧密，并暗含有其他理由。

b …し、…から ….又…所以…。

(1) この子はまだ10歳だし、体が弱いから留学は無理だ。/这孩子刚10岁，身体又不好，所以不能去留学。
(2) 昨日は祭日だったし、天気がよかったから、がらくた市は大勢の人でにぎわった。/昨天是个节假日，又赶上天气好，所以跳蚤市场上来了好多人，非常热闹。
(3) その道は夜は暗いし危ないから一人で歩かないようにしてください。/那条道儿晚上特黑，而且又危险，所以最好不要一个人走。
(4) 風邪気味だし、それに着て行く服もないからパーティーには行かない。/有点儿感冒，又没有合适的衣服穿，所以我不去参加宴会了。

用于列举两个以上理由时。

c Nは…し、Nは…しで 又…又…（因此…）。

(1) 子供は生まれるし、金はないしで大変だ。/要生孩子，又没有钱，真够困难的。
(2) 雨は降るし、駅は遠いしで本当につかれました。/天又下雨，车站又远，真给累坏了。
(3) 遊園地では待ち時間は長いし、子供は寝てしまうしで散々でした。/在游乐园，排队等的时间又长，孩子又睡着了，真是狼狈极了。

把每个原因都以"は"的形式提出，表示强调。后面多为表示因此吃了很大苦头，或受了很大累的表达方式。

d Nじゃあるまいし 又不是…。

（1）子供じゃあるまいしそんなこと一人でやりなさい。／你又不是小孩子，这点儿事情，自己做。
（2）学生じゃあるまいし取引先にちゃんと挨拶ぐらいできなくては困る。／你又不是学生，连规规矩矩和客户打个招呼都不会，这怎么行呢。
（3）泥棒じゃあるまいし、裏口からこっそり入って来ないでよ。／又不是小偷，别那么偷偷摸摸地从后门进来。

表示"不是…所以…"的意思。后面多为"要…"、"不要…"等，表示轻微的责难或告诫的表达方式。如例（1）的意思就是"子供なら仕方がないが、そうじゃないのだから／要是小孩子，那没办法，你又不是小孩子，所以…"。

【しいしい】

一边…一边…。
（1）女は遠慮しいしい部屋の片隅に座った。／那女人客客气气地坐在了房间的角落里。
（2）男は大きなハンカチで汗をふきふき坂を登ってきた。／那男人一边用一块大手绢擦着汗，一边爬上坡来。
（3）子供たちはもらったばかりのあめをなめなめ老人についていった。／孩子们一边舔着刚得到的糖果，一边跟在老人后面走去。

如"食べ食べ"、"飲み飲み"所示，将动词连用形反复使用，表示反复做一个动作的意思。"する"、"みる"等，连用形为"し"、"み"即单音节时，后加"い"成为"しいしい"、"みいみい"的形式。以"しいしい…する"的形式，用以表示同时还在做另一个动作。是较陈旧的表达方式，现代口语中多用"ながら"。

【しか】

1 しか…ない

a N（＋助词）しか…ない　只、只有。
（1）朝はコーヒーしか飲まない。／早上只喝咖啡。
（2）1時間しか待てません。／只能等1个小时。
（3）月曜しか空いている日はないんで、打ち合せはその日にしてもらえませんか。／我只有星期一有空，所以咱们碰头的时间能不能定在这一天啊？
（4）こんなことは友だちにしか話せません。／这种事情只能对朋友说。
（5）この映画は18歳からしか見ることはできない。／这部电影，只有18岁以上的成人才能看。
（6）あそこの店は6時までしかやっていない。／那家商店只营业到6点。
（7）かれは自然のものだけしか食べない。／他只吃自然生长的食品。

(8) 今月はもうこれだけしかない。／这个月就只有这一点了。

与否定表达方式一起使用，用以提示一件事物而排斥其他事物。

如例(7)、(8)所示，与"だけ"同时使用时，语气显得更强。

b Nでしかない 不过是、只不过是。
(1) どんなに社会的な地位のある人でも死ぬときはひとりの人間でしかない。／无论社会地位多高的人，到死的时候也只不过就是一个普通的人。
(2) かれは学長にまでなったが、親の目から見るといつまでも子どもでしかないようだ。／别看他都当了大学校长，在父母的眼里，到任何时候都只不过是一个孩子。
(3) 会社でいばってはいるが、家では子どもに相手にされないさびしい父親でしかない。／别看在公司挺威风，可回到家里，连孩子都不愿意理他，不过是一个非常寂寞的父亲而已。
(4) 時間がなくて出来ないと言っているが、そんなのは口実でしかない。ほんとうはやりたくないのだろう。／说是没有时间做不了，这只不过是一个借口，其实他是不想干吧。

是"Nだ"的强调形式。N所表示的事物多是不值得评价或评价并不高的事物。可与"にすぎない(不过是)"替换。

c V-るしかない 只有、只好。
(1) 高すぎて買えないから、借りるしかないでしょう。／太贵了，买不起，所以只有租了。
(2) そんなに学校がいやならやめるしかない。／如果你那么不喜欢上学，那就只好退学了。
(3) 燃料がなくなったら、飛行機は落ちるしかない。／燃料烧完以后，飞机只有坠毁。
(4) ここまで来ればもう頑張ってやるしかほかに方法はありませんね。／已经到了这一地步，就只有硬着头皮干，别无选择。

表示"只有这样做"的意思，多用于别无选择，或没有其他可能性的语境。

2 …としか…ない 只能、一定是、准是。
(1) 今はただ悪かったとしか言えない。／现在我只能对您说一声对不起。
(2) 今の時点ではわからないとしか申し上げようがありません。／到现在我只能告诉您，还不清楚。
(3) 彼の立場なら知っているはずだ。隠しているとしか思えない。／处于他那种地位是应该知道这件事的，我想他一定是在隐瞒。
(4) 風邪で行けないというのは口実としか思えない。／我总

覚得他说感冒了不能去不过是一个借口。
(5) この時刻になっても連絡がないのはおかしい。どこかで事故にあったとしか考えられない。／到现在还没有联系就奇怪了。我看准是在什么地方出事了。

用于否定其他可能性，唯独强调这一点。与"言えない(不能说)"、"思えない(不能认为)"等表示可能性的"V-れる"动词的否定形一起使用。另如例(2)的"申し上げようがない(无法告诉)"所示，也可以使用"V-ようがない"的形式。

【しかし】

但是、然而、可是。

(1) 手紙を出した。しかし返事は来なかった。／信我发出去了，但是没有回音。
(2) そのニュースを聞いて皆泣いた。しかし私は涙が出なかった。／听到这一消息，大家都哭了，然而我却没有流泪。
(3) われわれ医師団は患者の命を救うために最大限の努力をいたしました。が、しかしどうしても助けることができませんでした。／我们医疗组为了挽救病人的生命竭尽了全力，但是，最终没有把他救活。
(4) A：先ほどのご意見ですが、モデルが現実とかなりずれているんじゃないでしょうか。／关于刚才那一条意见，你们的示范是不是和实际情况相差太远了呢？
B：しかしですね、個々のケースにばかりとらわれていると、全体が見えなくなってくるということもありますし。／但是我要强调的是，如果过于拘泥于每一个个别现象，往往就会看不见整体。
(5) A：社長、先方は今月末までに送金してくれと言ってますが…。／总经理，对方要我们这个月底就给他们汇款呢，…。
B：しかしだね、君、そう急に言われても困るんだよ。／可是，你这么突然地告诉我，我也没法办呢。
(6) A：ずいぶん、ひどい雨ね。／这雨下得真大啊。
B：しかしそれにしても佐藤さん、遅いね。／是啊，可是佐藤也来得太晚了。

表示后半句出现的事态与前半句预想的结果相反。是书面语表达方式。在口语中多用于讨论会、讲演等较郑重的场合。会话中则可作为提出与对方相反意见的前提。另如例(6)所示，还可以用于转换话题。

【しかしながら】

但是、然而。

（1） 彼の計画は思いつきとしてはすばらしいと思います。しかしながら、実現は不可能です。／我认为他的计划设想是不错的，但是，就是不可能实现。

（2） 彼女のしたことは法律の上では決して許されない。しかしながら、人道的には同情の余地が十分ある。／她的做法在法律上是绝不允许的，但是，从人道主义的角度去考虑还是有值得同情的一面。

与"しかし"意思相同，但书面语气更浓。用于郑重的会话或文章中。特别是常见于逻辑性推理的文章中。

【しかたがない】

1 しかたがない 没办法、只好。

（1） 電話の通じない所で、しかたがないから電報を打った。／那边不通电话，没办法只好拍了封电报。

（2） こんなことができないなんて、しかたがない人ね。／什么，连这都不会，真拿你没办法。

（3） 行きたくないけど行くしか仕方がない。／我不想去，但是又不得不去。

（4） 会えないなら引き返すよりしかたがない。／如果见不了，我们就只好回去了。

表示别无他法的意思。如例（3）、（4）"V-るしかしかたがない"、"V-るよりしかたがない"所示，也可以和动词一起使用。例（2）表示的是，"拿这人真没办法"的意思。口语中还可以说"しようがない"。

2 …てしかたがない
→【てしかたがない】

【しかも】

而且、并且。

[N／Na でしかも]
[A-くてしかも]

（1） いいアパートを見つけた。部屋が広くて、南向きでしかも駅から歩いて5分だ。／我找到公寓了。房间既宽敞又向阳，而且从车站只要走5分钟就到。

（2） 通訳の採用枠二名に対し百人近い応募があったが、その九割が女性で、しかも半数以上は留学経験者だった。／录用翻译的名额只有两名，却有近一百名的人来应考，其中百分之九十是女性，而且有一半以上的人都留过学。

（3） 若くて、きれいで、しかも性格がいいとなれば結婚したがる男はいくらでもいるだろう。／年轻、漂亮、而且又温柔，有这样的条件，我看想跟她结婚的男人有的是吧。

（4） 彼女は仕事が速くて、しか

も間違いが少ないので上司の信頼が厚い。／她工作效率高，并且很少出错，所以深得上司的信任。

(5) A：会社の近くで安くておいしい店、知ってるんだって。／听说你知道一家离公司近，又便宜又好吃的饭馆儿？

B：うん、しかもすいてるんだよ。／是啊，而且还没有多少人。

(6) この不況で会社は昇給なし、しかもボーナスは例年の半分になった。／在这种不景气的情况下，公司不给长工资，而且奖金也只有往年的一半。

就某事，将相同的或近似的条件不断加上去的表达方式。表示"而且"的意思。

【しだい】

1 Nしだいだ　全凭、要看…而定。

(1) するかしないかは、あなたしだいだ。／干还是不干，全看你了。

(2) 世の中は金しだいでどうにでもなる。／这世道，只要有钱什么都能办到。

(3) 作物の出来具合いはこの夏の天気次第です。／庄稼的收成就看今年夏天的气候怎么样了。

(4) 結婚した相手次第で人生が決ってしまうこともある。／有时根据结婚对方的不同可以决定自己今后的一生。

表示"根据N的情况而变化，为其左右"的意思。例(1)为"由你来决定"的意思。

2 R-しだい　（一旦）…立刻、随即、马上。

(1) 落し物が見つかりしだい、お知らせします。／一旦找到失物，我们立刻通知您。

(2) 事件のくわしい経過がわかりしだい、番組のなかでお伝えします。／一旦有关于事件的详细经过，我们将随即在节目中报导。

(3) 資料が手に入り次第、すぐに公表するつもりだ。／我打算一得到材料就马上公布。

(4) 天候が回復し次第、出航します。／天气一旦恢复，我们立即起航。

表示"一…立刻就…"的意思。用以表示某事刚一实现，立即就采取下一步的行动。前半句多为表示事情自然经过的场合，后半句不能用以表示自然经过，而多为表示说话人有意识行动的表达方式。

(误) そのニュースが伝わり次第、暴動が起こるだろう。

而且，也不能用来表示过去的事情。

(误) 休みになりしだい、旅行に行った。

例(2)多见于电视新闻报道。

3 V-る／V-た　しだいだ　（表示

原委、因由）。
(1) とりあえずお知らせした次第です。／暫且通知。
(2) 《挨拶状》今後ともよろしくご指導くださいますようお願い申し上げる次第でございます。／《致谢函》今后还蒙请多多指教。

用以表示事情至此的原委、因由。是书面语。在惯用语句中有时还可使用形容词。

(例) こんなことになってしまい、まったくお恥ずかしい次第です。／事到如此，实在令我汗颜。

4 こととしだいによって　根据情况、视其情况。
(1) ことと次第によって、計画を大幅に変更しなければならなくなるかもしれない。／根据情况，计划也许还要做大幅度的修改。
(2) ことと次第によっては、事件の当事者だけでなく責任者も罰することになる。／视其情节轻重，不光是事故的当事人，负责人也将受罚。

当无法预测事态发展情况时，或做出某种重大决定时，可用作说话的前提。是一种惯用表达方式。

【したがって】

因此、所以。
(1) このあたりは非常に交通の便がよい。したがって地価が高い。／这一带交通特别方便，所以地价很贵。
(2) その地方は道路があまり整備されていない。したがって初心者のドライバーは避けたほうがよい。／那个地方路况不是很好，所以新司机开车最好能不走这个地方。
(3) ロケットの燃料タンクに重大な欠陥が見つかった。したがって打ち上げ計画は当分の間、延期せざるをえない。／由于发现了火箭燃料箱有重大缺陷，因此只好决定暂时推迟发射计划。
(4) 台風の接近にともなって、沖縄地方は午後から暴風雨圏にはいる。したがって本日は休校とする。／随着台风的接近，从下午开始，冲绳地区将进入暴风雨区域范围，因此学校决定今天停课。

以前文为理由，按逻辑推理得出后续的结论。表示"因为、所以"的意思。是较拘谨的书面性语言。

【じつは】

1 じつは　其实、是这么回事、说实在的。
(1) 今まで黙っていたけれど、実は先月、会社を首になったんだ。／我一直没有对你说，其实我上个月就被公司解雇了。
(2) A：実は急に結婚すること

になりまして。／是这么回事，我突然决定结婚了。

B：あら、それはおめでとう。／那可要恭喜你了。

A：それで申し訳ないんですが今月で退職させていただきたいんですが。／所以，实在对不起，这个月我就准备辞职了。

(3) 今まで知らなかったのだが、それをやったのは実は彼女だった。／过去我们一直不知道，这件事其实是她干的。

(4) 不況で都会からふるさとに帰って仕事をさがす人が増えているという。それを聞いて安心するという人が実は多いのではないだろうか。／据说因为经济不景气，离开城市回乡下找工作的人越来越多了。其实，可能有很多人听了这一消息以后反倒感到宽心了呢。

(5) A：井田さん、急にやせたね。どこか悪いところでもあるのかな。／井田先生，最近突然瘦了许多啊。有哪儿不舒服吗？

B：実は私も前からそう思っていたのよ。／其实我自己也早就发觉了。

表示"其实是这样"的意思。用于讲明真相或真实情况等。如例(1)用于说出对听话人感到意外的消息时。例(2)用于提出某种请求时的开场白。例(3)表示说话人自己听说此事后的惊讶心情。例(4)表示从表面上虽看不出来，但实际上是这么回事的意思。例(5)是接了对方的话以后，说出自己的真实想法等。

2 じつをいうと 说实话、告诉你、实话跟你说

(1) A：なんだか、元気がないな。／你怎么显得没精打采的啊。

B：うん、実を言うと金がないんだ。もう少ししたら入るはずなんだけど。／说实话，我是没有钱了。不过再过几天就会有了。

(2) A：さっきの人、知っている人だったの。／刚才那个人你认识啊。

B：実を言うと別れた女房なんだ。こんなところで会うとは思わなかったよ。／告诉你吧，那是我离了婚的老婆。真没想到会在这个地方遇上。

(3) A：このごろ、お子さんの成績がひどく落ちているんですが、お母さんに、なにか心あたりはありませんか。／最近，您家孩子的成绩可有很大退步啊。您想没想过有什么原因吗？

B：先生、実を言いますと、この頃ほとんど家にい

ないんです。家に帰って来るのも何時なのか親もよく知らないような始末でして。／老师，实话跟您说吧，最近这孩子根本就不着家。连我们都不知道他几点钟回来。

表示"说实话"的意思。用法与"じつは"基本相近，但不能用于请求的开场白。多如例（3）所示，用于被问及原因而讲明真相时。

3 じつのところ 说实在的、真的、其实。

（1） A：山口さん、また仕事中に寝てましたよ。／山口，你看，他又在工作时间睡着了。

B：実のところ、僕も彼には困っているんだ、無断欠勤も多いし。／说实在的，我也真拿他没办法，还老无故缺勤。

（2） A：石田選手、よくがんばりましたね。／石田选手这次可表现得真出色啊。

B：実のところかれの活躍には本当におどろいているんだ。あまり期待していなかったから、よけいそう思うのかもしれないけどね。／真的，我也对他的这次表现感到非常惊讶。而且正因为原来没对他抱多大希望，所以就更感到震惊。

（3） A：刑事さん、犯人は正子でしょうね。／刑警先生，凶手就是正子吧。

B：いや、実のところわからないことが多すぎるんだ。／不，其实还有很多疑点没有搞清楚呢。

用于接着对方的话以后而说明真相。后面多为说话人听了对方的话以后，对此表明的态度或对情况的说明。一般单纯的说明情况或作为请求的开场白等，不能使用。

（误） 実のところ結婚することになりました。

（正） 実は結婚することになりました。／是这样，我决定结婚了。

【して】
→【て】

【しないで】
→【ないで】

【しなくて】
→【なくて】

【しはする】
（表示强调）。

[R-はする]

（1） 坂田さんはアルバイトに遅れはするが、ぜったいに休まない。／坂田打工时，有时会迟到，但决不请假。

（2）かれは人前に行きはするが、だれともしゃべらない。／他可以在人前露面，但跟谁也不说话。
（3）酔ってその男をなぐりはしたが、殺してはいない。／我喝醉了打了那个男人，但我没有杀死他。
（4）だれも責めはしない。悪いのは私なのだから。／我不责怪任何人，因为是我不好嘛。
（5）そんなことをしてもだれも喜びはしない。かえって迷惑に思うだけだ。／你这样做谁都不会高兴的，反倒都会觉得是添乱。

接动词连用形后，用以强调该部分。多以"Xしはするが、Y"的形式，强调X行为，另外提及与之不同的Y行为，或如例（3）。以助词"は"将两个行为进行对比。是较拘谨的表达方式。

【しまつだ】

（结果）竟然…。
[V-るしまつだ]
（1）彼女は夫の欠点を延々と並べ上げ、あげくの果てには離婚すると言って泣き出す始末だった。／她喋喋不休地数落了丈夫的缺点以后，最后又提出离婚而且竟然哭了起来。
（2）息子は大学の勉強は何の役にも立たないと言ってアルバイトに精を出し、この頃は中退して働きたいなどと言い出す始末だ。／儿子说在大学学习没有一点用处，每天拼命地打工，而且近来竟然提出要退学去参加工作。
（3）一度相談にのってあげただけなのに、彼はあなただけが頼りだと言って、真夜中にでも電話をかけてくる始末だった。／我也就好心听他唠叨了一次，结果他竟然半夜也打来电话，还说什么就靠你啦什么的，真没办法。

接动词词典形后，表示因某人的行为而使自己很不好办或因此而感到麻烦。前半句一般为叙述事态发生的情况，后面讲述结果竟然发展至此的情形。下面例句中的"この始末だ"是一种惯用表达方式，用以表示在发生某种问题后，对其进行谴责时。
（例）山田はどうもこの頃学校に来ないと思ったらこの始末だ。バイクで人身事故を起こすような学生には、もう退学してもらうしかない。／山田最近老不来学校，我想怎么了呢，你看，结果出事了吧。像这种骑摩托车把人撞伤的学生就只有勒令其退学，没有别的办法。

【じゃあ】

是"では2"较随便的说法。也可以拉长音，说成"じゃあ"。

1 じゃ(あ)＜推论＞ 那，那样的话。
（1）A：風邪をひいて熱があるんですよ。／感冒了，还

发烧呢。

B：じゃあ、試合に出るのは無理ですね。／那，就不能参加比赛了吧。

(2) A：急な用事が入っちゃって。／突然有点儿急事。

B：じゃあ、パーティーに来られないの?／那，你不能来参加宴会了？

→【では2】1

2 じゃ(あ)＜表明态度＞ 那。

(1) A：先生、終わりました。／老师，我做完了。

B：じゃあ、帰ってもいい。／那，你可以回去了。

(2) A：気分が悪いんです。／我有点儿不舒服。

B：じゃあ、休みなさい。／那你休息吧。

→【では2】2

3 じゃ(あ)＜转换话题＞ 那么。

(1) じゃ、次の議題に入りましょう。／那么，咱们进入下一个议题吧。

(2) じゃ、始めましょう。／那么，咱们就开始吧。

(3) じゃ、今日の授業はこれで終わりにします。／那么，今天的课就上到这里。

(4) じゃあ、またね。／那么，再会吧。

→【では2】3

【じゃない】

（表示否定、肯定等语气）。

[N／Na じゃない]

(1) A：雨?／下雨了？

B：いや、雨じゃない。／不，不是下雨。

(2) A：雨じゃない?／是不是下雨了？

B：ええ、雨よ。／是下雨了。

(3) あら、雨じゃない。せんたく物いれなくちゃ。／呦，这不是下起雨来了。得赶紧收衣服。

是"ではない"较随便的说法。例(1)是否定句，"な"的部分声音加强。例(2)是否定疑问句，句尾用升调。例(3)不表示否定，而表示肯定。"じゃない"整体用降调。男女均可使用。

→【ではない】

【じゃないか₁】

[N／Na／A／V じゃないか]

是"ではないか1"较随便的说法。用于口语句尾。主要是男性使用。女性多使用"じゃないの"、"じゃない"的形式。更随便的说法是"じゃん"。男女均可使用。有礼貌的说法是"じゃないですが"、"じゃありませんか"。

→【ではないか1】

1 …じゃないか＜惊奇・发现＞

（表示吃惊、发现）。

(1) すごいじゃないか。大発見だね。／哎呀，真了不起，这可是个大发现啊。

(2) なんだ、山田君じゃないか。どうしたんだ。こんな所で。

／呦，这不是山田嘛。你在这儿干什么呢。

→【ではないか1】1

2 …じゃないか＜指责＞（表示指责）。

（1）　どうしたんだ。遅かったじゃないか。／你怎么了，来这么晚。

（2）　約束は守ってくれなきゃ困るじゃないか。／你不守约这怎么行呢。

→【ではないか1】2

3 …じゃないか＜确认＞（表示确认）不是…吗。

（1）　ほら、覚えていないかな。同じクラスに加藤って子がいたじゃないか。／你还记得吗？我们班里不是有一个叫加藤的孩子吗？

（2）　A：郵便局どこ？／邮局在哪儿啊？

　　　B：あそこに映画館があるじゃないか。あのとなりだよ。／你看那儿不是有一家电影院吗？就在它隔壁。

用于确认听话人应该知道的事物或当场可以认识的事物。多见于想起忘却了的事物或于当时察觉某事物的场合。

4 V-ようじゃないか（表示坚定的语气）让我们…吧。

（1）　頑張って勝ち抜こうじゃないか。／加把油，取得最后的胜利。

（2）　十分注意してやろうじゃないか。／咱们要特别小心地干啊。

是"V-ようではないか"较随便的说法。

→【ではないか1】4

【じゃないか₂】

（表示确认或推测）是不是。

[N／Na　（なん）じゃないか]
[A／V　んじゃないか]

（1）　隣、ひょっとして留守じゃないか。／隔壁邻居是不是不在家啊。

（2）　A：隣の家の様子、ちょっと変じゃないか。／你看隔壁的情况，是不是有点儿不对劲儿啊。

　　　B：そうね。ちょっと見て来る。／是啊。我去看看。

（3）　A：この部屋、少しさむいんじゃないか。／这屋是不是有点儿冷啊。

　　　B：そうね。暖房をいれましょう。／是有点儿冷。开暖气吧。

（4）　ひょっとして、昼からは雨になるんじゃないか。／午后是不是会下雨啊。

是"ではないか2"较随便的说法。"じゃないか"是男性使用的形式，女性则使用"じゃないの"、"じゃない"形式。在会话中使用升调时，表示将自己的推测向对方确认。意思是"你是不是也这样认为"。自言自语时表示说话人自己不确切的推测。这时可与"(ん)じゃないかな

／(ん)じゃないかしら゛替换。
→【ではないか1】4

【じゃないが】

并不是…、并非…。
[Nじゃないが]
（1） 非難するわけじゃないけど、どうしてあなたの部屋はこんなに散らかっているの。／我并不是要指责你，可你的房间为什么会这么乱呢？
（2） 悪口を言いたいわけじゃないけど、あの人、このごろ付き合いがわるいんだよ。／我不是说他坏话，他最近打交道的人可都不怎么样啊。
（3） 疑うわけじゃありませんが、きのう1日どこにいたのか話してください。／并不是怀疑你，还是请你讲一讲你昨天一天都去哪儿了。
（4） A：自慢じゃないが、息子が今年東大に入ってね。／不是我要吹牛，我儿子今年考取了东大。
　　 B：あっ、それはおめでとうございます。／是啊，那可是值得庆贺啊。

表示"并非打算…"的意思。可以起到减弱后面表达方式语气的作用。例（4）是一种惯用表达方式。

【じゃないだろうか】

（表示推测或确认）是不是。

[N／Na （なん）じゃないだろうか]
[A／V んじゃないだろうか]
（1） もう帰ってしまったんじゃないだろうか。／他是不是已经回去了？
（2） あいつはやる気がないんじゃないだろうか。／他是不是根本就不想干啊。

是"ではないだろうか"的口语形式。较礼貌的说法是"(ん)じゃないでしょうか"。自言自语时表示说话人的推测，在会话中多表示向听话人确认的意思。
→【ではないだろうか】

【じゅう】

1 Nじゅう＜空間＞　（表示整个区域范围）整个、全。
（1） 学校中にうわさが広まった。／风言风语传遍了整个学校。
（2） 国中の人がそのニュースを知っている。／全国人民都听说了这一消息。
（3） 家中、大掃除をした。／把全家打扫了一遍。
（4） ふたごの転校生が教室に入ってくると、クラスじゅう、大騒ぎになった。／一对双胞胎的转校生一走进教室，全班立刻哗然。
（5） サイレンの音でアパート中の住人が外にとびだした。／听到警报声，全公寓的人都跑了出来。
（6） そこいら中で風邪がはやっ

ている。/这一带到处流行着感冒。

与表示场所、范围的词语一起使用，表示"在其整个范围之内"的意思。例（6）的意思是"这里和那里，到处都"。

２Ｎじゅう＜时间＞ 整整、全。
（1） 一晩中起きている。/整整一个晚上没有睡觉。
（2） 一日中仕事をする。/全天工作。
（3） 家の前は年中、道路工事をしている。/我家前面，一年到头都在搞道路施工。
（4） 午後中ずっと宣伝カーの音でうるさかった。/整整一下午，被宣传车的声音吵得晕头转向的。

与表示"时间""期间"的词语一起使用，表示"在此期间内一直"的意思。但"午前中"说"ごぜんちゅう"。

【しゅんかん】

在…的一瞬间、刚一…。
[Ｎのしゅんかん]
[Ｖ－たしゅんかん]
（1） 立ち上がった瞬間に、家がぐらっと大きく揺れた。/在站起来的一瞬间，感到房子忽地猛然晃了一下。
（2） 王子様が、眠っているお姫様にキスしたその瞬間、魔法がとけた。/当王子亲吻熟睡的公主的瞬间，魔法就消失了。
（3） 試験に落ちたことがわかった瞬間、目の前が真っ暗になって血の気が引いていくのが自分でもわかった。/当得知考试没有通过的那一瞬间，连我自己都感到眼前一阵发黑，脸上都没血色了。
（4） これが誕生の瞬間だ。/这就是生命诞生的那一瞬间。

表示"正好在这个时候"的意思。很少接名词后。口语中多使用"Ｖ－たとたん"的形式。

【じょう】

从…来看、出于…、鉴于…。
[Ｎじょう]
（1） 子供にお金を与えるのは教育上よくない。/从教育孩子的观点来看，给孩子零花钱不好。
（2） サービス業という仕事上、人が休みの時は休むわけにはいかない。/出于服务行业的工作性质，别人休息的时候我们不能休息。
（3） 安全上、作業中はヘルメットを必ずかぶること。/出于安全考虑，操作过程中必须戴安全帽。
（4） 経験上、練習を三日休むと体がついていかなくなる。/根据我的经验，只要三天不练，体力就跟不上了。
（5） 立場上、その質問にはお答

えできません。／出于我所处的地位，我不能回答这一问题。
（6）図書整理の都合上、当分の間閉館します。／鉴于整理图书，暂时闭馆。

表示"从这一观点来看"、"出于这一原因"的意思。例（6）也可以替换为"都合により"。是较拘谨的说法。

【しょうがない】

1 しょうがない　没办法、没辙。

（1）誰もやらないならしょうがない、私一人でもやる。／要是没人干也没辙，就是我一个人我也要干。
（2）散歩の途中で雨が降ってきた。しょうがないから、スーパーに入って雨の止むのを待った。／去散步的半路上下起了雨。没办法，只好到超市里去避雨。
（3）ワインがない時はしょうがないからビールにします。／没有葡萄酒的时候，没办法只好喝啤酒。
（4）A：おかしもらったけど、かびがはえてて、食べられないの。／人家送了点心来，可是已发了霉，根本没法吃。
　　 B：しょうがないな、捨ててしまおう。／没办法，只好扔掉吧。
（5）しょうがない子ね、一人でトイレにも行けないの。／这孩子，真没办法，连自己去厕所都不会。

表示"没办法"、"没有别的办法"的意思。如例（4）、（5）所示，也可以表示非常为难的意思。是"しようがない"的简略形式。是较随便的口语。

2 …てしょうがない
　　→【てしょうがない】

【ず】

来自文言文助动词"ず"。表示否定的意思。只用于书面语或一些惯用表达方式。口语中使用"なくて"、"ないで"。将"Ｖ－ない"中的"ない"变为"ず"。接"する"时要说"せず"。

1 Ｖ－ず　不…、没…。

（1）途中であきらめず、最後までがんばってください。／不要中途灰心，一定要坚持到最后。
（2）1時間待っても雨は止まず、ぬれて帰った。／等了1个小时，雨还不停，只好冒着雨回了家。
（3）出発前日まで予約が取れず、心配させられた。／直到出发的前一天还没有预定上旅馆，真叫人耽心。
（4）だれにきいても住所がわからず、困った。／问谁都不知道他的地址，真为难了。

表示"Ｖ－ないで"、"Ｖ－なくて"的意思。例（1）是个简单并列句，表示"不要

灰心"的意思。如例（3）、（4）所示，前后文因果关系明显时，也经常可以表示理由。口语中也可以使用，但显得有些生硬。

2 …ず…ず　不…（也）不…。
[A-からず、A-からず]
[V-ず、V-ず]

（1）　飲まず食わずで三日間も山中を歩きつづけた。／不吃不喝地在山里连续走了三天。

（2）　その時、彼はあわてず騒がず一言「失礼しました」と言って部屋を出ていった。／当时，他没急也没闹，说了一声"对不起了"，就走出房间去了。

（3）　展覧会に出品されている作品はいずれも負けず劣らずすばらしい。／在展览会上展出的作品，每一件都出手不凡，都是上乘之作。

（4）　独立した子供達とは、つかず離れずのいい関係だ。／和成了家的孩子们保持不远不近的关系。

（5）　日本の5月は暑からず、寒からずちょうどいい気候です。／日本的5月，不冷也不热，气候正合适。

（6）　客は多からず、少なからずほどほどだ。／客人不多也不少，正合适。

表示"既不X也不Y"的意思。如例（1）、（2）、（3），有时可连接意思相同的词语。又如例（4）、（5）、（6），有时也可连接意思相反的词语。例（3）表示，将其进行比较，"哪一个都非常优秀"。例（4）表示，"保持一种适当的距离"。例（5）则表示，"既不热，又不冷"的意思。是一种惯用表达方式。另外常用的有"鳴かず飛ばず／(不叫也不飞)比喻(默默无闻)"等。

【すえに】
　　经过…最后。
[Nのすえに]
[V-たすえに]

（1）　今月のすえに、首相が訪中する。／这个月的月底，首相将访问中国。

（2）　長時間の協議のすえに、やっと結論が出た。／经过长时间的协商，最后终于得出了结论。

（3）　かれは三年の闘病生活の末に亡くなった。／他和疾病作了三年的斗争，最后还是故去了。

（4）　よく考えた末に決めたことです。／这是经过深思熟虑后决定的。

（5）　大型トラックは1キロ暴走した末に、ようやく止まった。／那辆重型卡车狂奔了1公里以后，终于停住了。

表示"经过一段时间，最后"的意思。例（1）只单纯地表示在某一时间的最后，如例（2）以下各例句所示，多表示"经过某一个阶段，最后"的意思。是书面性语言。

【すぎない】

只是、不过是。

[N／Na／A／V にすぎない]

（1）その件は責任者にきいてください。私は事務員にすぎませんので。／关于这件事请你去问负责人。我只是一个普通的办事员（所以不知道）。

（2）彼は政治家ではなく、たんなる官僚に過ぎない。／他不是什么政治家，只不过是一个官僚。

（3）それが本当にあるかどうかは知りません。例として言っているに過ぎないんです。／是否确有其事，我并不知道。我不过是作为一个例子举出来说明的。

（4）そんなに怒られるとは思ってもみなかった。からかったにすぎないのに。／没想到他会那么生气。我不过是开句玩笑而已。

表示"只是…"的意思。伴有"这并不重要"的语气。如例（1）表示，"我不负责，只是一个普通的办事员"，例（3）表示，"只是作为一个例子来说"的意思。

【すぎる】

[N／Na すぎる]
[A-すぎる]
[R-すぎる]

1 …すぎる 太…、过于…。

（1）この役は思春期の役だから10歳では子供すぎて話にならない。／这是一个思春期年龄的角色，刚10岁的孩子太小了，要演这个角色太不合适了。

（2）下宿のおばさんは親切すぎてときどき迷惑なこともあります。／房东老大娘太热情了，有时反倒让我很不好办。

（3）彼はまじめすぎて、面白味に欠ける。／他这个人过于认真，缺乏风趣。

（4）このあたりの家は高すぎて、とても買えません。／这一带房价太贵，根本买不起。

（5）銭湯の湯は私にはあつすぎます。／澡塘的水对我来说太烫了。

（6）子供の目が悪くなったのはテレビを見すぎたせいだと思います。／我觉得把孩子眼睛搞坏的原因就是电视看得太多了。

（7）ゆうべ飲み過ぎて頭が痛い。／昨晚喝多了，头疼得厉害。

表示过分的状态。

2 …すぎ 太…、过度…。

[R-すぎだ]
[R-すぎのN]

（1）太郎、遊びすぎですよ。もうちょっと勉強しなさい。／太郎，玩儿的时间太多了。还得加把劲儿学习呀。

（2）働きすぎのお父さん、もっ

と子供と遊ぶ時間を作ってください。／工作过度的父亲们，要多腾出点时间来和孩子玩儿一玩儿。
(3) 飲み過ぎにはこの薬がいいそうだ。／听说酒喝多了的时候吃这种药特管用。
(4) テレビの見すぎで成績が下がってしまった。／由于老看电视，学习成绩都下降了。
(5) 肥料は適度に与えてください。やりすぎはかえってよくありません。／施肥要适度。施得过度反倒不好。

表示过分的状态。可以作为名词使用。

3 …ても…すぎることはない 不管多…也不过分。

(1) 冬山登山は注意しても、し過ぎることはない。／冬天登山，多提醒提醒并不过分。
(2) 手紙の返事はどんなに早くても、早すぎることはない。／写回信写得多早也不嫌早。
(3) 親にはどんなに感謝してもしすぎることはないと思っています。／我觉得无论怎么感谢父母也不过分。

表示"不管做点什么，也并不过分"的意思。例(1)的意思是"越多提醒越好"。例(2)的意思是"越早越好"。

【すぐ】

马上、(距离)很近。

(1) すぐ来てください。／请马上来。
(2) 会ってすぐに結婚を申し込んだ。／见一面马上就提出了结婚。
(3) 空港に着いてすぐホテルに電話した。／到了机场以后马上就给饭店打了电话。
(4) 郵便局はすぐそこです。／邮局就在那儿。
(5) すぐ近くまで来ている。／我已经到了附近了。

表示时间、距离很短、很近的意思。表示时间时，有时也可以加"に"。

【すくなくとも】

至少、最少、(最)起码。

(1) そこはちょっと遠いですよ。歩けば、すくなくとも20分はかかります。／那地方比较远，走着去的话至少要20分钟。
(2) この町で部屋を借りれば、すくなくとも5万円はかかるでしょう。／在这条街上租间房，最少也得要5万日元。
(3) すごい人出だった。少なくとも三千人はいただろう。／人可多了。我估计起码有三千人。
(4) せっかく外食するんだから、そんなものじゃなくて、少なくとも、自分では作れないなと思えるぐらいの料理を食

べようよ。／好不容易在外面吃顿饭，别点这些，咱们最起码也得吃点儿自己一般做不了的菜啊。

　　表示数量、程度等的最低限。言外之意有非常多的意思。多如例（1）、（2）、（3）所示，使用"すくなくとも…は"，或如例（4），使用"すくなくとも…ぐらい（は）"的形式。如例（4），与表示意志、愿望的表达方式一起使用时，可与"せめて"替换。口语中还可以说"すくなくても"。

【すぐにでも】
　　　　马上、立刻、现在就。
（1）お急ぎならすぐにでもお届けいたします。／您要着急的话，我现在马上就给您送去。
（2）お金があればすぐにでも国に帰りたい。／要是有钱，我想马上就回国。
（3）そんなにやめたいなら、今すぐにでも退職金を払います。／如果你那么想辞职，我们现在立刻就发给你退休金。
（4）私がてんぷらのおいしい店をみつけたと言うと、かれはすぐにでも食べに行きたそうな感じだった。／我刚一说出我发现了一家非常美味的天妇罗店时，他就显出一副马上就要吃去的表情。

　　表示"立刻"、"马上"的意思。与如"帰りたい（想回家）"等表示愿望的表达方式一起使用。例（4）也可以说成"すぐに…しそうだ"的形式。

【ずくめ】
　　　　清一色、全是、净是。
[Nずくめ]
（1）彼女はいつも黒ずくめのかっこうをしている。／她的穿着打扮老是一身黑。
（2）この頃なぜかいいことずくめだ。／最近不知为什么净是遇见好事。
（3）今日の夕食は、新鮮なお刺身やいただきもののロブスターなど、ごちそうずくめだった。／今天晚饭有新鲜的生鱼片，还有别人送来的大龙虾，全是好吃的。
（4）毎日毎日残業ずくめで、このままだと自分がすり減っていきそうだ。／每天每天老得加班，照这样下去，自己的体力全都消耗没了。

　　接名词后，表示身边全是这些东西的意思。如"黒ずくめ"、"いいことずくめ"、"ごちそうずくめ"等。多为固定的表达方式，不能说"赤ずくめ"、"本ずくめ"等。

【すこしも…ない】
　　　　一点也不…。
（1）強くこすっているのに、すこしもきれいにならない。／我使劲儿搓了，可是一点儿也不见干净。
（2）貯金がすこしもふえない。／存款一点也不见增加。

用于加强否定语气。

【ずして】
不…。
[V-ずして]
（1）悪天候の中を飛行機が無事着陸すると、乗客の中から期せずして拍手がわき起こった。／飞机在恶劣的气候中安全降落，乘客们不约而同地鼓起掌来。
（2）戦わずして負ける。／不战而败。
（3）労せずして手に入れる。／不劳而获。

表示"不…"的意思。例（1）的意思是"虽然没有相约"，例（2）的意思是"没有经过战斗"，例（3）的意思是"没有吃苦"。是惯用形式，文言表达方式。

【ずじまいだ】
没…成、没能…。
[V-ずじまいだ]
（1）出張で香港へ行ったが、いそがしくて友だちには会わずじまいだった。／出差去了趟香港，但是因为太忙，结果朋友也没见成。
（2）せっかく買ったブーツも今年の冬は暖かくて使わずじまいだった。／好不容易买了双靴子，可今年冬天又那么暖和，结果一天也没穿。
（3）夏休みのまえにたくさん本を借りたが、結局読まずじまいで、先生にしかられた。／暑假前借了好多书，结果也没读成，还让老师说了一顿。
（4）旅行でお世話になった人たちに、お礼の手紙を出さずじまいではずかしい。／旅行中受到许多人的照顾，可后来也没能给人家写信致谢，真不好意思。

表示没能做起某事时间就过去了的意思。多带有非常惋惜的语气。

【ずつ】
每…、一点一点地。
[数量词+ずつ]
（1）一人に3つずつキャンディーをあげましょう。／给你们每人3块糖。
（2）5人ずつでグループを作った。／每5个人组成了一个小组。
（3）雪が溶けて、少しずつ春が近づいてくる。／积雪融化了，春天一步一步向我们走来。
（4）いくらかずつでもお金を出し合って、焼けた寺の再建に協力しよう。／咱们每人都各出一点点钱，帮助把烧毁了的寺庙重新盖起来吧。
（5）病人はわずかずつだが食べられるようになってきた。／病人一点一点地能吃饭了。

表示"将同样数量分发给每人"或"以每次基本相同的数量进行反复"的意思。如例（1）表示"每人3个"，例（2）表示"每5人一组"，例（5）表示"每次一点点"的意思。

【ずとも】

即使不…也…。
[V-ずとも]
（1）そんな簡単なことぐらい聞かずともわかる。／那么简单的事情，即使不问别人我也明白。
（2）《昔話》これこれそこの娘。泣かずともよい。わけを話してみなさい。／《故事》喂，喂，那姑娘，你不要哭了，告诉我是什么原因啊。
（3）あの方は体にさわらずとも病気がわかる名医だ。／他是个名医，即使不接触你的身体也能知道你得的是什么病。

表示"即使不…也"的意思。后面多为"わかる(明白)"、"いい(可以)"等表达方式。是一种文言表达方式。

【すなわち】

即。
（1）彼は、1945年、すなわち、第二次世界大戦の終わった年に生まれた。／他是1945年，即第二次世界大战结束的那一年出生的。
（2）この絵は、父の母親の父、すなわち私の曾祖父が描いたものである。／这幅画是我奶奶的父亲，即我的曾祖父画的。
（3）生まれによる差別、すなわち、だれの子供であるかということによる社会的差別は、どこの社会にも存在する。／以出身来进行歧视，即因为是某某人的孩子而进行的社会歧视在任何一个社会都是存在的。
（4）敬語とは人間と人間の関係で使い分けることばである。すなわち、話し手と聞き手、および第三者との相互関係によっていろいろに言い分ける、その言葉の使い分けである。／敬语是因人的关系不同而区别使用的语言。即根据说话人和听话人以及与第三者的相互之间的关系来区别使用的语言。

接词语短句或句子后，以意思相同的其他词句来进行表达。后面的词句多为更直截了当，或更具体地表达该事物的内容。用于学术论文、讲义、讲演等较拘谨的书面语。口语中则常用"つまり"来表示。

【ずに】

不…、没…。
[V-ずに]
（1）よくかまずに食べると胃を悪くしますよ。／不好好嚼就吃下去会把胃搞坏的。

（2）切手を貼らずに手紙を出してしまった。／没贴邮票就把信给寄出去了。

（3）きのうはさいふを持たずに家を出て、昼ご飯も食べられなかった。／昨天没带钱包就出了门儿，结果连午饭也没吃上。

（4）ワープロの説明をよく読まずに使っている人は多いようだ。／好像有很多人都是没怎么好好看说明书就开始使用文字处理机。

（5）あきらめずに最後までがんばってください。／不要灰心，要坚持到底。

（6）両親を事故で亡くしたあと、彼はだれの援助も受けずに大学を出た。／父母因事故逝世以后，他没有依靠任何人的资助读完了大学。

后面伴有动词句，表示"在不(没有)…的状态下，做…"。是书面语，口语中的形式是"…ないで"。

【ずにいる】

不…、没…。

[V-ずにいる]

（1）禁煙を始めたが、吸わずにいるとだんだんイライラしてくる。／我开始戒烟了，可是老不抽烟，情绪还真会烦躁起来。

（2）これでもう1ヶ月酒を飲まずにいることになる。／到现在，我已经有1个月没喝酒了。

（3）三日新聞を読まずにいると世の中のことがわからなくなる。／三天不看报就会对社会两眼一摸黑。

（4）わがままな彼が、なぜあんなひどい会社をやめずにいるのか不思議だ。／真不明白，像他那么任性的人怎么会还坚持在那家恶劣的公司里工作。

表示不做某行为的状态。

【ずにおく】

（为…而）不…、没…。

[V-ずにおく]

（1）父に電話がかかってきたが、疲れてよく寝ているようだったので起こさずにおいた。／有人来电话找父亲，但我看他太累，睡得挺香，就没有叫醒他。

（2）彼女がショックを受けるとかわいそうだから、このことは当分言わずにおきましょう。／怕她受打击太大，这事暂时不要告诉她吧。

（3）あとでいるかもしれないと思って、もらったお金は使わずにおいた。／我想以后可能会有用，就把得到的钱都攒了起来。

（4）あした病院で検査を受ける

なら、夕飯は食べずにおいたほうがいいんじゃないですか。／如果明天要到医院去检查，是不是最好就别吃晚饭了吧。

表示为某一目的而不做某事。

【ずにすむ】

不(没)用…、没有…。

[V-ずにすむ]

（1）漢和辞典を買おうと思っていたら、友だちが古いのをくれたので買わずにすんだ。／本想买一本汉和辞典，但朋友送给我了一本旧的，就不用买了。

（2）いい薬ができたので手術せずにすんだ。／因为有了好药，我的病就没用做手术。

（3）一生働かずにすんだらいいんだけれど、そういうわけにはいかない。／要能一辈子不用工作就好了，可是没有那种好事。

（4）いまちゃんとやっておけば、あとで後悔せずにすみますよ。／现在做好了，将来就不用后悔。

（5）安全装置が作動したので大事故にならずにすんだ。／由于安全装置启动，所以没有造成重大事故。

表示"可以不必做原来预定要做的事"或"避免了预测会发生的事"的意思。

一般为避免了不好的事态。是书面语，口语中说"…ないですむ"。

【ずにはいられない】

不能不、不得不。

[V-ずにはいられない]

（1）この本を読むと、誰でも感動せずにはいられないだろう。／读了这本书，没有一个人不会被感动。

（2）彼女の気持ちを思うと、自分のしたことを悔やまずにはいられない。／替她着想，不能不为自己做的事情感到后悔。

（3）彼女の美しさには誰でも魅了されずにはいられなかった。／没有一个人不为她的美貌所倾倒。

（4）会社でのストレスを解消するために酒を飲まずにはいられない。／只有靠喝酒才能解脱在公司积下的精神紧张状态。

（5）その冗談にはどんなまじめな人も笑わずにはいられないだろう。／听了这一笑话，再严肃的人也不得不笑。

表示"靠自己的意志控制不住，自然而然就…"的意思。是书面语，口语中说"…ないではいられない"。

【ずにはおかない】

必然。

[V-ずにはおかない]
（1）この本は読む人を感動させずにはおかない。／这本书必然会令读者感动。
（2）彼の言動は皆を怒らせずにはおかない。／他的言行必然引起大家的愤怒。
（3）今のような政治情勢では国民に不信感を与えずにはおかないだろう。／现在的政治形势必然引起国民的不信任感。
（4）両大国の争いは世界中を巻込まずにはおかない。／两个超级大国的纷争必然会将全世界都卷入进去。

表示无论本人意志如何，都必然导致某种状态或引发某种行动的意思。多涉及一些感情变化或纠纷的发生等自发性事物。

【ずにはすまない】
不能不…、不得不…、不好不…。
[V-ずにはすまない]
（1）あいつはこの頃怠けてばかりだ。一言言わずにはすまない。／那家伙最近老偷懒，不能不说他两句。
（2）親せきみんなが出席するのなら、うちも行かずにはすまないだろう。／如果是亲戚们都出席的话，咱们也不好不去吧。
（3）意図したわけではなかったとは言え、それだけ彼女を傷つけてしまったのなら、謝らずにはすまないのではないか。／尽管不是有意识的，但已经伤害她很深了，所以也不得不道一下歉吧。

表示"不得不…"、"不…不行"的意思。是较拘谨的表达方式。

【すまない】
→【ずにはすまない】

【すむ】
1 …すむ …就解决了、…就办好了。
[Nですむ]
[V-ですむ]
（1）もっと費用がかかると思ったが2万円ですんだ。／本以为要花更多的钱呢，没想到2万日元就解决了。
（2）用事は電話ですんだ。／打了个电话就把事办好了。
（3）金ですむなら、いくらでも出します。／如果花钱能解决的话，甭管花多少钱我都出。
（4）ガラスを割ってしまったが、あやまっただけで済んだ。／我把人家玻璃打碎了，结果仅仅道了个歉就完事了。
（5）あやまってすむこととすまないことがある。／有的事道个歉就能解决，有的事光道

歉是解决不了的。

本来有"完结"的意思，作句型用时，表示"这样就够了，不用再采取更麻烦的形式"的意思。

2 V-ないで／V-ずに　すむ　没用…。

（1）バスがすぐに来たので待たないですんだ。／汽车马上就来了，没用等。

（2）バスがすぐに来たので待たずにすんだ。／汽车马上就来了，没用等。

（3）電話で話がついたので行かずにすんだ。／打电话商量好了，没去就办成了。

（4）古い自転車をもらったので、買わないで済んだ。／有人送了我一辆旧自行车，没用买新的。

表示"可以不必做原来预定要做的事"或"避免了预测会发生的事"的意思。一般为避免不好的事态。

3 …すむことではない　不是光…能解决的、光…是不能解决的。

[Nですむことではない]
[V-てすむことではない]

（1）大事な書類をなくしてしまうなんて、謝ってすむことではない。／把那么重要的文件给丢了，不是光说声对不起就能了的。

（2）少数意見だと片付けてすむことではない。／不能因为说是少数人的意见就这么算了。

（3）この問題は補償金で済むことではない。心からの謝罪が必要だ。／这个问题光靠赔偿金是解决不了的，需要有发自内心的赔礼道歉。

表示"做点什么姿态是解决不了问题的，光这样做是不够的"的意思。如例（1）表示，"光道歉是偿还不了的／是弥补不了的"，例（2）表示，"不能因为说是少数人的意见就无视"的意思。

【すら】

接名词或"名词+助词"的形式后。接主格成分后时，多为"ですら"的形式。是较拘谨的书面性语言表达方式。

1 N（+助词）すら　连…都、甚至连…都。

（1）そんなことは子供ですら知っている。／这种事情连小孩子都懂。

（2）むかし世話になった人の名前すら忘れてしまった。／甚至把过去照顾过我的人的名字都给忘了。

（3）この寒さで、あの元気な加藤さんですら風邪を引いている。／天这么冷，连身体那么棒的加藤也感冒了。

（4）大企業はもちろんのこと、この辺の町工場ですら週休2日だという。／大企业就更不用说了，据说连这一带的街道工厂也都实行双休日了。

（5）こういった確執はどんなにうまくいっている親子の間

にすら存在する。／这种不和即使在关系再好的父子之间也是存在的。

表示"连…"的意思。举出一例,表示连他(或它)都是这样的,其他就更不必说了的意思。如例(1)的意思是,"普通人就不必说了,连小孩子都懂"。

2 N（＋助词）すら…ない　连…都不…。

(1) あまりに重すぎて、持ち上げることすらできない。／太重了，连拿都拿不起来。

(2) そのことは親にすら言っていない。／这件事我连父母没有告诉。

(3) 仕事が忙しくて日曜日すら休めない。／工作忙得连星期天都休息不了。

(4) 40度の熱が出ている時ですら病院に行かなかった。／甚至连发烧40度的时候都没去医院。

(5) 入社してもう20年近くたったが、まだ課長ですらない。／进公司都快20年了，还连个处长都不是。

表示"连…都不…"的意思。举出一个极端的例子,表示强调不能…。如例(3)的意思是,"其他日子当然休息不了,就连大家都休息的星期天也休息不了"。

【する】

1 数量词＋する　（表示时间的经过,或费用的花费）。

(1) バンコクまで往復でいくらぐらいしますか。／到曼谷往返要多少钱啊？

(2) その旅館は一泊5万円もする。／这家旅店住一晚上要5万日元呢。

(3) 30分ほどして戻りますのでお待ちください。／大约过30分钟我就回来了，请你等我一下。

(4) この球根は植えて半年したら芽がでます。／这种球根种下以后过半年就出芽。

(5) 少ししてから出かけましょう。／再过一会儿咱们就走吧。

(6) こんな建て方では10年しないうちに壊れる。／照这种盖法，用不了10年就得塌。

表示经过多少时间,或花费多少费用的意思。表示时间时可与"たつ"替换,表示费用时可与"かかる"替换。

2 副词＋する　（表示性质或状态）。

(1) 赤ちゃんの肌はすべすべしている。／婴儿的皮肤滑溜溜的。

(2) ほこりで机の上がざらざらしている。／桌上有一层灰尘，摸上去毛刺刺的。

(3) この料理は味がさっぱりしている。／这个菜味道很清淡。

(4) 息子は体つきががっしりしている。／儿子身体很健壮。

(5) 休日はみんなのんびりとしている。／节假日大家都很清

閑。
（6）なかなかしっかりしたよい青年だ。／他是一个踏踏实实的好青年。

以"…している"或"…したN"的形式，表示某事物具有某种性质或呈某种状态。

3 …する（表示使其成为…）。
[N／Na にする]
[A-くする]
[V-ようにする]
（1）子供を医者にしたがる親が多い。／有许多家长都想把自己孩子培养成医生。
（2）部屋をきれいにしなさい。／把房间打扫干净。
（3）冷たくするともっとおいしいですよ。／冰镇以后更好吃。
（4）この食品はいそがしい人のためにすぐに食べられるようにしてあります。／这种食品是为工作忙的人而做的，马上就能吃。

表示作用于对象使其发生变化。"なる"表示事物本身自然而然地发生变化，而"する"则表示作用者人为地使其发生变化。

→【ように3】5

4 Nがする（表示有这种感觉等）。
（1）台所からいいにおいがしてきた。／从厨房里飘出来一股香味儿。
（2）このサラダは変な味がする。／这个沙拉有股怪味儿。
（3）古いピアノはひどい音がして、使い物にならない。／这架旧钢琴音质极差，简直没法用。
（4）外に出ると冷たい風が吹いていて、寒気がした。／走出门来，外面刮着冷风，感到一阵寒冷。
（5）その動物は小さくて柔らかく、まるでぬいぐるみのような感じがした。／那只小动物又小又柔软，抱着就像一个布娃娃。
（6）彼とはうまくやっていけないような気がする。／我总觉得跟他处不好。
（7）今朝から吐き気がして何も食べられない。／从今天早上我就想吐，什么也吃不了。
（8）この肉料理にはふしぎな香りがするスパイスが使ってある。／这道肉菜里用了一种有特殊味道的香料。

接表示气味、香味、口味、声音、感觉、发冷、想吐等的名词后，表示有这种感觉等意思。

5 …とする 決定。
（1）来週は休講とする。／下星期决定停课。
（2）一応60点を合格とします。／暂定60分为及格。

→【とする2】

6 …にする 決定。
[Nにする]
[Vことにする]

（1） A：何になさいますか。／您来点儿什么？
　　　 B：コーヒーにします。／来一杯咖啡。
（2） 今度のキャプテンは西田さんにしよう。／这次咱们选西田当队长吧。
（3） かぜがよくならないので旅行は止めることにします。／因为感冒没好，所以决定不去旅行了。
（4） 事故がこわいので飛行機には乗らないことにしています。／因为怕出事，所以我一直是不坐飞机的。

表示"决定"的意思。如下例所示，也可以使用"N+助词"的形式。

（例） 会議は5時からにします。／会议决定从5点开始。

7 …ものとする →【ものとする】
8 Nをする
a N(を)する （将名词变为动词）。
（1） 午後は買い物をするつもりだ。／我打算下午去买东西。
（2） 日曜日には妻と散歩をしたりテニスをしたりする。／星期日有时陪妻子去散步，有时打打网球。
（3） 昔はよくダンスをしたものだ。／以前我是常跳交际舞的。
（4） いたずらをすると叱られるよ。／你要调皮可要挨呲儿啊。
（5） ころんで足にけがをした。／摔了个跟头把脚给歪了。
（6） せきをしているので風邪をひいたのでしょう。／咳嗽，可能是感冒了吧。

接表示动作或作用的名词后，使其变为动词。很少接日语固有词汇后，一般接汉语词汇或外来语词汇的名词后，将其变为动词。

b Nをする＜外表＞ （表示外表、形状）。
（1） きれいな色をしたネクタイをもらった。／别人送我一条颜色非常漂亮的领带。
（2） その建物は三角形のおもしろい形をしている。／这座建筑呈一种很有特色的三角形形状。
（3） 見舞いに行ったら、かれはとても苦しそうな様子をしていたのでつらかった。／去探望他时，看到他表情非常痛苦，我也很难受。
（4） それは人間の姿をした神々の物語だ。／这是一个关于以人的形象出现的神仙们的故事。
（5） みすぼらしい格好をした男が訪ねてきた。／一个衣着寒酸的男人来找我。
（6） この仏像はとてもやさしそうな顔をしている。／这尊佛像的面容显得特别慈祥。

以"Nをしている"、"NをしたN"的形式使用。表示颜色、形状、样子、容貌、打扮、面容等视觉能感到的事物。

c Nをする＜职业＞　当…、做…工作。
(1) 彼は教師をしている。／他在当教师。
(2) ベビー・シッターをしてくれる人を探しています。／我在找能给我看孩子的人。
(3) 社長をしているおじの紹介で就職した。／经当总经理的叔叔的介绍，我找到了工作。
(4) 母は前は主婦だったが今は薬剤師をしている。／母亲从前是家庭主妇，现在是药剂师。

以"职业名称＋をしている"的形式，表示"正在做什么工作"的意思。

d Nをする＜装束＞　（表示穿戴）。
(1) あの赤いネクタイをした人が森さんです。／那个系着红领带的人就是森先生。
(2) あの人はいつもイヤリングをしている。／她总戴着耳环。
(3) 手袋をしたままで失礼します。／我戴着手套，对不起了。
(4) あっ、今日は時計をしてくるのを忘れた。／哎呀，今天忘记戴手表了。
(5) このごろ風邪をひいてもマスクをする人はいませんね。／近来，即使感冒了也不见有人戴口罩。

表示系领带、戴手表、耳环等装戴在身上的意思。表示状态时，如例(2)所示，使用"している"的形式。

9 NをNにする　把…当作…。
(1) 本をまくらにして昼寝した。／把书当作枕头睡了午觉。
(2) スカーフをテーブルクロスにして使っています。／把头巾当作桌布来用。
(3) 客間を子どもの勉強部屋にした。／把客厅当作了孩子的学习房间。

表示把某物用作他用的意思。

10 おR-する　（表示自谦）。
(1) ここでお待ちします。／我在这儿等您。
(2) お荷物お持ちしましょうか。／我来给您拿行李吧。

→【お…する】

11 V-ようにする　（表示意志）。
(1) 必ず連絡をとるようにする。／我一定和你联系。
(2) 朝寝坊しないようにしよう。／一定不睡懒觉。

→【ように3】5

【せい】

[Nのせい]
[Na なせい]
[A／V せい]

1 …せい

a …せいで　由于、怨…、因为。
(1) わがままな母親のせいで、彼女は結婚が遅れた。／由于她母亲过于固执，所以她结婚很晚。

（2）3人が遅刻したせいで、みんな新幹線に乗れなかった。／由于3个人迟到，结果大家都没乘上新干线。

（3）とうとう事業に失敗した。しかし誰のせいでもない、責任はこの私にある。／事业最终于失败了。但这不怨任何人，责任应该由我来负。

（4）熱帯夜が続いているせいで、電気の消費量はうなぎのぼりだという。／据说因为夜间持续高温，电的消耗量直线上升。

用于表示发生坏事的原因或责任的所在。多可替换为"…ので"或"…ために"。后半句为由于该原因所产生的不良结果。例（1）的意思是"母親がわがままだったので（由于她母亲过于固执）"，例（4）的意思是"暑い夜が続いているために（因为夜间持续高温）"。

b …のは…せいだ　…是因为…。

（1）こんなに海が汚れたのはリゾート開発規制をしなかった県のせいだ。／海水被如此污染，都是因为县政府没有限制开发度假村所造成的。

（2）目が悪くなったのはテレビを見すぎたせいだ。／把眼睛搞坏的原因是因为看电视看得太多了。

（3）暮しがよくならないのは政府のせいだ。／生活水平得不到提高都是因为政府无能。

（4）夜眠れないのは騒音のせいだ。／晚上睡不着觉是被噪音吵的。

用于先叙述不良结果，然后再阐明产生其结果的原因。

c …せいにする　怪…、是由…造成的、归咎于…。

（1）A：あっ、雨。君が今日は降らないっていうから、かさ持ってこなかったのに。／呦，下雨了。你看，你说今天不会下雨，我才没有带伞来。

B：わたしのせいにしないでよ。／别把这事情怪在我头上啊。

（2）学校は責任をとりたくないので、その事故は生徒のせいにして公表しようとしない。／由于学校方面不愿意承担责任，所以把事故原因归咎于学生而不予以公布。

（3）彼は仕事がうまくいった時は自分一人でしたように言い、うまくいかなかったら人のせいにするというような男だ。／他就是这么种人，工作有成绩时都归功于自己，工作出问题时就都推到别人头上。

（4）彼女は協調性がないのを一人っ子に育ったせいにして、自分の非を認めようとしない。／她把缺乏合作精神这种缺点归咎于自己是独生子女的缘故，而不承认是自己

的错误。

表示片面地将不良结果的原因归咎于某人或某事。多带有其实另外还有人应该负责的含意。

2 …せいか 也许是(因为)、可能是(因为)。

（1） 歳のせいか、この頃疲れやすい。／也许是因为上了年纪，最近特别容易累。
（2） 家族が見舞いに来たせいか、おじいさんは食欲がでてきた。／可能是因为家属来探视他，老爷爷食欲大增。
（3） 春になったせいでしょうか、いくら寝ても眠くてたまりません。／是不是因为到了春天了，不管睡多少觉还老是犯困。
（4） 年頃になったせいか、彼女は一段ときれいになった。／也许是到了青春妙龄，她越发漂亮了。
（5） 彼は童顔のせいか、もう30近いのに高校生のように見える。／也许是因为他长了一副娃娃脸，都快30岁的人了，看上去还像个高中生似的。
（6） 気のせいか、このごろ少し新聞の字が読みにくくなったようだ。／也许是精神作用，最近报纸上的字我觉得有点看不太清。

表示原因或理由。意思是"说不清，也许是因为什么什么理由"。如例（1）的意思是"也许是因为上了年纪"。其结果可以有好有坏。

【せいぜい】

顶多、充其量、就只有、尽情、尽量。

（1） 結婚記念日といっても、せいぜい夕食を外に食べに行くぐらいで、たいしたことはしません。／说是结婚纪念日，也顶多是到外面吃一顿晚饭，不准备大搞。
（2） 忙しい会社で、年末でもせいぜい三日くらいしか休めません。／公司特忙，年底也顶多就能休息三天。
（3） 景気が今どうなのか知りません。私にわかることといえばせいぜい貯金の金利ぐらいです。／景气如何发展我不得而知。我所知道的充其量也就是关于存款利率的问题。
（4） ふるさとと言われて思い出すことといえばせいぜい秋祭りくらいですね。／提到家乡，我现在能回忆起来的就只有秋天的丰收节了。
（5） 給料が安くて、一人で暮らすのがせいぜいだ。／工资很低，顶多够一个人生活的。
（6） たいしたおもてなしも出来ませんが、せいぜい楽しんでください。／也没什么好招待的，你们就尽情地玩儿吧。
（7） あまり期待していないけどせいぜい頑張って来い、と

コーチに言われて出た試合で勝ってしまった。/比赛前，教练对我们说，这场比赛希望不大，不过你们就做最大努力吧。可没想到竟然赢了。

表示"虽有限度，但尽其最大范围"的意思。常以"せいぜい…くらい"的形式使用。但也有如例（5）"…が、せいぜいだ"的形式。例（6）、（7）表示的是"尽可能地"的意思，是一种惯用表达方式。

【せずに】

→【ずに】

【せっかく】

1 せっかく…からには （既然）好不容易。

（1）せっかく留学するからには、できる限り多くの知識を身につけて帰りたい。/既然好不容易来留学，就要尽可能多学点知识回国。

（2）せっかく代表として選ばれたからには、全力を尽くさなければならない。/既然好不容易被选为代表，就要尽我的最大努力。

（3）せっかく休暇をとるからには、2日や3日でなく、10日ぐらいは休みたい。/好不容易请一回假，就不能只请2天3天。我至少想休息10天。

以"せっかくXからにはY"的形式，X表示很难得的机会或经过努力、吃苦才完成的行为，Y表示要将其很好利用的说话人的心情或愿望。Y的部分常使用表示意志、希望、建议等的表达方式。

2 せっかく…けれども 虽然努力…了（但…）。

（1）せっかくここまできたけれども、雨がひどくなってきたから引き返そう。/虽然已经努力走到这儿了，但雨下大了，我们返回吧。

（2）せっかく皆さんに骨折っていただきましたが、実はこの計画は取りやめになりました。/尽管大家费了半天力，然而实际上已经决定取消这一计划了。

（3）せっかく作ったのですが、喜んではもらえなかったようです。/尽管费力做了，但没有让他满意。

以"せっかくXけれどもY"、"せっかくXがY"等形式，X表示很难得的机会或经过努力、吃苦才完成的行为，Y表示这种努力已经白费，并带有说话人对此表示遗憾或对不起的心情。

3 せっかく…のだから 好不容易…就…。

（1）せっかく来たのだから夕飯を食べて行きなさい。/既然好不容易来一趟，就吃了晚饭再走吧。

（2）せっかくここまで努力したのだから、最後までやり通しましょう。/好不容易坚持到

这一步了，就干到底吧。
(3) せっかくおしゃれをしたのだから、どこかいいレストランへ行きましょうよ。／刻意打扮得这么漂亮，咱们到一家高级一点的饭馆去吧。

以"せっかくX(の)だからY"的形式。X表示很难得的机会或经过努力、吃苦才完成的行为。Y表示要将其很好利用的说话人的心情或愿望。Y的部分常使用表示意志、希望、请求、劝诱、建议等的表达方式。

4 せっかく…のだったら　既然是好不容易…。
(1) せっかくピアノを習うのだったら、少しくらい高くてもいい先生についた方がいい。／既然是要学钢琴，哪怕是多出点儿钱，最好是找一个好老师。
(2) せっかく京都まで行くのなら、奈良にも行ってみたらどうですか。／既然是好不容易去一趟京都，那就顺便也去奈良看看怎么样？
(3) せっかく音楽を楽しむのだったら、もうすこし音のいいステレオを買いたい。／既然是想欣赏音乐，我就想买一台音质再好一点的音响。

以"せっかくXのだったらY"、"せっかくX(の)ならY"的形式。表示遇到一个难得的机会，要想通过努力更好地去利用它的心情。Y的部分常使用表示意志、希望、建议等的表达方式。

5 せっかく…のに／…ても　虽然(即使)努力…了(但…)。
(1) せっかく招待していただいたのに、伺えなくてすみません。／虽然承蒙您特意邀请，但我不能来参加，实在抱歉。
(2) せっかくいい天気なのに、かぜをひいてどこにも行けない。／好不容易遇上个好天儿，可是我感冒了，哪儿也去不了。
(3) せっかくセーターを編んであげたのに、どうも気にいらないようだ。／好不容易给你织了件毛衣，好像你并不满意似的。
(4) せっかく来ていただいても何もお話しすることはありません。／您即使专程来一趟，我们也没有什么好谈的。
(5) 今回のクイズには多数のおはがきをお寄せいただきました。ただせっかくお送りいただきましても、締切日をすぎておりますものは抽選できませんのでご了承ください。／这次有奖竞猜活动中，我们收到许多观众的来信。但是如果尽管您寄来了，可是却超过了截止时间的话，那也就不能参加抽奖，这一点敬请原谅。

以"せっかくXのにY"、"せっかくXてもY"的形式。意思与"せっかく…けれども"相同。使用"…のに"时表示确定的事态，使用"…ても"时表示假定的事

6 せっかくのN　好不容易的、难得的。

（1）せっかくの日曜日なのに、一日中、雨が降っている。／好不容易一个星期天，却下了一整天雨。

（2）せっかくのチャンスを逃してしまった。／错过了一次难得的机会。

（3）せっかくの努力が水の泡になってしまった。／费尽心血的努力全成为泡影。

（4）せっかくのごちそうなのだから、残さないで全部食べましょう。／主人精心为我们做了这么多好菜，别剩下，都吃光了吧。

后续表示难得机会或需伴随努力才能完成的行为的名词，表示说话人没能很好利用而感到惋惜或希望能很好利用的心情。

7 せっかく＋连体修饰句＋N　好不容易…的、费力…的。

（1）せっかく書いた原稿をなくしてしまった。／把好不容易写好的稿子给丢了。

（2）せっかく覚えた英語も今は使う機会がない。／好容易学了英语，可现在却没有机会使用。

（3）せっかくきれいに咲いた花をだれかが取っていった。／开得那么漂亮的花儿，不知让谁给摘去了。

（4）せっかく作った料理を誰も食べてくれない。／费了半天劲做的菜，可谁也没吃。

表示难得机会或需伴随努力才能完成的行为，表现出说话人对没能很好利用而感到惋惜或希望能很好利用的心情。

8 せっかくですが　谢谢您好意（但…）。

（1）A：もう遅いですから、泊まっていらしたらいかがですか。／今天已经很晚了，你就住在这儿吧。

B：せっかくですが、あしたは朝から用事がありますので。／谢谢你的好意，可是明天一早我还有事。

（2）A：今晩一緒に食事しない？／今晚咱们一起吃晚饭，好吗？

B：せっかくだけど、今晩はちょっと都合が悪いんだ。／谢谢你邀请，可今晚不巧我有点事。

以"せっかくですが"、"せっかくだけど"等形式，作为拒绝对方邀请等的开场白。

9 せっかくですから　（表示既然机会难得，就…）。

（1）A：食事の準備がしてありますので、うちで召し上がってくださいよ。／饭已经做好了，就在我们家吃吧。

B：せっかくですから、お言葉に甘えて、そうさせていただきます。／是啊，那我就不客气了。
（2）せっかくだから、あなたの作ったケーキご馳走になっていくわ。／难得有这么一次机会，我可就享用你做的点心啦。

用以作为接受对方邀请等的开场白。

【せつな】

一瞬间、一刹那。

[V-たせつな]
（1）目を離したせつな、子供は波にのまれていった。／就在我没注意的一瞬间，孩子被大浪吞没了。
（2）あたり一面火の海だった。逃げてきた道をふりかえったそのせつな、建物が轟音をたててくずれおちた。／周围一片火海。就在我回头看了一眼的一刹那，大楼轰隆一声塌了下来。

表示"时间短暂、一瞬间"的意思。比"瞬間（一瞬間）"的使用范围窄，是文学色彩较强的表达方式。是书面性语言。

【ぜひ】

一定、务必。

（1）ぜひ一度遊びにきてください。／请一定到我家来玩儿一次啊。
（2）《引越しのあいさつ状》お近くにおいでの節は是非ともお立ち寄りください。／《搬家后致信》您如有便来此地，务必敬请光临寒舍。
（3）この大学を卒業する皆さんは、ぜひ世の中の役に立つような人間になってもらいたいものだと思います。／我希望从这所大学毕业的各位，一定要成为对社会有用的栋梁之材。
（4）友人から、引っ越したからぜひ遊びに来るようにという電話がかかってきた。／我朋友打来电话，说他搬了家，要我一定到他家去玩儿玩儿。
（5）彼女は有能だから結婚してもぜひ仕事を続けてほしい。／她非常能干，所以即使她结婚以后，我也特别希望她能继续工作。

表示"无论如何"、"必须"的意思。常与表示请求的"てください"、表示希望的"てほしい"等表达方式一起使用，表示说话人的强烈愿望。一般不与否定的希望表达方式一起使用。

（误）ぜひ話さないでください。
（正）ぜったいに話さないで下さい。／请绝对不要说啊。

另外只能用于表示人的事物。

（误）あしたはぜひ晴れてほしい。
（正）あしたは何としても晴れてほしい。／明天无论如何也希望是个好天儿啊。

単独表示加強決心时，一般使用"かならず"等。
(误)　ぜひそこに参ります。
(正)　かならずそこに参ります。／我一定要去那儿。

但在答复请求时，可以使用"ぜひ行かせていただきます／好，我一定去"。是较郑重的表达方式。

【せめて】

1 せめて　最少、起码、哪怕。
(1)　夏はせめて一週間ぐらい休みがほしい。／夏天，最少也想有一个星期的休假。
(2)　大学に入ったのだから、せめて教員免許ぐらい取っておこうと思う。／已经考上了大学，我想最起码也得考一个教师证吧。
(3)　小さくてもいい。せめて庭のある家に住みたい。／哪怕小点儿也没关系，我想住一个有院子的房子。
(4)　せめてあと三日あれば、もうちょっといい作品が出せるのだが。／哪怕再有三天时间，我就能画一个更好的作品。
(5)　あしたが無理なら、せめてあさってくらいまでに金を返してほしい。／如果明天不行，最晚后天希望你能把钱还给我。

表示"尽管不充分，但至少…"的意思。后续表示决心、愿望等的表达方式。多为"せめて…ぐらいは"的形式。例(1)的意思是，"即便长假不行，最少也想休息一个星期"。

2 せめて…だけでも　哪怕、最起码。
(1)　せめて一晩だけでも泊めてもらえませんか。／哪怕一晚上也行，能让我住在这儿吗？
(2)　忙しいのはわかっているけど、せめて日曜日だけでも子供と遊んでやってよ。／我知道你很忙，可最起码星期天你也得跟孩子玩儿一玩儿吧。
(3)　うちは子供に継がせるような財産はなにもないので、せめて教育だけでもと思って無理をして大学へやっているのです。／我们家没有任何财产留给孩子，所以就想最起码要让孩子受到良好的教育，现在勒紧了裤腰带送孩子上大学。
(4)　両親を早くなくして、苦労しました。せめて母親だけでも生きていてくれたらと思います。／父母早逝我吃了不少苦。我总想，哪怕母亲能活到现在那也该多好啊。

表示"尽管不充分，但至少…"的意思。例(1)的意思是，"哪怕就一晚上也没关系"。

3 せめて…なりとも　哪怕、最起码。
(1)　せめて一目なりとも子供に会いたいものだ。／哪怕就看一眼，真想见上孩子一面。

（2） せめて一晩なりとも部屋を貸してはいただけないでしょうか。／哪怕就一晚上，您能租我一间房吗？

与"せめて…だけでも"意思相同。属于文言表达方式。

4 せめてものN （表示能够这样就不错了，微不足道等意思）。

（1） ひどい事故だったが、死者が出なかったのがせめてもの救いだ。／事故非常严重，但唯一万幸的是没有死人。

（2） パスポートをとられなかったのが、せめてものなぐさめだ。／护照没被偷是对我起码的安慰。

（3） せめてものお礼のしるしにこれを受け取ってください。／就这么一点点小礼物，请你收下吧。

表示与更严重的情况相比，现在这种情况应该说是万幸的意思。N处一般限于"救い(补偿)"、"なぐさめ(安慰)"等词语。例(3)的意思是，"很微不足道的，但作为礼物"。是一种惯用表达方式。

【せよ】
　→【にせよ】

【せられたい】
　（表示命令）请…。
[Nせられたい]
[R-られたい]
（1） 上記三名の者ただちに出頭せられたい。／以上三名请尽快出庭。

（2） 何等かの変更がある場合は、すぐに届出られたい。／如有变更，请尽快报告。

（3） 心当たりの方は係まで申し出られたい。／有线索的人请与负责人联系。

在官方文件中，相当于"しなさい"的命令语气。属于文言文，较拘谨的表达方式。

【せる】
　→【させる】

【ぜんぜん…ない】
　一点儿也不…、根本不…。

（1） テレビ、消そう。ぜんぜんおもしろくない。／把电视关了吧。一点儿也没有意思。

（2） なんだ、これ。ぜんぜんおいしくないぞ。塩が足りなかったかな。／这是什么呀。一点儿也不好吃。是不是盐没搁够啊。

（3） あの人、きょうはどうしたんだろう。全然しゃべらないね。／他今天是怎么了。一句话也不说啊。

（4） A：どう、勉強進んでる？／学习怎么样啊？
　　B：だめ、だめ、全然だめ。／不行，不行，根本不行。

与否定表达方式一起使用，表示加

强否定的语气。是口语。最近在较随便的口语中，有时也可以不与否定形式相呼应。说"ぜんぜんいい／絶対好"。

【そう…ない】

并不那么…。

(1) 夕食はそうおいしくなかったが全部食べた。／晚饭并不那么好吃，但我还是都吃了。
(2) 日本語はそうむずかしくないと思う。／我觉得日语并不那么难。
(3) 松子は明るい感じの子でしたが、クラスではそう目立たない生徒でした。／松子是一个很开朗的孩子，但在班里并不那么太显眼。
(4) このあたりでは雪で学校が休みになるのはそうめずらしいことではない。／在这一带，因下雪而停课的事并不那么稀奇。

表示"并不那么…"的意思。

【そういえば】

是啊、对了、说起来。

(1) A：なんだか今夜はしずかね。／今天晚上真安静啊。
　　B：そういえばいつものカラオケがきこえないね。／是啊，怎么听不见每天晚上的卡拉OK啦。
(2) A：おなかがすいてない？／你肚子不饿吗？
　　B：そういえば朝から何もたべてないね。／对了，说起来从早上到现在我还什么东西都没吃呢。
(3) A：山田、今日のゼミ休んでたけど風邪かな。／山田没来参加今天的讨论课，是不是感冒了啊。
　　B：そういえば先週から見かけないな。／是啊，说起来，从上星期我就没看见他了。
(4) A：坂田さんの家に何度電話しても通じないんだけど、どうしたのかしら。／给坂田家打了好几次电话也打不通，不知怎么了。
　　B：そういえば、火曜から旅行に行くって言ってたわよ。／对了，他曾说过，这个星期二要去旅行。
(5) きょうは4月1日か。そういえば去年のいまごろはイギリスだったなあ。／今天是4月1日啊。说起来，去年的今天我还在英国呢啊。
(6) もうじき春休みか。そういえばいとこが遊びに来るって言ってたなあ。／马上就该放春假了。对了，表哥还说要来玩儿呢啊。

216 そうしたら

用于表示想起或意识到与现在讲话内容相关联的某件事情。多为接着对方的话题使用。也有如例（5）、（6）自问自答的形式。是口语。

【そうしたら】

将前后文按时间顺序连接的用法。进一步口语化时，可以说"そしたら"。

1 そうしたら＜将来＞　这样一来、那样的话。

（1）娘は大学に入ったら下宿すると言っている。そうしたら、家の中が静かになるだろう。／女儿说上大学以后要出去租房子住。这样一来，家里就该清静多喽。

（2）ここには木を植えて、ベンチを置こう。そうしたら、いい憩いの場所ができるだろう。／在这里种上树，再安置上长椅。这样一来，这里就可以成为一个很好的休闲场所。

（3）彼の店はもうすぐ開店するらしい。そうしたら、わたしも行ってみよう。／他的店好像马上就要开张了。那样的话，我也可以去看看。

（4）毎日30分だけ練習しなさい。そうしたら見違えるほど上達するでしょう。／每天坚持练30分钟。那样的话，你就能有很大长进。

接在讲述计划等的句子后面，用以表示因此而带来的结果。

2 そうしたら＜过去＞　结果。

（1）暑いので窓を開けた。そうしたら大きなガが飛び込んで来た。／因为太热打开了窗户，结果飞进来一只大蛾子。

（2）忘れ物をとりに夕方学校へ行った。そうしたらもう正門が閉まっていた。／傍晚回学校去取落在学校的东西，结果学校大门已经关上了。

（3）ふらっとデパートに入ってみた。そうしたらちょうどバーゲンセールをしていた。／没事到百货店去逛逛，结果正赶上大甩卖。

（4）前にはだぶだぶだったズボンをはいてみた。そうしたらちょうどいい大きさになっていた。／以前穿着又肥又大的裤子，今天一穿，结果竟正合适了。

（5）試験のあと、参考書を開いてみた。そうしたら、全く同じ問題がのっていた。／考完试翻开参考书看了看，结果发现书里有一道题，跟考试题一模一样。

用于表述因某事或某行为为契机发生的过去的事情。多表示有所新的发现。与"そして(然后)"不同的是，后续为继前文发生与自己的行为、意志无关的事情或有所新的发现。后续为以自己的意志而发生的行为时不能使用。是较random便的口语。

→【たら1】3＜既定条件＞

（误）デパートへ行った。そうしたら

買物をした。
(正) デパートへ行った。そして買物をした。／我到百货店去了。然后买了东西。

【そうして】

1 そうして＜列举＞ 还有、而且。

（1） 好きな所。雑踏の中、港、遊園地、そうして、旅立つ前の空港。／我喜欢的地方有，人声喧哗的地方，比如港口、游乐园，还有旅行出发前的机场。

（2） おもしろくて、そうして人の役に立つことをしたい。／我想做有意思的，而且对别人有益的工作。

用于列举或添加事物。基本上与"そして"相同。使用"そうして"显得更有所考虑。此种用法一般多使用"そして"。

2 そうして＜先后＞ 然后。

（1） 旅行にもって行く物を全部再点検した。そうして、やっと安心した。／把旅行要带的东西又重新检查了一遍。这样我才放心了。

（2） 状況を説明する言葉をじっくり考えた。そうして、彼に電話した。／仔细考虑了一下应该怎样说明，然后给他打了一个电话。

（3） 次に会う時間と場所、連絡の方法などを決めた。そうして、散会した。／决定了下次集会的时间、地点和联系方法等，然后就散会了。

表示接前面的事情，后来又发生了什么。一般多用于在一连串的事情中，表述最后的一件事。基本可以与"そして"替换。

【そうすると】

1 そうすると＜契机＞ 结果、这样一来。

（1） ビルのまわりを回ってみた。そうすると、ひとつだけ電気のついている窓があった。／我围着大楼转了一圈儿，结果发现有一个窗户还亮着灯。

（2） 切符はまとめて20人分予約することにした。そうすると、少し割り引きがあって助かるのだ。／我们决定一次预定20个人的票。这样可以有优惠省点钱。

（3） テニスの練習は土曜日の朝することにしよう。そうすると、土曜日の午後は、時間ができる。／咱们星期六上午打网球吧。这样就可以把星期六下午的时间腾出来了。

表示以前面的事情为契机而发生后面的事情，或意识到后面的事情。在"そうすると"后面，不能使用表示说话人有意志行为的表达方式。

(误) 20人以上予約して下さい。そうすると割引きしましょう。

另外，后续句多表示对前面事情的解释。

2 そうすると＜结果＞ 那么说、那样的话。

（1）A：ホテルを出るのが5時で、新幹線に乗るのが6時です。／离开饭店时间是5点，乘新干线的时间是6点。
B：そうすると、買い物の時間がなくなりますよ。／那样的话，就没有购物时间了。

（2）A：お客の数が百から二百に増えそうなんですが。／听众可能会从一百增加到二百。
B：そうすると、この会場ではできなくなりますね。／那样的话，在这个会场就开不成了。

（3）A：パスポートはおととし取りました。／我是前年申请的护照。
B：そうすると、来年はまだ大丈夫ですね。／那明年还能用啊。

用于接对方话以后开始说话。在"そうすると"后，陈述一些对对方所讲事物的解释或逻辑性结论。基本与"すると"相同，是口语。

【そうだ₁】

听说，据说，据……。
[N／Na　だそうだ]
[A／V　そうだ]

（1）あの人は留学生ではなくて技術研修生だそうだ。／听说他不是留学生，是技术进修生。
（2）今年の冬は暖かいそうだ。／据说今年冬天会比较暖和。
（3）昔はこのあたりは海だったそうだ。／据说这一带从前是大海。
（4）そのコンサートには1万人の若者がつめかけたそうだ。／听说这次演唱会聚集了1万多年轻的歌迷。
（5）米が値上がりしているそうだ。／听说米价上涨了。
（6）新聞によると今年は交通事故の死者が激増しているそうだ。／据报纸报导，今年因交通事故死亡的人数剧增。
（7）担当者の話によると新製品の開発に成功したそうだ。／据负责的同志说，新产品的开发已获得了成功。
（8）うわさでは大統領が辞任するそうだ。／小道消息说总统要辞职。
（9）予報では台風は今夜半に紀伊半島に上陸するそうだ。／据天气预报报道，今天夜间台风要在纪伊半岛登陆。
（10）パンフレットによるとこの寺は二百年前に建てられたのだそうだ。／据简介介绍，这座寺庙是二百年以前建成的。

接用言简体后，表示该信息不是自己直接获得的，而是间接听说的。不能使用否定或过去的形式。
（误）　今年の冬は寒いそうではない。
（正）　今年の冬は寒くないそうだ。／听说今年冬天不会太冷。
（误）　去年の冬は寒いそうだった。
（正）　去年の冬は寒かったそうだ。／听说去年冬天很冷（来着）。

以报纸、小道消息等说明信息来源时，如例（6）～（10）所示，多以"…では""…によると"等形式出现。关于与"みたいだ"、"らしい"的区别，请参见【みたいだ】2。

【そうだ₂】

[Na そうだ]
[A－そうだ]
[R－そうだ]

其活用变格形式与ナ形容词形式相同。活用形式为"そうにV"、"そうなN"。使用否定形时可以说"Naそうではない"、"A－そうではない"，但基本上不能使用"R－そうではない"的形式，而要用"R－そうもない／そうにない／そうにもない"等形式取而代之。

1 …そうだ＜样子＞
a …そうだ　好像、似乎、显得…似的。

[Na そうだ]
[A－そうだ]

（1）その映画はおもしろそうだ。／那部电影好像很好看。
（2）彼女はいつもさびしそうだ。／她总是显得那么孤寂的样子。
（3）おいしそうなケーキが並んでいる。／摆着许多看上去很好吃的蛋糕。
（4）今日は傘を持って行った方がよさそうだ。／今天好像最好带着伞去。
（5）あの人はお金がなさそうだ。／他好像没有什么钱。
（6）久しぶりに彼に会ったが、あまり元気そうではなかった。／时隔很久又见到了他，看上去好像身体不大好似的。
（7）子供は人形をさも大事そうに箱の中にしまった。／孩子把娃娃小心翼翼地收到了盒子里。
（8）いかにも重そうな荷物を持っている。／他提着一个看似非常沉重的箱子。
（9）彼は一見まじめそうだが実は相当な遊び人だ。／看上去他显得很老实，其实是个花花公子。
（10）このおもちゃはちょっと見たところ丈夫そうだが、使うとすぐに壊れてしまう。／这玩具看上去挺结实似的，可一玩儿马上就坏。

表示说话人根据自己的所见所闻而做出的一种判断。如例（4）使用形容词"いい"时，要变成"よさそう"。例（5）使用"ない"时，要变成"なさそう"。又如例（7）、（8）所示，常伴有"さも（非常）"、"いかにも（实在）"等副词，表示强调。像"きれいだ（漂亮）"、"赤い（红色）"等一看就

220 そうだ

能明白的词,一般不使用"そうだ",而如下例所示。
(误) 彼女はきれいそうだ。
(正) 彼女はきれいに見える。/看上去她很漂亮。

如例(9)、(10)所示,与"一見(乍一看)"、"ちょっと見たところ(表面看上去)"等一起使用时,后续部分多表示其实不是这样的意思。

与"みたいだ"的区别,请参见【みたいだ】2。

b …そうにみえる 看上去显得…。
[Na そうにみえる]
[A-そうにみえる]
（1） 誕生パーティーで彼女はいかにもしあわせそうに見えた。/在生日宴会上,她显得好像那么幸福。
（2） 彼は若そうに見えるが来年は60才になる。/别看他看上去挺年轻的,明年就60岁了。
（3） なんだか気分が悪そうに見えますが大丈夫ですか。/看你很不舒服似的,不要紧吗？
（4） その問題はむずかしそうに見えたがやってみるとそうでもなかった。/这个问题看起来挺难似的,实际一做并不怎么难。

表示从外表看,"显得…"的意思。

c …そうにしている 显得…的样子。
[Na そうにしている]
[A-そうにしている]
（1） 彼女はいつもはずかしそうにしている。/她总是显得那么腼腆。
（2） 先生はお元気そうにしておられたので、安心しました。/看到老师精神很好,就放心了。
（3） その人はコートも着ずに寒そうにしていた。/那个人也没穿大衣,显得冷飕飕的样子。
（4） その子はいやそうにして遊び場からひとり離れて座っていた。/那孩子很不高兴地一个人远远地离开大家玩儿的地方坐着。

接表示感情或感觉的形容词后,表示以这样的情形做着某种动作的意思。虽可以与"…そうだ"替换,但替换后则失去做某动作的意思。

2 R-そうだ＜发生的可能性1＞
a R-そうだ 可能要…、快要…。
（1） 星が出ているから明日は天気になりそうだ。/今天晚上有星星,明天可能是个晴天。
（2） 今年は雨が多いから、桜はすぐに散ってしまいそうだ。/今年雨水多,樱花可能会一下就凋谢。
（3） 服のボタンがとれそうだ。/衣服的钮扣快要掉了。
（4） 反対運動は全国に広がりそうな気配だ。/反对运动有向全国蔓延的趋势。
（5） 今日中に原稿が書けそうだ。/有可能今天之内把稿子写

（6） 今夜は涼しいからぐっすり眠れそうだ。／今天晚上挺凉快，看来可以睡个好觉。
（7） 暑くて死にそうだ。／热得要死了。
（8） ジェット機の音がうるさくて、気が変になりそうだ。／喷气机的声音吵得我们都快精神不正常了。

接在"なる(成为)"、"落ちる(掉落)"等表示非人为意志动作的动词或如"書ける"、"眠れる"等表示可能的"V-れる"型动词的可能态后面，表示有很大可能性发生这一事态。另外，如下例所示，常与"もうちょっとで(差一点儿)"、"今にも(眼看就)"等副词一起使用，表示某事态即将发生的紧迫感。

（例） あの古い家はもうちょっとで倒れそうだ。／那间旧房屋差不多就快塌了。
（例） その子は今にも泣き出しそうな顔をしていた。／那孩子一脸的哭丧样，眼看就要哭了。

例（7）、（8）为一种比喻程度严重的惯用表达方式。

b R-そうになる 差点儿…、险些…。
（1） 道が凍っていて、何度もころびそうになった。／道路上了冻，好几次都差点儿滑倒。
（2） 車にぶつかりそうになって、あわてて道の端にとびのいた。／险些撞在汽车上，我赶忙跳到了路边上。
（3） びっくりして持っていたグラスを落としそうになった。／吓了我一跳，差点儿把拿在手里的玻璃杯掉在了地上。
（4） 私には子供のころ犬にかまれそうになった記憶がある。／我记得小时候，有一次差点儿让狗咬了。
（5） 私には、くじけそうになるといつもはげましてくれる友がいる。／我有一位朋友，每当我意志将要消沉下去的时候，他都来鼓励我。

表示说话人的意志无法控制的现象即将发生的意思。如例（1）～（4）所示，多为表述过去的事情。另外，常与"あやうく(一点儿)"、"あわや(眼看就要)"等副词一起使用，表示事态即将发生的紧迫感。

（例） 山で遭難して、あやうく命を失いそうになった。／我们在山里遇了险，差点儿丧了命。

例（1）、（3）可以与"V-るところだ"形式替换。

c R-そうもない 不可能…、不太可能…。
　　R-そうにない
（1） この本は売れそうもない。／这种书根本就卖不动。
（2） 仕事は明日までには終わりそうもない。／工作到明天不可能完成。
（3） 雨は夜に入っても止みそうになかった。／到了夜里，雨还是没有要停的迹象。
（4） 一人の力ではとうてい出来そうにもない。／这事情靠一个

（5） 民家はちょっとやそっとでは壊れそうもないほど頑丈な造りだった。／这间民房造得很结实，一般情况是不会坏的。
（6） 社長は歳をとってはいるが、元気だからなかなか辞めそうにもない。／总经理虽然上了年纪，但身体还很健康，所以还不太可能辞职呢。

以"R-そうもない"、"R-そうになぃ"、"R-そうにもない"等形式，表示发生某事的可能性极小的意思。

3 R-そうだ＜发生的可能性2＞ 很快就要…、很可能…、会要…。

（1） あの様子では二人はもうじき結婚しそうだ。／看那样子，他们俩很快就会结婚了。
（2） 彼はもう10日も無断で休んでいる。どうも会社を辞めそうだ。／他已经有10天无故不来上班了。我看他是要辞职了。
（3） 彼女は熱心にパンフレットを見ていたから、誘ったら会員になりそうだ。／她看宣传材料看得非常认真，我想如果邀她，她很有可能成为我们的会员。
（4） あんなに叱ったら、あの子は家出しそうな気がします。／我想，你那么狠地骂他，那孩子会出走的。

接表示第三人称有意识动作的动词后，表示某事态很有可能发生。与＜发生的可能性1＞的"そうだ"的区别是，一般不用于表示说话人自己的事情。
（误） 私は会社をやめそうだ。

4 R-てしまいそうだ 也许会…、恐怕会…。

（1） おいしいから全部食べてしまいそうだ。／因为好吃，也许会都吃光的。
（2） 1度やめていたタバコをまた吸ってしまいそうだ。／已经戒过一次的香烟，很可能又要抽起来。
（3） 警察のきびしい尋問を受けたら、組織の秘密をしゃべってしまいそうな気がする。／在警察的严厉审问下，我恐怕会把组织的秘密给说出来。

接表示有意识动作的动词后，表示与自己的意志相反，恐怕会作出某事的意思。多用于表述自己的行为。

【そこで】

1 そこで＜理由＞ 为此、于是、所以。

（1） 今度の事件ではかなりの被害が出ています。そこで、ひとつ皆さんにご相談があるのですが。／在这次事故中受害非常严重，为此，想和大家商量一下。
（2） 皆さんこの問題にはおおいに関心をお持ちのことと思います。そこで専門のお立場からご意見をお聞かせい

ただければと思うのですが、いかがでしょうか。／我想大家对这个问题都非常关心，所以我想请诸位从专家的角度给我们提一些建议。大家看怎么样啊。

（3）村ではだれ一人、荒れ地の開墾に賛成の者はいなかった。そこで役人はまずひとりの若者を選んでこの困難な事業に当たらせることにした。／村里没有一个人赞成开垦荒地，于是政府办事员就只好先找了一个年轻人来承担这件难办的事。

（4）A：このあたりは開発が遅れてるな。／这一带开发得比较慢啊。
B：そこで、相談なんだが少し金を融資してもらえないかな。／所以，想跟你商量商量，能不能给我们一些贷款。

表示理由。用于以某情况为缘由，而郑重提出某些要求等。是比较郑重的表达方式。可以与"それで"替换。

2 そこで＜時候＞ 这时、此时。

（1）A：だんだんむずかしくなってきたし、タイ語の勉強やめようかな。／越来越难了，我想中断泰语的学习了。
B：そこでやめちゃダメだよ。せっかく今までがんばってきたんだから。／你这时候停下来可不行啊。好不容易都坚持到现在了。

（2）仕掛け花火が炸裂し、そこで祭りは終わりになった。／焰火在空中绽开，这时庆典也就接近了尾声。

表示"在这一时刻"的意思。用于在某一情况下而非某一场所而作出的判断。

【そこへ】
这时，就在这时。

（1）友人のうわさ話をしていたら、そこへ当の本人が来てしまった。／我们正在谈论一位朋友，而就在这时他本人就来了。

（2）酔っぱらい客がけんかを始めた。そこへバーテンが止めに入ったが、かえって騒ぎが大きくなってしまった。／喝醉酒的顾客打了起来。这时酒吧招待员上前去劝架，可不想反倒把事情闹大了。

（3）集会は整然と行われていた。ところがそこへデモ隊が入ってきて場内は騒然となった。／本来集会举行得井然有序，然而这时游行队伍走了进来，结果会场内一片哗然。

表示"在这样一种场合下"的意思。后续多为"来る(来)"、"入る(进入)"等表示移动的动词。

【そこへいくと】

相比之下。

(1) A：うちの会社、残業が多くてね。先週はほとんど晩ご飯、家で食べていないんだ。／我们公司加班可多了。上个星期，我几乎就没有在家吃过晚饭。

B：そりゃ、大変だな。そこへいくと僕のとこなんか楽なほうだ。／那可是够你忙的。相比之下，我们公司可算是比较轻松的。

(2) お宅の坊っちゃん、よくお出来になるそうですね。そこへいくとうちの坊主なんかまったくだめですよ。／您家的公子学习多好啊。相比之下我们家那小子，真是不行。

表示"与之相比较"的意思。后续多为进行比较的表达方式。是一种口语形式。

【そしたら】

这样一来、结果。

(1) きのう映画を見に行ったのよ。そしたらばったり高田さんに会っちゃって。／昨天我去看电影了。结果突然遇见了高田。

(2) 一日に30分だけ練習しなさい。そしたら、上手になりますよ。／你每天要练习半个小时。这样，你肯定会提高的。

是"そうしたら"的口语表达方式，一般在文章当中不能使用。

→【そうしたら】

【そして】

1 そして＜并列＞ 还有。

(1) 今回の旅行ではスペイン、イタリアそしてフランスと、おもに南ヨーロッパを中心に回った。／这次旅行我主要去了西班牙、意大利还有法国等南部欧洲的几个国家。

(2) リーダーには指導力、判断力そして決断力が欠かせない。／作为领导，不可缺少的是领导能力、判断能力还有决断能力。

(3) おみやげは小さくて、そして軽いものがいい。／礼品最好是又小又轻的东西。

(4) この病気には、甘いもの、あぶらっこいもの、そしてアルコールがよくない。／这种病不要吃甜的、油腻的，还有不要喝酒。

用于列举事物，再加上某事物时。意思与"それに"基本相同，但"そして"更加接近于书面性语言。

2 そして＜相继＞ 接着、然后、结果。

(1) 観客は一人帰り、二人帰り、そして最後にはだれもいなくなってしまった。／观众走了一个，又走了一个，结果到

最后一个人也没有了。
（2）山間部のこの地方では、刈り入れが終わると短い秋が去り、そして厳しい冬がやってくるのだ。／在山区这一带，秋收一完，短暂的秋天就结束了，接着到来的便是寒冷的冬天。
（3）彼はその日、部下にすべてを打ち明けた。そして今後の対応を夜遅くまで話し合った。／那天，他把所有的事情都告诉了他的属下。然后和他们商量对策一直到深夜。

用于按时间顺序叙述事情。在叙述连续发生的事情中，多用于叙述最后发生的事情。带有点书面性语言的味道。

【その…その】

毎…。

[そのNそのN]

（1）その日その日を無事に過ごせれば出世なんかしなくてもいいんです。／只要每天都能平安度过，有没有出息无所谓。
（2）その人その人で考え方がちがうのは当然だ。／每个人每个人的想法不同，这是很正常的。
（3）人生の大事なその時その時を写真におさめてある。／在人生的每一个关键时刻我都留一个影。

N使用同一个名词，表示"每一个"的意思。

【そのうえ】

又、而且、还。

（1）あそこのレストランは高くて、そのうえまずい。／那家餐馆饭菜很贵，而且还不好吃。
（2）彼の奥さんは美人だし、そのうえ料理もうまい。／他夫人长得又漂亮，而且又能做一手好菜。
（3）あの人にはすっかりお世話になった。住むところから、役所の手続きまで。そのうえアルバイドまで紹介してもらった。／这次他真是照顾得周到。从住处到在机关办手续，后来甚至给我介绍了打工的地方。
（4）きのうは先生の家でごちそうになった。帰りにはおみやげまでもらい、そのうえ車で駅まで送っていただいた。／昨天，老师在他家里请我们吃饭。临走时不仅送给了我们礼物，而且还用车把我们送到了车站。

将相同事物不断添加的表达方式。一般为不断增加情况或进一步详细说明。可以与"それに"替换。

【そのうち】

一会儿、不久、过些时候。

（1）　木村さんはそのうち来ると思います。／我想木村一会儿会来的。
（2）　そのうち雨もやむだろうから、そうしたら出かけよう。／过一会儿雨可能会停的，到那时咱们再去吧。
（3）　あんなに毎日遅くまで仕事していたら、そのうち過労で倒れるんじゃないだろうか。／像这样每天工作到那么晚，不久还不因为劳累过度累趴下啊。
（4）　A：また一緒に食事に行こうよ。／咱们再一起吃个饭吧。
　　　B：ええ、そのうちにね／好，等过些时候吧。

表示"从现在起过不了多久"的意思。是口语形式。书面语中可使用"いずれ"。也可以说"そのうちに"。

【そのくせ】

可是、但。

（1）　彼は味にうるさく、文句が多い。そのくせ自分ではまったく料理ができない。／他对饭菜的口味很挑剔，经常发牢骚，可是他自己却根本就不会做菜。
（2）　妻は寒いときは体があたたまるからたまご酒を飲めといろいろ言うが、そのくせ自分はよくかぜをひく。／我妻子常说，天儿冷的时候最好喝点儿鸡蛋清酒，这样可以暖暖身子，可是她自己却感冒。
（3）　この辺は雪が多いが、そのくせ時々水不足になる。／这一带虽然常下雪，但还是经常闹水荒。

表示"それなのに（可是、反而）"的意思。用于表示责难的心情时。是较通俗的口语形式。
→【くせ】3

【そのもの】

1　Nそのもの　…本身。

（1）　機械そのものには問題はないが、ソフトに問題があるようだ。／机器本身没有问题，好像是软件有问题。
（2）　この本がつまらないんじゃない。読書そのものが好きになれないんだ。／并不是这本书没意思。而是我根本就不喜欢读书。

表示"其本身"的意思。

2　Nそのものだ　简直、就是。

（1）　その合唱団は天使の歌声そのものだ。／那个合唱团的歌声简直就是天使的歌声。
（2）　あの映画は彼の人生そのものだ。／那部电影写的就是他自己的一生。
（3）　あの子の笑い顔は無邪気そのものだ。／那孩子的笑容才

叫是天真烂漫呢。
表示"不是别的，简直就是…"的意思。

【そばから】

刚…就…、随…随…。

[Vそばから]
（1）子供達は作るそばから食べてしまうので、作っても作ってもおいつかない。／刚一做好孩子们就给吃了，无论怎么做也供不上。
（2）聞いたそばから忘れてしまう。／这边听进去，那边就忘了。
（3）読んだそばから抜けていって何もおぼえていない。／边读边丢，根本什么也没记住。

表示"刚…就…"的意思。是比较陈旧的表达方式。

【そもそも】

1 そもそものN　最开始、起因。

（1）父が株に手を出したことが、わが家の苦労のそもそもの始まりだった。／父亲开始炒股才是我们家受穷的最初的起因。
（2）それはそもそも姉が持ち出した話なのに、彼女はそのことをすっかり忘れてしまっている。／这事最开始是我姐姐提出来的，可到后来她却忘了个一干二净。
（3）そもそもことの起こりは、弟がうちを出て一人暮らしをすると言い出したことだった。／事情的起因是因为弟弟说要离开家，自己独立生活而引起的。

与"始まり(开始)"、"起こり(起始)"等表示开始意思的名词一起使用，表示"某事最一开始"的意思。例(3)中使用的"ことの起こり"表示某事的某种情况，加上"そもそも"表示发生该状况的缘由。

2 そもそも…というのは　本来。

（1）そもそも人の気持ちというのは他人にコントロールできるものではないのだから、人を思い通りにしようとしても無駄だ。／本来人的心情就不可能让别人来控制，所以要想让人家完全按自己的意愿行事，那也是枉费心机。
（2）そもそも子供というものは型にはまらない生き方を好むものだ。規則ずくめの学校を息苦しく感じるのは当然だ。／孩子嘛，本来就是喜欢无拘无束的。对于定有各种规章制度的学校，他们感到很拘束，那也是很正常的。

用于表述某事物的本质或基本特征。多用来反驳那些无视这些性质的行为或言论。

3 そもそも　说到底、还不是。

（1）そもそもおまえが悪いんだよ。友達に自分の仕事をおしつけるなんて。／说到底还是

你不好嘛。你怎么能把自己的工作推给朋友呢。

（2）そもそもあんたがこっちの道を行こうって言い出したのよ。文句言わないで、さっさと歩いてよ。／一开始还不是你说的要走这条路嘛。别那么多牢骚，快点儿走。

表示一种责难的语气，最开始导致这种情况的还不是你嘛。

【それが】

可是。

（1）10時に会う約束だった。それが1時になっても現れないんだ。／本来约好10点见面，可是到了1点还没见他来。

（2）10時に着くはずだった。それが道に迷ってひどく遅れてしまった。／本来应该10点钟到，可是中途迷了路，晚了很长时间。

（3）A：お父さんはお元気でしょうね。／你爸爸身体还好吗？
　　B：それが、このごろどうも調子がよくないんですよ。／哎呀，最近可是不太好。

（4）A：ご主人相変わらず遅いの？／您先生晚上还是回来那么晚吗？
　　B：それが変なのよ、このごろ。夕食前にうちに帰ってくるの。／哎呀，最近可有点儿怪。每天吃晚饭前就回来了。

表示"可是"、"然而"的意思。如例（3）、（4）所示，也可用于作为下文内容将出乎对方预料的开场白。

【それから】

1 それから　然后、从那以后。

（1）まず玉子の黄身だけよくかき混ぜて下さい。それからサラダ油と用意しておいた調味料を加え、混ぜ合わせます。／首先把蛋黄好好搅拌一下，然后加入色拉油和事先准备好的调料，搅拌均匀。

（2）となりの奥さんにはおとといマーケットで会いました。それから一度も見かけていません。／我是前天在市场上见到隔壁夫人的。从那以后就再也没见过她。

（3）彼は高校時代にある事件のためひどく傷ついた。そしてそれから人を信じなくなってしまった。／高中时，有一件事严重刺伤了他的心。打那以后，他再也不相信任何人了。

（4）きのうは夕方一度家に帰って、それから家族で食事に出かけました。／昨天傍晚，我先回了趟家，然后和家里

(5) あの日のことはよく覚えています。改札口を出て、それから駅前の喫茶店に入ろうとしたときに男の人がぶつかってきたんです。/那天的事情我记得很清楚。当我走出检票口，然后要进车站旁边的咖啡馆时，一个男人就向我撞了过来。

表示事情按着时间的顺序发生。即"那以后"的意思。是口语表达方式。多如例(4)、(5)所示，接在动词的テ形后，以"V-てそれから"的形式出现。

(误) 昨日は風邪をひいていました。それから学校を休みました。

表示理由时，可以使用"それで"、"それだから"等形式。

2 N それから N　还有。

(1) 夏休みにタイ、マレーシアそれからインドネシアの3カ国を回ってきた。/暑假的时候，我去了泰国、马来西亚还有印度尼西亚这3个国家。

(2) カレーとミニサラダ、あっそれからコーヒーもお願いします。/我要咖哩饭，小盘儿沙拉，对了，还有咖啡。

(3) 初級のクラスは月曜日と水曜日、それから土曜日にやっています。/初级班在星期一、星期三，还有星期六上课。

(4) 担当は山田さん、それから松本さん、この二人です。/负责这件事的是山田，还有松本他们两个人。

(5) この時期の海外旅行としましては、香港それから台湾といったところが人気がありますね。/现在这个季节的海外旅行，香港还有台湾等地方特别受欢迎。

用于列举同类事物，表示"そして(还有)"的意思。列举名词时，表示同时，没有时间的顺序。是口语表达方式。

【それこそ】
那才真是。

(1) 野球部は練習がきびしくて君ではそれこそ三日ともたないよ。/棒球队的训练可苦啦，就你呀，那才真是连三天都坚持不了呢。

(2) 育ち盛りの子供がたくさんいるので、毎日それこそ山のようなご飯を炊く。/我们家有好几个正长身体的孩子，所以每天都要蒸一大锅饭。

拿出一个比喻，强调程度之严重。如例(1)的意思就是"训练苦得连三天都坚持不了"，例(2)的意思就是"孩子都特能吃，所以要烧很多饭"。是口语表达方式。

【それだけ】
也就、相应。

(1) 1年間努力して合格したのでそれだけ喜びも大きい。/努力了一年才考上的，所

(2) よく働いたらそれだけおなかもすく。／干活特别卖力，所以肚子也就饿了。
(3) あの仲の良かったふたりはとうとう別れてしまった。愛し合っていたからそれだけ憎しみも大きいようだ。／他俩关系那么好，可也终于离婚了。爱得越深也就恨得越深吧。
(4) 練習を1日でもさぼるとそれだけ体が動かなくなる。／只要有一天偷懒不练，身体就会相对僵硬。

表示与其程度成正比的意思。

【それで】

所以、那么。

(1) きのうの晩熱が出て、それで今日は学校を休んだ。／昨天晚上我发烧了，所以今天请假没上学。
(2) 小さい時に海でこわい思いをした。それで海が好きになれない。／小时候我在海上受过惊，所以不喜欢大海。
(3) A：来週から試験だ。／下星期要考试了。
　　B：それで。／那怎么了。
　　A：しばらく遊べない。／暂时就不能玩儿了。
(4) A：昨日、突然いなかから親戚が出てきまして…。／昨天突然从老家来了亲戚…。
　　B：それで。／有什么要求吗。
　　A：それで、あのう今日の残業は…。／所以，今天这加班儿…。
　　B：かまわないよ、はやく帰りなさい。／那没关系，你就早点儿回去吧。

表示理由的说法。如例(3)、(4)所示，也可以像该会话中的B，用于催促对方说出下文。进一步口语化后，可使用"で"。

【それでこそ】

那才称得上是、那才叫真正的。

(1) 彼は部下の失敗の責任をとって、社長の座を降りた。それでこそ真のリーダーと言える。／下属犯了错误，他引咎辞去了总经理的职位。那才称得上是真正的领导呢。
(2) A：あの大学、卒業するのがむずかしいそうだよ。／听说那所大学很难毕业啊。
　　B：それでこそ本当の大学だね。／那才叫真正的大学呢。
(3) A：今度のコピー機は、まったく人手がいらないそうだ。／听说这次买的复印机根本就不用人动手。
　　B：それでこそオフィス革

命と言えるね。今までのは人を忙しくさせるだけだったから。／这才叫办公革命呢。原来那台光让人跟着它忙乎了。

用于句子的起始，表示"正因为这一理由才…"的意思。举出某事物或某人物性质，用以因为这一性质对该事物（人物）给以高度评价。只用于褒义。是稍陈旧的表达方式。口语中经常使用"それでこそ本当のNだ。"这样的固定形式。

【それでは】

这是在"では"的前面加上指示词"それ"而形成的句型。基本上的用法都可以与"では"替换。只有用法4＜否定的结果＞与其他不同。只能用"それでは"的形式。这是比较郑重的表达方式，在较随便的口语中可以使用"それじゃ(あ)"、"じゃ(あ)"。

1 それでは＜推论＞　那、那么。
（1）A：私は1974年の卒業です。／我是1974年毕业的。
　　B：それでは、私は2年後輩になります。／那我要比你晚两年。
（2）A：ようやく就職が内定しました。／工作终于定下来了。
　　B：それでは、ご両親もさぞお喜びのことでしょう。／那你父母也一定很高兴吧。

→【では2】1

2 それでは＜表明态度＞　那、那么。
（1）A：その人にはあった事がないんです。／我没有见过这个人。
　　B：それでは紹介してあげますよ。／那我给你介绍一下吧。
（2）A：準備できました。／已经准备好了。
　　B：それでは始めましょう。／那咱们就开始吧。

→【では2】2

3 それでは＜转换话题＞　那么。
（1）それでは、次は天気予報です。／那么，下面播送天气预报。
（2）それでは、皆さん、さようなら。／那么，诸位就再见了。

→【では2】3

4 それでは＜否定的结果＞　那。
（1）A：入学試験、多分60パーセントもとれなかったと思います。／这次入学考试，我恐怕连百分之60的正确率也没有。
　　B：それでは合格は無理だろう。／那恐怕很难考上了吧。
（2）A：明日までには何とか出来上がると思いますが。／我想到明天怎么也能完成了。
　　B：それでは、間に合わないんですよ。／那就来不及了。
（3）こんなに大変な仕事を彼女

ひとりに任せているそうだが、それでは彼女があまりにも気の毒だ。／听说这么一项艰难的工作都交给她一个人了．那她也有点儿太可怜了。

接句子或句节后．表示那样的话将没有好结果的意思。后续多为"だめだ(不行)／無理だ(没希望)／不可能だ(不可能)"等表示否定意义的表达方式。

【それでも】

尽管如此、即使这样。

（1）いろいろ説明してもらったが、それでもまだ納得できない。／虽然你给我们作了很多说明．但我仍旧不能明白。
（2）試合は9時におわったが、それでもなお残ってさわいでいるファンがいた。／比赛一直进行到9点才结束。尽管如此，仍旧有许多球迷还不肯走．而且喧闹个不停。
（3）葬式もすんだし、遺品の整理もついた。しかしそれでもまだ彼の死は信じられない。／葬礼已经结束．遗物也整理得差不多了．但我仍旧难以相信他的死。
（4）去年の冬に山で大けがをした。しかしそれでもまた山に登りたい。／去年冬天我在登山时受了重伤．即使这样，我仍旧想登山。

表示"即使有前面说过的情况．但是"的意思。常与"まだ(还)"、"なお(仍)"等

一起使用。

【それどころか】

何止、哪里。

（1）A：山の家はすずしくていいでしょうね。／山里的房子挺凉快的吧。
　　B：それどころか、寒くてすっかりかぜをひいてしまいました。／何止是凉快啊，冻得我都感冒了。
（2）A：彼、最近結婚したらしいね。／他最近好像是结婚了吧。
　　B：それどころか、もう赤ん坊が生まれたそうだよ。／哪儿啊，连孩子都生出来了。

用于讲述完全超出对方想像的事情。

【それとも】

1　Nそれとも N　还是、是…还是…。

（1）A：コーヒー？ それとも紅茶？／您是喝咖啡？还是喝红茶？
　　B：どちらでもけっこうです。／什么都行。
（2）A：あしたのパーティーには、何を着て行くつもり？着物、それともドレス？／明天晚上的晚会，你准备穿什么去啊？是

穿和服，还是穿晚礼服？
B：まだ、決めてないのよ。／我还没想好呢。
(3) 進学か、それとも就職かとずいぶん悩んだ。／是升学还是找工作，我犹豫了很长时间。

以"Xそれともｙ"、"XかそれともYか"的形式，表示"是X抑或是Y"的意思。用于如例(1)所示，提出两种选择项，询问对方哪者为好的场合，或如例(2)所示，询问对方意向的场合。但如下例所示，在向对方进行指示的时候不能使用。
(误) 黒それとも青のインクで書いてください。
(正) 黒か青のインクで書いてください。／请用黑墨水或蓝墨水书写。

还可以如例(3)所示，用于有两种选择，自己犹豫不决的场合。此时，可以与"あるいは(或是)"替换。

2 …それとも～ 还是、是…还是…。
(1) 雨が降ってきましたが、どうしますか。行きますか。それとも延期しますか。／下雨了，怎么办啊。是去呢？还是改日呢？
(2) 洋室がよろしいですか、それとも和室の方がよろしいですか。／是洋式房间好呢？还是和式房间好呢？
(3) A：散歩にでも行く？それとも、映画でも見ようか。／去散散步吗？要不去看场电影？
B：そうね、久しぶりに映画もいいな。／对了，好久没看电影了，看场电影吧。
(4) 就職しようか、それとも進学しようかと迷っている。／是工作呢，还是继续升学，犹豫不定。
(5) 彼は、初めから来るつもりがなかったのか、それとも、急に気が変わったのか、約束の時間が過ぎても現れなかった。／他到底是开始就没打算来呢？还是突然改变了主意不来了呢？见面时间都过了，还不见他来。
(6) この手紙を読んで、彼女は喜んでくれるだろうか。それとも、軽蔑するだろうか。／看到这封信以后，她是会高兴呢？还是会看不起我呢？

以"Xそれともｙ"、"XかそれともYか"的形式，表示"是X抑或是Y"的意思。用于如例(1)～(3)所示，提出两种选择项，询问对方哪者为好的场合，或如例(4)～(6)所示，用于有两种选择，自己犹豫不决的场合。此时，可以与"あるいは(或是)"替换。

【それなら】
那、那样的话。
(1) A：どこか山登りに行こうと思うんだけど。／我想到哪儿去爬爬山。
B：それなら、日本アルプス

がいいよ。／那，我建议你去爬日本阿尔卑斯山。
(2) A：パーティーにはリーさんの奥さんも来るそうだ。／听说李先生的夫人也要来参加今天的晚会。
    B：それなら私も行きたいわ。／那我也想去参加。
(3) これ以上の援助はできないといっているが、それならこちらにも考えがある。／他们说不能再继续援助了，那样的话，我们也有我们的考虑。

接对方的话，表示"那样的话"、"那时"的意思。

→【なら1】

【それに】

1 …それにN　还有、还要。

(1) 部屋にはさいふとかぎ、それに手帳が残されていた。／我把钱包、钥匙，还有记事本儿都落在屋里了。
(2) 用意するものは紙、はさみ、色えんぴつそれに輪ゴムです。／需要准备的东西有纸、剪刀、彩色铅笔，还有皮筋儿。
(3) 牛乳とそれにたまごも買ってきてね。／你买点儿牛奶，还有鸡蛋啊。
(4) A：いつがご都合がよろしいでしょうか。／您什么时候有时间啊？
    B：そうですね、火曜と木曜それに金曜の午後もあいています。／我想想啊，星期二和星期四，还有星期五的下午都有时间。
(5) カレーにハンバーグ、それにライスもお願いします。／我要咖喱饭、汉堡包还要米饭。

用于列举同类事物。虽然都表示添加，但不能与"そのうえ(而且)"、"しかも(而且)"替换。

2 …それに　而且。

(1) このごろよく眠れない。それに時々めまいもする。／最近老睡不好觉，而且有时候还头晕。
(2) そのアルバイトは楽だし、それに時間給もいい。／这份儿工作挺轻松的，而且每小时的工钱也不少。
(3) 高速バスは速いし、それになんといっても安い。／高速大巴士快，而且最主要的是便宜。
(4) 去年の夏は雨が多かった。それに気温も低くて米も不作だった。／去年夏天雨水很多，而且气温很低，所以稻米也欠收了。

用于列举同类事物。可以与"そのうえ(而且)"、"しかも(而且)"替换，但是比"そのうえ"、"しかも"更口语化。

【それにしては】

可是，相比之下，可是。

(1) A：きのうほとんど寝てないんです。／昨天我基本没睡觉。
B：それにしては元気がいいね。／可那你还挺有精神啊！

(2) A：これは輸入の最高級品だよ。／这是最好的进口产品啊！
B：それにしては安いのね。／那价钱可够便宜的啊。

(3) かれは一流の大学をでているそうだが、それにしては仕事ができない。／听说他毕业于一流大学，可是却不怎么会工作。

(4) アメリカに3年いたそうだが、それにしては英語が下手だ。／听说他在美国呆了3年呢。可相比之下英语可不怎么样啊。

表示"与前述事情的预想结果相反"的意思。

【それにしても】

可那也…，可是…。

(1) A：予選ではあんなに強かったのにどうして決勝で負けたんでしょうね。／预赛时候那么强，怎么在决赛时候就输了呢。
B：プレッシャーでしょう。／是精神上有压力吧。
A：それにしてもひどい負け方ですね。／可那也输得太惨了点儿。

(2) A：坂本さん、あの高校に受かったんだってね。／听说坂本考上那所高中啦？
B：必死で勉強してたらしいよ。／他可是玩儿命学习来着。
A：それにしてもすごいね。／那也真是够棒的了。

(3) A：太郎、また背がのびたようよ。／太郎好像又长高了嘛。
B：それにしても、あいつはよく寝るなあ。／可不，那家伙可真能睡觉啊。

(4) A：またガソリン代、値上がりしたよ。／汽油又涨价了。
B：それにしても政治家はなにをしてるんだろう。われわれがこんなに苦しんでいるのに。／真不知道那些政治家整天都在干些什么。我们老百姓生活这么苦。

(5) 《A、Bが竹下を待っている》／《A、B在等竹下》
A：よく降りますね。／这雨下得真大啊。

B：ええ、それにしても竹下さん遅いですね。／可不，可是这竹下怎么还不来啊。

表示"即使考虑到这一因素，也…"的意思。用于姑且承认前述情况，但继续说出与之相反事态的场合。

【それはそうと】

另外我问你、对了我问你。

（1）A：先生、レポートのしめきりはいつですか。／老师，小论文什么时候交啊？
B：七月末だよ。それはそうと明日の演習の発表はだれだったかな。／七月底呢。另外我问你一下，明天的演习课由谁发表？

（2）A：パン、買ってきたよ。／面包买回来了。
B：ありがとう。それはそうと安田さんに電話してくれた？／谢谢。对了我问你，你替我给安田打电话了吗？

一旦结束现在的话题，用于改变话题的开场白。多见于突然想起某事而添加时。

【それはそれでいい】

那行，但是…。

（1）事故の責任は取ったというなら、それはそれでいい。しかし今後の補償をちゃんとしてくれなくては困る。／你要说你们对事故负责，那这事这样就算解决了。但今后的赔偿金你们也一定得到位。

（2）A：部長、会議の資料そろいました。／部长，会议的资料我都准备好了。
B：それはそれでいいけど、事前の打ち合せのほうはどうなってるのかね。／那挺好，可是事前的碰头会安排好了吗？

用于在知道上述情况的前提下，又提出其他事由的开场白。

【それはそれとして】

此事暂且不论、另外还有。

（1）万引が問題なのはわかります。しかしそれはそれとして、もう少し広く青少年をとりまく社会環境について話し合いたいと思います。／我们知道，在商场偷东西这一问题很严重。但我想把这个问题先放一放，来谈一谈更大的，围绕青少年社会环境的问题。

（2）A：今月かなりの赤字になっているのは人件費がかかりすぎているからじゃないか。／这个月之所以会有这么多赤

字。我想是因为人事费用过高的原因吧。
　B：まあそうだけど、それはそれとして、円高(えんだか)のことも考(かんが)えないといけないんじゃないかな。／这也是其中的原因之一吧。另外还有一个原因，恐怕也不能忽视日元升值的因素吧。

用于暂且承认前述情况，但换一个角度，提出不同看法时。

【それほど】
那么。
（1）それほど好(す)きならあきらめずにやりなさい。／你要是那么喜欢就别灰心，继续坚持下去。
（2）A：嫌(きら)いなの？／你讨厌他吗？
　　B：いや、それほど嫌(きら)いなわけじゃないけど、あまり会(あ)いたくないんだ。／不，并不是那么太讨厌，可就是不大想见他。
（3）A：テニス、ほんとにお上(じょう)手ですね。／你网球打得真不错啊。
　　B：いや、それほどでもありませんよ。／不，打得并不怎么好。

表示"そんなに(那么)"的意思。如例（2）、（3）所示，多与否定表达方式相呼应，表示"不太…"的意思。

【それまでだ】
就完了。
（1）人間(にんげん)、死(し)んでしまえばそれまでだ。生(い)きているうちにやりたいことをやろう。／人一死啊，什么都完了。所以趁活着的时候想干点儿什么就赶紧干点儿什么。
（2）A：お土産(みやげ)、チョコレートにしましょうか。／给他带点儿巧克力作礼物吧。
　　B：チョコレートなんか食(た)べてしまえばそれまでだ。なにか記念(きねん)に残(のこ)るものがいいよ。／巧克力什么的，吃了就没了。我想还是能留作纪念的东西好。
（3）一度(いちど)赤(あか)ん坊(ぼう)が目(め)を覚(さ)ましたらもうそれまでだ。自分(じぶん)のことはなにもできない。／你要把小宝宝吵醒了，那就算完了。自己的事情什么也干不成了。

表示"这下算完了"、"再不可能有了"的意思。常与"…すれば"、"…したら"等一起使用，如例（1）、（2）所示。后续下文的意思多为"以后就什么都没有了，所以最好现在做了为好"。

【それゆえ】
所以，因而。
（1）彼(かれ)は自分(じぶん)の能力(のうりょく)を過信(かしん)して

いた。それゆえに人の忠告を聞かず失敗した。/他过于相信自己的能力，所以不听别人的劝告而终于失败了。
(2) 最近、腸チフスに感染して帰国する旅行者が増加している。それゆえ飲み水には十分注意されたい。/最近出国旅行时感染伤寒的人不断增加。所以希望大家饮水时要特别注意。
(3) 我思う。ゆえに我あり。(デカルト)/我思，故我在。(笛卡尔)
(4) 二つの辺が等しい。ゆえに、三角形ＡＢＣは二等辺三角形である。/因为这两个边长相等，所以三角形ＡＢＣ是一个等腰三角形。

连接句子，表示句子之间的因果关系。是一种较郑重的文言表达方式。多用于数学或哲学等的论文中。也可以说"それゆえに"、"ゆえに"。

【それを】

然而，而。

(1) あれほど考え直すように言ったのに君は会社をやめた。それを今になってもう一度雇ってくれだなんて、いったい何を考えてるんだ。/我们那么劝你，要你重新慎重考虑一下，可你还是辞了职。而现在你又要我们重新录用你，你到底想什么呢。
(2) A:もう一度やり直そうよ。/咱们再重新开始吧。
B:別れようって言ったのはあなたよ。それを今さらなによ。/提出分手的是你，现在提出和好的也是你，你想怎么着就怎么着啊。
(3) 契約したのは1年前だ。それを今になって解約したいと言ってきても無理だ。/我们是1年前签的合同。然而你们现在来提出解除合同是根本不行的。

表示"それなのに(然而)"的意思。用于以前的情况发生了变化，而根据现在的情况向对方表示责难时。常与"今さら(现在才)"、"今になって(到现在)"等表达方式一起使用。

【たい】

1 R-たい　想，想要。
(1) ああ、暑い。なにか冷たいものが飲みたい。/啊，真热。我真想喝点儿冷饮。
(2) A:子供はこんな時間までテレビを見てはいけません。/小孩子看电视不能看到这么晚。
B:ぼく、はやく大人になりたいなあ。/我真想早点儿长成大人啊。
(3) 老後は暖かい所でのんびり

暮らしたい。/老了以后，我想在温暖的地方生活。
(4) その町には若い頃の苦い思い出があって、二度と行きたくない。/在那座城市里有我年轻时痛苦的经历，所以我不想再去。
(5) 大学をやめたくはなかったのだが、どうしても学資が続かなかった。/虽然我本人并不想中断大学的学习，可是怎么也交不起学费了。
(6) 今は単身赴任だが、来年3月までになんとか家族そろって住むところを見つけたい。/现在我是单身赴任，到明年3月份为止，我想找一处可以和家里人一起居住的地方。
(7) A：来月も続けて受講されますか。/下个月你还继续听讲吗？
B：続けたいんですが、ちょっと時間がなくて。/我是想继续听，但是没有时间了。
(8) A：将来はどうなさるんですか。/将来你打算怎么办啊？
B：インテリア・デザインの会社で働きたいと思っていますが、まだわかりません。/我想到室内装潢设计公司工作，但是还不知道行不行。

表示说话人(疑问句时听话人)欲实现某种行为的要求或强烈的愿望。活用形式(词尾变化)与形容词相同。如例(1)所示，在强调愿望所涉及的对象时，要将助词"を"变成助词"が"，使用"…がR－たい"的形式。又如例(7)、(8)所示，常使用"－たいんです"、"－たいと思っています"的形式，以使表达方式显得婉转。另外，在较郑重的场合，一般也不使用"なにか飲みたいですか(你想喝点儿什么吗？)"的形式来直接询问对方的意愿，而是采取"なにか飲みますか(您喝点儿什么吗？)"、"飲物はいかがですか(饮料要点儿什么呀)"等的表达方式。

在表示第三者的愿望时，不能使用"…たい(です)"。而要使用"…たがる"、或"…らしい"、"…ようだ"等表示推测的表达方式。或者是采取"…と言っています"等直接引用的形式进行叙述。

(例) 森田さんは古い車を売りたいらしい。/森田好像想把旧车卖掉。

(例) 息子は友達となにかあったのか、学校に行きたくないと言っています。/不知儿子和小朋友发生了什么矛盾，说不想去学校。

但是，在非断句的情况下，有时也可以使用。

(例) 和夫はバイクを買いたくて、夏休みはずっとガソリンスタンドで働いていた。/和夫想买摩托车，所以整个一个暑假都一直在加油站上打工。

(例) ツアーに参加したい人は15日までに申し込んで下さい。/想参加团队旅行的人，请于15日

以前提出申请。

2 R－たいんですが　我想…。
（1）A：住民登録（じゅうみんとうろく）について聞（き）きたいんですが、何番（なんばん）の窓口（まどぐち）でしょうか。／我想问一下关于居民登记的事情．在几号窗口啊？
　　　B：3番へどうぞ。／请到3号窗口。
（2）A：フェスティバルの日程（にってい）が知（し）りたいんですが。／我想了解一下这次庆祝活动的日程。
　　　B：そこにパンフレットがありますから、お持（も）ち下（くだ）さい。／那边有宣传材料．请随便拿吧。
（3）A：すみません、ちょっとお聞（き）きしたいんですが。／对不起．我想向您打听一下。
　　　B：はい、なんでしょう。／可以．您想问什么？

作为很有礼貌的开场白使用。

3 R－たがる　想…。
（1）自信（じしん）がない人ほどいばりたがるものだ。／越是没有自信的人越想在人面前逞强。
（2）入社後（にゅうしゃご）一年（いちねん）はやめたがる人が多（おお）いが、それを過（す）ぎるといていはながく勤（つと）めるようだ。／入公司第一年有很多人想辞职不干．过了这个时期一般就可以长期工作下去了。

→【たがる】

【だい】

用于较随便的会话．为男性使用。

1 疑问表达方式＋だい　（表示疑问）。
（1）いま何時（なんじ）だい？／现在几点啊？
（2）いつだい？花子（はなこ）の入学式（にゅうがくしき）は。／花子的开学典礼是哪天啊？
（3）その手紙（てがみ）だれからだい？／那封信是谁来的啊？
（4）どうだい。元気（げんき）かい。／怎么样？身体好吗？
（5）そんなことだれから聞（き）いたんだい？／这事情你听谁说的？
（6）何時（なんじ）にどこに集（あつま）ればいいんだい？／几点．在什么地方集合啊？
（7）どうだい、すごいだろう。／怎么样？够棒的吧。
（8）何（なん）だい、今頃（いまごろ）やってきて。もう準備（じゅんび）はぜんぶ終（お）わったよ。／怎么了．这时候才来。准备工作我们全都做完了。

接在疑问词或含疑问词的疑问表达方式后．表示向对方询问的语气。另如例（7）、（8）所示．也可以作为带有询问、谴责语气的感叹词使用。用于口语．显得比较老气。一般多为男性使用。

2 …だい　（表示判断）。
[N／Na　だい]
（1）そんなことうそだい。／那是假的。
（2）いやだい。絶対教（ぜったいおし）えてあげ

ないよ。／我不干．我是决不会告诉你的。
（3）ぼくのはこれじゃないよ。それがぼくのだい。／这个不是我的。那个才是我的。

用于男孩表示强烈的判断。

【たいがい】
差不多、基本上、一般都。

（1）あの人は、たいがい9時ごろ来ます。8時ごろの時もありますが。／他差不多每天9点钟来。有时候也8点钟来。
（2）私は、朝食は、たいがいパンですね。／早饭我基本上都吃面包。
（3）そんなに遠くない所なら、たいがいは自転車を使うことにしています。／不那么远的地方．我一般都是骑自行车去。
（4）試験の成績が悪かった人は、たいがいの場合、追試を受けることになっています。／考试成绩不好的人．按规定差不多得参加补考。

接表示习惯性行为的句子后．表示发生这种事情的频率和概率很高。有时也可以使用"たいがいは"、"たいがいの場合（は）"。但表示对将来的事情进行推测时不能使用。

（误）今晩はたいがい7時には帰るでしょう。
（正）今晩はおそらく7時には帰るでしょう。／今天晚上我可能大约7点钟就回来了。

另外．也可以使用"たいがいの人"、"たいがいの町"等"たいがいのN"的形式．表示概率很高．可以与"大部分的（大部分的）N"替换。也可以说"たいてい"。

【たいした】

1 たいしたNだ　了不起的、够…的。

（1）たいした人物だ。たった一人で今の事業をおこしたのだから。／他可是个了不起的人物。一个人就把这个事业给干起来了。
（2）中国語を1年習っただけであれだけ話せるんだから、たいしたものだ。／只学了一年中文就这么能说．真了不起啊。
（3）あんなに大勢のお客さんに一人でフルコースの料理を作るなんて、たいした腕前だ。／一个人就能为那么多客人做全套菜．本事真够大的。
（4）A：あの人、紹介状も持たずに社長に会いに行ったそうよ。／据说他连介绍信都没拿就去见总经理了。
B：たいした度胸ね。／胆子可够大的啊。

表示对某人能力的赞赏。N部分多为"もの（东西）"、"人（人）"、"人物（人物）"、"腕前（本领）"、"度胸（胆量）"、"力量（力量）"等名词。

2 たいしたNではない　不是什么

大不了的、不是什么重要问题。

（1）たいしたものではありませんが、おみやげにと思って買ってきました。／不是什么大不了的东西，我想作个小礼品就买回来了。

（2）私にとってボーナスが多いか少ないかはたいした問題ではない。休みが取れるかどうかが問題だ。／对我来说，奖金的多少并不是什么重要问题。关键是要看能不能有休假。

（3）A：朝から病院って、なにか大変なことがあったんですか。／一大早上就去医院啊，得了什么大病了吗？

B：いや、たいしたことではありません。家のねこがちょっとけがをしただけです。／没什么大不了的。就是我们家的猫受了点儿伤。

表示并不那么重要的意思。

3 たいしたことはない　没什么、哪儿啊。

（1）A：お宅の奥さん、料理がお上手だそうですね。／听说您夫人很会做菜呀。

B：いや、たいしたことはありませんよ。／咳，没什么大不了的。

（2）A：日本語、うまいですね。／你日语讲得不错啊。

B：いや、たいしたことはありません。敬語の使い方なんか、まだまだです。／哪儿啊，没什么。特别是在使用敬语方面，还差得远呢。

（3）A：かぜの具合いはいかがですか。／感冒怎么样了？

B：おかげさまで、たいしたことはありません。／托您的福，不怎么太严重。

用于表示"不太…"即程度不那么严重的意思。例（1）、（2）是对别人的称赞之辞的回答，表示谦虚的态度。

【たいして…ない】

不太…、不怎么…。

（1）きょうはたいして寒くないね。散歩にでも行こうか。／今天不太冷啊，咱们去散散步吧。

（2）あのすし屋は高すぎる。たいしてうまくもないのに。／那家寿司馆太贵，况且味道又不是那么太好。

（3）あの人、うまいねえ。大して練習しているわけでもないのに。／他水平够高的啊，况且并没怎么练习。

（4）大して有能でもないのに、あの議員は勤続25年だそうだ。一体どんな人が投票し

ているんだろう。／听说那个议员也没什么能耐，却连续25年当选。到底都是些什么人投他的票啊。

后续否定表达方式，表示程度不高。如例(2)、(3)、(4)所示，常与助词"のに"一起使用，对事物作出负面评价。又如例(4)的用法，可与"大した能力でもないのに"、"能力が大したことがないのに"等替换。

【だいたい】

大体、基本上、根本、简直。

(1) 大体のことは伝えておきます。／大体的情况我都会告诉他的。
(2) だいたいわかりました。／我基本上明白了。
(3) この本をひとりで日本語に翻訳するのはだいたい無理な話だ。／要想一个人把这本书翻译成日语，我看根本不行。
(4) こんな時間に電話するなんてだいたい非常識な人だ。／在这个时间还来电话，简直是个不懂规矩的人。
(5) A：あの子、いつも忘れものをするらしいの。／那孩子，老是丢三落四的。
    B：だいたいね、注意してやらない君が悪いんだよ。／要说最根本的还是你不好，你总也不提醒

他嘛。
(6) だいたいぼくよりあいつの方が給料がいいなんて変だよ。／那家伙的工资比我还多，这根本就不正常。
(7) A：すみません、遅れまして。／对不起，我来晚了。
    B：だいたいだね、君は今まで時間通りに来たことがない。／到今天为止，你根本就没有按时间来过。

例(1)、(2)表示大体、基本上的意思。另如例(3)、(4)所示，与"無理"、"非常識"等一起使用时，包含着说话人对该事物的谴责、批评的语气。再如例(5)、(6)、(7)所示，还可以作为向对方表示不满、责难等的开场白。

【たいてい】

差不多、基本上、一般。

(1) あの人は、たいてい9時ごろ来ます。8時ごろの時もありますが。／他差不多每天9点钟来。有时候也8点钟来。
(2) 私は、朝食は、たいていパンですね。／早饭我基本上都吃面包。
(3) そんなに遠くない所なら、たいていは自転車を使うことにしています。／不那么远的地方，我一般都是骑自行车去。

（4） 試験の成績が悪かった人は、たいていの場合、追試を受けることになっています。／考试成绩不好的人，按规定差不多都得参加补考。

接表示习惯性行为的句子后，表示发生这种事情的频率和概率很高。但表示对将来的事情进行推测时不能使用。

（误） 今晩はたいてい7時には帰るでしょう。
（正） 今晩はおそらく7時には帰るでしょう。／今天晚上我可能大约7点钟就回来了。

有时也可以使用"たいていは"、"たいていの場合(は)"。另外，还可以使用"たいていの人"、"たいていの町"等"たいていのN"的形式，表示概率很高，可以与"大部分の(大部分的)N"替换。也可以说"たいがい"。

【たいへん】

1 たいへん　很、非常。
（1） 《教師が生徒に》はい、たいへんよくできました。／《老师对学生》嗯，做得很不错。
（2） 先日は大変結構なものをちょうだいし、ありがとうございました。／那天您送给我们那么珍贵的礼物，真是太谢谢了。

表示程度很甚。是一种较生硬的表达方式，在口语中更多使用"とても"、"すごく"等。

2 たいへんだ　不得了、真够…。
（1） たいへんだ。さいふがない。／糟了。钱包不见了。

（2） 日曜日も仕事ですか。大変ですねえ。／星期天还工作啊。真够忙的啊。
（3） え？あそこのうち、子供が3人とも大学に行ってるの？親は大変だ。／啊？他们家3个孩子都在上大学呐？父母可真够受的。

对非同一般的事情或意外的事情表示惊讶、同情、感慨。

3 たいへんなN　了不起的、真够…。
（1） きのうはたいへんな雨でしたね。／昨天那场雨可真够大的啊。
（2） あのピアニストの才能は大変なものだ。／那个钢琴家可真是一个了不起的天才。
（3） 家族のうち二人も入院だ。大変なことになった。／家里有两个人都住院了。可真够呛。

用于对非同一般的事情或意外的事情表示评价。可以有正面评价也可以有负面评价。

【だか】

→【か】8

【たかが】

1 たかがN　充其量、不过是、不就是。
（1） かしこいと言ってもたかが子どもだ。言うことに、いちいち腹を立ててはいけない

よ。／说聪明也不过是个孩子，不必对他说的话都那么一一发火。
（2）たがが皿1枚に10万円も払うのはばかげている。／充其量不就是一个盘子吗，竟要付10万日元，简直是笑话。
（3）たかが証明書一枚のために朝から二時間も待たされるなんて、ひどく能率の悪い役所だ。／就为了开一张证明，从一大早就排队等了两个多小时，这办事效率也太差了。
（4）たかが1泊の旅行のためにどうしてそんな大きなカバンがいるのよ。／不就是住一晚上的短途旅行吗，至于带那么一个大包吗？
（5）A：ぼく、この服いやだ。／我不爱穿这件衣服。
B：たかが服のことでなんだ。気に入らないなら家にいなさい。／不就让你穿这件衣服嘛，闹什么闹。你不爱去就在家呆着吧！

对"たかが"后续名词所表示的事物，表示一种评价，多为没什么了不起的意思。后续表达方式多为"ばからしい（可笑）"、"気にするな（别在意）"等表示价值取向的意思。语言形式多为"たかがNのために"、"たかがNのことで"等。

2 たかが…ぐらいで　就是点儿…、不就是…。

[たかが　N／A／V　ぐらいで]

[たかが　N／Na　なぐらいで]

（1）たかが風邪ぐらいで学校を休まなくてもよい。／就是点儿感冒，用不着请假。
（2）たかが試験に失敗したぐらいでくよくよすることはない。／不就是考试没考好嘛，用不着那么沮丧。
（3）たかが絵画展に入選したぐらいでこんなに祝っていただくのはなんだか恥ずかしいです。／也就是作品入选参加了画展，为这么点小事，大家却如此盛大地为我庆祝，真是不胜惭愧。
（4）たかが旅さきの安いおみやげぐらいで、そんなにお礼をいっていただくと困ります。／不过是送了点旅行时买的便宜小礼品，您却如此地表示感谢，真叫我无地自容。

表示"就为了这么一点点小事"的意思。用于"为这么点事情，不必…"的场合。

【たかだか】

最多、顶多、充其量。

（1）あれはそんなに高くないと思うよ。たかだか3000円ぐらいのもんだろう。／我觉得这东西不会太贵。最多也就3000日元左右吧。
（2）今度の出張はそんなに長くならないでしょう。のびたとしても、たかだか一週間程

度のものだと思います。／这次的出差不会太长。即使延长，我想也顶多是一个星期左右。
(3) ちょっとぐらい遅刻してもしかられないよ。あの先生なら、たかだか「これから気をつけてください」と言う程度だと思うよ。／稍微迟到点儿也不会挨批评的。那位老师顶多也就是提醒你，"下次注意啊"。
(4) 長生きしたとしてもたかだか90年の人生だ。私は、一瞬一瞬が生の充実感で満たされているような、そんな人生を送りたいと思っている。／即使长寿，人的这一生充其量也就活个90多岁吧。我想还是每时每刻都过得十分充实的人生才更有意义。

用于表示一种推测，即对某一数量或某种程度过分地估计也不过如此的意思。常与"ぐらい"、"程度"等词语一起使用。如果不是推测，而是说话人将其作为事实进行叙述时，则不能使用。

(误) これは安かったですよ。たかだか2000円でした。
(正) たった2000円でした。／只花了2000日元。

【だから】

有礼貌的说法是"ですから"。

1 だから＜結果＞ 所以。

(1) 踏切で事故があった。だから、学校に遅刻してしまった。／在火车道口出了事故。所以，上学才迟到了。
(2) 部屋の電気がついている。だから、もう帰って来ているはずだ。／他屋里亮着灯呢。所以，他应该已经回来了。
(3) 時間がありません。だから、急いでください。／没有时间了。所以，得快点儿。
(4) A：今夜は雨になるそうですね。／听说今天晚上要下雨啊。
　　B：だから、私、傘をもって来ました。／所以，我带着伞来了。

用于以前句为原因、理由、根据，叙述由此导出的结果时。后续句子不仅可以叙述事实，还可以有推测、请求、劝诱等各种形式的句式。例(4)是在会话中出现的一种用法，即原因和结果分别出现在两个人的句子里。

2 だから …のだ／…わけだ （所以）我说…来着。

(1) A：ジャクソンさんは、小学生の時からもう10年も日本語を習っているそうです。／听说杰克逊从小学开始学了10多年日语呢。
　　B：だから、あんなに日本語が上手なんですね。／我说他日语怎么那么棒呢。
(2) A：今日は吉田先生、休講だそうだよ。／听说今天

吉田老师的课停课了。
B：ああ、そう。だからいくら待ってもだれも来ないわけか。／啊，是啊。我说怎么等了半天不见一个人来呢。
（3）やっぱり、不合格だったか。だから、もっと簡単な大学を受けろと言ったのだ。／到底还是没考上啊。所以我说让他考一所容易点的大学嘛。

用于了解某事实后，表示当初自己就知道这是一种必然结果的心情时。在会话时，用于从对方的说话中就能明显了解事情的原因、理由的场合。句尾多伴有表示确认的语气助词"ね"或表示了解的语气助词"か"。这种用法的"だから"，一般第一音节发音较重，且有所拖长。

3 だから＜询问＞　那（又怎样）。
（1）A：みんなお前のためにこんなに遅くまで働いているんだ。／都是为了你，大家才干到这么晚的。
B：だから、どうだって言うの。／那你要我怎么样呢？
（2）A：できることは全部やったつもりです。／我想我能做的都做了。
B：だから、何なんですか。／那又能说明什么呢？
（3）A：たった一度会っただけだよ。／我就见过他一回。

B：だから？／一回又怎么样呢？

是一种会话用法。"だから"后续某种询问。询问的目的不是要搞清因果关系，而是想说"是这样，那你想说什么呢"，即要求对方说清讲话的意图。可以与"それで"、"で"替换。如例（3）所示，使用升调，可将后续内容省略。由于此种用法带有不甚恭敬的语气，所以，即使句尾使用礼貌体也很难与"ですから"替换。

4 だから＜主张＞（表示自己的说话意图）。
（1）A：ちょっと、どういうことですか。／哎，这是怎么回事啊？
B：別に特別のことはないよ。／没怎么呀。
A：だから、どういうことって聞いているんだよ。／问你呢，到底怎么回事呀。
（2）A：何で、電話してくれなかったの。／你为什么没给我来个电话呀。
B：だから、時間がなかったんだ。／不是说了嘛，没有时间了。

是一种会话用法。不是表示因果关系，而是用于当自己的意见与听话人之间有矛盾时，表示"我是想说这个意思"，力图让听话人理解自己的说话意图。例（2）是一种辩解用法。由于此种用法主要是强烈表示自己的主张，带有一定的强加于人的口气，所以多显得不够恭敬。

【だからこそ】
所以、正因为如此。

（1）A：どうして彼女はその不審な電話のことを社長に話さなかったんでしょうか。／她为什么不向总经理报告这个可疑电话的问题呢？

B：彼女は社長に信頼されていたんです。だからこそまず自分で調べようとしたんだと思います。／她是深受总经理信任的。所以，我想这件事她自己首先要调查一下才能报告的。

（2）私ほど彼女の幸せを願っているものはない。だからこそ、あの時あえて身を引いたのだ。／没有任何人比我更希望她获得幸福了。所以，那时我才勇敢地告退了。

（3）A：結婚は人生の大事な節目ですから二人だけで式をあげたいんです。／结婚是人生中的一大事件，所以，我想就咱们两个人举行仪式。

B：確かに結婚は人生の大事な節目だ。だからこそ大勢の人に祝ってもらわなくてはいけないんだよ。／确实结婚是人一生中的一件大事。正因为如此，才更需要得到更多的人的祝福。

（4）A：職場では、一人だと上司になかなか文句は言いにくいですよね。／在单位里，一个人很难向上司提意见啊。

B：だからこそ、皆で団結しなくてはいけないと思うんです。／所以才需要大家团结起来呢。

（5）A：最近この辺で空き巣に入られる事件が増えているらしいですね。／据说最近这一带发生过好几起溜门撬锁的事件。

B：だからこそ、このマンションに防犯ベルをつけるようお願いしているんです。／正因为如此，我们才提出要求在这座公寓里安装防盗警铃。

（6）A：高齢化社会が急速に進んでるね。／老龄化社会发展得可真够迅速的啊。

B：だからこそ、今すぐ老人医療の見直しをやらなければならないんだよ。／所以现在要重新考虑老年人的医疗问题。

这个句型是在表示理由的"だから"上再加上表示提示强调的"こそ"而形成的。一般用于句首，承接前句所表示的内容，表示"正是因为这种理由"的意思，起

到强调理由的作用。在表示一般性的理由时，使用"だから"就足够了。只有特别需要强调理由的正当性时才使用这种形式。另外，在与人进行辩论时，把对方的发言直接作为自己的理由时，也经常使用这种形式。句尾常伴有"のだ"一起使用。

【だからといって】

（但不能）因此而…。

(1) 毎日忙しい。しかし、だからといって、好きな陶芸をやめるつもりはない。／每天确实很忙。但是，我并不打算因此而放弃我所喜欢的陶瓷工艺。

(2) わたしは彼が好きだ。しかし、だからといって、彼のすることは何でもいいと思っているわけではない。／我很喜欢他。但是，这并不意味着因此我就觉得他做的什么事情都是对的。

(3) 今この店で買うと50パーセント引きだそうだ。しかし、だからといって、いらないものを買う必要はない。／听说现在在这家商店买东西可以打五折。但是，也没有必要就为此而买一些没用的东西。

(4) 確かに、あの会社は待遇がいい。しかし、だからといって今の仕事をやめるのには反対だ。／那家公司的待遇的确不错。但是，我还是反对你为此而放弃现在的工作。

用于表示认可前面所说的理由，但是即使以此为理由也不能接受后面所说的事情的场合。后续部分多伴有否定表达方式。

【たがる】

想、愿意。
[R－たがる]

(1) 子供というものはなんでも知りたがる。／小孩子就是什么都想知道。

(2) 子供は歯医者に行きたがらない。／小孩子不愿意去看牙。

(3) 父は海外旅行に行きたがっているが、母は行きたくないようだ。／虽然我父亲想去国外旅行，可是我母亲好像不太想去。

(4) 夏になると、みんな冷たくてさっぱりしたものばかり食べたがるが、それでは夏バテしてしまう。／一到夏天，大家都愿意吃又凉又清淡的东西，可是老吃这些东西就会身体虚弱，受不住夏天的炎热。

(5) 避難している住民は一刻も早く家に帰りたがっている。／在外面避难的居民都想尽快地返回家园。

(6) リーさんは留学してまだ半年だが、家族のことが心配で国に帰りたがっている。／小李留学刚半年，就耽心家

里人想回国。

（7） 教授はこの実験を大学院の学生にさせたがっているが、今のような研究態勢では無理なのではないだろうか。／虽然教授想让研究生做这种实验，但是像现在这种研究体制恐怕很困难。

用于表示第三人称的要求或希望。在表示其现在的状态时，则变成"V-たがっている"。

如果不使用"たがる"，表示第三人称的要求或希望时，则要使用"たいと言っている"、"たいらしい"、"たいそうだ"等间接的表达方式。但是，如下例所示，说话人是站在第三人称的立场上来表示其愿望等时，则不必要使用"たがる"。

（例） A：山本さん、どうしてパーティーに来なかったんでしょう。／山本为什么不来参加宴会啊。
B：佐野に会いたくないからだよ。／我想是因为他不想见到佐野吧。

另外，在说话人重复第三人称的某人对自己的看法和其所说的话时，也需要使用"たがる"。

（例） 彼は僕が社長になりたがっていると思っているらしいが、僕はそんなつもりはまったくない。／他好像以为我想当总经理，其实我根本就没有这种打算。

→【がる】

【だけ₁】

[N（+助詞+）だけ]
[N／Na　なだけ]

[A／V　だけ]

表示限定。

1 …だけだ

a …だけ　只、只有、只是、就是。

（1） 今度の事件に関係がないのは彼だけだ。／与这起案件没有关系的只有他一个人。

（2） 品物なんかいりません。お気持ちだけいただきます。／东西我们不要，心意我们领了。

（3） コピーをとるだけの簡単な仕事です。／很简单的工作，就只管复印点材料。

（4） ちょっとだけお借りします。／我就稍稍借用一下。

（5） あの人だけが私を理解してくれる。／只有他能理解我。

（6） ここは便利なだけで環境はあまりよくない。／这儿就是方便，环境并不太好。

（7） たいした怪我ではありません。ちょっと指を切っただけです。／没受什么大伤，就只是划破了手指头。

（8） その話を聞いて泣いたのはわたしだけではない。／听了这件事哭起来的并不只是我一个人。

（9） あなただけにお知らせします。／我只告诉你一个人。

（10） あの人にだけは負けたくない。／我就是不想输给他。

表示限定除此以外别无其他。接短句后时接简体形式。与助词"が"、"を"相接的形式是"Nだけが"、"Nだけを"。另

如例(2)所示，也可以将助词"が"、"を"省略。与助词"に"、"から"等的相接形式可以有"Nだけに"和"Nにだけ"这样两种形式，且意思相同。但如下例所示，有时不同的相接形式可以表示不同的意思。

(例) 身分は保険証でだけ証明できる。(他の手段ではできない)／只有用保险证才能证明你的身分。(别的方法不行)

(例) 身分は保険証だけで証明できる。(保険証以外のものは要らない)／只要用保险证就能证明你的身分。(不需要保险证以外的证件)

b …といってもせいぜい…だけだ 说是…顶多也就是…。

(1) ボーナスといってもせいぜい一ヶ月分出るだけだ。／说是发奖金顶多也就是相当于一个月的工资。

(2) 夏祭りといってもせいぜい屋台が三、四軒出るだけです。／说是搞夏季庙会，顶多也就是出那么三、四个地摊儿。

(3) 旅行といってもせいぜい2泊するだけです。／说是旅行，顶多也就住两个晚上。

(4) はやっているといってもせいぜい週末に混むだけだ。／说它火也不过就是周末人多点儿。

用于强调数量之少。

c …たところで…だけだ 即使…也只…。

(1) 急いで計算したところで間違いが多くなるだけだ。／即使加快计算速度也只会错误出的更多。

(2) 親に話したところで誤解されるだけだ。／即使跟父母说了也只会引起他们的误解。

(3) 早く帰ったところでねこが待っているだけだ。／即使早回去了也只有猫在等着我。

表示即使做了什么也不会有什么好结果的意思。

d ただ…だけでは 光…(不能…)、只…(不能…)。

(1) スポーツはただ見るだけでは面白くない。／体育运动光看没有什么意思。

(2) 外国へ行ってただ景色を見るだけではつまらない。そこの土地の人たちとちょっとでも触れ合う旅にしたい。／到外国去光看看景色那太没劲了。我要是旅行就想和当地的人多接触接触。

(3) ただ話しただけではあの人の本当のよさはわからない。／光和他说话你是不能了解他的优点的。

表示"只做到这一点是不能…"的意思。后续多为表示负面评价的表达方式。

e …だけで 只要…就…、光…就…。

(1) 明日からまた仕事だと思うと、考えるだけでいやになる。／明天又要开始工作了，我想起来就发怵。

(2) 地震は経験した人の話を聞

くだけでこわい。／光听经历过地震的人讲他们的经历就觉得非常可怕。

（3）イルカのダンスなんて考えただけで楽しくなる。／海豚的舞蹈，你光凭想像就会觉得非常愉快。

接"考える(考虑)、聞く(听)、思う(想)、想像する(想像)"等动词后，用于表示即使没有实际亲身经历也能感受到的意思。

2 …だけしか…ない　只、只有。

（1）今月、残ったお金はこれだけしかありません。／这个月剩下的钱就只有这点儿了。

（2）頼りになるのはもうあなただけしかいない。／现在我能依靠的就只有你了。

（3）こんなことは、あなたにだけしか頼めません。／这种事情我只能求你。

（4）いまのところひとりだけしかレポートを出していない。／到现在交小论文的就只有一个人。

是强调"…だけだ"的表达方式。要注意，在强调数量之少时，不是使用"だけある"，而要使用"だけだ"、"(だけ)しかない"。

（例）　A：お金がいくらありますか。／你有多少钱？
　　　B：(误)千円だけあります。
　　　B：(正)千円だけです(或)千円しかありません。／就只有一千日元。

在下面这些场合，不能使用"だけ"。

（例）　A：この花いくらでしたか。／这花儿多少钱来着？
　　　B：(误)二百円だけです。
　　　B：(正)二百円しかしませんでした(或)たったの二百円でした。／就二百日元。

（例）　A：いま何時ですか。／现在几点？
　　　B：(误)1時だけです。
　　　B：(正)まだ1時です。／刚1点。

3 …だけでなく…も　不光…还…、不仅…也…。

（1）肉だけでなく、野菜も食べなければいけない。／不光要吃肉，还得要吃蔬菜。

（2）英語だけでなくて、アラビア語もうまい。／不仅英语好，阿拉伯语也很棒。

（3）彼は歌が上手なだけでなく自分で曲も作る。／他不光歌儿唱得好，而且还自己作曲。

（4）今度の台風で、村は田畑だけでなく家屋も大きな被害を受けた。／这次台风，村里不光田地受了很大损失，房屋也遭到了严重的破坏。

（5）授賞式にかれは招待を受けただけではなく、スピーチも頼まれた。／他不光收到了发奖大会的邀请，还请他特别讲话。

表示"两者都…"的意思。在口语中还可以说成"…だけじゃなく…も"。

4 …だけのことだ　只有、只要。

（1）だれも行かないのなら私が行くだけのことだ。／如果谁都不去，那就只有我去了。
（2）入園テストといっても何もむずかしいことはないんです。先生に名前を呼ばれたら「はい」と返事をするだけのことです。／入托考试也没有什么难的。就是老师叫到你的名字时，能答"到"就行了。
（3）いやなら無理をすることはない。断るだけのことだ。／你要不愿意也不用勉强。只要回绝就是了。

表示只有这个方法或没什么大不了的意思。

5 …というだけ（の理由）で　就是因为、只是因为。
（1）その野菜はめずらしいというだけでよく売れている。／这种蔬菜就是因为少见所以才卖得快。
（2）若いというだけで皆にもてはやされる。／就是因为年轻，所以大家都喜欢他。
（3）その晩に現場近くにいたというだけで彼は逮捕された。／他就因为那天晚上在出事地点附近，就被逮捕了。
（4）子どもが多いというだけの理由でアパートの入居を断わられた。／就因为孩子多的理由而被拒绝入住公寓。
（5）名前の書いてない自転車に乗っているというだけの理由で警官に職務質問を受けた。／只是因为骑了一辆没有名字的自行车，就遭到了警察的盘问。

表示仅仅因为一种原因的意思。

6 V－るだけV－て　光…(也不…)、只…(而不…)。
（1）彼女は文句を言うだけ言ってなにも手伝ってくれない。／她光发了一大堆牢骚，什么忙也不帮。
（2）彼は飲むだけ飲んで会費を払わずに帰ってしまった。／他把酒喝了个够，也不付会费就跑了。
（3）言いたいことだけ言ってさっさと出ていった。／他把想说的都说了，然后就走了。
（4）いまどうしているか様子がわからないから、手紙を出すだけ出して返事を待とう。／我也不知道他现在情况怎么样，反正先发封信，然后等他回信儿吧。

多用同一动词反复使用。如例（3）中"言いたいこと"所示，在反复的动词中也可含有相关的名词。表示"只做此事，其他该做的事情也不做"的意思。

【だけ₂】
表示程度。

1 V－れるだけV　尽量、尽可能。
（1）がんばれるだけがんばってみます。／我能坚持多久坚持多久。

（2）そこのリンゴ、持てるだけ持って行っていいよ。/那儿有一堆苹果。你能拿多少拿多少。
（3）彼は銀行から金を借りられるだけ借りて家を買った。/他从银行最大限度地贷了款买了一所房子。
（4）待てるだけ待ったが彼は、待ち合わせの場所に現れなかった。/等到不能再等了,可是他终于没有出现在约会的地点。

用"頑張る(努力坚持)"、"持つ(拿)"等动词反复使用,表示"尽最大程度…"的意思。

2 V-たいだけV 想…(多少/多久)就…、…够。

（1）ここが気に入ったのなら、いたいだけいていいですよ。/你要是喜欢这个地方,你想在这儿呆多久就呆多久。
（2）遠慮しないで食べたいだけ食べなさい。/别客气,想吃多少就吃多少。
（3）遊びたいだけ遊んで納得した。あすからいっしょうけんめい勉強しよう。/这回真是玩儿够了。从明天开始我要好好学习。
（4）彼女は泣きたいだけ泣いて気が済んだのか夕食の支度を始めた。/她也许是哭够了,这下心里痛快了,才开始做晚饭了。

将动词反复使用,表示一直做到尽兴为止的意思。

3 V-るだけはV 能够…都…、起码得…。

（1）やるだけはやったのだから、静かに結果を待とう。/能做的都做了,下面就听天由命了。
（2）息子の言い分を聞くだけは聞いてやってくれませんか。/儿子的辩解你起码也先得听一听吧。
（3）このことは両親にも話すだけは話しておいた方がいい。/这件事情你最好还是要跟父母说一下。

表示事情要做到这种程度的意思。后续内容多为不期待或不要求程度更高的事情。

4 V-る/V-た だけのことはする 尽其所能。

（1）お金をいただいただけのことはしますが、それ以上のことは出来かねます。/您付多少钱我们做多少事,除此之外的事情我们很难办到。
（2）調査期間はわずか1ヵ月でしたが、やれるだけのことはやったつもりです。/虽然调查的时间只有短短的一个月,但我觉得我们还是尽了最大的努力。
（3）出来るだけのことはしますが、今月中に仕上げるのはむずかしいと思います。/我

们会尽最大的努力的，但我觉得这个月之内完成还是有困难。

表示做与之相称的事情的意思。

5 V-るだけのN 足以…的…、能够…的…。

（1） どんなところでも生きていけるだけの生活力が彼にはある。／他具有无论在哪儿都能生存下去的生活能力。

（2） その日彼の財布にはコーヒーを一杯飲むだけの金もなかった。／那一天，他的钱包里连喝一杯咖啡的钱都没有了。

（3） 妻に本当のことを打ち明けるだけの勇気もなかった。／他连向妻子说出真相的勇气都没有了。

（4） その学生には異国で暮らすだけの語学力が不足している。／那个学生不具备在异国生活的语言能力。

表示"足以…"的意思。接"生活力(生活能力)、金(钱)、勇気(勇气)、語学力(语言能力)、根性(毅力)、やさしさ(慈祥)"等名词前，表示其程度。

6 V-ばV-るだけ 越…越…。

（1） 交渉は時間をかければかけるだけ余計にもつれていった。／这次谈判，花的时间越长，显得纠纷越大了。

（2） 動物は世話をすればするだけなついてきます。／动物你越照顾它越跟你有感情。

（3） ピアノは練習すればするだけよく指が動くようになる。／钢琴越练手指头越灵。

表示做某事做得越多，相应地会发生下一情况的意思。可与"V-ばVるほど"替换，但"V-ばVるほど"使用得更为广泛。

7 これだけ…のだから 如此程度地。

（1） これだけ努力したんだからいつかは報われるだろう。／你都这么努力了，我想总有一天会有回报的。

（2） よくがんばったね。それだけがんばれば誰にも文句は言われないよ。／你真是尽了全力了。你那么努力，不会有人说三道四的了。

（3） あれだけ頼んでおいたのに彼はやってくれなかった。／我那么求他，他还是没给我们干。

（4） あれだけ練習してもうまくならないのは、彼に才能がないのだろう。／那么努力练习还是没有长进，看来他是缺乏这方面的能才啊。

（5） どれだけ言えば、あの人にわかってもらえるのだろうか。／我得说多少遍才能让他明白呀。

可与"これ"、"それ"、"あれ"、"どれ"等一起使用。后续"…のだから"、"…ば"、"…のに"、"…ても"等表达方式，表示"如此、达到这种程度"的意思。

8 …だけましだ 好在、幸好。

[Na なだけましだ]
[A／V だけましだ]
（1） 風邪でのどが痛いが、熱が出ないだけましだ。／感冒了，嗓子疼，好在还没有发烧。
（2） さいふをとられたが、パスポートが無事だっただけまだましだ。／钱包被人偷了，幸好护照还在。
（3） 私の住んでいるところは駅からも遠いし工場があってうるさい。このへんは不便だが、静かなだけましだ。／我住的地方离车站很远，又有工厂吵得厉害。而这一带虽不太方便，可好在还比较安静。

表示尽管情况不是太好，但没有更加严重，好在只到此为止的意思。

【だけ₃】

[N／A／V だけに]
[Na なだけに]

提示某事物的一般性质，并叙述由此而必然产生的推论。

1 …だけに

a …だけに 到底是、正因为是。
（1） お茶の先生だけに言葉遣いが上品だ。／到底是茶道老师，讲起话来很文雅。
（2） 彼は現職の教師だけに受験についてはくわしい。／他到底是现任高中教师，对高考情况非常熟悉。
（3） かれらは若いだけに徹夜をしても平気なようだ。／他们到底年轻，即使熬个通宵也不在乎。
（4） 今回の事故は一歩まちがえば大惨事につながるだけに、原因の究明が急がれる。／正因此次事故差一点酿成重大惨案，所以要尽快查明原因。

表示由于前项事情理所当然地导致后来的状况。

b …だけになおさら 正是因为…更加…。
（1） 横綱の意地があるだけになおさら大関には負けられないでしょう。／正是因为要有横纲的气概，所以就更不能输给大关了。
（2） 彼女は若かっただけになおのことその早すぎた死が惜しまれる。／正是因为她还年轻，所以对她过早的谢世感到非常可惜。
（3） 苦労しただけになおさら今回の優勝はうれしいでしょうね。／正是因为付出了很多，所以对这次的取胜才感觉格外的高兴。
（4） 現地は暑さに加えて、飲み水も不足しているだけになおさら救援が待たれる。／正是因为当地不仅炎热，而且缺乏引用水，所以就更加期待救援。

表示"因为…原因，当然更加…"的意思。例(2)的"なおのこと"也同样可以使用。

c …だけに(かえって)　正因为…(反倒…)。

(1) 若くて体力があるだけにかえって無理をして体をこわしてしまった。／正因为他年轻，有体力，所以反倒逞强，结果把身体搞坏了。

(2) 今まで順調だっただけにかえって今度の事業の失敗は彼に致命的な打撃となった。／正因为他过去太顺利了，所以这次事业上的失败，对他是一次致命的打击。

(3) 優勝確実と期待されていただけに、負けたショックからなかなか立ち直ることができなかった。／正因为大家都期待着我们肯定能得冠军，所以才很难从这次失败的阴影中摆脱出来。

(4) 助からないと思っていただけに、助かったときの喜びは大きかった。／正因为本来以为没救了呢，所以当被救出来时，那高兴的心情就别提了。

表示结果与预料的相反的意思。多用于与愿望相反，得到不好结果的场合。但如例(4)所示，也可以用于好的结果。

d NがNだけに　(表示从其性质考虑)。

(1) 祖父は今年90歳で元気だが、歳が歳だけに昼間もウトウトしていることが多くなってきた。／我爷爷今年90岁了，身体还蛮好，但必竟是上了年纪，最近白天也经常迷迷糊糊地打盹儿。

(2) この商品は今までの物よりもずっと性能がいいのですが、値段が値段だけにそうたくさんは売れないでしょう。／这种商品比过去的东西性能要好多了，但价钱也很可观，估计不会卖出去很多吧。

→【が1】3

2 …だけのことはある　到底没白…、到底不愧是…

(1) うまい魚だ。とれたてを送ってもらっただけのことはある。／这鱼真不错。他们费那么大工夫把新鲜的鱼送来，还真没白忙乎。

(2) A：このナイフ、いつまでもよく切れるね。／这把刀老是那么快啊。

B：買った時は高いと思ったけど、それだけのことはあるね。／买的时候觉得它那么贵，看来这钱没白花啊。

(3) A：杉島さんの英語の発音、とってもきれいね。／杉岛的英语发音真漂亮啊。

B：そうね、さすがにイギリスに留学していただけのことはあるわね。／是

啊，到底没白去英国留学一趟啊。
（4） 彼女は学校の先生をしていただけあって、今も人前で話すのがうまい。／她到底不愧是当过学校的老师，到现在她还特别会当着众人讲话。

表示与其做的努力、所处地位、所经历的事情等相称的意思。对其相称的结果、能力、特长等给予高度评价。

【だけど】

但、但是。
（1） 2時間待った。だけど、彼は現れなかった。／我等了两个小时。但是，他没有来。
（2） 朝から頭が痛かった。だけど、彼女との約束を破るのはいやだった。／从早上起来就头疼。但是，我不愿意与她失约。
（3） みきさんの言いたいことはわかる。だけど、決まったことは変えられない。／三木的意见我们也可以理解。但是，已经决定了的事情不能改变。
（4） 仕事が山ほどたまっている。だけど、なかなか働く気になれない。／尽管工作堆得像山一样。但我没有心思去做。

表示后续事项与前述事项的预想相反。在比较生硬的文章语中一般很少使用。另外，不能用于句子当中。
（误） 2時間待っただけど、彼は現れなかった。

是"だけれども"较随便的表达方式。其礼貌形式为"ですけれども"。

【だけに】
→【だけ3】

【ただ】

1 ただ＜限定＞ 只是、只、唯。
（1） その絵はただ古いだけであまり値打がない。／这幅画只是旧，没有什么价值。
（2） 悪いのはこちらの方だから、ただひたすら謝るほかはない。／都是我们不对，所以只有向人家赔礼道歉。
（3） 部下はただ命令に従うのみだ。／部下只要服从命令就行了。
（4） ただご無事をお祈りするばかりでございます。／我只祝愿你们平安无事。
（5） ただ一度会っただけなのにあの人が忘れられない。／虽然我只见到过他一次，却永远也忘不了他。
（6） これまで学校をただの1日も休んだことはない。／到目前为止，我上学连一次假都没有请过。
（7） 外はただ一面の雪であった。／窗外唯见一片白雪茫茫。

表示限定除此以外，没有其他。常与"だけ"、"のみ"、"ばかり"等一起使用。意思是"只有"。如例（5）、（6）表示数量极

2 …ただ 就是、唯独。
（1） おもしろい計画だね。ただ金がかかりそうだ。／这个计划挺有意思。就是看来要花不少钱。
（2） A：この椅子はずいぶんしっかりした作りですね。／这把椅子做得真够结实的啊。
B：ええ、ただ少し重いのでお年寄りにはちょっと不便かもしれません。／是的，就是分量重了点儿，恐怕对老年人来讲，不大方便。
（3） あいつは悪いやつだ。ただ家族にはやさしいようだが。／那家伙不是个好东西。唯独对他自己家里人倒挺仁慈的。
（4） A：お母さん、アメリカに留学する話。賛成してくれるでしょ？／妈，我去美国留学的事，您同意吧。
B：私はいいんだけど、ただね、お父さんがどういうかと思って…。／我倒不反对，就是不知道你爸爸他怎么说。

用于表述其他条件或例外的情况，对前述事项进行补充。是口语。在书面语中使用"ただし"。

【ただし】

但、不过。
（1） テニスコートの使用料は1時間千円。ただし、午前中は半額となります。／网球场的使用费为1小时1千日元。不过上午是半价。
（2） ハイキングの参加費はバス代を含めて一人2千円です。ただし、昼食は各自ご用意ください。／参加这次小旅行的费用，包括交通费在内，每人2千日元。但午饭请大家自备。
（3） 病人は少し落ち着いてきましたから面会はかまいません。ただし、興奮するといけませんから、あまり長く話さないようにしてください。／病人基本稳定下来了，所以可以探视。不过，因为病人还不能过于兴奋，所以请不要跟他讲太多的话。
（4） 日曜日は閉店します。ただし、祭日が日曜日と重なる場合は開店します。／星期天不开门。但如节假日与星期天相重时，照常营业。
（5） 診察時間は夜7時まで。ただし、急患はこの限りではない。／门诊时间到晚上7点。但急诊不受此限制。

用于讲述与前述事项相关的更加详细的注意事项或非同一般的情况。

【ただでさえ】

平时就…、本来就…。

（1）お父さんはただでさえうるさいのだから、病気にでもなったらああしろ、こうしろと大変だろうね。／爸爸平时就够唠叨的，要是再一生病，更是一会儿叫人干这个，一会儿叫人干那个，我看你够呛吧。

（2）ただでさえ人手がたりなくて困っているのに、こんな小さな会社で一度に三人もやめられたらどうしようもない。／本来就人手不够忙的不亦乐乎，这么一个小公司，一下有三个人辞职，简直没法办。

表示"即使在一般情况下也…"的意思。用于表述即使在一般情况下都这样，更何况是在非一般情况下，肯定程度更加严重的场合。

【たっけ】

…来着。

（1）きのうの晩ご飯、なに食べたっけ。どうもよく覚えていないな。／昨天的晚饭吃的什么来着，我怎么根本不记得啊。

（2）A：試験は何課からだったっけ。／考试是从第几课开始来着？

B：5課からだよ。／从第5课嘛。

→【っけ】

【だったら】

那、那样的语。

（1）A：この仕事、私一人じゃとても無理だと思います。／这件工作我一个人可完成不了。

B：だったら私が手伝いますよ。／那我来帮助你吧。

（2）A：どうしても彼には言えないよ。／我没法对他讲。

B：だったら私が言います。／那，我来告诉他吧。

（3）A：先生、入院なさったらしい。／老师好像住院了。

B：だったら、しばらくは授業はないね。／那，咱们这一段得停课啦。

表示"如果那样的话"的意思。用于听到对方的讲话，或得到某种新信息后，表明说话人的态度或做出某种推测的场合。是口语，与之意思相似的表达方式还有"それなら"、"それでは"。

【たって】

1 …たって 即使…、再…。

[A-くたって]
[V-たって]

（1）遅くなったって、必ず行き

ますよ。／即使晚了，我也一定去。
(2) あの人はいくら食べたって太らないんだそうだ。／听说他无论怎么吃都不发胖。
(3) いまごろ来たって遅い。食べ物は何も残っていないよ。／你现在来也晚了。吃的东西都没了。
(4) あの人はどんなにつらくたって、決して顔に出さない人です。／他这个人，即使多么痛苦也从不表现在脸上。
(5) いくら高くたって買うつもりです。めったに手に入りませんから。／再贵我也要买。因为这东西很难买到。
(6) 笑われたって平気だ。たとえ一人になっても最後までがんばるよ。／即使有人笑话我也不在乎。就是剩下我一个人也要坚持到底。

是"ても"较随便的说法。
→【ても】

2 …たって

a …ったって 说是…。
(1) 高いったって一万円も出せば買える。／说贵有一万日元也买下来了。
(2) A：日曜日なんだから、どっか出かけましょうよ。／今天是星期天，咱们出去遛遛吧。
B：出かけるったって、どこも人でいっぱいだよ。／出去遛遛，那到哪儿还不是一堆人呐。
(3) ストレス解消には、なんてったってスポーツが一番ですよ。／解除精神疲劳最好的方法就是体育运动。

是"といっても"较随便的说法。是"たって"前加了促音而形成的。例(3)中的"なんてったって"也可以说成"なんたって"。
→【といっても】

b V-ようったって 即使要、即便想。
(1) 帰ろうったって、こんな時間じゃもう電車もバスもない。／即便想回家，都这个时候了，既没有电车也没有汽车了。
(2) こんなにへいが高くては、逃げようったって逃げられない。／墙这么高，你想逃也逃不了啊。
(3) 連絡しようったって、どこにいるかさえわからないのに無理だ。／即使想跟他联系，可是也不知道他人在哪儿，没法联系。
(4) A：ちょっと休もうよ。／稍微休息一下吧。
B：休もうたってベンチもなにもないよ。／休息，连个凳子都没有，怎么休息啊。

是"V-ようといっても"较随便

说法。表示"即使要…也…"的意思。后续表达方式多为"这很难办，办不到"等意思。

【だって₁】

1 …だって＜询问＞（表示反问）。

(1) A：あっ、地震だ。／啊，地震啦。
    B：地震だって？ちがうよ。ダンプカーが通っただけだよ。／地震？不对，就是过去了一辆翻斗大卡车。

(2) A：あの人、男よ。／那人是个男的。
    B：男だって？ぜったいに女だよ。／男的？不，绝对是个女的。

(3) A：太郎、テストどうだった？／太郎，考试考得怎么样啊？
    B：おもしろかったよ。／挺有意思的。
    A：おもしろかっただって？むずかしかったとか、やさしかったけど問題が多かったとかほかに答えようがあるだろう。／挺有意思的？你不会说说是难啦，还是容易啦，或是题太多啦什么的。

(4) A：福田さん、美人コンテストに出るらしいよ。／听说福田要参加选美比赛啊。
    B：美人コンテストですって？今ごろそんな時代遅れのコンテストなんかどこでやってるのよ。／选美比赛？现在哪儿还在搞那么老掉牙的比赛呀。

(5) A：ヘリコプターがまだ到着しないんですが。／直升飞机还没有到啊。
    B：なんだって？そりゃ大変だ。／什么？那可要坏事啊。

重复对方的话语，表示自己吃惊、惊讶的心情。有时也可表示自己不满的心情。一般为上升语调。

是较随便的口语，使用较礼貌的形式可说成"…ですって"，但也只能用于身分、地位低于自己或较亲近的人。在表示非常惊讶时，除可以使用例(5)中的"なんだって"以外，还可以使用"なんですって"、"なんだと"等。

2 …んだって →【って】5
3 …なんだって →【って】5

【だって₂】

1 Nだって　连…、就说…。

(1) それぐらいのことは子供だって知っている。／这点儿事连孩子都知道。

(2) 先生だって間違うことはある。／老师也有错的时候。

(3) 医者だって風邪ぐらいひく

よ。／医生也会得感冒的。
（4）つらいのはあなただけじゃない。浅田さんだって、坂田さんだってみんながまんしてるんです。／痛苦的不光是你一个人。就说浅田、坂田他们吧，都痛苦，但大家都忍着呢。
（5）好き嫌いはありません。魚だって肉だってなんだって大丈夫です。／我没什么忌讳。什么鱼啦，肉啦，都行。
（6）あの子はこのごろ帰りが遅い。きのうだって11時過ぎていた。／这孩子最近很晚才回家。就说昨天吧，回来都过11点了。
（7）だれにだって一つや二つは秘密がある。／谁都有一、两件个人秘密。

表示"でも（即使）"的意思。例（1）、（2）、（3）是举出极端的事例，表示"连…"的意思。例（4）、（5）、（6）等是举例说明，"不仅A，连B，C都…"的意思。是较随便的口语。

2 疑问词（＋助词）＋だって …都…。
（1）そんな仕事はだれだってやりたくない。／那种工作，谁都不愿意干。
（2）助けが必要なら、いつだって手伝いますよ。／如果需要帮助，我什么时候都可以帮你。
（3）だれにだって、泣きたいときはある。／无论是谁，都有

想哭的时候。
（4）どんなにつらいときだって、泣いたことはない。／无论多么痛苦的时候，决没有哭过。

意思与"疑问词（＋助词）＋でも"的形式相同。表示"无论多么…全都…"，即全面肯定的意思。

【だって₃】
（表示申明理由）。
（1）A：どうして外で遊ばないの。／你怎么不到外面去玩儿啊？
B：だって寒いんだもん。／外面冷嘛。
（2）A：にんじん、残さずにちゃんと食べなさい。／胡萝卜不能剩，都得吃了。
B：だってきらいだもん。／我不喜欢吃嘛。
（3）A：夕刊まだかな。／晚报还没来啊。
B：だって、今日は日曜日でしょ、来ないわよ。／哎呀，今天是星期天嘛，没有晚报。
（4）A：きのうはどうして待ってくれなかったの。／昨天你为什么不等我啊。
B：だってあそこの喫茶店、人が多くて居づらかったんだよ。／咳，那家咖啡馆人太多，没法呆呀。

表示被问及理由时，说明"为什么"的

场合。如例（2）、(3)所示，即使没有明确被问及理由也可以使用。特别是孩子回答大人时，常使用"だって…もの/もん"。当然大人也可以使用，是较随便的口语。

【たて】

　　　　刚…、新…。
[R-たてのN]
[R-たてだ]
(1) 覚えたての外国語で話してみる。／我试着用刚学会的外语说说。
(2) ここのパンは焼きたてで、おいしい。／这儿的面包是刚烤好的，很好吃。
(3) 彼女は先生になりたてだ。／她刚当老师不久。
(4) 畑でとれたてのトマトをかじった。／在田里吃了刚摘下来的西红柿。
(5) しぼりたてのオレンジジュースはいかがですか。／来一杯新榨的橙汁儿怎么样？
(6) 《貼紙》ペンキぬりたて。さわるな。／《标语》油漆未干，请勿触摸。

接动词连用形后，表示"刚刚…"的意思。但能够使用的动词有限。
(误) 読みたての本。
(正) 読んだばかりの本。／刚读过的书。

【だと】

（表示反问）。
(1) A：今日は学校に行きたくないな。／今天我不想去学校啦。
　　B：なに？行きたくないだと？そんなことは言わせないぞ。／什么？不想去学校啦？这种事情我可不答应啊。
(2) 子：お父さんが悪いんだ。／孩子：是爸爸不好嘛。
　　父：何だと？もう一度言ってみろ。／父亲：什么？你敢再说一遍！
(3) 大雪警報が出てるから旅行は取りやめだとさ。／说是有大雪警报所以旅行取消了。

是比"だって"更粗俗的表达方式。只限男性使用。
→【だって1】

【だといい】

　　　　要是这样就好了。
(1) A：みんな今頃安全な場所に避難していますよ。／这会儿，大家都已经躲避到比较安全的地方了。
　　B：だといいが。心配だ。／要是这样就好了。但我还是有点儿不放心。
(2) A：彼は慎重だから、危ない運転はしませんよ。／他很稳重，不会开冒险车的。

B：だといいけど。本当に大丈夫かしら。／是这样就好了。真的没事吧。

（3）A：子供達もきっとこのプレゼントに大喜びしますよ。／孩子们也一定会喜欢这些礼物的。

B：だといいね。／是这样就好了。

在会话中，用于句首。与"そうだといい(这样就好了)"意思相同。后面常伴有"が"、"けれど"、"けど"等，用以表示"希望能这样"的意思。也可以说"それだといい"、"そうだといいけど"等。

【だといって】

（但不能）因此而

（1）A：これは全面的にあいつが悪い。／这件事百分之百是那家伙不对。

B：だといって、困っているのを見捨てるわけにもいかないだろう。／但也不能因此就对他见死不救吧。

（2）A：こちらも人が足りないんですよ。／咱们这儿还人手不够呢。

B：だといって、放っておけないでしょう。／那也不能就袖手旁观吧。

与"そうだといって"、"だからといって"意思相同。
→【だからといって】

【たとえ】

即便、即使、哪怕。

（1）たとえその事実を知っていたところで、私の気持ちは変わらなかっただろう。／哪怕我知道事情的真相，我的主意也不会改变。

（2）たとえ子どもでもやったことの責任はとらなくてはいけない。／即便是小孩子，也要对自己做的事情负责。

（3）たとえどんなところに住もうとも、家族がいればいい。／无论住在什么地方，只要有家人在一起就行。

（4）たとえ大金をつまれたとしてもそんな仕事はやりたくない。／即使能赚到大钱，我也不想做这种事情。

表示"即便假定能…"的意思。"たとえ"后面常伴有"ても、とも、たところで、としても"等表示让步的表达方式。例（3）中的"住もうとも"是"住んだとしても"的书面性语言表达形式。

【たとえば】

比如、像、假设、假如。

（1）飲物でしたら、たとえばコーヒー、紅茶、ジュースなどを用意してあります。／饮料嘛，我们准备了一些，比如咖啡、红茶、汽水等等。

（2）日本語の中には、たとえばパン、ドア、ラジオなどたくさ

(3) ゆっくり過すとしたら、たとえば温泉なんかどうですか。／你要想好好休息啊，比如可以洗温泉啦什么的。
(4) A：このごろ運動不足なんだ。だけどスポーツするひまもないし金もないし。／最近我很缺乏运动。但是即使我想运动，可是又没有时间又没有钱。
　　B：わざわざ出かけなくても、たとえばバスをやめて、駅まで歩くとかいろいろあるでしょう。／你也用不着专门去运动，比如你可以不坐汽车走到电车站等等，有各种各样的锻炼方法嘛。
(5) たとえばこの方程式のXを2とすると、Yは5になる。／假设这个方程式的X是2，那么Y就是5。
(6) たとえば今ここに1億円あるとしたら、何に使いたい？／假如现在这儿有一亿日元，你打算怎么用？
(7) たとえば地球上に飲み水がだんだんなくなっていくとしますね。そういう場合どうするか。海水の淡水化ということが当然考えられるでしょう。／假设地球上的饮用水越来越少。这时将怎么办呢？当然会考虑到把海水淡化这一办法吧。

用于举出具体事例来进一步说明前一事项。如例（5）、（6）用于假设举例时，后面常伴有"とすると"、"としたら"等。

【だとすると】

那样的话，那样一来。

(1) A：近くに大きなホテルができるのは確実です。／这附近肯定要建一座大宾馆。
　　B：だとすると、この町の雇用率が上がるかもしれませんね。／那样的话，说不定这个城镇的就业率会上升呢。
(2) A：飛行機が10時間も遅れてるんだそうです。／听说飞机晚点10个多小时呢。
　　B：だとすると、彼の帰りはあしたになるな。／那样一来，他就得明天才到家了。

与"だとすれば"意思基本相同。还可以说"そうだとすると"。
→【だとすれば】

【だとすれば】

那样的话。

（1） A：近くに大きなホテルができるのは確実です。／这附近肯定要建一座大宾馆。
B：だとすれば、この町の雇用率が上がるかもしれませんね。／那样的话，说不定这个城镇的就业率会上升呢。

（2） A：この写真は、夏に京都でとったものです。／这张照片是夏天在京都照的。
B：だとすれば、彼は去年の7月に日本にいたことになりますね。／那样的话，说明他去年7月份在日本啦。

用于句首，以对方的讲话为依据，表示说话人的推测或判断。意思是"根据这样的事实或情况来判断的话"。与"それなら"意思相近，但"だとすれば"较生硬，可以用于书面语。还可以说"そうだとすれば"、"だとすると"、"そうだとすると"等。

【だなんて】

说什么。

（1） 今頃になって気が変わっただなんてよく言えますね。／到这个时候了又说什么改变主意了，亏你还说得出口。

（2） 約束したのに、できなかっただなんて、ひどい。／都下了保证了，又说什么没完成，也太不像话了。

（3） 予約できるかもしれない、だなんて、無責任な言い方ですね。／说什么可能能预定，这也太不负责任了。

（4） 事故で死んでしまうだなんて、あんまりだ。／就这么遇难死了，也太无情了。

用于重复对方的话，并表示责难或批评。又如例（4）所示，也可以表示对非自己责任的事情的一种责难或悲痛的心情。也可以单独使用"なんて"。

【だにしない】

连…都不…、根本就不…、只要…就…。

[Nだにしない]

（1） このような事故が起きるとは想像だにしなかった。／居然会发生这种事故，我连想也没想过。

（2） 衛兵は直立不動のまま、微動だにしない。／卫兵站得笔直，一动也不动。

（3） そんな危険をおかすなんて考えるだに恐ろしい。／要冒这种危险，连想起来都害怕。

（4） 一顧だにしない。／不屑一顾。

（5） 一瞥だにしない。／看都不看一眼。

是文言表达方式，表示"连…都不…"、"根本不…"的意思。

也可以用于肯定形式，如"思うだに恐ろしい（光想起来都害怕）"，表示"只要…就…"的意思。

例（4）、（5）是惯用形式。例（4）表示"根本就不回头去看"。例（5）表示"连一眼都不看"的意思。

【だの】

（表示列举）…啦…啦…。
[N／Na だの　N／Na だの]
[A／V だの　A／V だの]

（1）彼女は市場に出かけると、肉だの野菜だの持ちきれないほど買ってきた。／她一到菜市场，就又是买肉啦又是买菜啦，一直买到最后都拿不了了才罢休。

（2）同窓会には中村だの池田だの、20年ぶりのなつかしい顔がそろった。／在老同学的聚会上，见到了中村呀、池田呀，净是些20多年都没见的老朋友。

（3）チャリティーバザーには有名人の服だのサイン入りの本だのいろいろなものが集まった。／在义卖市场上又是名人穿过的衣服啦，又是带签名的书啦什么的，应有尽有。

（4）彼は、やれ給料が安いだの休みが少ないだのと文句が多い。／他老是那么多牢骚，一会儿说工资低啦，一会儿又嫌休息日少啦。

（5）彼はいつ会っても会社をやめて留学するだのなんだのと実現不可能なことばかり言っている。／每次见到他都唠叨些不可能实现的事情，什么辞掉公司去留学啦什么的。

如"やら"、"とか"等，用于列举一些事例，但如例（4）、（5）所示，其内容含意多为负面的，表示"总是那么唠唠叨叨的令人讨厌"的意思。又如例（5）中的"…だのなんだの"是一种惯用形式。

【たび】

→【このたび】

【たびに】

每、每次。
[Nのたびに]
[V-るたびに]

（1）健康診断のたびに、太りすぎだと言われる。／每次体检都说我太胖。

（2）山に行くたびに雨に降られる。／每次爬山都遇上下雨。

（3）父は出張のたびにかならずその土地の土産を買ってくる。／父亲每次出差都要买一些当地的土特产回来。

（4）ふるさとは帰るたびに変わっていって、昔ののどかな風景がだんだんなくなっていく。／每回一次老家都会感到变化，过去的那种幽雅的田园风光越来越少了。

（5）彼女は会うたびにちがうメ

ガネをかけている。／每次见到她都换一付不一样的眼镜。

(6) この写真を見るたびにむかしを思い出す。／每看到这张照片就想起过去。

表示"反复发生的事情的每一次"、"一……总是…"的意思。

【たぶん】

大概、也许。

(1) たぶん田中さんも来るでしょう。／大概田中也会来吧。

(2) あしたはたぶん雨だから、今日のうちに洗濯しておこう。／明天也许要下雨，所以今天把衣服洗了吧。

(3) A：だいじょうぶでしょうか。／你能行吗？
    B：たぶん。／也许行吧。

(4) これでたぶん足りると思うけど、念のために、もう少しもっていこう。／我想这些也许就够了，但为了保险起见，再带一些吧。

表示说话人的推测。语气比"きっと(肯定)"要弱一些，但表示推测的可能性很大。比"おそらく(也许)"的口语性要强。

【たまらない】

1 たまらない　难耐、难以。

(1) A：毎日、車の音がうるさくて眠れないんです。／每天被汽车的噪音吵得睡

不着觉。
    B：それはたまりませんね。／那可真够难受的啊。

(2) A：あの湖ではおもしろいほど魚がつれるんだよ。／在那个湖里能钓到好多鱼，可有意思啦。
    B：つり好きにはたまらないね。／这对喜欢钓鱼的人来说，可是要垂涎三尺啊。

(3) A：戦争で家も家族も全部なくしたんだそうだ。／听说在战争中，他失去了家和家人。
    B：たまらない話ね。／真够悲惨的啊。

表示"无法忍耐"的意思。例(1)的意思是"难以忍受"，例(2)的意思是"好得按耐不住"，例(3)的意思是"听起来就让人悲伤"。

2 …てたまらない　…得不得了、太…。

(1) 和子はあしたから夏休みだと思うとうれしくてたまらなかった。／和子一想到明天就要放暑假了就高兴得不得了。

(2) 最近はじめたばかりのスキューバダイビングがおもしろくてたまらない。／最近我刚刚开始玩儿的潜水运动简直太有意思了。

→【てたまらない】

【ため】

1 Nのため＜有益＞　为、为了。

（1）こんなにきついことをいうのも君のためだ。／说得这么严厉也是为了你好。

（2）みんなのためを思ってやったことだ。／我这是为大家做的。

（3）家族のために働いている。／为了家人在工作。

（4）子供たちのためには自然のある田舎で暮らすほうがいい。／要是为了孩子，还是住到有自然风光的乡下去好。

（5）過労死という言葉がありますが、会社のために死ぬなんて馬鹿げていると思います。／有个词叫"过度劳累而死"，但我觉得为公司而累死也太傻了。

接表示人物或事物的名词后，表示对其有益的意思。稍陈旧一点的说法还可以说"Nがため"。

2 …ために＜目的＞

a …ために　为、为了。

[Nのために]
[V-るために]

（1）世界平和のために国際会議が開かれる。／为世界和平召开国际会议。

（2）ここの小学校では異文化理解のために留学生をクラスに招待している。／这里的小学为了加强对不同文化的理解，把留学生请到了班里。

（3）外国語を習うためにこれまでずいぶん時間とお金を使った。／到目前为止，我为学习外语已经花掉了不少时间和金钱。

（4）入場券を手に入れるために朝早くから並んだ。／为买到入场券一大早就排队。

（5）家を買うために朝から晩まで働く。／为买房子从早到晚地工作。

（6）疲れをいやすためにサウナへ行った。／为了解除疲劳，我去洗了桑拿。

表示目的。以"…ために"的形式表示目的时，需要前后从句为同一主语。因此以下的（例1）可以解释为目的，而（例2）只能解释为原因。

（例1）息子を留学させるために大金を使った。／为了让儿子留学花了不少钱。

（例2）息子が留学するために大金を使った。／因为儿子留学花了不少钱。

另外，"ために"前面的从句要求是由自己的意志可以实现的事情。如果是表示要实现某种状态的话，则不能使用"ために"，而要使用"ように"。

（误）聞こえるために大きい声で話した。

（正）聞こえるように大きい声で話した。／为了让大家听见而大声说话。

（误）よく冷えるために冷蔵庫に入れておいた。

（正）よく冷えるように冷蔵庫に入れ

ておいた。/放在冰箱里好让它凉透。

b V-んがため　为了。
(1) 生きんがための仕事。/为了生存的工作。
(2) 子供を救わんがため命を落とした。/为了救孩子而献出了生命。

其形式是将"V-ない"中的"ない"换成"ん"而形成的。用"する"时的形式是"せんがため"。表示"以…为目的"的意思。是一种文言表达方式。常用于惯用形式。例(1)的意思是"为了生存"，例(2)的意思是"为了救"。另外还可以说"V-たいがため"。

3 …ため＜原因＞
a …ため　由于、因为。
[Nのため]
[Na なため]
[A／V ため]
(1) 過労のため3日間の休養が必要だ。/由于劳累过度，需要休息3天。
(2) 暑さのために家畜が死んだ。/因为酷暑，家畜都死了。
(3) 事故のために現在5キロの渋滞です。/因为发生了交通事故，现在有5公里的交通堵塞。
(4) 台風が近づいているために波が高くなっている。/由于台风接近，风浪很大。
(5) 去年の夏は気温が低かったために、この地方では米は不作だった。/由于去年夏天天气温偏低，这一带的稻米欠收。
(6) 株価が急落したために市場が混乱している。/由于股票价格暴跌，市场发生混乱。
(7) この辺は、5年後にオリンピックの開催が予定されているために、次々と体育施設が建設されている。/因为预定5年后要在这里举行奥林匹克运动会，所以不断地建起新的体育场馆设施。

表示"由于…原因"的意思。类似的表达方式还有"…せいで"、"…おかげで"等。

b ひとつには…ためである　原因之一是…。
(1) 彼の性格が暗いのは、ひとつにはさびしい少年時代を送ったためである。/他性格孤僻的原因之一是因为他的少年时代过于寂寞造成的。
(2) 市民ホールが建たなかったのはひとつには予算不足のためである。/市民大厅没建成的原因之一是因为经费不足。

用于表述其中原因之一。是书面性语言表达方式。

c …のは…ためだ
→【のは…だ】3

【ためし】

1 ためしに…てみる　试着…、…试试。

（1） 先月できたレストランはおいしいという評判だ。ためしに一度行ってみよう。／上个月开张的餐馆大家都说味道不错。咱们也去品尝一次吧。
（2） テレビで宣伝していたシャンプー、ためしに買ってみましょう。／这是电视上一直宣传的洗发水。买一瓶试试吧。
（3） 新発売のインスタントラーメンためしに買ってみたがおいしくなかった。／试着买了一包新上市的方便面，但是并不好吃。

　　表示"尝试性地做一下，以辨别好坏"的意思。

2 V-たためしがない　从来没有…。
（1） 彼女は約束の時間を守ったためしがない。／她从来就没有遵守过约会的时间。
（2） 彼は競馬が好きだが、彼の予想は一度も当たったためしがない。／他很喜欢赌赛马，但是他的预测从没有中过一次。
（3） 彼とはよく食事をするが、おごってくれたためしがない。／我经常和他一起吃饭。他就从来没请过我一顿。
（4） 息子はあきっぽくて、何をやっても三日と続いたためしがない。／我那儿子干什么都没长性。做任何一件事情都没有坚持过三天以上的。

　　表示"迄今为止从没有过一次"的意思。多伴有责难的语气。

【たら₁】
[N／Na　だったら]
[A-かったら]
[V-たら]

　　这是谓语的一种活用形。表示条件或契机。其用法与接续助词"と"、"ば"、"なら"等有相吻合的部分。与表示普遍法则或真理的"一般条件"的用法相比，此句型更侧重于表示特定的个别事物的具体条件。与另外三个接续助词相比较，句尾所受限制少，常用于口语。其礼貌体可为"N／Naでしたら"、"V-ましたら"。但イ形容词没有礼貌体。较陈旧的说法可加助词"ば"成为"たらば"。

1 …たら＜假定条件＞

　　表示个别事物之间的关系为"当X实现时Y则实现"或"要求只要X实现了Y就要实现"的关系。其中X可以是未实现的事物也可以是已经实现的事物，但Y始终为未实现的事物。表述Y时，可以用表示未实现的"普通叙述句"，也可以用表示意志，希望等的"情感表达句"或者是表示命令，禁止，劝诱等的"祈使句"等等。

a …たら＋未实现的事物　要是、要、…了的话，一到…。
（1） 雨だったら道が混雑するだろう。／要是下雨的话，道路会很拥挤的。
（2） もしも、あまり高かったら誰も買わないでしょう。／如果要是太贵了的话，就不会有

人买了。

（3）万一雨が降ったら試合は中止です。／万一要下雨的话就停止比赛。

（4）この薬を飲んだらすぐにせきはとまりますが、3時間たったら効き目がなくなります。／喝了这个药，咳嗽马上就会止住，但是过了3个小时，药性就会失效。

（5）あんなに美人だったら、男性がほうっておかないだろう。／那么漂亮的女人，男人们不可能放过她吧。

（6）ここまで来たら、一人でも帰れます。／到了这儿，我自己就能回去了。

（7）そんなにたくさん食べたらおなかをこわしますよ。／你吃那么多要把肚子吃坏啊。

此时Y是对某一未实现的事物进行叙述的用法。句尾的谓语形式一般为词典形或加上表示推量的"だろう"的形式。在例（1）～（4）当中，X和Y均表示未实现的事物，即表示当X实现时Y则实现的意思。当X表示的是尚未实现且不确定的事物或基本不可能实现的事物时，可使用"もし(如果)"、"万一(万一)"等来表示假定。例（4）表示的是"X发生以后Y则发生／实现"的这样一种对未来事物按其先后顺序进行表述的用法，所以假定的意思比较薄弱。

在例（5）～（7）当中，X表达的是已经实现的事物，在此基础上对另一事物Y进行预测，在表示X时，常伴有指示现状的指示代词"こ／そ／あ"等。

"たら"侧重于表示个别的事物，在表述经常性的近乎真理或法则似的"一般条件"时很难使用。但是在口语中，如以下各例所示，在表达一些个人的习惯或者是特定事物的反复动作时，也可以使用。

（8）いつも、5時になったらすぐ仕事をやめて、テニスをします。／每天一到5点钟我就马上停止工作，去打网球。

（9）ここは冬になったら雪が1メートルぐらいつもる。／这里每一到冬天就要积一米多厚的雪。

（10）ふだんは昼ご飯を食べたら昼寝をしますが、今日は買物に行かなければなりません。／平常我吃了午饭就睡一会儿午觉，可是今天得去买东西。

（11）古くなったらすぐに新しいのに買いかえるというような生活では、お金は貯まらない。／东西一旧就换新的，像这样生活攒不下钱来。

在例（8）～（11）当中，表示"一旦X实现，Y即实现"的意思。即X表示的是Y实现的时间条件，只要在这种时间条件下，Y则可以反复实现。在这种情况下，"たら"可以与"と"替换。

b …たら＋情感表达・祈使 …了的话、如果要是…了、…了…就…、…的话。

（1）この仕事が完成したら、長い休みをとるつもりだ。／完成了这项工作以后，我打算长

期休息一段时间。

(2) もしも1千万円の宝くじに当たったら、何でも買ってあげますよ。／如果要是中了一千万日元的彩票的话，你想要什么我都给你买。

(3) 教師になったら子どもたちにものをつくる楽しさを教えたい。／当了教师的话，我想教给孩子们制作东西的乐趣。

(4) お風呂に入ったらすぐ寝なさい。／洗完澡就赶紧睡觉。

(5) この予防注射をしたら、風呂に入ってはいけません。／打了这种预防针以后不能洗澡。

(6) お酒を飲んだら絶対に運転はするな。／喝了酒就绝对不能开车。

(7) 宿題が済んだら遊びに行ってもいいよ。／作完作业以后就可以去玩儿。

(8) A：あちらで野田さんに会われますか。／您到那边要见野田吗？
    B：ええ、その予定ですが。／是的，有这个计划。
    A：じゃ、お会いになったらよろしくお伝えください。／那，您见到他请带我向他问好。

(9) もしも遅れたら、連絡してください。／如果要是晚了的话，请跟我联系。

(10) 会議が終わったら食事をしに行きましょう。／开完会以后咱们去吃饭吧。

表示"当X实现以后，要／想实现Y"或"当X实现以后，就去／不许／可以／请实现Y"的意思。后续Y一般为表示说话人的意志、愿望等的"情感表达方式"，或者是表示对听话人的命令、禁止、允许、请求、劝诱等的"祈使句表达方式"。

"たら"一般用于表示某一具体时间、具体事物的关系，表述当X事物成立时的Y如何如何。即表示X在时间上先于Y。此时可以与"こういうことが起こった場合には(当这种事情发生时)"、"…した時に(当…时)"、"このあとで(而后)"等表达方式替换。另如以下各例所示，当"たら"的前面为"ある"或形容词时，则表示"在这样一种情况下"的意思。后续部分则表示在这种情况下的说话人的意志、愿望或对听话人的要求或劝诱。

如果内容涉及到听话人的情由或意向等时，其用法则近似一种开场白。

(11) 暇があったら海外旅行をしたい。／有时间的话我想去国外旅行。

(12) 暑かったら、窓を開けてください。／你要是热的话就打开窗户。

(13) お暇でしたら、いらっしゃいませんか。／您要是有空的话不去看看吗？

(14) そんなに勉強が嫌だったら大学なんかやめてしまえ。／要是那么不愿意学习，干脆就别上大学了。

(15) 熱があったら休んでもいいよ。／发烧的话可以休息休

息。
　　与"たら"相比较,接续助词"と"、"ば"在使用上有一些限制。如"と"不能与"情感表达方式"或"祈使句表达方式"一起使用,而使用"ば"时,如X的动词是表示动作、变化的动词时,也很难与"情感表达方式"或"祈使句表达方式"一起使用。

(误)　結婚すれば仕事をやめたい。
(正)　結婚したら仕事をやめたい。／结了婚以后我想辞职。
(误)　お風呂に入ればすぐ寝なさい。
(正)　お風呂に入ったらすぐ寝なさい。／洗了澡以后就赶紧睡觉。

c …たら+询问　要是…的话,…了。

(1)　雨だったら試合は中止になりますか。／要是下雨的话比赛停止吗？
(2)　A：結婚したら仕事はやめるの。／结婚以后你辞职吗？
　　　B：ううん、しばらく続けるつもりよ。／不, 我打算再工作一段时间。
(3)　万一雨が降ったらどうしましょうか。／万一下雨的话怎么办啊？
(4)　A：もし宝くじに当たったら、何に使いますか。／如果你中了彩票你准备用来做什么？
　　　B：すぐに使わないで貯金しておきます。／我不准备马上用，而把钱存起来。
(5)　A：大学を卒業したらどうするつもりですか。／大学毕业以后你准备干什么？
　　　B：オーストラリアに留学したいと思っています。／我想去澳大利亚留学。
(6)　A：社長はただ今出かけております。／总经理现在外出不在。
　　　B：何時ごろでしたらお帰りでしょうか。／大约几点钟能回来？
(7)　どのくらい勉強したら日本語の新聞が読めるようになりますか。／要学多长时间能看懂日文报纸啊？

　　这是以"XたらYか"的形式来要求听话人回答的疑问句式的"たら"的用法。例(1)、(2)是要求回答"はい(是)"、"いいえ(不是)"的是非疑问句。例(3)～(7)是带有"何(什么)"、"どう(怎样)"等疑问词的疑问句。在例(3)～(5)的"XたらYか"当中, 是Y的部分不明确, 而在例(6)、(7)当中, 则是X的部分不明确。
　　如例(6)、(7)所示, 在问及得到好结果的方法、手段的疑问句当中, "たら"可以替换为"ば", 但如例(2)～(5), 当X事物成立以后, Y事物还不知采取何种行动的疑问句当中, 则一般只能使用"たら"。如果使用"ば"就会使句子变得不很自然。

(误)　結婚すれば仕事をやめるつもりですか。
(正)　結婚したら仕事をやめるつもりですか。／结婚以后你打算辞职吗？
(误)　大学を卒業すればどうしますか。

(正) 大学を卒業したらどうしますか。／大学毕业以后你干什么？

d 疑问词＋V-たら…のか　要多少…才…。
(1) 何度言ったら分かるんだ。／说多少遍能明白呀。
(2) 人間は戦争という愚行を何度繰り返したら気がすむのであろうか。／人类要重复多少遍战争这种愚蠢的行为才能省悟过来呀。
(3) 何年たったら一人前になれるのだろうか。／过几年才能独立工作呀。
(4) 何回繰り返したら覚えられるのか。／要重复多少遍你才能记住呀。
(5) どれだけ待ったら平和な世界になるのだろうか。／等多久才能实现世界和平呀。
(6) 一体どうしたら今の思いを伝えることができるのか。／到底怎样做才能使他们明白我现在的心情啊。

这是"何／どれだけ／どんなに"等疑问词后接动词タラ形构成的一种反语表达方式。表示"不管多少次／怎样…事情也终究不能如愿"的意思。表现出一种对现状的焦急甚至绝望的心情。句尾一般使用"のか"或"のだ／のだろう(か)"。"V-たら"可以与"V-ば"替换。

e …たらどんなに…か　要是…该多么…。
(1) 宝くじに当たったらどんなにうれしいだろう。／要是中了彩票该多高兴啊。
(2) 合格したら両親はどんなに喜んでくれるだろうか。／要是考上了父母该多为我高兴啊。
(3) 子供たちがもどってきたらどんなににぎやかになることか。／要是孩子们都回来了该多热闹啊。

表示"要是X实现了不知该有多好"的意思。表现出强烈希望X能实现，如果实现了的话则非常高兴的心情。句尾一般使用"だろう(か)""ことか"等。

2 …たら＜与事实相反＞
a …たら …だろう／…はずだ　如果／要(不)是…就(不)会…了。
(1) あのとき精密検査を受けていたら、手遅れにならなかっただろう。／如果当时做了进一步详细的检查，也可能还来得及治疗。
(2) 隕石が地球に衝突していなかったら恐竜は絶滅していなかったかもしれない。／要不是陨石撞击了地球，也许恐龙还不会灭绝呢。
(3) ひどい話を聞かなかったら、こんなに酔うまで飲んだりしなかったにちがいない。／要不是听到那么可气的话，我也决不会喝到如此烂醉。
(4) あの時彼と結婚していたら、私の人生はもっと幸せだったはずだ。／当时要是和他结了婚，我的人生一定会更加幸福。

（5）あの当時この「薬の害」という本を読んでいたら今ごろ苦しまなくてもよかったのに残念だ。／要是当初就看到这本《药物之危害》的书，我也不至于受现在的这份苦，真可惜。

（6）A：面接試験、うまくいった。／面试，考好了吗？

B：うまくいっていたら、こんな顔していないよ。／要是考好了，也不会这种表情啊。

（7）点数があと10点高かったらこの大学に合格できるんだけど。／要是再多得10分儿就能考上这所大学了，可是…。

假定一种与实际发生的事情不符或相反的情况。表示如果是这样的话就该怎样怎样的意思。如果是动词，一般也都使用表示状态的"V-ていたら"的形式。

当假定情况与事实相反时，如例（1）～（5）所示，句尾谓语多为"…ただろう／はずだ／のに"等，与夕形相关的形式。假定情况与现状不符时，如例（6）、（7）所示，句尾谓语常使用"…するのに／のだが"等，即词典形。

这种用法的"たら"可以与"ば"替换，但"たら"显得更口语化一些。关于表示<与事实相反>的条件句句型问题，详细说明请参照【ば】4。

b …たらどんなに…か　要是…该多…啊。

（1）背があと10センチ高かったらどんなによかっただろうか。／个子要再高10公分该多

好啊。

（2）10年前に彼女に会っていたらどんなによかっただろう。／要是10年前就见到她该多好啊。

（3）祖母が生きていたら、どんなに喜んだことか。／要是祖母还活着，她该多高兴啊。

（4）今すぐあなたに会えたらどんなにうれしいだろうか。／要是现在马上就能见到你该多高兴啊。

这是X为不可能实现或与现实相反的场合的用法。表示"要是X能实现的话，那不知该有多好啊"的意思。虽然强烈希望X能实现，但因为其不可能，表现出一种非常惋惜的心情。

当假定的情况与现实相反时，如例（1）～（3）所示，后续为"…ただろうか"的形式，当假定的情况为未实现且不可能实现的事物时，如例（4）所示，后续为"…るだろうか"的形式。

3 …たら…た＜既定条件＞　一…原来…，…了就…。

（1）空港に着いたら友達が迎えに来ていた。／到机场一看，我的朋友来接我了。

（2）トンネルを出たら一面の銀世界だった。／出了隧道，眼前是一片银白色的世界。

（3）変な音がするので隣の部屋に行ってみたらねずみがいた。／听到一种怪声音，跑到隔壁房间去一看，原来有一只耗子。

（4）山田さんは無口でおとなし

い人だと思っていたが、よく話をしたらとても面白い人だということが分かった。／本来以为山田是个不爱说话的老实人，可是跟他好好一聊，才知道他是一个很风趣的人。

(5) お風呂に入っていたら、電話がかかってきた。／刚一开始洗澡，有人打来了电话。

(6) デパートで買い物していたら、隣の奥さんにばったり会った。／到百货公司去买东西，碰巧遇上了隔壁邻居的太太。

(7) 5月に入ったら急に暑くなった。／进入5月份以后，一下子就热了起来。

(8) 薬を飲んだら熱が下がった。／吃了药烧就退了。

(9) 会社をやめたらストレスがなくなって元気になった。／辞了公司以后，没有了精神压力，身体就好了。

(10) 落ちてもともとと思って試験を受けたら、思いがけず合格した。／我想好了考不上也没什么，结果没想到一考还考上了。

(11) 部屋の様子が変だと思ったら、案の定、空き巣に入られていた。／我觉得房间里不太对劲儿，果然是被小偷偷了。

以"XたらYた"的形式，前后从句均表示已经实现的事物。用于当X事物实现时，说话人重新认识Y事物，或以此为契机发生新的事物。后续Y事物一般为说话人的意志所不能及的事物，或是一些新的发现、认识等等。

在例(1)～(4)当中，表示当X动作实现时，说话人发现Y这种情形，此时不表示"…たら、私は…した"的意思，即Y不表示发现者"私(自己)"，而是表示"…たら…ということが分かった"、"…たら…がいた"、"…たら…があった"等对某种状况的描写。

(误) 隣の部屋に行ったら、私はねずみを見た。

(正) 隣の部屋に行ったら、ねずみがいた。／到隔壁房间去一看，原来有一只耗子。

另外，在Y表示新认识到或新发现的事物时，如例(1)、(2)所示，常使用"V－ていた"、"Nだった"等带有状态意义的形式。

如果不使用"V－ていた"的形式，而使用"V－た"的形式，则如下例所示，所表达的意思就会发生变化。

(例) 空港に着いたら友達が迎えに来た。／我到了机场以后，朋友来接我了。

此(例)中没有使用"来ていた"，而是使用了动作意义较强的"来た"的形式。此时所表示的意思，就不是像例(1)所表示的"到机场一看，(发现)我的朋友来接我来了。"的意思，而是"说话人到了机场以后，朋友才来接他了。"的意思了。

又如例(10)、(11)所示，在从句的前项表示一种预想，而后项表示预想正确时，使用"案の定(果然)"、"やっぱり(还是)"等。如果是预想之外的事项时，则经常使用"案外(出乎意外)"、"意外なことに(意外的是)"、"思いがけず(没想到)"等表达方式。

此种用法的"たら"一般可以与"と"替换，但是当X和Y表示为同一人物的意志可控制的连续动作时，只可以使用"と"，而不能使用"たら"。

（误）　男は部屋に入ったら友達に電話した。
（正）　男は部屋に入ると友達に電話した。／那男人一进屋就给他朋友打了个电话。

另外，"と"常用于小说或故事等，而"たら"则多用于说话人表述自己直接的经历。

4 …たらさいご　一旦…就完了。

（1）彼は寝たら最後、まわりでどんなに騒いでも絶対に目をさまさない。／他一睡下去就完了，旁边再怎么吵他也决不会睁眼的。
（2）賭事は一度手を出したら最後ずるずると抜けられなくなる人が多い。／赌博这东西一粘上就完了，很多人都是到最后不能自拔。
（3）すっぽんは一度かみついたら最後どんなことがあっても離れない。／要是甲鱼一咬上你，那算是完了，不管你怎么弄它，也不会撒口。

表示某事一旦发生，由于其性质或其主体的坚强意志所致，以后就总也改变不了其状况的意思。常使用"一度…たらさいご絶対に…"的形式。

5 …たら…で　…也…。

[A－かったらA－いで]
[A－かったらA－かったで]
[V－たらV－たで]

（1）金というのはあったらあったで使うし、なかったらないで何とかなるものだ。／钱这东西，有了就花，没有也就没有，也能将就着过。
（2）自動車はあれば便利だが、なかったらなかったで何とかなるものだ。／汽车这东西，有它当然是方便，可是没有也就没有了，也能对付。
（3）母は寒がりで冬が苦手だが、それでは夏が好きかというとそうではない。暑かったら暑かったで文句を言っている。／我母亲怕冷，所以冬天很不好过，可是你说她喜欢夏天吧又不是。要是天儿热了的话，她也是一肚子牢骚。
（4）息子には大学に受かってほしいが、受かったら受かったでお金が要って大変だ。／很希望我儿子能考上大学，但是考上了也有考上的难处，因为需要钱，也很困难。
（5）平社員のときは給料が少なくて困ったけど、昇進したらしたでつきあいも増えるしやっぱり金はたまらない。／当个普通职员的时候，工资少生活有困难，这提职了吧，也有提了的难处，交际也多了，结果钱还是存不下。

前后反复两次使用同一形容词或动词，提出两种完全对立的事物，表示哪个都一样的意思。

有时如例（1）、（2）所示，表示"虽有问题，但没多大关系／还能对付"的意思。有时又如例（3）～（5）所示，表示情况不太好，"怎么着都够呛／都有问题"的意思。

使用イ形容词时，一般为"A-かったらA-かったで"的形式，也可如例（1）使用"なかったらないで"的形式。

与之相类似的表达方式有"…ばで"。

6 …たら＜开场白＞

用于限定后续发言的条件范围，对其进行预告或解释等。是一种比较定型的惯用表达方式。可以与"ば"替换。

a …たら＋请求・劝诱＜开场白＞ 如果…的话。

（1） もし差し支えなかったら事情を聞かせてください。／如果没关系的话，请把前后经过告诉我。

（2） よろしかったら、もう一度お電話くださいませんか。／如果可以的话，请您给我再来一个电话。

（3） よかったら、週末、家にいらっしゃいませんか。／方便的话，请您周末到我家来玩儿好吗？

这是一种向对方表示请求或劝诱时，有礼貌地询问对方是否方便的惯用表达方式。

b …たら＜开场白＞ …来看、…来说、…相比。

（1） 私から見たら、こんなことはたいした問題ではない。／依我看，这不是什么大不了的问题。

（2） 私に言わせたら、責任はあなたの方にあるんじゃないかと思う。／要我说，我觉得责任还是在你这边。

（3） 一時代前と比べたら、家事は格段に楽になったと言える。／与前一个时代相比，可以说家务劳动轻松多了。

接"見る"、"思う"、"比べる"等表示发言、思考、比较等意思的动词后，预告后续的发言，判断是出于一种什么样的立场或观点。是一种较为固定化的惯用表达方式。

与之相类似的表达方式有"からしたら"、"から言ったら"等。

7 V-たら＜劝诱＞ （表示劝诱）。

（1） 立って見てないで、ちょっと手伝ってあげたら。／别光站着看，你也稍帮一帮他呀。

（2） 危ないからやめといたら。／危险，你还是别干了。

（3） そんなに疲れているなら、すこし休んだら？／你要是那么累，稍休息休息吧。

这是"V-たらどうか"形式的后一半被省略的形式，表示劝说听话人做该动作的表达方式。一般使用升调。多用于关系较亲近的人。如想表示有礼貌，则不省略后一半，使用"たらどうですか／いかがですか"等形式。

此种用法可以与"V-ば"形式替换，但使用"たら"时，含有真心劝诱对方的语气。而使用"ば"时，则往往带有一种对说话人来说无所谓的语气。

8 …からいったら →【からいう】1

9 …からしたら　→【からする】1
10 …からみたら　→【からみる】1
11 …といったら　→【といったらありはしない】,【といったらありゃしない】,【といったらない】
12 …ときたら　→【ときたら】
13 …としたら　→【としたら】
14 …となったら　→【となったら】
15 V-てみたら　→【てみる】4
16 …にかかったら　→【にかかっては】
17 …にかけたら　→【にかけたら】,【にかけて】2
18 …にしたら　→【にしたら】
19 …にしてみたら　→【にしてみれば】
20 …によったら／ことによったら　→【によると】1b
21 だったら　→【だったら】

【たら₂】

（表示一种责难）。

（1）あなたったら、何考えてるの?／瞧你，想什么呢？
（2）やめろったら。／我叫你停下嘛。

→【ったら】

【たらいい】

[N／Na　だったらいい]
[A-かったらいい]
[V-たらいい]

1 V-たらいい〈劝诱〉　可以…一下,最好…吧。

（1）A：レポートのしめきり間に合いそうもないんだ。どうしたらいいかなあ。／看来已经赶不上交小论文的截止日期了。怎么办才好啊。
　　B：先生に聞いてみたらどう?／你去问一下老师看看。
（2）A：この急ぎの仕事だれにやってもらおうか?／这项紧急工作交给谁去做好啊？
　　B：山田君に頼んだらいいよ。どんな仕事でもいやな顔しないよ。／你可以交给山田。不管交给他什么工作他都不会有怨言的。
（3）A：もう一杯おかわりしようかな、それともやめとこうかな。／再添一碗呢，还是不吃了呢。
　　B：食べたいだけ食べたらいいじゃないか。そんなに太ってないんだし。／想吃多少你就吃多少。你又不是那么太胖。
（4）ゆっくり休んだらいい。後のことは任せなさい。／你就好好休息吧。剩下的事情交给我们吧。
（5）もう遅いから残りの仕事はあしたにしたらいい。／已经很晚了，剩下的工作明天再

（6）若いうちにいろいろ苦労したらいいと思う。あとできっと役に立つはずだ。／我想还是年轻的时候多吃点苦为好。将来一定会有用的。

这是一种劝诱对方做某事或向对方提议做某事的表达方式。用于表示采取何种手段或方法才能获得好结果的场合，并要求对方提出建议或自己给对方提建议。在用于询问时，可采取"どうしたらいいか"这种带有疑问词的形式。在劝对方不这样为好时，一般不使用"しなかったらいい"，而可以使用"しなければいい"的形式。

(误) 太りたくなければ食べなかったらいい。

(正) 太りたくなければ食べなければいい。／不想发胖最好就别吃。

虽然"たらいい"和"ばいい"意思相似，可以互换。但是"たらいい"更趋于口语化。在谈及如何做为好的问题时，可以使用"どうしたら／すればいいか"，而不能使用"どうするといい"。但是，如果是作为回答，"たらいい／ばいい／といい"均可使用。

(误) A：電車の中にかばんを忘れてしまったのですが、どうするといいですか。

(正) A：電車の中にかばんを忘れてしまったのですが、どうしたら／すればいいですか。（我把书包忘在电车里了，怎么办才好啊？）

B：遺失物係で聞いてみたら／聞いてみれば／聞いてみるといいでしょう。（你可以去问问失物招领管理员。）

2 …たらいい＜願望＞ 要是…就好了、要是…该多好啊。

（1）生まれてくる子が男の子だったらいいのだが。／生出来的孩子要是个男孩儿就好了。

（2）体がもっと丈夫だったらいいのに。／身体要是再强壮一点就好了。

（3）もう少し給料がよかったらいいのだが。／工资要是再高一点就好了。

（4）もっと家が広かったらいいのになあ。／家里要是再宽敞一点该多好啊。

（5）明日、晴れたらいいなあ。／明天要是个晴天就好了。

（6）もう少しひまだったらなあ。／再多有点空闲该多好啊。

表示说话人希望如此的愿望。句尾多伴有"のに／なあ／のだが"等。当现实与愿望不符或愿望不能实现时，带有一种"不能实现很遗憾"的心情。如例(6)所示，也经常可以省略"いい"，使用"たらなあ"的形式。

3 …たらよかった 要是…就好了。

（1）A：このあいだのパーティーおもしろかったわよ。／上次的宴会可搞的不错啊。

B：僕も行ったらよかった。／我要是也去就好了。

A：そうよ。来たらよかったのに。どうして来なかったの。／就是嘛，你也应

该来嘛。怎么没来呢？
B：アルバイトがあったんだよ。でもあの日はバイト、ひまでね。休んでもよかったんだ。／我那天打工来着。可是，那天的工也是闲着没什么事。我要是请个假就好了。
（2）きのう会社の上司とはじめて飲みに行った。彼がもうちょっと話好きだったらよかったのだが、会話が続かなくて困った。／昨天，我第一次和我们公司的头儿去喝酒。他要是再能聊点儿就好了，结果也没什么话，俩人挺难受的。

这是一种对实际没有发生的事情或与现实不符的事情表示惋惜的表达方式。句尾多伴有"のに／(のに)なあ／のだが"等。但使用"のに"时，一般不用于涉及自己的事情。
（误）僕も行ったらよかったのに。
（正）僕も行ったら{よかったんだけど／よかったんだが}。／要是我也去了就好了。

【だらけ】
满是、净是。
[Nだらけだ]
（1）間違いだらけの答案が返ってきた。／交回了一份错误百出的答卷。
（2）子供は泥だらけの足で部屋に上がってきた。／孩子们脚上沾满了泥就跑进屋里来了。
（3）彼は借金だらけだ。／他背了一身的债。
（4）「傷だらけの青春」という映画を見た。／我看了一部电影，名字叫《伤痕累累的青春》。
（5）彼女の部屋は本だらけだ。／她的房间里到处都是书。

表示充满了，到处都是的样子。意思与"…でいっぱい(充満)"不太一样，多表示说话人给予负面评价的贬义。如例（5）所示，不仅表示了房间里书很多的意思，而且给人的感觉是书太多，而且摊得到处都是。

【たらどうか】
（表示提议或劝诱）。
[V-たらどうか]
（1）別の方法で実験してみたらどうでしょうか。／改用另一种方法做个实验怎么样啊？
（2）少しお酒でも飲んでみたらいかがですか。気分がよくなりますよ。／你稍微喝点儿酒吧。心情会好一些的。
（3）遊んでばかりいないで、たまには勉強したらどう？／别老光玩儿，也得抽空学习学习吧。
（4）さっさと白状したらどうなんだ。／赶紧坦白了吧。
（5）アメリカに留学してみたらどうかと先生に勧められた。／

老师建议我去美国留学。
(6) A：吉田君、パーティーには出席しないって。／吉田说他不来参加宴会了。
　　B：もう一度誘ってみたら？／你再邀请他一次吧。

　　是一种表示提议或劝诱的惯用表达方式。多使用"V－てみたらどうか"的形式。意思与"てはどうか"基本相同，但"たらどうか"显得更加口语化。更通俗一些的说法可以用"たらどうなの／どうかしら(女性)"、"たらどうなんだ(男性)"、"たらどう(男女均用)"。更加礼貌一些的说法可以用"たらいかがですか／いかがでしょうか"等。

　　例(3)、(4)一般用于听话人不听说话人的忠告或劝诱的场合，伴有说话人一种焦躁的心情。例(6)是省略后半部分的形式，使用升调发音。

【たり】

[N／Na　だったり]
[A－かったり]
[V－たり]

1 …たり…たりする　（表示列举）。

(1) 休みの日には、ビデオを見たり音楽を聞いたりしてのんびり過ごすのが好きです。／休息日我喜欢看看电视、听听音乐，过得悠闲一些。

(2) コピーをとったり、ワープロを打ったり、今日は一日中いそがしかった。／今天一天我又是复印，又是打字，忙坏了。

(3) 子供が大きくなって家族がそろうことはめったにないのですが、年に数回はいっしょに食事したりします。／孩子大了以后，全家人很难凑到一起，但我们每年还要有几次在一起吃个饭什么的。

(4) 給料日前には昼食を抜いたりすることもある。／发工资的前一天，有时我就不吃午饭了。

(5) アルバイトで来ている学生は曜日によって男子学生だったり女子学生だったりしますが、みなよく働いてくれます。／来打工的学生，根据日子不同，有时是男学生，有时是女学生，不过个个都干得不错。

(6) 彼女の絵のモチーフは鳥だったり人だったりするが一貫して現代人の不安が描かれている。／她绘画的主题有时是鸟类，有时是人物，但都始终在表现一种现代人的不安。

　　从复数的事物、行为当中举出两三个有代表性的事物。如例(3)、(4)所示，有时也可以只举一例，而暗示另外还有。如以此句型结句时，则要使用"…たり…たりします／しました"的形式，即最后的动词后一定要接"たりする"。

(误) きのうの休みにはビデオを見たり、散歩したり、手紙を書きました。

（正）きのうの休みにはビデオを見たり、散歩したり、手紙を書いたりしました。／昨天休息日，我看了看电视，出去散了散步，还写了封信。

2 …たり…たり （表示反复）。

（1）何か心配なことでもあるのか彼は腕組をして廊下を行ったり来たりしている。／他好像有什么心事，抱着个胳膊在走廊里踱来踱去。

（2）去年の秋は暑かったり寒かったりして秋らしい日は少なかった。／去年的秋天一会儿冷一会儿热，没有几天像真正的秋天。

（3）父は近頃あまり具合いがよくなく、寝たり起きたりだ。／我父亲近来身体不大好，有时还能起来，有时就只能在床上躺着。

（4）薬はきちんと飲まなければいけない。飲んだり飲まなかったりでは効果がない。／药要好好吃。吃吃停停是不会有效果的。

（5）くつを買おうと思うが、いいと思うと高すぎたり、サイズがあわなかったりで、なかなか気に入ったのが見つからない。／我想买双鞋，可是看着好的不是太贵，就是号码不合适，老碰不上中意的。

（6）あすは山間部は晴れたり曇ったりの天気でしょう。／明天山区的天气时晴时阴。

表示某状态交替出现或某行为反复实行，或者是两种完全形成对照的状态。常见的对照状态，除例句中所示以外，还有"あったりなかったり（时有时无）"、"上がったり下がったり（忽上忽下）"、"泣いたり笑ったり（又哭又笑）"、"乗ったり降りたり（上上下下）"、"出たり入ったり（出出进进）"等。

3 …たり したら／しては （表示举一例）。

（1）英語の生活にもだいぶん慣れたが、早口で話しかけられたりしたらわからなくて困ることも多い。／我基本习惯了使用英语的生活了，但是还经常因为人家跟我讲话太快，我就听不懂了。

（2）その人のいないところで悪口を言ったりしてはいけない。／别背着人家说坏话。

举一事例，暗示还有其他。例（2）的意思与"悪口を言ったらいけない（不许说坏话）"意思基本一样，但因为不是明说（只是举例），则显得语气比较婉转。

4 …たりして 别是…吧。

（1）A：変だね、まだだれも来てないよ。／奇怪啊，怎么一个人也没来啊。
　　B：約束、あしただったりして。／别约的是明天吧。

（2）A：佐野さん、遅いわね。／佐野怎么还不来啊。
　　B：ひとりだけ先に行ってたりして。／别他一个人先走了吧。

是举一种事例的表达方式，暗含还有其他可能性，避免直言说出。是一种旁观者式的、带有冷落语气的表达方式。多见于年轻人较随便的口语当中。

【たりとも】

哪怕…也不…、即使…也不…。
[…たりとも…ない]
[Nたりとも…ない]
[数量词＋たりとも…ない]

(1) 試験まであと一カ月しかない。一日たりとも無駄にはできない。／离考试的日子还有不到一个月的时间了，哪怕是一天也不能浪费了。
(2) 水がどんどんなくなっていく。これ以上は一滴たりともむだにはできない。／水越来越少了。不能再浪费一滴水。
(3) 密林の中では、一瞬たりとも油断してはいけない。／在密林当中，哪怕一分一秒也不能疏忽大意。
(4) この綱領について変更は一字たりとも許されない。／关于这份纲领，哪怕一个字也不能更改。
(5) だれもが敵は一人たりとも逃がさないと決意していた。／每个人都下定了决心，绝不放走一个敌人。

表示就是最少的人数或最小的数量也不能允许的意思。以"一人／一滴／一日たりとも…ない"等形式使用。即表示数量的部分均为"一"。在较随便的口语中，可以说"ひとりも"、"一滴も"。因为是文言表达方式，所以多用于书面语言或较正式的讲话（如会议发言、演说等）。

【たる】

由文言的"てあり"演变而成。每种用法都给人一种庄严的印象。语气较夸张，用于较拘谨的书面语或演说等比较正式的讲话。

1 NたるN　作为…的…。

(1) 国家の指導者たる者は緊急の際にすばやい判断ができなければならない。／作为一个国家领导人，必须能在紧急关头做出迅速的判断。
(2) 国会議員たる者は身辺潔白でなければならないはずである。／作为国会议员，必须是一身清白。
(3) 教師たる者は、すべてにおいて生徒の模範とならねばならないとここに書いてある。／这上面写着，作为教师必须在各方面成为学生的典范。
(4) 百獣の王たるライオンをカメラにおさめたいとサファリに参加した。／我是想拍下百兽之王狮子的雄姿，所以才参加了狩猎远征旅行。

表示"具有…（优秀）资格的…"的意思。

2 NたるとNたるとをとわず　无论是…还是…一律都…。

(1) 救出にあたっては軍人たる

と民間人たるとを問わず、総力を結集せよ。／在救援活动中，无论是军人还是老百姓，我们要调动一切力量。
(2) 医療活動は民間人たると、政府関係者たるとを問わず、全員を平等に扱う。／在医疗活动中，无论是普通平民还是政府官员，都要一视同仁。
(3) この法律は市民たると外国人たるとを問わず等しく適用される。／这个法律，无论是对我国市民还是对外国人都一律适用。

表示"无论是X还是Y，都一律…"的意思。

3 N たるべきもの　作为…的…。
(1) それは、指導者たるべき者のとる行動ではない。／这不是作为领导者所应该采取的行动。
(2) 後継者たるべき者は以下の資格を備えていなければならない。／作为接班人必须具备以下条件。
(3) 王たるべき者はそのようなことを恐れてはならない。／作为大王不应该害怕这些事情。

表示"具有…资格的人、处于…地位的人"的意思。后半句一般表示"当然…なければならない(当然必须…)"，即表述前面提到的具有这种资格或地位的人所应有的形象。

4 N たるや　说到…。
(1) そのショーの意外性たるや、すべての人の注目を集めるに十分であった。／说到这场表演的意外性，那足以引起所有人的关注。
(2) その姿たるや、さながら鬼のようであった。／说到他那样子，简直和鬼一样。
(3) その歌声たるや、聞き入る聴衆のすべてを感動させるすばらしいものであった。／说到那歌声简直太动听了，把所有的听众都感动了。
(4) 救出に際しての彼らの活動たるや、長く記憶にとどめるに十分値するものであった。／说到在救援过程中他们的表现，真是值得永远留在人们的记忆中。

接具有某种特性的名词后，用于进一步表述其所具有的性质或是何种状态。但不能用于人名后。
(误) 山田先生たるや、すべての人を感動させた。
(正) 山田先生の話し振りたるや、すべての人を感動させた。／说到山田老师的讲话姿态，那把所有的人都打动了。

是一种强调提示句子主题的表达方式。如例(1)，与"その意外性は…"的形式相比，语气显得更夸张。

【たろう】
（表示推测）…吧。

[N／Na　だったろう]
[A-かったろう]
[V-たろう]

（1）母は若いころはずいぶん美人だったろう。／母亲年轻的时候一定很漂亮吧。
（2）試験で大変だったろう。／因要考试，够呛吧。
（3）さぞや苦しかったろう。／一定很痛苦吧。
（4）A：おなかがすいたろう。／肚子饿了吧？
　　　B：うん、ちょっとね。／嗯，有点儿。
（5）あの子はあんなに熱があるのに学校に出かけたが、今日一日だいじょうぶだったろうか。／那孩子发那么高烧还去上学了，今天一天能行吗。
（6）あわてて出かけて行ったが、無事間に合ったろうか。／他慌慌张张地跑出去了，也不知赶上了没有。

与"ただろう"相同，表示对已完成的事物进行推测。既可用于书面语也可用于口语。例（4）是一种口语用法，是以说话人的推测向听话人进行确认。这时一般用升调。例（5）、（6）中的"たろうか"表示了说话人的疑虑或担心。较礼貌的形式为"たでしょう"。
→【だろう】

【だろう】

[N／Na　だろう]
[A／V　だろう]

在书面语当中，不分男女均可使用，而在口语当中，一般只有男性使用。其较礼貌的形式为"でしょう"。

1 …だろう＜推量＞　…吧。

（1）あしたもきっといい天気だろう。／明天也肯定是个好天儿吧。
（2）この辺は木も多いし、たぶん昼間も静かだろう。／这一带树木也很多，白天一定很安静吧。
（3）北海道では、今はもう寒いだろう。／北海道现在已经很冷了吧。
（4）この程度の作文なら、だれにでも書けるだろう。／这种程度的作文谁都会写吧。
（5）これだけ長い手紙を書けば、両親も満足するだろう。／我写了这么长的信，父母也该满意了吧。
（6）彼がその試験問題を見せてくれた。ひどくむずかしい。わたしだったら、全然できなかっただろう。／他给我看了一下考试题。相当难。要是我可能根本就答不上来了。
（7）A：朝はずっと雪の中で鳥の観察をしていたんです。／早上我一直在雪中观察鸟来着。
　　　B：それは、寒かっただろうね。／那一定很冷吧。
（8）A：お母さんたちは今頃どこにいるかしら。／妈妈

だろう 289

　　　　她们现在哪儿啊？
　　B：もうホテルに着いているだろうよ。／恐怕已经到饭店了吧。
(9) A：これでよろしいですか。／这样行吗？
　　B：ああ、いいだろう。／好,行吧。
(10) A：どれにしましょうか。／要哪个呢？
　　B：これがいいだろう。／就要这个吧。

伴随降调.表示说话人的推测。与"かもしれない(也许)"相比较.说话人更加确信该事实是真的.常与"たぶん(大概)"、"きっと(肯定)"等副词一起使用。另外,根据语境,也不一定表示说话人的推测.而可以表示其判断,只是显得语气不那么肯定而已。

2 …だろう＜确认＞　…吧？
(1) A：君も行くだろう？／你也去吧？
　　B：はい、もちろん。／那当然。
(2) A：美術館はバスをおりてすぐみつかりました。／下了公共汽车马上就找到美术馆了。
　　B：行くの、簡単だっただろう？／去那儿很容易吧。
(3) やっぱり、納得できなくてもう一度自分で交渉に行ったんだ。わかるだろう、ぼくの気持ち。／我还是想不通.又自己去交涉了一次。你能理解我的心情吧？

伴随升调.表示确认。含有希望听话人能表示同意的期待。一般为男性使用.女性可使用"でしょう／でしょ"。是口语表达方式。

3 …だろうか　能…吗？
(1) この計画に、母は賛成してくれるだろうか。／这个计划.母亲能表示赞成吗？
(2) 今回の試合のためにはあまり練習できなかった。いい成績があげられるだろうか。／这次比赛可没怎么好好练习。能取得好成绩吗？
(3) こんな不思議な話だれが信じるだろうか。／这种离奇的事谁能相信呀。
(4) 彼はこつこつと作品を作り続けているが、いつかその価値を認める人が出てくるだろうか。／他孜孜不倦地制作着作品.何时能有人认识它的价值啊。
(5) A：佐々木さん、こんな仕事を引き受けてくれるだろうか。／佐佐木他能接受这项工作吗？
　　B：だいじょうぶだよ。喜んで引き受けてくれるよ。／没问题,一定会很高兴地接受的。
(6) このコンテスト、はたしてだれが優勝するだろうか。／在这次比赛中到底谁能获胜啊？

(7) A：山下さん、欠席ですね。／山下，没来吧。
　　B：うん。病気だろうか。／嗯，可能生病了吧。
(8) この選挙は、雨が降ったからだろうか、投票率が非常に低かった。／这次选举，是不是因为下雨的缘故啊，投票率特别低。

　表示说话人对发生该事物的可能性的怀疑或耽心的心情。
　例(3)是一种反语，表示"谁能相信呀，不可能有人相信"的意思。如例(5)所示，可以将自己的疑问提出，间接地表示对听话人的一种询问。又如例(8)所示，可以插在句子中间，表示说话人的疑虑。

4 …ではないだろうか　是不是…啊、不就…吗。
[N／Na　ではないだろうか]
[A／V　のではないだろうか]

(1) さっきすれちがった人は、高校のときの同級生ではないだろうか。／刚才过去的那个人，好像是不是我高中时候的同学啊。
(2) この統計からは彼の述べているような予測をたてるのは無理ではないだろうか。／根据这个统计数据作出他刚才说的那种预测，是不是有点勉强啊。
(3) 選手たちの調子がとてもいいから、今回の試合ではいい成績があげられるのではないだろうか。／运动员们的竞技状况都挺不错，估计这次比赛能取得好成绩吧。
(4) 一日十ページ書いていけば、来月中には完成できるのではないだろうか。／要是一天写十页，那下个月之内不就写完了吗。
(5) 通子はけんかして以来少しやさしくなった。いろいろと反省したのではないだろうか。／自从吵过架以后，通子的脾气温和一些了。是不是她自己也反省了一些啊。
(6) この道の両側に桜の木を植えれば、市民のいい散歩道になるのではないだろうか。／如果要在这条路的两旁栽上樱花树，不就能成为市民一条很好的休闲散步的道路吗。

　表示对某事是否发生的一种推测。语气虽不如使用"だろう"那么坚定，但基本上还是肯定的。如例(3)，在说话人心中虽然还不能确定，但也是相信能取得好成绩的。相反如果觉得可能性很低的话，则使用"だろうか"。在口语中，可以成为"(ん)ではないだろうか"的形式。

5 Nだろうが、Nだろうが　不管是…还是…、无论是…还是…、不论是…还是…。

(1) 相手が重役だろうが、社長だろうが、彼は遠慮せずに言いたいことを言う。／不管对方是董事还是总经理，他都毫不客气地想说什么就说什么。

（2）子供だろうが、大人だろうが、法を守らなければならないのは同じだ。／无论是孩子还是大人，在必须遵守法律这一点上都是一样的。

（3）彼は、山田さんだろうが、加藤さんだろうが、反対する者は容赦しないと言っている。／他说，不论是山田还是加藤，对凡是反对他的人都不会留情的。

（4）もし鉄道が使えなければ、ボートだろうが、ヘリコプターだろうが、とにかく使える方法でできるだけ早くそこに到着しなければならない。／如果铁路用不上，你不论是乘快艇也好，还是乘直升飞机也好，总之要想尽办法尽快到达那里。

表示"不论是X还是Y，任何人（任何东西）都…"的意思。如果使用形容词或动词时，如"暑かろうが、寒かろうが（不论是热还是冷）"、"生きようが死のうが（无论是生还是死）"、"雨が降ろうが降るまいが（不管下雨不下雨）"所示，使用"A-かろうが"、"V-ようが"的形式。

6 …だろうに

a …だろうに　本来是…可…、本来觉得…可是…、本以为…可是…。

（1）その山道は、子供には厳しかっただろうに、よく歩き通した。／我本来觉得这段山路对孩子们来说太艰苦了，可他们还真走过来了。

（2）忙しくて大変だっただろうに、よく期日までに仕上げたものだ。／本以为太忙够呛，没想到还真赶在结稿日前完成了。

（3）共同経営者を失ったのは痛手だっただろうに、彼は一人で会社を立て直してしまった。／失去合作者对他来说是一个沉重的打击，可他一个人竟把公司重振起来。

（4）冬の水は冷たくてつらいだろうに、彼らは黙々と作業を続けていく。／冬天的凉水多冷啊，他们却不声不响地工作着。

（5）きちんと読めばわかっただろうに、あわてたばかりに誤解してしまった。／认真读一下本来是能读懂的，就是因为太慌张，结果给搞错了。

表示"本来（觉得）是…，可是…"的意思。多带有说话人的同情或批评的语气。

b …だろうに（表示遺憾）。

（1）あなたの言い方がきついから、彼女はとうとう泣き出してしまった。もっとやさしい言い方もあっただろうに。／你说话太伤人，所以她终于哭了。你说话不会再温和点儿吗。

（2）うちでグズグズしていなかったら、今頃は旅館に到着しておいしい晩ご飯を食べて

いただろうに。／要不是你在家磨磨蹭蹭的，现在早到旅馆吃上香喷喷的晚饭了。
(3) もしあの大金（たいきん）をこの会社に投資（とうし）していたら、大儲（おおもう）けできただろうに。／要是把那笔雄厚的资金投到这家公司，现在就赚大钱了。
(4) 地図（ちず）と磁石（じしゃく）をもって行（い）けば、迷（まよ）ってもそんなにあわてることはなかっただろうに。／要是带上地图和指南针，也不至于迷路这么慌张啊。

表示对实际没有这样去做的事情的一种遗憾。

7 …のだろう　→【のだろう】

【ちがいない】

　　一定是…，肯定是…。
[N／Na　（である）にちがいない]
[A／V　にちがいない]

(1) あんなすばらしい車（くるま）に乗（の）っているのだから、田村（たむら）さんは金持（かねも）ちにちがいない。／田村开那么一辆好车，一定是很有钱了。
(2) あそこにかかっている絵（え）は素晴（すば）らしい。値段（ねだん）も高（たか）いにちがいない。／挂在那里的那幅画真棒。价格也一定很贵。
(3) 学生（がくせい）のゆううつそうな様子（ようす）からすると、試験（しけん）はむずかしかったにちがいない。／从学生们那种闷闷不乐的表情来看，考试一定是很难了。
(4) あの人（ひと）の幸（しあわ）せそうな顔（かお）をごらんなさい。きっといい知らせだったにちがいありません。／你看他那一脸幸福的表情。肯定是来了好消息。
(5) あの人は規則（きそく）をわざと破（やぶ）るような人ではない。きっと知らなかったにちがいない。／他不是那种故意破坏纪律的人。肯定是他事先不知道。
(6) A：この足跡（あしあと）は？／这个脚印是谁的？
　　 B：あの男（おとこ）のものだ。犯人（はんにん）はあいつに違（ちが）いない。／就是那个人的。那家伙肯定是凶手了。

表示说话人以某事为根据，做出非常肯定的判断。与"だろう"相比较，说话人的确信程度或深信程度都要强一些。常用于书面语。用于口语时，会给人以夸张的感觉。除例(6)这种特殊场合以外，一般都可以使用"きっと…と思います"的表达方式。

【ちっとも…ない】

　　一点儿也不…，毫不…。

(1) この前の旅行（りょこう）はちっとも楽（たの）しくなかった。／上次的旅行一点儿也不开心。
(2) 日本語（にほんご）がちっとも上達（じょうたつ）しない。／日语毫无长进。
(3) A：ごめんね。／对不起啊。
　　 B：いや、いや。ちっともかまわないよ。／哪里，哪

里。一点儿关系也没有。
(4) 妻が髪形を変えたのに、夫はちっとも気がつかなかった。／夫人改变了发型，丈夫却毫不觉察。
(5) 久しぶりに帰国した友達のためにたくさんごちそうを作ったのに、疲れていると言ってちっとも食べてくれなかった。／好容易给长期出国回来的朋友做了许多饭菜，可他却说累了一点儿也没吃。
(6) ダイビングはこわいものと思っていたが、やってみたら、ちっともこわくなかった。／原以为潜水运动很可怕，可实际试了一下，一点儿也不害怕。

表示"すこしも／ぜんぜん…ない(一点儿也不／根本不…)"的意思，用于强调否定意义时。与"すこしも"比较更加口语化。与"ぜんぜん"不同的是，它没有表示次数的用法。
(误) ちっとも行ったことがない。
(正) ぜんぜん行ったことがない。／根本没去过(一次也没去过)。

【ちなみに】

附带说一下、顺便提一下。

(1) この遊園地を訪れた人は、今年五十万人に上りました。これは去年の三十万人を大きく上回っています。ちなみに迷子の数も千人と去年の倍近くありました。／来此家游乐园的人数，今年达到了五十万人以上。这个数字大大超过了去年的三十万人。附带说一下，走失的儿童数字也达到一千人，将近去年的一倍。
(2) この人形はフランスで二百年前に作られたもので、同種のものは世界に五体しかないといいます。ちなみにお値段は一体五百万円。／这个洋娃娃是二百年前在法国制作的，据说与其相同的娃娃，现在世界上只有五个。顺便介绍一下，它的价钱是五百万日元。
(3) 山田議員の発言は政局に大きな混乱をもたらした。ちなみに山田議員は一昨年も議会で爆弾発言をしている。／山田议员的发言使政局发生了混乱。附带说一下，山田议员前年也曾在议会上作过爆炸性的发言。

用于表述完主要内容以后，附加一些与之相关联的内容。表示"附带说一下，仅供参考"的意思。用于书面语或较拘谨的口语(如新闻报导、会议发言等)。这一表达方式不用来表示附加的动作。
(误) 買い物に出かけた。ちなみに、友達のところに寄った。
(正) 買い物に出かけた。ついでに、友達のところに寄った。／外出买东西，顺便到朋友那里去了一下。

【ちゃんと】

1 ちゃんと 清楚、牢牢的、好好地、准确地。

(1) めがねを新しいのに変えたら、ちゃんと見えるようになった。／换了付新眼镜以后看得清楚了。

(2) おじいさんは耳が遠いと言っているが本当は何でもちゃんと聞こえている。／爷爷说他耳背，其实什么他都听得很清楚。

(3) そのとき言われたことは今でもちゃんと覚えている。／那时你对我说的话，我现在还牢牢地记着。

(4) 親戚の人にあったらちゃんと挨拶するように母に言われた。／母亲告诉我，见了亲戚们要好好打招呼。

(5) あの先生はみんながちゃんと席につくまで話し始めない。／那位老师，不等大家都在坐位上坐好是不开始讲课的。

(6) 今朝は7時にちゃんと起きたが、雨で走りに行けなかった。／今天早上7点我按时起来了，可是外面下雨，结果没有能去跑步。

(7) この問題にちゃんと答えられた人は少ない。／能准确回答这道问题的人很少。

(8) わたしは朝どんなに忙しくてもちゃんと食べることにしている。／无论早上时间多么紧张，我也都要好好吃早饭。

表示"按照应有的方法做"的意思。可用于许多场合。根据语境的不同，可以有各种各样的意思。如例(4)表示的就是，要按照社会习惯，做到不受人指责，或者是采取的行为应该符合规定的程序等，即其行为应该被人视为正确或合适的意思。

2 ちゃんとする 规矩、整齐、正正经经。

(1) おばあさんはきびしい人だから、おばあさんの前ではちゃんとしなさい。／奶奶可是个非常严厉的人，在她面前你可要规矩一些。

(2) 昨日来たときは仕事場がひどくちらかっていたけれど、だれかが片付けてちゃんとしたらしい。／昨天我来的时候，这工作间里还乱七八糟的呢，后来好像有谁打扫了，整齐多了。

(3) 客に会う前にちゃんとした服に着替えた。／在会见客人之前，换上了一件干净整齐的衣服。

(4) ちゃんとした書類がないと、許可証はもらえない。／没有正式的申报材料是领不到许可证的。

(5) A：これ、変な名前だね。／这名字可够古怪的啊。

　　　　B：ええ、でもちゃんとした
　　　　　レストランですよ。／是
　　　　　啊，不过这可是家正正
　　　　　经经的餐馆啊。
（6）A：彼女のお父さんは、娘
　　　　　の結婚に反対している
　　　　　そうですね。／听说她父
　　　　　亲反对她这桩婚事啊。
　　　　B：ええ。相手を信用して
　　　　　いないんです。わたし
　　　　　は、ちゃんとした人だ
　　　　　と思いますよ。／是啊，
　　　　　就是不相信对方呗。其
　　　　　实，我倒觉着对方是个
　　　　　规规矩矩的好人。
　　　表示该行为或状态符合现在的状况。接名词前时，形式为"ちゃんとした"，表示"该事物比较合适，可以为社会所接受"的意思。

【ちゅう】

1 Nちゅう＜正在继续＞　正在…、…期间。

（1）会議中だから、入ってはいけない。／正在开会，所以不能进去。
（2）「営業中」の札がかかっている。／挂着一个"现在营业"的牌子。
（3）その件はただいま検討中です。／关于这件事情，我们现在正在研究。
（4）課長の休暇中に一大事が起こった。／在处长休假期间发生了一件重大事故。
（5）工事中の道路が多くて、ここまで来るのに随分時間がかかった。／好多道路都在施工，所以到这里来花了很长时间。
（6）勤務中は個人的な電話をかけてはいけないことになっている。／公司规定，上班期间不能打私人电话。
（7）彼女はダイエット中のはずなのに、どうしてあんなにたくさん食べ物を買い込むのだろう。／她不是正在减肥呢吗，怎么还买那么多吃的啊。

　　　"ちゅう"汉字写"中"。表示正在做什么，或某状态正在持续过程中的意思。应该注意的是，用于此意思时，汉字读音必须是"ちゅう"。与其一起使用的名词一般为涉及某种活动的名词。
（例）　電話中（正在打电话）・交渉中（正在交涉过程中）・婚約中（已经订婚了）・執筆中（正在写作过程中）・旅行中（正在旅行途中）・タイプ中（正在打字）等。
　　　"（名词）中"的读音还可以读"じゅう"，这时的意思如"一日中（整日里）"、"一年中（一年到头）"所示，表示"在某期间内一直"的意思。

2 Nちゅう＜期间＞　…期间。

（1）午前中は、図書館にいて、午後は実験室にいる予定だ。／我准备上午在图书馆，下午在实验室。
（2）戦時中、一家はばらばらになっていた。／战争期间，一

家人妻离子散。
(3) 夏休み中に水泳の練習をするつもりだ。／暑假期间我打算练习游泳。
(4) 彼は試験期間中に病気になって気の毒だった。／考试期间他生了病，真可怜。
(5) この製品は、試用期間中に故障したら、ただで修理してもらえる。／这种产品，如果在试用期间里发生了故障，可以免费修理。

与表示时间的名词一起使用，表示"在某一时间段内"的意思。但是，值得注意的是，有"ごぜんちゅう（上午）"的说法，而没有"ごご（午後＜下午＞）ちゅう"的说法。

【ちょっと】

1 ちょっと＜程度＞ 稍微、一点儿、稍稍。
(1) ちょっと食べてみた。／稍微尝了一下。
(2) 借りた本はまだちょっとだけしか読んでいない。／借来的书刚稍微看了一点儿。
(3) 目標額の10万円にはちょっと足りない。／离奋斗目标的额度10万日元还稍微差一点儿。
(4) 手紙をちょっと書き直した。／把信稍微改写了一下。
(5) 韓国語は、ちょっとだけ話せる。／我只稍微会讲一点点朝鲜语。
(6) ちょっと左へ寄ってください。／请稍微往左边靠一点。
(7) 今日はちょっと寒い。／今天有点儿冷。
(8) 試験の問題はいつもよりちょっとむずかしかったが、なんとか解けた。／考试题比以往的稍稍难了一点儿，但好歹也答上来了。

表示数量少，程度低。一般用于口语。

2 ちょっと
a ちょっと＜缓和程度＞ （表示轻微）。
(1) ちょっと電話してきます。／我去打个电话就来。
(2) ちょっと用がありますので、これで失礼します。／我稍有点儿事儿，先失陪了。
(3) ちょっとおたずねしますが、この辺に有田さんというお宅はありませんか。／跟您打听一下，这一带有姓有田的人家儿吗？
(4) すみません、ちょっと手伝ってください。／对不起，请你帮我一下。
(5) A：ちょっとこの辺でお茶でも飲みませんか。／我们在这儿喝杯茶休息休息吧。
    B：ええ、そうですね。／好吧。
(6) A：これで決まりですね。／

这下决定了吧。
B：ちょっと待ってください。わたしはまだいいとは言っていません。／等等，我还没说行呢。
(7) A：おでかけですか。／您出门儿吗？
B：ええ、ちょっとそこまで。／哎，出去一下。

是一种用于会话的较婉转的表达方式。其数量少的意思并不强烈，而只是暗示程度比较轻。用于表述自己的行为或向对方提出某种请求时。在请求别人时加上"ちょっと"，可以使语气显得比较缓和。例(7)是一种约定俗成的寒暄用语。

b ちょっと＜缓和语气＞　有点儿。
(1) A：この手紙の文章は、ちょっとかたすぎませんか。／这封信的文章是不是有点儿太死板了？
B：そうですか。じゃ、もう一度書き直してみます。／是啊，那，我再重新写一封。
(2) A：山田さんが急病で、当分会社に出てこられないそうです。／听说山田得了急病，暂时不能来公司上班了。
B：そうか、それはちょっと大変だな。／是吗，那可有点儿够呛啊。
(3) この問題は君にはちょっと難しすぎるんじゃないかな。／这个问题对你来说是不是

有点儿太难了啊。
(4) 一日で仕上げるのはちょっと無理だ。／要在一天里完成有点儿困难。
(5) A：十時ではいかがでしょうか。／十点钟怎么样啊？
B：十時はちょっと都合が悪いんですけど。／十点钟，我不太方便。

与"大変(够呛)"、"無理(有困难)"、"むずかしい(难办)"等带有否定意义的词语一起使用，可以起到缓和语气的作用。

c ちょっと＜欲言又止＞　有点儿…。
(1) A：この写真ここに飾ったらどう？／把这幅照片儿挂这儿怎么样啊？
B：そこはちょっとね…。／挂那儿，有点儿…。
(2) A：ご都合が悪いんですか。／你没空儿吗？
B：ええ、ちょっと月曜日は…。／是的，星期一，稍微有点儿…。
(3) A：このコピー機空いていますか？／这台复印机，现在没人用吧？
B：あ、すみません。まだ、ちょっと…。／啊，对不起，我还没…。

用于会话。只说"ちょっと"，而省略后面要说的句子，暗示一种否定的含意。是一种避免难于启齿的表达方式。如例

（1）就表现了说话人对挂在那里的地方不很满意的心情。还可以用于表示拒绝的场合。可以使语气缓和。如例（2）、（3）所示，省略后半句，用于拒绝，而且可以使对方理解。在表示承诺或肯定意义的场合，一般都不能将后半句省略。

3 ちょっと＜褒义＞ 挺…。
（1） この本、ちょっとおもしろいよ。／这本书挺有意思的。
（2） この先にちょっといいレストランをみつけた。／在前边我找到一家餐馆，挺不错的。
（3） A：彼がどんな小説を書くか、ちょっと楽しみです。／看他能写出什么小说来，我们还都挺期待的呢。
　　　 B：そうですね。／是啊。
（4） A：新しい職場はどう？／新的工作单位怎么样啊？
　　　 B：課長さんがちょっとすてきな人なの。／处长是个挺帅的人。

将"ちょっと"与带有褒义评价的表达方式一起使用时，可表示说话人认为其程度不低，至少是比一般程度要好的意思。是一种较婉转的表达方式。意思与"かなり（相当）"接近。而"すこし（稍微）"没有这种用法。

4 ちょっと…ない
a ちょっと…ない＜褒义＞ 很少…、不大容易…、很难…。
（1） こんなにおもしろい映画は最近ちょっとない。／像这么有意思的电影，最近还很少看到。
（2） この本は読み出したらちょっとやめられませんよ。／这本书，只要你读起来就不大容易放下。
（3） こんなおいしいもの、ちょっとほかでは食べられない。／这么好吃的东西，你在别的地方还很难吃到。
（4） あの人のあんな演説は、ちょっとほかの人にはまねができないだろう。／像他那样的演讲，别人是很难学会的吧。

与否定表达方式一起使用，语气上是强调否定，而实际上多用于给予高度评价，认为该事物非同一般。如例（1）即是对一部很有意思的电影进行赞扬。

b ちょっと…ない＜缓和语气＞（表示婉转的否定语气）。
（1） A：田中先生の研究室はどちらですか。／田中老师的研究室在哪里啊？
　　　 B：すみません。ちょっとわかりません。／对不起，我不太清楚。
（2） A：あしたまでに全部現像してもらえますか。／明天能全部洗出来吗？
　　　 B：それは、ちょっとできかねます。／这，有点儿不太可能。
（3） A：今、ちょっと手が放せないので、あとでこちらからお電話します。／我现

在有项工作脱不开手，待会儿我给您打电话。
B：そうですか。じゃあ、あとでよろしく。/那好吧。一会儿就麻烦你了。

与否定表达方式一起使用。意思不是表示数量或程度上的"一点儿"，而是起到缓和否定语气的作用。如例（1）B的回答，意思是婉转地表示"我根本就不知道"，而不是要说"我有一点儿不清楚"的意思。

5 ちょっと＜打招呼＞ 喂，哎，我说。

（1）ちょっと、そこのおくさん、財布落としましたよ。/喂，那位女士，你钱包掉了。
（2）ちょっと、これは何ですか。スープの中にハエが入ってるじゃないの。/哎，你瞧瞧，这是什么呀。汤里怎么有只苍蝇啊。
（3）ちょっと、だれか来て手伝って。/喂，谁来帮帮忙啊。
（4）ちょっと、お願いだからもう少し静かにしてて。/我说，求求你们了，安静一点儿。

用于提醒别人注意。不光可以表示打招呼，根据声调的不同，还可以表示责难、威胁、乞求等各种心情。

6 ちょっとしたN

a ちょっとしたN＜缓和程度＞ 少许，轻微。

（1）ちょっとしたアイデアだったが、大金になった。/出了那么点儿点子，却赚了大钱。

（2）ちょっとした風邪がもとで、亡くなった。/得了点儿轻微感冒就去世了。
（3）酒のつまみには、何かちょっとしたものがあればそれでいい。/作为下酒菜，有点儿什么就行了。

表示"轻微"、"不很重要"、"些许"的意思。

b ちょっとしたN＜褒义＞ 相当、不小。

（1）かれは、両親の死後、ちょっとした財産を受け継いだので、生活には困らない。/父母死后，他继承了一笔相当可观的遗产，所以在生活上他没有任何困难。
（2）パーティーでは奥さんの手料理が出た。素人の料理とはいえ、ちょっとしたものだった。/宴会上夫人做了一道菜。虽然不是专业厨师，但也相当够水平了。
（3）彼の帰国は、まわりの人にとって、ちょっとした驚きだった。/他的回国，对周围人来说是个不小的震动。

表示非同一般。常可以与"かなりの(相当的)"N"替换。使用"ちょっとしたN"，可以使评判的语气显得缓和一些。

【つ…つ】

（表示动作交替进行）。
[R-つR-つ]

(1) 彼に会おうか会うまいかと悩んで、家の前を行きつ戻りつしていた。／不知是去见他好呢还是不去见他好呢，愁得在我房子前面踱来踱去。
(2) お互い持ちつ持たれつで、助け合いましょう。／咱们的关系是相互扶持的，就互相帮助吧。
(3) 初詣の神社はものすごい人出で、押しつ押されつ、やっとのことで境内までたどり着いた。／新年初拜神社，人山人海，在人堆里你推我搡，好不容易才挤进神社里去。
(4) 久しぶりに友人とさしつさされつ酒を飲んで何時間もしゃべった。／好久没和朋友喝酒了，今天俩人推杯换盏，边喝边聊了好几个钟头。

使用"行く(去)-戻る(回)"这样的正反意动词或"押す(推)-押される(被推)"这样的主动和被动的动词连用形，表示两种动作交替进行。不过使用的大多数是约定俗成的固定形式。如"行きつ戻りつ(来来去去)"、"持ちつ持たれつ(相互依靠)"等。

【つい】

不知不觉、没留神、没注意。

(1) 太るとわかっていながら、あまりおいしそうなケーキだったので、つい食べてしまった。／明知道吃了要发胖，可是这蛋糕太好吃了，不知不觉就给吃了。
(2) お酒はやめたはずだが、目の前にあると、つい手が出る。／本来是戒了酒的，可是酒一摆在眼前，不自觉地就伸手要喝。
(3) そのことは口止めされていたのに、つい口をすべらせて言ってしまった。／这件事本来是不让说的，没留神给说走了嘴。
(4) おしゃべりが楽しくてつい遅くなってしまった。／光顾着聊天儿高兴了，没注意都这么晚了。
(5) よく周りから声が大きいと苦情がでるので気をつけてはいるのだが、興奮するとつい声が高くなる。／邻居老嫌我声音大，我也挺注意的，可是一兴奋，不留神声音就又高起来了。

表示因控制不住自己而做了不该做或自己本来想坚持不做的事情。常与"V-てしまう"的形式一起使用。

【ついて】

→【について】

【ついでに】

1 ついでに　顺便。

(1) 図書館へ本を借りにいった。ついでに、近くに住んでいる友達のところへ行ってみ

た。/我去图书馆借书，顺便去住在附近的朋友家看了看。
(2) でかけるのなら、ついでに、この手紙を出して来てくれませんか。/你要出门的话，顺便帮我把这封信发了，好吗？

表示利用这一机会的意思。用于在做某一主要事情的同时，捎带着做其他事情的场合。

2…ついで(に)　顺便、顺路。
[Nのついで]
[Vついで]
(1) 京都へ行くついでに、奈良を回ってみたい。/去京都时，我想顺路去奈良看看。
(2) 洗濯機を直すついでに、ドアの取っ手も直してもらった。/工人来修洗衣机时，我请他顺便把门把手也修理了一下。
(3) 姉は実家に遊びに来たついでに、冷蔵庫の中のものをみんな持って帰った。/姐姐趁着回娘家来玩儿的机会，顺便把冰箱里的东西全拿走了。
(4) 買い物のついでに、図書館へ行って本を借りて来た。/去买东西时，顺便到图书馆借了本书。
(5) 兄は出張のついでだといって、わたしの仕事場へ会いに来た。/哥哥说是出差顺路，来我公司看了看我。

表示在做某一主要事情的同时，捎带着做其他事情的意思。与名词一起使用时，只限于表示某种活动意思的名词。

【ついては】
　为此、因此。
(1) 《手紙》この秋に町民の大運動会を開催することになりました。ついては、皆様からの御寄付をいただきたく、お願い申し上げます。/《信函》今年秋天，决定举行市民运动大会。为此，我们恳请大家踊跃捐款。
(2) 今の会長が来月任期満了で引退します。ついては、新しい会長を選ぶために候補者をあげることになりました。/现任会长因任期已满即将引退。因此，为选举新会长决定由大家推荐候选人。

表示"因为这样的一种原因"的意思。是一种书面语，比较婉转的表达方式。多用于比较正式地向听话人(读者)报告或请求某事的场合。

【ついに】
1 ついにV-た　终于、最后。
(1) 1995年、トンネルはついに完成した。/1995年，隧道终于竣工了。
(2) 登山隊は、ついに頂上を征服した。/登山队终于登上了山顶。
(3) 待ちに待ったオリンピック

がついに始まった。／盼望已久的奥林匹克运动会终于开始了。
(4) 留学生の数は年々増え続け、ついに10万人を越えた。／留学生人数每年递增，终于突破了10万人大关。
(5) 客は、一人去り一人去りして、ついに誰もいなくなった。／客人走了一个又走了一个，最后一个客人也没有了。
(6) 遭難して五日目、食糧も水もついに底をついた。／灾害发生后的第五天，储备的粮食、水终于都用光了。

表示经过许多曲折，最后终于实现的意思。有如例(1)、(2)所示，经过很长时间或经历很多挫折终于完成或取得成功的场合。也有如例(3)所示，表示某一重大事情开始或结束的场合。另外，如例(4)所示，可以用于表示达到某一数目很大的目标或界限。又如例(5)、(6)所示，也可以用来表示某一状态逐渐变化，最终达到了说话人所预料的结果。

使用"ついに"时，其表达的重点是在事物本身，而不是在其过程。如以下(例1)，其意义的重点在于"完成した(建成)"这一结果上。而(例2)使用"やっと(好容易、终于)"时，其重点在于"该工程耗费了很长时间"，即注重该事物的过程。

(例1) 1995年トンネルはついに完成した。／1995年，隧道终于竣工了。
(例2) 1995年トンネルはやっと完成した。／1995年，隧道好不容易建成了。

与之相类似的词语有"やっと""とうとう"。

详细内容请参见【やっと】1。

2 ついにV-なかった 终于、直到最后。

(1) 閉店時間まで待ったが、彼はついに姿を表さなかった。／我一直等到关门，他终于没有出现。
(2) 彼の願いはついに実現しなかった。／他的愿望终于没能实现。
(3) 彼はついに最後まで謝らなかった。／直到最后，他也没有道歉。
(4) 犯人はついにわからずじまいだった。／最终也没能抓到凶手。

用于表示最终没有实现说话人所期待或预想的事情。例(1)～(4)可以与"とうとう"替换，但不能与"やっと"替换。

3 ついには 最终。

(1) この病気は、次第に全身が衰弱し、ついには死亡するという恐ろしい病気だ。／这种病很可怕，先是全身组织逐渐衰竭，最终导致死亡。
(2) 血のにじむような練習に明け暮れて、ついには栄光の勝利を勝ち取った。／他终日拼命练习，最终取得了辉煌的胜利。

表示经过种种曲折，最终达到某种结果的情形。是一种书面性语言表达方式。

【つきましては】

为此，因此。

（1）《招待状》この度、新学生会館が完成いたしました。つきましては、次の通り落成式を挙行いたしますので、ご案内申し上げます。／《邀请信》最近，新学生活动中心建成。为此，我们将举行落成典礼，特此向您发出邀请。

（2）先月の台風で当地は大きな被害を受けました。つきましては皆様にご支援いただきたくお願い致します。／由于上个月的台风，本地遭受了重大损失。因此想恳请诸位给以大力支持。

是"ついては"的郑重表达方式。用于公函等。

→【ついては】

【っきり】

只有、一直、…后…就…。

（1）ふたりっきりで話しあった。／只有我们两个人谈了话。

（2）一晩中つきっきりで看病した。／整整一晚上一直守候在病人身边照看。

（3）家を飛び出していったっきり戻って来ない。／从家里走了以后就从来没回来过。

是"きり"的口语表达方式。

→【きり】

【っけ】

是不是…来着。

[N／Na だ(った)っけ]
[A-かったっけ]
[V-たっけ]
[…んだ(った)っけ]

（1）あの人、鈴木さんだ(った)っけ？／那个人是不是叫铃木来着？

（2）君、これ嫌いだ(った)っけ？／你不喜欢这个，是吧？

（3）この前の日曜日、寒かったっけ？／上个星期天是不是很冷来着？

（4）もう手紙出したっけ？／信已经发了吧？

（5）明日田中さんも来るんだっけ？／明天，田中是不是也说要来来着？

（6）しまった！今日は宿題を提出する日じゃなかったっけ。／坏了！今天是不是该交作业了吧。

用于自己记不清而表示确认时。如例（6）所示，也可以用于自己一人自言自语地确认时。是比较随和的口语形式。其礼貌用语形式是"N／Naでしたっけ"、"V-ましたっけ"、"…んでしたっけ"。但是没有"A-かったですっけ"的形式。

【っこない】

不可能…。

[R-っこない]

（1）A：毎日5時間は勉強しな

さい。／每天至少得学习5个小时。
B：そんなこと、できっこないよ。／那，不可能做到。
(2) いくら彼に聞いても、本当のことなんか言いっこないよ。／再怎么问他，他也不可能说实话的。
(3) 俳優になんかなれっこないと親にも言われたけれど、夢は捨てられなかった。／父母也对我说，你不可能成为演员，但我还是放弃不了这个理想。
(4) こんなひどい雨では頂上まで登れっこないから、きょうは出かけるのはやめよう。／下这么大雨，不可能登上山顶，所以今天就别去了。
(5) 山口さんなんか、頼んだってやってくれっこないよ。／山口你求他也是白搭，不可能给我们干的。

与动词连用形一起使用，表示对某事发生的可能性进行强烈的否定。与"絶対…しない"、"…するはずがない"、"…するわけがない"等句型意思相近，是比较随便的口语形式。用于关系较亲近的人之间的会话。

【ったら】

1 Nったら 说起、我说。

(1) 太郎ったら、女の子の前で赤くなってるわ。／你看看太郎，他竟在女孩子面前闹个满脸通红。
(2) A：松井さん昔はほんとうに小さくてかわいかったけど、今はすっかりいいお母さんだね。／松井你过去可真是又小巧又可爱，可现在完全是一个合格的妈妈了。
B：まあ先生ったら。小学校を卒業してからもう20年ですもの。／哎呀，我说老师，人家小学毕业都已经20年了嘛。
(3) A：このカレンダーの赤丸なんだったかな。／这挂历上的红圈儿是什么意思啊？
B：もうあなたったら忘れたの。私たちの結婚記念日じゃありませんか。／我说你怎么都忘了呢。那不是咱们的结婚纪念日嘛。
(4) 多恵子ったら、どうしたのかしら。いくら呼んでも返事がないけど。／我说这个多惠子是怎么了。那么叫她也不答应一声。
(5) お母さんったら。ちゃんと話を聞いてよ。／哎呀，我说妈，你倒好好听着呀。

表示"といったら(说到，我说)"的意

思。用于比较随便的口语场合。说话人带着亲昵、取笑、告诫、责难、担心等各种心情而提起话题。主要是儿童或女性使用。

2 Vったら（表示敦促某种行动）。
（1）こっちへ来いったら。／叫你过来呢嘛。
（2）やめろったらやめろよ。／叫你别干你就别干了。
（3）やめてったらやめてよ。／叫你别干你就别干了。

接动词命令形或テ形后。用以表示"这么跟你说呢，你怎么还不做呀"的心情。语气强烈。多反复使用同一动词。命令形限于男性使用。是较随便的口语形式。

3 …ったら（表示不满）。
（1）A：ひとりで出来るの？／你一个人能行吗？
　　B：出来るったら。／当然行啦。
（2）A：飲んだらコーヒーカップちゃんと洗って。／喝过咖啡以后要把咖啡杯洗干净。
　　B：うん、わかった。／嗯，知道了。
　　A：ほんとにわかったの？コーヒーカップは？／听明白了吗？咖啡杯得怎么着啊？
　　B：わかったったら。同じことをそう何度も言うなよ。／我不是说知道了嘛。车轱辘话，用不着老说。

接对方的话。对对方对自己的怀疑等表示强烈的不满。是较随便的口语形式。

4 ったらない　别提多…了。
（1）うちのおやじ、うるさいったらない。／我们家老爷子，别提多唠叨了。
（2）あの時のあいつのあわてかたったらなかったよ。／当时他那个慌张劲儿，别提了。

表示程度很甚。是较随便的口语形式。

【つつ】

与动词连用形一起使用。一般用于书面语或较拘谨的会话。

1 R-つつ〈同时〉　一边…一边…、一面…一面…、(的)同时。
（1）かれは、「春ももう終わりですね」と言いつつ、庭へ目をやった。／"春天马上就要结束了"他一边说着一边望了望院子。
（2）静かな青い海を眺めつつ、良子は物思いにふけっていた。／良子一面眺望着宁静的、蓝蓝的大海，一面沉思着。
（3）この会議では、個々の問題点を検討しつつ、今後の発展の方向を探っていきたいと思います。／本次会议在研究一个个具体问题的同时，还要探讨一下今后的发展方向。
（4）その選手はけがした足をかばいつつ、最後まで完走した。／那个运动员一边护着自

己受了伤的腿，一边坚持跑完全程。

表示同一主体在进行某一行为时同时进行另一行为。基本与"…ながら"意思相同，但"…つつ"倾向于用于书面语。

2 R-つつ＜逆接＞
a R-つつ　虽然、尽管。
（1）夏休みの間、勉強しなければいけないと思いつつ、毎日遊んで過ごしてしまった。／虽然想着在暑假期间要好好学习，但每天还是贪玩儿，一下就晃过去了。
（2）早くたばこをやめなければいけないと思いつつ、いまだに禁煙に成功していない。／尽管总是想要尽快戒烟，但直到如今还没有戒掉。
（3）その言い訳はうそと知りつつ、わたしは彼にお金を貸した。／我虽然知道他那解释是在撒谎，但还是把钱借给他了。
（4）青木さんは事業のパートナーを嫌いつつ、常に協力を惜しまなかった。／尽管青木很讨厌他在事业上的合作伙伴，但还是经常不惜一切地帮助他。

用于连接两个相反的事物。如例（1）所示，其意思是"虽然这样想，但…"。其逆接用法与"のに"、"ながら"等相近。例（3）中的"うそと知りつつ（明知是撒谎）"是一种常见的惯用表达方式。

b R-つつも　虽然、尽管。
（1）彼は、歯痛に悩まされつつも、走り続けた。／尽管牙痛使他很痛苦，但他还是坚持继续跑下去。
（2）「健康のために働き過ぎはよくないのよ」と言いつつも、彼女は決して休暇をとらないのだ。／虽然她总说，"为了身体健康不能劳累过度"，但她从来也没休过假。
（3）医者に行かなければと思いつつも、忙しさに紛れて忘れてしまった。／尽管总想着要去找医生看看，但一忙就给忘了。
（4）設備の再調査が必要だと知りつつも無視したことが、今回の大事故につながったと思われる。／明明知道应该对设备重新进行一次检查却忽视了，我想这是酿成这次重大事故的原因。

与【つつ】2 a 相同。

3 R-つつある　正在…。
（1）地球は温暖化しつつある。／地球温暖化现象正在日趋严重。
（2）この会社は現在成長しつつある。／这家公司现在正在发展过程中。
（3）この海底では長大なトンネルを掘りつつある。／这里的海底正在开掘一条长长的海底隧道。

（4）手術以来、彼の体は順調に回復しつつある。／手术以后，他的身体正在逐渐恢复。
（5）若い人が都会へ出て行くため、五百年の伝統のある祭りの火がいまや消えつつある。／由于年轻人都到大城市去了，这延续了五百年的传统节日的火焰也即将熄灭了。
（6）彼は今自分が死につつあることを意識していた。／他意识到自己正在走向死亡。
（7）その時代は静かに終わりつつあった。／这个时代正在悄悄地结束。

表示某一动作或作用正在向着某一方向持续发展着。有许多场合均与"ている"意思相似，但也有些不同。如例（1）～（3）都可以与"ている"替换，且意思基本不变。而例（4）～（7）等，与表示瞬间变化的动词一起使用时，意思就与"ている"不同了。在与表示瞬间变化的动词一起使用时，"つつある"表示该变化产生，并朝着变化完成的方向正在继续着的意思。而"ている"则表示其变化完成以后的状态。因此，如果将例（6）中的"死につつある"变成"死んでいる"，句子就会变得很荒唐。

另外，没有完成意义的动词很难与"つつある"一起使用。如不能说"彼女は泣きつつある"。

【って】

1 NってN 叫…的…。
（1）これ、キアリーって作家の書いた本です。／这是一位叫吉里亚的作家写的书。
（2）A：留守の間に人が来ましたよ。／你不在的时候，有人来过。
　　B：なんて人？／来人姓什么？
（3）佐川さんって人に会いました。友達だそうですね。／我见到一个姓佐川的人。听说你们是朋友啊。
（4）駅前のベルって喫茶店、入ったことある？／你去过车站前的那家叫"铃儿"的咖啡店吗？

是较随便的口语表达方式。是"NというN"的缩减形式。如"キアリーっていう作家"、"なんていう人"等所示，常以"NっていうN"的形式使用。用于表述说话人不知道，或以为听话人也许不知道的事物。接疑问词"何"后面时，不使用"って"，而成为"なんて"的形式。

（误）なんって人。
（正）なんて人。／叫什么名字的人。

2…って＜主題＞ …是…。
[Nって]
[Aって]
[V(の)って]
（1）WHOって、何のことですか。／WHO是什么东西啊？
（2）ヒアリングって、何のことですか。／"ヒアリング"是什么意思啊？
（3）ゲートボールって、どんなスポーツですか。／门球是一种

什么体育运动啊？
(4) 赤井さんって、商社に勤めているんですよ。／赤井，他在商社工作呢。
(5) 山田課長って、ほんとうにやさしい人ですね。／山田处长可真是一个和蔼可亲的人呐。
(6) うわさって、こわいものです。／流言蜚语真可怕啊。
(7) 若いって、すばらしい。／年轻，这就是本钱啊。
(8) 都会でひとりで暮らす(の)って、大変です。／孤独一人生活在大城市，这很不容易啊。
(9) 反対する(の)って、勇気のいることです。／反对，是需要勇气的。
(10) どちらかひとつに決める(の)って、むずかしい。／必须决定其中的某一个，这很难。

用于提起某事物作为话题，给其下定义，表述其意义或对其做出评价等等。是较随便的口语表达方式。在较拘谨的书面语当中，表示下定义、表述意义时，可使用"Nとは"。另外，如例(8)所示，用于动词短句时，与"Vのは…だ"句型相对应，是其口语表达方式。

3…って＜引用＞
a…って（引用听到的话）。
(1) かれはすぐ来るっていってますよ。／他说了，马上就来。

(2) それで、もうすこし待ってくれっていったんです。／后来，他说再等他一会儿。
(3) A：お母さん、きょうは、いやだって。／妈，他说今天不愿意来。
   B：じゃあ、いつならいいの。／那，他什么时候能来呀？
(4) A：電話して聞いてみたけど、予約のキャンセルはできないって。／我打电话问了，人家说，预定了就不能取消。
   B：ああ、そう。／是啊。

与表示引用句的"と"相对应，是较随便的口语表达方式。除比较正式的会话以外广泛被使用，并不限男女。例(1)的意思就是"かれはすぐ来るといっていますよ。／他说了，马上就来。"。如例(3)、(4)所示，可以省略后续部分，只传达所听到的内容。

4…って（表示反问等）。
(1) A：これ、どこで買ったの。／这是在哪儿买的啊？
   B：どこって、マニラだよ。／在哪儿买的？马尼拉呗。
(2) A：もうこの辺でやめてほしいんだが。／我想你就到这儿吧，别干了。
   B：やめろって、一体どういうことですか。／你叫我别干了，这到底是为什么？

重复对方说过的话，用以应付对方的质问，或对其进行反问。是较随便的口语表达方式。多与"…というのは"句型相对应。

5 んだって＜听说＞ 听说、据说。

[N／Na　なんだって]
[A／V　んだって]

（1）あの人、先生なんだって。／听说他还是老师呢。
（2）山田さん、お酒、きらいなんだって。／据说山田不喜欢喝酒。
（3）あの店のケーキ、おいしいんだって。／都说那家店里的蛋糕特别好吃。
（4）鈴木さんがあす田中さんに会うんだって。／听说铃木明天要见田中。
（5）A：あの人、先生なんだって？／听说他还是老师呢。是吗？
　　　B：うん、英語の先生だよ。／是啊，是教英语的老师。
（6）A：山田さん、お酒、きらいなんだって？／据说山田不喜欢喝酒。是吗？
　　　B：ああ、そう言ってたよ。／啊，他好像那么说过似的。
（7）A：あの店のケーキ、おいしいんだって？／都说那家店里蛋糕特别好吃。是吗？
　　　B：いや、それほどでもないよ。／不，也不是那么特好吃。
（8）A：鈴木さんがあす田中さんに会うんだって？／听说铃木明天要见田中。是吗？
　　　B：うん、約束してるんだって。／嗯，据说他们约好了。

是"のだ／んだ"与表示"引用"的"って"组合而成的形式。表示从别人那里听到某种信息(听说)。例（5）～（8）使用升调，表示把听来的信息又用以向对方询问，以示确认。不分男女，用于较随便的会话。一般不使用"なのだって／のだって"的形式，而多使用"んだって"、"んですって"的形式。

"んですって"的形式主要见于女性。即使使用了"です"，也不能对身分、地位高于自己的人使用。这时应该说"あの人は先生なんだそうです／听说他是一位老师"。

6 …たって　即使…。

（1）そんなこと、したってむだだ。／即使这么做也白搭。
（2）そんなこと、言ったって、いまからもどれないよ。／你即使这么说，现在也回不去了。
（3）ここから呼んだって、聞こえないだろう。／从这儿叫他也听不见吧。

→【たって】

【ってば】

（表示强烈主张或提请注意）我不是说…，我说…。

(1) A：この字、間違ってるんじゃないか？/这个字没错吗？
　　 B：あってるよ。/没错。
　　 A：いや、絶対、間違ってるってば。/不，我看肯定是错了。
(2) A：宿題やったの？/作业做了吗？
　　 B：うん。/嗯。
　　 A：もう9時よ。/都9点了啊。
　　 B：やったってば。/我不是说我做了嘛。
(3) A：お母さん/妈
　　 B：…/…
　　 A：お母さんってば。聞いてるの？/我说妈，你听我说呢吗？

用于关系密切的双方较随便的会话，表示说话人强调自己的主张。尤其用于说话人的主张不能被理解，显得有些着急的场合。另外，如例(3)所示，也可以用于提请对方注意的场合。

【っぽい】

（表示有这种感觉或倾向）。
[Nっぽい]
[Rっぽい]
(1) 男は白っぽい服を着ていた。/那男的穿了一件颜色发白的衣服。
(2) あの人は忘れっぽくて困る。/他特爱忘事，真拿他没办法。
(3) 30にもなって、そんなことで怒るなんて子供っぽいね。/都30岁了，还为这点儿小事生气，太孩子气了。
(4) この牛乳水っぽくてまずいよ。/这牛奶水了叭唧的不好喝。
(5) 死ぬだとか葬式だとか、湿っぽい話はもうやめよう。/咱别说那些死啦葬礼啦等等不吉利的话题了好不好。

接名词或动词连用形后，表示"有这种感觉或有这种倾向"的意思，形成一个新的形容词。

如例(1)所示，接"赤・白・黒・黄色・茶色"等表示颜色的名词后，表示"带有这种颜色的，或与这种颜色接近的"意思。又如例(2)所示，接在"怒る(生气)・ひがむ(闹别扭)・ぐちる(发牢骚)・忘れる(忘记)"等动词的连用形后，表示某人"很容易…，爱…"的意思。再如例(3)所示，接"子供(孩子)・女・男・やくざ(流氓)"等名词后，表示"子供/やくざのようだ(像个孩子/流氓似的)"、"いかにも女/男という感じがする(给人感觉特像女的/男的)"等意思。

除此之外，常见的还有"水っぽい(水分过多)"、"湿っぽい(湿漉漉、阴郁的)"、"熱っぽい(像发了烧似的、热情的)"等。使用"子供っぽい・水っぽい"等时，说话人语气中带有一种贬义。如要表示褒义，则使用"子供らしい(天真活泼像个孩子)・みずみずしい(水灵灵的)"。

【つまり】

1つまり＜换言之＞ 也就是、即、就是。

（1）彼は、母の弟、つまり私の叔父である。／他是我母亲的弟弟，也就是我的舅舅。
（2）両親は、終戦の翌年、つまり1946年に結婚した。／父母是在二战结束的第二年，即1946年结婚的。
（3）相思相愛の仲とは、つまりお互いのことを心底愛し合っている関係のことである。／所谓相亲相爱，就是两人都是发自内心的互相爱慕。
（4）A：この件については、ちょっと考えさせてください。／关于这事容我们考虑考虑。
B：つまり「引き受けていただけない」ということですね。／您这意思，就是说"不接受了"？

此用法是接短句或句子后，表示用相同意思的内容换句话说。如例（4）等是接了对方的话以后，换成说话人自己理解的意思换句话说。其意思与"すなわち（即）"很相近，但"つまり"口语性很强，所以在例（4）这样的会话形式当中，使用"すなわち"就会显得不自然。

2 つまり(は) ＜结论＞ 总之、归根结底、到底。
（1）つまり、責任は自分にはないとおっしゃりたいのですね。／总之，您是想说责任不在您自己，对吧。
（2）子供の教育は、つまりは、家庭でのしつけの問題だ。／孩子的教育，归根结底是家庭管教的问题。
（3）A：まあ、それほど忙しいというわけでもないんですけど…。／嗯，其实倒也并不那么忙…。
B：つまり、君は何が言いたいんだ。／你到底想说什么呀。
（4）私の言いたいことは、つまり、この問題の責任は経営者側にあって…。そのつまり、社員はその犠牲者だということです。／我想说的就是，这个问题在管理者方面…。也就是说，公司职员是受害者。

用于省略说明的经过，而得出最后的结论。例（1）、（3）是确认或敦促听话人拿出结论的用法。如例（2）所示，有时也可以用作"つまりは"。例（4）是一种口语用法，可以起到衔接语言空当的作用。很多用例可与"結局（归根到底）"、"要するに（总而言之）"替换。

【つもり】

1 V-るつもり
a V-る／V-ない つもりだ 打算，准备。
（1）来年はヨーロッパへ旅行するつもりだ。／明年我打算去欧洲旅行。
（2）友達が来たら、東京を案内するつもりだ。／朋友来了以后，我准备领他游览东京。

(3) たばこは、もう決してすわないつもりだ。／我打算再也不抽烟了。
(4) 山本さんも参加するつもりだったのですが、都合で来られなくなってしまいました。／本来山本也准备来参加的，但是因为有点事不能来了。
(5) A：これから、美術館へもいらっしゃいますか。／您现在要去美术馆吗？
    B：ええ、そのつもりです。／是的，我是这么打算的。

表示意志或意图。既可以表示说话人的意志，也可以表示第三人称者的意志。"Ⅴ-ないつもりだ"的形式表示不打算作某行为的意志。另外，还可以如例(5)所示，将动词部分省略，加上指示代词"その"。如果不加指示代词，只说"はい、つもりです"就错了。

b Ｖ-るつもりはない 不打算、不想、不准备。
(1) この授業を聴講してみたい。続けて出るつもりはないけれど。／我想旁听这门课试试，但并不打算一直听到底。
(2) 趣味で描いていた絵が展覧会で入選して、売れたが、プロになるつもりはない。／凭个人爱好画的画儿参加了展览会，而且卖出去了，但是我并不想作一名职业画家。
(3) 今すぐ行くつもりはないが、アメリカのことを勉強しておきたい。／虽然并不准备现在马上就去，但还是想先了解了解美国的情况。
(4) この失敗であきらめるつもりはないけれど、やはりひどくショックなのには変わりがない。／虽然并不打算因此次失败而就此罢休，但它对我的打击还是很大的。
(5) このけんかはあの人達が始めたことで、わたしにはそんなことをするつもりは全くなかったんです。／这次争吵完全是他们挑起的，我根本就没打算跟他们吵。
(6) A：この条件で何とか売っていただけないでしょうか。／按这个条件请您一定卖给我们吧。
    B：いくらお金をもらっても、この土地を売るつもりはない。帰ってください。／你给我多少钱，我也不会卖掉这块土地的。你赶紧给我回去吧。

用于说话人否定某种意志，意思是"不打算…"。使用这一句型时，一般是说话人首先想像听话人可能预想或期待自己有这种意志，在此基础上，说话人予以否定。如例(3)、(4)所示，说话人还可以预计听话人可能会想像的内容，作为一种开场白使用。

c Ｖ-るつもりではない 并不是有意要…。
(1) すみません、あなたの邪魔を

するつもりではなかったん
です。／对不起，我并不是有
意要打搅你。
(2) A：彼はあなたが批判した
といって気にしていま
したよ。／他挺在意的，
说你批评他了。
B：あの、そんなつもりでは
なかったんです。／其实
我并不是有意要批评他。

用于说话人否定某种意志，意思是
"并不是有意要…"。多见于自己的某种行
为或态度招致某种误解时，以此来进行
自我辩解，意思是说"其实我并不是／没
有这个意图"可以与"つもりはない"替
换。

**d V-るつもりで 做好思想准备、
想好。**
(1) 今日限りでやめるつもりで、
上司に話しに行った。／做好
了今天就辞职的思想准备去
找上司谈了话。
(2) 彼女は彼と結婚するつもり
でずっと待っていた。／她一
直等着他，就是想好了要和
他结婚。
(3) 今回の試合には絶対負けな
いつもりで練習に励んで来
た。／下定决心，这次比赛决
不能输，一直坚持训练下来。
表示"以这样一种意志"的意思。

2 …つもりだ
[Nのつもりだ]
[Na なつもりだ]
[Aつもりだ]

[V-た／V-ている つもりだ]
**a …つもりだ〈信念〉（表示自己
这样认为、这样觉得）。**
(1) ミスが多かったが、今日の試
合は練習のつもりだったか
らそれほど気にしていない。
／虽然失误很多，但我们是
把今天的比赛当做一次训练，
所以并不很在意。
(2) まだまだ元気なつもりだっ
たけど、あの程度のハイキン
グでこんなに疲れてしまう
とはねえ。もう年かなあ。／
我自己一直觉得自己身体还
行，没想到就这么一次郊游
还累成这个样子。到底还是
上了年纪呀！
(3) まだまだ気は若いつもりだ
よ。／自己觉得自己还很年轻
呢。
(4) よく調べて書いたつもりです
が、まだ間違いがあるかもし
れません。／我自认为是经过
充分的调查才写出来的，不
过也保不准还有错误。
(5) A：君の仕事ぶり、評判い
いよ。／大家都对你的工
作很满意啊。
B：そうですか。ありがとう
ございます。お客様に
ご満足いただけるよう、
毎日ベストをつくして
いるつもりです。／是
啊，谢谢。我每天都是尽

自己最大努力以使客人们满意。

主语为第一人称，表示说话人自己这样想或这样认为，至于别人如何认为或与事实是否相符并无关紧要。

b …つもりだ＜与事实不符＞ 以为…。

（1） なによ、あの人、女王のつもりかしら。／什么呀，她以为她自己是女皇呐。

（2） あの人は自分では有能なつもりだが、その仕事ぶりに対する周囲の評価は低い。／他以为他自己很能干，其实周围的人对他工作的评价很低。

（3） 彼女のあの人を小ばかにしたような態度は好きじゃないな。自分ではよほど賢いつもりなんだろうけどね。／我特别不喜欢她看不起别人的那种态度。她是不是以为自己有多么聪明啊。

（4） 君はちゃんと説明したつもりかもしれないが、先方は聞いてないといっているよ。／也许你以为你自己讲清楚了呢，可是对方却说根本就没听你说过。

（5） 彼女はすべてを知っているつもりだが、本当は何も知らない。／她以为她什么都知道呢，其实她什么也不知道。

主语为第二人称或第三人称，表示该人信以为真的事情与（说话人或其他人想的）事实不符的意思。

c V－たつもりはない 没想…。

（1） 私はそんなことを言ったつもりはない。／我没想这么说。

（2） あの人、怒ってるの？からかったつもりはないんだけどねえ。／他生气了？我可没想取笑他啊。

（3） A：彼、あなたに服をほめられたって喜んでたわよ。／他说你夸了他的衣服，可高兴了。

　　　B：こまったな。ほめたつもりはないんだけどな。／真没办法。我可没想夸他呀。

用于否定对方对自己的行为做出的解释、判断。例（3）也可以说成"そんなつもりはないんだけどな"。

3 V－たつもりで 就当是…、认为是…。

（1） 旅行したつもりで、お金は貯金することにした。／就当是旅行了，把钱存了起来。

（2） 学生たちはプロのモデルになったつもりで、いろいろなポーズをとった。／学生们一个个就像当了职业模特似的，摆出了各种各样的姿势。

（3） 昔にもどったつもりで、もう一度一からやり直してみます。／就当是又回到了从前，再从头开始。

（4） 完成までまだ一週間かかるのに、もう終わったつもりで、

飲みに行った。／离完成还有一个星期呢，就跟都已经完成了似的去喝酒了。
（5）死んだつもりで頑張ればできないことはない。／就当拼死一干，没有干不成的事。

表示以某行为为前提，权且当做的意思。可以与"したと見なして（就看做是）、したと考えて（就认为是）"、"したと仮定して（假设定是）"等表达方式替换。"死んだつもりで"是一种惯用表达方式，表示下定决心做某事。

【つれて】
→【につれて】

【て】
（表示连接前后短句，根据语境可表示各种意思）。
[N／Naで]
[A-くて]
[V-て]

接名词和ナ形容词后时为"で"。接イ形容词后时为"くて"。接表示否定的"ない"时有"なくて"、"ないで"两种形式。接动词时，词典形词尾为グ·ヌ·ブ·ム的为"で"，其他动词为"て"。
（1）朝ご飯を作って、子供を起こした。／做好早饭，叫孩子起床。
（2）しっかり安全を点検して、それからかぎをかけた。／彻底检查了安全情况以后，锁上了锁。
（3）まず、買い物をして、それか

ら、映画を見て、帰って来た。／先是采购，然后看了场电影，就回来了。
（4）電話をかけて、面会の約束をとりつけて、会いに行った。／打电话约好见面时间，然后去见了他。
（5）山田さんがやめて、高田さんが入った。／山田辞了职，又进了一个高田。
（6）びっくりして、口もきけなかった。／吓得我都说不出话来了。
（7）着物を着て、出掛けた。／穿上和服出门了。
（8）地下鉄ははやくて安全だ。／地铁既快又安全。
（9）外が真っ暗でこわかった。／外面一片漆黑，特别可怕。
（10）めずらしい人から手紙をもらってうれしかった。／一个很少给我写信的人来了信，我特别高兴。

用于连接前后两个短句，且两者的关系非常宽松。如例（3）、（4）所示，"…て"还可以使用两个以上。

在连接表示行为动作的短句时，表示其行为动作按照时间先后顺序进行。如例（1）、（2）等。另外，根据语境还可以表示对比、轻微的原因、行为的手段或附属的情况等等。

在连接形容词或表示属性、状态等的短句时，表示两种属性并列或以"…て"的部分表示轻微的理由。又如例（10）所示，当表示动作的短句后接续形容词等表示状态性的短句时，一般也都是表示

轻微的理由。

在表示几种行为动作或状态交替发生时，或者是与时间顺序没有关系时，则不使用"て"而使用"たり"。

【て…て】

(表示强调)。

[Na でNa で]
[A-くてA-くて]
[V-てV-て]

（1）連絡がいつまで待っても来ないので、不安で不安で仕方がなかった。／怎么等也没有消息，耽心得不得了。

（2）お土産を買い過ぎたので、トランクが重くて重くて腕がしびれそうだった。／礼品买得太多了，箱子死沉死沉的，弄得胳膊都发麻了。

（3）はじめて着物を着たら、帯がきつくてきつくて何も食べられなかった。／第一次穿和服，带子勒得紧紧的，搞得我什么也没吃下去。

（4）走って走ってやっと間に合った。／跑呀跑呀拼命地跑，终于赶上了。

（5）一晩中飲んで飲んで、飲みまくった。／喝呀喝呀，疯狂地喝了一晚上酒。

反复使用同一动词或形容词，以表示对其程度的强调。一般用于会话。

【で】

1 で

那么、所以。

（1）《写真を見せながら》これが、田中先生の奥さん。で、こっちが息子さんの孝君。／《一面给看照片一面介绍说》这位是田中老师的夫人。那么，这边这个呢，是他儿子阿孝。

（2）あしたから、試験なんだ。で、この2、3日はほとんど寝てないんだ。／明天就该考试了。所以，这两三天我都没怎么睡觉。

（3）A：私には、ちょっと無理じゃないかと思うんですが。／我觉得对我来说有点儿难。

B：で？どうだと言うの。／那，又怎么样呢？

（4）A：今の仕事やめようと思っているんです。／我想辞了现在这份儿工作。

B：ああ、そう。で、やめた後、どうするつもりなんだ。／是吗。那辞了工作以后，你打算怎么办呢？

（5）ようやく結婚式の日取りも決まりました。で、実は先生にお願いがあるのですが。／婚礼的日期终于定下来了。为此，我想请老师帮个忙。

用于接说话人自己或听话人前面说过的话，然后接着说或是要求对方进一步

提供些信息。是"それで"缩短而形成的一种形式，基本上可以与"それで"替换。但如例（5）提出某种请求时，只能与"そこで"替换。

→【それで】、【そこで】、【そして】、【それから】

2 …で（表示连接前后短句）。

（1）彼女は病気で寝ています。／她病了，躺着呢。

（2）ちょっと休んでいって下さい。／稍微休息一会儿再去吧。

→【て】、【ていく】

【てあげる】

1 V－てあげる　为…做…。

（1）おばあさんが横断歩道で困っていたので、手を引いてあげた。／我看到一位老奶奶过马路很困难，就上去牵着她的手，领她过了马路。

（2）妹は母の誕生日に家中の掃除をしてケーキを焼いてあげたらしい。／在母亲生日的那一天，妹妹把全家都打扫干净，好像还为母亲烤了一块蛋糕呢。

（3）この暖かいひざかけ、お母さんに一枚買ってあげたら喜ばれますよ。／这种盖膝毯可暖和了，要是给你母亲买一块她肯定很高兴。

（4）せっかくみんなの写真を撮ってあげようと思ったのに、カメラを忘れてきてしまった。／本来想得好好的，要给大家照张相，可却忘带照相机来了。

（5）A：何を書いているの。／你写什么呢？
　　B：できたら、読ませてあげる。／写好了再给你看。

（6）A：ごはん、もうできた？／饭做好了吗？
　　B：まだ。できたら呼んであげるから、もう少し待ってて。／还没呢。做好了会叫你的，再稍等一会儿。

表示说话人（说话人自己一方的人）为别人做某事。接受这些行为的人如果是听话人时，如例（5）、（6）所示，应该是与说话人地位相等的人或者是比较亲近的人，否则就会有强加于人的感觉，显得很失礼。在口语当中，如"話してあげる→話したげる"、"読んであげる→読んだげる"等，常常会变为"V－たげる"的形式。

另外，如果动作行为涉及到别人的身体的一部分或属于他所有的东西，或者是直接涉及到他本人时，不能使用"…にV－てあげる"这一句型。

（误）おばあさんに手を引いてあげた。
（正）おばあさんの手を引いてあげた。／牵了老奶奶的手。
（误）友達に荷物を持ってあげた。
（正）友達の荷物を持ってあげた。／给朋友拿了行李。
（误）キムさんに手伝ってあげた。
（正）キムさんを手伝ってあげた。／帮助了金同学。

2 V－てあげてくれ（ないか）
　V－てあげてください

(请)为…做…。

（1）ケーキを作りすぎたので、おばあさんに持っていってあげて下さい。／蛋糕做多了，你给奶奶送去一块。

（2）太郎くん、今度の日曜日、暇だったら花子さんの引っ越しを手伝ってあげてくれない？私、用事があってどうしても行けないのよ。／太郎，下个星期天你要是有空的话，去帮花子搬个家好吗？我实在是有事去不了。

用于请求别人为第三者做某种对其有益的事情。如果这个第三者人物是属于说话人一方的人，一般使用"…てやってくれ／くれないか／ください"的形式。

【てある】

（表示动作结果的存在）。

[V-てある]

（1）テーブルの上には花が飾ってある。／桌子上摆放着一瓶花儿。

（2）A：辞書どこ？／词典在哪儿呢？
   B：辞書なら机の上においてあるだろ。／词典那不是在桌子上放着呢嘛。

（3）黒板に英語でGoodbye！と書いてあった。／黑板上用英语写着Goodbye（再见）！

（4）窓が開けてあるのは空気を入れかえるためだ。／开着窗户是为了换换新鲜空气。

（5）あしたの授業の予習はしてあるが、持っていくものはまだ確かめていない。／明天的课已经预习好了，就是该带的东西还没有检查呢。

（6）起きてみると、もう朝食が作ってあった。／早上起来一看，早饭已经做好了。

（7）推薦状は準備してあるから、いつでも好きなときにとりにきてください。／推荐信我已经准备好了，你什么时候都可以来拿。

（8）電車の中に忘れたかさは、事務所に届けてあった。／忘在电车里的雨伞已经送到办事处去了。

（9）ホテルの手配は、もうしてあるので心配ありません。／饭店我们已经安排好了，你就放心吧。

（10）パスポートはとってあったので、安心していたら、ビザも必要だということが分かった。／本来护照办好了我就很放心了，后来才知道还得办签证。

（11）その手紙は、カウンターにおかれてあった。／那封信放在柜台上来着。

接他动词后，表示某人行为动作的结果留下的某种状态。根据上下文的关系，有时也可带有"为将来做好某事"的意思。

一般是动词意义上的宾语作句子的主语，动作者本身不出现在句子当中，但可以让人感受到动作者的存在。与"窓があけてある（窗户打开着）"相类似的表达方式可以说"窓があいている（窗户开着）"，但后者使人感受不到动作者的存在。即使用"あけてある"时，虽然动作者不出现在句子中，但也能让人感受到动作者的存在。而使用"あいている"时，则感受不到这一点。另外，如例(11)所示，当使用被动形时，动作者的存在就更加强烈。关于本句型与"ておく"句型的不同，请参照【ておく】。

【であれ】

无论…还是…、不论…还是…。
[NであれNであれ]
（1）晴天(せいてん)であれ、雨天(うてん)であれ、実施(じっし)計画(けいかく)は変更(へんこう)しない。／无论是晴天还是下雨，实施计划都不改变。
（2）貧乏(びんぼう)であれ、金持(かねも)ちであれ、彼にたいする気持ちは変わらない。／无论他是贫穷还是有钱，我对他的心都不会改变。
（3）試験(しけん)の時期(じき)が春(はる)であれ秋(あき)であれ、準備(じゅんび)の大変(たいへん)さは同(おな)じだ。／考试时间无论是在春天还是在秋天，准备工作都一样艰巨。
（4）アジアであれ、ヨーロッパであれ、戦争(せんそう)を憎(にく)む気持(きも)ちは同(おな)じはずだ。／不论是在亚洲抑或是在欧洲，痛恨战争的心情都是一样的。

表示"哪一种场合都…"的意思。后续部分多为表示事态没有变化的内容。可以与"…であろうと…であろうと"句型相替换。用于较拘谨的口语或比较正式的书面语。主要是接名词后，有时也可接ナ形容词后。接イ形容词后时，如"あつかれ、さむかれ（无论是热还是冷）"、"よかれ、あしかれ（无论是好还是坏）"等所示，使用"…かれ…かれ"的形式。

【であろうと】

1 Nであろうと、Nであろうと　无论…还是…、不论…还是…。
（1）雨(あめ)であろうと、雪(ゆき)であろうと、当日(とうじつ)は予定通(よていどお)り行(おこな)う。／无论是下雨还是下雪，当天都按预定计划进行。
（2）トラックであろうと、軽自動車(けいじどうしゃ)であろうと、ここを通(とお)る車(くるま)はすべてチェックするようにという指令(しれい)が出(で)ている。／有通知说，无论是卡车还是微型轿车，凡通过这里的车都必须一律检查。
（3）猫(ねこ)であろうと、虎(とら)であろうと、動物(どうぶつ)の子供(こども)がかわいいのは同(おな)じだ。／不论是猫还是老虎，动物的小仔儿都一样可爱。

表示"哪一种场合都…"的意思。后续部分多为表示事态没有变化的内容。可以与"…であれ…であれ"句型相替换。用于较拘谨的口语或比较正式的书面语。主要是接名词后，有时也可接ナ形容词后。接イ形容词后时，如"あつかろうとさむかろうと（无论是热还是冷）"、"よかろ

うとあしかろうと(无论是好还是坏)"等所示,使用"…かろうと…かろうと"的形式。

2 …であろうとなかろうと 不管是不是…。
[N／Na であろうとなかろうと]
(1) 休日であろうとなかろうと、わたしの仕事には何も関係ない。／不管是不是节假日,跟我的工作都没有关系。
(2) 観光地であろうとなかろうと、休暇が楽しく過ごせればどこでもいい。／不管是不是旅游观光地,只要能休假玩儿得痛快哪儿都行啊。
(3) 仕事であろうとなかろうと、彼は何ごとにも全力をつくさないと気がすまない。／不管是不是自己的工作,他干什么事情都是那么竭尽全力。
(4) 彼が有名であろうとなかろうと、つり仲間としてはほかの人と同じだ。／不管他是不是名人,作为钓鱼伙伴跟别人都一样。

表示"无论是这样还是不是这样"的意思。后续内容为"总之都一样"的意思。

【ていい】

可以…、…就行。
[N／Na でいい]
[A-くていい]
[V-ていい]
(1) この部屋にあるものは自由に使っていい。／这屋里的东西你可以随便用。
(2) ちょっとこの辞書借りていいかしら。／我可以借这本词典用用吗?
(3) 3000円でいいから、貸してくれないか。／就3000日元就行,你能借给我吗?

表示允许或让步。与句型"…てもいい"的1项和4项意思相同,但"…ていい"只用于口语。
→【てもいい】1、【てもいい】4

【ていく】

1 V-ていく＜移动时的状态＞ …着去,…去。
(1) 学校まで走っていこう。／咱们跑着去学校吧。
(2) 重いタイヤを転がしていった。／把一个很重的轮胎滚着搬走了。
(3) 時間がないからタクシーに乗って行きましょう。／没有时间了,咱们坐出租车去吧。
(4) トラックは急な坂道をゆっくり登っていった。／卡车慢慢地驶上一段很陡的坡路。

表示以什么样的动作或什么样的手段进行移动。
→【てくる】1

2 V-ていく＜逐渐远去＞（表示离去）。
(1) あの子は、友達とけんかして、泣きながら帰っていった。／那孩子和小朋友打了架,哭着回家去了。

(2) ブーメランは大きな弧を描いて彼のもとに戻って行きました。／飞镖画着一个大弧又回到他那边去了。
(3) 船はどんどん遠くに離れて行く。／船越走越远。

表示远离说话人而去。

3 V-ていく＜继而再去＞ …了再去。

(1) あと少しだからこの仕事をすませていきます。／就剩下一点儿了，我把这点事做完了再去。
(2) A：じゃ、失礼します。／那，我就告辞了。
   B：そんなこと言わないで、ぜひうちでご飯を食べていって下さいよ。／别着急，一定要在我们这儿吃了饭再走。
(3) 疲れたからここで休んでいくことにしましょう。／太累了，咱们在这儿休息一会儿再走吧。
(4) 叔母の誕生日だから、途中でプレゼントに花を買って行きました。／今天是我婶婶的生日，所以我在路上买了一束花，作为礼物给她送去了。

表示做完某行为动作后再去。使用此句型时，一般是以要去某处为前提，进而表示为此做的某种行为动作，所以表达的重点不在去本身，而在去之前的行为动作上。

4 V-ていく＜继续下去＞ …下去。

(1) 結婚してからも仕事は続けていくつもりです。／我打算结婚以后仍旧要继续工作下去。
(2) 今後もわが社の発展のために努力していくつもりだ。／我准备今后仍为我公司的发展继续努力下去。
(3) 日本ではさらに子供の数が減少していくことが予想される。／预计日本的儿童人口数字会进一步减少下去。
(4) 見ている間にもどんどん雪がつもっていく。／眼看着雪不断地堆积起来。
(5) その映画で評判になって以来、彼女の人気は日増しに高まっていった。／自从那部电影走红以后，她的声望越来越高起来了。
(6) 当分この土地で生活していこうと思っている。／我想暂时在这里生活下去。

表示以某一时间为基准，变化继续发展或将某种行为动作继续下去。

5 V-ていく＜消失＞ （表示消失不见）。

(1) この学校では、毎年五百名の学生が卒業していく。／每年都有五百名学生从这所学校毕业（出去）。
(2) 見てごらん、虹がどんどん消えていくよ。／你瞧，彩虹眼

看就不见了。
（3）小さいボートは木の葉のように渦の中に沈んでいった。／小船像一片树叶似地沉到旋涡中去了。
（4）毎日交通事故で多くの人が死んでいく。／每天都有许多人在交通事故中死去。
（5）仕事についても3ヶ月ぐらいで辞めていく人が多いので困っている。／有好些人工作3个来月就辞去不干了，真没办法。
（6）英語の単語を覚えようとしているが、覚えたはしから忘れていく。／我想记英语单词，可是这边记住了那边又忘了。

表示原来存在的事物从说话人的视野中消失。

【ていけない】

情不自禁、禁不住。
[V-ていけない]
（1）この音楽を聞くたびに、別れた恋人のことが思い出されていけない。／每当听到这首乐曲，就情不自禁地想起已经分手的恋人。
（2）こんな光景を見ると涙がでていけない。／一看到这种景色就禁不住流出眼泪。
（3）最近若い人の言葉使いが気になっていけない。／最近年轻人使用的语言特别费解，叫你担心得不得了。

表示某种感情自然而然（反复）地产生，自己不能控制。是一种比较陈旧的表达方式。意思与"…てしかたがない"基本相同。

【ていただく】

这是动词的テ形后接"いただく"而形成的句型。表示更加谦恭的形式是"おR-いただく"、"ごNいただく"。

1 V-ていただく＜受益＞ （表示某人为说话人一方做某事）。

（1）友達のお父さんに、駅まで車で送っていただきました。／朋友的父亲用车把我们送到了车站。
（2）高野さんに教えていただいたんですが、この近くにいいマッサージ師がいるそうですね。／是高野告诉我的，听说这附近有一位手艺很好的按摩师啊。
（3）会議の日程は、もう、山下さんから教えていただきました。／关于会议的日程，山下已经告诉我了。
（4）《手紙》珍しいものをたくさんお送りいただき本当にありがとうございました。／《信函》您寄来那么多珍贵东西，真是万分感谢。

是"…てもらう"的自谦表达方式。表示某人为说话人或说话人一方的人做某种行为动作。一般带有一种受到恩惠的语气。表

示做该行为动作的人物时，多使用助词"に"。如果带有从他(她)那里得到某种信息或东西时，也可以使用助词"から"。

2 V-ていただく＜指示＞ （表示给人以指示）请…

（1）まず、1階で受け付けをすませていただきます。それから3階の方にいらして下さい。／首先请在1层办理报到手续，然后请上3层。

（2）この書類に名前を書いていただきます。そして、ここに印鑑を押していただきます。／请在这份表格上填上姓名，然后，请在这里盖章。

用于很礼貌地给予指示。只限于可以单方面给予别人指示的人使用。如以下各例所示，还常使用"お／ご…いただく"的形式。

（例1）3才以下のお子様はコンサート会場への入場をご遠慮いただきます。／谢绝3岁以下儿童进入演唱会场。

（例2）クレジットカードはご利用いただけません。／此处不能使用信用卡。

3 V-ていただきたい 想请您…。

（1）A：この次からは、間違えないでいただきたいですね。／下次可不要再错了。

B：はい、申し訳ございませんでした。／是，对不起了。

（2）この忙しいときにすみません、あした休ませていただきたいんですが…。／这么忙的时候实在对不起，明天想请您允许我请假…。

（3）すみません、もう少し席をつめていただきたいんですが。／对不起，能再往里面坐一坐吗？

这是与"…てもらいたい"相对应的自谦表达方式。用于表示希望对方为自己做某事时。直接使用"…ていただきたい"的形式时，虽然形式是自谦的，但请求的语气比较强硬。如果要使请求的语气显得比较客气，可使用"…ていただきたいのですが"，即句尾留有余音的形式。

4 V-ていただける＜请求＞ 请您…。

（1）A：ご注文のお品ですが、取り寄せますので、3日ほど待っていただけますか。／您要的商品得从厂家订货，请等两三天好吗？

B：ええ、かまいません。／没关系。

（2）これ、贈り物にしたいんですが、包んでいただけますか。／这个我要送人，请你给包一下。

（3）A：わたしも手伝いに来ますよ。／我也来帮您忙。

B：そうですか。じゃあ、日曜日のお昼頃来ていただけますか。／是啊，那，就请你星期天中午来吧。

（4） タクシーがまだ来ませんので、あと５分ぐらい待っていただけませんか。／出租车还没有来．请再等５分钟好吗？

（5） 先生、論文ができたんですが、ちょっと見ていただけませんか。／老师．我论文写好了．您能帮我看看吗？

（6） そのことはぜひ知りたいんです。もし何か詳しいことがわかったら、連絡していただけませんか。／关于这件事我特别想了解．如果有什么详细情况．请您通知我好吗？

（7） ５分ほど待っていただける？／等５分钟好吗？

（8） こちらにいらしていただけない？／请您到这边来吗？

使用"いただく"的可能态形式"いただける"，表示非常谦恭的请求。与"いただけますか"相比，使用"いただけませんか"显得更加客气．经常用于设想对方不一定能答应自己的请求时。例(7)、(8)的形式一般用于身分、地位与自己相等或比自己低的人．且是女性带着一种亲昵的语气很有礼貌地提出请求。如果要显得更加谦恭．还可以使用"お／ご…いただける"的形式。

（例） 修理に少し時間がかかっています。すみませんが、もう少々お待ちいただけないでしょうか。／修理要花点时间．对不起．请您再稍等一下好吗？

５ V‐ていただけるとありがたい
　 V‐ていただけるとうれしい

您要能…那太…。
（1） A：私がやりましょう。／我来做吧。
　　　 B：そうですか。そうしていただけると助かります。／是啊。您能做那可帮大忙了。

（2） 一人では心細いんで、いっしょに行っていただけるとうれしいんですけれど。／我一个人去心里没底．您要能跟我一起去．我该多高兴啊。

（3） 《手紙》お返事がいただければ幸いです。／《信函》您要能给我回信．我将感到万分荣幸。

　　与"…ば／…たら／…と"等表示假定的表达方式一起使用．表示如果对方能这样做．说话人将会感到"ありがたい(庆幸)、うれしい(高兴)、助かる(得到帮助)"等．即对说话人来说是一种受益的状态。

【ていはしまいか】
　　是不是(正在)…呢呀。
[V‐ていはしまいか]
（1） 環境保護の運動が盛んになってきたが、本質的な問題を忘れていはしまいか。／环境保护的运动现在搞得很热烈．但是我们是不是忘记了一个最本质的问题呀。

（2） 娘はひとりで旅行にでかけたが、今頃言葉のわからない外国で苦労していはしまい

かと気になる。／女儿一个人去旅行了，真耽心她现在在外国，是不是因语言不通正吃苦呢。

（3）幼い子供は両親の家に預けてきたが、寂しくなって泣いていはしまいかと心配だ。／把幼小的孩子放了父母家，现在又耽心他是不是寂寞得正在哭呢。

（4）はじめて報告レポートを書いたときは思わぬ間違いをしていはしまいかと、何度も見直したものである。／当年我第一次写调查报告时，生怕是不是会出错，所以反复检查了好几遍。

（5）彼は、自分の書いた批評が彼女をおこらせていはしまいかと、おそるおそる挨拶した。／他耽心自己写的批评文章是不是触怒了她，所以非常小心翼翼地跟她打了招呼。

"まい"是表示否定推量的文言表达方式，"しまい"的意思相当于"しないだろう(不／没…吧)"。整个句型的意思与"ていないだろうか(是不是…吧)"基本相同。如例（2）就是表示说话人推测自己的女儿是不是正在外国吃苦呢。

【ている】

口语中经常成为"V－てる"的形式。

1 V－ている＜动作的持续＞　正…着、正在…。

（1）雨がざあざあ降っている。／雨正哗哗地下着。

（2）わたしは、手紙の来るのを待っている。／我正等着来信呢。

（3）子供たちが走っている。／孩子们正在跑步。

（4）A：今、何してるの。／你现在干什么呢？
B：お茶飲んでるところ。／我正喝茶呢。

（5）五年前から、日本語を勉強している。／从五年前开始，我就一直在学日语。

（6）このテーマはもう三年も研究しているのに、まだ結果が出ない。／这个题目我已经研究了三年多了，可是还没有结果。

用于表示动作或作用的动词，表示该动作、作用正在持续的过程当中。例（5）、（6）的用法则表示某动作从过去的某一时间开始一直持续到现在。需要注意的是，根据动词的不同，有的动词不能表示这个意思，如使用"行く(去)"说"彼は今アメリカに行っている"，意思就不是表示他正在去美国的过程当中，而是表示他现在已经在美国了。请参照用法2。

2 V－ている＜动作的结果＞　已…了。

（1）授業はもう始まっている。／课已经开始了。

（2）せんたくものはもう乾いている。／晾晒的衣服已经干了。

（3）彼女が着ている着物は高価

なものだった。/她穿的和服是非常昂贵的。
(4) その集まりには彼も来ていたそうだ。/听说他也参加了那次集会。
(5) A：お母さんはいらっしゃいますか。/你妈妈在吗？
B：母はまだ帰っていません。/我母亲还没有回来。
(6) 今5時だから、銀行は、もうしまっている。/现在已经5点了，所以银行已经关门了。
(7) 電灯のまわりで、たくさん虫が死んでいた。/在电灯的周围，有好多小虫子死在那里。
(8) A：あそこにいる人の名前を知っていますか。/你知道那边那个人的名字吗？
B：さあ、知りません。/嗯，不知道。
(9) 疲れていたので、そこで会った人のことはよく覚えていません。/因为我太累了，所以不记得在那里都见到了谁。
(10) わたしが新聞を読むのはたいてい電車に乗っているときだ。/我一般都是乘电车的时候看报。
(11) 今はアパートに住んでいるが、いずれは一軒家に住みたいと思っている。/我现在住在公寓里，但早晚我想住上独门独院儿的房子。
(12) このプリントを持っていない人は手を上げてください。/没有拿到这份讲义的人请举手。
(13) 彼は今はあんなにふとっているが、若いころは、やせていたのだ。/你别看他现在那么胖，年轻的时候可瘦了。
(14) その家の有り様はひどいものだった。ドアは壊れているし、ガラスは全部割れているし、ゆかはあちこち穴があいていた。/那房子损坏得可严重了。门也坏了，玻璃全都破了，地板上还到处都是窟窿。

表示某动作、作用的结果所形成的状态。用于这种意思的动词有"始まる(开始)"、"乾く(＜晾＞干)"、"あく(开)"、"閉まる(关闭)"等表示状态变化的动词，"行く(去)"、"来る(来)"、"帰る(回家)"等动词。另外，"知る(知道)"、"持つ(手拿)"、"住む(住)"等动词的"…ている"形式也可以表示状态。这些动词一般都没有表示动作持续进行中的形式。但是，可以用于表示反复的用法3。又如"着る(穿)"这样的动词，根据语境的不同，有时可表示持续进行中，有时可表示结果的状态。

3 V-ている＜动作的反复＞
a V-ている（表示频繁、反复出现或发生）。
(1) 毎年、交通事故で多くの人が死んでいる。/每年都有许多人死于交通事故。
(2) いま週に一回、エアロビクスのクラスに通っている。/现

在，我每周去一次健美操训练班。
（3）この病院では毎日二十人の赤ちゃんが生まれている。／每天有二十个婴儿在这家医院里出生。
（4）いつもここで本を注文している。／我总是在这里订购图书。
（5）戸田さんはデパートで働きながら、大学の夜間部へ行っているそうだ。／听说户田一面在百货商店里工作，一面上着夜大学。

表示某动作、作用反复发生。一般有两种情况，一是一群人多次做这种行为动作，一是在很多人身上不断地重复发生某一事情。

b Nをしている　是…、做…。
（1）彼は、トラックの運転手をしている。／他是卡车司机。
（2）わたしの父は、本屋をしている。／我父亲经营着一家书店。
（3）彼女は、以前、新聞記者をしていたが、今は主婦をしている。／她以前当过报社记者，现在是家庭主妇。
（4）A：お仕事はなにをしていらっしゃいますか。／您做什么工作呢？
B：コンピューター関係の会社につとめています。／我在一家计算机公司工作。

接表示职业的名词后，表示现在在做什么职业。用"Nをしていた"形式，表示过去某一时期做过的工作。

4 V-ている＜经历＞　以前…、曾经…。
（1）調べてみると、彼はその会社を三か月前にやめているこ とがわかった。／一调查，才知道他三个月以前就辞去了这家公司。
（2）わたしは、十年前に一度ブラジルのこの町を訪れている。だから、この町を知らないわけではない。／我十年前曾到过巴西的这个城市。所以我并不是不了解这个城市。
（3）記録をみると、彼は過去の大会で優勝している。／从过去的记录来看，他曾在过去的运动会上取得过冠军。
（4）北海道にはもう3度行っている。／北海道我已经去过3次了。

表示回想起过去发生的事情。一般用于这种事情在某种意义上还与现在有关联的场合。

5 V-ている＜动作的完成＞
a V-ている　已经…了。
（1）子供が大学に入るころには、父親はもう定年退職しているだろう。／等孩子上大学的时候，父亲都已经退休了吧。
（2）遅刻した高田が会場に着いたときにはもう披露宴が始まっていた。／没能按时赶到

的高田到达会场的时候，婚礼宴会都已经开始了。
（3）彼女が気づいたとき、彼はもう彼女の写真をとっていた。／等她察觉的时候，他已经给她照了相了。

以"ている"的形式，表示在未来的某一时间，已经完成的事态。另外，以"ていた"的形式，表示在过去已经完成的事态。

b V-ていない　还没…呢。
（1）A：もう終わりましたか。／已经结束了吗？
　　　B：いいえ、まだ終わっていません。／没有，还没结束呢。
（2）A：試験の結果を聞きましたか。／考试的结果你们已经听说了吗？
　　　B：いや、まだ聞いていません。／不，还没听说呢。
　　　C：わたしは、もう聞きました。／我已经听说了。
（3）卒業後の進路についてはまだはっきりとは決めていない。／关于毕业以后的方向还没有最后决定呢。

表示动作或作用还没有实现。如"まだ来ません(还没来呢)"所示，有时也可与"まだV-ない"的形式替换，但能这样替换的动词是有限的。大多数动词还是使用"まだV-ていない"的形式比较自然。

6 V-ている＜单纯的状态＞（表示状态）。
（1）ここから道はくねくね曲がっている。／从这里开始道路弯弯曲曲的。
（2）北のほうに高い山がそびえている。／北面耸立着高山。
（3）日本と大陸はかつてつながっていた。／日本曾经与亚洲大陆相连。
（4）先がとがっている。／头上尖尖的。
（5）母と娘はよく似ている。／母女俩长得很像。

表示恒久不变的状态。像"そびえる"、"似る"等动词一般只用于"ている"、"ていた"的形式。只是在修饰名词时，与"曲がっている道"相比较，往往"曲がった道"的形式更为自然。

【ておく】

（事先）做好…。

[V-ておく]
（1）このワインは冷たい方がいいから、飲むときまで冷蔵庫に入れておこう。／这种葡萄酒喝凉的好，所以喝之前把它存放在冰箱里吧。
（2）帰るとき窓は開けておいてください。／回去的时候请把窗户打开。
（3）その書類はあとで見ますから、そこに置いておいて下さい。／那个材料一会儿我要看的，你把它放那儿好了。
（4）A：岡田教授にお目にかかりたいんですが。／我想见一见冈田教授。
　　　B：じゃあ、電話しておく

よ。向こうの都合がつけば、来週にでも会えると思うよ。／那，事先我帮你打个电话。只要教授有时间，我想你下周就能见到。
（5）インドネシアへ行く前にインドネシア語を習っておくつもりだ。／我打算去印度尼西亚之前，先学一下印尼语。
（6）よし子が遅れて来てもわかるように、伝言板に地図を書いておいた。／为了让佳子来晚了也能明白，我在留言牌上给她画了一个地图。

表示采取某种行为，并使其结果的状态持续下去的意思。根据语境，有时可以表示这是一种临时的措施，有时可以表示这是为将来做的准备。句型"…てある"也可以表示为将来做某种准备的意思，两者除了在句子结构上有所不同以外，使用"…ておく"时，侧重点在于作为准备采取了何种行为，而使用"…てある"时，其侧重点则在于这种准备已做好的状态。"…ておく"在口语中可以说成"…とく"。

（例1）お母さんに話しとくね。／我事先跟你妈说了啊。
（例2）ビール冷やしといてね。／把啤酒冰好啊。

【てから】

1 V-てから　…然后、…以后。

（1）先に風呂に入ってから食事にしよう。／先洗澡，然后再吃饭吧。
（2）遊びに行くのは仕事が終わってからだ。／作完工做以后再去玩儿。
（3）日本に来てから経済の勉強を始めた。／来日本以后我开始学习经济。
（4）夏休みになってから一度も学校に行っていない。／放暑假以后，一次学校也没去过。
（5）今は昼休みですので、1時になってから来て下さい。／现在正在午休，请你1点钟以后再来。

以"XてからY"的形式，表示X比Y先进行。如例（1）表示在时间关系上，"風呂に入る（洗澡）"在先，"食事をする（吃饭）"在后。

2 V-てからでないと

a V-てからでないとV-ない　不…就不能…。

（1）A：いっしょに帰ろうよ。／咱们一块儿回家吧。
　　　B：この仕事が終わってからでないと帰れないんだ。／我不完成这项工作是不能回家的。
（2）わが社では、社長の許可をもらってからでなければ何もできない。／在我们公司，如果没有总经理的批准，什么事情也办不成。
（3）まずボタンを押して、次にレバーを引いて下さい。ボタンを押してからでなければ、レバーはうごきません。／先按

按钮．然后在拉操纵杆儿。如果不先按按钮，操纵杆儿是拉不动的。

以"Xてからでないと／なければ／なかったらY"的形式，表示要实现某事所必须具备的条件。意思是"如果不是先做了X以后，就不能做Y"。如下例所示，有时也可以直接接在表示时间的词语后面。

(例1) 3日からでないとその仕事にはかかれない。／不到3号以后开始不了那项工作。

(例2) 1時からでなければ会議に出席できない。／不到1点钟以后出席不了会议(＝1点钟以后才能出席会议)。

b V-てからでないとV-る　如果不…就会…。

(1) A：あした、うちへ泊まりにおいでよ。／明天，你到我家来住一晚吧。

B：後で返事するよ。お母さんに聞いてからでないとおこられるから。／我待会儿再答复你。我得问问我妈，要不然她该骂我了。

(2) きちんと確かめてからでないと失敗するよ。／如果不检查好会失败的。

以"Xてからでないと／なければ／なかったらY"的形式，表示"如果不做X的话，就会发生Y的情况"的意思。Y一般为不太好的事情。

3 V-てからというもの(は)　自从…以后。

(1) 彼女は、学生時代には、なんとなくたよりない感じだったが、就職してからというもの見違えるようにしっかりした女性になった。／她在当学生的时候，什么事交给她都觉得不那么放心，可自从工作以后，就像变了个人似的，成为一个非常能干的女子。

(2) 彼は、その人に出会ってからというもの、人が変わったようにまじめになった。／自从遇上那人以后，他就像变了一个人似的，变得特别踏实认真。

(3) 70才を過ぎても元気だったのに、去年つれあいをなくしてからというものは、別人のようになってしまった。／70岁以后，他还特别硬朗呢，可自从去年老伴儿死了以后，他就像变了个人似的。

表示"以这一事件为契机"的意思。用于表述在那以前和以后发生很大变化的场合。是书面性语言表达方式。

【てください】
(表示请求或命令)请…。

[V-てください]

(1) 今週中に履歴書を出してください。／请这星期以内提交履历表。

(2) 来週までにこの本を読んで

おいてくださいね。／下星期以前，把这本书读完。
（3）この薬は1日3回，毎食後に飲んでください。／这种药1天吃3次，请饭后服用。
（4）授業はできるだけ遅刻しないでください。／上课尽量不要迟到。
（5）頼むから，邪魔しないでくださいよ。／求你了，别给我捣乱。

　　是请求、指示、命令某人为说话人(或说话人一方的人)做某事的表达方式。
　　虽然比"V-てくれ"形式的语气要礼貌一些，但也只能用于对方当然要按照去做的场合。因而一般只对身分、地位比自己低或相等的人使用。

【てくださる】

　　这是动词的テ形加"くださる"而形成的句型。更加礼貌的表达方式是"おR-くださる"、"ごNくださる"。

1 V-てくださる＜受益＞ （表示为说话人或说话人一方做某事）。
（1）先生が論文をコピーしてくださった。／老师帮我复印了论文。
（2）明日山田さんがわざわざうちまで来てくださることになった。／定好了，明天山田专程到咱们家来。
（3）どうも今日はわざわざおいで下さってありがとうございました。／您今天专程赶来，真是万分感谢。
（4）せっかくいろいろ計画して下さったのに、だめになってしまって申し訳ありません。／您为我们的事情如此筹划，我们却没有办成，真是对不起。

　　以为说话人或说话人一方的人做某事的人物为主语进行表述的表达方式。用于该人物身分、地位比说话人高或不很亲近的场合。是"V-てくれる"的敬语表达方式。

2 V-てくださる＜请求＞ （表示请求为说话人或说话人一方做某事）。
（1）ちょっとここで待っていてくださる？／在这儿稍微等我一下好吗？
（2）いっしょに行ってくださらない？／你能跟我一起去吗？
（3）ついでにこの手紙も出しておいて下さいますか。／顺便帮我把这封信发了好吗？
（4）ちょっとこの書類、ミスがないかどうかチェックして下さいませんか。／你给检查一下，看这份材料有没有错儿。

　　是请求别人为说话人或说话人一方的人做某事的表达方式。"…てくださいますが、"…てくださいませんが比"…てください"语气更加谦恭。另外，例(1)(2)中的"…てくださる"、"…てくださらない"是女性较亲昵地向身分、地位比自己低或相等的人请求时使用的形式，语气显得很文雅。

【てくる】

1 V-てくる＜移動时的状态＞ …着来。

(1) ここまで走ってきた。／跑着到这里来的。
(2) 歩いて来たので汗をかいた。／走着来的，所以出汗了。
(3) バスは時間がかかるから、タクシーに乗って来て下さい。／坐公共汽车太费时间，所以你坐出租汽车来吧。

表示做着什么动作来或以何种手段来的意思。

2 V-てくる＜向这边靠近的移动＞ …来。

(1) 先月日本に帰ってきました。／上个月回到日本来的。
(2) 頂上から戻ってくるのに1時間かかった。／从山顶返回到这里花了1个小时。
(3) 船はゆっくりとこちらに向かって来ます。／船缓缓地向这边驶来。
(4) その物体はどんどん近づいて来た。／那个物体不断地向这边靠近。

表示远离的人或物向说话人这边靠近的意思。

3 V-てくる＜相继发生＞ …(然后再)来。

(1) ちょっと切符を買ってきます。ここで待っていて下さい。／我去买张票就回来。你在这儿等一下。
(2) A：小川さんいらっしゃいますか。／小川先生在吗？
　　B：隣の部屋です。すぐ呼んできますから、中に入ってお待ち下さい。／他在隔壁房间呢。我这就去叫来，您请进来等一下。
(3) A：どこに行くの?／上哪儿去？
　　B：ちょっと友達のうちに遊びに行ってくる。／我上朋友家玩儿玩儿就回来。
(4) おそくなってごめんなさい。途中で本屋に寄ってきたものだから。／来晚了，对不起。因为我路上顺便去了家书店。
(5) A：かさはどうしたの?／雨伞哪儿去了？
　　B：あ、電車の中に忘れて来ちゃった。／哎呀，给忘在电车里了。

表示作完某种动作以后再来的意思。例(1)～(3)表示"先离开现在所在的地方，做完某动作后又回到现在所在的地方"。例(4)～(5)表示"在别的地方做完某动作后再来到现在所在的地方"。当然表示这两种意思也都可以不使用"てくる"句型就能表达，但还是以使用"てくる"的形式更常见。这样可以使人感到在别处发生的事情与现在说话的地方是有关联的。

4 V-てくる＜持续＞ (一直)…下来。

(1) この伝統は5百年も続いて

きたのだ。／这种传统是从5百年前一直传下来的。
（2）17歳のときからずっとこの店で働いてきました。／从17岁的时候开始，我就一直在这家店里工作。
（3）今まで一生懸命頑張ってきたんだから、絶対に大丈夫だ。／到目前为止我们一直努力去做了，所以决不会有问题。
（4）これまで先祖伝来の土地を守り続けてきたが、事業に失敗して手放さなければならなくなった。／过去我一直把祖传的土地坚守下来了，可这回事业上的失败，迫使我不得不撒手了。

表示某种变化或动作一直从过去持续到现在。

5 Ｖ-てくる＜出現＞ …出来。
（1）少しずつ霧が晴れて、山が見えてきた。／雾渐渐地散了，山脉的轮廓显现了出来。
（2）雲の間から月が出てきた。／月亮从云层里钻了出来。
（3）赤ちゃんの歯が生えてきた。／婴儿的牙齿长出来了。
（4）春になって木々が芽吹いてきた。／春天来了，树木都发出了嫩芽。

表示过去不存在或看不见的东西显露出来的意思。相反，表示消失的意思时，使用"…ていく"句型。

6 Ｖ-てくる＜开始＞ …起来、…了。
（1）雨が降ってきた。／下起雨来了。
（2）最近少し太ってきた。／最近有点儿胖起来了。
（3）ずいぶん寒くなってきましたね。／真够冷的了啊。
（4）このあいだ買ってあげたばかりのくつが、もうきつくなってきた。／前不久刚给他买的鞋就已经小了。
（5）問題がむずかしくて、頭が混乱してきた。／题目太难，我脑袋全乱了。

表示发生变化。

7 Ｖ-てくる＜朝向这一方面的动作＞ …来、…过来。
（1）友達が結婚式の日取りを知らせてきた。／朋友通知了我他举行婚礼的日期。
（2）化粧品を買った客が苦情を言ってきた。／买了化妆品的顾客来投诉了。
（3）急に犬がとびかかってきた。／突然，一只狗向我扑了过来。
（4）歩いていたら、知らない人が話しかけてきました。／正走着，一个陌生人上前来跟我说话。
（5）息子は勝手にスーツを買って、請求書を送りつけてきた。／儿子自作主张买了一套西服，还把帐单寄到我这里来了。

表示某一动作朝着说话人或在说话人视线中的人进行的意思。此时，表示动作者使用助词"…が"，表示该动作被朝向的人使用助词"…に"。
（例）　山田さんが父に電話をかけてきた。／山田给我父亲打来了电话。

如果动作者是"会社（公司）"等这样表示场所的名词，也可以使用"…から"来表示。
（例）　会社から調査を依頼してきた。／公司委托我进行调查。

这一表达方式还可如下例所示，替换成带有被动意义的形式。
（例1）山田さんから父に電話がかかってきた。／山田给我父亲打来了电话。
（例2）国の家族から衣類や食料が送られてきた。／国内的亲属给我寄来了衣服和食品等。

此时，表示动作者使用"…から"，表示受动者使用"…に"。

【てくれ】

1 V-てくれ（表示命令）。
（1）　もう帰ってくれ。／你给我回去。
（2）　いいかげんにしてくれ。／差不多了啊（表示制止对方）。
（3）　人前でそんなこと言うのはやめてくれよ。／在众人面前别说这种事儿。
（4）　こんなものは、どこかに捨ててきてくれ。／这东西，快给我扔了去吧。

表示强烈命令某人为说话人或说话人一方的人做某事。只对身分、地位比自己低或相等的人使用。女性很少使用。

2 V-ないでくれ　別…、不要…。
（1）　冗談は言わないでくれよ。／别开玩笑。
（2）　ここではたばこを吸わないでください。／请不要在这里吸烟。
（3）　見ないで！／别看！
（4）　このことは絶対に外にはもらさないでいただけませんか。／请绝对不要把这件事情泄露出去。

以"V-ないでくれ"、"V-ないでもらえないか"、"V-ないでください"等形式，表示请求别人不要做某事的意思。是"V-てくれ"等句型的"V-て"部分变成否定形式而形成的。

在较随便的口语当中，如例（3）所示，后半部分可以省略。比较礼貌的形式有"V-ないでください（ませんか）／いただけませんか／いただけないでしょうか"等。还可以说"V-ないでほしい"。

【てくれる】

1 V-てくれる＜受益＞（表示为说话人或说话人一方做某事）。
（1）　鈴木さんが自転車を修理してくれた。／铃木给我修理了自行车。
（2）　誰もそのことを（私に）教えてくれなかった。／这件事谁也没有告诉我。
（3）　母がイタリアを旅行したとき案内してくれたガイドさんは、日本語がとても上手だっ

たらしい。/母亲在意大利旅行时，据说给她做导游的那个人的日语特别好。

(4) 自転車(じてんしゃ)がパンクして困(こま)っていたら、知(し)らない人(ひと)が手伝(てつだ)ってくれて、本当(ほんとう)に助(たす)かった。/自行车爆了胎，正当我为难的时候，一个陌生人来帮了我，真是太万幸了。

(5) せっかく迎(むか)えに来(き)てくれたのに、すれ違(ちが)いになってしまってごめんなさい。/你好不容易来接我，咱俩却走岔了道儿，真对不起。

这是以为说话人(或说话人一方的人)做某事的人物为主语进行表述的表达方式。用于那人主动做某事的场合。如果是受说话人之请求而做时，则多使用"V-てもらう"的形式。

需要注意的是，如果不使用"V-てくれる"，只使用动词本身，就会成为表示为说话人(或说话人一方的人)以外的人做某事的意思。例如，说"鈴木さんが自転車を修理した/铃木修理了自行车"，就成为"铃木给别人修理了自行车"的意思。所以，如果动作是为说话人而做的，而又不使用"V-てくれる"，就会使句子显得很别扭。

(误) 誰もそのことを私に教えなかった。

(误) おいしいリンゴを送って、ありがとう。

又如下例所示，如果某人的行为对说话人来说是带来麻烦或造成什么问题，也可以使用此句型，此时带有一种讥讽的语气。

(例) 大事な書類をどこかに置き忘れるなんて、まったく困ったことをしてくれたな。/这么重要的材料居然给忘在什么地方了，真是给我添乱。

2 V-てくれる＜请求＞ （请求别人为说话人或说话人一方做某事）。

(1) この本(ほん)、そこの棚(たな)に入(い)れてくれる?/你把这本书帮我放到那边的书架上，好吗?

(2) ちょっとこの荷物(にもつ)運(はこ)んでくれないか?/能帮我搬一下这个行李吗?

(3) すみませんけど、ちょっと静(しず)かにしてくれませんか。今大事(じょうじ)な用事(ようじ)で電話(でんわ)してるんです。/对不起，稍微安静一下好吗?我现在有个要紧的事儿打电话呢。

(4) もしよかったら、うちの子(こ)に英語(えいご)を教(おし)えてくれないか?/如果可以的话，你能教我们孩子学英语吗?

是请求别人为说话人或说话人一方的人做某事的表达方式。简体形式只用于身分、地位比自己低或相等以及关系比较密切的人。男性使用"…てくれないか"的形式。"…てくれませんか"的形式比"…てくれますか"的形式要显得礼貌一些。如例(3)所示，也可以用于提醒别人注意。

3 V-てやってくれないか （请求为第三者做某事）。

(1) 息子(むすこ)にもう少(すこ)し勉強(べんきょう)するように言ってやってくれ。/你说说我儿子，让他再好好学习学习。

（2）山田君に何か食べるものを作ってやってくれないか。／你能给山田做点儿吃的吗？

用于请求听话人为除说话人、听话人以外的第三者做某事时。适用于说话人、听话人及第三者等都属于与说话人比较亲近的人的场合。

【てこそ】

只有…才…。

[V-てこそ]

（1）一人でやってこそ身につくのだから、むずかしくてもがんばってやりなさい。／这种事只有自己练才能掌握，所以再难你也要坚持练。

（2）この木は雨の少ない地方に植えてこそ価値がある。／这种树木只有种在雨水少的地方才有价值。

（3）互いに助け合ってこそ本当の家族といえるのではないだろうか。／只有相互帮助才能称得上是真正的亲人，你说对不对。

（4）この問題は皆で話し合ってこそ意味がある。規則だけ急いで決めてしまうというやり方には反対だ。／关于这个问题，只有大家在一起讨论协商才真正有意义。所以我反对只草率地定一些规则的做法。

（5）今あなたがこうして普通に暮らせるのは、あの時のご両親の援助があってこそですよ。／多亏了当时有你父母的支援，你现在才能像普通人一样生活。

这是动词的テ形后加上表示强调的助词"こそ"而形成的。"V-てこそ"后面一般续有表示褒义的表达方式，意思是"只有做了某事才有意义，从而得出好的结果"。如例（5）可以理解为得出好结果的理由时，可与"ばこそ"的形式替换。

（例）ご両親の援助があればこそです。／多亏了有你父母的支援。

【てさしあげる】

(为别人做某事)。

[V-てさしあげる]

（1）昨日は社長を車で家まで送ってさしあげた。／昨天我用车把总经理送回了家。

（2）A：あなた、お客様を駅までお見送りしてさしあげたら？／我说，你去把客人送到车站，怎么样啊？

B：うん、そうだな。／嗯，好吧。

（3）田中さんをご存じないのなら、私の方から連絡してさしあげましょうか。／如果您不认识田中的话，我帮您联系吧。

表示说话人(或说话人一方的人)为别人做某事。接受这种行为的一般为身分、地位比自己高或相同而不很亲近的

人。当发现对方很为难,或得知对方做不得的事自己可以做等场合,以比较谦恭的态度提出要为对方做某事。但有时也会有强加于人的印象。

如果是直接向对方表达时,应避免向身分、地位高于自己的人使用,或如例(3)所示,避免使用"V－てさしあげます／ましょう"的形式,以缓和强加于人的语气。否则就会显得失礼。如果要有礼貌地表示时,一般使用"お送りした"、"ご連絡しましょうか"等自谦的形式。

【てしかたがない】
特别…、…得不得了。
[Na でしかたがない]
[A-くてしかたがない]
[V-てしかたがない]

(1) 公園で出会って以来、彼女のことが気になってしかたがない。／自从在公园见面以后,我就特别惦记她。

(2) この映画はみるたびに、涙が出てしかたがない。／每次看这部电影,都要止不住地流泪。

(3) 何とか仕事に集中しようとしているのだが、気が散ってしかたがない。／想要尽量集中精力工作,可不知为什么,就是踏不下心来。

(4) 毎日ひまでしかたがない。／每天闲得不得了。

(5) 試験に合格したので、うれしくてしかたがない。／考试及格了,高兴得不得了。

(6) 台風のせいで、あの山に登れなかったのが、今でも残念でしかたがない。／由于台风的影响没能爬成那座山,现在想起来还觉得非常遗憾呢。

(7) わたしが転職したのは、前の会社で働くのがいやでしかたがなかったからだ。／我之所以调动工作,是因为我以前公司的工作实在受不了了。

(8) 田中さんは孫が可愛くて仕方がないらしい。／听说田中喜欢他的孙子喜欢得不得了。

表示情不自禁地产生某种感情或感觉,连自己都控制不了。一般见于这种感情因无法控制而非常高涨的场合。在"…てしかたがない"的前面只能使用表示感情、感觉、欲望等的词语,如果使用一些表示属性或评价的词语,句子就会不通。

(误) 歌が下手で仕方がない。
(正) 歌がとても下手だ。／唱歌唱得特别差。

当然,即使不是直接表示感情或感觉,只要是因为该无法控制的事态而导致说话人困惑或焦躁的情形也可以使用。

(例1) 最近うちの息子は口答えをしてしかたがないんです。／最近我儿子老跟我顶嘴,真没办法。

(例2) 年のせいか物忘れをしてしかたがない。／也许是上了年纪,现在特别爱忘事。

也可以省略"が"说"…てしかたない"。另外,在较随便的口语中,还可以说"…てしようがない"。与"てならない"的区别请参照【てならない】。

【でしかない】
→【しか】

【てしまう】

在较随便的口语当中,如"言っちゃう"、"来ちゃう"所示,多为"…ちゃう"的形式。

1 V-てしまう＜完了＞ …完、…了。

(1) この本はもう読んでしまったから、あげます。／这本书我已经看完了,所以送给你了。

(2) A：でかけますよ。／走了啊。
　　B：ちょっと、この手紙を書いてしまうから、待ってください。／等会儿,我把这封信写完了,你稍微等我一会儿。

(3) この宿題をしてしまったら、遊びにいける。／把这些作业做完了就可以去玩儿。

(4) 仕事は、もう全部完成してしまった。／工作已经全部做完了。

(5) あの車は売ってしまったので、もうここにはない。／那辆车已经卖掉了,所以不在这儿了。

(6) 雨の中を歩いて、かぜをひいてしまった。／因在雨中行走,结果感冒了。

(7) 朝早くから働いていたので、もうすっかり疲れてしまって、動けない。／从一大早就开始工作,累坏了,动不了了。

表示动作过程的完了。如例(1)～(3)所示,用于表示持续动作的动词时,与"R-おわる"意思相近。又如例(6)、(7)所示,根据动词的意思不同,有时可表示"到了某种状态"的意思。如例(6)的意思就是"到了感冒的状态了"。

2 V-てしまう＜感慨＞ （表示种种感慨）。

(1) 酔っ払って、ばかな事を言ってしまったと後悔している。／后悔当时喝醉了,说了些蠢话。

(2) 新しいカメラをうっかり水の中に落としてしまった。／一不小心把新买的照相机给掉到水里了。

(3) 電車の中にかさを忘れて来てしまった。／把雨伞给忘在电车里了。

(4) だまっているのはつらいから、本当のことを話してしまいたい。／闷在肚里太难受,想一吐真情为快。

(5) 知ってはいけないことを知ってしまった。／知道了不该知道的事情。

(6) 彼は、友達に嫌われてしまったと言う。／他说,朋友都厌他了。

(7) アルバイトの学生にやめられてしまって、困っている。／因为打工的学生都不干了,

我正犯愁呢。
　根据语境的不同，可以表示可惜、后悔等种种感慨。有时也带有"发生了无法弥补的事情"的语气。如例（6）、（7）所示，也可以接被动表达方式后。

3 V-てしまっていた　已经…了。

（1）わたしが電話したときには、彼女はもう家を出てしまっていた。/我给她去电话的时候，她已经出门了。

（2）友達が手伝いに来たときには、ほとんどの荷造りは終わってしまっていた。/朋友来帮忙的时候，行李已经都基本打完包了。

（3）警察がかけつけたときには、犯人の乗った飛行機は離陸してしまっていた。/警察赶到的时候，凶手乘坐的飞机已经起飞了。

　表示在过去的某一时间已经完了的意思。此时也可以使用"…ていた"表示，但如果使用了"…てしまっていた"，就会加强"彻底完了"的意思，带有一种"不可挽回，无法弥补"的语气。

【でしょう】
　→【だろう】

【てしょうがない】
…得不得了、特别…。
[A-くてしょうがない]
[V-てしょうがない]

（1）赤ちゃんが朝から泣いてしょうがない。/婴儿从早上醒来就哭个没完没了。

（2）このところ、疲れがたまっているのか、眠くてしょうがない。/最近也许是太累了，每天困得不得了。

（3）バレーボールを始めたら、毎日おなかがすいてしょうがない。/自从开始练排球以后，每天我特别容易饿。

（4）可愛いがっていた猫が死んで、悲しくてしょうがない。/我心爱的猫死了，使我伤心得不得了。

（5）二度も、自転車を盗まれた。腹がたってしょうがない。/接连两次被偷了自行车，我特别生气。

（6）うちの子は先生にほめられたのがうれしくてしょうがない様子だ。/我家的孩子被老师夸奖了，显出高兴得不得了的样子。

　是"…てしょうがない"简约而成的形式，是"…てしかたがない"的较随便的口语表达方式。
→【てしかたがない】

【てたまらない】
…死了、特别…、…得不得了。
[Na でたまらない]
[A-くてたまらない]

（1）今日は暑くてたまらない。/今天热死了。

（2）この仕事はやめたくてたまらないが、事情があってやめ

られないのだ。／其实我特别想辞了这份儿工作，可是因为某种原因又辞不了。
(3) 彼女に会いたくてたまらない。／我想见她想得不得了。
(4) ショーウィンドーに飾ってあった帽子がほしくてたまらなかったから、もう一度その店に行ったんです。／我特别想要橱窗里展览的那顶帽子，所以就又去了一趟那家商店。
(5) はじめての海外旅行が中止になってしまった。残念でたまらない。／第一次的出国旅游因故取消了。别提多么惋惜了。
(6) うちの子供は試合に負けたのがくやしくてたまらないようです。／我家孩子因为比赛输了，好像特别懊恼似的。

　表示说话人强烈的感情、感觉、欲望等。如例(1)的意思与"とても暑い(特别热)"意思相近。用法、意思等与"てしかたがない"基本相同。表示第三人称的情形时，如例(6)所示，要与"ようだ"、"そうだ"、"らしい"等一起使用。

【てちょうだい】

　（表示请求）请…。
[V-てちょうだい]
(1) 伸子さん、ちょっとここへ来てちょうだい。／伸子，你过来一下。
(2) 彼女は「和雄さん、ちょっと見てちょうだい」と言って、わたしを窓のところへ連れて行った。／"和雄，你过来看看"说着，她把我领到了窗户前面。
(3) 「お願いだから、オートバイを乗り回すのはやめてちょうだい」と母に言われた。／母亲对我说，"求求你了，别再骑着摩托车到处乱跑了"。

　用于向对方表示某种请求。一般是女性或儿童对身边或较亲近的人使用。虽然不是很粗鲁的表达方式，但在正式场合一般不宜使用。

【てっきり…とおもう】

　我想肯定是…、以为一定是…。
(1) 彼女がいろいろな結婚式場のパンフレットを持っているので、これはてっきり結婚するんだと思ってしまったんです。／她手里拿着许多各个结婚典礼场所的广告说明书，我想她肯定是要结婚了呢。
(2) 人が倒れていたので、てっきり事故だと思って駅員に知らせたんです。／看到有人倒在那里，我想一定是出事了，就跑去告诉了站台管理员。
(3) 窓ガラスが割れていたので、これはてっきり泥棒だと思ったんです。／因为窗户玻璃被打碎了，我以为肯定是小偷干的呢。

（4） てっきり怒られるものと思っていたが、反対にほめられたので、驚いた。／本以为一定挨骂了，可相反还受到了表扬。真是感到意外。

用于事后说明，当时根据某种情况或契机的推测，把某事信以为真的情形。副词"てっきり"起到强调其深信不疑程度的作用。实际情况往往是自己的想像与事实不符。而且，只能用于表示过去自己以为的情况。

（误） てっきり帰ったと思っています。
（正） てっきり帰ったと思いました。／我以为他肯定是回去了呢。

【てでも】
就是…也要…。
[V-てでも]
（1） どうしても留学したい。家を売ってでも行きたいと思った。／当时我想，我无论如何得去留学。就是把房子卖了我也得去。
（2） 彼女がもしいやだと言えば、引きずってでも病院へ連れて行くつもりだ。／如果她不愿意，就是拖，我也打算把她拖到医院去。
（3） いざとなれば、会社をやめてでも、裁判で争うつもりだ。／一旦需要，我就是辞了公司也要在法廷上和他争个明白。
（4） 由起子はまだ熱が下がらないが、この試合だけは、這ってでも出たいと言っている。／由起子的烧还没有退，可是她说，就是爬着去也要参加这场比赛。

表示采取强硬的手段。后续为表示坚强意志或强烈愿望的表达方式，表现了不惜采取极端手段的坚强决心。

【でなくてなんだろう】
难道不是…又是什么呢。
[Nでなくてなんだろう]
（1） 彼女のためなら死んでもいいとまで思う。これが愛でなくて何だろう。／为了她就是死我也在所不辞。这难道不是爱又是什么呢。
（2） 出会ったときから二人の人生は破滅へ向かって進んでいった。これが宿命でなくて何だろうか。／自从两人相遇以后，他们的人生就走向了毁灭。这难道不是命里注定又是什么呢。

接"爱（爱）"、"宿命（命里注定）"、"運命（命运）"、"真実（事实）"等名词后，表示强调"…である（就是…）"的意思。常用于小说、随笔等当中。

【でなくては】
→【なくては】

【てならない】
特别…，…得不得了。
[Na でならない]

[A-くてならない]
[V-てならない]
（1）卒業できるかどうか、心配でならない。／对于是否能毕业，感到特别耽心。
（2）将来がどうなるか、不安でならない。／对于将来会怎样，感到特别不安。
（3）子供のころニンジンを食べるのがいやでならなかった。／小时候，我特别不喜欢吃胡萝卜。
（4）あのコンサートに行き損ねたのが今でも残念でならない。／没有去成那次演唱会，我现在还觉得特别可惜呢。
（5）住み慣れたこの土地を離れるのがつらくてならない。／要离开自己生活惯了的土地，心里难过得不得了。
（6）だまされてお金をとられたのがくやしくてならない。／被人骗了钱，心里觉得特别窝火。
（7）青春時代を過ごした北海道の山々が思い出されてならない。／禁不住想起了伴我度过青春年华的北海道的群山。
（8）きのうの英語の試験の結果が気になってならない。／特别惦记昨天英语考试的结果。
（9）大切な試験に失敗してしまった。なぜもっと早くから勉強しておかなかったのかと悔やまれてならない。／在关键的考试中失败了。要是再早一点开始复习就好了，现在悔恨得不得了。

表示情不自禁地产生某种感情或感觉，连自己都控制不了。一般见于这种感情因无法控制而非常高涨的场合。在"…てならない"的前面只能使用表示感情、感觉、欲望等的词语，如果使用一些表示属性或评价的词语，句子就会不通。
（误）この本はつまらなくてならない。
（正）この本はすごくつまらない。／这本书特没意思。

虽然与"…てしかたがない"意思基本相同，但与之不同的是，此句型中很难使用非表示感情、感觉、欲望以外的词语。
（误）赤ちゃんが朝から泣いてならない。
（正）赤ちゃんが朝から泣いてしかたがない。／婴儿从早上醒来就哭个没完没了。

此种说法比较陈旧，多用于书面语言。

【てのこと】

…是(因为)…才行(可能)。
[V-てのこと]
（1）彼が6年も留学できたのは、親の援助があってのことだ。／他能留学6年之久，都是因为有了父母的经济支持才成为可能。
（2）彼は来年から喫茶店を経営するつもりだ。しかし、それも資金調達がうまくいってのことだ。／他打算从明年开始开一家咖啡店。但是，这也

(3) 今回の人事異動は君の将来を考えてのことだ。不満もあるだろうが辛抱してくれたまえ。／这次的人事调动是考虑到你的前途才这样决定的。你可能会有些不满，但希望你能忍耐一下。

以"XはYてのことだ"等形式，表示X之所以能办到或已经成为可能，都是因为有了Y这样一个条件的意思。是一种强调必要条件的表达方式。经常用于会话，但并不很粗俗。

【ては】

[N／Na では]
[A-くては]
[V-ては]

这是谓语的テ形加助词"は"组合而成的句型。使用名词或ナ形容词时，要接"だ"的テ形，变成"では"的形式。在书面语当中，还可以使用"であっては"的形式。在口语中，常可以说成"ちゃ"、"じゃ"。

1 …ては＜条件＞

与句尾表贬义内容的表达方式相呼应，表示"…ては"而形成的条件会导致不良结果的意思。多用于说话人想表示尽量应该避免这种情况的场合。

a …ては　要是…的话。

(1) この仕事に時給500円では人がみつかりません。／这种工作一个小时要是只给500日元工钱的话，你是雇不到人的。

(2) 先方の態度がそんなにあやふやでは将来が心配だ。／对方的态度要是那么含含糊糊的话，将来的合作就令人担心了。

(3) コーチがそんなにきびしくては、だれもついてきませんよ。／教练要是那么严厉的话，那没有人能跟着他练了。

(4) そんなに大きな声を出しては魚が逃げてしまう。／你出那么大声儿把鱼都吓跑了。

(5) そのことを彼女に言ってはかわいそうだ。／这事情要告诉她那太残酷了。

后续一般为表示否定事态的内容，表示如果是这样的条件那太难办，或不应该这样做的意思。

b V-ていては　要是那么…。

(1) そんなにテレビばかり見ていては目が悪くなってしまうよ。／要是那么老看电视的话，眼睛会搞坏的。

(2) そんなにたばこばかり吸っていては、体に障りますよ。／你老那么抽烟，可对身体有害啊。

(3) そんなに先生に頼っていては、進歩しませんよ。／你要老是那么倚赖老师的话，是不会进步的。

是一种常用于忠告的表达方式。用以指出对方的缺点，希望对方改变态度。

c Vのでは　…的话。

(1) そんなに遠くから通勤して

いらっしゃるのでは大変ですね。/你从那么老远的地方来上班的话，那可真够辛苦的啊。
(2) 年間200万円もかかるのではとてもその大学には行けない。/每年要花200万日元的话，那咱们可上不起那所大学。
(3) A：山下さん子供が5人いるんですって。/听说山下有5个孩子呢。
  B：5人もいるのでは、毎日大騒ぎだろうな。/有5个孩子，那每天家里还不闹翻了天啊。
(4) そんなふうに頭ごなしに否定されたのでは議論にならないじゃないですか。/像这么不问青红皂白就给全盘否定了的话，那怎么讨论啊。

动词后续"のでは"，表示"在这样一种情况下"的意思。后面内容为在这种情况下会发生的事情或说话人对此的看法。在口语中，常说成"Vんでは"、"Vんじゃ"。

d V-る/V-ない ようでは （要是）…就…，…都…。
(1) 最初の日から、仕事に遅刻するようでは困る。/第一天上班就迟到，那怎么能行呢。
(2) この程度の練習にまいるようでは、もうやめたほうがいい。/这种程度的训练都受不了，那最好别练了。
(3) そんなささいなことで傷ついて泣くようではこれから先が思いやられる。/为这么点小事就伤心哭鼻子，那今后可会人担心。
(4) こんな簡単な文書も書けないようでは、店長の仕事はつとまらない。/这么简单的材料都写不了，那他当不了商店经理。
(5) こんな短い距離も歩けないようでは夏の登山はとても無理だ。/这么短的距离都走不了，那夏天没法去登山。

与"困る(难办)"、"いけない(不行)"、"無理だ(难以办到)"等表示否定意义的词语一起使用，表示"像这种样子怎么能行"的意思。常用于批评、指责某人的场合。根据语境，有时也可以直接用于责骂对方。

→【ようだ2】4

2 V-ては＜反复＞
接动词。表示某动作、现象等反复出现。

a V-てはV（表示动作的反复）。
(1) 家計が苦しいので、母はお金の計算をしてはため息をついている。/因为家庭经济状况不好，母亲一边算钱一边叹气。
(2) 子供は二、三歩歩いては立ち止まって、母親の来るのを待っている。/孩子每走两三步就停下来站一站，等着母亲赶上来。
(3) その女性は誰かを待ってい

るらしく、1ページ読んでは顔をあげて窓の外を見ている。／那女人好像在等谁，她看1页书就向窗外张望一会儿。

(4) 一行書いては考え込むので、執筆はなかなかはかどらない。／每写一行就要思考一会儿，所以稿子写得特别慢。

(5) 学生の頃は、小説を読んでは仲間と議論したものだ。／当年在学生时代，每看完一本小说就要和朋友们议论一番。

表示在一定时间段里，反复重复相同的动作。例(5)与"たものだ"一起使用，表示回想起过去所反复做过的事情。

b V-てはV、V-てはV …又…，…又…。

(1) 書いては消し、書いては消し、やっと手紙を書き上げた。／写了又擦，擦了又写，好不容易才把信写完了。

(2) 作ってはこわし、作ってはこわし、を何度もやりなおして、ようやく満足できるつぼができあがった。／做好了又砸掉，砸掉了又重做，反复多次才终于做成了一个自己满意的坛子。

(3) 降ってはやみ、降ってはやみの天気が続いている。／这几天总是下下停停，停停下下，阴雨连绵。

(4) 食べては寝、寝ては食べるという生活をしている。／过着吃了睡，睡了吃的生活。

使用两个动词，按相同顺序反复两次，表示动作或现象的反复出现。也可如例(4)所示，两个动词前后颠倒使用，成"V1てはV2、V2てはV1"的形式。

【では₁】

1 Nでは（表示手段、标准、时间、场所等）。

(1) 人は外見では判断できない。／不能凭人的相貌来判断人的好坏。

(2) これくらいの病気ではへこたれない。／不会因这么点儿小病就趴下的。

(3) この仕事は1時間では終わらない。／这个工作1个小时完不了。

(4) 日本ではタクシーに乗っても、チップを渡す必要はありません。／在日本乘出租汽车不必给小费。

(5) 私の時計では今12時5分です。／我的手表现在是12点零5分。

(6) この地方では旧暦で正月を祝います。／在这个地方要过农历年的。

这是名词后接助词"で"，再加上"は"而形成的句型。它与助动词"だ"的テ形加"は"的形式不同，不能与"であっては"替换。

(误) これくらいの病気であってはへこたれない。

(正) 重い病気であっては、欠席もやむをえない。／要是得了重病，缺席也没办法。

接表示手段、标准、时间、场所等的名词后，表示"在这样的手段／标准／时间／场所的情况下"的意思。如例（1）～（3）所示。后续内容多为表示否定意义的表达方式。也可如例（5）、（6）表示一种对比的意思。

2 N／Na のでは
→【ては】、【ではだめだ】2

【では₂】

偏重书面语，用于较正式的场合。在较随便的口语中说"じゃ(あ)"。

1 では＜推理＞　那，那么说。
(1) A：私は1974年の卒業です。／我是1974年毕业的。
　　B：では、私は2年後輩になります。／那，我比你晚两届。
(2) A：この1週間毎晩帰宅は12時過ぎだよ。／这个星期，我每天都是12点以后才回家。
　　B：では、睡眠不足でしょう。／那，你一定睡眠不足了。
(3) A：彼、日本語を10年も習っているんですよ。／他学了10多年日语呢。
　　B：では、日常の会話に困ることはないですね。／那，日常会话肯定没问题了。
(4) A：緊急の会議が入ってしまいまして…／我突然有一个紧急会议要参加…
　　B：では、今日のパーティにはおいでになれませんね。／那，您就出席不了今天的宴会了吧。
(5) 家を出たときには、あの袋はたしかに手にもっていた。では、途中のバスの中に忘れたということかな。／我从家里出来的时候，的确是拿着那个包来着。那么说，也许是忘在了路上乘坐的公共汽车里了。

放在句首，用于根据新掌握的事实或自己的记忆等进行推理，得出说话人自己的结论。如果是向听话人确认自己的推理是否正确，可如例（2）～（4）所示，成为表示确认或疑问的表达方式。例（5）的用法是根据自己的记忆所做出的推理。这些用法基本上都可以与"それなら、そうしたら、(それ)だったら、(そう)すると"等替换。

2 では＜表明态度＞　那。
(1) A：すみません。教科書を忘れてしまいました。／对不起，我忘带课本了。
　　B：では、となりの人に見せてもらいなさい。／那，你就和旁边的人合看一本儿吧。
(2) A：用紙の記入、終わりま

したが。/表儿我已经填好了。
B：じゃ、3番の窓口に出してください。/那，请您交到3号窗口。
(3) A：全員集合しました。/全体都到齐了。
B：では、そろそろ出発しましょう。/那，咱们就出发吧。
(4) A：実は子供が病気なんです。/是我孩子病了。
B：では、今日は帰ってもいいです。/那，你今天可以回去了。

放在句首，用于说话人根据新的信息来表明自己的态度。后续为表示命令、请求、意志、允许等的表达方式。可以与"それなら、そしたら、(そう)だったら"等替换，但不能与"(そう)すると"替换。

3 では＜转换话题＞ 那么。

(1) では、次の議題に入りましょう。/那么，咱们进入下一个议题。
(2) では、始めましょう。/那么，就开始吧。
(3) では、今日の授業はこれで終わりにします。/那么，今天的课就上到这里。
(4) では、また明日。さようなら。/那，咱们明天见。再见。

放在句首，用于转换为新的话题或场面。后续为表示宣布转换新话题的开始或旧话题结束的表达方式。例(4)是与人分手告别时的一种固定表达方式。

【ではあるが】
虽然…、但…。
[N／Na ではあるが]
(1) この絵はきれいではあるが、感動させるものがない。/这幅画虽然很漂亮，但没有令人感动的地方。
(2) 彼は才能の豊かな人間ではあるが、努力が足りない。/他是一个很有才能的人，但就是不够努力。
(3) これはお金をかけた建築ではあるが、芸術性は全くない。/这幢大楼虽然造价很高，却没有一点艺术性。
(4) まだ10歳の子供ではあるが、大人びた面も持っている。/虽然只是个刚满10岁的孩子，有些地方却很老成。
(5) 彼は犯罪者ではあるが、文学的な才能に恵まれていた。/他虽然是个罪犯，却具备文学天才。

用以表述有对比性的评价。在"が"的前面表述一些局部性的评价，或带有否定性的见解，后面提出与之相对立的评价。评价的重点在后半部。多用于书面语言。使用イ形容词时，成为"A－くはあるが"的形式。

【ではあるまいか】
是不是…呀。
[N／Na (なの)ではあるまいか]

[A／V のではあるまいか]
(1) この話は全くの作り話なのではあるまいか。／这故事是不是全都是编的呀。
(2) この品質で、こんな値段をつけるとは、あまりにも非常識ではあるまいか。／就这种质量还定这么高价钱．是不是有点儿太离谱儿了啊。
(3) いまどき、彼のような学生はめずらしいのではあるまいか。／现在，像他那样的学生是不是太少见了啊。
(4) 父は自分が癌だということに気づいていたのではあるまいか。／父亲是不是已经觉察到自己是癌症了啊。
(5) 彼らは私のことを疑っているのではあるまいか。／他们是不是在怀疑我呀。

是比"ではないだろうか"更加郑重的书面语表达方式。常用于论文或评论性文章等。
→【ではないだろうか】

【てはいけない】

1 V-てはいけない 不能…、不准…。
(1) 遊んでいたらおじいさんがきて、「芝生に入ってはいけないよ。」と言った。／我们正玩儿着呢，一位老爷爷走过来说，"不准到草坪里面去。"
(2) この薬は、一日に三錠以上飲んではいけないそうだ。／据说这种药的服用量一天不能超过三片。
(3) この場所に駐車してはいけないらしい。／这里好像不能停车。
(4) きみ、はじめて会った人にそんな失礼なことを言っちゃいけないよ。／哎，对初次见面的人不能说那么没有礼貌的话。
(5) A：おかあさん、公園へ行っていい？／妈，我能去公园玩儿玩儿吗？
    B：宿題をすまさないうちは、遊びに行ってはいけませんよ。／没做完作业不能去玩儿。

表示禁止。简体形式表示禁止做某事，为男性向身分、地位低于自己的人使用。与之相对应的礼貌体形式"いけません"，一般为母亲、教师、单位的上司等处于某种监督地位的人向属于被自己监督的人使用的表达方式。

2 V-なくてはいけない
→【なくてはいけない】

【てはいられない】

1 Nではいられない 不能…。
(1) きみは大人になりたくないというが、人はいつまでも子供ではいられない。／你说你不想成为大人，可是人不能永远是孩子。
(2) ずっと大学にいたいが、いつまでも学生のままではいられない。／我真想一直呆

在大学里，但是也不能一辈子当学生。
（3）私は同級生の彼と友達でいたいのに、彼はこのままではいられないという。／我想与同班的他一直做朋友，然而他却说不能这样下去。
（4）ずっとお世話になりっぱなしではいられないし、仕事を探すつもりです。／不能让您这样一直照顾下去，我打算找工作。

"Nでいる"是停留在N的状态之意，"Nでいられない"是不能一直持续相同状态之意。

2 V-てはいられない　不能…、哪能…。

（1）時間がないから、遅れてくる人を待ってはいられない。すぐ始めよう。／没有时间啦，不能再等迟到的人了，马上开始吧。
（2）A：すっかりよくなるまで寝ていないと。／要是不躺到彻底痊愈，……。
　　B：こんなに忙しいときに寝てはいられないよ。／这么忙的时候，哪能躺得下去呀。
（3）あしたは試験だから、こんなところでのんびり遊んではいられない。／明天有考试，哪能在这样的地方悠闲地玩儿。
（4）今晩はお客さんが何人か来るし、テニスなんかしてはいられない。早く買い物に行かなければならない。／今晚要有几个客人来，不能打什么网球，必须快点去买东西。
（5）今うちの商品はよく売れているが、うかうかしてはいられない。新しい製品がどんどん出てくるからだ。／现在我们的商品虽然畅销，但是不能掉以轻心，因为新产品会不断出现。
（6）この事態を傍観してはいられない。／不能坐视旁观这种事态。
（7）スキーのシーズンが始まると、わたしはじっとしてはいられない。／一到滑雪季节，我就坐不住了。
（8）こうしてはいられない。早く、知らせなくちゃ。／不能这样，必须赶快通知其他人。

表示因为在紧迫的情况下，不能再继续那种状态或者急于想付诸于另一种行动之意。这个表达方式常伴有"のんびり（悠闲）"、"うかうか（漫不经心）"、"ずっと（一直）"等副词。

【てはだめだ】

1 V-てはだめだ〈禁止〉　不得、不能、不行。

（1）駐車場で遊んではだめだ。出て行きなさい。／不要在停车场玩，出去吧！

(2) 「その花をとってはだめよ。」と姉が弟に言った。／姐姐对弟弟说"不许摘花。"

(3) 文句ばかり言っていてはだめだ。自分でなんとかしろ。／光发牢骚不行，你自己想点办法干。

(4) こんなところでへばってはだめだ。あと1キロだ。しっかりしろ。／在这种地方垮下来可不行，还有1公里，坚强一点。

(5) 「今、あの人を叱ってはだめです。もうすこし様子を見ましょう。」と彼女は部下をかばった。／她袒护部下说"现在不能批评他，再观察一下吧"。

(6) そんな浅いところから、飛び込んではだめだ。／这地方水这么浅，不能往里边跳。

这种用法表示禁止，多用于父母、教师、管理人员等处于管理地位的人对被监督者的场合。这种形式中的"では"、"ては"常发生简化，变为"じゃ"、"ちゃ"，此句型意义与"V-てはいけない"相同。

2 …Nてはだめだ　不行、不可。
[N／Na　ではだめだ]
[A-くてはだめだ]
[V-ていてはだめだ]

(1) 写真をとるのに、こんなに暗くてはだめだ。／要拍照，这么暗可不行。

(2) 秘書になりたいそうだが、ことばがそんなにぞんざいではだめだ。／听说你想当秘书，但是说话那么粗鲁可不行。

(3) 富士山へ登りたいのなら、そんな靴ではだめです。登山靴をはきなさい。／如果想登富士山，穿那种鞋不行，请换上登山鞋。

(4) 今でもお母さんに洗濯してもらっているんですか。それではだめです。自立したかったら、自分でやりなさい。／现在还让妈妈给洗衣服吗？那可不行。要想自立门户，自己去洗。

(5) 君のように遊んでばかりいてはだめだ。学生は勉強しなくてはいけない。／像你这样光玩可不行，学生必须学习。

这个句型表示一种判断，意思是那种情况下达不到目的。目的本身既有用语言表达出来的情况，也有隐含在句子中的情况。这种表达方式多用于会话中。也常视其省略形式"じゃ(あ)だめだ(不行)"、"ちゃ(あ)だめだ(不行)"。

像例(5)一样，与动词一起使用，是以"V-ていてはだめだ"的形式来述说现在的状况不合适，是作为批评、指责的表达来使用的。

【てはどうか】

[V-てはどうか]　…怎么样、…如何。

(1) A：この辺でちょっと休憩

してはどうですか。／在这儿休息一会儿怎么样？

B：そうですね。／好的。

(2) 作戦を変えてみてはどうですか。／改变一下战术如何？

(3) この問題については、議長に一任してはどうだろうか。／关于这个问题的处理，委托给主席如何？

(4) A：家の譲渡のことで家族の間でもめているんです。／因家产的转让，兄弟之间正在闹摩擦。

B：弁護士に相談してみてはどうですか。／找律师商量商量如何？

(5) A：この壁はちょっと暗いですね。壁紙を取りかえてみてはどうでしょうか。／这墙有点暗，换换壁纸怎么样？

B：そうですね。／换换吧。

(6) しばらく何も言わないでそっとしておいてみては？／你暂时什么也别说，稍稍放一段时间怎么样啊。

这是一种表示提议或者劝说的惯用表达方式。常用 "V-ては" 的形式。"V-てはどうか" 是书面语，用于正式场合与书信。而 "V-たらどうか" 的形式几乎与此同义，用于一般会话中。但是 "V-ちゃどうか" 的形式是一种随便的说法，表示客气时要使用 "V-てはいかがですか／V-てはいかがでしょうか" 的说法。例(6)的后半部省掉了。

【ではない】

1 …ではない　不是…。

(1) これは、新しい考えではない。／这不是新的想法。

(2) わたしの生まれた所は、札幌だが、育ったのは、札幌ではない。／我出生的地方是札幌，但是成长地方不是札幌。

(3) この表現はけっして失礼ではない。／这种表达决不算失礼。

(4) 昨日行ったレストランはあまりきれいではなかった。／昨天去的西餐馆不太干净。

用于将 "XはYだ" 予以否定的形式。

2 …ではない　什么…。

(1) A：すみません、日程の変更をご連絡するのを忘れていました。／对不起，忘记通知你日程变更了。

B：忘れていましたではないよ。おかげで、予定が一日狂ってしまったんだよ。／什么忘了吧，就是因为你，我一天的计划全乱套了。

(2) A：あ。そのこと、言い忘れてた。／啊，忘记了说那

件事。

B：言い忘れてたじゃないわ。おかげで大変な目にあったのよ。／什么忘说了吧，就是因为你，我吃了好大苦头。

(3) A：ごめん、現像失敗しちゃった。／对不起，照片洗坏了。

B：失敗しちゃったじゃないよ。どうしてくれるんだ。／什么洗坏了，你看这怎么办吧？

(4) A：あの、お借りしたビデオカメラ、こわれちゃったんです。／哎，你借给我的摄像机坏了。

B：こわれちゃった、じゃないよ。大事なもの、君だから貸したのに。／什么，坏啦，那样贵重的东西，因为是你我才借的。

通过重复对方的话来表示谴责，是口语。只能对部下或者相当亲近的人使用，如例(2)、(3)、(4)所示，用"じゃない"的情况居多。

3…ではなくて
　→【ではなくて】

【ではないか₁】

[N／Na／A／V　ではないか]

接在简体形之后，表示说话人吃惊的心情和迫使听话人认同的态度。接名词，ナ形容词时不介入"だ"，直接接续。也有接续"だった／ではない／ではなかっ た"的情况。

这是由"だ"的否定形固定化后形成的表达方式，所以是书面性的表达，稍显生硬。一般男性用。通俗的说法是，男性说"じゃないか"，女性说"じゃない"、"じゃないの"。"じゃん"是更通俗的说法，男女都用。客气的说法是"ではないですか／ではありませんか"。在不变为タ形，总使用词典形和不能接续"だろう"这点上，与"ではないか 2"是不同的。

1 …ではないか＜惊奇・发现＞　不是吗。

(1) やあ、大野君ではないか。／哎呀，这不是大野吗？

(2) これはすごい、純金ではないか。／棒极了，是纯金的吧？

(3) なんだ、中身、空っぽじゃないか。／什么呀，中间不是空的吗？

(4) この店の料理、結構おいしいではありませんか。／这家的菜不是很好吃吗。

(5) このレポートなかなかよくできているではありませんか。／这小论文不是写得很好吗？

表示发现预想不到的事时的惊讶，如果是自己希望的事，如例(4)、(5)表示佩服之意，如果与盼望的相反，则如例(3)一样，表示沮丧和偏离期望之意。

2 …ではないか＜谴责＞　不是…吗。

(1) A：悪いのは君のほうではないか。／难道不是你

错了吗？
B：僕はそうは思いませんが。／我不那么认为，…

(2) A：病人を連れ出したりしたら、だめじゃないか。／把病人带出去，那怎么行啊？
B：はい、これから気をつけます。／好，我今后注意。

(3) A：おそかったじゃないか。／怎么来这么晚呢？
B：あの、道が込んでいたんです。／可，路上太挤了。

(4) A：まずいじゃありませんか、そんな発言をしては。／不太合适吧，你做那种发言。
B：そうですか。／是吗。

(5) A：はじめにそう言ってくれなくては困るではないか。／开始你不跟我说，多不好办哪！
B：すみません、気がつかなくて。／对不起，我没注意。

这个形式是用于训斥和谴责下级或者同级的表达方式。让对方认识这种不希望发生的状况是由于对方的责任造成的。句子一般读为降调。

3 …ではないか＜确认＞ 不是…吗。

(1) 近藤さんを覚えていないですか。ほら、この間のパーティーの時に会ったではないですか。／你不记得近藤吗？对了，最近那次的聚会时不是见到他了吗？

(2) 繁華街などによくいるではありませんか。ああいう若者が。／在繁华街等地不是常有的吗？那样的青年人。

这个表达方式用于确认听话人本该知道的事，或者被认为当场能够认识的事。一般不怎么用"ではないか"的形式。大体上多使用"じゃないか"、"じゃありませんか"、"じゃないですか"的形式。

→【じゃない1】3

4 …ようではないか 让…吧。

(1) このクラスみんなでディベート大会に申し込もうではないか。／我们这个班都去申请参加讨论会吧！

(2) とにかく、最後まで頑張ってみようではないか。／总之让我们坚持到底吧！

(3) 遠くからはるばる来たのだから、お金の心配などしないで、十分楽しもうではないか。／大老远来到这里，所以您就别担心钱什么的，让我们痛快地玩儿吧！

(4) 売られた喧嘩だ。受けて立とうじゃないか。／是他们来找我们打架的，那我们就和他们打吧！

前接动词意向形，用于提议和对方共同做某事，说明自己的意志时，是稍微

拘泥于形式的套话。一般男性使用。

【ではないか₂】

[N／Na　(なの)ではないか]
[A／V　のではないか]

　　这个句型接名词、ナ形容词时不介入"の"，直接接续，接在イ形容词、动词后时必须介入"の"，说成"のではないか"。在这点上与"ではないか1"不同。简单的说法是，男性说"(ん)じゃないか"；女性说"(ん)じゃない"、"(ん)じゃないの"。客气的说法是"(ん)ではないですか／(ん)ではありませんか"。

1 …(の)ではないか　是…啊、不是…吗。

（1）あそこを歩いているのは、もしかして山下さんではないか。／在那儿走的人说不定是山下吧。

（2）こんなおおきなアパートは一人暮らしにはちょっとぜいたくではないか。／一个人住在这样大的寓所里，是不是有点奢侈呀？

（3）もしかしたら、和子は本当に良雄が好きなのではないか。／说不定和子真的喜欢良雄呢。

（4）この話は結局ハッピーエンドになるのではないか。／这个故事难道不是圆满结局吗？

（5）ファーストフード産業が伸びれば伸びるほどごみも増えるのではないか。／快餐业发展越快，垃圾不也就越多吗？

（6）この品質でこの値段は、ちょっと高いのではないか。／以这种质量卖这种价格，是不是贵了点儿。

（7）これからますます環境問題は重要になるのではないか。／今后环境问题不是越来越重要吗？

　　前接简体形式，表示说话人的"虽然不能清楚断定，但是大概如此"的推测性判断，说话人的确信比"だろう"低。

2 …(の)ではないかとおもう

（1）こんなうまい話は、うそではないかと思う。／这么好的事情，我总觉得是不是假的呀。

（2）どちらかというと妹さんの方がきれいなのではないかと思う。／要让我说，还是妹妹漂亮吧。

（3）話がうますぎるので、山田さんは、これは詐欺ではないかと思ったんだそうです。／因为话说得太漂亮了，据说山田认为这是不是在骗人哪。

（4）もしかすると、彼女はこの秘密を知っているのではないかと思う。／我看说不定她知道这个秘密。

（5）この条件はわれわれにとって不利ではないかと思われる。／叫人感到这种条件对

于我们是不利的。

这是"ではないか"＋"思う"而形成的。"思う"为辞典形时，表示说话人的判断。使用"思った"时，如例（3）能表示第三人称的判断。例（5）中的"思われる"是书面语，并不是要表示说话人有怀疑的心情，而多用于缓和独断的说法。

【ではないだろうか】

不是…吗，也许是…吧。
[N／Na(なの)ではないだろうか]
[A／Vのではないだろうか]

（1） ひょっとしたらこれはわるい病気ではないだろうか。／说不定这也许是难治的病吧？

（2） もしかしたら、和子は本当に良雄が好きなのではないだろうか。／说不定和子真地爱上良雄了吧。

（3） A：この本は子供にはまだ難しいのではないでしょうか。／这本书对孩子是不是还太难呢?
B：そうでもないですよ。／也不见得吧。

（4） 不況は長引くのではないだろうか。／经济不景气会不会延长下去呢。

（5） 彼らはもう出発してしまったのではないだろうか。／他们是不是已经出发了？

（6） もしかして、私はだまされているのではないだろうか。

／也许我被人蒙骗了吧？

与"ではないか2"是近义表达，表示说话人的推测判断，说话人的确信度更低，是委婉的说法。客气说法为"ではないでしょうか"。如例（3）一样，在会话中表示向听话人确认自己的推测的意思。

【ではなかったか】

[N／Na （なの)ではなかったか]
[A／V のではなかったか]

这个句型就过去的状况进行推测，对现状与过去不一致表示不满，是书面语。口头表达时，男性说"(ん)じゃなかった"；女性说"(ん)じゃなかったの"。

1 …(の)ではなかったか＜推测＞
不是…吗。

（1） 古代人にとってはこれも貴重な食事ではなかったか。／对于古人来说这不也是宝贵的食品吗？

（2） 昔はここもずいぶん閑静だったのではなかったか。／以前这里不是很安静吗。

（3） 当時のわが家の暮らしは、かなり苦しかったのではなかったか。／当时我们家的生活不是相当苦吗？

（4） 当時の人々は人間が空を飛ぶなどということは考えもしなかったのではなかったか。／当时的人们怎么也没有想到过人能在天空中飞。

这是对过去事实的推测说法，与"…た(だ)ろう"相似，说"ではなかったか"

时,说话人的确信度低,除例(1)的情况之外,一般用"…たのではなかったか"的形式,与"ではなかろろうか"、"ではなかったろうか"意义几乎相同。

2 …(の)ではなかったか＜反期待＞
不是…吗。
（1） 昔はとなり近所の人々はお互いにもっと協力的ではなかったか。／以前邻居间不是更互相协助的吗？
（2） あなたたちは規律を守ると誓ったのではなかったか。／你们不是发誓要遵守纪律吗？
（3） これまでは平和に共存してきたのではなかったのか。／以往不是和平共处过来的吗？
（4） これからは一家が平和に暮らしていくのではなかったか。／今后,我们全家不是要和平生活下去吗？

对于现状与过去的不一致,而且是不希望的结果,来表示对听话人的谴责、不满、遗憾的心情。"のではなかったか"是书面语。也有如例(3)一样使用"ではなかったのか"的形式。像例(4)一样前接动词词典形的用法,表示"按理该去那么做,然而现实…"之意。

【ではなかろうか】

是不是…呢。
[N／Na(なの)ではなかろうか]
[A／Vのではなかろうか]
（1） 彼の成績ではこの大学は無理ではなかろうか。／他的成绩,考这所大学是不是不行啊？
（2） 低温続きで、今年の桜はちょっと遅いのではなかろうか。／这样低温持续下去的话,今年樱花开放是不是要晚一点。
（3） 不況は長引くのではなかろうか。／经济不景气会不会延长啊。

"ではなかろうか"是较陈旧的说法,用于论说式的文章中,与"ではあるまいか"几乎同义。

【ではなくて】

不是…,而是…。
[N／Na (なの)ではなくて]
[Aのではなくて]
[Vのではなくて]
（1） 彼がこの前一緒に歩いていた女性は、恋人ではなくて、妹なのだそうだ。／据说前几天和他一起走的女子,不是他的恋人,而是他的妹妹。
（2） わたしが買ったのは、日英辞書ではなくて、英日辞書です。／我买的不是日英词典,而是英日词典。
（3） A：つまり、報酬が少なすぎるとおっしゃるんですね。／你是说报酬太少喽。
　　 B：いや、そうではなく

て、仕事の量の問題なんです。／不,不是的,而是工作量的问题。

（4） A：じゃあ、彼は会ってくれるんですね、いつ行けばいいんですか。／那么,他答应见我们了,什么时候去合适啊?

B：いや、わたしたちが彼のところへ行くのではなくて、向こうから来るというんです。／不,不是我们去他那儿,而是他来我们这儿。

这个句型是用"Xではなくて"来否定X,其后边附加上正确内容。是一种订正的表达方式。在口语中用"じゃなくて"的说法。

【てはならない】
不要,不能。
[V-てはならない]
（1） 一度や二度の失敗であきらめてはならない。／一、两次失败,千万不要放弃。
（2） 警察が来るまで、だれもここに入ってはならないそうだ。／据说警察到来之前,谁也不能进去。
（3） ここで見たり聞いたりしたことは決して話してはならないと言われた。／要求我们决不能说出在这里看到的和听到的。

这个句型表示禁止。一般多用于提醒、训戒时。为了禁止特殊事情而面对面直接使用,只限于相当特殊的情况,所以此句型多用于书面。"V-てはならない"以及敬体的"V-てはなりません"直接对对方使用时,均限于相当特殊的情况。口语中多用"V-ちゃだめだ"、"V-ちゃいけません"的形式。

【ではならない】
→【てはならない】

【てほしい】
→【ほしい】

【てまもなく】
→【まもなく】

【てみせる】
给…看,做给…看。
[V-てみせる]
（1） かれは柔道の型を教えるためにまずやってみせた。／他为了教授柔道的招式先作了示范。
（2） 歌がおじょうずだそうですね。一度歌ってみせてください。／听说你唱歌很棒,给我们唱一次吧。
（3） ファックスの使い方がまだわからないので、一度やって見せてくれませんか。／我不懂传真机的用法,你能

给我操作一下吗？
(4) トラクターぐらいなら、一度やってみせてもらったら、後は一人で扱えると思います。／如果是拖拉机的话，你给我开一次，以后我就能自己来了。

表示在进行介绍，促使别人理解时，而做出的实际动作。

【てみる】

1 - V てみる　试试、看看。
(1) 一度そのめずらしい料理が食べてみたい。／我真想吃一次那种稀罕少有的菜肴。
(2) 先日最近話題になっている店へ行ってみました。／前几天我去了人们议论的店铺看了看。
(3) ズボンのすそを直したので、ちょっとはいてみてください。／裤角改过了，请你穿一下试试。
(4) 電話番号は電話局へ問い合わせてみたのですが、わかりませんでした。／电话号码，我试着问过电话局了，可是还是不知道。
(5) パンダはまだ見たことがない。一度見てみたいと思っている。／我还没见过熊猫，想去看一次。
(6) 電車をやめて、自転車通勤をしてみることにした。／我决定不乘电车，试着骑自行车上班。
(7) どの車を買うか決める前に、車に詳しい人の意見を聞いてみようと思っています。／在决定买什么车之前，想问一问精通车的人的意见。

为了了解某物某地而采取的实际行动。虽有试作意志，但实际上没进行行为时，不能用此句型。"会ってみたが会えなかった"的说法是错误的用法。这时应说"会おうとしたが会えなかった／我要见他，可是没见到。"

2 V-てみてはじめて　只有…才…。
(1) 病気になってみてはじめて健康の大切さは身にしみた。／只有得了病才切身感到健康的重要。
(2) 親に死なれてみてはじめてありがたさがわかった。／只有在父母去世后才知其宝贵。
(3) 彼がやめてみてはじめてこの会社にとって重要な人物だったということがわかった。／只有在他辞职后人们才知道他对于这家公司来说是个举足轻重的人物。

其意为"只有在那种状态下才…"，其中的"みて"不是有意"要试"的意思，而是"产生某种状态的"意思。

3 V-てみると　试一试、…一下。
(1) 表にして比べてみると、両者は実際にはあまり違いがないということがわかる。

（2）そのルポルタージュをよく読んでみると、作者はその場所へは実際に行ったことがないとわかった。／仔细读了读那份报道，就明白了其实作者没有真去过那个地方。

（3）今振り返ってみると、5年前の会社設立当時が自分の人生の中で最も大変だったと思う。／现在回过头来想一想，5年前建公司时才是自己人生中最艰难的时候。

（4）もう一度考えてみると、この批判はある程度当っていないこともない。／重新考虑一下，这种批评在某种程度上也并非没有说到点儿上。

（5）仕事をやめてみると、急に生活の空間が広がったような気がした。／一辞掉工作，突然感到生活空间广阔多了似的。

（6）生のイカなんて、みかけは気持ちが悪かったが、食べてみると、意外においしかった。／生乌贼，那付样子真令人心情不舒服，可是尝了一尝，没想到味道好极了。

（7）A：意地悪に見えるけど、彼は本当は好意でそう言ったんじゃないんですか。／表面看起来他似乎心地不良，然而他的确真的是出于好意才那么说的呀。

B：そう言われてみると、そんな気もします。／你那么一说，我也有同感。

（8）一夜明けてみると大木がなぎ倒されていた。／天亮一看，大树被风刮倒了。

表示发现的契机，这契机有意志性和无意志性之分。有意志性时表示"试过以后明白其结果是这样的"意思。象例（7）、（8）一样无意志的情况表示"在那种状况下，发现了"之意。即使没有"みる"，意义也大体相同，但是"よんでみると（读了一读）"、"振り返ってみると（回头一看）"经常作为惯用表达方式使用。

4 V-てみたら

a V-てみたら　那么一做…。

（1）電話でたずねてみたら、もう切符は売り切れたと言われた。／打电话一问，说票已经卖光了。

（2）きらいなうなぎを思い切って食べてみたら、おいしいので驚いた。／心一横，毅然吃了讨厌的鳗鱼，没想到那鳗鱼美味令我大吃一惊。

（3）新聞に広告を出してみたら、予想以上の反響があった。／在报纸上登出广告，没想到反响远远超出预料。

表示发现的契机。

b V-てみたらどう 再…如何、…怎么样。
(1) A：山下さんは全然わかってくれません。／山下根本不理解我。
B：もう一度あって話してみたらどうですか。／再见一次面，谈谈怎么样？
(2) 結果をまとめる前にもうすこしデータを増やしてみたらどうですか。／在归纳出结果前，再稍增加点数据怎么样？
(3) ひとりで考えていないで、専門家に相談してみたらどうですか。／别一个人想来想去的，和专家谈一谈如何？

表示劝人还要试试。

5 V-てもみない 根本没、压根儿没…。
(1) この作品がコンクールに入選するなんて考えてもみなかった。／我根本没想到这部作品会在比赛中入选。
(2) できないと思いこんでいたので、試してもみなかった。／因为我认定不行，所以也就连试也没试。
(3) はじめから断られると思っていたので、言ってもみなかった。／我从一开始就知道会遭到拒绝，所以根本没

开口求他。
(4) 彼女と結婚することになるとは思ってもみなかった。／我压根儿就没想到结果会和她结婚。
(5) あの人にもう一度会えるなんて思ってもみなかった。／我压根就没想到还能再见到他一次。
(6) 始める前は、こんなに大変な仕事だとは思ってもみなかった。／开始做这项工作前，根本没想到竟然是这么艰难的工作。

多以"てもみなかった"的形式，来强调没有那么做。能用的动词很有限。"思ってもみなかった"是惯用的表达方式，是实际在某状态下"完全没有想到"的意思。

6 V-てもみないで 没…。
(1) 本を読んでもみないで何が書いてあったかどうしてわかるだろう。／没看书怎么会知道那上边写的是什么呢？
(2) 食べてもみないで、文句を言うのはやめてください。／没亲口尝一尝，还是别在那儿发牢骚。

是比"V-ないで"稍微强调的表达方式，多用于表示谴责的心情。

7 Nにしてみれば →【にしてみれば】

【ても】
[N／Na でも]
[A-くても]

[V-ても]

"ても"是谓语テ形+"も"的组合。前接名词或ナ形容词时,用"でも"。随便交谈时也用"たって"或"だって"的形式。

1 …ても＜逆接条件＞　即使…也…。

(1) この仕事は、病気でも休めない。／即使你生病,这项工作也不能停下来。

(2) その車がたとえ10万円でも、今の私には買えない。／那种车就算10万日元,现在的我也买不起。

(3) 不便でも、慣れた機械のほうが使いやすい。／即使不方便,也还是用惯了的机器好用。

(4) 風が冷たくても平気だ。／风再冷,我也不在乎。

(5) ほしくなくても、食べなければいけない。／即使不想吃,也不得不吃。

(6) 国へ帰っても、ここの人々の親切は忘れないだろう。／即使回国,也忘不了这里的人们的亲情。

(7) 今すぐできなくても、がっかりする必要はない。／即使现在办不到,也不必太失望。

(8) わたしは、まだ勉強不足だから、今試験を受けてもうからないだろう。／我还学习得不够,即使现在接受考试,也考不上的呀。

(9) たとえ両親に反対されても彼との結婚はあきらめない。／即使遭到父母反对,我和他结婚的事也决不罢休。

这个句型是否定如果X能成立,Y也成立的"XならばY"的顺接条件关系,表示逆接关系的表达方式。以例(1)、(6)来说,是否定"如果病了就能休息"、"如果回国就忘记这里人的热情"的关系。表示即使X的条件成立,Y也不成立。如例(9)所示,用副词"たとえ"的情况很多。

2 …ても＜并列条件＞

并列举出两个或者两个以上的条件,表示不论哪个方面的条件都成立,结果相同。

a …ても　即使…。

(1) 2を二乗すると4になりますが、-2を二乗しても4になります。／2乘2等于4,-2乘2也等于4。

(2) 飛行機で行くと料金は片道2万円ぐらいですが、新幹線で行っても費用はだいたい同じです。／虽然乘飞机去,单程费要用2万日元左右,但就是乘新干线去费用也大体相同。

(3) A：演奏会、あと20分で始まるんですが、タクシーで行けば間に合うでしょうか。／演奏会还有20分钟就开演了,乘出租车去来得及吗？
B：会場は駅の近くですから、歩いていっても間

に合うと思いますよ。/会場就在车站旁边，走着去也来得及。

如同"XならばZ"、"YならばZ"一样，表示不同条件下结果相同的条件句排列时，第二个条件句如"Y(であっ)てもZ"所示，一般用"ても"来表示。因为表达的是不论什么条件下结果都相同的意思，所以可以改换为"XてもYてもZ"的形式。

(例) 2を二乗しても、－2を二乗しても4になります。/2乗2，－2乗2都等于4。

b …ても…ても 不论…不论…。

(1) うちの子供は、ニンジンでもピーマンでも、好き嫌いを言わないで食べます。/我家的孩子，不论胡罗卜还是青椒，也不说喜欢不喜欢统统都吃。

(2) 天気がよくても悪くても雨が降っても風が吹いても、新聞配達の仕事は休めない。/不管天好还是天坏，不管下雨还是刮风，送报的工作不能停。

(3) 道を歩いてもデパートへ入っても人でいっぱいだ。/不管走路，还是去商店，到处都是人挤人。

(4) 辞書で調べても先生に聞いても、まだこの文の意味が理解できない。/不管查词典，还是问老师，仍然不能理解这个句子的意思。

(5) スポーツをしても映画を見ても気が晴れない。/不管搞体育运动，还是看电影，都不开心。

"XてもYても(…ても)Z"的形式是并列举出两个或者两个以上的条件，表示不论在什么情况下结果都是相同的。

c V-ても V-なくても 不管…与否、不论…，不…。

(1) 今回のレポートは出しても出さなくても、成績にはまったく影響ありません。/不管这次交不交小论文，对成绩毫无影响。

(2) 全員が参加してもしなくても、一応人数分の席を確保しておきます。/不管全体参加与否，先按照全体人数搞到相应的数量的座位。

(3) 1日ぐらいなら、食べても食べなくても、体重はたいして変化しない。/一天的话，吃不吃饭，体重没什么变化。

以"…してもしなくても"的形式把具有肯定和否定关系的条件加以并列，表示不论哪种场合，结果都是相同的意思。

d V-ても V-ても …又…。

(1) このズボンは洗っても洗っても汚れが落ちない。/这条裤子洗了又洗，污渍还是没洗掉。

(2) 宿題が多すぎて、やっても

やっても終わらない。/作业太多，多得写也写不完。

(3) 働いても働いても、暮らしは全然楽にならない。/劳作复劳作，生活还是一点也不好过。

用于反复使用同一动词，来强调不管怎么努力也得不到如愿的结果，后续大体上使用否定表达方式，但是也有如下例所示的肯定表达方式。不过这种场合得到的结果含有不希望的否定性的意义。

(例1) 追い払っても追い払ってもついてくる。/赶了又赶，还是跟着不走。

(例2) 雑草は取っても取っても、すぐ生えてくる。/杂草拔了又长，拔了又长。

3 疑问词…ても

"何、どこ、誰、いつ、どう"等疑问词接"ても"表示条件时，其意义是不论什么条件下，结果的事态一定能成立(若是否定形则不成立)。

a いくら…ても　不管怎么…、不管多么…。

(1) いくら華やかな職業でも、つらいことはたくさんある。/不管多么体面的职业，也有很多辛苦。

(2) いくら高い車でも、使わなかったら宝のもちぐされだ。/不管多昂贵的车，不用也是废物。

(3) 給料がいくらよくても、休日のない職場には行きたくない。/不管工资待遇怎么

好，我也不愿意去没有公休日的单位。

(4) いくら騒いでも、ここは森の中の一軒家だから大丈夫だ。/森林中只此一家，怎么闹腾，也没事的。

(5) いくらお金をもらってもこの絵は絶対手放せない。/不管你付多少钱，这幅画我决不出手。

(6) このテープの会話は、いくら聞いてもよくわからない。/这盘录音带上的会话，怎么听也听不懂。

以"いくらXても"来表示动作和状态的频度和程度大的状况，用于不论在多么强大的条件下，结果事态不受其影响都成立的场合。结果与预想、期待相反的情况多，比如例(1)与"既然是体面的职业就尽是快乐的事吧"的预想相反，结果"有很多辛苦"；例(6)与"听了多次录音带会弄懂的吧"的预想相反，结果"还是不懂"。

b どんなに…ても　不管多么…、怎么…。

(1) このコンピューターはどんなに複雑な問題でも解いてしまう。/这种电脑不管多么复杂的题都能解。

(2) どんなにつらくても頑張ろう。/不管多辛苦也要努力坚持。

(3) どんなに熱心に誘われても、彼女はプロの歌手にはなりたくなかった。/不管别人

怎么热心劝她，她也不想当职业歌手。
- （4）どんなに大きい地震がきても、この建物なら大丈夫だ。／不管发生多么大的地震，这种建筑都不会有事的。
- （5）妻は、わたしがどんなに怒っても平気である。／不管我怎么发火，妻子都不在乎。

与上边的a用法相同，"どんなに"可以用"いくら"来替换。使用"いくら"更口语化。

c 疑问词…ても　不管(谁/什么/哪儿)…。
- （1）だれが電話してきても、とりつがないでください。／不管谁打电话来，都别接过来。
- （2）どんな仕事でも、彼は快く引き受けてくれる。／不论什么工作，他都愉快地接受。
- （3）本は、どこで買っても値段が同じだ。／书不论在哪儿买，价钱都一样。
- （4）あの人はいつ見ても美しい。／什么时候看她，她都那么美。
- （5）何をしても、あのショックが忘れられない。／不论干什么，那次打击也忘不了。

表示"不论什么场合都是Y"的意思，即疑问词的部分适合于任何要素，归根结底都能成立(使用否定形时表示不能成立)。

d どうV…ても　不管怎么…也…。
- （1）どう言ってみても、彼の決心を変えさせることはできなかった。／不管你怎么说，也没能改变他的决心
- （2）どう計算してみても、そこへ着くまで10時間はかかる。／不管怎么算，到那儿也要10小时。
- （3）どうがんばっても、前を走っている三人を追い抜くのは無理だと思った。／不管怎么加油，要超过前边跑的三个人还是办不到的。

使用表示意志行为的动词，表示无论怎么干，也达不到预期的结果之意。

e なん＋量词＋V－ても　不管…也…。
- （1）何回聞いても名前が覚えられない。／问了他好几次，也记不住他的名字。
- （2）この論文は何度読み返しても理解できない。／这篇论文反复读过几次也理解不了。
- （3）何回話し合っても、この問題は簡単には解決できないだろう。／不管谈多少次，这个问题也不会那么容易解决吧。
- （4）あの店の料理は何度食べてもあきない。／那家饭馆的菜可好吃了，去吃多少次都不腻。
- （5）あの映画は何回見ても面白い。／那部片子很有意思，不管看多少遍也爱看。

用表示动作的动词，表示多次反复

得到同样的结果。象例(1)～(3)一样,后续与期待相反的结果较多,可是也有象例(4)、(5)一样后续可喜的事态的情况。

4 …ても…ただろう　即使…也…。

(1) たとえ、努力しても合格できなかっただろう。／即使努力也及格不了吧。
(2) 彼は頭がいいので、努力しなくても合格できただろう。／他头脑聪明,不努力也会及格的。
(3) 人をだまして金儲けをするような商売では、たとえ成功しても両親は喜んでくれなかっただろう。／蒙人赚钱的买卖,即使成功,父母也不会高兴吧。

这个句型否定"Xしたら Yしていただろう"的关系,是反事实的条件句。以"XてもYしなかっただあろう"的形式用于假想述说即使反事实的X成立,也不会影响不成立的Y事实。

比如例(1)是否定顺接反事实条件"如果努力能够合格的吧(实际上没有努力没能合格)"的条件关系,表示"实际上没有努力,即使努力,不合格的事实也不会改变吧"的意思。例(2)是否定顺接反事实条件"如果不努力就不能够合格吧(实际上因为进行了努力,能够合格)",表示"实际上进行了努力,即使不努力,能够合格的事实也不会改变吧"的意思。

5 …ても…た　即使…也…。

(1) 雨でも運動会は行われた。／即使下雨也还是举行了运动会。
(2) 頭が痛くてもやすまなかった。／即使头疼,也没有请假。
(3) ドアは強く押しても開かなかった。／即使使劲推,门也没推开。
(4) いくら待っても彼女は現れなかった。／怎么等,她也没出现。
(5) この本は難しすぎて、辞書を引いて読んでも、ほとんど理解できなかった。／这本书太难,查词典读,也几乎没有搞懂。

是"XてもY"的形式,句尾用夕形,表示不论X,还是Y,都是实际上发生的事,比如例(1)是"虽然下了雨运动会也开了"的意思。这时"ても"虽然与"が"、"けれども"、"のに"等意义相似,但是"ても"接在表示动作的动词之后时,含有尽管该动作反复进行,或者进行到极端的程度,也没有得到期待的结果的语气。因此如例(4)所示,伴有"いくら"时,"ても"不能替换为"が"、"けれども"、"のに"。

(误) いくら待った(が／けれども／のに)彼女は現れなかった。

6 V-てもR-きれない　怎么…也(不)…。

(1) 彼の親切に対しては、いくら感謝してもしきれない。／对于他的热心,我怎么感谢也感谢不尽。
(2) 学生時代になぜもっと勉強しておかなかったかと、悔やんでも悔やみきれない。

／学生时代为什么没更努力学习，现在后悔也来不及了。
（3）ここで負けたら、死んでも死にきれない。／要是在这输了，死也不能瞑目啊。

使用同一动词，强调其意义。比如例（1）强调重谢；例（2）强调后悔，是惯用性表达方式。能使用的动词有限。"死んでも死にきれない"是作为"不罢休"和"后悔"的强调表达而使用的。

7 V－てもどうなるものでもない 即使…也无济于事。

（1）いまから抗議してもどうなるものでもない。／现在抗议也没用。
（2）もう一度彼に会ってもどうなるものでもないと彼女は思った。／她想即使再见他一次，也没有多大用。
（3）性格は直らないのだから、あの人に説教してもどうなるものでもない。／性格是变不了的，即使怎么劝他也是无济于事的。

是即使做某事，也解决不了的意思。是含有善罢甘休心情的表达方式。

8 V－たくてもV－れない 想…也…不了。

（1）急に仕事が入って、飲みに行きたくても行けないのだ。／突然有了工作，想去喝酒也去不了。
（2）きらいな先生の前では、泣きたくても泣けない。／在讨厌的老师面前，想哭也哭不出来。
（3）医者に止められているので、甘いものは食べたくても食べられない。／因为医生有禁令，想吃甜的食物也吃不了。

是把"V－たい"的"ても"形式与表示可能的"V－れる"组合起来使用的惯用表达方式。表示"即使想那么做也不能"之意，用于强调因情况不允许而不能，或者辩解的场合。

9 …てもいい →【てもいい】
10 …てもかまわない
　　→【てもかまわない】
11 …てもさしつかえない
　　→【てもさしつかえない】
12 …てもしかたがない
　　→【てもしかたがない】
13 …てもみない
　　→【てみる】5、【てみる】6
14 …てもよろしい
　　→【てもよろしい】

【でも₁】

然而、但是、可是。

（1）友達はプールへ泳ぎに行った。でも、わたしはアルバイトで行けなかった。／朋友去游泳池游泳了，可是我因为打工没能去了。
（2）彼は新しい、いい車をもっている。でもめったに乗らない。／他虽然买了一辆好的新车，可是很少开。
（3）青木さんは、自分勝手な人

だと言われている。でも、私はそうは思わない。／青木被人说成是个非常任性的人，可是我不那么认为。

(4) わたしの姉は貧乏な画家と結婚した。でも、とても幸せそうだ。／我姐姐与穷画家结婚了，但是却过得很幸福。

"でも"用于句首，表示与前述内容相反的事情持续着，是比"しかし"更随便的说法，比较口语化，在文章中不使用。

(误) 友達はアルバイトをやめても、私はやめられなかった。
(正) 友達はアルバイトをやめたが、私はやめられなかった。／我那朋友虽然停止打工了，可是我没能停。

【でも₂】

1 Nでも　即使…也…。

(1) この機械は操作が簡単で、子供でも使えます。／这种机器操作很简单，即使孩子也能使用。
(2) この算数の問題は大人でもむずかしい。／这道算术题即使对大人也很难。
(3) この森は、夏でも涼しい。／在这片森林里，夏天也感到很凉快。

在"XでもY"的形式中，举出一般不可能认为是Y的极端例子X，表示因为连它都是Y，所以其他更应该是Y。

2 N(+助词)でも（用于举例）。

(1) コーヒーでも飲みませんか。／你不喝点咖啡什么的吗？
(2) 待っている間、この雑誌でも見ていてください。／等候时，请您看一看这本杂志。
(3) A：佐々木さん、いませんね。／佐佐木不在啊。
　　B：ああ、昼食にでもでかけたんでしょう。／啊，出去吃午饭了吧。
(4) 山下さんにでも聞いてみたらどう？／问问山下怎么样？
(5) A：先生のお宅へ行く時、何か持っていきましょうか。／去老师家,带点儿什么去啊？
　　B：そうですね。ワインでも買って行きましょう。／是啊，买瓶葡萄酒拿去吧。
(6) この夏は、山にでも登ってみたい。／今年夏天,想登登山。
(7) 病気にでもなったら困るから、日頃運動するようにしている。／要是得了病什么的就不好啦，所以平时都运动运动。
(8) 宿題のレポートは、図書館ででも調べてみることにした。／作业要写的小论文，我决定去图书馆查查看。
(9) 避暑にでも行ったら元気に

なるかもしれない。/去避暑也许会精神振作起来。

(10) こんな忙しいときに客でも来たら大変なことになる。/这么忙的时候，要再来客人那就糟了。

(11) 寒いからなべものでもしたらどうでしょうか。/挺冷的，吃点火锅什么的好吗？

　　用于虽然包含有其他选择仍举出一例的场合。根据上下文实际上委婉指出该事物的情况居多。

　　比如例(1)指出咖啡之外的饮品；例(2)具体指出的是"正看这本杂志"；例(9)～(11)用"でも"举例，假定"如果那么做的话"，实际上想说的是"如果去避暑的话"等，即很多句子所要表达是不含"でも"时该句所要表示的意思。在整体表达委婉的句子上也常用"でも"。

3 疑问词(＋助词)＋でも　不论…。

(1) この会は誰でも自由に参加できます。/这个会不论谁都可以自由参加。

(2) 上官の命令なら、どこにでも行かなければならない。/如果是长官的命令，不论哪里都得去。

(3) 彼に聞けば、どんなことでも教えてくれる。/如果去问他，不论什么都会告诉我们的。

　　这个句型是"どんな…もすべて"之意。即表示全面肯定的意思。

4 R-でもしたら　如果…就…。

(1) 放っておいたら病気が悪くなりでもしたらどうするんですか。/放任不管，病情恶化了怎么办呢？

(2) そんな大金、落としでもしたら大変だから、銀行に入れたほうがいいですよ。/那么一大笔钱，丢了就糟了，还是存入银行好。

(3) そんなにいうならこのカメラ、貸してあげるけど、気をつけてよ、こわしでもしたら承知しないから。/你要那么说的话，我借给你这个照相机，你可得仔细用，要是弄坏了什么的可不饶你。

(4) こどものころ、妹を泣かしでもしたら、いつも一番上の兄に怒られた。/小时候，我要是弄哭了妹妹的话，总是挨大哥骂。

　　接动词的连用形后，表示万一如此之意，多用于举出万一发生事故，万一生病就犯难的事例，以提醒注意的场合。

5 V-てでも　→【てでも】

6 N／Na　でも　→【ても】、【てもいい】4、【てもかまわない】3、【てもよろしい】

【でもあり、でもある】

　　既是…也是…。

[N でもありN でもある]
[Na でもありNa でもある]
[A くもありA くもある]

(1) 彼はこの会社の創始者でもあり、今の社長でもある。/他既是这家公司的创立者,

也是现任的总经理。
(2) 娘の結婚はうれしくもあり、さみしくもある。／对于女儿结婚，我既感到高兴又感到寂寞。

表示X事情Y事情同时成立之意。

【でもあるまいし】

→【まい】3b

【てもいい】

1 V-てもいい＜許可＞ 可以、也行。

(1) A：入ってもいいですか。／可以进去吗？
    B：どうぞ。／请进。
(2) A：すみません、ここに座ってもいいですか。／对不起，坐在这儿可以吗？
    B：あの、連れがいるんですけど…。／可我有一个一起来的同伴。
(3) A：この服、ちょっと着てみてもいいですか。／我试试这件衣服行吗？
    B：はい、どうぞ。／唉，你试吧。
(4) あそこは、夕方8時から朝6時までは駐車してもいいらしい。／那里晚八点到第二天早六点似乎可以停车。
(5) A：あしたは何時に来ればいいでしょうか。／明天几点来好啊？
    B：10時ぐらいに来てくれますか。／10点能来吗？
    A：あの、ちょっと遅れてもいいですか。／稍微晚点行吗？
(6) A：すみませんが、ここで写真をとってもいいですか。／对不起，能在这儿照相吗?
    B：申し訳ありませんが、ここでは撮影禁止になっております。／对不起，这儿禁止拍照。
(7) この部屋のものは何でも自由に使って(も)いいと言われました。／说是这个房间里的东西什么都可以随便用。
(8) 母は、将来は、わたしの好きなようにして(も)いいと言った。／妈妈说将来我可以按照自己意愿去做。
(9) 明日は特に用もないから、別に来なくてもいいですよ。／明天没有什么事，你不用来也可以啊。
(10) 飲めないのなら無理に飲まなくてもいいよ。／不能喝，就别勉强喝了。

表示许可和允许，在会话里用于许可或请求许可的场合。也说"V-てもよい"。另外"V-てもかまわない"大体与本句型同义。也使用"V-ていい"的形式。

在决定约会时间的场合，使用"何時

に来てもいいですか"的说法是错误的、而应改用"何时に来たらいいですか"、"何时に来ればいいですか"。

如例(9)、(10)所示"…なくてもいい"的形式是"没有…必要"的意思。

2 V-てもいい＜可能性＞　也可、也行、也成。

（1）ワインのかわりに、しょうゆで味をつけてもいい。／用酱油代替葡萄酒调味也成。
（2）そのときすぐ断ってもよかったのだが、失礼だと思ったので、そうしなかったのだ。／当时我马上拒绝也可以，但是考虑到不礼貌，所以我没有那么做。
（3）滞在をもうすこし延ばしてもよかったのだが、切符が取れたので、予定どおり帰ってきた。／再多住几日也是可以的，因为搞到了票，所以就按计划回来了。
（4）就職の時、東京の会社を選んでもよかったのだが、最終的には郷里に帰るほうを取ったのだ。／当初就职时，选择东京的公司也是可以的，但是，最后我还是选择了回乡。
（5）タクシーで行ってもよかったのだが、車で送ってくれるというので、乗せてもらった。／本来坐出租车去也是可以的，说是有车送我，我就坐他们的车了。

表示还有其他的选择余地和可能性。在这个意义上不怎么用"ていい"的说法。用"てもよかった"的过去形式时，表示"虽有选择的余地，但没有那么做"的意思。

3 V-てもいい＜提议＞　也成、也好。

（1）A：わたしは、月曜日はちょっと家を出られないんですが。／我星期一有点事儿离不开家。
　　B：じゃあ、わたしがお宅へ伺ってもいいですよ。／那我去你家好了。
　　A：それじゃ、そうしてください。／那,你来吧。
（2）A：彼がいないので、この仕事が進まないんだ。／他不在,这项工作进行不下去呀。
　　B：ぼくが引き受けてもいいよ。／我接过来也成啊。

用于说话人自发地提出做某事，一般用于该事是对对方有利的。

4 …てもいい＜让步＞　也成、也行。
[N／Na でもいい]
[A-くてもいい]
（1）印鑑がなければ、サインでもいいですよ。／没带图章的话，签字也可以。
（2）給料がよければ、すこしぐらい危険な仕事でもいい。

てもかまわない 371

（1）この集まりにはすこしぐらい遅れてもかまわない。／这次聚会稍来迟点也无妨。
（2）このレポートは英語で書いても、日本語で書いてもかまいません。／这份小论文用英语写用日语写都行。
（3）A：すみません、ここで待っていてもかまいませんか。／对不起，可以在这等个人吗？
　　　B：いいですよ。どうぞ。／可以，请你在那等吧。
（4）今できないのなら、あとでやってもかまいません。／如果现在办不了，一会儿再办也成。
（5）ここでやめてもかまわないが、そうすると、この次、また、始めからやり直さなければならないだろう。／到这停下来也行，那样的话，下次又必须从头开始干吧。
（6）飲めないのなら、無理に飲まなくてもかまいません。／不能喝，就别勉强喝。
（7）ここでは何もしなくてもかまわないから、ゆっくり養生して、元気を取り戻してください。／在这什么都不干也可以，请您好好修养，恢复精神。
（8）A：10分待ちましたよ。／

／工资待遇好的话，哪怕工作稍微有点危险也成。
（3）試合をするのに人数が足りないので、下手でもいいですから、誰か参加者を探してください。／参加比赛的人手不够，技术差点也可以将就，你给找几个参加比赛的吧。
（4）多少不便でもいいから、自然環境のいいところに住みたいと思う。／交通上有点儿不方便也可以，我想住到自然环境好的地方去。
（5）わたしでもよければ、手伝いますよ。／如果你觉得我行，我就帮忙。
（6）この部署には若くてもいいから、しっかりした人を入れたい。／这个部门想增加一个比较踏实的人，哪怕年轻点儿也行。
（7）手紙でも、電話でもいいから、連絡してみてください。／写信也行，打电话也行，请你联系一下。

是让步表达方式。表示虽说不是最佳的，但妥协一下，这样就可以的意思。此外象例(7)在表示几个选择时，表示可能选择的范围，这点与"…てもかまわない(…也无妨)"的用法相同。

【てもかまわない】
1 V-てもかまわない＜許可＞　也

等了10分钟了。
B：すみません、でも先に行ってくれてもかまわなかったのに。／对不起，不过你也可以先走啊。

表示许可和允许，在会话中用于给予对方许可，或者求得许可。可以换成"…てもいい"的说法。如例（6）、（7）使用"…なくてもかまわない"即"没有必要做…"之意。

2 V-てもかまわない＜可能性＞
…也可、…也行、…也可以。
（1）タクシーで行ってもかまわなかったのだが、車で送ってくれるというので、乗せてもらった。／本来坐出租车去也是可以的，说是用车送我，我就坐他们的车了。
（2）お金は十分あったので、高いホテルにとまってもかまわなかったのだが、そうはしなかった。／钱是够的，即使住高级旅馆也是可以的，可我没那么做。

多用"てもかまわなかった"的形式，表示有其他的选择可能性，实际上多暗示没那么做。这个句型可以用"てもよかった"来代替。

3 …てもかまわない＜让步＞　也行、也行、也可以。
[N/Na でもかまわない]
[A-くてもかまわない]
（1）何か上着のようなものを貸してください。大きくてもかまいません。／请借我一件上衣什么的，大一点也不要紧。
（2）A：このスープはまだ十分温まっていませんよ。／这汤还不十分热啊。
B：ぬるくてもかまいません。／温乎的也行。
（3）テレビは、映りさえすれば古くてもかまわない。／电视只要能放出影儿来，旧点儿也成啊。
（4）静かなアパートを探している。静かな場所なら、多少不便でもかまわない。／正在找安静的住处。如果安静的话，稍微有点不方便也没关系。
（5）意味が通じるのなら、表現は多少不自然でもかまわない。／意思通的话，表达稍不自然也无妨。
（6）だれでもかまわないから、わたしの仕事を代わってほしい。／谁都行，真想找人代替我的工作。
（7）手紙は手書きでも、ワープロ書きでもかまわない。／书信，不论手写还是文字处理机打的都行。
（8）誰か一人呼んでください。吉田さんでも、小山さんでもかまいません。／叫个人来，吉田，小山都行。
（9）A：何時頃お電話をすればいいですか。／几点给

您打电话好啊？
B：朝でも晩でもかまいませんから。なるべく早く結果を知らせてください。／早晨晚上都成，请您尽快通知我结果。

表示让步。"虽说不是最佳的，但妥协一下，这样就可以"的意思。此外像例（9）在表示几个选择时，表示可能选择的范围。这点可以用"…てもいい"来替换。

【てもさしつかえない】

即使…也无妨。
[N／Na　でもさしつかえない]
[A-くてもさしつかえない]
[V-てもさしつかえない]

（1）無理をしなければ運動をしてもさしつかえありません。／如果不勉强的话，即使运动运动也无妨。

（2）ひとりかふたりのお客さまなら、人数を変更なさってもさしつかえありません。／即使人数有所变动，增加一、两个客人的话也无妨。

（3）この書類ははんこがなくてもさしつかえない。／这份文件不盖图章也行。

（4）最終的に決定するのに、全員の意見が聞けなくてもさしつかえはないと思う。／我看在作最后决定的时候，不听全体人员的意见也没关系。

这是让步表达方式。"…てもさしつかえない"、"…なくてもさしつかえない"都可以用。表示以"…ても"所提示的条件可以，无妨的意思。也可以说"さしつかえはない"，意义接近"てもいい"、"てもかまわない"，可是比起这二者，"…てもさしつかえない"一般用于正式场合。

【てもしかたがない】

即使…也无可奈何、既使…也只能如此。
[N／Na　でもしかたがない]
[A-くてもしかたがない]
[V-てもしかたがない]

（1）このレポートでは、やりなおしを命じられても仕方がない。／这份报告即使被命令重写，那也只好听命了。

（2）あんないいかげんな練習では、一回戦で負けてもしかたがない。／那么不认真练习，第一场就输也只能认了。

（3）あんなに雪が降っては、時間通りに着けなくてもしかたがない。／下这么大雪，不能按时到达也没辙了。

（4）これだけたくさんの人がいては、彼女がみつけられなくても仕方がない。／这儿人太多，找不到她也没办法。

（5）チームの選手にけが人が多かったから、今回は最下位でもしかたがない。／本队的队员受伤的人多，这次比

赛结果是最后一名也无可奈何。

(6) 買い物に行く暇がないから、今夜のパーティーは古い服でもしかたがない。／没有时间去购物，今晚的宴会只好穿旧衣服去。

(7) このところ雨ばかりだから、ビアガーデンのお客が少なくてもしかたがない。／最近老下雨，露天啤酒屋的客人少也无可奈何。

(8) この辺は便利だから、マンションの値段が高くても仕方がない。／这附近很方便，所以公寓价高点儿也只能接受。

"…てもしかたがない"、"…なくてもしかたがない"二者都常用，虽然是遗憾或不满的状况，但表示不得不接受。用"…ては"时，多表示产生其状况的原因和理由。

【でもって】

1 Nでもって　用、以。

(1) 行為でもって誠意を示しなさい。／请你要用行动表示出诚意来。

(2) 言葉は信じられない。行動でもって示してください。／光说让人难相信，请拿出行动来。

(3) お金でもって、始末しようという彼の態度が気に入らない。／他这种用钱来搞定的

态度叫人不满意。

表示手段和方法，多用于口语中。

2 でもって　而且、然后。

(1) 彼女は美人である。でもってスポーツ万能ときている。／她是个美人，而且是体育运动样样通。

(2) A：山田さんは、怒って部屋を飛び出していったの。みんな、びっくりよ。／山田生气跑出房间，大家都大吃一惊。

  B：でもって、それから、どうなったの。／那，后来怎么啦？

用在补充谈话内容，并使谈话继续发展下去的时候，意同"そのうえ(而且)"、"それで(于是)"，多用在随便的会话中。

【でもない】

1 Ｖでもない　也不…。

(1) 彼は反論するでもなく、ただぼんやりたばこをすっている。／他也不反驳，只是闷闷呆呆地吸着烟。

(2) 角のところにぼんやり人影が現れた。しかし、こちらへ歩いてくるでもない。／街头有人影晃动，可也不是往这边走来。

(3) 彼女はそんなきびしい批評をされても、しょんぼりするでもなく、いつものように淡々としていた。／她虽

然受到那样严厉的批评，也没有气馁，和往常一样泰然处之。

（4）彼はプレゼントをもらっても、喜ぶでもなく、何かほかのことを考えている様子だ。／他得了礼物也没高兴，那样子好象是在想别的什么。

表示一种不怎么清楚的态度和状况。根据其上下文，预想某种反应。而又是不明确的，表示整体上是朦胧状态的样子。

2 まんざら…でもない →【まんざら】

【てもみない】
→【てみる】5

【てもよろしい】
1 V-てもよろしい
a V-てもよろしい＜許可＞ 也行、也可以。

（1）A：君たち、きょうは、もう帰ってもよろしい。／你们今天可以回去了。
B：はい、社長。／是，总经理。

（2）A：いやなら、おやめになってもよろしいですよ。／要是不愿意去，可以不去。
B：いいえ、まいります。／不，我去。

（3）A：書類はここでご覧になってもよろしいですよ。／文件，可以在这儿看。
B：ありがとうございます。／谢谢。

用于给予许可。使用简体，带有某种权威性的语气。然而敬体的"よろしいです"是表示很恭敬的说法。

给予许可的行为，一般是发自有那种权限的人。为此，身分地位低者对身分地位高于自己的人使用这种说法是不礼貌的。

b V-てもよろしいですか 可以吗？行吗？
V-てもよろしいでしょうか

（1）A：先生、お聞きしたいことがあるんですが、すこしお時間をいただいてもよろしいでしょうか。／老师，想请教点事，能给我点时间吗？
B：いいですよ。／行啊。

（2）A：先生、これを見せていただいてもよろしいですか。／老师，能让我看看这个吗？
B：ええ、どうぞ。／唉，看吧。

（3）A：必要書類は明日お届けにあがってもよろしいでしょうか。／需要的文件，明天我给您送去行吗？
B：結構です。よろしく。／行，明天送来吧。

（4） 社長、では10時ごろ、お迎えに参ってもよろしいでしょうか。／总经理,那十点左右来接您可以吗?
（5） お客様、お部屋を掃除させていただいてもよろしいでしょうか。／客人,我可以打扫房间吗?

是一种非常客气地求得许可的表达方式,用于身分地位高于自己的人。句中的其他部分多用敬语。"でしょうか"比"ですか"客气。所以这是比"てもいいですか"更客气的说法。

2 てもよろしい＜可能性＞ 行、可以。

（1） A：ネクタイピンはこちらをおつけになってもよろしいですね。／领带夹,我看您戴这个也挺好。
　　 B：そうですね。／是啊。
（2） 《料理の番組》これは、キャベツをお使いになってもよろしいと思います。／《烹调节目》我看这用圆白菜也可以。

表示有选择别物的可能性,与"てもいい"相比,是一种比较恭敬的说法。

3 …てもよろしい＜让步＞ 也行、也可。

[N／Na でもよろしい]
[A-くてもよろしい]

（1） 面会はあしたでもよろしい。／见面,明天也行吧。
（2） これ、自宅まで届けていただけますか。来週でもよろしいんですけど。／这能给我送到家去吗?下周也行。
（3） 酒さえあれば、食べ物はなくてもよろしい。／只要有酒,没吃的也行。
（4） 応募したいんですが、経験が不充分でもよろしいですか。／我想应聘,没什么经验也行吗?

表示让步。是"虽说不是最佳的,但是妥协一下就可以"之意。在会话中也用来表示给予许可,求得许可的意义。在对方在场时使用简体有权威性。使用敬体"よろしいです"时,表示恭敬之意。

【てもらう】

1 V-てもらう 让、请。

（1） 私はタイ人の友達にタイ料理を教えてもらった。／我请泰国朋友教我学做了泰国菜。
（2） 山本さんに香港映画のビデオを貸してもらった。／向山本借了香港电影的录相带。
（3） 今年の冬は、ホストファミリーにスキーに連れて行ってもらいました。／今年冬天请我寄宿在那家的家人带我去滑雪了。
（4） みんなに1000円ずつ出してもらって、お祝いの花束を買った。／让每个人拿出

(5) いろいろと準備してもらったのに、中止になってしまって申しわけありません。／让大家准备了半天，可又取消了，真对不起。

(6) プリントが足りなかったら、隣の人に見せてもらってください。／讲义不够的话，请看旁边人的。

是表达某人为说话人（或者说话人一方的人）做某行为的表达方式。说话人在委托别人进行行为时多使用"V-てもらう"的句型，对方主动进行行为时，一般以那个人为主语，使用"V-てくれる"的句型。

象"教えてもらう（请教）"、"貸してもらう（请求借给）"、"送ってもらう（请求送给）"等表示物体和知识由对方向说话人一方移动、传达时，使用"…からV-てもらう"的形式，说成"友だちからタイ料理の作り方を教えてもらった／向朋友请教学习了做泰国菜的方法。"

2 V-てもらえるか 能…吗。
V-てもらえないか

(1) A：ちょっとドア、閉めてもらえる？／能给关一下门吗？
    B：いいよ。／好的。

(2) 買い物のついでに郵便局によってもらえるかな。／你去买东西时，能顺便去趟邮局吗？

(3) ちょっとペン貸してもらえますか。／能借我支笔用用吗？

(4) A：ねえ、わるいけどちょっと1000円貸してもらえない？／喂，不好意思。能借给我1000日元吗？
    B：いいよ。／行啊。

(5) すみません、ここは子供の遊び場なんですけど、ゴルフの練習はやめてもらえませんか。／对不起，这里是儿童游乐场，别在这儿练高尔夫好吗？

(6) ここは公共の場なんですから、タバコは遠慮してもらえませんか。／这里是公共场所，别吸烟好吗？

使用"もらう"的可能形，用于为了说话人（或说话人一方的人）请求别人进行某行为时。简体用于身分、地位低于自己，而且是比较亲密的人。敬体使用面广，对于各种各样的人都可以使用，如例(5)、(6)一样也用于提醒别人的场合。

要进行比较礼貌的请求时，使用"V-てもらえないでしょうか"、"V-ていただけませんか"、"V-ていただけないでしょうか"等表达方式。

3 V-てもらえるとありがたい 如…我很感谢。
V-てもらえるとうれしい

(1) A：今度の日曜日、もし時間があったら、引越しの手伝いに来てもらえるとありがたいんですけど。／这个星期天如有时间，能帮我搬家可就感谢不尽了。

B：あ、いいですよ。／唉，可以。
(2) 私が買い物から帰ってくるまでに掃除しておいてもらえるとうれしいんだけど。／我买东西回来前，如能给打扫一下那我可太高兴了。
(3) 約束の時間をもうすこし遅くしてもらえると、助かるんだが。／约会的时间稍微往后推迟一会儿就帮我大忙了。

"V-てもらえると"其后接"ありがたい(感谢)"、"うれしい(高兴)"、"助かる(帮忙)"等词表示礼貌的请求，句尾不结句，并且多以"けど"、"が"等结尾。

4 V-てやってもらえるか 能…吗。

V-てやってもらえないか

(1) わるいけど、ちょっと太郎の宿題を見てやってもらえる？／不好意思，能给太郎看看作业吗？
(2) 彼女、人間関係でかなり落ち込んでるみたいなんだけど、それとなく一度話を聞いてみてやってもらえる？／她好像因为人际关系没处好，相当消沉，你能比较婉转地和她谈一次吗？
(3) うちの娘に英語を教えてやってもらえないかしら。／你能不能教我女儿英语啊？

用于请求别人为属于说话人一方做某个行为的场合。

【てやまない】

…不已。

[V-てやまない]

(1) 愛してやまないアルプスの山々は今日もきれいだ。／人们爱慕不已的阿尔卑斯山今天还是那么美丽。
(2) 彼女は、女優をしていた間、ずっとその役にあこがれてやまなかった。／她当女演员时，一直对那个角色向往得很。
(3) 今井氏は一生そのことを後悔してやまなかった。／今井一生为那事后悔不已。
(4) あの方はわたしの父が生涯尊敬してやまなかった方です。／那位是家父终生无比尊敬的先生。

前接表示感情的动词，表示那种感情一直持续着。也用于表达否定性的感情。在小说或文章中广为使用，会话中不大使用。

【てやる】

给…(做…)。

[V-てやる]

(1) 子供に新しい自転車を買ってやったら、翌日盗まれてしまった。／给孩子买了辆新自行车，第二天就被盗走了。
(2) 東京の弟に、今年もふるさとの名物を送ってやった。

／今年又给住在东京的弟弟寄了点家乡的特产。
（3）犬を広い公園で放してやったら、うれしそうに走り回っていた。／在公园把狗放开，狗快活地绕圈跑。
（4）A：荷物、重かったら持ってやるよ。／行李重的话，我给你拿吧。
B：あ、いい、大丈夫。／啊，我能拿，没事。
（5）こんな給料の安い会社、いつでも辞めてやる。／工资这么低的公司，随时都想给辞了。
（6）A：あんたなんか死ねばいいのよ。／你死了算了。
B：そんなに言うんなら、ほんとに死んでやる。／你要那么说，我真死给你看看。

表示说话人（或说话人一方的人）为身分地位低于自己的人或者动物进行某个行为。如例（5）、（6），是一种生气的表达方式，也可用于故意做对方所讨厌的事情时。如果对方和说话人是对等关系的人，使用"V-てあげる"。

【てん】

1…てん　在…点上、在…方面。
[Nのてん]
[Na なてん]
[A-いてん]
[V てん]

（1）兄より弟のほうが行動力の点でまさっている。／在活动能力方面哥哥不如弟弟能干。
（2）あたらしい車の方が、燃費の点で安上がりだ。／新车在燃料费方面便宜。
（3）値段の点では、A電気のもののほうが安いが、性能の点では、B電気のほうがよくできている。／在价格上A电气公司的货便宜，在性能上B电气公司的货好。
（4）この種類の犬は性格のやさしい点が好まれている。／这种狗性格温和，让人喜欢。
（5）この小説は、現代の世相をよくとらえている点で評価が高い。／这部小说在准确地把握当代社会现实方面受到很高的评价。
（6）経験がある点で、彼のほうがこの仕事には向いている。／从有经验这一点看，他很适合做这项工作。
（7）若い社員がたくさん活躍している点で、この会社はおもしろそうだ。／从有许多年轻职员积极努力工作这一点来看，这家公司似乎很有生气。
（8）この点でみんなの意見が分かれた。／在这点上，大家的意见产生了分歧。

从某事的特性之中，特举出其一加以说明。

2 …というてん 在…点上、在…方面。
[Nというてん]
[Naだというてん]
[A-いというてん]
[Vというてん]

（1）彼の設計は創造性という点で高く評価された。／他的设计在创造性这点上受到高度评价。

（2）この会社は、給料はいいが、労働条件がきびしいという点が気になる。／这家公司虽然工资待遇好，可是在工作条件苛刻这一点上让人担心。

（3）この犬は、性格が優しいという点で、人気がある。／这只狗在性格温顺这点上讨人喜欢。

（4）この計画は人がたくさん必要だという点で問題がある。／这项计划在需要很多人这一点上有问题。

（5）経験があるという点で、彼のほうがこの仕事に向いている。／在有经验这点上他更适合这项工作。

和1的用法相同，只不过形式上加上了"という"。使用名词时也可以加上"という"，更多用于短句。

接动词和形容词时，可以不用"という"；而名词、形容词作为谓语时，即"…だ"时，则必须介入"という"。

【と₁】

[N／Na　だと]
[A-いと]
[V-ると]

前接动词的词典形。虽然一般接简体形式，但是在礼貌表达时，也用"…ですと"、"…ますと"的形式。表示一种以前边的事为转机后边的事才成立的关系。

1 …と＜一般条件＞　一…就…。

（1）あまり生活が便利だと、人は不精になる。／生活太方便，人就懒了。

（2）気温が低いと桜はなかなか咲かない。／气温一低，樱花就老不开。

（3）酒を飲むと顔が赤くなる。／一喝酒，脸就红。

（4）春が来ると花が咲く。／春天到，百花开。

（5）水は100度になると沸騰する。／水到100度就沸腾。

（6）気温が急に下がると霧が発生する。／气温突然下降，就会起雾。

（7）だれでも年をとると昔がなつかしくなるものだ。／谁到老了都会怀念过去的。

（8）生活が安定すると退屈になるし、不安定すぎるとストレスがたまる。／生活一稳定就会无聊，生活太不稳定又会积聚疲劳。

(9) 月にかさがかかると翌日が雨になる。／月晕明日雨。
(10) 来年のことを言うと鬼が笑う。／说到明年的事，鬼都会笑你的(比喻将来之事不可预料)。
(11) 夜爪を切ると親の死に目に会えない。／晚上剪指甲，父母死时不在家。

陈述人和事的一般条件关系，而不是特定的人和物。表示"X成立时Y必定成立"之意。句尾一般采取词典形，不取夕形和推量形。如例(7)所示．也有后半接上表示本来具有那种性质的"ものだ"的情况。

多表示前项的事情一发生，后项的事情接着自动地、自然而然地发生的这样一种关系，常用于叙述自然法则。例(10)、(11)是谚语。

2 …と＜反复・习惯＞

表示特定的人或物的习惯和动作的反复，常伴有"必ず(一定)"、"いつも(经常)"、"毎年(每年)"、"よく(常常)"等表示习惯和反复的副词。与表示＜一般条件＞用法1不同，这种用法是就特定的主语的陈述。句尾用词典形和夕形均可。

a …と…る　一…就…。

(1) おじいさんは、天気がいいと裏山に散歩にでかける。／天气一好，爷爷就去后山散步。
(2) 兄は、冬になると毎年スキーに行く。／每年一到冬天，哥哥就去滑雪。
(3) 隣の犬は、私の顔を見るといつもほえる。／邻居的狗一见到我叫。
(4) 私は、面白いコマーシャルを見るとすぐその製品を買いたくなるくせがある。／我有个毛病，一看到有趣的广告，就想买那种产品。
(5) お酒を飲むと、いつも頭がいたくなる。／一喝酒总头疼。
(6) ワープロを2時間たたくと、肩がこる。／打2小时文字处理机，肩就酸。
(7) 彼女は、ストレスがたまるとむやみに食べたくなるのだそうだ。／据说她积劳一多，就想胡吃乱喝。
(8) 僕がデートに遅れると、彼女は必ず不機嫌になる。／我约会一迟到，她就不高兴。
(9) 彼は給料が入ると飲みに行く。／他一发工资，就去喝酒。

表示特定的人或物现在的习惯和动作的反复，句尾谓语可用词典形。

b …と…た(ものだ)　一…就…。

(1) 子供のころ、天気がいいと、この辺を祖母とよく散歩をしたものだ。／小时候，一遇到好天气，就和祖母在这一带散步。
(2) 日曜日に一家で買い物に出ると、必ずデパートの食堂でお昼を食べた。／那时星期天，一全家出动买东西，必

定在百货店的餐厅吃午饭。
(3) 祖母のところに行くと、必ずおこづかいをもらったものだ。／那时一到奶奶那儿去，一定能得到零用钱。
(4) 学生のころは、試験が始まると胃が痛くなったものだ。／学生时代，一到考试我就胃疼。
(5) 北海道のおじさんが遊びに来ると、娘たちはいつも大喜びをした。／北海道的叔叔一来玩儿，女儿们总是高兴得很。
(6) あのころは一日働くと、一ヵ月遊んで暮らせたものだ。／那时干上一天够悠闲地生活一个月。

句尾可用タ形，表示特定的人或物的过去的习惯和动作，多伴有表示回想的"たものだ"。

3…と＜假定条件＞
a…と＋未实现的事情　如果…就…。

(1) ここをまっすぐ行くと、右手に大きな建物が見えます。／从这儿一直走，能看见右手有栋大楼。
(2) このボタンを押すとドアは開きます。／如果摁这个电钮门就会开。
(3) この小説を読むと世界観が変わるかもしれません。／如果读了这本小说也许世界观会改变。
(4) 雨天だと明日の試合は中止になります。／如果明天是雨天，就停赛。
(5) これを全部計算すると、総費用はだいたい百万円になります。／如果把这些全部计算一下，总费用大约需要一百万日元。
(6) 動くと撃つぞ。／如果你动，我就开枪。
(7) そんなに食べると太るよ。／那么吃要发胖的呀。
(8) 真面目に勉強しないと卒業できないよ。／不认真学，毕不了业啊。
(9) 生活がこんなに不安定だと落ち着いて研究ができない。／生活这么不安定，就不能安心研究。
(10) こんなにおいしいと、いくらでも食べてしまいそうだ。／这么好吃，有多少都能吃掉。

用于就特定的人或物，叙述"如果X成立时Y就成立"。Y虽然总表示未实现的事情，但是X既可以表示未实现的事情也可以表示已经实现的事情。

例(1)～(6)X为未实现的情况，例(7)～(10)X为已经实现的情况。例(6)为用手枪指向要动的人加以威胁时，这也可以说成"動いたら撃つぞ"，使用"と"表示前后的动作无间隔几乎同时发生的意思，比起"たら"是更有威胁迫力的表达方式。例(7)、(8)是分别对吃得多的人、不学习的人警告时说的话。

Y的部分可以接陈述事实的表达方

式或者用"だろう"、"かもしれない"等推量表达方式,而不能用命令、请求、劝诱等向对方施加影响的表达方式或者"V—よう"形的意志表达方式。
(误) 雨天だと明日の試合は中止しよう。
(正) 雨天なら明日の試合は中止しよう。／如果是下雨天．明天就停止比赛。

　　"と"用来加强以已经实现或者将来有相当实现可能性的事情为条件意思,因此有难于与表示假定意义的"もし"相接的倾向。
(误) もし雨天だと試合は中止になります。
(正) もし雨天なら試合は中止になります。／如果是下雨天．比赛就停。

b …と＋疑问词…か　如果…会…、如果…能…。

(1) A：お酒を飲むとどうなりますか。／喝了酒会怎么样？
　　B：顔が赤くなります。／脸会红的。
(2) A：51を3で割ると、いくつになりますか。／51被3除,得几？
　　B：17になります。／得17。
(3) A：この道をまっすぐ行くと、どこに出ますか。／这路一直走,到哪儿？
　　B：国道1号線に出ます。／到1号国道。

　　以"…するとどうなるか"的形式,在"と"的后边接续伴有疑问词的疑问句。后边接续"どうなるか(会怎么样)"、"何があるか(有什么)"等表示变化和存在等无意志的动词。如使用"どうするか(怎么办)"即用意志可以控制的动作表达时,不能用于表示习惯和习性以外的情况。
(误) 水は100度になるとどうしますか。
(正) 水は100度になるとどうなりますか。／水到100度会怎么样？

　　"と"大体如同"…するとどうなるか(…做会怎么样)"一样,用于后半有疑问焦点的场合。如果是"どうするとそうなるか(怎么做会那样)"即前半有疑问焦点的句子,则很难使用。在这种情况下不用"と"而用"ば"、"たら"更自然。
(误) どうするとドアは開きますか。
(正) どう{すれば／したら}ドアは開きますか。／怎么做门会开呀？

4 …と…た＜确定条件＞

　　前后都表示已经实现的特定的事。虽然句尾一般用夕形,但在小说等文章中,也用表示历史性现在的词典形。几乎所有的场合,前后都用动词。在故事和小说中虽然常用"と",在会话中则常用"たら"。

a …と…た＜契机＞　一…就…。

(1) 教えられたとおりまっすぐ行くと、つきあたりに郵便局があった。／按照指给我的路一直走,走到头见到有个邮局。
(2) 駅に着くと、友達が迎えに来ていた。／到了车站,朋友已经等在那里。
(3) トンネルを出ると、そこは銀世界だった。／一出隧道,就

（4）お風呂に入っていると、電話がかかってきた。／正在洗澡，有人打来了电话。
（5）街を歩いていると、見知らぬ男が声をかけてきた。／走在大街上，一个陌生男人向我打招呼。
（6）夜になると急に冷え込んできた。／一到晚上突然冷起来了。
（7）午後になるとだいぶ暖かくなった。／到了下午，天气就暖和多了。
（8）ベルを鳴らすと、女の子が出てきた。／一按门铃，就出来了一个小女孩。
（9）仕事をやめるとたちまちお金がなくなった。／工作一停，立刻没钱花了。

表示说话人在前面的事情成立的情况下，重新认识后边的事情，或者以前边的事情为契机，发生了后边的事情的关系。

例（1）、（2）、（3）是前边的动作发生时，说话人发现了后边状况的用法。例（4）、（5）是在前边动作正在发生时新的事情出现的用法。例（6）、（7）前半部表示后续事情成立的时间性状况。例（8）、（9）表示以前边的动作为契机后边的动作发生的关系。

不论哪种场合，后续的事情和前边的事情成立是同一场面，而且必须是说话人能够从外部观察到的事情。下边的例子表示说话人身体的感觉，因为"と"不表示这种关系，所以不能用"と"。取而代之，必须使用"たら"。

（误）昨夜この薬を飲むと、よく効いた。
（正）昨夜この薬を飲んだら、よく効いた。／昨晚吃了这药很见效。

几乎所有的场合前后都使用动词，但如例（3）所示，在表示发现某状况时，后半部也用名词或形容词作谓语。

（例）外に出ると、予想以上に寒かった。／一到外边，没想到很冷。

b …と…た＜连续＞ …后…。

（1）男はめざまし時計を止めると、またベッドへ戻った。／他止住闹钟，又回到床上。
（2）わたしは、東京駅へ着くとその足で会社へ向かった。／我到达东京站后，直接去了公司。
（3）母は受話器を置くと、ためいきをついた。／妈妈放下话筒，叹了一口气。

表示同一行为者，以一个动作为契机，接着做了下一个动作。前后都表示意志性动作。句尾虽然一般使用夕形，但是在电影剧本中，也有如下使用词典形的

（例）（脚本）良雄は、手をふくと、ギターを手に取る。／良雄擦了擦手，拿起吉他。

表示＜连续＞的"と"常用于小说和故事中。这种用法使用"たら"不自然，几乎所有的场合都不能用"たら"去替换"と"。这种用法的"と"可以换为动词的テ形，然而并不是所有的テ形都能变为"と"的。比如テ形能表示三个以上的动作的连续，这时就不能变为"と"。

（误）父は家に帰ると、ご飯を食べると、すぐ布団に入った。

（正） 父は家に帰って、ご飯を食べて、すぐ布団に入った。／父亲回到家吃了饭马上钻进被窝。

这是因为テ形表示同一场面的连续动作，与之相对，"と"是把场面一分为二，是用于从外部描写自第一个场面向第二个场面切换时发生的变化。

5 …とすぐ　——…立刻…、——…立即…。

（1）彼は、うちへ帰るとすぐテレビのスイッチを入れる。／他一回到家立刻打开电视。

（2）放送局は、駅を降りて右へ曲がるとすぐです。／广播电台，下车后向右一拐就是。

（3）うちへ帰るとすぐテレビのスイッチを入れた。／一回到家，马上打开了电视。

（4）彼らは土地の開発許可が降りるとすぐ工事にとりかかった。／土地开发许可一下来，他们立即开工了。

（5）彼女は大学を卒業するとすぐ結婚した。／她大学一毕业马上结婚了。

（6）スポーツをやめるとすぐ太り出した。／一不运动，马上就胖了。

这里表示条件的"と"和副词"すぐ"相结合，表示紧接前边发生的事马上又发生了下一个事。

6 …と＜开场白＞　说到…、…来看、…想一想。

（1）正直に言うと、そのことについてはあまりよく分からないのです。／说实话，关于那件事我不太清楚。

（2）母に言わせると、最近の若者は行儀が悪くなっているようだ。／按妈妈的话说，最近年轻人似乎礼貌很差。

（3）本当のことを申し上げますと手術で助かる見込みは50パーセント以下ではないかと思います。／说真的，我认为手术成功的希望也就不到50％吧。

（4）実用的な点からみると、あまり使いやすい部屋ではない。／从实用的观点来看，这房间不怎么好用。

（5）今となって考えてみると、彼の言うこともももっともだ。／到现在一想，他所说的的确如此。

（6）昨年に比べると、今年は桜の開花がちょっと遅いようだ。／和去年相比，今年的樱花开放稍晚。

接"言う"、"見る"、"考える"、"比べる"等表示发话、思考、比较等动词，是有关后续内容以怎样的观点和立场叙述的开场白。这种用法的"と"，很多可以用"たら"、"ば"、"なら"来替换。

7 …からいうと　→【からいう】1
8 …からすると　→【からする】1
9 …からみると　→【からみる】1
10 …てみると　→【てみる】3
11 …というと　→【というと】
12 …となると　→【となると2】

13…ともなると　→【ともなると】
14…によると　→【によると】
15 V-ようとV-まいと　→【よう2】4

【と₂】

1 数量词＋と＜重复＞　一个又一个。

（1）人々は一人、また一人とやってきた。／人一个又一个地走来了。

（2）星が、一つ、また一つと消えていく。／星星一个又一个地消失了。

（3）白鳥は一羽、また一羽と湖に降り立った。／天鹅一只又一只降落到湖面。

如"一人、また一人"、"一つ、また一つ"一样重复使用数量词，表示事情散发式地重复出现的情况。书面语。

2 数量词＋と＜累加＞　一个、两个地。

（1）人々は一人、二人と集まってきた。／人们一个、两个地聚集过来。

（2）このコンクールも二回、三回と回を重ねるうちに、だんだんよくなってきた。／这种比赛重复两、三次后，渐渐好起来。

（3）二度三度と失敗を繰り返して、ようやく成功にこぎつけた。／失败了几次后终于成功了。

把少的数量和比其多1的数量并起来，表示次数或数量少量地一点点增加的情况。

3 数量词＋とV-ない　不到…。

（1）禁煙しようという彼の決心は三日と続かなかった。／他下决心要戒烟，可坚持了不到三天。

（2）あの人は気が短いから、5分と待っていられない。／那个人没耐性，等不了5分钟。

（3）A：これだけビールを買っておけばだいじょうぶでしょう。／准备了这么多啤酒就够了吧。
　　B：いや、客が多いから1時間ともちませんよ。／不行，客人多，顶不了1个小时。

（4）あんなに宣伝したのに参加者は二十人と集まらなかった。／虽然大力宣传了，参加的还是不到20人。

用表示短的期间和少量的数量词，表示连这一点点都没有满足的意思，后边常伴有否定表达方式。

4 にどとV-ない　→【にどと…ない】

5 拟态词＋と　…地。

（1）彼はゆっくりと立ちあがった。／他慢慢地站起来。

（2）雨がザーッと降ってきた。／大雨哗地下了起来。

（3）雨がぽつり、ぽつりと降り始めた。／雨开始吧嗒吧嗒下起来。

（4）列車はガタンガタンと動き

始めた。／列车咣当咣当开动了。
（5）傷口がずきんずきんと痛む。／伤口丝丝地痛。

接拟态词和拟声词，表示动作和作用进行的状况。有时"と"也可以省略。另如例(3)～(5)所示,重复使用拟声词和拟态词，表示动作和作用反复地一点一点地缓慢开始。

【とあいまって】
与…相结合、与…相融合。
[Nとあいまって]
（1）彼の現代的な建築は背景のすばらしい自然とあいまって、シンプルでやすらぎのある空間を生み出している。／他的现代建筑与优美的自然背景相融合，产生出富于朴素而优闲的空间。
（2）その映画は、弦楽器の音色が美しい映像と相まって、見る人を感動させずにはおかないすばらしい作品となっている。／那部电影,优美的弦乐声与漂亮的画面融为一体，成为使观众不能不感动的优秀作品。
（3）彼の独創性が彼女の伝統美と相まって、彼らの作る家具はオリジナリティあふれたものとなっている。／在他的独创性和她的传统美相结合下，他们制作的家具充满了创造性。

接名词，表示"它和其他因素相互作用"、"那种性质和其他因素的性质一起作用"之意。是书面性语言。

【とあって】
1 …とあって　因为。
[Nとあって]
[Vとあって]
（1）今日は三連休とあって、全国の行楽地は家族連れの観光客で賑わいました。／今天开始连休三天，全国的游乐场所挤满了带家属的游客。
（2）一年に一回のお祭りとあって、村の人はみんな神社へ集まっていた。／一年一度的节日，村里的人都集聚到神社来了。
（3）めったに聞けない彼の生演奏とあって、狭いクラブは満員になった。／因很少能听到他现场演奏，所以狭窄的俱乐部挤得满满的。
（4）大型の台風が接近しているとあって、どの家も対策におおわらわだ。／因有强台风来临，不论哪家都紧张地采取对策。
（5）名画が無料で見られるとあって、席ははやばやと埋まってしまった。／因能免费看著名大片，所以座位很快被占满了。

表示"因为是…状况"的意思。用于特别状况的场合，后续有在那种状况下,

当然发生的事情或者应该采取行动的含意。书面语。常用在新闻报道中。

2 …とあっては　如果是…、要是…。

（1）伊藤さんの頼みとあっては、断れない。／如果是佐藤求我，拒绝不了。

（2）彼が講演するとあっては、何とかして聞きに行かねばならない。／要是他演讲，我必须想办法去听。

（3）高価なじゅうたんが定価の一割で買えるとあっては、店が混雑しないはずがありません。／要是昂贵的地毯按定价的一折卖，店铺不可能不乱。

（4）最新のコンピューター機器がすべて展示されるとあっては、コンピューターマニアの彼が行かないわけがない。／如果是最新的电脑都展出来，身为电脑迷的他不可能不去。

表示"如果是…的状况"的意思。用于特别状况的场合，后边叙述在那种状况下当然发生的事情或者应该采取的行动。比如例（1）是伊藤对自己是重要的人物，当然不能拒绝的意思。虽然用法稍微有些生硬，但在口语中也可使用。

【とあれば】

如果…。

[Nとあれば]

（1）あなたの命令とあれば、どんなところにでも参ります。／这如果是您的命令不论什么地方我都去。

（2）お急ぎとあれば、直ぐお届けいたします。／如果急的话，马上就给您送去。

表示"如果实际情况、状况是这样的话"的意思。虽然可以转换为"なら"、"ならば"的说法，但是相比之下这种说法更为正式。

【といい】

[N／Na　だといい]

[A-いといい]

[V-るといい]

1 V-るといい＜劝说＞　还是…好。

（1）この株は今買うといいですよ。／这种股票现在买上算。

（2）分からないときは、この辞書を使うといい。／不懂时，使用这本词典查找很方便。

（3）旅行には、小さいドライヤーを持っていくといい。／旅行时，带个小吹风机好。

（4）疲れたようだね。仕事は急がなくてもいいから、ソファで少し寝るといい。／你似乎累啦，工作不用急着干，在沙发上躺会儿吧。

（5）私を疑いたければ存分に疑うといい。／你想怀疑我的话，那就尽管去怀疑吧。

前接动词的词典形，表示劝别人进行那种行为之意。根据上下文有如例（5）一样，表示"按你喜欢的去做"的放任

之意。一般不使用"ないといい"的表达方式来劝别人别那么做，这种场合使用"V-ないほうがいい"的句型。

(误) 今買わないといい。
(正) 今買わないほうがといい。／现在不买的好！

类似的表达方式有"たらいい"、"ばいい"。"といい"用于"一般那么做妥当"的劝说。如果是询问应该如何做的疑问表达方式时，不用"といい"，而使用"たらいい"、"ばいい"。但是其回答不仅可以使用"たらいい"、"ばいい"也可以使用"といい"，这时，"たらいい"、"ばいい"表示为了得到特定的结果"那样就足以了"之意，与此相对应，"といい"则表示"那样一般是比较合适的"之意。

(误) うまくいかない時はどうするといいですか。
(正) A：うまくいかない時はどう{したら／すれば}いいですか。／不顺利时怎么办好呢？
　　　B：山本さんに{聞いたら／聞ければ／聞くと}いいですよ。／问山本好啦！

2 …といい＜愿望＞　…多好啊、就好啦。

(1) 生まれてくる子供が、女の子だといいなあ。／生的孩子是女孩该多好啊。
(2) 学生がもっと積極的だといいのだが。／学生更积极些就好啦，可是…。
(3) 勉強部屋がもっと広いといいのになあ。／学习房间再大点多好啊，可是…。
(4) 旅行の間、晴天が続くといい。／旅行期间一直晴天就好啦。
(5) 彼が時間に間に合うといいんだけど。／他能赶上时间就好啦，可是…。
(6) みんながこのことを忘れていないといいが。／但愿大家没忘这件事就好啦。
(7) 学生の自発的な活動が今後も継続されるといい。／学生自发的活动今后能继续下去就好啦。

表示希望变为那样的愿望。句尾常伴有"が／けど／のに／(のに)なあ"。伴有"が／けど／のに"时，含有"也许实现不了"的不安，然而现状与希望的状态不同等含义。这时"といい"与"たらいい"、"ばいい"大体同义，几乎所有场合都能替换。

3 …とよかった（のに）　…多好啊、…就好啦。

(1) A：とても楽しい旅行だったわよ。あなたも来るとよかったのに。／是一次非常愉快的旅行，你要也去了就更好啦。
　　B：行けるとよかったんだけど、急用ができてしまってね。／能去当然好啦，可我有急事来着。
(2) 本当のことを言ってくれるとよかったのに。／你能跟我说真话就好了，可是…。
(3) この部屋、もう少し日当たりがいいとよかったんだが。／

这个房间要是采光再好一点就好了。

在实际上没有发生或者现实与期待相反的场合，表示感到遗憾或者谴责听话人的一种心情，在这种用法上"とよかった"比"ばよかった"、"たらよかった"更常用，句尾多用"のに/のだが/のだけれど"等。对自己的行动一般不使用"のに"。

（误）僕も行けるとよかったのに。
（正）僕も行けるとよかったん{だけど/だが}。／我也能去就好了。

【といい…といい】

不论…还是…、…也好…也好。

[NといいNといい]

（1）社長といい、専務といい、この会社の幹部は古くさい頭の持ち主ばかりだ。／总经理也好，专务理事也好，这个公司的干部尽是些旧脑筋的人。

（2）娘といい、息子といい、遊んでばかりで、全然勉強しようとしない。／不论女儿，还是儿子都是光玩，一点也不想学习。

（3）玄関の絵といい、この部屋の絵といい、時価一千万を超えるものばかりだ。／不论正门挂的画，还是这个房间里挂的画，都是时价超过一千万的名贵之物。

（4）これは、質といい、柄といい、申し分のない着物です。／这套和服，质量也好，花色也好，都是无可挑剔的。

（5）ここは、気候といい、景色といい、休暇を過ごすには、最高の場所だ。／不论气候，还是景色，这里都是休假的最好场所。

（6）あのホテルといい、このレストランといい、観光客からできるだけしぼりとろうとしているのが明白だ。／那家饭店也好，这餐厅也好，显而易见都是要尽量勒索顾客。

用于作为例子而举出的两项。多半指不只这两项，还有其他也如此的含义。用于批评和评价的句子中，表示一种特别的感情（如厌烦的心情、钦佩的心情、断念的心情等等）。

【といいますと】

一提到、一说到。

（1）サファリといいますと、アフリカの大自然が連想されます。／提到游猎远征旅行自然就联想起非洲大自然。

（2）団塊の世代といいますと、1940年代の終わりごろに生まれた世代のことですね。／说到"人口出生高峰的一代"，它是指20世纪40年代末期出生的一代人。

（3）A：この時代は女性の時代ですね。／这个时代是女性时代啊。

B：といいますと、どういうことでしょうか。／你这样说是什么意思？

"といいますと"是"というと"的礼貌说法。

→【というと】

【という₁】

说、叫、听说。

(1) 道子さんはすぐにいくと言いました。／道子说了"马上就去"。
(2) 卒業後は郷里へ帰って教師をしているという。／听说他毕业后回乡当了老师。
(3) あの船の名前はなんといいますか。／那条船叫什么名字呀。

→【いう】

【という₂】

1 NというN＜名字＞ 叫…、称为…、名为…。

(1) これは、プリムラ（prmula）という花です。／这是叫作樱草的花。
(2) 山川登美子という歌人を知っていますか。／您知道叫山川登美子的短歌诗人吗？
(3) 中野さんという人から電話があった。／一个叫中野的人打来了电话。
(4) 飛行機が次に着いたのは、エベスという小さい町だった。／飞机的下一站是一个叫埃柏斯（音译）的小镇。
(5) 「天使の朝」という映画を見たが、友達はだれもその映画の名前を聞いたことがないと言った。／我看了"天使的早晨"这部电影，可是朋友中没有一个人听说过这部电影的名字。

用于"N１というN２"的形式，表示N２的名称。与单纯的"これはプリムラです"相比，使用"という"时，表示说话人或听话人或者双方都对那种花还不大了解的含义。再通俗点的说法，如"プリムラって花"、"エベスって町"那样说成"Nって"的形式。

2 NというN＜重复＞ 所有的、全部的。

(1) 道路という道路は車であふれていた。／所有的路都挤满了车。
(2) 家という家は飾りをいっぱいつけて、独立の喜びをあらわしていた。／所有的家庭都挂满修物，表达着各自的喜悦。
(3) ビルの窓という窓に人の顔がみえた。／能看到大楼的每个窗户里都有人影。
(4) 会場をでてくる選手の顔という顔に満足感がみちあふれていた。／离开会场的所有运动员的脸上都显出心满意足的样子。

使用同一名词表示"所有的N"之

意。用于强调是一切。是书面的文学性的表达方式。

3 …というN＜内容＞ …的…。

（1）　この会社には、仕事は五時までだという規則がある。／这家公司，有个规则那就是工作到五点。

（2）　山田さんは自分では画家だといっているが、本当は会社経営者だといううわさが流れている。／山田说自己是画家，可是实际上人们传说他是经营公司的。

（3）　弟が大学に合格したという知らせを受け取った。／弟弟收到了考上大学的通知。

（4）　彼女の到着が一日遅れるという連絡が入った。／收到了通知，说她晚到一天。

（5）　今度K製薬からでた新製品はよく効くし、それに使いやすいという評判である。／这次对K制药公司推出的新药的评价是既有效又使用方便。

（6）　たばこの煙が体によくないという事実はだれでも知っている。／谁都知道吸烟对身体不好这一事实。

用于叙述N的内容。N可以是与"说话"、"传闻"、"评价"等与发话相关的名词，也可以是表示"规则"、"报导"、"信息"、"事件"等有完整内容的名词。在叙述"工作"、"事件"等事情的内容时，"という"也有被省略的时候。

（例）　三人の高校生が中学校に放火した(という)事件は、近所の人を不安に陥れた。／三个高中生在中学放火的事件使附近的居民陷入不安。

【というか】

1 …というか　说是…呢。

（1）　そんなことをするなんて、ほんとに馬鹿というか、困った人だ。／干那种事，说你真傻吧，叫人拿你没办法。

（2）　この決断は、勇気があるというか、とにかく凡人にはなかなかできないことだ。／做这种决断是要有勇气的吧，反正凡人难以做到。

（3）　持っていたお金を全部あげてしまうとは、人がいいというか、びっくりさせられた。／把所有的钱全都给了别人，你说你是人太好了呢还是什么呢？不得不让我大吃一惊。

用于就人或者事以"比如可以这么说"的心情，插入叙述印象和判断。后续多为叙述总结性的判断。

2 …というか…というか　是…还是…、说你是…还是说你…。

（1）　そんなことを言うなんて、無神経というか、馬鹿というか、あきれてものもいえない。／说那种话，你是神经麻木，还是犯傻，让人讨厌，不知说什么好。

（2）　彼女の行動は大胆というか、

無邪気というか、みんなを困惑させた。／她的行动是大胆,还是天真,让大家困惑不解。
(3) そのときの彼の表情は、悲壮というか、雄雄しいというか、言葉にはしがたいものがあった。／他当时的表情,是悲壮,还是勇敢,有点用语言难以表达。
(4) そのほめ言葉を聞いたときのわたしの気持ちは、うれしいというか、恥ずかしいというか、何とも説明しがたいものだった。／听了他那夸奖的话,我的心情真不知是高兴还是害羞,实在是解释不清。

用于就人或事,列举一些随时想到的印象和判断等。其后多为叙述总结性的判断等。

【ということ】

1 …ということ＜内容＞ …的是、一事。
(1) 最初のオリンピックがアテネだったということは今まで知らなかった。／以前我不知道第一届奥运会是在雅典召开的。
(2) 日本語のクラスで、日本ではクリスマスよりお正月のほうが大事だということを習った。／通过在日语班的学习,知道了在日本,比起圣诞节来人们更看重新年。
(3) この工場地帯のはしに、豊かな自然が残っているということは、あまり知られていない。／人们不怎么知道这块工业区的边上还保留着丰富的大自然。
(4) この法律を知っている人が少ないということは、大きな問題だ。／很少有人知道这项法律,这可是个大问题。
(5) 小林さんが、バンコクへ赴任するということが正式に決まった。／小林去曼谷赴任一事正式决定了。
(6) わたしがここで言いたいのは、根本的に原因を解明しない限り、事態は改善されないということだ。／我在这里想说的是,只要不从根本上找出原因,事态是得不到改善的。

用于具体表示说话、知识、事情等的内容。在"…だ"的表达后面都必须加"という",其他情况多可省略。不过,句子长的时候为了简明易懂地归纳句子,一般都要接上"という"的形式。

2 …ということ＜意义＞ 是说这个意思、是这么回事。
(1) 「灯台もと暗し」とは、身近なことはかえって気がつかないということである。／"灯下黑"是说自己对身边的事反而意识不到的意思。

（2） このことわざの意味は、時間を大切にしないといけないということだ。／这条谚语的意思是指不可不爱惜时间的意思。

（3） A：なんであの人腕時計を指してるの？／那个人为什么指手表？
B：早くしろってことよ。／他是想说要快点，快点!

（4） A：つまり、この商談は成立しないということですか。／也就是说这次谈判吹了？
B：ええ、まあそういうことです。／唉，是那个意思。

用于叙述词语、句子的意思和解释事情，这时一定要加上"という"。

3 …ということは…（ということ）だ …也就是说…。

（1） 電車がストライキをするということは、あしたは学校が休みになるということだ。／电车工人罢工，也就是说明天学校停课。

（2） 一日5時間月曜日から金曜日まで働くということは、1週間で25時間の労働だ。／从周一到周五，每天工作5小时，也就是说1周工作25小时。

（3） 車が一台しかないということは、わたしたちのうち誰かバスで行かなければならないということだ。／只有一辆车，也就是说我们之中有人必须乘公共汽车去了。

是就某情况加以解释的表达方式。在"XということはYだ"形式中，先叙述听话人也知道的状况X，从那种状况推测，从而导出作为结论的事情，用Y来表示。

4 ということは 就是说。

（1） A：この先で事故があったようです。／在前边好像发生了事故。
B：ということは、渋滞するということですね。／你是说前边要交通堵塞啦。

（2） A：今月に入っても注文がないんですよ。／这个月以来还没有定货啊。
B：ということは、今月も給料がもらえないんですか。／那你是说这个月也拿不到工资吗？

用于从对方的话中推测并引导出结论的句子开头。

5 …ということにする
→【ことにする】2

6 …ということだ＜伝聞＞ 听说…、据说…。

（1） 山田さんは、近く会社をやめて留学するということだ。／听说山田最近要辞职去留学。

（2） この店は当分休業すると

いうことで、わたしのアルバイトも今日で終わりになった。/听说这家店要暂时停业,我打工到今天就结束了。

(3) 新しい冷蔵庫を買う場合は、古いのを下取りしてくれるということだから、それを確かめて買ったほうがいい。/听说买新冰箱时回收旧的,你还是打听打听再买吧。

(4) 募集の締め切りは9月末(だ)ということだから、応募するのなら急いだほうがいい。/据说征稿的截止期在九月末,你想应征的话抓紧点好。

(5) A：吉田さん、まだ姿が見えませんね。/还没见到吉田来啊。
B：いや、さっきまでいたんですが、もう帰りました。今夜から出張するということです。/刚才还在这儿,已经回去了。据说他今晚要出差。

表示传闻。一定要使用"という",不能省略。

【というと】

1 …というと　提到…、说到…。

(1) スペインというと、すぐフラメンコが心に浮かぶ。/提到西班牙,心里立刻浮现出西班牙民间舞。

(2) 北海道というと、広い草原や牛の群れを思い出す。/一说到北海道,让人想起辽阔的草原和牛群。

(3) 漱石というと、「こころ」という小説を思い出す人も多いだろう。/说到夏目漱石,很多人会想到《心》这本小说吧。

(4) モーツァルトというと没後200年の年にはずいぶんたくさん行事がありましたね。/提起莫扎特,他逝世200年那年举行了很多纪念活动。

(5) A：スキーというと、今年は長野オリンピックですが、Bさんスキーはなさいますか。/说到滑雪,就想到今年长野冬季奥运会,B你会滑雪吗?
B：ええ、でもあまり上手じゃないんですよ。/会滑,但是我滑得不太好。

用于接过某个话题,从这叙述相关联想,或对此加以说明。也可以说"…といえば",口语中使用"っていうと"。

2 というと…のことですか　…就是…吧。

(1) 「しめなわ」というと、あの、お正月につける飾りのことですか。/所谓"標縄",就

是新年扎的一种稻草绳装饰品吧。
（2）ＮＧＯというと、民間の援助団体のことですか。／所谓NGO，就是民间援助团体吧。
（3）Ａ：困っていたとき、ケリーが金を貸してくれまして。／在为难时，是凯利借钱给了我。
Ｂ：あの、ケリーというと、あの銀行家のケリーのことですか。／喂，你说的凯利是那个银行家的凯利吗？
Ａ：ああ、そうです。／是，是的。

用于确认单词、词语的意义或定义等。多半是举出前文中的词语来询问。口语中可以"って"来代替"というと"。是确认表达方式。一般不作"NGOというと、何のことですが"式的提问。

3 というと　你是说…。

（1）Ａ：この企画は大筋はいいが、細かいところで少々無理があるね。／这个策划大的条条还可以，可是细小的地方还有些不行。
Ｂ：というと。／你说的是？
Ａ：今から説明するよ。／我这就给你解释。
（2）Ａ：この事件は終わったように見えて、実はまだ終わってはいないんだ。／这个事件看起来似乎结束了，实际上还没完。
Ｂ：というと、まだ何か起こるんですか？／你是说，还要发生什么吗？

是接过对方的话茬，使其做更加详细的说明。客气的说法用"といいますと"。

【というところだ】

差不多。

（1）Ａ：どうですか、もう仕上がりますか。／怎么样？已经做完了吗？
Ｂ：あと２、３日というところです。／还有2、3天就差不多了。
（2）先頭の選手は、ゴールまであと一息というところです。／跑在前边的运动员还差一口气就到终点了。
（3）Ａ：進度はどんなものですか。／进度怎么样？
Ｂ：来週で入門段階が終わるというところです。／到下周，入门阶段就差不多该结束了。

用于说明在该阶段的状况。也可以说"…といったところだ"。

【というのは】

1 というのは　那是因为…。因为…。

（1）駅前の開発計画が急に取りやめになった。というのは、地域住民の強硬な反対で、

マスコミまでが騒ぎだしたからだ。／车站前的开发计划突然取消了。那是因为当地居民强烈反对，媒体也开始吵闹的结果。

（2）申しわけありませんが、来週お休みをいただけないでしょうか、というのは、国から母が突然訪ねてくることになったんです。／对不起，下周能给我假吗？因为老家的妈妈突然要来看我了。

（3）A：あしたのご都合はいかがですか。／明天您方便吗？
B：あしたはちょっと都合が悪いんです。というのは、東京に出かけることになっているものですから。／明天有点不便，因为决定要我去东京。

用于承接前边句子，就前边句子所述事情的原因、理由加以说明，或者在后边对说话人判断的根据附加说明。后续句子多以"…からだ／…のだ"等结尾。

与"なぜなら"用法相似，"なぜなら"用于有明确的因果关系时。与其相对应"というのは"用于对事物附加说明的场合。即使不一定是明确的因果关系也能使用。此外，"なぜなら"是书面语，"というのは"多用于口语。

2 …というのは…ということだ …就是…。

（1）レイさんが「少し遅くなる」というのは、一時間は遅れるということだ。／莱依说"晚来一会儿"就是至少要晚来一小时了。

（2）この地方全体で雨が一時間に10センチ降るというのは、洪水が起こるということだ。／在这个地方整体上一小时下10厘米的雨，那就是说要发洪水了。

与"…ということは…（ということ）だ"意义相同。
→【ということ】3

3 …というのはNのことだ 所谓…就是…。

（1）パソコンというのはパーソナルコンピューターのことだ。／所谓微电脑，就是个人电脑。

（2）十五夜というのは、満月の出る夜のことだ。／所谓十五夜就是月圆之夜。

表示对单词、词语、句子意义的定义，进行说明、解释。

【というのも】

1 というのも 那也是因为…、因为…。

（1）あの会社、倒産するかもしれませんよ。というのも、このところ急激に株価が下がっているんですよ。／那家公司也许要破产。这也是因为最近那家公司的股票急

剧下跌。

（2）彼は昼だけでなく、夜もアルバイトしている。というのも、親の仕送りを受けずに大学を卒業しようとしているからだ。／他不仅白天，晚上也打工。还也是因为他不接受父母的汇款，而是想靠自己的力量大学毕业的像故。

与"というのは"意义用法大体相同。

2 というのも…からだ 之所以…也是因为…。

（1）彼が転職したというのも、空気のきれいな田舎で病弱な子供を強くしたいと思ったからだ。／他之所以调工作也是因为想在空气新鲜的乡下使多病的孩子强壮起来。

（2）わざわざ横浜までそのレコードを買いに行ったというのも、ただ彼女を喜ばせたかったからだ。／之所以特意去横滨买了那张唱片，也只是因为想让她高兴。

（3）青木さんが怒ったというのも、部下がみんなあまりにも怠惰だったからだ。／青木之所以生气也是因为部下都太懒啦。

（4）土地を売るというのも、そうしなければ相続税が払えないからだ。／卖土地也是因为不卖就付不起遗产税。

用于已经做了的，或者决定做的行为说明其之所以成为这样的理由。使用"も"是强调那是特殊的行为。代替"…からだ"也有使用"…のだ"的时候。

【というものだ】

也就是…。

[V-るというものだ]

（1）この研究は、生産量を10年のうちに2倍にするというものだ。／这项研究10年内可以使产量增加1倍。

（2）今回作られたタイムカプセルは200年先の人々に20世紀からのメッセージを送るというものだ。／这次制造的时空罐是给200年以后的人们送去的20世纪的祝福。

（3）先方から提示された取引の条件は、利益の30パーセントを渡すというものだった。／对方提出的交易条件是要我们给他利润的30％。

用于说明某物的功能和内容。

【というものではない】

并非…。并不是…。

（1）食べ物などは、安ければそれでいいというものではない。／食品等并不是便宜就好。

（2）速ければそれだけでいい車だというものでもないだろう。／不是说汽车光速度快

就好。
(3) 有名な大学を卒業したからといって、それで幸せになれるというものでもない。／虽说毕业于名牌大学，但并非说那就能幸福。
(4) 人には自由があるからといって、何をしてもよいというものではない。／虽说人是有自由的，但也不是说干什么都行。

对某个主张和想法，表示不能说其全面恰当之意。有如例(2)、(3)一样也说"というものでもない"，这时对该主张和想法进行了稍微委婉的否定。

【というより】

与其…还不如…。
(1) 野村さんは、学校の先生というより、銀行員のようだ。／野村与其说是学校的老师，不如说是像个银行职员。
(2) この絵本は、子供向けというより、むしろ、大人のために書かれたような作品だ。／这本小人书与其说是面向孩子，不如说是为大人写的作品。
(3) あの人は、失礼というより、無神経なのだ。／那个人与其说他不礼貌，不如说他神经麻木。
(4) 彼は、論争を静めるためというより、自分の力を見せつけるために発言したにす

ぎない。／说他平息了争论，还不如说只不过那是他为了显示自己的能力发的言。

用于就某事的表达和判断方法加以比较，是"虽有X这种说法，但比较起来还是Y的说法妥当"的意思。

【といえど】

1 …といえど　即使…、虽说…。
(1) この寺院では、一国の王といえど、靴をはいたまま入ることは許されない。／这个寺院即使是一国之王，穿鞋入内也是不容许的。
(2) 暦の上では春といえど、この土地の人々はいまだ真冬の寒さにふるえている。／月历上虽说到了春天了，可是这片土地的人们仍为隆冬的严寒而发抖。

与"…といえども"相同。

2 …といえども　即使…、虽说…。
(1) 冬山は、ベテランの登山家といえども、遭難する危険がある。／冬天的山，即使是登山行家，也有遇难的危险。
(2) スポーツマンの家田さんといえども、風邪には勝てなかったらしい。／虽说家田是运动员，似乎也没战胜感冒。
(3) その機密は厳重に管理されており、たとえ、部長といえども近づくことは禁じられている。／那机密在严格

管理之下，即使是部长，也被禁止靠近。

(4) 弘法大師といえども字を間違えることがあるのだから、少々の失敗にくよくよすることはない。／即使是弘法大师，也有写错字的时候，所以有点失败也不必闷闷不乐。

是表示让步的表达方式，举出有资格和有能力的人或事物，表示一般想像，这种人或事肯定能如何如何，但事实却不尽然的意思。在正式场合，小说等书面语中使用，也可用"でも"来替换。

【といえなくもない】

不能不说…、也能说…。

(1) A：最近、彼はまじめに仕事をしていますか。／最近他工作认真吗？
  B：まあ、前よりはましだといえなくもないですが。／啊，不能不说比以前好，可是…。

(2) A：山田君のゴルフはプロ並みだね。／山田打高尔夫相当于专业水平啦。
  B：うーん。まあ、そう言えなくもないけど…。／嗯—，唉，也能那么说吧，…。

(3) この会社に入った当初は、仕事のあまりのきつさにどうなることかと思ったが、今では慣れてきたと言えなくもない。すくなくとも、前ほどは疲れなくなった。／刚进这家公司时，认为工作太累了，不知如何是好，现在也可以说适应了，至少不象以前那么累了。

没有达到"といえる"的断定程度，是稍微消极的肯定说法。后续逆接的内容或者暗示该内容的情况居多。

【といえば】

1 Nといえば 说到…、谈到…、提到…。

(1) 川口さんといえば、どこへ行ったのか、姿が見えませんね。／说到川口，他到哪儿去了，看不见影儿啊。

(2) 高木さんといえば切手というぐらい、彼の収集熱は有名だ。／提到高木就想到邮票，他的集邮热情很有名。

(3) 森町といえば、昔から木材の産地だが、最近は温泉が吹き出して話題になっている。／说到森镇以前是木材产地，而最近又发现了温泉，成为人们的热门话题。

用于承接某个话题，从此叙述有关联想，或者对其加以说明的场合。也用"…というと"的说法。

2 …といえば…が 说道…可是…。

(1) おっとりしているといえば、聞こえがいいが、彼女は何をするのも遅い。／说她文静，听起来好听，其实，她是干什么都慢腾腾的。

（2）緑が豊かだといえば、いい所だと思うが、実際は遠くて行くのが大変だ。／说到绿地很多，让人感到是个好地方，实际上很远，去也不便。

（3）一日に一回は部下をどなりつけるといえば、こわい上司だと思われるが、実際はみんなにしたわれている。／说到一天骂一次部下，让人感到他是个可怕的上司，可是实际上大家都很敬慕他。

是叙述两种相互对立评价的表达方式。用于表示从X的说法考虑，一般得到Y的评价，但实际上得到与其相反的Z评价的场合。

3 …といえば…かもしれない　说…，也许…。

（1）彼らはビートルズの再来だといえば、ほめすぎかもしれない。／说他们是披头士四人爵士乐队再现，也许夸过头了。

（2）この議会は今までで最低だといえば、問題があるかもしれない。／说本届议会是迄今最糟的，也许有问题。

（3）この作品が時代の流れを変えるといえば、あまりにおおげさかもしれないが、実際に見ればその素晴らしさがわかるだろう。／说这部作品能改变时代的潮流，也许太夸张了，可是实际一看

该书就会明白真是一部了不起的作品。

是一种委婉评价的表达方式。用于把前半部的评价在后半部弱化的场合。说话人要主张的多为前半部的评价，但如例（3）所示，后续肯定并发展为评价的句子也不少。

4 …といえば…ぐらいのことだ　要说…，无非…，说到…，也就是…。

（1）わたしの得意なことといえば、ビールの早飲みぐらいのことだ。／要说我拿手之处无非是啤酒喝得快。

（2）町の名所といえば、小さい古墳が残っているぐらいのことだ。／说到镇上的名胜，也就是保留着小小的古坟。

（3）うちの子供のとりえといえば、動物をかわいがるぐらいのことだ。／说到我家孩子的长处，无非是疼爱动物。

用于就提出的话题给予不太高的评价时。多用于谦虚地叙述与自己相关的事。

【といけない】

因为怕…不好。

[V-るといけない　から／ので]

（1）盗まれるといけないので、さいふは金庫にしまっておこう。／因为怕让人偷了，所以把钱包放到保险柜里吧。

（2）雨がふるといけませんから、傘を持って行きましょう。／下雨就糟了，还是拿把伞

去吧。
（3）忘れるといけないので、メモしておいた。／因为怕忘了，所以作了记录。
（4）遅れるといけないと思って、早目に家を出た。／因为迟到不好，所以早早出门了。

前接表示不希望发生的事，表示"如果发生了不好办"的担心和畏惧心情。大多数场合使用"…といけないので／から／と思って"的形式，后续为表示为了不为难，事先准备之意的表达方式。"V-てはいけない"虽然也表达类似意义，但后续可以是结句形式的禁止表达方式，这一点与"いけない"不同。

【といった】

1 N、NといったN …等的…。
（1）黒沢、小津といった日本の有名な映画監督の作品を上映するそうだ。／据说要上映日本名导演黑泽、小津等人的作品。
（2）この学校には、タイ、インドネシア、マレーシアといった東南アジアの国々からの留学生が多い。／这所学校里以从泰国、印尼、马来西亚等东南亚各国来的留学生居多。
（3）この豪華な催しの行われているホールの駐車場には、ベンツ、ロールスロイスといった超高級車がずらりと止まっている。／在举办这个豪华展览的停车大厅里，奔驰、劳斯莱斯等超级豪华车停了一排。

用于列举，有这不是全部还有其他的含义。

2 …といったところだ 也就是…那个程度。
（1）A：最近よく借りだされるビデオは何ですか。／最近常租出的录相带是哪几种？
　　B：ダイハード、スターウォーズといったところですね。／也就是＜虎胆龙威＞、＜星球大战＞等几种吧。
（2）A：体の調子、どうですか。／身体状况怎么样？
　　B：回復まであと一歩といったところです。／到完全恢复只差一步了吧。
（3）A：彼の運転の腕はどうですか。／他的开车本领如何？
　　B：まあまあといったところですね。／也就是马马虎虎吧。

用于说明处在那种阶段的状况。也说"…というところだ"。

【といったらありはしない】
…之极、极其。

[Nといったらありはしない]
[A-いといったらありはしない]
（1）この年になってから一人暮らしを始める心細さといったらありはしない。／到了这个年龄还要开始一个人生活，心里极其无底。
（2）彼女はこっちが立場上断れないとわかっていて、わざといやな仕事を押しつけてくるのだ。くやしいといったらありはしない。／她明知我出于自己的立场无法拒绝，还特意强加我不愿干的工作，真是可恨之极。

与"といったらない"几乎意义相同，只用于负面评价的事，是书面语。

【といったらありゃしない】
…之极，…不得了。
[Nといったらありゃしない]
[A-いといったらありゃしない]
（1）あの子は自分が周りからちやほやされているのを知った上で、それを利用しているんだよ。憎たらしいといったらありゃしない。／那孩子本来就知道自己受到周围的娇惯，却还要利用这点，真是可恨之极。
（2）このごろあちこちで地震があるでしょ？おそろしいったらありゃしない。／最近到处闹地震吧，可怕得不得

了。

是比"といったらありはしない"更通俗的说法。常省略为"…ったらありゃしない"。

【といったらない】
难以形容，无法形容。
[Nといったらない]
[A-い(とい)ったらない]
（1）花嫁衣裳を着た彼女の美しさといったらなかった。／她穿上新娘的服装，太美了。
（2）みんなが帰っていったあと、一人きりで病室に取り残されたときの寂しさといったらなかった。／大家都回去之后，我一个人被留在病房时的寂寞无法形容。
（3）彼は会議中にまじめな顔をして冗談を言うんだから、おかしいったらないよ。／在会上他板着脸说笑话，太滑稽了。
（4）結婚以来今まで10年も別居せざるをえなかった妻とやっと一緒に暮らせるのだ。うれしいといったらない。／结婚至今10年不得不和妻子分居两地，现在终于能生活在一处，高兴得无法形容。

接名词和イ形容词之后，用于强调其程度是极端的。是"…难以形容"、"没有比其更…"之意，在口语中用"…ったらない"。另外，"といったらありはしない"也表示相同意义，但只用于表示贬

义。

【といって】

1 といって 但是、可是。

(1) お金をなくしたのは気の毒だが、といって、わたしにも貸せる程のお金はない。/丢了钱是可怜，可是我也没有足够的钱能借给他。

(2) 入社以来週末も働き通しで、疲れ果ててしまった。といって、ここで仕事をやめることもできない。/自从到这家公司工作以来，连周末也加班加点地干，累得精疲力尽，但是又不能现在辞掉工作不干了。

(3) 最近の彼の働きはめざましいが、といって、すぐ昇進させるわけにもいかない。/最近他的工作成绩显著，可是也不能马上就这样提升他。

(4) このような対応の仕方では、解決はおぼつかないという批判が集中した。といって、これに変わる案が出て来たわけではなかった。/人们批评用这样的对策方法问题无法得到解决，可是代替此办法的方案又没出来。

前接表示状况的句子，表示"しかしながら(但是)"之意。后续为表示从那种状况来看当然能预测的状态却未能实现的表达方式。

2 …といって 说是。

(1) 頭が痛いといって、彼は会社を休んだ。/他说头疼，请假休息了。

(2) ニュースを見るといって、娘はテレビを独占している。/女儿说是想看电视新闻，独占了电视。

(3) 大きな事故が起こったといって、当局はトンネルを通行止めにした。/说是发生了大事故，当局下令禁止通过隧道。

(4) 石田さんは、子供の健康のためだといって、いなかに引越していった。/石田说是为了孩子的健康，搬到乡下去住了。

是"说…理由"之意。用于叙述以进行某行为为借口和理由，但实际上又不一定要按原话说出。

3 これといって…ない 没有特别的。

(1) 現代絵画の展覧会にいったが、これといっておもしろい作品には出会わなかった。/去参观了现代绘画展览，可是没有看到称得上新颖的作品。

(2) 初めて高い山に登るので少し不安だったが、これといって事故もなく無事に下山できた。/因为第一次登高山，稍有一些不放心，可是也没出什么大事故，还是安全下了山。

（3）食べ物の好き嫌いはこれといってないんですが、お酒はまったく飲めません。／虽然没有什么特别爱吃和不爱吃的食物，但是酒一点也不能喝。
（4）彼はなんでもよくできて優秀なので、これといって注文はない。自由にやってくれればいい。／他什么都会，而且很出色，对他没有什么特别的要求，请他自由地干就行啦。

伴有否定表达方式，表示"没有特别值得举出的东西"的意思。

【といっては】

要说…。
（1）あの人はなまけものだといっては言い過ぎかもしれない。／要说那个人是懒鬼也许过头了。
（2）神童といってはほめすぎかもしれないが、その夜の彼の演奏は確かに見事だった。／要说他是神童，也许夸奖过份了，但是当天晚上的演奏的确很出色。
（3）工業都市といってはあたらないかもしれない。ここには広大な森も広がっているからだ。／要说是工业城市也许没说对，因为这里还有广阔的森林。

（4）彼女をワンマンだといっては気の毒だ。ほかの人が働かないだけなのだから。／要说她是独裁有点不公平。因为其他人不干活嘛。

用于前接就人或事下判断或评论的表达，而且认为那种评论"过了头"、"不符"的时候。

【といっても】

1 といっても　虽说…。
（1）ビデオの作品を作った。といっても、せいぜい10分の短い作品だが。／虽说制作了录相作品，可也顶多是10分钟的短片罢了。
（2）新しいアルバイトが見つかった。といっても、友達の代わりに一週間働くだけだ。／虽说找到了新的打工活儿，也就是顶替朋友干一周罢了。
（3）あの人がこのクラブの会長です。といっても、大会であいさつするだけですが。／那个人虽说是这个俱乐部的会长，也只是在大会上讲个话罢了。
（4）仕事場が変わりました。といっても、同じ階の端から端まで移っただけなんですけど。／虽说工作地方变了，也就在这层楼从这头移到那头。

用于对从前句叙述的事中所期待的

事加以修正或限定,说明实际上没有那么严重。

2 …といっても

a …といっても　虽说。

（1）A：休みには故郷へ帰ります。／休息时我回乡下。

　　　B：じゃあ、当分お目にかかれませんね。／那我们得有段时间见不到啦!

　　　A：いや、帰るといっても、一週間程度で、すぐまた帰って来ます。／不,说是回去,也就一周左右,马上返回来。

（2）料理ができるといっても、卵焼きぐらいです。／虽说会做菜,也就是煎个鸡蛋罢了。

（3）シンガポールへいったといっても、実際は一日滞在しただけです。／虽说去了新加坡,实际上也就呆了一天。

（4）A：去年珍しく雪が降りました。／去年很稀罕,下了雪。

　　　B：へえ、あんな暖かいところでも降るんですか。／哎?那么暖和的地方也下雪吗?

　　　A：いや、降ったといっても、ほんのすこしで、すぐ消えてしまいました。／说是下雪,就一点点,马上就融化了。

（5）日本舞踊ができるといっても、ほんのお遊び程度です。／虽说会跳日本舞,也就是跳着玩儿玩儿的程度。

用于就前述的事,补充说明实际上程度是很轻的。

b ひとくちに…といっても　虽然统称说是…。

（1）一口にアジアといっても、広大で、多種多様な文化があるのです。／虽然都统称叫亚洲,但是那也是非常宽广,有着多彩的文化的。

（2）一口にバラといっても、実は豊富な種類があります。／虽然都统称叫玫瑰,实际上有很多品种。

（3）一口に日本人の考えといっても、いろいろな考え方があるので、どうとは決めにくいのです。／虽然都可以说是日本人的想法,但因为有着各种各样的思维方式,还是很难决定的。

表示虽然作了简单的归纳,但实际上很复杂之意。

c …といっても…ない　虽说…也不那么…。

（1）A：来週はテストがあるんです。／下周有考试的。

　　　B：じゃあ、このハイキングはだめですね。／那郊游就吹了吧。

　　　A：いえ、テストがあるといっても、そんなにた

いしたものじゃありませんから、一日ぐらいはだいじょうぶです。／不,虽说有考试,但是不太重要,去玩儿一天也不要紧的。
（2）　山登りが趣味だと言っても、そんなに経験があるわけではありません。／虽说登山是我的爱好,可也并非那么有经验。
（3）　風邪を引いたと言っても、そんなに熱はない。／虽说得了感冒,但是不那么发烧。
（4）　アルバイトの人がやめたといっても、店のほうは別に支障はない。／虽说打工的人不干了,但是对店里没什么影响。
（5）　土曜日には、夫の姉が遊びに来ることになっている。しかし、お客が来るといっても別に忙しいわけではない。／周六,大姑子要来。可是虽说是来客人,也并不特别忙。

表示发生了某个特别事态,虽然从中当然也能预测一些情况,但是实际上程度不重,也不会发生问题。

3 …といってもいいだろう　可以说…吧。
（1）　これは、この作家の最高の傑作だといってもいいだろう。／可以说这是这个作家的最高杰作吧。
（2）　川田さんは、かれの本当の恩師だといってもいいだろう。／川田可以说是他的真正的恩师吧。
（3）　事実上の決勝は、この試合だと言ってもいいだろう。／这次比赛可以说是事实上的决赛吧。

表示"这样评价也不错吧"的意思。是就事或人的解释、判断、批评等的表达方式。比"…といえる"要委婉一些。

4 …といってもいいすぎではない　这么说也不为过。
（1）　環境破壊の問題は、これから世界の最も重要な課題になるといっても言い過ぎではない。／把保护环境的问题说成是今后世界上最重要的课题也不为过。
（2）　成功はすべて有田さんのおかげだといってもいいすぎではない。／多亏了有田才成功这么说也绝不过分。

是"那样说也不夸张"之意。用于加强述说主张,是书面语,可以用"過言"来代替"言いすぎ"。
（例）　そのニュースは国中の人々を幸福な気分にさせたといっても過言ではない。／说那个消息使全国的人沉浸在幸福的气氛中毫不过分。

【といってもまちがいない】
这么说也不错。
（1）　現在、彼が日本マラソン界の

第一人者といっても間違いない。／现在说他是日本马拉松界的第一人也不错。
(2) この会社は祖父の力で大きくなったといってもまちがいはない。／说这个公司是凭借祖父的力量才兴旺起来的一点儿也没错。

用于就事或人进行解释、判断、批评。比起"…といえる"来是更有确信、断定性的陈述。是书面语。"といってもまちがいない"中的"も"也有省略的时候。

【といわず…といわず】

不论…还是…。

[Nといわず Nといわず]

(1) 風の強い日だったから、口といわず、目といわず、すなぼこりが入ってきた。／那天风特大，不论嘴还是眼，都进了沙子。
(2) 車体といわず、窓といわず、はでなペンキをぬりたくった。／不论车身，还是车窗，都涂上了色彩艳丽的油漆。
(3) 入り口といわず、出口といわず、パニックになった人々が押し寄せた。／不论是入口，还是出口，恐慌的人们挤来挤去。

重复表示某物的部分的名词，表示"不加区别，全部"的意思。

【どうしても】

1 どうしてもR-たい　无论如何(想要…)。
(1) 次の休みには、どうしても北海道へ行きたい。／下次休假时，无论如何也要去北海道。
(2) 競争率の高いのは知っているけれど、どうしてもあの大学へ入りたいのです。／我知道竞争激烈，可我无论如何也想考上那所大学。
(3) どうしても今年中に運転免許をとらなければならないし、とりたいと思う。／我，无论如何必须在今年考驾驶证，而且我想考下来。
(4) 両親が反対したが、わたしはどうしても演劇の道に進みたいと思っていた。／虽然父母反对，但是我无论如何想走演戏的道路。

与欲望表达方式一起使用，表示自己盼望的事在现实中遇到困难，但是即便要去克服困难也想干的强烈愿望。

2 どうしても…ない　无论如何…也…、怎么…也…。
(1) 仕事がひどく忙しいので、今月末までは、どうしてもあなたのところへは行けません。／工作非常忙，这个月底以前怎么也去不了你那儿了。
(2) 何度もやってみたが、この問題だけはどうしても解けなかった。／试了几次，只有这

个问题怎么也没解开。
(3) 努力はしているが、あの課長はどうしてもすきになれない。／我做了努力，可对那个处长怎么也喜欢不起来。
(4) あしたまでに車の修理をしてほしいと頼んだが、人手が足りないのでどうしても無理だと言われた。／我求他们明天把车给修好，可他们回答说人手不够怎么办不到。
(5) もしどうしても都合が悪いなら、別の人を推薦してくださっても結構です。／如果你怎么都不方便的话，推荐其他人也可以。

与表示可能的"V-れる"的否定形或表示否定意义的"無理だ"、"だめだ"、"都合が悪い"等一起使用，表示虽然努力也办不到的意思。

【どうじに】

1 …とどうじに …的同时。
[Nとどうじに]]
[V-る／V-た（の）とどうじに]
(1) スタートの合図と同時に、選手達はいっせいに走り出した。／在发出起跑信号的同时，运动员一齐跑了起来。
(2) 私が乗り込むと同時に、電車のドアは閉まった。／我钻进电车里的同时，车门就关上了。
(3) 私が部屋に入ったのとほとんど同時に電話が鳴り出した。／与我进屋几乎同时，电话响了起来。

表示前边的事情发生后，紧跟着发生了后边的事情。动词与"と"之间可以像例(3)一样加入"の"。

2 …とどうじに 同時。
[N／Na であるとどうじに]
[A／V とどうじに]
(1) この手術はかなりの危険を伴うと同時に費用もかかる。／这项手术伴随相当的危险，同时花费也多。
(2) 社会に巣立つ若い男女の意欲に対して、期待するところが大きいと同時にいささかの懸念も残る。／对于即将步入社会的男女青年，寄托的期望很大，同时多少也有些担心。
(3) 当選できて大変うれしく思いますと同時に、議員としての責任に身の引き締まる思いです。／能当选感到非常高兴，同时也感到作为议员的责任重大。

表示两件事同时成立。在前后内容上，例(1)表示累加关系，例(2)、(3)表示对比关系。一般前接简体，在正式场合也有如例(3)一样接敬体的情况。

3 どうじに 同時。
(1) 医者という職業は体力を必要とする。同時に、人間の繊細な心理に対する深い理

解も要求される。／医生这种职业需要体力，同时也需要对人的纤细的心理有深刻理解。
（2）過疎地の開発も大切である。が、同時に自然の保護には十分な注意が必要である。／开发人烟稀少的地方是重要的，可是同时必须对自然生态的保护充分注意。
（3）医学の進歩は人類に大きな恩恵をもたらした。しかし、同時に人間の生命に対してどこまで手を加えられるのかという倫理上の問題を新たに生じさせている。／医学的进步给人类带来莫大的好处，可是同时也产生对人的生命能扼止到什么程度这样伦理上的新问题。

用在两个句子之间，表示前后的事情同时并列成立。一般接在表示对比意义内容的句子之间，如例（2）、（3）所示，"同時に"前伴有"が"、"しかし"的情况居多。属书面性语言表达方式。

【どうせ】

1 どうせ　反正、总归、归根结底。

（1）どうせ私は馬鹿ですよ。／反正我很傻。
（2）三日坊主の彼のことだから、どうせ長続きはしないだろう。／他三天打鱼两天晒网，反正不会长久吧。

不论怎么说，结论和结果是一定的，用个人的意志和努力是改变不了的，表示说话人断念和放弃的态度。后续多为不希望发生的事。

2 どうせ…(の)なら　反正…话、总归…话。

（1）どうせやるならもっと大きいことをやれ。／总归要干的话，就干大的。
（2）どうせ参加しないのなら、早めに知らせておいたほうがいい。／反正不参加的话，还是早点告诉人家好。
（3）どうせ2か月余りの命なら、本人のやりたいことをやらせたい。／反正只能活2个多月，就让他干他自己想干的事吧。
（4）急いでもどうせ間に合わないのだったら、ゆっくり行こう。／反正抓紧时间也赶不上了，那就慢慢走吧。

表示"反正如果已经决定了的话"的意思。用于在那种条件下，应该采取的态度和行动。也使用"…のだったら"的形式。后续说话人的意志、希望、义务以及表示命令劝诱等促使对方行动的表达方式。

3 どうせV-るいじょう(は)　既然…。

どうせV-るからには

（1）（どうせ）やる以上は必ず成功して戻ってこい。／既然干，就一定取得成功再回来。
（2）どうせ試合に出るからには、必ず優勝してみせる。／既然参加比赛，一定要取胜。

(3) どうせ留学するからには、博士号まで取って帰ってきたい。／既然留学，那就拿到了博士学位再回来。

表示"因为决定了如何做"的意思，后续说话人的意志、希望、义务以及对对方命令劝诱的施事表达方式。

4 どうせ…のだから　反正也…。

(1) どうせ間に合わないのだから、いまさらあわてても仕方がない。／反正也来不及了，现在再忙乎也没用。

(2) どうせ合格するはずがないのだから、気楽にいこう。／反正也不可能及格了，那就轻松轻松吧。

(3) どうせやらなければならないのだから、早めにやってしまいましょう。／反正不干也不行，那就早点干吧。

用于表示说话人在结论、结果明确的状况下的意志和判断。后续多用表示说话人断念、放弃态度的表达方式。

5 どうせ（のこと）だから　（因为）反正…。

(1) どうせのことだから、とびきり高級なホテルに泊まろう。／反正都来了，就住最高级的饭店吧。

(2) どうせのことだから、駅までお送りします。／因为反正要送，就送你到车站。

(3) 当分バスも来ないみたいだし、どうせだからお茶でも飲まない？／大概公共汽车暂时来不了，反正现在也没来，去喝点茶吧。

这是"因为决定了要如何做"之意的惯用表达。后续"思い切って／ついでに…しよう(意志、劝诱)"之意的表达方式。口语中多用"どうせだから"的形式。

【どうぜん】

1 Nどうぜん　像…一样。

(1) 実の娘同然に大切に育ててくれた。／当成亲生女儿一样精心养育了我。

(2) このみじめなくらしは奴隷同然だ。／这种凄惨的生活像奴隶过的一样。

(3) ボロ同然に捨てられて、彼は会社に復讐を誓った。／他像垃圾一样被抛弃了。他发誓要向公司报复。

意同"…と同様"。虽与"…のようだ"意义接近，但是"同然"是富于感情的，多怀有嘲笑或者不满的感情。

2 …もどうぜん　和…一样。

[Nもどうぜん]
[V-たもどうぜん]

(1) この子は本当は姪ですが、小さいころから一緒に暮らしているので娘も同然です。／这孩子实际是我的侄女，但是从小和我们生活在一起和女儿一样。

(2) あの人はアルバイト社員だが、仕事の内容からみると正社員も同然だ。／那个人虽然是临时雇用的非正式职

員，但是从工作的内容来看和正式职员没有什么两样。
（3）別かれた恋人は、わたしにとっては死んだも同然の人だ。／分手后的情人，对我来说同死去的人一样。
（4）10000票の差が開いたから、これでもう勝ったも同然だ。／已有10000票的差距了，这样就等于已经取胜了。

其意为事实上虽然不全是，但几乎与事实相同的状态。虽然在意义上与"…と（ほとんど）同じだ"相同，但"同然"是更有感情的评价，很多场合表示一种深信不疑的态度。

【とうてい…ない】

终归不行。
（1）うちの息子の実力では、東大合格はとうてい無理だ。／按照我儿子的实力，考东大终归没戏。
（2）彼女が僕を裏切るなんて、とうていあり得ない。／她背叛我，绝对不可能。
（3）歴史の長さにおいて、日本の大学は西洋の古い大学にはとうてい及ばない。／在历史悠久这一点上，日本的大学终归不及西洋的老大学。

表示"不论用什么方法，怎么想也不行、不可能、不会有"的意思。是书面性语言。

【とうとう】

1 とうとうV–た 终于…了、最终。
（1）夏休みも、とうとう終わってしまった。／暑假也终于结束了。
（2）長い間入院していた祖父も、とうとう亡くなった。／长期住院的祖父还是去世了。
（3）卒業式も無事に終わって、とうとう国に帰る日になった。／毕业典礼顺利地结束，回国的日子终于来到了。
（4）20年の歳月をかけて、研究はとうとう完成した。／研究花费了20年的岁月，终于大功告成了。
（5）相手があまりにしつこいので、温厚な彼もとうとう怒ってしまった。／对方太纠缠人，性格厚道的他也终于生气了。
（6）朝から曇っていたが、夕方にはとうとう雨になった。／早晨就开始阴天，傍晚终于下雨了。

表示花费长时间，或者最终实现什么的意思。例（1）～（3）表示经过长时间和过程达到预计的最后的阶段。例（4）表示经过长时间努力达到其结果。在达到结果的事情或岁月中包含有说话人的感慨。

象例（5）、（6）一样也用于表示原来保持的状态终于超越了界限。例（5）是"他平时不生气，如今也难以忍受而生气了。"例（6）是"从早晨就是要下雨的天气，但到了中午还没下，傍晚才开始下了"的意思。

与"とうとう"类似的表达方式有"やっと"、"ついに"，详细内容请参考【やっと】1。

2 とうとう…V-なかった　终于没…、最终没…。

（1）二時間も待ったが、とうとう彼は来なかった。／等了两小时，他终于没来。

（2）何週間も捜索が続けられたが、遺体はとうとう発見されなかった。／接连搜查了几周，最终也没发现遗体。

（3）全力をあげて調査が行われたが、事故の原因はとうとう分からなかった。／尽全力进行了调查，可是最终也没弄清事故的原因。

用于表示所期待的事态，最后没有实现。"ついに"也有相同用法，但这个句型不能用"やっと"替换。

【どうにか】

1 どうにか　总算。

（1）おかげさまで、どうにかやっておりますので、ご安心ください。／托您的福，总算干着呢，请您放心。

（2）急いで行ったら、どうにか間に合った。／赶紧赶去，总算赶上了。

（3）どうにか希望の大学に合格できましたので、ご安心ください。／总算如愿考上了理想的大学，请放心吧。

表示经过辛苦和努力，其结果虽然不十分满意，但基本达到所希望的状况。如果再加强语气，可说成"どうにかこうにか"。关于此项与"なんとか"、"やっと"的区别请参考【やっと】2。

2 どうにかする　想个办法。

（1）早くどうにかしないと、手遅れになってしまうよ。／不快点想办法，要耽误的。

（2）そちらの手違いで予約もれになってしまったのだから、どうにかしてもらいたい。／由于你们的错，造成漏订，请想个办法吧。

（3）この水不足をどうにかしないと大変だ。／不想办法解决水源不足的问题要糟的。

表示发生问题时，为了解决这个问题，要"采取什么方法"的意思。也说"何とかする"。

3 どうにかなる　总会…。

（1）そんなに心配しなくても、どうにかなるよ。／不必那么担心，总会有办法的。

（2）A：レポート遅れそうなんだよ。／看来小论文要晚交了。
　　B：大丈夫、先生に頼めばどうにかなるよ。／没事，求求老师，总会谅解的。

（3）この猛暑、どうにかならないかな。／这种酷暑，有没有熬过去的办法啊。

表示问题自然得到解决，或通过某种方法能解决之意。也说成"何とかなる"。

【どうにも】

1 どうにも…ない　怎么也…不…。

(1) こう蒸し暑くては、どうにもやりきれない。／这样闷热，怎么也抗不过。

(2) 彼の怠惰な性格は、どうにも直しようがない。／他天生懒惰，怎么也改不了。

后续"できない"、"V-ようがない"等否定表达方式，表示不论用什么方法都办不到的意思。发音，为"どうにも"，进一步强调说成"どうにもこうにも"。

2 どうにも ならない／できない　再…也没(不)…。

(1) 過ぎたことは、いまさらくやんでも、どうにもならない。／过去的事，现在后悔，也没用。

(2) ここまで病状が悪化してしまっては、もうどうにもできない。／病情恶化至此，已经没救了。

表示不论怎么做也不能改变状况之意。用于不能使坏的状况好转的场合。发音一般为"どうにも"。

【どうも】

1 どうも＜不确实＞　总觉得…、真让人…。

(1) 母のことがどうも気になってならない。／妈妈的事真让我担心得不得了。

(2) 最近、彼はどうも様子がおかしい。／最近他的状况，总觉得有点怪。

(3) あの人の考えていることは、どうもよく分からない。／那个人所想的真让人不明白。

(4) 努力はしているのだが、どうもうまくいかない。／虽然付出了努力，可总搞不好。

(5) 今日は、朝からどうも気分がふさぐ。／今天从早晨开始，不知怎的心情不畅。

(6) A：奥さんの具合はいかがですか。／夫人状况怎么样？

B：それがどうもね…／怎么说呢…。

就现状以及自己的感情、感觉，表达说话人"不明白为什么那样／为什么能感到那样"，即表示一种"可疑"的心情。谓语用否定表达方式或者"変だ(怪)"、"おかしい(奇怪)"、"気分がふさぐ(心情不舒畅)"等负面表达方式。例(6)是没有说出"あまりよくない(不太好)"的委婉说法。也可用"なんだか(总觉得)"、"何となく(不知为何)"来替换。

2 どうも　…そうだ／…ようだ／…らしい　似乎、好像。

(1) この空模様では、どうも雨になりそうだ。／看这天气，似乎要下雨。

(2) 彼の言ったことは、どうも全部うそのようだ。／他所说的，好像全都是谎言。

(3) おじの病気は、どうもガンらしい。／叔叔的病好像是癌症。

"どうも"与"そうだ(样态)"、"ようだ(比况)"、"らしい(推量)"等相伴,表示说话人基于一定根据的推断。也可用"どうやら"来替换。

3 どうも＜困惑＞　真是…。
（1）ちっとも勉強しないで遊んでばかりで、どうも困った息子です。／光玩儿，一点也不学习，真是个棘手的孩子。
（2）A：先輩、一曲歌ってくださいよ。／前辈，唱一曲吧。
　　　B：これは、どうもまいったな。／这，真让我为难了。

伴有"困った(不好办)"、"まいった(为难)"等表达方式,表示强调困惑和轻微吃惊的心情。

4 どうも＜问候＞　太、实在。
（1）お手紙どうもありがとうございます。／太谢谢您的来信了。
（2）お待たせして、どうもすいません。／实在对不起，让您久等了。
（3）先日はどうも。／那天，太谢谢你了。

用于寒暄表达方式,来强调感谢和道歉的心情。也有如例（3）一样省略后半部的用法。还有实际上没有什么特别的感情色彩,用"どうも、どうも"的形式单纯表示客气。

【どうもない】
没事、没问题。

（1）彼は、酒を1升ぐらい飲んでも、どうもない。／他即使喝1升酒也没事。
（2）A：この牛乳、ちょっと変な味しない？／这牛奶有点怪味吧？
　　　B：（飲んでみて）どうもないよ。／（喝后）没事啊。

是"平気だ(不要紧)"、"大丈夫だ(没关系)"、"問題がない(没问题)"等意义的口头表达方式。

【どうやら】

1 どうやら…そうだ　总觉得、看来。
（1）このぶんでいくと、どうやら桜の開花は早まりそうだ。／这样下去看来樱花开放要提前。
（2）むこうから歩いて来るのは、どうやら田中さんのようだ。／对面走来的人，看起来像是田中。
（3）部屋から次々と人が出て来るところをみると、どうやら会議は終わったらしい。／人们陆续从房间走出来，看来会议好像结束了。

后边伴有"そうだ(样态)"、"ようだ(比况)"、"らしい(推量)"等推量表达方式,表示说话人虽然不十分清楚,但是还那样推测的不确切的心情。

2 どうやら（こうやら）　总算。
（1）急いだので、どうやら間に合った。／因为抓紧了时间，

(2) どうやら論文も完成に近づいた。／论文总算接近结稿了。
(3) どうやらこうやら卒業することができました。／总算能够毕业了。

表示虽然不够充分，但做出了努力，其结果总算达到了作为目标的状态或者完成的阶段。

【どうり】

1 …どうりがない　没有道理、不可能。

(1) こんなに難しい本が子供に読める道理がない。／这么难的书孩子不可能读懂。
(2) 上司なら部下にどんな命令をしてもよいなどという道理はない。／没有上司对部下下什么命令都行的道理。
(3) そんな道理はない。／没有那种道理。

表示不管怎么想，也没有认为其是正确的理由和根据的意思。也有像例(2)、(3)一样句型中的"が"变为"は"的情况。

2 どうりで　当然。

(1) A：彼女13歳までアメリカで育ったんだって。／听说她13岁以前是在美国长大的。
B：へえ。どうりで英語の発音がいいわけだね。／是啊，英语发音就该那么漂亮呃。
(2) A：彼女の両親は学者だよ。／她的父母都是学者啊。
B：道理で彼女も頭がいいはずだ。／当然她的头脑也聪明啦。

得知有关现状的确实理由，用于表示心悦诚服"原来如此，应该是这样"的场合。

【どおし】

一直持续。

[R-どおし]

(1) 1週間働き通しだ。／整整干了1周。
(2) 一日中立ち通しで働いている。／一直站着工作了整整一天。
(3) 一日中歩き通しで、足が痛くなった。／走了一整天，脚都疼了。
(4) 朝から晩まで座り通しの仕事は、かえって疲れるものだ。／从早到晚一直坐着的工作，反而很累。

表示在某个时期内相同动作和状态持续的样子。接动词的连用形，也有接名词的情况，如"夜通し(＝整整一晚上)"。

【とおして】

1 Nをとおして＜中介＞　通过。

(1) 私たちは友人を通して知り合いになった。／我们是通

（2）我々は体験ばかりでなく書物を通して様々な知識を得ることができる。／我们不仅通过体验生活，还通过书籍获得各种各样的知识。
（3）実験を通して得られた結果しか信用できない。／只有通过实验得到的结果才可信。
（4）5年間の文通を通して、二人は恋を実らせた。／通过5年的通信，两个人的恋爱开了花，结了果。
（5）今日では、マスメディアを通して、その日のうちに世界の出来事を知ることができる。／现在通过新闻媒介，当天即可知道世界上发生的事。

前接表示人、事、动作的名词，表示"将其作为中介或手段"之意。用于通过此获得知识经验的场合。

2 V-ることをとおして　通过。
（1）子供は、学校で他の子供と一緒に遊んだり学んだりすることを通して、社会生活のルールを学んでいく。／孩子在学校里通过和其他孩子一起学习玩耍，掌握社会生活的规则。
（2）教師は、学生に教えることを通して、逆に学生から教えられることも多い。／教师通过教学生，相反可以从学生那儿学到很多东西。

过朋友介绍认识的。

前接动词词典形，表示与1相同的意思。一般接如"学ぶ"等和语动词，如果是"学習する"、"研究する"那样的汉语动词时，一般要使用用法1的表达形式，即用"学習／研究をとおして"的说法。

3 Nをとおして＜期間＞　里、期间。
（1）5日間を通しての会議で、様々な意見が交換された。／5天的会议期间，交换了各种各样的意见。
（2）この地方は1年を通して雨の降る日が少ない。／这个地方一年里很少下雨。
（3）この1週間を通して、外に出たのはたった2度だけだ。／这1周里，外出的时间只有2次。

前接表示期间的词语，表示"在那个期间中"、"在那期间范围内"之意。例（1）是表示在其期间中一直继续发生的行为，例（2）、（3）是表示期间内继续发生的事。

【とおす】
　　干到底、坚持到最后。
[R-とおす]
（1）やると決めたことは最後までやり通すつもりだ。／决定干就打算干到底。
（2）途中で転んでしまったが、あきらめないでゴールまで走り通した。／虽然途中跌倒了，但是没有放弃，一直跑到终点。
（3）こんな難しい本は、私にはと

ても読み通せない。/这么难的书,我怎么也读不完。

接表示意志性行为的动词后,表示"干到最后"的意思。

【とおもう】

1 …かとおもうほど 让人感到…的程度。

(1) 彼は、いつ寝ているのかと思うほどいそがしそうだ。/他忙得不可开交,以至不知何时睡下。
(2) その家は、ほかに金の使い道を思いつかなかったのだろうかと思うほど、金のかかったつくりだった。/那房子盖得非常豪华,以至让人感到大概有钱没地方花了似的。
(3) その人のあいさつは、永遠に終わらないのではないかと思うほど長いものだった。/那人的致词让人感到永远也完不了似的那么长。
(4) 死んでしまうのではないかと思うほどの厳しい修行だった。/这种严酷的修练让人感到几乎是不是要被折磨死了。

表示"让人感到程度那么严重"之意。用于以"Xかと思うほど(の)Y"的形式来强调Y的程度之甚。如下例所示也可使用"…かと思うほどだ"的形式。

(例) 彼はいそがしい。いつ寝ているのかと思うほどだ。/他很忙,让人感到不知他何时睡觉。

2 …かとおもえば
a Vーるかとおもえば 原以为…、却…。

(1) 勉強しているかと思えば漫画を読んでいる。/以为他在学习,其实在看连环画。
(2) 来るかと思うと欠席だし、休むかと思うと出席している。/以为他来时他却缺席了,以为他休息时又来出席了。
(3) 今年こそ冷夏かと思えば、猛暑で毎日うだるような暑さだ。/原以为今年是冷夏,可却是每天酷热难耐。

以"…かVーるかとおもえば/Vーるかとおもうと"的形式来表示现状是与说话人预想相反的事。因为表示的是与预想相反的事反复发生,现状与预想相反,所以句尾一般用词典形。另外这种用法很难使用"かと思ったら"的形式。

b Vーるかとおもえば…も 既…也…。

(1) 熱心に授業に出る学生がいるかと思えば、全然出席せずに試験だけ受けるような学生もいる。/既有热心来上课的学生,也有一次课也没有出席只来参加考试的学生。
(2) 一日原稿用紙に向かっていても一枚も書けない日があるかと思うと、一気に数十枚も書ける日もある。/既

有那种整天面对稿纸一页也写不出来的日子，也有一口气写几十页的日子。

表示对立・对比的事态共存或并列。也用"V-るかとおもうと"的形式。多用"ある／いる"等表示存在的动词的重复形式。用法a中的"V-るかとおもえば"表示预想和现实的不一致。这里没有那样的意思，不过是把在意义上性质不同的事态加以并列。

3 …からとおもって　认为、以为

（1）体にいいからと思って、緑の野菜を食べるようにしています。／认为对身体有好处，所以坚持吃绿色蔬菜。

（2）せっかくパリまで来たのだからと思って、一流レストランで食事することにした。／我觉得好不容易来到巴黎，所以决定在一流餐厅吃饭。

（3）明日の試験に遅れては大変だからと思い、今晩は早寝することにした。／想到明天考试不能迟到，决定今晚早睡。

前接句节，表示将其作为理由，而采取后续行动的意思。前半部的理由部分一般为后续动作结果成立（＝行动的目的）的意义关系，后半部使用表示意志性的动作的表达方式。

4 …とおもったら
a V-たとおもったら　→【とおもう】9b
b 疑问词…かとおもったら　我还以为…哪。

（1）何を言うのかと思ったら、そんなくだらないことか。／我还以为他要说什么哪，原来是那么无聊的事呀。

（2）食事もしないで何をやってるのかと思ったら、テレビゲームか。／我还以为他不吃饭在干什么事哪，原来是在玩儿电子游戏呀。

（3）会議中に席を立ってどこへ行くのかと思ったら、ちょっと空が見たいって言うんだよ。あいつ、最近おかしいよ。／会开到一半他离开座位，我还以为他要去哪呢，却说了一句想看看天空，那小子最近真怪。

（4）2才の赤ん坊が夢中で何かやっている。何をやっているのかと思ったら、鏡にむかってにこにこ笑ったり、手をふったりしているのだ。／我还以为2岁的婴儿在干什么那么着迷哪，原来是对着镜子又笑又招手呢。

表示说话人感到奇怪而注视的样子，后续为表示意外发现和促使吃惊的事。

5 …たいとおもう　→【おもう】
6 …とおもいきや　原以为…

（1）今場所は横綱の優勝間違いなしと思いきや、3日目にケガで休場することになってしまった。／原以为这个赛季横纲定胜无疑，哪知道第三天就受伤停赛了。

（2）今年の夏は猛暑が続くと思

いきや、連日の雨で冷害の心配さえでてきた。／原以为今年夏天酷暑连天，哪知道阴雨连绵甚至担心要有低温灾害。

（3）これで一件落着かと思いきや、思いがけない反対意見で、この件は次回の会議に持ち越されることになった。／原以为到此可以了结一件，没想到又有反对的意见，结果决定把这件事提到下次会上再议。

接句节，表示本来预想到会有文中表达的结果，然而却出乎意外地出现了与此相反的结果。如例（3）那样也有在"と"紧前伴有"か"的场合。是稍有点陈旧的说法，多用于书面。

7 …とおもう →【おもう】

8 …とおもうまもなく 刚…一下子马上又…。

（1）つめたい雨が降ってきたと思う間もなく、それは雪にかわった。／刚才还觉着是下起了冰冷的雨点，可一会儿又变成了雪。

（2）両目に涙があふれてきたかと思う間もなく、その子は大声で泣き出した。／刚才那孩子还两眼含泪，可一下子又放声大哭起来。

（3）帰ってきたなと思う間もなく、息子は「遊びに行ってくる！」と叫んで出ていった。／我想儿子可回来了，没想

到他嚷了一声"我去玩儿了"就又出去了。

（4）雲を突き抜けたと思う間もなく、翼の下に、街の灯が広がった。／飞机刚钻出云层，机翼下马上呈现出城镇的一片灯火。

表示两件事情之间无时间间隔地接续发生。也有"と"前伴有"か"的情况，用于书面语。在"Xかとおもうまもなく Y"的形式中，不论X还是Y都不能用来表示说话人的行为。

（误）私はうちに帰ったかと思う間もなく友達に電話した。

（正）私は家に帰るとすぐ友達に電話した。／我回到家马上给同学打了电话。

9 …とおもうと

a V-るかとおもうと →【とおもう】2a
b V-たとおもうと 刚…马上就…。

（1）急に空が暗くなったかと思うと、大粒の雨がふってきた。／突然天空暗下来，紧接着大雨点就砸了下来。

（2）山田さんたら、来たと思ったらすぐ帰っちゃった。／说到山田，刚来可，又马上回去了。

（3）さっきまで泣いていたと思ったらもう笑っている。／刚才还哭哪，现在已经笑了。

（4）やっと暖かくなったかと思うと、今朝は突然の春の雪でびっくりした。／刚刚感到终于暖和起来了，今天早晨突然又下起春雪，叫我吃

(5) 夫はさっき家に戻ってきたかと思ったら、知らぬ間にまた出掛けていた。／丈夫刚回到家，马上又神不知鬼不觉地出了门。
(6) 今までニコニコしていたかと思えば、突然泣き出したりして、本当に、よく気分の変わる人だ。／刚才还笑眯眯的，突然又哭了起来，真是个心情多变的人。
(7) ちょっとうとうとしたかと思うと、突然大きな物音がして目が覚めた。／刚有点迷迷乎乎，突然一声巨响把我惊醒。

表示两个对比的事情几乎同时接续发生。也有"V－たとおもったら"、"V－たとおもえば"的形式。此外多用"V－たかとおもったら"的形式。后续多为表示说话人惊讶和意外的表达。不能用于陈述说话人自身的行为。

(误) 私は、うちに帰ったと思うとまた出かけた。
(正) 私は、うちに帰って、またすぐに出かけた。／我回到家马上又出门了。

10 …とおもったものの →【ものの】1
11 Nにとおもって 为了、作为。
(1) おばあちゃんへのお土産にと思って、湯飲み茶碗を買った。／为了当作给奶奶的礼物，就买了茶杯。
(2) つまらないものですが、これ、お子さんにと思って……。／微不足道的东西，这个就给您家公子吧。
(3) 健康維持にと思い、水泳を始めた。／为了维护健康，才开始游泳。

前接表示人和目的、用途的名词，表示"为了那个人或那种目的"的意思。后续表示意志动作的表达方式。也可以说成"…にと思い"的形式。

12 …ものとおもう →【ものとおもう】
13 …ようとおもう →【おもう】5

【とおり】

1 数词／なん／いく／とおり …种。
(1) 駅からあの建物までには3通りの行き方がある。／从车站到那栋大楼有3种走法。
(2) やり方は、何とおりもありますがどの方法がよろしいでしょう。／做法有几种，哪种好呢。
(3) 「生」の読み方は、いくとおりあるか知っていますか。／你知道"生"字有几种读法吗？

接在数词和"何（なん）・幾（いく）"等疑问词后，表示方法和种类的数量。

2 …どおり 按、按照。
[Nどおり]
[R-どおり]
(1) 計画はなかなか予定どおりには進まないものだ。／计划很难按预定方案进行。
(2) すべて課長の指示どおり手

配いたしました。／一切都按处长指示安排好了。
(3) 自分の気持ちを思いどおりに書くことは、簡単そうに見えて難しい。／按照自己的心情去写，看起来简单，实际很难。
(4) 世の中は自分の考えどおりには動いてはくれないものだ。／社会是不会按照自己想的那样去变化的。

前接表示"预定、计划、指示、命令"等名词和"思う、考える"等思考动词的连用形，表示"与之相同"、"按那种样子"、"照原状一样"等意义。这种用法总是为"…どおり"的形式。其他的例子有"命令どおり・型どおり・見本どおり・文字どおり・想像どおり"等。

3 V-る／V-た とおり　正如、按照。

(1) おっしゃるとおりです。（＝あなたの意見に賛成です。）／正如你说的（＝赞成你的意见）。
(2) 私の言うとおりに繰り返して言ってください。／请按照我所说的重复说一遍。
(3) 先生の奥さんは私が想像していたとおりの美人でした。／老师的夫人正如我想象的是一个美人。
(4) ものごとは自分で考えているとおりにはなかなか進まない場合が多い。／事情大多很难按照自己想像的那样

发展。

接"言う"、"思う"等表示发话和思考的动词等的词典形／タ形之后，表示与之相同的意思。

【とか₁】

1 Nとか（Nとか）　…或…、…啦…啦。

(1) 病気のお見舞いには果物とかお花が好まれる。／探望病人时送水果或鲜花等受欢迎。
(2) 私は、ケーキとか和菓子とかの甘いものは、あまり好きではありません。／我不太喜欢吃蛋糕啦和式点心啦等甜食。
(3) 最近の大学院では、一度就職した人とか、子育てを終わった主婦とかが、再び勉強するために入学するケースが目立つようになった。／最近在研究生院里，一度就过业的人啦，完成育婴阶段的主妇啦等等，再入学校重新学习的情况很显著。
(4) 日本から外国へのお土産としては、カメラとか電気製品がいいでしょう。／作为从日本带给外国送的礼品，相机或是电气产品比较好吧。

接在表示人和物的名词之后，用于举出几个类似例子的场合。属于口语。

2 V-るとか（V-るとか）　…或…、

…啦,…啦。
(1) 休日はテレビを見るとか、買い物するとかして過ごすことが多い。／多半以看电视啦,购物等方式渡过假日。
(2) 教師の不足は、教師が教える時間数を増やすとか、一つの教室で複式の授業をするとかの方法で何とか乗り切ることにしたい。／想通过增加教师的授课时数或者在一个教室里搞复式授课等方法来解决教师不足的问题。
(3) 奨学金をもらっていない留学生には授業料を免除するとか、部屋代の安い宿舎を提供するとかして、経済面での援助をする必要がある。／需要对没得到奖学金的留学生给予在经济方面的援助,比如免除授课费啦，或者提供房价便宜的宿舍啦。等等。

前接表示动作的动词，用于举出几个类似的动作、行动的例子的场合。

【とか₂】

1…とか(いう) （说是)什么啦。
(1) 山田さんとかいう人が訪ねてきていますよ。／一个叫山田的人来访了。
(2) 田中さんは今日は風邪で休むとか。／田中说是今天得感冒要休息什么的。
(3) A：田中さんは？／田中呢？
    B：なんか今日はかぜで休むとか言っていました。／说什么今天感冒歇了。
(4) 天気予報によると台風が近づいているとかいう話です。／据天气预报说是台风已临近了。

接名词和引用句节之后，用于把听到的内容传达给别人的场合。其中有对该内容的准确性无十分把握的含意。也有像例(2)一样句尾省略"言っている／言った"的情况。

2…とか…とか(いう) …啦,…啦。
(1) 彼女は買い物に行くとこれがいいとかあれがいいとか言って、決まるまでに本当に時間がかかる。／她一去买东西，总是说这个好啦那个好啦，真得费好多时间才能决定下来。
(2) あの二人は結婚するとかしないとか、いつまでたっても態度がはっきりしない。／他们俩一会儿又说要结婚啦，一会儿又说不结婚啦,总是态度那么含含糊糊的。
(3) もう仕事はやめるとかやっぱり続けるとか、会うたびに言うことが変わる人だ。／他一会儿说要辞了工作，一会儿说还得继续干，每逢见

到他都说的不一样。
　接完全相反的事实和发生各种变化的发言内容，用于表示弄不清楚到底是哪个的场合。也有时像例（2）那样将"言う"省略。

3 …とかいうことだ　听说…、据…。
[N／Na だとかいうことだ]
[A／V とかいうことだ]
（1）隣の娘さんは来月結婚式を挙げるとかいうことだ。／听说邻居的女儿下个月要举行婚礼。
（2）ニュースによると大雨で新幹線がストップしているとかいうことだ。／据新闻报导，新干线因大雨停运了。
　接传闻内容，表示"虽然不太清楚，但是听到…的事"之意。

4 …とかで　说是…、据说…。
[N／Na だとかで]
[A／V とかで]
（1）途中で事故があったとかで、彼は1時間ほど遅刻してきた。／他迟到了1个小时，说是因为半路上发生了事故什么的。
（2）来週引っ越すとかで、鈴木さんから二日間の休暇願いが出ています。／铃木提出请两天假，说是下周要搬家什么的。
（3）結婚式に出るとかで、彼女は着物姿で現れた。／她身着和服出现了，说是要去参加婚礼。

是"据说是…的原因、理由"之意，表示原因理由部分是从别人那里听到的。口头语。

【とかく】

1 とかく…がちだ　往往是…。
（1）女だというだけで、とかく軽く見られがちだ。／仅仅因为是女性，往往就被人看不起。
（2）年を取ると、とかく外に出るのがおっくうになるものだ。／年纪一老，就懒得外出了。
（3）われわれは、とかく学歴や身なりで人間の価値を判断してしまう傾向がある。／我们有一种倾向，那就是往往凭学历和身着打扮来判断人的价值。
（4）とかく人の世は住みにくいものだ。／人世间往往难生存。
　句尾常伴有"…がちだ／やすい／傾向がある／ものだ"等表达方式，表示"怎么说好呢，有…的倾向"的意思。一般表示不怎么好的事。代替"とかく"，也可用"ともすれば"、"ややもすると"等说法。书面性语言。

2 とかく　这个那个。
（1）先のことを今からとかく心配してもしようがない。／现在担心以后的事也无济于事。
（2）他人のことをとかく言う前に自分の責任をはたすべき

だ。／在对别人说三道四之前，应该先履行自己的责任。

（3）とかくしているうちに時間ばかり過ぎていった。(書きことば的)／在忙这忙那之间，时间都过去了。(书面性语言)

表示想过或说过这个啦那个啦的各种各样事的情况。对该行动和发言多含有贬义的韵味。有点文言性质，现代语一般用"とやかく"。

【とかんがえられる】

1 …とかんがえられる　一般认为…、人们认为…。

[N／Na　とかんがえられる]
[A／V　とかんがえられる]

（1）このままでは、日本の映画産業は落ち込む一方だと考えられる。／可以想像，这样下去，日本的电影产业必定越来越衰落。

（2）ここ数年の経済動向から見ても、彼の予測が妥当なのではないかと考えられる。／从这几年的经济动向来看，可以认为他的预测还是很妥当的。

（3）この難解な文章を10歳の子供が書いたとはとても考えられないですね。／难以想象这么难懂的文章是10岁的孩子写的。

这种表达方式用于把自己的想法当作有某种根据的客观性事实来陈述时。

2 …とかんがえられている　一般认为、人们认为。

[N／Na　とかんがえられている]
[A／V　とかんがえられている]

（1）一般的に英語は世界の共通語だと考えられているが、実際には英語が通じない国はいくらもある。／一般都认为英语是世界的通用语，然而实际上英语不通的国家多的是。

（2）火星には生物はいないと考えられていましたが、今回の探索で生命の痕跡が確認されました。／人们认为火星上没有生物，然而通过这次的探测确认了生命的痕迹。

用于陈述一般能接受的想法。但是其想法实际上往往是不正确的，或者是需要修正的。

3 …とものとかんがえられる　可以认为。

[N　であるものとかんがえられる]
[Na　であるものとかんがえられる]
[A／V　ものとかんがえられる]

（1）泥棒は二階の窓から入ったものと考えられる。／可以认为小偷是从二楼的窗子钻进去的。

（2）現在の二酸化炭素の排出量の増加傾向から、地球の温暖化はますます進むものと考えられる。／从现在的二氧化碳的排出量增加的倾

向来看，可以想像地球的温暖化会越来越严重。

多用于论文、论说等较生硬的书面文章中. 表示把自己的想法作为从各种各样的根据中当然引出的客观事实来表达。

4 …ものとかんがえられている 可以认为、可以预测。

[N であるものとかんがえられている]
[Na であるものとかんがえられている]
[A／V ものとかんがえられている]

(1) 今回の地震の原因は地下断層に亀裂が生じたことによるものと考えられる。／可以认为这次地震的原因是地下断层产生龟裂所致。

(2) 携帯電話の利用者は、今後急激に増加していくものと考えられている。／可以预测使用移动电话的人今后会急剧增加下去。

用于陈述一般认定的通过各种各样的根据所下的妥当判断。多用于较生硬的书面语。

【とき】

1 …とき 时候。

[Nのとき]
[Na なとき]
[A-いとき]
[V-るとき]

(1) 子供の時、田舎の小さな村に住んでいた。／小时候，住在乡下的小村里。

(2) 暇な時には、どんなことをして過ごしますか。／闲暇时你怎么渡过啊。

(3) 祖父は体の調子がいい時は、外を散歩する。／祖父身体好的时候，到外边散步。

(4) ひまのある時には、たいていお金がない。／有空闲时，大体上没有钱。

(5) 寝ている時には地震がありました。／睡觉时发生了地震。

前接表示状态的谓语的词典形，表示与此同时并行发生其他事情和状态。

2 …たとき 时候。

[N／Na だったとき]
[A-かったとき]
[V-たとき]

(1) 先代が社長だった時は、この会社の経営もうまく行っていたが、息子の代になってから、急に傾きはじめた。／上一代当总经理时这个公司的经营搞得很好，到了儿子辈之后突然开始衰败起来了。

(2) 貧乏だった時は、その日の食べ物にも困ったものだ。／穷的时候，甚至曾为当天的饭食发愁。

(3) 子供がまだ小さかった時は、いろいろ苦労が多かった。／在孩子还小的时候，我吃了很多苦。

(4) 東京にいた時は、いろいろ楽しい経験をした。／在东

京的时候，曾有过各种各样的快乐。
（5）ニューヨークで働いていた時に、彼女と知り合った。／在纽约工作时和她相识了。

前接表示状态的谓语的タ形，表示与此同时并行成立的过去的事和状态。这种场合，前半部分也可以用词典形，但意思上有微妙的差别。
（例）子供がまだ小さい時は、いろいろ苦労が多かった。／孩子还小的时候，吃了很多苦。

把上例和例（3）加以比较，用タ形的例（3）中有说话人回想过去的含义和"现在已经不同于过去的状态"的含义，与此相对使用词典形的上例则不具备这种含义。

3 V-るとき　时、时候。
（1）電車に乗るとき、後ろから押されてころんでしまった。／上电车时被后边的人推倒了。
（2）関西へいらっしゃるときは、前もってお知らせください。／你来关西时，请事先通知我一声。
（3）東京へ行くとき夜行バスを使っていった。／去东京时乘坐了夜间长途大巴。
（4）父は新聞を読むとき、めがねをかけます。／父亲看报时戴眼睛。

接表示动作的动词的词典形，表示在那个动作进行之前，或者同时并行其他的行为和事情发生了。例（1）、（2）为前者的例，例（3）、（4）为后者的例。

4 V-たとき　时、时候。
（1）家を出たときに、忘れ物に気がついた。／离开家时，发觉忘了东西。
（2）アメリカへ行った時に、昔の友人の家に泊めてもらった。／去美国时，住在老朋友家了。
（3）朝、人と会ったときは「おはようございます」と言います。／早晨遇到人时说"早上好"。
（4）火事や地震が起こったときには、エレベーターを使用しないでください。／在发生火灾和地震时请不要使用电梯。

接表示动作的动词的タ形，表示该动作实现后，其他事情和状态成立之意。

【どき】

时、时候。
[Nどき]
[R-どき]
（1）昼飯どきは、この辺りはサラリーマンで一杯になる。／午饭时这一带到处是公司职员。
（2）木の芽時は、どうも体調がよくない。／每到树发芽时，总觉得身体很不好。
（3）梅雨時はじめじめして、カビが生えやすい。／梅雨季节湿漉漉的，易发霉。

（4）株でもうけるには、買い時と売り時のタイミングに対するセンスが必要だ。／要以股票发财，需要有对买进时和卖出时如何掌握时机的灵性。
（5）会社の引け時には、ビルのエレベーターは帰宅を急ぐ人で満員になる。／公司下班时，大楼的电梯里挤满了急着回家的人。
（6）お中元の季節と歳末は、デパートのかきいれ時だ。／中元节和岁末是百货公司进财的时候。

表示当那样的事发生或举行时，或者它的兴旺时，是做那些事最合时宜的时候。

【ときく】

听说。
[N／Na　だときく]
[A／V　ときく]
（1）ここは昔は海だったと聞く。／听说这里以前曾是大海。
（2）今の市長は、次の選挙には立候補しないと聞いている。／听说现任市长不参加下届选举。
（3）噂で、あの二人が婚約を破棄したと聞いた。／传闻说他们俩解除婚约了。

有"…と聞く／聞いている／聞いた"等形式，表示听到那样的传闻。"と聞く"只用于书面表达方式，マス形的"と聞きます"不用。

（误）このあたりは昔海だったと聞きます。
（正）このあたりは昔海だったと聞いています。／听说这一带以前曾是大海。

【ときたひには】

这是一种稍微陈旧的说法。现在一般用"…ときたら"。

1　Nときたひには　说到、提到。
（1）うちの女房ときたひには、暇さえあれば居眠りしている。／提到我老婆，她只要有闲空儿就打盹儿。
（2）うちの親父ときたひには、天気さえよければ釣りに行っている。／说到我老爸，只要天气好他就去钓鱼。

拿有着极端行动或性质的人物当话题，表示"真让人拿他没办法"的心情。

2　…ときたひには　要是、如果是
（1）毎日残業で、しかも休日なしときたひには、病気になるのも無理はない。／要是每天都加班，而且没有休假日，得病也是理所当然的。
（2）授業には毎回遅刻で、試験も零点ときたひには、落第するのも当然だ。／如果是上课回回迟到，考试零分，当然蹲班了。
（3）毎日うだるような暑さが続いて、しかも水不足ときたひには愚痴もいいたくなる。

／要是难耐的酷热天天持续不断，而且水供应不足，真想发牢骚。

接表示程度不一般、极端状况的短句和名词，表示在这种状况下弄成这样也是理所当然的，基本上表示贬义。

【ときたら】

1 Nときたら　说到、提到。

（1）うちの亭主ときたら、週のうち3日は午前様で、日曜になるとごろごろ寝てばかりいる。／说到我家老公，每周有3天深夜归宿，到了星期天又是整天睡着不起。

（2）あそこの家の中ときたら、散らかし放題で足の踏み場もない。／提到他们家里头，乱得简直没有下脚的地方。

用于将某人物或事物作为话题提出，说话人就此进行评价时。话题对说话人来说是身边的，表示说话人就此特别强烈感到的感情和评价。是口语，后续多为"本当に嫌になる／あきれてしまう"等表示谴责和不满的表达方式。

2 …ときたら　说到、要说。

（1）毎日残業の後に飲み屋のはしごときたら、体がもつはずがない。／要是每天加班后紧接着连续上几家酒店喝酒，身体当然受不了了。

（2）働き者で気立てがいいときたら、みんなに好かれるのも無理はない。／说到他又能干脾气又好，为大家喜欢

也不无道理。

（3）新鮮な刺し身ときたら、やっぱり辛口の日本酒がいいな。／说到新鲜的生鱼片，还是配烈性的日本清酒好啊。

（4）ステーキときたらやっぱり赤ワインでなくちゃ。／说到牛排还是得喝红葡萄酒。

举出具有极端性质的人物和事物以及状况为话题，表示"在这种场合和状况下还是这样为好"之意。例（3）、（4）使用"NときたらN"的形式，是"NにはNが一番あう（对于N是N最合适）"、"NにはNが一番いい（对于N是N最好）"之意。

【ときているから】

因为都说是…。

[N／Na／A／V　ときているから]

（1）あの寿司屋は、ネタがいいうえに安いときているから、いつ行っても店の前に行列ができている。／因为都说那家寿司店材料好而且便宜，所以什么时候去都排队。

（2）秀才でしかも努力家ときているから、彼の上にでるのは簡単ではない。／都说他是秀才而且是个奋斗者，所以要高出他一头可不容易。

（3）収入が少なく子だくさんときているから、暮らしは楽ではない。／听说他收入少孩子又多，所以生活是不轻松的。

举出具有极端性质的人物、事物、状

況,述说"因为如此…,所以当然也就…"的意思,表示现状是从那样性质中得来的必然的结果。是口语。

【ときとして】

1 ときとして　有时。
（1）温暖なこの地方でも、時として雪がふることもある。／虽说这里是温暖的地方,但有时也下雪。
（2）人は時として人を裏切ることもある。／人有时也会背叛别人的。

用于"(虽然未必总是那样)可有时也有那样的事"的场合。稍有点书面语的味道。

2 ときとして…ない　没有…的时候。
（1）このごろは時として心休まる日がない。／最近没有一刻心静之日。
（2）当時は心配事ばかり続き、時として心休まる日はなかった。／当时尽是担心的事,连一天安宁之日都没有。

用于表示能放心度日的生活"连一时一刻也没有"的场合。是文言。现代语一般用"一時(いっとき)として…ない"的形式。

【ときに】

然而、但是。
（1）時に、ご家族の皆様はお元気ですか。／但是,你们家都好吗。
（2）時に、例の件はどうなりましたか。／但是,那件事后来怎么样啦。

用于在会话中间,说出与以前话题毫无关系的新话题的场合。稍有点书面语的味道,一般情况下多使用"ところで"、"さて"等。

【ときには】

偶尔、也有。
（1）生真面目な彼だが、時には冗談をいうこともある。／他死认真,可偶尔也说句笑话。
（2）私だって時には人恋しくなることもある。／即使我也偶尔有恋慕别人的时候。
（3）いつも明るい人だが、時に機嫌の悪いこともある。／平时很开朗的人,偶尔也会心情不快。
（4）専門家でも、時に失敗する場合もある。／即使是专家也有失败的时候。

是"虽然并非永远是,但有时…"的意思。如例（3）、（4）所示,其中的"は"也有被省略的时候。

【どこか】

1 どこか＜不定＞　（不知是）哪儿。
（1）このテレビ、どこかがこわれているんじゃないかな。／这台电视,是不是哪儿坏了。
（2）今頃はどこかをさまよっているかもしれない。／现在

他也许正在哪儿闲逛呢。
(3) どこかでお茶でも飲みませんか。／在哪儿喝点儿茶吧。
(4) 春休みにはどこかへ出かける予定がありますか。／春假有去哪儿的计划吗。
(5) どこかから赤ん坊の泣いている声が聞こえてくる。／不知从哪儿传来了婴儿的啼哭声。
(6) 顔色が悪いが、どこか悪いところでもあるのではないか。／脸色不好，是不是哪儿不舒服？

表示不特定的某个场所。"が／を／から／で／に／へ"等助词接在其后，但是"が"常被省略。口语里多说成"どっか"。此外，修饰名词时应为"どこか＋连体修饰句＋ところ"的形式。

(正) どこか静かなところで話しましょう。／找个安静地方谈谈吧。
(误) 静かなどこかで話しましょう。

2 どこか＜不确切＞ 某处，有些地方。

(1) あの人は、どこかかわいいところがある。／那个人有的地方挺可爱的。
(2) 彼女にはどこか私の母に似たところがある。／她有些地方挺像我妈妈的。
(3) このあたりの風景には、どこか懐かしい記憶を呼び起こすものがある。／这附近的景色什么地方唤起我的眷恋。

表示虽然不能说清哪个部分是那样，但有那样的地方。

【どことなく】

总觉得…。

(1) 彼女はどことなく色気がある。／总觉得她有种说不出的清感力。
(2) あの先生はどことなく人をひきつける魅力をもっている。／总觉得那位老师有吸引人的魅力。

表示虽然说不清是哪里，但有给予那种印象和感觉的地方之意。也说"どこかしら"、"どこか"。

【ところ₁】

1 Nのところ（在时间上表示现在、最近）。

(1) 今のところ患者は小康状態を保っています。／现在患者保持暂时稳定的状态。
(2) 現在のところ応募者は約100人ほどです。／现在应招的人大约100人左右。
(3) このところ肌寒い日が続いている。／最近连续几天都比较冷。

前接"今"、"げんざい"、"この"等表示"现在"的名词。表示"现阶段、现在时点、最近"等现在的时间性状况。

2 V-るところとなる 被知道了。

(1) この政治的スキャンダルは、遠からず世界中の人々が知るところとなるだろう。／

这件政治丑闻不久就将被全世界的人知道了吧。
（２）彼らの別居はたちまち周囲の人の知るところとなった。／他们俩的分居立刻被周围的人知道了。

表示传闻、消息被人知道了的状态的意思。一般采取"知るところとなる"的形式。是书面性语言。

３ Ｖ-るところに よると／よれば 据说…、据…。
（１）聞くところによれば、あの二人は離婚したそうだ。／据说那两个人离婚了。
（２）現地記者の話すところによると、戦況は悪化する一方のようである。／据战地记者说，战况越来越糟。
（３）特派員の伝えるところによると、アフリカの飢饉はさらに悪化しているらしい。／据特派记者报导，非洲的饥荒更加严重了。

接"聞く(听)"、"話す(说)"、"伝える(传达)"等有发话传意义的动词，表示后续的事情是信息情报。句尾常伴有"らしい／そうだ／とのことだ"等。多用于新闻报道文章中。

４ Ｖ-る／Ｖ-ている ところのＮ …所…。
（１）私が知るところの限りでは、そのようなことは一切ございません。／据我所知，绝没有那样的事情。
（２）彼が目指すところの理想の社会とは、身分差別のないすべての人が平等であるような社会であった。／他所追求的理想社会就是没有身分差别人人都平等的社会。

是西方语言中关系代词的直译。如果是按传统日习惯应为如"彼が目指す理想の社会"所示，不一定非要使用"ところ"，但是一用让人听起来是翻译腔。书面语。

５ Ｖ-るところまでＶ（表示到极限）。
（１）堕ちるところまで堕ちてしまった。／堕落到不能再堕落的地步。
（２）とにかく、行けるところまで行ってみよう。／反正能去哪儿就去哪儿吧。
（３）時間内にやれるところまでやってみてください。／在规定时间内，能干多少就干多少。

前后使用同一动词，表示动作变化到了极限、最终阶段的意思。如例（２）、（３）所示使用表示可能的"Ｖ-れる"时是尽可能地进行该动作的意思。

６ Ｖ-ているところをみると 从…来看。
（１）平気な顔をしているところをみると、まだ事故のことを知らされてないのだろう。／从他那满不在乎的样子来看，他大概还不知道发生事故的事。
（２）大勢の人が行列しているところを見ると、安くておい

しい店のようだ。／从很多人排队来看，这儿似乎是既便宜又好吃的店。

用于说话人以直接经验为根据述说推断时。句尾多使用"らしい／ようだ／にちがいない"等。也用"…ところから"和"…ところからみて"的形式。

(例) 高級車に乗っているところから、相当の金持ちだと思われる。／从乘高级轿车来看，他相当有钱。

【ところ₂】

1 V-たところ＜順接＞（表示偶然的契机）。

(1) 先生にお願いしたところ、早速承諾のお返事をいただいた。／我求了老师，立刻得到了他承诺的回答。

(2) 駅の遺失物係に問い合わせたところ、届いているとのことだ。／问了车站的失物招领处，说是那东西已经送到了。

(3) ホテルに電話したところ、そのような名前の人は泊まっていないそうだ。／往饭店打了个电话一问，说是房客中没有叫那个名字的人。

(4) 教室に行ってみたところが、学生は一人も来ていなかった。／进教室看了，结果一个学生也没来。

前接表示动作的动词夕形，后续表示事情成立和发现的契机。前后出现的

事没有直接的因果关系，而是"…したら、たまたま／偶然そうであった(天意中ノ偶然)"的关系。后续的事是说话人以前边的动作为契机发现的事态，用于表达已经成立的事实。也有如例(4)一样"V-たところが"，即伴有"が"的形式。在这种场合前边的事多为与期待相反的内容。

2 V-たところが＜逆接＞　可是…、然而…。

(1) 親切のつもりで言ったところが、かえって恨まれてしまった。／本来满怀热情说的话，反而招来了别人的恨。

(2) 高いお金を出して買ったところが、すぐ壊れてしまった。／出高价买来的东西，可是很快就坏了。

(3) 仕事が終わって急いで駆けつけてみたところが、講演はもうほとんど終わってしまっていた。／工作一完，赶紧跑去一看，但是讲演已经差不多完了。

这是一种逆接的用法，可以和"のに"互换，表示结果与预想、期待相反之意。前一种用法是顺接，一般可以省略"が"。此处不能省，只能用"ところが"。

【どころ】

1 …どころか　哪里。

[N／Na(な)　どころか]
[A-いどころか]
[V-るどころか]

(1) 病気どころか、ぴんぴんし

ている。/哪里有病，精神得很。

(2) A：あの人、まだ独身でしょう。/那个人还单身吗？
B：独身どころか、子供が3人もいますよ。/哪里还单身，都有3个孩子啦。

(3) 彼女は静かなどころか、すごいおしゃべりだ。/她哪里文静，嘴碎极了。

(4) A：そちらは涼しくなりましたか。/你们那里凉快了吗？
B：涼しいどころか、連日30度を超える暑さが続いていますよ。/凉快什么呀，连续多日超过30度的酷热。

(5) 風雨は弱まるどころか、ますます激しくなる一方だった。/风雨哪里减弱呀，反而越来越大。

(6) この夏休みはゆっくり休むどころか、仕事に追われどおしだった。/这个暑假别说好好休息了，一直被工作压得透不过气来。

"どころ"接在名词、形容词之后。接在ナ形容词之后时，既有如例 (3) 一样在"どころ"前加"ナ"，也可以省去"ナ"的情况。"どころ"多用于后续的内容与前边所述的事实正相反的情况下，从根本上推翻说话人或者听话人的预想和期待的事实。

以例 (2) 为例，听话人还以为某人"单身"，说话人传达了不但某人"不是单身"，而且都有"3个孩子"的事实，是一种从根本上否定听话人认为某人"单身"预想的表达方式。

2 …どころか…ない　别说…连…、别说…就是…。
[…どころ…さえ(も)…ない]
[…どころか…も…ない]
[…どころ…だって…ない]

(1) 最近の大学生の中には、英語どころか日本語の文章さえうまく書けない者がいる。/最近，在大学生中，有的人别说英语，连日语的文章也写不好。

(2) 旅行先で熱を出してしまい、見物どころか、温泉にも入れなかった。/旅行途中发了烧，别说游览，连温泉也没洗上。

(3) 彼女の家まで行ったが、話をするどころか、姿も見せてくれなかった。/她家，我虽然去了，别说跟她聊聊天了，她根本就没露面。

(4) A：今夜お暇ですか。/今晚你有空儿吗？
B：暇などころか、食事をする暇さえありませんよ。/哪有空啊，连吃饭的时间都没有。

(5) お前のような奴には、1万円どころか1円だって貸してや

る気はない。/像你这样的家伙，别说１万日元，就是１日元也不想借给你。

用法２的接续、意义与用法１相同。后半用"さえ(も)/も/だって…ない"等的表达方式，表示不仅没有满足平均的标准和期待，而且比那还简单，甚至连低标准的期待也没满足。

以例（１）为例，日本的大学生在外语方面一般应该会英语，可是连比英语更简单的日语作文都不会，表示有的学生没作文能力的意思。

３ …どころではない　哪有、哪能、不是…的时候。

[Ｎどころではない]
[Ｖ-ているどころではない]

（１）　この１か月は来客が続き、勉強どころではなかった。/这１个月接连来客人，哪有学习的工夫。
（２）　こう天気が悪くては海水浴どころではない。/这样的坏天气，哪能海水浴啊。
（３）　仕事が残っていて、酒を飲んでいるどころではないんです。/还有工作没完，不是喝酒的时候。
（４）　Ａ：今晩一杯いかがですか。/今晚喝一杯怎么样？
　　　　Ｂ：仕事がたまっていて、それどころではないんです。/工作堆了一堆，不是喝的时候。

"どころではない"接在动词或者表示动作的名词后，表示"不是能进行那种活动的状况和场合"。也有如例（４）一样用指示词来承接前边的话。例（４）也可以说成"酒を飲んでいるどころではない"。

４ Ｎどころのはなしではない　不是谈…的时候、哪有闲工夫谈…。
Ｎどころのさわぎではない

（１）　受験生の息子を二人も抱え、海外旅行どころの話ではありません。/我有两个应考的孩子（生活负担很重），不是谈出国游玩时候。
（２）　こう忙しくては、のんびり釣りどころの話ではない。/这么忙，哪有闲工夫钓鱼。
（３）　原子力発電所の事故発生でバカンスどころの騒ぎではなくなった。/由于核电站发生了事故，根本没有功夫去休假旅游。

前接动词和表示动作的名词，其表示的意义与用法３类似，含有"不是谈论那样快活事的状况"之意。

【ところが】

１ ところが＜反予測＞　但是、可是。

（１）　天気予報では今日は雨になると言っていた。ところが、少し曇っただけで、結局は降らなかった。/天气预报说今天有雨，可是只是天稍微阴了点，最终没有下。
（２）　ダイエットを始めて３週間になる。ところが、減った体重は、わずか１キロだけだ。/开始减肥已经３周了，可是

（3）いつもは8時半ごろ会社に着く。ところが、今日は交通事故に巻き込まれ、1時間遅れで到着した。／我总是8点半到公司，可是今天赶上交通事故，晚了1个小时才到。

（4）兄は大変な秀才である。ところが弟は大の勉強嫌いで、高校を無事に卒業できるかどうか危ぶまれている。／哥哥是个秀才，可是弟弟非常讨厌学习，能否顺利高中毕业都很危险。

（5）A：春休みはゆっくりされているんでしょうね。／春假您能好好休息吧。
B：ところが、締め切り原稿があってそうもしていられないんです。／可是有约稿到期也休息不得。

（6）A：来週のパーティには是非いらしてくださいね。／请您一定参加下周的聚会啊。
B：ところが、その日急に予定が入ってしまったんです。／可是，那天突然有了安排。

用于与从前边句子的内容，自然而然所预想和期待的情况相反，即后续内容与前边不一致的场合。另外如例（3）、（4）所示，用于两个事态处于对比关系时况。如例（5）、（6）用于会话时，用于把"虽然你那么想，可是事实与此截然不同"的话传给听话人时。也就是表示对方的期待和预想与现实不一致。不论哪种情况，后续句子都是表示既定的事实。如果是没有决定事实性的意志、希望、命令、推量等表达方式，则不能用这个句型。如下例就是因此而产生的错误。

（误）合格はかなり難しそうだ。ところが、受験してみるつもりだ（意志）／挑戦してみたい（希望）／頑張れ（命令）／ひょっとしたら受かるかもしれない（推量）。

2 ところが＜发现＞　可是…。

（1）急いで家を出た。ところが、途中で財布を忘れていることに気がつき、あわてて引き返した。／急急忙忙离开了家，可是半路上发觉忘记带钱包了，于是又慌慌张张跑回了家。

（2）友人の家に電話した。ところが、1週間前から海外旅行に行って留守だという。／给朋友家打了电话，可是，听说他1周前出国旅游去了不在家。

用于表示发生了从前述的状况和趋势难以预想的情况和新变化时，并且说话人对此感到非常意外。后续句子内容是说话人第一次发现的新信息，即与从前述情况自然预想到的事情具有不一致的内容。"ところが"的这种用法与"しかし"、"けれども"、"だが"等是不能替换的，即便能替换也是表达其他意义。

【ところだ】

1 ところだ＜事态的局面＞

"ところだ"接在动词之后,用于报告场面、状况、事情等处于怎样的进展阶段。"ところだった"用于表示过去所处于的那种状态。"ところだ"本身不能变否定形和疑问形。而且前边所接的动词一般也不能使用否定形。

a V-たところだ　刚刚。
（1）今帰ってきたところです。／我刚回来。
（2）海外勤務を終え、先日帰国したところです。／结束了国外的工作,前两天刚回国。
（3）電話したら、あいにくちょっと前に出かけたところだった。／打电话一问,说是不凑巧刚出门。

表示动作、变化处于其"…之后不久"的阶段,与"今、さっき、ちょっと前"等表示"即将…之前"的时间副词一起使用的情况较多。

b V-ているところだ　正在。
（1）A：もしもし、和雄君いますか。／喂,喂,和雄在吗？
　　B：今お風呂に入っているところなんです。／正在浴室洗澡呢。
（2）ただいま電話番号を調べているところですので、もう少々お待ちください。／我正在查电话号码,请你稍微等一会儿。
（3）ふすまを開けると、妻は着物を片付けているところだった。／打开拉门一看,妻子正在整理衣服。

此处的"ところ"表示动作进行"当中"的阶段。

c V-ていたところだ　（当时）正…呢。
（1）いい時に電話をくれました。私もちょうどあなたに電話しようと思っていたところなんです。／你的电话来得真是时候,我也正想给你打电话呢。
（2）思いがけなくも留学のチャンスが舞い込んできた。そのころ私は、将来の進路が決められずいろいろ思い悩んでいたところだった。／没想到飞来个留学机会,当时我正为难以决定将来前途而烦恼不堪。

表示从以前到句子所表达的时点为止,该状态一直持续着。多用于表达说明思考和心理状态,以及在那种状态下发生变化产生了新发展的情况。

d V-るところだ　正想、正要。
（1）これから家を出るところですから、30分ほどしたら着くと思います。／我正要离家出门,我想过30分钟左右就能到你那儿。
（2）飛行機は今飛び立つところだ。／飞机正要起飞。
（3）A：ご飯もう食べた？／你吃饭了吗？

B：ううん、これから食べるところ。／没呢，我正要吃。

(4) 家に戻って来ると、妻は買い物に出掛けるところだった。／我回到家，妻子正要出门购物去。

表示动作和变化处于其发生的"稍前"的阶段。句子中常用"ちょうど(正好)、今(现在)、これから(一会儿)"等副词。

2 Ⅴところだ＜与事实相反＞

表示"如果情况不同就应该是这样的"一种与事实相反的事情。前边多伴有"たら／なら／ば"等表示条件的分句。

a …たらＶところ　要是…就会…。

(1) 昔だったらそんな過激な発言をする人間は、処刑されているところだ。／要是在过去，那种言辞过激的人会被处死的。

(2) 父がそのことを知ったら激怒するところだ。／爸爸要是知道了此事，会勃然大怒的。

(3) 先生がお元気だったら、今日のような日には一緒に中華料理でも食べているところでしょう。／老师如果身体好的话，像今天这样的日子就会和我们一起品尝中国菜了吧。

(4) 知らせていただかなければ、とっくにあきらめていたところです。／如果您不通知，我早就放弃了。

伴有"…ば"、"…たら"等条件分句时，主句中的动词为词典形或タ形，表示事实虽然与此不同，但是如果是那种情况的话是能想像出它的结果是什么的。

如例(1)"昔だったら処刑されているはずだ(要是以前会被处刑的)"，但表示的是现代社会不会有那种事。

b …ところだった　差一点就…、险些…。

[Ⅴ-るところだった]
[Ⅴ-ていたところだった]

(1) もし気がつくのが遅かったら、大惨事になるところだった。／如果发现晚了，险些就酿成大事故。

(2) あっ、あなたに大事な話があるのを思い出しました。うっかり忘れるところでした。／啊，我想起来了，有要事和你说，差一点忘了。

(3) ありがとうございます。注意していただかなければ忘れていたところでした。／谢谢，你不提醒险些我就忘了。

表示如果情况不同，就会发生的事在此之前得以避免的意思，常伴有"…ば"、"…たら"的条件句。如果要加强马上就要发生之意时，则说"もうすこしで…ところだった。(差一点儿…就…)"。

c …なら(ば)…ところ　だが／を平时的话…，可现在…。

(1) 普通ならただではすまないところだが、今回だけは見逃してやろう。／要是平时

是饶不了你的，就这次放你一码。

(2) 本来ならば直接お伺いすべきところですが、書面にて失礼致します。／本来应该直接拜访您的，可是这次只好写信了。

(3) 通常は定価どおりのところを、お得意さんに限り特別に１万円引きになっております。／把平常按定价出售的东西，仅对老客户特别便宜一万日元。

(4) いつもなら１時間で行けるところを、今日は交通事故があって３時間もかかった。／平时１个小时能到的地方，今天有交通事故花了３个小时。

在这个句型中常伴有"普通／通常／本来／ならば"等词语，表示平常是这样的，可是现状则与此不同是特殊之意。

【ところで】

1 ところで　且说、可是。

(1) A：お元気ですか。／你好吗？
B：おかげさまで。／托您的福了!
A：ところで、この度は息子さんが大学に合格なさったそうで、おめでとうございます。／哎，听说这次贵公子考上了大学，恭喜啦!

(2) A：やっと夏休みだね。ところで、今年の夏休みはどうするの。／终于到暑假啦,可是今年暑假你有何打算？
B：卒論の資料を集めるつもり。／打算收集写毕业论文的资料。

(3) 今日はお疲れ様でした。ところで、駅のそばに新しい中華料理屋さんができたんですけど、今夜行って見ませんか。／今天您辛苦了.对了,车站旁边新开了一家中国菜馆,今晚不去瞧瞧吗？

(4) 今日の授業はこれまでです。ところで、田中君を最近見かけませんが、どうしているか知っている人いますか。／今天课就上到这儿。可是最近没见到田中，有没有人知道他怎么了？

用于与前面话题不同而转变为其他话题时，或者添加与现在话题相关连的事，使其相互对比的场合。

2 V-たところで＜阶段时间点＞在…时。

(1) 論文の最後の一行を書いたところで、突然気を失った。／写到论文最后一行时，突然昏过去了。

(2) 話の区切りが付いたところで、終わることにしましょう。／话告一段落时，就此结

（3）大急ぎで走り、飛び乗ったところで電車のドアが閉まった。／急急忙忙奔跑飞身上了车，电车门就关上了。

（4）ようやく事業に見通しがつくようになったところで、父は倒れてしまった。／总算事业有望的时候，父亲却累倒了。

表示前边动作、变化结束了，告一段落时，发生了后边的动作和变化之意。

3 V-たところで＜逆接＞
a-V たところで…ない　即使也不（没）。

（1）いくら頼んだところで、あの人は引き受けてはくれないだろう。／即使使劲求他，他也不会接受吧。

（2）そんなに悲しんだところで、死んだ人が帰ってくるわけではない。／即使那么悲哀，死了的人也回不来了。

（3）今頃になって急いだところで無駄だ（＝間に合わない）。／到了这时候即使急也没用（＝也来不及了）。

（4）到着が少しぐらい遅れたところで問題はない（＝大丈夫だ）。／稍微晚到一会儿，也问题不大（＝没关系）。

（5）頑丈な作りですから倒れたところで壊れる心配はありません。／做得很结实，倒了也不必担心会破碎。

"ところで"接在动词的タ形之后，表示即使成为那样，也得不到所期待的结果。结果的部分是"谓语+ナイ"形或者是"無駄だ／無意味だ"一类表示否定性判断或价值的表达方式。如例（1）～（3）就是如此。也如例（4）、（5）所示，亦可一样以"…しても大丈夫／問題はない"来结尾，表示肯定评价的用法。这是即使前边的事态发生，也不会影响到后边事态的关系。这个句型常伴有"たとえ"、"どんなに"、"いくら"等副词和"何+数量词"（如：何人、何冊、何回）的表达方式。

b V-たところで　即使…、顶多…、再…也就…。

（1）うちの夫は出世したところで課長どまりだろう。／我家先生即使出人头地，顶多也就做到处长就到头了。

（2）どんなに遅れたところで、せいぜい5、6分だと思います。／再怎么迟到，我想顶多5、6分钟吧。

（3）泥棒に入られたところで、価値のあるものは本ぐらいしかない。／即使小偷钻进来（也没的可偷），有价值的也就只有书。

后边伴有表示量少程度的表达。表示"即使发生了那样的事时，其程度、量、数都是微不足道的"之意。

【ところに】
…的时候。
[V-ている／V-た　ところに]
（1）出かけようとしたところに

電話がかかってきた。／要出門的時候，来了電話。
(2) ようやく実行する方向に意見がまとまったところへ思わぬ邪魔が入った。／総算在実施的方向上取得了一致的意見，没想到又有了障碍。
(3) 財布をなくして困っているところに偶然知り合いが通りかかり、無事家までたどり着くことができた。／丢了钱包正在为难时，一位熟人偶然从此路过，得到他的帮助才得以安全返回家。

用于表示発生使之处于某阶段的状况变化、变更等事情的场合。大体上如例(1)、(2)表示妨碍阻挠事情进展的情况居多，也有如例(3)使表示现状向好的方向变化的情况。

【ところを】

1 Vところを…V　正…时、之时。

(1) お母さんは子供が遊んでいるところを家の窓から見ていた。／妈妈从窗户里看正在玩耍的孩子。
(2) こっそりタバコを吸っているところを先生に見つかった。／正偷偷吸烟时被老师发现了。
(3) 駅前を歩いているところを警官に呼び止められた。／路过车站前时被警察叫住了。
(4) 男は金庫からお金を盗み出そうとしているところを現行犯で逮捕された。／那男的正从保険柜里偷钱时，被以现行犯逮捕了。
(5) 人々がぐっすり寝込んだところを突然の揺れが襲った。／正当人们睡得正香时，突然大地摇晃了起来。
(6) あやうく暴漢に襲われかけたところを見知らぬ男性に助けてもらった。／险些被歹徒袭击时，被一位不相识的男子汉搭救了。

在"ところを"前后都有动词相伴，表示对于由前边动词所表示的状况进展，后续的内容给予前边直接性的作用动作。作为后续动词一般是"見る"、"見かける"、"見つける"、"発見する"等表示视觉或发现意义的动词，或者是"呼び止める"、"捕まえる"、"捕まる"、"襲う"、"助ける"等表示停止、捕捉、攻击、救助之类意义的动词。这些动词在制止阻挡前边动作、事物的进展方面有着共同点。

2 …ところ(を)　…之时、…之中。
[Nのところ(を)]
[A-いところ(を)]
[R-ちゅうのところ(を)]

(1) お楽しみのところを恐縮ですが、ちょっとお時間を拝借できないでしょうか。／在大家玩兴正浓时，实在不好意思，能给我点时间吗？
(2) ご多忙のところ、よくきてくださいました。／欢迎百忙之中前来光临。
(3) お忙しいところを申し訳ありませんが、ちょっとお邪

魔いたします。／对不起,在您百忙之中还来打扰您。
(4) お取り込み中のところを失礼します。／在您百忙之中还来打搅实在对不起。
(5) お休み中のところをお電話してすみませんでした。／在您安歇之时给您打电话,抱歉抱歉。
(6) 難しいことは承知のうえですが、そこのところをちょっと無理して聞いていただけないでしょうか。／虽然知道您有些为难,可还是希望您想办法给打听一下好吗？
(7) A：最近ちょっと忙しくて…。／最近稍微有点忙…。
　　B：そこんところを何とかよろしくお願いしますよ。／这种情况下还是想请您关照。

　　用于勉强对方,给对方添麻烦之时,是顾及到对方状况的一种表达方式,多用于开场白。后续的表达是委托、致歉、致谢等内容。也有如例(6)、(7)把前边内容用指示词来承接,说成"そこのところ"的表达方式。

【とされている】
被视为…、被看成…。

(1) 仏教で、生き物を殺すのは十悪のひとつとされている。／佛教把杀生视为十恶之一。
(2) 地球の温暖化の一因として、大気中のオゾン層の破壊が大きくかかわっているとされている。／臭氧层的破坏被视为地球温暖化的重要原因之一。
(3) チョムスキーの理論では、言語能力は人間が生まれつきもっている能力とされている。／按照乔姆斯基的理论,语言能力被视为人天生的能力。
(4) 当時歌舞伎は風俗を乱すものとされ、禁止されていた。／当时歌舞伎被视为伤风败俗之物而被禁止。

　　"とされている"表示"被认为／被看成…"的意思。其前面的名词谓语中的助动词"だ"可以省略,多为"Nとされている"的形式。一般用在报导和论文等较郑重的文章中。

【としたら】

　　这个句型是由助词"と"加上"したら"构成的,表示"认为那是事实的场合"、"认为是实现并存在的场合"、"在这样的事实、现状的基础上的场合"等意义,是设想"在那样想的情况下"进行条件设定,几乎所有的场合都不能用单独的"たら"来替换。

1 …としたら＜假定条件＞　要是、如果。

[N／Na　だとしたら]
[A／V　としたら]

(1) 家を建てるとしたら、大き

い家がいい。／要是盖房子，还是大的好。
（2）もし1億円の宝くじがあったとしたら、家を買おう。／如果我中了一亿日元的彩票，我要买房子。
（3）仮にあなたが言っていることが本当だとしたら、彼は私に嘘をついていることになる。／假定你所说的是真的，那么就是他对我撒了谎。
（4）いらっしゃるとしたら何時ごろになりますか。／如果您来的话，几点来啊？
（5）責任があるとしたら、私ではなくあなたの方です。／如果说有责任，不是我有，而是你有。

表示"假如把那当成事实"或者"认为其可以实现、存在的话"之意，后半句接表示说话人的意志、判断或评价的表达方式。前边常伴有"仮に"、"もし"，后续如果是表示评价或意志的表达方式时，可以用"としたら"，但是用"とすると"、"とすれば"，则句子不自然。
（误）宝くじがあった（とすると／とすれば）家を買おう。

2 …としたら＜既定条件＞　如果。
[N／Na　（なの）だとしたら]
[A／V　（の）だとしたら]
（1）これだけ待っても来ないのだとしたら、今日はもう来ないでしょう。／如果这么等都不来，今天不会来了吧？
（2）A：私はそのことを誰にも話していません。／我跟谁也没说那件事。
B：あなたが話してないのだとしたら、一体誰がもらしたのだろう。／如果你没说，那到底是谁泄漏的呢？

根据现状和从对方得来的信息，表示"在这种现状和事实的基础上"之意。多用"…のだとしたら"的形式。这种用法不能使用副词"かりに"和"もし"。

3（そう）だとしたら　那样的话。
（1）A：寝台車は全て満席だって。／说是卧铺车全都满员了。
B：だとしたら、普通の座席に坐って行くしかないわね。／那样的话，只能坐硬座去咯。
（2）A：会議は1時間遅れの開始になったそうですよ。／听说会议晚开始一个小时。
B：そうだとしたら、こんなに急いでくるんじゃなかった。／早知那样的话，就不这么急着赶来啦。
（3）台風の上陸と満潮の時刻が重なるらしい。だとしたら、沿岸では厳重な警戒が必要になる。／好像台风登陆和满潮要撞到一起，那样的话，沿岸有必要严加警戒。

承接前边句子或对方的话，表示"在

那样的事实下"、"基于这种状况"、"如果那是事实的话"之意。

【として】

1 Nとして 作为、当作。

（1）研究生として、この大学で勉強している。／他作为研究生在这所大学学习。
（2）日本軍の行った行為は日本人として恥ずかしく思う。／对于日本军队的所为，我作为日本人感到羞耻。
（3）子供がこんなひどい目にあわされては、親として黙っているわけにはいかない。／孩子受到这样遭遇，我作为家长不能默然不管。
（4）彼は大学の教授としてより、むしろ作家としての方がよく知られている。／他与其说作为大学教授，不如说作为作家更有名。
（5）趣味として書道を勉強している。／我把书法当作一种爱好来学。
（6）学長の代理として会議に出席した。／作为校长代理出席了会议。
（7）大統領を国賓として待遇する。／给总统以国宾的礼遇。
（8）軽井沢は古くから避暑地として人気があるところだ。／轻井泽自古以来作为避暑胜地而深受欢迎。
（9）文学者としては高い評価を得ている彼も、家庭人としては失格である。／作为文学家得到很高的评价的他，作为家庭成员却不够资格。
（10）彼の料理の腕前はプロのコックとしても十分に通用するほどのものだ。／他的做菜本事，作为专业厨师也是十分够用的。

"として"接名词之后，表示资格、立场、种类、名目等。

2 Nとしては →【としては】

3 Nとしても 作为…也。

（1）私としても、この件に関しては当惑しております。／关于这件事，我也困惑不解。
（2）学長としても、教授会の意向を無視するわけにはいかないだろう。／作为校长，我也不能无视教授会的意向吧。
（3）会社といたしましても、この度の不祥事は誠に遺憾に思っております。／作为公司方面对这次发生的不光彩事件也实在表示遗憾。

"としても"接在表示人或组织的名词之后，表示"从那种立场、观点出发也…"之意。也有象例（3）一样采取礼貌语的表达方式。与"としては"的不同之处是，"としても"含有其他也有同样立场观点的人和组织之意。

→【としても】

4 NとしてのN 作为…的…。

（1）教師としてではなく、一人の人間としての立場から発言し

たいと思う。/我不是作为教师，而是想从作为一个普通人的立场发发言。
（2）彼にも男としての意地があるはずです。/他也应该有作为男子汉的气概。
（3）日本代表としての責任を強く感じ、精一杯頑張りたいと思います。/我作为日本代表深感责任重大，要全力以赴拼博。

是"Nとして"修饰名词的用法。

【として…ない】

・没有一…。

[最小数量＋として…ない]

（1）戦争が始まって以来、一日として心の休まる日はない。/自战争开始以来没有一天心情安宁的。
（2）期末試験では、一人として満足のいく答案を書いた学生はなかった。/期末考试中，没有一个学生写出圆满的答案。
（3）高級品ばかりで、一つとして私が買えそうな品物は見当たらない。/都是高级豪华商品，自己能买的东西一个也没找到。
（4）だれ一人として、私の発言を支持してくれる人はいなかった。/不论谁，没有一个支持我发言的。

"として"之前为"一日"、"一時"、"(だれ)一人"、"(何)一つ"等表示最小数量接"一"的词。后续的谓语常伴有否定形，表示"一点也没有"之意。如有"だれ"、"なに"等疑问词相伴时，其中的"として"可以省略。

（例）だれ一人、私の発言を支持してくれる人はいなかった。/没有一个人支持我的发言。

这句话稍有点书面语的味道，若用口头表达，则为"一人も…ない"的说法。

【としては】

虽然这是"として"加上"は"的形式，但是以下用法通常不能省略"は"。

1 Nとしては＜立场・观点＞ 作为…。

（1）彼としては、辞職する以外に方法がなかったのでしょう。/作为他，除辞职之外没有别的办法吧。
（2）私といたしましては、ご意見に賛成しかねます。/您的意见我难以苟同。
（3）吉田さんとしては、ああとしか答えようがなかったのでしょう。/作为吉田只能那么回答吧。
（4）委員会としては、早急に委員長を選出する必要がある。/作为委员会有必要尽快选出委员长。

其前为表示人物或组织的词语，表示"从那种立场、观点来说／来想"之意。也有用"…としましては"、"といたしましては"等礼貌语体表达形式的情况。

2 Nとしては ＜与平均值有出入＞
作为。

(1) 父は、日本人としては背の高いほうです。／父亲作为日本人算个子高的。

(2) 100キロの体重は普通の男性だったらずいぶん重いと思うが、相撲取りとしてはむしろ軽いほうである。／100公斤的体重，如果是一般男子的话就很重了，可是作为相扑力士毋宁说是数轻量级的。

(3) 大学院を出てすぐ大学に就職できる人は、研究者としては幸運な部類に入る。／研究生一毕业就能在大学就职，作为研究者算是属于幸运一族。

(4) 学生数2000人というのは大学としてはかなり規模が小さい。／学生数为2000人，作为大学，规模相当小。

前接表示人物或组织的名词，用于表示将该人物或组织在其所属标准或平均数值相比较，具有远离该数量或不具备其性质的意思。可以与"…にしては"互换。

【としても】
1 Nとしても →【として】3
2 …としても　即使…也。
[N／Na （だ）としても]
[A／V　としても]

(1) 彼の言っていることが真実だとしても、証拠がなければ信じるわけにはいかない。／即使他说的是真的，如果没有证据也不能相信。

(2) たとえ賛成してくれる人が一人もいないとしても、自分の意見を最後まで主張するつもりだ。／即使没有一个人赞成我，我也打算把自己的意见坚持到底。

(3) 留学するとしても、来年以降です。／即使留学，也要明年以后再说。

(4) 今からタクシーに乗ったとしても、時間には間に合いそうもない。／即使现在坐上出租车，也根本来不及了。

(5) 渋滞でバスが遅れたとしても、電話ぐらいしてくるはずだ。／即使是交通堵塞公共汽车晚到，也该打个电话呀。

(6) 加藤さんの忠告がなかったとしても、やっぱり病院を変えていただろう。／即使没有加藤的忠告，也还是转院了吧。

(7) 同級生に駅で出会わなかったとしても、やっぱり授業をさぼって映画に行っただろう。／即使在车站没碰到同学，也肯定是逃课去看电影了吧。

以"XとしてもY"的形式表示"假如X是事实或者成立，在Y的成立上或者

阻止Y上，也不会起到有效的作用"之意。Y表示与X预想期待相反或者与X不符的事情。

X是动词时，如例(4)~(7)一样多用"V-たとしても"的形式，也用例(3)那样"V-るとしても"的形式。例(3)以"将来要发生留学的情况"的意思，表示Y与X成立时的时间相同。与此相对应，"V-たとしても"表示"即使X的事态成立的情况"，X表示先于Y成立的事情。例(4)是表示"即使坐上出租汽车的情况下也要以来不及的结果告终吧。"的意思。

例(6)、(7)表示反事实的事情时，"虽然实际上有加藤的忠告，但即使在没有的情况下"、"虽然实际上见到了同学，但即使没见到"，Y的结果也成立吧！

3 …はいいとしても　即使…也。

(1) 彼はいいとしても、彼女が許してくれないだろう。／即使他认可，她也不会原谅我吧。
(2) 計算を間違えたのはいいとしても、すぐに報告しなかったことが問題だ。／即使计算错了这一点可以原谅，但你没有马上汇报也是问题。
(3) 時間通り来たのはいいとしても、宿題を忘れて来たのはよくない。／即使按时到是好的，忘带作业可不好。
(4) あのホテルは、部屋はいいとしても、従業員の態度がよくない。／那家饭店虽然房间好，服务员的态度可不好。

前接名词或者句节，使用"Xはいいとしても Y"的形式，在 Y 上接续"不好"等贬义表达方式，表示"有关X虽然认为其好也可，但是对Y则不能那么说"之意。是使二者相比较，这是X在允许的范围之内Y则处于其范围之外的说法。

【とする₁】
（表示样子或状态）。

(1) ぎりぎりで締め切りに間に合い、ほっとした。／紧紧吧吧赶上了截止期，松了一口气。
(2) 子供は少しの間もじっとしていない。／孩子一会儿也不会安宁的。
(3) 何を言われても平然としている。／不管别人说什么都泰然处之。
(4) ぼんやり(と)していた記憶が時間が経つにつれてだんだんはっきり(と)してきた。／本来模糊的记忆随着时间的流淌逐渐地清晰起来。
(5) 記者の質問に対し堂々とした態度で応対した。／对于记者提问，以落落大方的态度去对待。
(6) もっときちんとした格好をしなさい。／你穿着再整齐点儿。
(7) 真夜中の電話の音にはっとして目が覚めた。／深夜的电话声吓醒了我。
(8) 何を言われても、平然としてたばこを吹かしている。／

不论别人说什么，他都平静地吸着烟。
(9) 彼女はきっとして、私をにらみつけた。／她严厉地瞪了我一眼。
(10) 昨日からの雪は、一夜明けた今も依然として降り続いている。／昨天开始下的雪，过了一夜仍然在下。

词尾加"と"的副词再加"する"，表示是那种样子和状态。例(4)中的"ぼんやり"、"はっきり"不接"と"也可作副词使用，此时可以省略"と"。例(7)～(9)中可以省略"して"。其他的例子还有"ちゃんと／ゆったりと／かっかと／悠々と／悠然と／毅然とする"等。

【とする₂】
[N／Na （だ）とする]
[A／V　とする]

1 …とする＜假定＞　如果…、假如…。

(1) 今仮に3億円の宝くじがあなたに当ったとします。あなたは、それで何をしますか。／假设现在你中了3亿日元的彩票，你用这笔钱干什么？
(2) 今、東京で関東大震災と同程度の地震が起こったとしよう。その被害は当時とは比べものにならないものになるだろう。／假设东京现在发生了和关东大地震同样程度的地震，其损失将无法和当年比拟吧。
(3) 例えば50人来るとして、会費は一人いくらぐらいにすればよいでしょうか。／比如假设来50人，一个人交多少会费好呢？

表示"かりに…と考える(假设…去考虑)"之意。现实是怎么样那就另说了，总之是以假定、想像的事情来设定条件的用法。说话人以假想的东西来设定这种意识性的条件，设定意识颇强。

2 …とする＜看作＞

这是用于新闻报道、法律条文等方面稍生硬文章中的表达方式。

a …とする　看成…、视为…。
[N／Na （だ）とする]
[A／V　とする]

(1) 酔ったうえでの失言(だ)として、彼の責任は問われないことになった。／把那件事视为酒后失言，他的责任不予追究了。
(2) 多額の不正融資が行われた証拠があるにもかかわらず、事実無根として片付けられた。／尽管有进行高额非法融资的证据，也被看成事实不确凿给处理了。
(3) 裁判長は過失は被告側にあるとし、被害者に賠償金を払うよう命じた。／审判长认为过失在被告一方，并且勒令被告向受害者支付赔赏金。
(4) 今の法律では夫婦はどちら

か一方の姓を選ばなければならないとされている。／按照现行的法律规定，夫妻必须选择两人中某一方的姓氏。

表示"看成…"、"判断为…"之意。名词后的"だ"多省略。

b …こととする　規定…、決定…。

表示"看成…"、"判断为…"、"决定为…"之意。

(1)　《規則》会議を欠席する場合は、事前に議長宛に届けを提出することとする。／《规则》规定缺席会议时，要在事前向议长提出请假。

(2)　この度の法律改正は喜ぶべきこととして受け止められている。／这次的修改法律当成值得高兴的事而被接受了。

表示"决定为…"、"判断为…"之意。

c …ものとする　視为…、解释为…。

(1)　意見を言わない者は賛成しているものとする。／不发表意见的人视为赞同的人。

(2)　1週間たってもお返事がない場合はご辞退なさったものとして扱います。／过一周后没有回信时，以自己放弃来论处。

表示"看成…"、"解释为…"之意。

3 V-ようとする　正要…。

(1)　時計は正午を知らせようとしている。／钟表正要报午时。

(2)　お風呂に入ろうとしたところに、電話がかかってきた。／正要进浴室时，打来了电话。

→【よう2】8

4 NをNとする　把…视为、把…当作…。

(1)　私は恩師の生き方を手本としている。／我把恩师的生活方式作为榜样。

(2)　祖父は散歩を日課としている。／祖父把散步当成每天必做的事。

(3)　この試験では60点以上を合格とする。／这次考试60分以上为及格。

(4)　看護婦は昔は女の仕事とされていたが、この頃は男の看護士もいるそうだ。／护士以前被视为是女性的工作，据说最近也有男护士了。

(5)　芭蕉は人生を旅として生きた。／松尾芭蕉把人生视为旅途。

表示"把…看成／考虑为／假定为…"之意。有以别人的行动和方法为榜样，决定把该行动作为习惯，或者将该事看成不同的事情等各种情况。例(1)～(4)可以替换成"Nにする"的形式，但是像例(5)那样的比喻用法，不能替换。

【とすると】

这个句型由助词"と"加上"すると"构成。前接句节，表示"如果那是事实时"、

"要实现时"、"在这样的现状和事实的基础上"等意思。后半部接续根据上述情况能成立的判断。因为是在那种想法上设定的条件,所以单独的"と"没有这样的意义。因此这个句型几乎所有场合都不能替换成"と"。

1 …とすると＜假定条件＞　如果…,假如…。

[N／Na　だとすると]
[A／V　とすると]

（1）医学部に入るとすると、一体どのぐらいお金が必要なのだろうか。／如果要报考医学系,到底需要多少费用啊？

（2）もし、今後も雨が降らないとすると、水不足になるのは避けられないだろう。／如果以后不下雨,用水不足的问题将不可避免吧？

（3）仮に被告が言っていることが事実だとすると、彼女は嘘の証言をしていることになる。／假如被告所说的是事实,那么她就做伪证了。

虽然不清楚是否是事实,或者能实现与否,表示"如果是事实"、"认定会实现"的情况之意,常伴有"かりに(假如)"或"もし(如果)"等。

2 …とすると＜既定条件＞　如果…。

[N／Na　だとすると]
[A／V　とすると]

（1）1時間待ってまだ何の連絡もないとすると、途中で事故にでもあったのかもしれない。／要是等了1个小时还没有什么联系,那也许是途中遇到事故什么的了。

（2）A：図書館は明日から2週間休館になります。／图书馆从明天起闭馆2周。

B：2週間休館だとすると、今日のうちに必要な本を借りておかなければならないな。／如果闭馆2周,今天之内必须把需要的书借出来。

根据现状或者从对方听来的信息,表示"在这样的现状或者事实的基础上"的意思。使用这个用法时不能用"かりに(假如)"或"もし(如果)"。

3（だ）とすると　这样的话、那么。

（1）A：今年の2月の平均気温は平年より数度も高いそうですよ。／据说今年2月的平均气温比往年高好几度呢。

B：とすると、桜の開花も早くなるでしょうね。／那么,樱花的开放也要提前吧。

（2）脱線事故で、今日一日、電車は不通の見込みだという。だとすると、道路は相当混雑するだろう。／据说因为脱轨事故,估计今天一天不通电车。那么道路会相当拥挤吧。

承接前句或对方的活,表示"在这种现状或事实的基础上"的意思。

【とすれば₁】

作为…。

[Nとすれば]

（1）夫とすれば家事をおろそかにする妻には不満も多いだろうと思う。／作为丈夫，自然对不认真做家务的妻子会有很多不满了。

（2）当事者の彼とすれば、そう簡単に決めるわけにはいかないのです。／他作为当事人，不会那么简单地下决定。

（3）教師とすれば、よくできる学生に関心が行くのは自然なことだと思う。／我觉得作为教师，关心好学生也是自然的。

承接表示人物的名词，表示"从那个人的角度来看/出发"之意，属于书面性语言表达方式，口头语则使用"にしたら（假如）"、"にしてみれば（如果）"。

【とすれば₂】

由助词"と"加上"すれば"构成。前接句节，表示"如果将其当作事实"、"如果实现时"或者"在这样事实和现状基础之上"之意。是说话人设定的条件，即"如果那样想的话"。因为单独使用的"ば"没有这种意义，所以几乎所有场合不能用"ば"来替换。

1 …とすれば〈假定条件〉 如果…。假如…。

[N/Na だとすれば]

[A/V とすれば]

（1）死ぬとすれば10歳年上の私のほうが早いはずだ。／如果要死的话，还是年长10岁的我会先死的。

（2）台風は上陸するとすれば、明日の夜になるでしょう。／如果台风登陆的话，也要在明天夜里吧。

（3）仮に20人来るとすれば、この部屋ではちょっと狭すぎるだろう。／假如来20人，这间房间窄了一点吧。

（4）この結婚に反対する人がいるとすれば、それは一番身近な母親である可能性が高い。／假如有人反对这宗婚姻的话，我认为那就是离我最近的妈妈的可能性最高。

虽然不知那是否是事实，或者能否实现，但表示一种"如果那是事实时，那将实现或者存在时"的假定条件。常伴有副词"かりに（假如）"、"もし（如果）"。后半句多用"だろう"、"はず"等表示说话人判断的表达方式。

2 …とすれば〈既定条件〉 如果…、…的话。

[N/Na だとすれば]

[A/V とすれば]

（1）これだけ待っても来ないとすれば、もともと来る気がなかったんじゃないだろうか。／这么等都不来，是不是本来就没有来的意思吧。

（2）我々の計画が敵に知られていたとすれば、仲間のだれかがもらしたことになる。

／如果我们的计划被敌人知道了，那就是同伙中的某人泄漏了。

(3) A：この時間に容疑者は友人と会っていることが分かっています。／我知道这时作案嫌疑人正在与朋友见面。

B：そうか。彼にアリバイがあるとすれば、では、犯人は一体誰なのだろう。／是么，要是他有不在现场的证明的话，那么罪犯到底是谁呢？

当以现状和对方得来的信息，重新弄清了那是事实时，表示"在这种事实・现状的基础上或者根据此进行判断的话"之意。后续用于表示说话人的判断的表达方式。这时不用"かりに(假如)"或"もし(如果)"。

3 (だ) とすれば　那样的话。

(1) A：家に電話しても誰も出ないんですよ。／往他家打电话，没人接啊。

B：だとすれば、もうこちらに向かっているということじゃないですか。／那样的话，是不是他现在正往这里来呢。

(2) あの日彼女は一日中彼と一緒だったことが証明された。とすれば、彼女にはアリバイがあるということになる。／那天她一整天和他在一起得到了证明。那样的话，她就有不在现场的证明了。

是承接前句或者对方发言的表达方式，表示"如果那是事实或者如果正确"的意思。在用法上同2，表达上稍显生硬，普通会话中经常使用"だったら"或者"そうなら"。

4 NをNとすれば　如果要说…那么…。
　　NがNだとすれば

(1) テレビがお茶の間のものとすれば、ラジオは個室のものである。／如果要说电视是放在客厅的摆设，那么收音机则是卧室的玩艺儿。

(2) 兄が実業家タイプだとすれば、弟は学者タイプの性格である。／如果要说哥哥是实业家的类型，那么弟弟则是学者类型。

这是将二个事物相对比的表达方式。是"如果要说一方面是…的,另一方面则是…的"较固定的表达。正如例句"哥哥是实业家的类型,弟弟则是学者类型"所示,可以用"NがNなら(ば)"来替换。这种用法并非根本不能使用"とすると"、"としたら"，但是多用"なら"或者"とすれば"。

【とたん】

1 V-たとたん (に)　刚…、刹那。

(1) ドアを開けたとたん、猫が飛び込んできた。／开门的一刹那，一只猫跳了进来。

(2) 有名になったとたんに、彼は横柄な態度をとるように

なった。/刚一出名,他的态度就蛮横起来了。
(3) 試験終了のベルが鳴ったとたんに教室が騒がしくなった。/考试结束的铃声刚响过，教室立刻吵闹起来。
(4) 注射をしたとたん、患者のけいれんはおさまった。/刚打了针，患者的痉挛就止住了。

接动词的夕形,表示"前边的动作和变化发生后,马上又发生了别的动作和变化"的意思,而且后边的动作和变化是说话人当场所发现的,所以多伴有"感到意外"的韵味。因此,后续部分不能用表示说话人意志的动作。代替"とたん",可用"とすぐに(立即)"或者"やいなや(马上)"。

(误) 私は家に帰ったとたん、お風呂に入った。
(正) 私は家に帰るとすぐにお風呂に入った。/我回到家立即洗了澡。

2 そのとたん(に)　刚…、就在这时。
(1) 友だちと30分ほど話して、受話器を置いた。そのとたんに再び電話のベルが鳴り出した。/和朋友在电话里谈了30分钟，刚放下话筒电话铃又响起来了。
(2) 噂の二人が部屋から姿を現した。そのとたん、外で待ち構えていた記者たちのフラッシュのシャワーが二人をおそった。/人们议论中的两个人从房间里走出来，就在这时立刻受到在外边等待的记者们闪光灯的袭击。

表示"就在那之后"或者"刚完马上"之意。

3 とたんにＶ　这当儿、突然、立刻。
(1) 空が急に暗くなったと思ったら、途端に大粒の雨が降りだした。/天空突然暗下来，这当儿大雨点从天而降。
(2) 日が落ちたら、途端に寒くなった。/太阳一落,立刻冷了起来。
(3) 列車はゆっくりと動き出した。とたんに彼女の目から涙があふれ出した。/列车慢慢开动了，她立即泪水夺眶而出。

表示"突然"、"立即"之意。在这种场合下不能省略"に"。

【とちがって】

与…不同。
[Nと(は)ちがって]
[Na なのと(は)ちがって]
[A／V のと(は)ちがって]
(1) 弟は大柄な兄とちがって、やせていて背も低い。/弟弟和大块头的哥哥不同，矮小瘦弱。
(2) 人間は機械とちがって、想像力をもっている。/人和机器不同，有想像力。
(3) 外国での生活は、自国で生活するのとちがって、思わ

ぬ苦労をすることがある。／在国外的生活与在本国的生活不同，有想象不到的辛苦。

（4）実際に自分の目で見るのは、人から聞くのとちがって強烈な印象を受けるものだ。／自己实际亲眼看见和从别人那儿听说是截然不同的，会留下深刻印象。

表示"与…不同"之意。用于把性质不同的东西相比较的场合，也可采用"…とちがい"的形式。

（例）評判で聞いたのとはちがい、実際に見たら退屈な映画だった／和听到的评论不同，实际一看，这是一部无聊的电影。

【とちゅう】

1 とちゅうで　半路上、半道上、中途。

（1）いつもの時間に家を出たが、途中で忘れ物に気づいて引き返した。／按平时的时间离开了家，半路上发觉忘记了东西，又返了回来。

（2）やりかけた仕事は途中で投げ出してはいけないよ。／已经干起来的工作不得半途而废。

（3）泥棒の足跡は途中で途切れている。／小偷的足迹半道上没有了。

（4）この道は途中で行き止まりになっている。／这条路中

间过不去。

表示时间和场所的"中途"之意，用于表示某事没有干到最后就中止了，或又发生了其他事情的场合。这里的"で"不能省略。

2 …とちゅう（で／に）　路上。
[Nのとちゅう（で／に）]
[V-るとちゅう（で／に）]

（1）通勤の途中、突然雨が降りだした。／上班路上突然下起雨来了。

（2）買い物の途中で、急に気分が悪くなって倒れてしまった。／买东西的路上，突然身体不适倒在地上了。

（3）買い物に行く途中で、ばったり昔の友人に会った。／去买东西的路上，偶然遇到了老朋友。

（4）家に帰る途中、居酒屋に立ち寄った。／回家的路上在小酒馆逗留了一会儿。

（5）駅に行く途中に郵便局があるので、そこでこの手紙を出してくれませんか。／去车站的路上有个邮局，你能在那儿给我投封信吗？

接表示动作的名词或动词，表示在那个行为尚未完了的时点上，又发生了其他的事。或表示在移动的场所中存在某事物。一般在表示发生事物的时点时用"で"，表示存在的场所时用"に"，时有也像例（1）、（4）那样省略助词"で／に"。

3 …とちゅう（は）　路上、途中。

（1）会社に来る途中、ずっとこ

どちらかというと―とて 455

の小説を読んでいた。／来公司的路上，一直在读这本小说。
(2) 歩いている途中、彼に言われたことばが頭を離れなかった。／在路上,他对我说过的话一直在我的脑袋里萦绕。
(3) 旅の途中は眠ってばかりいた。／旅行途中,一直睡觉来着。
(4) 通勤の途中は語学の勉強をすることにしている。／我决定上班路上学习外语。

前接表示移动动作的名词和动词,用于表示在那期间一直持续着后边的动作和状态的场合。

【どちらかというと】
总的来说。
(1) 私はどちらかというと、人前で発言するのが苦手である。／总的来说,在人前发言我还是打怵的。
(2) この店はどちらかというと若者向けで、年配の客はあまり見当たらない。／这家商店总的来说,还是面向年轻人,上年纪的人少见。
(3) あの教授は、どちらかといえば、学者というよりビジネスマンタイプである。／总的来说,那位教授与其说是学者,不如说是商人。

(4) 大阪も悪くないが、どちらかというと私は京都のほうが好きだ。／大阪也不坏,可总的来说,我还是喜欢京都。
(5) 最近の大学生は、どちらかといえば男子より女子のほうがよく勉強して成績もよい傾向がある。／最近的大学生的倾向,总的来说女生比男生更努力学习,成绩也好。

是"整体上"、"总的来说"的意思。用于对人和事物的性格、特征进行评价时,表示从整体上承认那种情况和特征的意思。与"どちらかいえば"几乎同义。

【どちらかといえば】
→【どちらかというと】

【とて】
1 Nとて(も) 就是、即使是。
(1) 私とて悔しい気持ちはみなと同じである。／我,懊悔的心情也和大家一样。
(2) この事故に関しては、部下の彼とても責任はまぬかれない。／关于这次事故,就是作为下属的他,也难推脱责任。
(3) 最近は父親とて、育児に無関心でいるわけにはいかない。／最近,就是父亲也不能对培养孩子莫不关心。

（4）これとても、特に例外的な現象というわけではない。／这，也并非是特别例外的现象。

主要接在表示人或作用的名词之后，表示"即使是…"、"关于那个也与其他相同"的意思。用于强烈主张和其他同类相比时，关于此点也可以说当然相同的场合。此表达方式稍有些陈旧，在口语中常用"私だって"的说法。

2 …からとて　就是因为。
[N／Na だからとて]
[A／V からとて]
（1）病気だからとて、無断で休むのはけしからん。／就是生了病，不请假休息也不对。
（2）仕事に情熱がもてないからとて、家族を養う身としては、簡単にやめるわけにはいかないのである。／作为一个要养家糊口的人，不能就因为对工作没热情，就轻易地把工作辞掉啊。

其意为"仅因此理由"，用于表达不能得出后边所述的那样的结论时。与"からといって"同义，但是文言表达方式。

3 …とて　即使…。
[Nだとて]
[V-たとて]
（1）いくら愚か者だとて、そのくらいのことはわきまえていてもよさそうなものだが。／即使多么笨的家伙，那点事还是辨别得清楚的吧。
（2）たとえ病気だとて試合は休むわけにはいくまい。／即使生病，比赛也不能休息吧。
（3）いくら頼んだとて、聞き入れてはもらえまい。／即使怎么求他，他也不会接受吧。
（4）どんなに後悔したとて、失われたものは再び元に戻ることはないのである。／即使怎么后悔，丢掉的东西也不会回来了。

"だとて"是"…でも"、"…としても／としたって"、"…たところで"等的文言说法，这种说法一般在口语中不常使用。常伴有"いくら(多)"、"どんなに(多么)"、"たとえ(比如)"等副词。

【とても】

1 とても　很、非常。
（1）あの映画はとても面白かった。／那部电影很有意思。
（2）今度の新入社員はとてもよく働く。／这次的新职员非常勤快。

表示程度上很深，是"很"、"非常"的意思。

2 とても…ない　根本…不…。
（1）こんな難しい問題はとても私には解けません。／这么难的问题，我根本解不开。
（2）一度にこんなにたくさんの単語はとても覚えられません。／一次根本记不住这么多单词。
（3）あの美しさはとても言葉では表現できない。／那种美根本无法用语言表达。

是"不论使用什么方法都不行、不能"的主观判断。在书面语中可以用"とうてい…ない"来替换。

【とでもいう】

可以说…。
（1）学問の楽しみは、未知の世界を発見する喜びとでもいおうか。／作学问的快乐，可以说是发现未知世界的喜悦吧。
（2）シルクの繊維としての素晴らしさは、気温や湿度の変化に対する絶妙なバランスにあるとでもいったらよいだろうか。／丝绸纤维的长处，可以说就在于对气温和湿度变化的绝妙的平衡中。
（3）冷房のきいた部屋から外に出た時の感じは、まるで蒸し風呂に入った感じとでもいえようか。／从空调房间走出来的感觉可以说仿佛进入蒸气浴池的感觉吧。

把事物的性质、特征比喻为其他的表现的说法。表示"打比喻说不是可以说成…一样吗"。以"…とでもいおうか"、"…とでもいえよう"、"…とでもいってよいだろう"的形式使用，是书面语。

【とでもいうべき】

应该称得上、可以称得上。
[NとでもいうべきN]
（1）そこは東洋のパリとでもいうべき優雅な雰囲気のある町である。／那里是有着幽雅气氛，可以称得上是东洋巴黎的城市。
（2）第二のモハメッド・アリとでもいうべきボクサーが現れた。／可以称得上穆罕默德・阿里第二的拳击手出现了。
（3）彼は映画の神様とでもいうべき存在である。／他可以称得上是电影之神。

这是一种委婉的表达方式。举出人们熟悉的名字，表示比喻成这样是合适的心情。也可以说成"…ともいうべき"。

【とともに】

1 Nとともに 和…一起。
（1）仲間とともに作業に励んでいる。／和伙伴一起努力工作。
（2）夫とともに幸せな人生を歩んできた。／和丈夫共同走过了幸福的人生之路。
（3）隣国とともに地域経済の発展に努めている。／和邻国一起致力于地区的经济发展。

前接表示人或者机关的名词，表示与其"一起"、"共同"、"协助"之意。属于书面性语言。

2 …とともに 与…的同时。
[Nとともに]
[V-るとともに]
（1）テレビの普及とともに、映画は衰退した。／与电视普及的同时电影衰退了。

(2) 国の経済力の発展とともに、国民の生活も豊かになった。／与国家经济发展的同时，人们的生活也富裕起来了。
(3) 地震の発生とともに津波が発生することがある。／发生地震的同时，有时也发生海啸。
(4) 年をとるとともに記憶力が衰えてきた。／随着年老记忆力衰退了。
(5) 《スピーチ》今後、教育内容の充実を図るとともに地域社会に貢献する大学の建設に努力する所存でございます。／《讲演》今后在谋求教育内容充实的同时，我们要为建成为社区作出贡献的大学而努力。

前接表示动作、变化的名词和动词。表示发生了与这一动作变化相应其他动作和变化，或者是两个事情同时发生的意思。是书面语。用法同"…につれて(随着)"、"…と同時に(的同时)"。

【となく】

1 なん+量词+となく 好多。

(1) 原始林の中には、巨大な樹木が何本となく茂っている。／原始森林中，好多参天大树，枝叶繁茂。
(2) 彼は世界選手権にはすでに何回となく参加した経験をもっている。／他已经有多次参加世界锦标赛的经验。
(3) 公園のベンチには若いカップルが幾組となく腰掛けて愛を語り合っている。／在公园的长椅子上好几对年轻人坐在那里谈情说爱。

在"何(なん)"、"幾(いく)"等表示不定数量的词后接上"…人"、"…回"等量词，表示该数量相当多的意思。是书面语。口语中也常用"何回も(几次)"、"幾組みも(几组)"的形式。

2 ひるとなくよるとなく 不分昼夜。

(1) 世界の至るところで、昼となく夜となく様々な事件が発生している。／在世界各地不分昼夜发生着各种各样的事件。
(2) 母は昼となく夜となく病気の祖母の世話で忙しく暮らしている。／妈妈不分昼夜，照顾生病的奶奶，忙得很。

"昼も夜も"即"一整天"的意思。是书面性语言。

【となったら】

前接句节或名词，表示"如果到了…的场合和状况的话"、"如果那事成为话题"之意。像状况或话题"变为那样时"那样，自然而然形成的意思较强。也说"となると"、"となれば"。

1 …となったら 如果。

[N／Na (だ)となったら]
[A／V となったら]

(1) もし、一戸建ての家を建て

るとなったら、銀行から相当の借金をしなければならない。／如果建独门独户的房子，那必须从银行借相当多的钱。

(2) 引き受ける人が誰もいないとなったら、私がやるしかない。／如果没有人承担的话，只好我来干。

(3) 彼女がすでに他の人と結婚してしまったとなったら、もう諦めるしかない。／如果她已经和其他人结婚了，那我只好死了这条心。

(4) A：夫が海外勤務になっているんですよ。／我丈夫去国外工作了。
B：そうですか。海外で生活するとなったら、お子さんの学校のことなど、いろいろ大変ですね。／是吗。如果在外国生活，孩子上学等有好多不便吧。

接短句，表示"发生了…的事情和状况的话"的意思。可以用于事实如何是未定的假定事项，也可用于新弄清事实的事项，是其中的哪个要靠句子上下文来决定。如例(2)所示，则为"假如是那种场合"和"事实已经明确的现在"两种解释都可成立。表示假定常伴有"かりに(假如)"、"もし(如果)"。例(4)则是替别人的活，可以替换为"そうなったら"。

2 いざとなったら 万一…。
(1) いざとなったら私が責任を取ります。／万一有什么问题我承担责任。

(2) いざとなったら、今の仕事をやめても自分のやりたい道に進むつもりだ。／到了那一步的话，我打算即使辞掉现在的工作也要走自己想走的路。

表示"如果实施某事碰上成为障碍的问题发生时"之意。后半句多表示意志。这时可以用"となれば"但不能用"となると"。

3 N(のこと)となったら 说到…。
(1) 日本料理となったらここの板前の右に出るものはいないそうだ。／说到日本菜，据说本事没有超过这里的厨师的。

(2) 自分の専門のこととなったら、彼は何時間でも話しつづける。／要是说到自己的专业，他能连续说几个小时。

接在名词之后，并将其作为话题提出。表示"关于此事"或者"谈到此事"之意。

【となっては】

1 いまとなっては 如今、到了现在。
(1) いまとなっては、名前も顔も思い出すことができない。／到了今天，连名字带长相都想不起来了。

(2) 全てが終わってしまった今となっては、じたばたして

もしかたがない。/一切都结束了，现在手忙脚乱也没辙了。
(3) 当時はずいぶん辛い思いをしたものだが、今となっては、それも懐かしく思い出される。/当时虽然感到非常难受，如今那也让人想起来挺怀念的。

表示"经历了各种各样的事后的比时比刻"的意思。后续多接"それも当然だ"、"もっともだ"的表达。虽然有如例(1)、(2)那样接"できない(不能)"、"しかたがない(没有办法)"等贬义表达，但也有如例(3)一样的中性评价。

2 …となっては　如果是…。
[N/Na（だ）となっては]
[A/V となっては]
(1) 子供達だけで海外へ行くとなっては、親としてはちょっと心配になる。/孩子们自己出国的话，作为父母有点担心。
(2) 病状がここまで進んだとなっては、もうどうすることもできない。/病情发展到这种地步，已经无计可施。
(3) 誰も引き受けてくれないとなっては、自分でやるしかない。/如果谁都不承担的话，只好自己干。

前接短句，表示"在…的情况下"之意。多半是表示已经成立的状况，后续为说话人的评价和判断，即在那种情况下当然成立，而且多为"心配だ(担心)"、"しかたがない(没有办法)"等负面评价。

【となる】
　　成为。
[N/Na となる]
(1) 始めて戦後生まれの人物がアメリカの大統領となった。/第一次由战后出生的人当上美国总统。
(2) 今回の協定は大筋では米国側の主張を受け入れた内容となっている。/这次的协定大致的内容是接受美国的主张。
→【なる】5

【となると】
1 となると　那样的话。
(1) A：先生はご病気で昨日入院されました。/老师昨天因病住院了。
　　B：となると、しばらく授業は休講ということになりますね。/那样的话，要停一段时间的课啦。
(2) 長期予報によれば今年の梅雨は空梅雨になるとのことだ。となると、野菜の値段の高騰や、水不足の心配が予想される。/根据长期预报，今年的梅雨将成为一场空。那样的话，可以预想蔬菜价格要暴涨，而且担心要缺水。

用在句首，表示"在那种事实的基础上"的意思。前半句陈述内容为说话人得

知的新信息或者是别人发言的内容，后半句为根据前边的信息从中引出说话人的判断。有时也用"だとなると／そうだとなると"的形式。

2 …となると 如果…、要是…。
[N／Na （だ）となると]
[A／V となると]

（1）医学部に進むとなると相当にお金がかかるだろう。／如果上医学部念书要好多钱吧。

（2）彼は、決断するまでは時間がかかるが、やるとなると実行するのは早い。／他下决心需要时间，要是干起来快得很。

（3）いざ、海外に行くとなると、事前の準備が大変だ。／一旦要去外国，出发前的准备可不得了。

（4）仮に、このまま水不足が続くとなると営業時間を短縮しなければならなくなる。／假如缺水这样持续下去，就必须缩短营业时间。

（5）この時間になっても帰っていないとなると、何かの事件に巻き込まれている可能性がある。／如果到这时还不回来的话，有可能卷进什么事件里啦。

（6）現場に残された指紋が彼のものと一致するとなると、彼が犯人である公算が高い。／如果留在现场的指纹和他的一致的话，他就是罪犯的可能极大。

（7）これほど大企業の経営状態が悪いとなると、不況はかなり深刻ということになる。／大企业的经营状况这么糟的话，说明不景气相当严重。

（8）社長がそう言っているとなると、変更はほとんど不可能でしょう。／要是总经理那么说了，改变几乎不可能了吧。

前接短句，表示"在…情况下"、"如果…的情况下"的意思。既有陈述现实性状况，也有陈述假定的状况，到底是哪种，要靠上下文来判断。如果是假定性情况，可以用"もし／かりに"。

3 いざとなると 到了关键时刻、万一。

（1）危険は承知の手術だが、いざとなると不安になるものだ。／虽然手术前就作好了有危险的思想准备，可是到了关键时刻还是担心。

（2）スピーチは原稿を何度も読んで練習してきたが、いざとなるとあがってしまいうまくしゃべれなかった。／虽然读了好几遍讲话稿进行了练习，可是到了关键时刻还是怯场没说好。

这是表示"实际实施情况下"意思的惯用表达方式。后续多为在这种情况下自然而然形成的意义表达。

4 N(のこと)となると 说到…。
(1) 芸能人のスキャンダルとなると、マスコミは夢中になって追跡する。/说到演艺界人士的丑闻,那可是传媒拼命追踪的对象。
(2) 試験問題のこととなると学生は急に真剣になる。/说到考试学生立刻认真起来。

接名词,表示"那件事情成为话题或者问题时"的意思。后续表示那件事情成为问题时采取与平时不同的态度之意。

5 …かとなると 说到…。
(1) どうすればこの問題を解決できるかとなると、簡単には答えられない。/说到怎么能解决这个问题时,不是能简单地回答出来的。
(2) 実際にだれがその危険な仕事にあたるかとなると、積極的な人は一人もいない。/一说到具体由谁来干那项危险的工作时,就没有一个积极的了。

前接疑问表达方式,表示"某事成为问题"之意。后续表示将其解决·实施是不可能的、困难的等含否定意义的表达方式。

6 Nともなると →【ともなると】

【…となれば】

如果…的话。
[N／Na （だ)となれば]
[A／V となれば]
(1) 外国に住むとなれば、やはりその国の言葉ぐらいは勉強しておいたほうがよい。/如果住到外国,还是先学学那个国家的语言为好。
(2) 結婚してから両親と同居するとなれば、今の家では狭すぎるだろう。/结婚后如果和父母同住,现在的家就太小了吧。
(3) 今から急いで行ってももう間に合わないとなれば、焦ってもしかたがない。/现在抓紧去都来不及的话,着急也没用。
(4) 彼が言ったことが全て嘘だとなれば、我々はまんまとだまされていたことになる。/他所说的如果都是谎言的话,我们就全都被欺骗了。

接短句表示"在…的情况下"、"在变为…那样的状况下"、"基于…样的事实上"的意思。后续内容为理所当然意义的判断或者在那种情况下应该采取的行动。既可以是假定性的状况,也可以是现实性的状况,究竟是哪种靠上下文判断。

2 いざとなれば 万一。
(1) 手持ちの現金では足りないかもしれないが、いざとなればクレジットカードを使うことができる。/随身带来的现钱也许不够,万一不够,可以使用信用卡。
(2) 一人で留学するのは不安だが、いざとなれば、友達が助けてくれるから大丈夫だ。

／一个人留学总会有些不放心，但是万一有什么需要的时候，有朋友帮助所以不要紧。

是表示"现实上成为那种情况下"之意的惯用表达方式。多用于表示即使为难也无妨的情况。也说"いざとなると"、"いざとなったら"。

3 N(のこと)となれば　说到…。

(1) いつもは生気のない彼の目もサッカーのこととなれば急に生き生きと輝いてくる。
／一说到足球，一直没有朝气的他也会突然双目生辉。

(2) 脳死問題となれば学者も安易な発言はできない。／说到脑死问题，学者也不能轻易发言。

前接名词，表示"那件事成为话题"之意，是将其作为话题提示的用法。后续为当话题改变时，会采取与平时不同的态度和处理方法的表达。

4 …かとなれば　说到、如果。

(1) どうすれば解決できるかとなれば、答えは簡単には出てこないものだ。／说到怎么办能解决，不是简单能回答的。

(2) 首相が発言どおり実行するかとなれば、必ずしもそうとばかりは言えない。／说到总理是否会真按发言去实行的话，也未必尽然。

接疑问表达方式，表示"当…成为话题和问题时"的意思。后续为对其解答和实施是不可能的，是困难的等否定性的表达方式。如"虽然我发言，但如果一旦实施的话"一样，多用于使其与其他的事情相对比提示更重要的场合。

5 Nともなれば→【ともなれば】

【とにかく】

用于把某事或者行为，暂时先放在一边，而优先提及或实施其他的事情和行为的场合。也说"ともかく"。

1 とにかく　总之、反正、姑且。

(1) あの人はとにかく大変な秀才です。／总之他非常优秀。

(2) 田中さんの新しい家、とにかくすごく大きい家なんですよ。／总之田中的新家是个非常大的房子。

(3) 戦闘の後の町は、とにかくひどい状況です。／发生过战斗的城市，总之状况很惨。

表示"虽有各种各样的事，首先…"之意。后边伴有表示非平均程度的表达方式，在强调时使用"非常に／大変／すごく…だ"。是口语。

2 とにかくV　反正、姑且。

(1) うまくいくかわかりませんが、とにかくやってみます。／不知能否干好，先干干试试。

(2) とにかく言われたことだけはやっておきました。／总之尽量按照你说的去做了。

(3) お忙しいと存じますがとにかくおいでくださいますようお願いいたします。／我

们知道您很忙，但还是邀请您光临。
(4) まだ全員そろっていませんが、時間ですのでとにかく始めることにしましょう。／还没都到齐，因为已经到时间了，姑且先开始吧。

后边伴有表示意志行为的动词，表示"不管其他事情如何，首先优先此行为"之意。用于说话人主张自己的意志和事实或促使对方实施的场合。

3 Nはとにかく（として） 姑且不谈、暂放一边。

(1) 見かけはとにかく、味はよい。／外观不论，味道不错。
(2) 成績はとにかくとして、明るくて思いやりのあるいい子供です。／成绩姑且不谈，却是个性格开朗、关心人的好孩子。
(3) 私はとにかく、あなたはこの仕事に満足しているんですか。／暂且别说我，你对这工作满意吗？
(4) あいさつはとにかく、まずは中にお入りください。／先别忙着寒暄，请先进去吧。
(5) A：先日はお世話様でした。／前几天给您添麻烦了。
　　B：いいえ。それはとにかく、お願いした仕事の方は引き受けてくださいますか。／哪里，那算不了什么，求你的事你答应吗？

前接名词，用于将此与那更重要的事情或者应该先做的事情加以对比的场合。在会话中像例(5)那样，也可以将"それはとにかく（として）"放在句首来承接对方的话，进而提出与之有别的其他话题。

【との】

1 …とのことだ　听说、据说、他说。

(1) みなさんによろしくとのことでした。／他说向大家问好。
(2) 無事大学に合格なされたとのこと、まことにおめでとうございます。／听说你顺利考上大学了，恭喜你。
(3) 社長は少し遅れるので、会議を始めておいてくれとのことでした。／总经理要晚点到，他说让大家先开始开会。
(4) そちらは、寒い日が続いているとのことですが、皆様お変わりありませんか。／听说你们那里还很冷，大家都很好吧？
(5) あの二人も、長かった婚約に終止符を打ち、6月に挙式するとのこと。／据说那两个人也将结束漫长的婚约生活，于6月举行婚礼。

是"…（だ）そうだ／ということだ（听说／据说）"的意思，用于述说从别人那里听到的事情的场合。也有如例(2)、(5)一样"だ"被省略，句子结束的情况。

此句型虽然可以变换为"とのことだった/でした"的夕形，但是句尾不能变为否定形。

2 …とのN ……的…。
（1）恩師から結婚式には出席できないとの返事を受け取った。／收到了恩师不能出席结婚典礼的回信。
（2）学生から、留学するため、一年休学させてほしいとの希望が出されている。／为了留学，学生提出了希望休学一年的要求。
（3）この件については、次回の審議に回してはどうかとの議長の提案に全員賛成した。／全体通过了主席关于此案留到下次审议的建议。
（4）来月から一年間、札幌の支社に出向せよとの辞令を受けた。／收到了从下月开始到札幌分社工作一年的调令。
（5）文部大臣は、学校教育を改善するためには、高等教育機関の入学試験制度の抜本的改革が必要だとの見解を述べた。／文部大臣发表了如下见解，为了改善学校教育必须彻底改革高等教育机关的入学考试制度。

用表示语言表达和思考内容的句节来修饰名词，是比较正式的文体。N常使用"书信、回答、委托、方案、警告、命令"等表示语言活动和"意见、见解、思考、希望"等表示思考活动的名词。用于就别人的发言和想法来进行表述时，如果表示说话人自身的想法时，如下例所示，一般不用"との"而用"という"。
（例）私たち夫婦別姓を合法化すべきだという意見をもっている。／我们的意见是夫妇不同姓应该合法化。

【とは】

1 …とは＜下定义＞ 所谓的…就是(即)。
（1）パソコンとは、個人で使える小型のコンピューターのことだ。／微机就是个人能使用的小型计算机。
（2）蓮華とは蓮の花のことだ。／莲花即荷花。
（3）21世紀の日本で求められる福祉の形態とはどのようなものだろうか。／21世纪在日本寻求的福利形态是什么样的呢？
（4）「普遍的」とは、どんな場合にも広く一般的に当てはまるという意味だ。／所谓的"普遍"，意思就是在什么场合下都能广泛地适用的意思。
（5）私にとって家族とは一体何なのだろうか。／对于我来说家庭到底是什么？

前接名词，用于陈述其意义性质内容是怎样的状况。用"とは…ものだ"的形式，表示某事物的本质特征，用"…とは…のことだ/意味だ""…とは…ということだ/意味だ"的形式，就语句的意

思和内容进行下定义。是书面性语言。口语一般则为"Nというのは"。

2 …とは＜引用＞ …就是…。

(1) A：森山さん、会社退職するそうですよ。／听说森山要辞职啊。
B：えっ、退職するとは、結婚するということですか。／咦，辞职就是说要结婚吗？

(2) ≪書き置きを見て≫「お世話になりました」とは、もう帰ってこないということだろうか。／≪看留下的便条≫"承蒙您照顾了"，那就是说再也不会来了。

(3) A：このお話、なかったことにしてください。／这件事就当没有吧。
B：「なかったことにする」とはどういうことですか？／"就当没有"是什么意思啊？

(4) 親に向かって「バカヤロー」とは何事だ。／对父母说混蛋，这算怎么回事？

前接对方的话或者书写下来的信息等语言表达内容，用来确定其真意，或者陈述讲话人对此的评价。多伴随着吃惊、感叹、生气等情感。"とは"多可以用"というのは"来替换。但是像例（4）那样的"とは何事だ"的定型说法是不可替换的。

3 …とは＜吃惊＞ （表示惊讶）。

(1) 一人で5種目も優勝とは、まったく驚いた。／一个人夺得5项冠军，太让人吃惊了。

(2) 全員そろって授業をサボるとはあきれた学生達だ。／全体逃课，真是些令人讨厌的学生。

(3) 人を2時間も待たせておいて「すみません」の一言もないとはまったく非常識な奴だ。／让人等了2个小时连一声对不起都不说，真是个缺乏常识的家伙。

(4) タクシーの中に忘れた現金が、もどってくるとは思いもよらないことでした。／忘在出租车的现金又找到了是我没有想到的。

表示接触到意外的情况时的吃惊、感叹。随便的说法常用"…なんて"的形式。也有如下各例所示，省略后边部分的情况。

(例) あの人がこんな嘘をつくとは。／那个人撒了这么大的谎，真没想到。

(例) ベテラン登山家の彼が遭難するとは。／登山老手的他会遇难让我震惊。

(例) こともあろうに、結婚式の日がこんなひどい土砂降りになろうとは。／结婚典礼的日子下这么大的暴雨真是糟透了。

【とはいいながら】

1 …とはいいながら 虽说…可是…。

(1) 分かっているとはいいなが

ら、やはり別れはつらいものだ。/虽然说心里明白,可是分手还是很难受的。

（2）もう過去のこととはいいながら、なかなかあきらめられない。/虽然事情已经过去,可是仍然不死心。

接句节,表示"那事我承认,可是…"的意思。

2 とはいいながら　虽然这么说,但是。

（1）過ぎたことは悔やんでも仕方がない。とはいいながら、思い出すとつい涙が出てしまう。/过去的事懊悔也无济于事,虽然这么说,可是一想起来还是流下了眼泪。

（2）結婚相手を決める場合は、何よりもお互いの相性が大事である。とはいいながら、いざとなると相手の家柄や経済力、容姿などのことが気になる。/决定结婚对象时,互相和得来是最重要的。虽然这么说,一旦要正式决定时还是对对方的家庭、经济实力、相貌等很介意的。

接前边句子,表示"那事虽然承认,但是…"的意思。

【とはいうものの】

虽然…可是…。

（1）フランス語は大学時代に習ったとはいうものの、もうすっかり忘れてしまった。/虽然在大学时学过法语,但是全忘了。

（2）大学時代は英文学専攻だった。とはいうものの、英語はほとんどしゃべれない。/虽然大学时代专攻的是英国文学,可是我英语几乎不会说。

→【ものの】2、【ものの】3

【とはいえ】

接句节和句子,表示"那事虽然如此,可是…"的意思。用于从前边的事情所预想期待的事和其结果不一致时。书面语。可以换为"とはいいながら"、"とはいうものの"、"と(は)いっても"。

1 …とはいえ　虽然…但是…。

[N／Na　（だ）とはいえ]
[A／V　とはいえ]

（1）男女平等の世の中とはいえ、職場での地位や仕事の内容などの点でまだ差別が残っている。/虽说是男女平等的社会,但是在工作单位的地位和工作内容等方面上仍然存在歧视。

（2）国際化が進んだとはいえ、やはり日本社会には外国人を特別視するという態度が残っている。/虽然进入国际化了,但是在日本社会仍然残留着对外国人另眼相看的态度。

接短句,表示"那事虽然是那样,但是…"的意思。用于从前边的事情所预想期待的事和其结果不一致时。书面语。可以换为"とはいいながら"、"とはいうものの"、"と(は)いっても"。

2 とはいえ　虽然…但是…。
(1) 病状は危険な状態を脱して、回復に向かっている。とはいえ、まだ完全に安心するわけにはいかない。／病情脱离危险状态,大有好转,虽然这么说,但还不能完全放心。
(2) 生徒の非行には家庭環境が強く影響する。とはいえ、学校教育のあり方に責任の一端もある。／虽说学生学坏与家庭影响关系很大,但是学校的教育方式也有一定责任。

前接句子,表示"那事虽然是那样,但是…"的意思。用于从前边的事情所预想期待的事和其结果不一致时。书面语。可以换为"とはいいながら"、"とはいうものの"、"と(は)いっても"。

【とはいっても】

虽然说…也…。
(1) 初めて小説を書いた。とはいっても、ごく短いものだけれど。／我第一次写了篇小说。虽然这么说,也是很短的。
(2) 病気でねこんだとはいっても、風邪をひいただけですよ。／虽然说得病躺倒了,也只是得了感冒。

与"といっても"相同。
→【といっても】1、【といっても】2

【とはうってかわって】

与…截然不同。
[Nとはうってかわって]
(1) 父は若い時とはうってかわって、とても優しくなった。／父亲与年轻时截然不同,变得非常和蔼了。
(2) 村は昔の姿とはうってかわり、近代的なビルが立ち並んでいる。／村子与过去完全两样,现代化的楼房鳞次栉比。
(3) 社長はこれまでとはうってかわったように、強硬な態度に出てきた。／总经理和以前态度炯然不同,态度强硬。

以"とはうってかわって／うってかわり／うってかわったように"等形式,表示彻底变为与前边的状态完全不同的另一种样子。如下例一样没有"Nとは"也可作为副词来使用。
(例) 教室はうってかわったように静まり返っていた。／教室骤然变得鸦雀无声。

【とはかぎらない】

不见得、未必。
[N／Na／A／V とはかぎらない]
(1) 日本語を教えているのは日

本人とはかぎらない。／教日语的不见得是日本人。
(2) 有名な作家の小説ならどれでもおもしろいとはかぎらない。／有名的作家未必每部小说都有意思。
(3) スーパーマンだからって、何でもできるとはかぎらないよ。／虽说是超人也未必什么都行。
(4) ここのお料理もいつもおいしいとはかぎらないんですよ。／这里的菜肴也不见得总是好吃。
(5) 完治したからといって再発しないとはかぎらないのだから、気を付けるにこしたことはない。／虽说治好了，不见得不复发，所以，最好还是多注意点儿。

表示"不能说…永远都是对"的意思。用于表示就一般被承认为正确的事，也有例外的情况。

【とばかり】

1 …とばかり　几乎就要说、简直就要说。

(1) 今がチャンスとばかり、チャンピオンは猛烈な攻撃を開始した。／看准现在是机会，冠军开始了猛攻。
(2) 横綱はいつでもかかってこいとばかりに身構えた。／横纲摆好了架式，好像在说你尽管来吧。
(3) もう二度と来るなとばかりに私の目の前でピシャッと戸を閉めた。／他简直就像说你别再来了，在我眼前砰地一声把门关上了。
(4) 「どうだ、すごいだろう」とばかりに、新しい車を見せびらかしている。／他嘴里几乎就要说"怎么样？够棒的吧！"，显摆着他的新车。

接短句，表示"仿佛要说…"的意思。用于看上去，对方俨然要那么说的样子的场合。后续是强有力的势头和程度表达方式。是书面性语言。多用"この時とばかりに攻め込む／攻めかかる(看准机会进攻)"、"えいっとばかりに切りつける／切りかかる(喊了一声"嘿！"就砍了过去)"等惯用法。

2 …といわんばかり　几乎就是说、简直就是说。

(1) お前は黙っていろと言わんばかりに、兄は私をにらみつけた。／哥哥简直就要说"你少废话"，用眼睛瞪着我。
(2) 警察は、「お前がやったんだろう」と言わんばかりの態度で、男を尋問した。／警察以几乎就要说"是你干的吧"的态度，盘问着那男人。

接短句，表示"以似乎要说…的态度"的意思。用法与前述的1基本相同。

【とはちがって】

→【とちがって】

【とみえて】

[N／Na（だ)とみえて]
[A／V とみえて]

1 …とみえて 看来…。

（1）最近忙しいとみえて、いつも電話しても留守だ。／看来他最近很忙，给他打电话总是不在。
（2）夜中に雨が降ったとみえて、水たまりができている。／看来半夜下雨了，积了很多水。
（3）何かいいことがあったとみえて、朝からずっとにこにこしている。／看来有什么好事，从早晨起一直笑眯眯的。
（4）隣の家は留守とみえて、ドアの前に数日分の新聞がたまっている。／看来邻居不在家，门前堆了好几天的报纸。

是把现状预想为理由・根据来陈述的说法。前边的分句出现其预想的部分，后边分句表示出其理由和根据。以例（2）为例，后边的"水たまりができている"的现状是根据前边的"夜中に雨が降ったようだ"的预想的说法。后边的分句中是陈述说话人实际观察到的事实。

2 …とみえる 看来…。

（1）今日の田中君はやけに気前がいい。何かいいことがあったとみえる。／今天田中心情不错，看来遇到了什么好事。
（2）合格発表を見に行った妹は、帰ってくるなり部屋に閉じ込もってしまった。どうも不合格だったとみえる。／去看榜的妹妹一回家就把自己关在屋里，看来可能是没考上。
（3）学生にパソコンの使い方を説明したが、ほかの人に聞いているところを見ると、一度聞いただけではよくわからなかったとみえる。／对学生解释了电脑的用法，看到他们又在问其他人，看来只听一次还是不懂的。
（4）花子は、先生にほめられた絵を会う人ごとに見せている。ほめられたことがよほどうれしかったとみえる。／花子每逢遇到人就给人家看被老师夸奖过的画，看来她被表扬很高兴。

根据自己的观察，陈述推测的说法，用于自言自语。年轻人不怎么使用。

【とも】

接活用词语，与"ても"同义，是日语文言，与"ても"相比，是陈旧的说法。

1 …とも 不管…多么…、无论…也…。

[A-くとも]
[A-かろうと(も)]

(1) 田中さんの送別会には、少なくとも30人は集まるだろう。／田中的欢送会，至少能来30人吧。
(2) どんなに苦しくとも、最後まで諦めないで頑張るつもりだ。／无论多么苦，也打算不懈地奋斗到最后。
(3) どんなに辛かろうと、苦しかろうと必ずやり遂げてみせます。／不管多么艰苦，多么困苦，一定要搞成给你看。

接在イ形容词"A-く"、"かろう"形之后。会话时，一般应为"A-くても"。例(1)用"即使那样去估量"的意思来估计数量。"多くとも10人(顶多10个人)"、"長くとも30分(再长也就半小时)"、"遅くとも5時までに(最晚5点以前)"等都与此用法相同。像例(3)一样"A-かろうと"被反复两次时，"も"被省略的情况多。

2 V-ようと(も) 即使…也…、不管…都…。
(1) たとえ両親に反対されようと(も)、彼女と結婚するつもりだ。／即使父母反对，我也打算和她结婚。
(2) たとえ失敗しようと(も)、やると決めたことは実行する。／即使失败，决定干的事就干到底。
(3) どんなに苦労があろうと(も)、二人で助け合って幸せな人生を歩んでゆきたい。／不管有多苦，两个人都要互相帮助度过幸福人生。

(4) 雨が降ろうと風が吹こうと、練習は決して休まない。／不管刮风下雨，练习决不间断。
→【よう2】6 d

3 …であろうと(も) 不论…还是…、即使…还是…。
[N／Na であろうと(も)]
(1) 病人であろうと年寄りであろうと、なんの配慮もなしに、敵は攻撃を仕掛けてくる。／不论病人，还是老人，敌人都毫不宽容地对其进行攻击。
(2) たとえ健康であろうと中年を過ぎたら、定期検診を受けたほうがいい。／即使很健康，过了中年还是定期体检好。
(3) 高名な僧侶であろうとも、迷いを断てないこともある。／即使是名望很高的和尚也有无法斩断凡念之时。

是"N／Naであっても"较陈旧的说法。
→【であろうと】1

【ども₁】
…们。
[Nども]
(1) 申し訳ありません。私どもの責任です。／对不起，是我们的责任。
(2) 手前どもの店では、この品

物は扱っておりません。／我们的商店，不经营这种商品。
(3) ≪けんかのことば≫野郎ども、みんなそろってかかって来い。／≪吵架语≫混蛋们，你们一起来吧。
(4) 政界は偽善者どもの集まりだ。／政界是伪善者们的大聚会。

主要接表示人物、人称的名词之后，表示复数。与"…たち"相似，但因接在第一人称后，表示谦虚，所以比"私たち"更为客气。另外"私たち"有包括听话人与不包括听话人的两种情况，"私ども"只表示说话人，不包括听话人的意思。如例(3)、(4)所示，用在关于第一人称以外的人的场合，多有瞧不起那个人的意思。此外有"女ども(娘儿们)"、"ものども(家伙们)"等用法。

【ども₂】

即使…可是…。

[V-ども]

(1) 行けども行けども、原野は続く。／走啊走，还是一片原野。
(2) 声はすれども、姿は見えず。／听到声音，但是也看不见身影。
(3) 振り向いて見れど、そこにはだれもいなかった。／回头看，可是一个人也没有。

接在动词バ形后，表示"V-ても"、"Vけれども"之意。如例(1)可以改为"行っても行っても"例(2)可以改为"声はするけれども(即使听到声音)"。 例(1)、(2)是惯用表达方式,例(3)是日语文言表达方式。除这样的特殊用法及"といえども"等形式之外，一般不常用。

【ともあろうものが】

身为…还…。

[Nともあろうものが]

(1) 大蔵官僚ともあろうものが、賄賂を受け取るとは驚いた。／身为财政部的高官还接受贿赂，让人吃惊。
(2) 警察官ともあろうものが、強盗をはたらくとはなんということだろう。／身为警察，还行抢是怎么一回事啊。
(3) 母親ともあろうものが、生まれた自分の子供をゴミ箱に捨てるとは、まったく恐ろしい話だ。／身为母亲，竟然把自己亲生的孩子扔垃圾箱里，真太可怕啦。

是"那样一种身份的人"之意。前接表示社会地位、作用或职业的名词，用于按常识想那种人做了他不该做的事的场合。后续表示吃惊、愤怒、不相信的表达方式。在"もの"的部分上也可以用"人/人物"等名词互换。

(例) 国会議員ともあろう人物がこのような巨額の脱税を平気で行うのだから、議員のモラルも低下したものである。／身为国会议员之类的大人物竟然满不在乎地搞如此巨额的偷税，议员的道德水平也真是降低了。

【ともいうべき】
→【とでもいうべき】

【ともかぎらない】
说不定、未必、难保。
[N／Na ともかぎらない]
[A ともかぎらない]
[V-ないともかぎらない]

（1） A：司会者を探してるんだけど、山下さん結婚式の司会なんか、引き受けてくれないよね？／我正在找司仪，看来山下是不会接受婚礼司仪这个差事了？
　　　B：一度聞いてみたら？引き受けてくれないとも限らないよ。／问问他看，也未必不接受。
（2） 山田は来ないと言っていたが、気まぐれな彼のことだから、ふらりと現れないともかぎらない。／山田说他不来，他那个人没准儿，说不定会飘然而至呢。
（3） 病院は慎重に選んだ方がいい。へたな医者にかかっては、命を落とさないともかぎらない。／还是慎重选择医院为好。如果碰上个医术拙劣的医生，难保不丢性命。
（4） 教師の言うことが正しいとは限らないし、本に書いてあることが、正しいとも限らない。／老师说的不见得对，书上写的也未必正确。

是"…尚未决定，也有与此相反的可能性"的意思。多使用"V-ないともかぎらない"的形式，是在考虑到可能性很低的状況下，勉强说有可能性的表达。类似表达有"とはかぎらない"。

【ともかく】

1 Nはともかく（として） 姑且不论、先别说。

（1） 見かけはともかく味はよい。／外观姑且不论，味道不错。
（2） 学歴はともかく、人柄にやや難点がある。／学历暂且不说，人品稍微有点儿缺点。
（3） 奥さんはともかくとして、ご主人はとてもいい人だ。／夫人姑且不论，丈夫可是个大好人。
（4） 細かい点はともかく全体的に見れば、うまく行ったと言えるのではなかろう。／小地方姑且不论，整体来看，可以说搞得不错吧。
（5） 勝敗はともかくとして、一生懸命頑張ろう。／胜败暂且不论，努力加油吧。

表示"将其不作为议论的对象"之意。用于要优先表述比其他更为重要的后边事情时。也说"Nはとにかく（として）"。

2 ともかくV 总之、反正。

（1） 雨で中止になるかもしれないが、ともかく行ってみよ

う。／也许会因下雨中止，反正先去看看吧。
(2) ともかく、言われたことだけはやっておきました。／反正你怎么说，我就怎么干了。
(3) ともかく使ってみないことにはいい製品かどうかは分からない。／总之没有使使看看，是不知道产品好坏的。
(4) ともかくお医者さんに見てもらった方がよい。／总之还是看医生好。

伴有表示意志性行为动词，表示与其作各种谈论，首先还是干的意思。与"とにかく(反正)"近义。

【ともすると】
往往…、常常、也总是。
(1) ベテラン教師でもともするといい子ばかりに目がいってしまう。／就是内行的老师，往往眼睛里也只有好学生。
(2) この学生は時間にルーズで、ともすると授業に1時間も平気で遅れて来る。／这个学生不遵守时间，总是上课晚到1小时，毫不在乎。
(3) 夏は、ともすると睡眠不足になりがちである。／夏天，常常会睡眠不足。
(4) 核兵器は、ともすると人類の破滅を引き起こしかねない

危険性をはらんでいる。／核武器，往往蕴藏着能导致人类毁灭的危险性。

表示以某事为契机，易发生那种事之意。表示发生不喜欢的事态的情况居多。多与"…がちだ(常常)"、"…かねない(可能)"等一起使用。也可以说成"ともすれば"。

【ともなう】
→【にともなって】

【ともなく】
1 疑问词＋(助词)＋ともなく　不知…。
(1) どこからともなく、沈丁花のいい香りが漂ってくる。／不知从哪里飘来了毛瑞香的花香。
(2) あくる朝、旅人はどこへともなく立ち去って行った。／第二天早晨旅行者不知跑到哪里去了。
(3) 誰からともなく拍手が起こり、やがて会場は拍手喝采の渦に包まれた。／不知是谁鼓起掌来，不一会儿，整个会场卷入鼓掌喝采的旋涡中。
(4) 生徒達は夜遅くまで騒いでいたが、いつともなくそれぞれの部屋に戻っていった。／学生们很晚还在吵闹，不知何时都回到各自的房间去了。

（5） 二人は、どちらからともなく走り寄り固く抱きあった。／两个人说不上谁先后跑近，紧紧拥抱在一起。

前接"どこ、いつ、だれ、どちら"等疑问词，意思为"场所、时间、人物、物"等"不能特定是哪个部分"的意思。如使用助词，直接接在疑问词之后。

2 V-るともなく　无意地、下意识地。

（1） どこを眺めるともなく、ぼんやり遠くを見つめている。／不经心地眺望着，呆呆地凝视着远方。
（2） 老人は誰に言うともなく「もう秋か」とつぶやいた。／老人下意识地念叨着"已经秋天啦"。
（3） 何を考えるともなく、一日中物思いにふけっていた。／说不上想什么，整天沉思。

前接"見る／話す／言う／考える"等表示人的意志行为的动词，表示该动作是不具备明确的意图和目的而进行的。其前常伴有"何、どこ"等疑问词。

【ともなって】

→【にともない】、【にともなって】

【ともなると】

要是⋯。

[N／Vともなると]

（1） いつもは早起きの息子が、日曜日ともなると、昼頃まで寝ている。／平时一直早起的儿子，要是到了星期天能睡到中午。
（2） 主婦ともなると、独身時代のような自由な時間はなくなる。／要是做了家庭主妇，就没有单身时代那样的自由时间了。
（3） 子供を留学させるともなると、相当の出費を覚悟しなければならない。／要是让孩子留学，必须作好开支很多的思想准备。

→【ともなれば】

【ともなれば】

要是⋯。

[Nともなれば]
[Vともなれば]

（1） 9月ともなれば、真夏の暑さはなくなり過ごしやすくなる。／要是到了9月，没有盛夏的炎热，就好过多了。
（2） 子供も10歳ともなれば、もう少し物分かりがよくてもいいはずだ。／孩子要是10岁，按理说已经稍微懂事了。
（3） 結婚式ともなればジーパンではまずいだろう。／在结婚典礼上，穿牛仔裤不合适吧。
（4） 主婦ともなれば朝寝坊してはいられない。／要是做了家庭主妇就不能睡懒觉了。

(5) 学長に就任するともなれば、今までのようにのんびり研究に打ち込んではいられなくなる。／要是当了校长，就不能像过去那样全力地投入到研究中去了。

前接表示时间、年龄、作用、事情等名词或者动词，表示状况"到了如此的情况之下"的意思。后续与状况变化相应，当然会变为那样的表示判断的表达方式。也说"ともなると"。

【ともに】
→【とともに】

【ともよい】
→【なくともよい】

【とやら】

1 Nとやら 叫什么。

(1) 例の啓子さんとやらとは、うまくいっていますか。／你和那个叫什么启子的还合得来吧。
(2) 娘が「ムサカ」とやらいうギリシャ料理を作ってくれました。／女儿给我做了一道叫什么"姆萨卡"的希腊菜。

是"…とかいう"之意，接在没有记住的名称之后。例(1)中"とやら"后直接接助词，这可以视为是"とやらいう人"、"いう人"的部分被省略了。

2 …とやら 说是…、听说…。

(1) 私の答案を見て、先生がびっくりした顔をしていたとやら。／说是老师看了我的答卷，满脸吃惊。
(2) 結局あの二人は結婚して、田舎で仲良く暮らしているとやら。／说是最后两个人结了婚，在乡下圆满地生活着。

接在从别人那里听到的事之后，表示"虽然不确切但是那样听到的"之意。与"…とか聞いている"、"とのことだ"、"そうだ"等近义，但"とやら"所含说话人的记忆模糊，其引用不太确切之意更强。在日常谈话中几乎不用。

【とりわけ】

特别。

(1) 兄弟は3人とも頭がよいが、次男はとりわけ優秀だ。／兄弟3人都很聪明，尤其老二特别出色。
(2) 暖冬の影響か、今年の春はとりわけ桜の開花が早い。／也许是由于暖冬的影响，今年春天樱花开得特别早。
(3) 今回の不況はこれまでの中でもとりわけ深刻だ。／这次的经济不景气是目前为止最严重的。
(4) どの学科もあまり成績がよくないが、とりわけ国語がひどい。／不论哪科成绩都不怎么好，特别是语文更糟。

用于不论看哪方都不是平均的，在与其他相比较时，特别提示突出的东西。褒

贬二义都用,可以和"特に/ことに/ことのほか"相互换。

【とわず】
→【をとわず】

【とんだ】
（表示意外）。
[とんだN]
（1）あなたが邪魔したなどと、とんだ思い違いをしていました。/我完全想错了,还以为是你给我捣乱呢。
（2）A：通勤の途中で、事故に遭ってしまったんですよ。/上班路上遇上了交通事故。
　　　B：それはとんだ災難でしたね。/那可是飞来横祸啊。
（3）親にかくれてたばこを吸うとは、とんだ不良娘だ。/背着父母吸烟,那可是够坏的女孩子了。
（4）もし1分でも気が付くのが遅れていたら、とんだ大事故になっていたかもしれない。/如果再晚1分钟发觉的话,也许要造成悲惨的大事故。
（5）とんだ野郎に見込まれてしまったものだ。/真是被那个混蛋给看中了。
（6）委員会の議長に選ばれたとは、とんだことになってしまった。/被选为委员会主席那可是不得了的事。

后接表示事或人的名词,表示那是预想之外的事。多以"ひどい(惨极了)"、"驚きあきれた(惊呆了)"、"困った(太难办了)"、"大変な(糟透了)"的意义表示负面评价。用于与期待相反的结果或者缺少常识的人物。不过也可如例(5)以"破常识的有趣人物"之意,用于充满亲切的褒奖时。

【とんでもない】

1 とんでもないN　根本没想到。
（1）子供は時々とんでもない質問をして親を困らせることがある。/孩子时常提出些使人意想不到的问题令父母难以回答。
（2）明け方の4時などという、とんでもない時間に電話がかかってきてびっくりした。/黎明4点的时候打来个电话,吓了我一跳。
（3）海中に都市を作るとは、とんでもない計画だ。/在海上建造城市,那可是个不切实际的计划。

表示"根本没想到"、"太意外啦"、"常识上无法想象"之意。与"とんだ"相比,负面评价的味道淡薄。

2 とんでもない　没有那事儿、哪里的话。
（1）A：ずいぶん景気がよさそうですね。/行情似乎

不错嘛。
B：とんでもない。借金だらけで首が回りませんよ。／没有那事儿，现在是债台高筑，无力回天啊。
（2）先生：そのかばん、持ってあげましょう。／老师：那个包我来拿吧？
学生：先生に荷物を持っていただくなんてとんでもないです。／学生：让老师拿行李，那怎么行啊！
（3）A：この度は本当にお世話になりました。／这次承蒙您多方照顾。
B：とんでもございません。こちらこそいろいろご迷惑をおかけいたしして…。／哪里的话，我才给您添了不少麻烦呢。

用于在谈话中强烈否定对方的活，表示"没有那事儿"的意思。如例（2）、（3）所示，否定来自对方的亲切要求和感谢言辞时，表示客气的心情。"とんでもありません／ございません" 是其礼貌形式。

【どんな】
不论什么样的。
[どんなN＋助词＋も]
（1）母は、どんなことでもやさしく聞いてくれる。／不论我讲什么事，妈妈都耐心听。
（2）どんな状況においても対応できる準備ができている。／做了应付一切情况的准备。
（3）どんな人間にも、幸福に生きていく権利がある。／不论什么人都有幸福生存的权利。
（4）彼女は、どんな人からも好かれる女性です。／她是个谁都喜欢的女人。
（5）教師は、どんな学生に対してもわけへだてなく付き合う必要がある。／教师对什么样的学生都必须一视同仁地对待。
（6）彼はどんなことにも興味を持つ人間だ。／他是个对什么都感兴趣的人。

表示在所有的情况下，不论所接名词所表示的是什么样的东西，后续的事都成立。

【どんなに】
1 どんなに…だろう（か）　多么…啊。
（1）希望校に合格できたら、どんなにいいだろうか。／如果能考上自己期望的学校有多好啊！
（2）息子の戦死を知ったら、両親はどんなに悲しむことでしょう。／父母要是知道了儿子战死该多么悲伤啊！
（3）父が生きていたら、どんな

に喜んでくれたことだろうか。／父亲还活着的话，会有多高兴啊！
（4）子供が無事だと分かった時、私はどんなにうれしかっただろう。／当得知孩子安全无恙时，我有多么高兴啊！
（5）私はこの日がくることをどんなに望んだことだろう。／我是多么期待这一天的到来啊。

是伴有喜悦、悲伤、希望等带有感叹的表达方式。表示该程度远远超过普通的程度。例（1）～（3）使用"もし…だったら、きっと大変…する／しただろう"是推测现实中没有实现的事。与此相对，例（4）、（5）表示现实中"大変うれしかった／強く望んだ"的事。

2 どんなに…ても　多么、怎么。

（1）どんなに金持ちでも愛情に恵まれなければ幸福とは言えない。／多么富有的人，如果没有爱情也谈不上幸福。
（2）たとえどんなに苦しくても最後まで頑張ります。／不论多么艰苦也要坚持到底。
（3）どんなに働いても暮らしはちっとも楽にならない。／怎么拼命干活，生活一点也不好过。

表示不论是什么样的程度，不论在什么水平条件下，后续的事态都未受其影响而成立（否定形表示不成立）。前边也用"たとえ"，也可以说成"いかに／いくら…ても"。

【ないか】

"…ないか"主要男性使用。礼貌的说法是"…ませんか"及省略"か"的形式"…ない？"，男女都用。

1 V-ない（か）＜劝诱＞　不…吗？

（1）ちょっと、食べてみない？／你不尝一尝？
（2）今度、いっしょにスキーに行かないか？／下次一起去滑雪吧？
（3）そろそろお茶にしませんか。／去喝点茶吧？
（4）ちょっと寄っていきません？／不到我那儿坐一会儿？

接在表示意志的动词后，规劝对方采取行动或者劝对方和自己一起行动。礼貌的说法是"V-ませんか"。一般读为升调，终助词"か"可以省略。

2 V-てくれない（か）＜请求＞　能…吗。

（1）お塩、とってくれない？／能把盐给我拿过来吗？
（2）ちょっと手伝ってくれませんか。／能帮我一下吗？
（3）この本、2、3日貸してもらえない？／这本书能借我2、3天吗？
（4）5時までにおいでくださいませんか。／请您5点来，行吗？
（5）明日もう一度ご来店いただけないでしょうか。／明天能再来本店一趟吗？

以"N-てくれないか／もらえないか"等形式表示对对方的请求。如果说成

"V-てくださいませんか／いただけませんか／いただけませんでしょうか"或和例(4)、(5)一样的"お／ご…くださいませんか"、"お／ご…いただけないでしょうか"的话更为礼貌。

使用"もらう／いただく"应注意需变为"V-てもらえないか／いただけないか"那样表示可能的"もらえる"、"いただける"的否定形来使用。此外，"おいでになる"和汉语动词"来店する"等后接"いただく／くださる"时一般省略"になって"、"して"变为"おいでいただけませんか／くださいませんか、ご来店いただけませんか／くださいませんか"等形式。

多读升调，也可以省略其中的终助词"か"。如下例所示，礼貌的说法可以改为"…願えないか"。

(例) もう一度ご来店願えないでしょうか。／您能再到店里来一趟吗？

3 Vない(か)＜命令＞　还不(快)…。

(1) おい待(ま)たないか。／喂，等一下！
(2) だまらないか。／还不住口！
(3) いい加(か)減でやめないか。／还不快住手！
(4) 早(はや)く起(お)きないか。／还不快起来！
(5) さっさと出(で)かけないか。／还不快出发！

是一种对于尚未行动的对方令其马上发起行动的表达方式。如例(1)表示"待て(等一下)"、例(2)表示"だまれ(住口)"的意思。

此表达方式虽与"待て(等一下)"、"だまれ(住口)"的命令表达方式相似，但因为用于对方总不行动的状况下，多伴有说话人感到焦急和生气的语气。以降调发音表示，责问不能使用礼貌体。男性使用。

4 …ない(か)＜确认＞　不是…吗。
[N／Na　ではないか]
[A-くないか]
[V-ないか]

(1) A：彼(かれ)が犯人(はんにん)じゃないですか。／他不是罪犯吗？
　　B：そうかな。／是吗？
(2) A：子供(こども)には無理(むり)じゃないですか。／对孩子来说不有点勉强吗？
　　B：大丈夫(だいじょうぶ)ですよ。／没事啊。
(3) A：君(きみ)にはちょっと難(むずか)しくない？／这对你稍微有点难吧？
　　B：ええ、でもやってみます。／唉，可我要试试。
(4) A：この部屋(へや)、変(へん)な匂(にお)いがしない？／没觉得这屋子有一股怪味吗？
　　B：うん、なんだかちょっと。／嗯，是有点什么味儿。
(5) A：ちょっと駅(えき)から遠(とお)すぎませんか。／离车站稍微远了点吧？
　　B：そうですか。歩(ある)いて15分(ふん)ぐらいですけど。／是么，走着去才15分钟啊。
(6) 彼(かれ)の様子(ようす)、ちょっと変(へん)だと

思いませんか。／你不觉得他的样子有点怪吗？

用于说话人确认自己的想法是否正确。虽然采取了"Xじゃないか"等否定的形式，确认的内容却是"Xである"的肯定事项。听话人若与说话人意见相同时，用"はい／うん、そうだ"，不同意见时用"いいえ／いや、そうではない"来回答。另外被确认已经发生了的事情时，如下例采取夕形。

（例）　A：何か物音がしなかったか。／没听见什么声音？
　　　　B：いや、僕には何も聞こえなかったけど。／没有，我什么也没听见。

（例）　A：私に電話かかってきませんでしたか。／没人给我打电话？
　　　　B：いいえ。／没有。

5 …ない（か）〈有节制的主张〉 不是…吗。

[N／Na ではないか]
[A-くないか]
[V-ないか]

（1）彼が、東大に合格したなんて、何かの間違いではないか。／说他考上了东京大学了，是不是搞错了？
（2）最近の彼の言動はちょっと変じゃないか。／最近他的言行不有点怪吗？
（3）このスープ、ちょっと、塩味が薄くない？／这汤是不是稍微淡了点啊？
（4）やめといたほうがよくないか。／停下来不干不好吗？
（5）そんなに働いたら病気にならないか。／那么卖劲儿干，不会得病吗？

这是一种抑制自己意见、主张时的表达方式，以"我认为会是那样的吧"的心情，用于稍微留有怀疑余地非断定性诉说的场合。如例（5）一样，多包含担心、挂念的心情。

多可以转换为"(の)ではないか"、"(の)ではないだろうか／(の)ではなかろうか／(の)ではあるまいか"、"ないかしら／ないかな"等含有推测和疑念等表达方式。对过去的事采取"(では)なかったか"的形式。

（例）　昨日見かけた人、山田さんの奥さんじゃなかったか。／昨天见到的那个人不是山田的夫人吗？
口语中接名词和ナ形容词时，一般为"じゃないか"。

6 …じゃないか →【じゃないか1】【じゃないか2】

7 …ではないか →【ではないか1】【ではないか2】

【ないかしら】

以活用语的否定形，接表示说话人不确切心情的"かしら"而形成，既能用于问自己，也能用于提问对方。是女性用语，现在已不太使用，代之以"ないかな"。

1 …ないかしら〈愿望〉 没…吗。不…吗。

[V-ない／Vれない　かしら]
[V-てくれないかしら]

（1）また、あの人から手紙が来ないかしら。／那个人还没

给你来信吗？
（2） お金持ちと結婚できないかしら。／不能和有钱的人结婚吗？
（3） バス、すぐに来てくれないかしら。／要是公共汽车马上来就好了。
（4） ちょっと手伝ってくれないかしら。／能帮我一下吗？

接在表示动作的动词的否定形、表示可能的"V－れる"的否定形以及"V－てくれない"之后，表示说话人的希望和愿望。例（4）是直接面对听话人说的，也能构成祈使句表示请求。

2 …ないかしら＜推测・悬念＞ 不是…吗。
[N／Na ではないかしら]
[A-くないかしら]
[V-ないかしら]
（1） 向こうから来る人、鈴木さんじゃないかしら。／对面来的不是铃木吗？
（2） この着物、私にはちょっと派手じゃないかしら。／这件和服，对我是不是太艳了点儿？
（3） このご飯、ちょっとかたくないかしら。／这米饭是不是硬了点儿？
（4） あんなに乱暴に扱ったらこわれないかしら。／那么粗暴地搬动，不会弄坏吗？

接谓语否定形后，表示虽然没有十足的把握，但含有"万一也许那样"的推测和"有那种感觉／担心"的悬念和担心

的心情。自言自语时表示说话人自问，面对听话人说时是"你那么认为吗"的询问对方的判断的表达方式。

【ないかな】

在活用语的否定形后接上表示说话人不确切心情的"かな"。自问和问对方都能使用。与"かしら"不同，男女都可以用，但不是礼貌的说法。直接对对方提问时只限于关系亲密者之间。

1 …かな(あ)＜愿望＞ 多希望…啊。
[V－ない／V－れない かなあ]
[V－てくれないかな]
（1） 早く夏休みにならないかなあ。／多希望暑假早点到来啊！
（2） 今夜いい夢が見られないかな。／希望今晚会做个好梦！
（3） 息子が一流大学に入ってくれないかな。／多希望儿子能考进一流大学啊！

前接表示动作、变化、存在的动词和表示可能的"V－れる"的否定形，表示"那样的话就好"、"希望如此"的说话人的希望和愿望。

2 …かな(あ)＜推测・悬念＞ …吧。
[N／Na ではないかなあ]
[A-くないかなあ]
[V-ないかなあ]
（1） あの人、森田さんの奥さんじゃないかな。／那个人是森田的夫人吧？
（2） 彼だったら大丈夫じゃないかな。／如果是他可能没事吧？

（3） こっちのほうが、よくないかな。／这边这个好点儿吧？

（4） 子供にはちょっと難しすぎないかな。／对孩子有点儿太难吧？

（5） この靴、ちょっと小さくないかな。／这鞋稍有点儿小吧？

（6） あんなことを言って、彼女怒っていないかな。／说那么重，她没生气吧？

接谓语的否定形，表示虽然不十分确信，但是"说不定也许那样"的推测和"有那样的担心／有那种心思"的悬念和担心的心情。自言自语时是自问表达方式。有对方在时，则为"你不那么想吗?"的询问对方的判断。

【ないことはない】

不是不、不会不。

[V-ないことはない]

（1） A：とても明日までには終わりそうにないんですけど…。／到明天为止根本完成不了。

B：いや、やる気があればできないことはありませんよ。／不，只要想干也不是办不到的。

（2） A：彼女は来ないんじゃないか。／她不是不来了吧？

B：来ないことはないと思うよ。遅れても必ず来ると言っていたから。／不会不来的，她说即使晚了也一定来。

（3） A：1週間でできますか。／用一周的时间办得到吗？

B：できないことはないですが、かなり頑張らないと難しいですね。／也不是办不到，但不付出相当的努力是很难的。

（4） A：行きたくないの？／你不想去吗？

B：行きたくないことはないけど、あまり気がすすまないんだ。／不是不想去，是不那么特别感兴趣。

接对方的话，用于"完全没有那种事"的全面否定，或者表示"某一方面是那样的，但是并非100%全是那样的"意见有所保留的断定。例（1）、（2）是前者的例；例（3）、（4）是后者的例。

分别解释一下的话，例（1）是接到A的"不能"的发话，B则说"不是不能"，也就是"能"的意思；例（3）是"未必能"，即"也有不能的时候"的意思。

后者的用法可换为"ないこともない"，前者则不能替换。

【ないこともない】

不能不。

[V-ないこともない]

（1） よく考えてみれば、彼の言うこともももっともだと思え

ないこともない。/仔细想来，不能不觉得他所说的是那么回事。
（2）言われてみれば、確かにあのときの彼は様子がおかしかったという気がしないこともない。/要是你那么说来，的确不能不感到他当时的样子有点儿怪。
（3）この会社は社長一人の意見で動いていると言えないこともない。/这家公司也可以说基本是靠总经理一个人的意见在运作。

使用双重否定来表示"有那样的方面/有那样的可能性"的肯定意义。用于虽然不是全面肯定，但是有可以那样说的一面，表示保留断定的心情时。多用"言えなくもない"、"気がしなくもない"的形式。

【ないで】

是动词的否定形＋テ形的形式，后续表示动作和状态在什么情况和状况之下才成立。

1 V-ないで＜附带状况＞　没…就…。

（1）息子は今朝もご飯を食べないで出かけた。/儿子今天早晨也没吃早饭就出去了。
（2）彼女は一生結婚しないで独身を通した。/她一辈子没结婚一直过独身生活。
（3）傘を持たないで出かけて雨に降られてしまった。/没拿雨伞就出了门，结果被雨淋了。
（4）予約しないで行ったら、満席で入れなかった。/没有预定坐位就去了，结果满员没进去。
（5）歯を磨かないで寝てはいけません。/不许不刷牙就睡觉。

其后边为动词句表示"在没…状态下，干…"之意。书面语为"…ずに"。不能用"なくて"来替换。

2 V-ないで＜代替＞　没…而…、没…反而…。

（1）親が来ないで子供が来た。/家长没来，而孩子来了。
（2）ロンドンには行かないで、パリとローマに行った。/没有去伦敦，而去了巴黎和罗马。
（3）運動してもちっともやせないで、かえって体重が少し増えた。/虽然加大了运动量，可是一点儿也没减肥，反而体重增加了一点儿。
（4）頑張っているのに、成績はちっともよくならないで、むしろ下がってきている。/尽管努力了，可是成绩仍然不佳，毋宁说还下降了。

是"不是…，代之做别的事/发生了别的事"之意。是对比述说两个事情的表达方式。后续的事情多包含与预想、期待相反的结果。书面语可使用"…ずに"。

虽然也不是不可用"なくて"来替换

,但是"なくて"不具"代替"这样对比的意义,是两个事前后成立的另一种意义。因此,要表示对比意义时必须使用"ないで"。

3 V-ないで＜原因＞　因为没…。
(1) やつが来ないで助かった。／那小子没来,我可轻松了。
(2) 試験にパスできないでがっかりした。／考试没有通过,使我很失望。
(3) 朝起きられないで授業に遅れた。／早晨没能按时起床,所以上课迟到了。
(4) 大事故にならないでよかった。／幸好没酿成大事故。

表示"因为没干…"之意。后续表达方式多如例(1)、(2)那样的"困った"、"助かった"等表示感情和评价的表达方式,或如例(4)那样承认时间上前后关系的情况。这种用法可以比较自由地换为"なくて"。

【ないである】
没有…。
[V-ないである]
(1) 手紙は書いたけれど、出さないである。／信虽然写了,但是没有发。
(2) 頂き物のメロンがまだ手をつけないであるから、召し上がれ。／别人送的白兰瓜还没有动,你尝尝吧。
(3) このことはまだ誰にも知らせないである。／这件事还没对任何人说。

是"处于干…的状态"之意。是持读着人有意识不去做的状态的表达方式。比如"手紙はもう出してある"这一例句,就是将其中的"他动词＋てある"的他动词"出す"变为否定形,成为"出さないである"的形式。

【ないでいる】
没有…。
[V-ないでいる]
(1) 昨日から何も食べないでいる。／从昨天起一直什么也没吃。
(2) このことは夫にも話さないでいる。／这件事我对丈夫也没说。
(3) 雨の日曜日は部屋から一歩も出ないでいた。／下雨的星期天,没出屋一步。
(4) 祖母は自分一人では起き上がることもできないでいる。／祖母现在自己一人连起床都起不来了。

表示"处于不干(不能干)…的状态下"之意。也可以说成"…ず(ず)にいる"。因为主语只限于是具有感情和意志的人和动物,所以不用于如下表达方式。
(误) 雨が降らないでいる。

【ないでおく】
不…。
[V-ないでおく]
(1) 時間がないので昼ご飯は食べないでおこう。／没有时间了,不吃午饭了。

（2）十分（じゅうぶん）に残（のこ）っているので、まだ注文（ちゅうもん）しないでおいた。／还剩下不少，暂时先不再订货了。
（3）他人（たにん）がさわると分（わ）からなくなると思（おも）ったので、机（つくえ）の上（うえ）は掃除（そうじ）しないでおきました。／别人一碰就搞不清了，所以我就没打扫桌子。

表示因为有某种原因和目的，有意识地"不…"的意思。也可以说"せずにおく"。

【ないでくれ】

别…。

（1）危険（きけん）なことはしないでくれ。／你别搞危险动作。
（2）ここではたばこを吸（す）わないでくれ。／你别在这儿吸烟。

→【てくれ】2

【ないですむ】

没…就解决了。

[V-ないですむ]
（1）道（みち）がすいていたので、遅刻（ちこく）しないですんだ。／道路不挤，没迟到。
（2）電話（でんわ）で話（はなし）がついたので、行（い）かないですんだ。／通过电话谈妥了，不用去就解决了。

表示"即使不作预定的事也解决了"、"避免了预测的事"之意。表示可以避免了自己不情愿的事态。

【ないではいられない】

不能不…。

[V-ないでいられない]
（1）こんな悲（かな）しい話（はなし）を聞（き）いたら、泣（な）かないではいられない。／听了这么悲伤的故事，不能不流泪。
（2）言（い）わないほうがよいことは分（わ）かっているが、話（はな）さないではいられなかった。／明知不说为佳，可是又不能不说。
（3）あの映画（えいが）を見（み）たら、誰（だれ）だって感動（かんどう）しないでいられないだろう。／看了那部电影，谁也不会不感动的吧。
（4）子供（こども）のことでは、日々（ひび）悩（なや）まされないでいられない。／为孩子事，天天烦得不得了。

接动词否定形之后，表示用意志力量无法控制自然而然彻底变成那样的意思。多用于"泣く(哭)"、"思う(想)"、"感動する(感动)"等表示人的行为和思考或感情动作的动词。有说话人认为"的确如此"的含义。书面语为"…せずにはいられない"。

【ないではおかない】

不会不…。

[V-ないではおかない]
（1）この作品（さくひん）は、読（よ）むものの胸（むね）を打（う）たないではおかないだろう。／这部作品不会不打动读者的心吧。

(2) 彼女の言動は、どこか私を苛立たせないではおかないものがある。／她的言行有使我不得不安的地方。

(3) 彼女とのこと、白状させないではおかないぞ。／关于和她的事情，必须得让他交代不成。

接在他动词的否定形和自动词使役态"V－させる"的否定形后，表示由于外部来的强大力量导致不以本人意志为转移的那样状态和行动之意。本来是书面语，所以一般采取"せずにはおかない"的形式。

【ないではすまない】

不…不算完、非…不可。

[V-ないではすまない]

(1) 知り合いに借りたキャンプ用のテントをひどく破ってしまった。新しいのを買って返さないではすまないだろう。／把向朋友借的野营用的帐篷弄得很破，不买新的还人家说不过去吧。

(2) こんなひどいことをしたんでは、お母さんにしかられないですまないよ。／搞得这么糟，不挨妈妈的骂，是逃不过的。

(3) 罪もない人々に、このような過酷な運命を強いてしまった。いつの日にか、その報いを受けないではすまないであろう。／对于无罪的人们强加给这样残酷的命运，总有一天不遭报应是躲不过去的吧。

接动词否定形，表示不做该行为是不会被原谅之意。比如例（1）表示，因为不可能把破损的帐篷原样还给人家，必须买新的还的意思。一般为表示负面评价的事态，这种表达方式稍显拘谨。

【ないでもない】

接在动词否定形和形容词"ない"之后，表示那样的事并非完全没有，也有存在或成立的可能性之意。也说"…ないこともない"、"…なくもない"。

1 V-ないでもない 并非不、也不是不。

(1) A：納豆はお好きですか。／你喜欢纳豆吗？

B：食べないでもないですが、あまり好きじゃありません。／并非不能吃，但是不怎么喜欢。

(2) A：ねえ、行きましょうよ。／唉，一起去吧。

B：そんなにいうなら行かないでもないけど。／那么说的话，我也不是不去。

(3) 自分にも悪い点があったことは認めないでもない。／并不是不承认自己也有缺点。

(4) 考えてみれば、彼の意見ももっともだという気がしないでもない。／想起来总觉得他的意见也挺对的。

接动词否定形,表示那样的行为认识也成立的情况。用"言う、考える、思う、認める、感じる、気がする"等与思考、知觉相关的动词时,表示"总有那种感觉"之意。

2 Nがないでもない 也不是不、也并非不

（1）時(とき)には、一人(ひとり)になりたいと思うことがないでもない。／有时也不是不想一个人呆着独处。

（2）娘(むすめ)は、見合(みあ)いで結婚(けっこん)するつもりがないでもないらしい。／似乎女儿也不是不打算相亲结婚。

（3）海外旅行(かいがいりょこう)をしたい気(き)もないではないが、なかなかその時間(じかん)がとれない。／也并非不想出国旅游,但是老挤不出时间。

主要接表示意志和心情的名词,表示并非完全没有那种心情之意。"名词+も"在其前时也可如例（3）所示,使用"Nもないではない"的形式。

【ないでもよい】
不…也行,不…也可。
[V-ないで(も)よい]

（1）この欄(らん)には何(なに)も書(か)かないでもよい。／这一栏可以什么都不写。

（2）明日(あした)は来(こ)ないでいいですか。／明天不来也行吗？

（3）そんなことは言(い)わないでもいいじゃありませんか。／

你不说那件事不行吗？

是"V-なくてもいい"的近义用法,表示"没有必要做"之意。也可用省略了"も"的"ないでいい"的形式。口语中常用"なくてもいい"。陈旧的说法为"—ずともよい"有如(例:行かずともよい／不去也行)的说法。

【ないと】
[N／Na でないと]
[A-くないと]
[V-ないと]

1 …ないと＋负面评价内容 不…就…。

（1）急(いそ)がないと遅刻(ちこく)するよ。／不抓紧点儿就要迟到了。

（2）勉強(べんきょう)しないと怒(おこ)られますよ。／不学习,就要挨骂的。

（3）注意(ちゅうい)しないと病気(びょうき)になるぞ。／不注意点儿,就要生病的。

（4）東大合格(とうだいごうかく)はもう少(すこ)し成績(せいせき)がよくないとむずかしいだろう。／要考上东京大学,成绩不再好点儿,就困难了吧。

（5）早(はや)く来(こ)てくれないと困(こま)るよ。／如果你不早来就不好办了。

句尾伴有"遅刻する"、"むずかしい"等表示负面评价的表达方式,表示某事如果不成立,将产生令人不悦的事态之意。多用于以"…ないと"的部分促使述说的事成立,或给予那么做为好的忠告的场合。

2 …ないと…ない 不…就…。

（1）平均(へいきん)70点以上(てんいじょう)でないと合格(ごうかく)

できない。／平均达不到70分以上，就不能及格。
(2) 世の中の動きに敏感でないと、すぐれた政治家にはなれない。／对社会的动向不敏感，就成不了优秀的政治家。
(3) 背が高くないとファッションモデルにはなれない。／个头不高，当不了时装模特。
(4) 食べないと大きくなれないよ。／不吃长不大啊。
(5) 早く出ないと間に合いませんよ。／不快走就来不及啦。
(6) 気温が高くないとうまく発酵しない。／气温不高，不会很好地发酵。

句尾动词用否定形，表示某事不成立的话，另一件事也不成立之意。另外有"なくては…ない"、"なければ…ない"的表达方式，但此说法更口语化。

3 …ないと いけない／だめだ 必须，应该，非…不可(行)。
(1) 風邪を防ぐには十分な休養を取らないといけません。／要预防感冒必须充分休息。
(2) レッスンを休むときは、絶対連絡しないといけないよ。／不去上课时，绝对要事先联系啊。
(3) 映画はまずおもしろくないといけない。ほかの点は二の次だ。／电影首先要有趣，其他都是第二位的。
(4) こういう仕事は若い人でな

いとだめだ。山田君にやってもらおう。／这样的工作非年轻人不可，让山田来干吧。

表示"…是必要的／不可缺少的／义务的"的意思。如下例也可以省略后边的部分。
(例) 車はやはり頑丈でないとね／汽车还是得结实的。

虽然也说"なくてはいけない"、"なければいけない"，但这个句型更口语化。另外还有"なくてはならない"、"なければならない"的说法，但是没有"ないとならない"的形式。
(误) 早く行かないとならない。
(正) 早く行かなければならない。／必须快点儿去!

→【なければ】

【ないといい】

不…就好了。

[N／Na でないといい]
[A-くないといい]
[V-ないといい]

(1) あそこの奥さん、もうちょっとおしゃべりでないといいんだけど。／那家的夫人，嘴再少唠叨点儿就好了。
(2) 新しく配置される部局の仕事、あまり大変でないといいのだが。／新调去的那个处的工作别太重就好了，可是…。
(3) これほど毎日忙しくないといいのだが。／每天别这么忙就好了，可是…。

（4） この世に試験なんかないといいのになあ。／这个世界上没有考试就好啦！
（5） 雨にならないといいが。／不下雨就好了。

接谓语否定形，表示希望不是那样的心情。多用于已经实现或感觉有某种危险和担心的场合。不说完或以"いいのに／が／けれども"等形式结束比较自然。也说"なければいい"。

【ないともかぎらない】

不见得不、未必不、说不定。

（1） 今日は父の命日だから、誰かが突然訪ねてこないともかぎらない。／今天是父亲的忌日，没准儿有谁会突然来访。
（2） 鍵を直しておかないと、また泥棒に入られないともかぎらない。／不把锁修好，说不定小偷还会来的。
（3） 間違えないとも限られないので、もう一度確認した方がいい。／难保不错，还是再确认一次好。
（4） 事故じゃないとも限られないし、ちょっと電話を入れてみた方がいいかもしれない。／不见得不发生事故，也许打个电话试试好。

表示"某事不是百分之百属实"之意。多用于觉得担心会发生什么事，还是采取点儿什么对策为好的情况。一般接在否定表达方式之后。下例"いつ死ぬともかぎらない"是例外，接肯定表达方式的惯用句，表示"不知何时死"之意。

（例） 人間いつ死ぬともかぎらないのだから、やりたいことはやりたい時にやった方がいい／人不知何时死，所以想干的事还是想好了就干为好。

【ないまでも】

没有…至少也…、就是…也该…。

[V-ないまでも]

（1） 毎日とは言わないまでも、週に2、3度は掃除をしようと思う。／不能说做到每天，但是想至少1周打扫2、3次。
（2） 絶対とは言えないまでも、成功する確率はかなり高いと思います。／不能说绝对成功，但是我想成功率相当高。
（3） 予習はしないまでも、せめて授業には出て来なさい。／即使不预习，至少也要来上课。
（4） 授業を休むのなら、直接教師に連絡しないまでも、友達に伝言を頼むか何かすべきだと思う。／要是不来上课，就是不能直接和老师取得联系，也该托同学捎个话来。

接动词否定形，表示"虽没到那个程度，至少要这样"之意。前半句中，在数量和重要性上提示程度高的事，后半句上接比其程度低的事。如例（1）、（2）所

示,常用"…とは言わない/言えないまでも"的形式,表示"虽然不说/不能说有那样程度,至少在这个程度的事…"之意。句末多用"すべきだ"、"…た方がよい"等表示义务、意志、命令、希望等的表达方式。日语文言中,还有较生硬的形式"V-ぬまでも"。

【ないものか】　能不能…、不能…吗。

[V-ないもの(だろう)か]
[V-れないもの(だろう)か]

(1) この混雑は何とかならないものか。/这么乱,能不能改变改变?

(2) この橋が早く完成しないものか。/这座桥能不能早点完工啊?

(3) この状況をどうにかして打開できないものか。/不能想点办法转变这种状况吗?

(4) 私の力でこの人たちを助けてあげられないものだろうか。/能不能靠我的力量帮助一下这些人啊?

接动词否定形或表示可能的"V-れる"的否定形,表示说话人"千方百计使其成立"的强烈希望实现某动作和变化的心情。多用于实现非常困难的情况下。也可例(4)说成"…ないものだろうか"。

【なお】

1 なお＜程度＞　更、还。

(1) あなたが来てくれれば、なお都合がよい。/你来的话就更好了。

(2) 薬を飲んだのに、病状はなお悪化した。/尽管吃了药,病情还是更糟了。

(3) 祖父は老いてもなお精力的に仕事を続けている。/祖父虽然年迈,还精力充沛地坚持工作。

(4) 退院するまでには、なお1週間ぐらい必要だ。/到出院,还需要1周左右。

(5) 反対されると、なおやってみたくなる。/遭到反对,反而更想试试。

如"一層"、"もっと"、"さらに"、"そのうえ"一样,表示与其他同类事物相比,其程度更甚的意思或者如"まだ(还)"、"相変わらず(依然)"、"今もなお(现在更)"一样,表示相同状态依然继续着的意思。如例(5)所示,前后具有对立意义时与"かえって(反而)"意思相近。

2 なお＜另外＞　另外。

(1) 入学希望者は期日までに、入学金を納入してください。なお、いったん納入された入学金は、いかなる場合にもお返しできませんので、ご了承ください。/希望入学者要在规定的日期前交纳入学金,另外请注意,一旦交了入学金,任何情况都不退还。

(2) 毎月の第三水曜日を定例会

議の日とします。なお、詳しい時間などは、1週間前までに文書でお知らせすることにします。／把每月的第三周的星期三定为例会日，另外具体时间于一周前以书面形式通知。

(3) 参加希望者は葉書で申し込んでください。なお、希望者多数の場合は、先着順とさせていただきます。／希望参加者请用明信片申请，另外人数多时我们将按照申请的先后顺序决定名额。

(4) 明日は、2、3年生の授業は休講になります。なお、4年生のみが対象の授業は、通常どおり行いますので注意してください。／明天2、3年级停课，但是另外请注意，只对4年级开的课照常上。

用于暂时中断迄今的话题，追加与之相关的附加条款、补充说明、例外、特例，或者追加与前边句子无直接关系的其他话题的场合。如例(4)所示，追加与从前边句子所预想的事实相背的情况时，具有与"ただし(但是)"相近的意思。常用于告示、通知、论文的注释等即非口头语的文章中。

【なおす】

1 R-なおす＜有意志性＞ 重新。

(1) 出版の際に、論文の一部を書き直した。／出版之际，修改了论文的一部分。

(2) 俳優がセリフを間違えたため、同じ場面を3度も撮り直さなければならなかった。／由于演员读错了台词，所以同一场面不得不重拍了3次。

(3) 答案をもう一度見直してください。／再重新检查一遍答卷。

(4) 顔を洗って出直して来い。／你不配和我讲话（清醒清醒再来）。

(5) 一度はこの大学をやめようと思ったが、思い直して卒業まで頑張ることにした。／我曾一度想停学不念了，但重新考虑后又决定坚持到毕业。

接表示意志行为的动词连用形，表示再做一次已经做过的行为之意。因为对前边的行为结果不满意，所以以修正其为目的进行重作的情况居多。除"出る(出来)"以外几乎所有场合都接他动词。其他的有"言い直す、考え直す、し直す、立て直す、建て直す、作り直す、練り直す、飲み直す、焼き直す、やり直す"等复合动词。

2 R-なおす＜无意志性＞ 恢复、转变。

(1) 今年になって、景気が持ち直した。／到了今年，景气恢复了。

(2) 病人はだいぶ持ち直した。／病人的情况大为好转了。

(3) 勇敢な態度を見て、彼にほ

れ直した。/看到他那勇敢的态度，对他看法转变了。
（4） 部長のことを見直した。/重新认识了部长。

接在表示与人意志无关的无意志动词的连用形上，表示自然而然地朝向好的方向之意。"持ち直す"是景气恢复和病情转好之意。例（3）、（4）表示认识新的优点重新评价之意。前边出现的动词只限于举例所示，在任何场合下"直す"都没有说话人有意修正之意，在这点上与1 的用法是有区别的。其他例如："気を取り直す(恢复情绪)"。

【なか】

1 Nのなか 之中。
（1） 部屋の中にはだれがいるの。/房间里有谁？
（2） 他人の心の中は外からは見えない。/别人的内心世界从表面是看不到的。
（3） 箱の中からバネ仕掛けの人形が飛び出した。/从盒子中飞出有弹簧装置的偶人。

表示空间范围内部之意。

2 Nのなかで 之中。
（1） 3人兄弟の中では、次男が一番優秀だ。/3个兄弟中老二最优秀。
（2） ワインとビールと日本酒の中で、ワインが一番好きだ。/在葡萄酒、啤酒和日本酒中最喜欢葡萄酒。
（3） この中で一番背が高い人はだれですか。/这当中个子最高的人是谁？

用于表示比较三个以上东西时的范围。如例（2）所示，也可用"NとNとNの中で"的形式列举所有候补。

3 …なかを 在…之中。
[Nのなかを]
[A-いなかを]
[V-るなかを]
（1） 激しい雨の中をさまよった。/徘徊在大雨中。
（2） 雪が降る中を5時間もさまよい続けた。/在大雪中徘徊了5个小时。
（3） お忙しい中をご苦労様です。/百忙中您辛苦啦。
（4） 本日はお足元の悪い中をわざわざお出でいただき、まことに有り難うございます。/今天路很不好走，您还特意光临，太感谢啦。

以"…中を"的形式，表示后边动作进行的状况。后边多出现"歩く"、"さまよう"、"来る"等伴有移动动作的动词。因为本来就具有"移动场所"之意，所以与用法1 的"空间性范围"是连续的。例（3）是将"お忙しい中を(お出でくださり)"的（ ）部分省略。例（3）、（4）可以用"ところ"来替换。

【ながす】

轻松地…、随意地…。
[R-ながす]
（1） このレポートは、何の調査もせずに、思いついたことを適当に書き流しているだ

けだ。/这个报告没有进行调查，只是把所想到的适当地记了个流水帐。
(2) 彼が着物を軽く着流した姿は、なかなか粋である。/他随意穿着和服的姿态那么潇洒。
(3) ざっと読み流しただけですが、なかなか面白い本ですよ。/只是随便看了看，是本很有意思的书。
(4) 彼のいうことは聞き流しておいてください。/他说的就这耳朵听那耳朵冒了吧。
(5) 老政治家は検察の執拗な追及も軽く受け流している。/老练的政治家对检察官的执著追究没当回事。

接动词连用形，表示轻松随意地进行某动作。如有对方主动的动作时，表示不正面接受它，而是巧妙地摆脱、脱开之意。例(2)中的"着流す"表示不穿裙裤像平时一样穿着和服，多用其名词"着流し"的形式。

【ながら】

1 R-ながら＜同时＞　一边…一边…。

(1) 音楽を聴きながら、勉強や仕事をする人のことを「ながら族」という。/把边听音乐边学习、工作的人称为"一心二用的人"。
(2) その辺でお茶でも飲みながら話しましょう。/在那儿

边喝点茶，边谈吧。
(3) 母は鼻歌を歌いながら夕飯の用意をしている。/妈妈一边哼着歌一边准备晚饭。
(4) よそ見をしながら運転するのは危険です。/边东张西望边开车很危险。
(5) 飛行機は黒煙をあげながら真っ逆さまに墜落していった。/飞机冒着黑烟倒栽葱坠落下去。
(6) 液体はぶくぶくとガスを発生させながら発酵を続けている。/液体一边咕嘟咕嘟产生着气体，一边继续发酵。

前后连接表示动作的动词，表示两个动作同时并行着进行。这种场合，后边的动作是主要动作，前边的动作是描写进行该动作样态的次要性的动作。以例(1)为例"学习和工作"是主要动作，表示该动作一边伴随"听音乐"一边进行。下例中描述上电车动作和读书的动作同时进行，所以不妥当，同时不能解释为在电车里读书的意思。

(误) 電車に乗りながら本を読んだ。
(正) 電車に乗って本を読んだ。/在电车里读书。

此句型中前后为同一个主语，多表示人的有意识的行为。如例(5)、(6)中的飞机和自然现象所示，也表示能靠自己的力量驱动的变化。所以当表示两个人同时进行的动作时，不能用"ながら"来表达。

(误) 私は本を読みながら、彼はウイスキーを飲んだ。

2 …ながら＜样态＞　一样、…状。

[Nながら]

[R-ながら]
（1）いつもながら、見事なお手並みですね。／如平常一样出色的本领。
（2）この清酒メーカーは、昔ながらの製法で日本酒をつくっている。／这家清酒工场按照传统的制造方法酿造日本酒。
（3）被害者は、涙ながらに事件の状況を語った。／受害者流着泪述说了事件的情况。
（4）生まれながらのすぐれた才能に恵まれている。／天生就有卓越的才能。
（5）この子は、生まれながらにして優れた音楽的感性を備えている。／这个孩子天生就具备良好的音乐感受性。

接名词、动词连用形后，表示原样不变的持续状态、情况。比如"生まれながら"、"昔ながら"是"从那时一直是那个样子"之意，与"生まれつき(天生)"、"昔のまま(一如既往)"意义相近。另外"涙ながらに"是"流着泪的状态"之意。可以与"涙を流して"来互换。是比较固定化的表达方式，前边出现的词语只限于如上边例子等特定的词语。

3 …ながら（も/に）＜逆接＞ 虽然…、但是…。
[N／Na ながら]
[A-いながら]
[R-ながら]
（1）このバイクは小型ながら馬力がある。／这辆摩托车虽然是小型的，但是马力不小。
（2）敵ながら、あっぱれな態度であった。／他虽是敌手，但态度令人钦佩。
（3）子供ながらに、なかなかしっかりとした挨拶であった。／虽然是个孩子，但是讲话很得体。
（4）残念ながら、結婚式には出席できません。／很遗憾，我不能出席你的婚礼。
（5）狭いながらもようやく自分の持ち家を手に入れることができた。／虽然窄了一点，但是终于有了自己的家了。
（6）何もかも知っていながら教えてくれない。／他什么都知道，可就是不告诉我。
（7）すぐ近くまで行きながら、結局実家には寄らずに帰って来た。／虽然走到离娘家很近了，但是最终没进家门回来了。
（8）学生の身分でありながら、高級車で通学している。／虽然是个学生，但是开着高级轿车上学。
（9）細々ながらも商売を続けている。／生意还勉强维持着。
（10）ゆっくりながらも作業は少しずつ進んでいる。／虽然慢了点，但是工作一点儿一点儿在推进。

接名词、イ形容词、ナ形容词、动词连用形、副词(去掉と/に)等，与"…のに"或者"…けれども／が"意思近似，表

示逆接。也使用"ながらも"的形式。例（3）中的"ながらに"是稍微陈旧的说法，在口语中一般不用。这种逆接的用法"ながら"之前出现的谓语，多是表示状态性的情况。与之相反，用法1中表示动作同时进行时，前后均限于表示动作的动词。

4 …とはいいながら
　　→【とはいいながら】

【なきゃ】

　　如果不…就…、应该。

（1）早く行かなきゃ間にあわない。／不快去就来不及了。
（2）もう帰らなきゃ。／该回去了。

　　是"なければ"的通俗说法。
→【なければ】

【なくしては】

　　如果没有。
[Nなくしては]

（1）親の援助なくしては、とても一人で生活できない。／没有家长的帮助，一个人很难生活。
（2）無償の愛情なくしては、子育ては苦痛でしかない。／如果没有无偿的爱，养育孩子只有痛苦。
（3）彼女のこの長年の努力なくしては、全国大会の代表の座を勝ち取ることはできなかっただろう。／若没有她常年的奋斗，她不可能夺得全国运动会代表选手的资格。

（4）当事者同士の率直な意見交換なくしては、問題解決への道のりは遠いと言わざるを得ない。／如果没有当事人之间坦率的交换意见，就不能不说距问题解决的路程尚远。
（5）愛なくして何の人生か。／没有爱算什么人生？

　　接名词后，表示"原有的东西如果没了"的话的意思。用于叙述如果没有该名词所表示的事物，要干什么都困难的场合。根据上下文"は"可以省略。例（5）是惯用表达方式，是"如果没有爱情，人生还有什么意义呢？"的意思。这是书面语，如用口头语，则使用"Nがなかったら"。

【なくちゃ】

　　如果不、必须。
[N／Na でなくちゃ]
[A-くなくちゃ]
[V-なくちゃ]

（1）勉強しなくちゃ怒られる。／不学习要挨骂的。
（2）早く帰らなくちゃ。／必须快回去！

　　是比"なくては"更随便的说法。
→【なくては】

【なくて】

　　不、没。
[Nがなくて]
[N／Na でなくて]
[A-くなくて]
[V-なくて]

（1） 検査の結果、ガンでなくて安心した。／检查的结果，不是癌，这才放心了。
（2） 結婚した頃は、お金がなくて苦労した。／刚结婚时，没有钱很苦。
（3） 子供の体が丈夫でなくて大変だ。／孩子身体不壮，可费心了。
（4） 思ったより高くなくてほっとした。／没有想象的那么贵，放心了。
（5） ちっとも雨が降らなくて困っている。／一点雨也不下，真糟。
（6） あいつが来なくて助かった。／那家伙不来反倒帮了我的忙。

以"那样的事不成立为原因・理由"之意，表示后边的事情的原因・理由。后半句用"安心する(放心)"、"困る(为难)"、"助かる(帮忙)"等表示说话人感情和评价的表达方式。

"なくて"只表示前后的事情同时并行成立，不是明示原因・理由的词语。为此上边例中的"なくて"要换成"ないので"、"ないから"，就会感到不自然。

【なくては】

若非、如果不。
[N／Na　でなくては]
[A-くなくては]
[V-なくては]

（1） 我慢強い人でなくては彼女と付き合うのは難しい。／若不是耐性强的人，很难和她交往。
（2） どんなにお金があっても健康でなくては幸せだとは言えない。／不管多么有钱，若不健康，不能说幸福。
（3） 成績がもっとよくなくては、この大学への合格は無理だろう。／成绩不再提高点儿，要想考上这所大学困难吧。
（4） 彼がいなくては、生きていけない。／如果没他，我就活不下去。
（5） 聞いてみなくては分からない。／若不问问，我可不懂。
（6） もっと食べなくては大きくなれないよ。／如果不多吃点儿，那是长不大的。

句尾伴有动词否定形或"無理だ"、"難しい"等否定表达方式，表示"不那样…则不可能"之意。用于想说希望实现前边句子述说的事情或者认为那是有必要的场合。"なくては"常可以替换说成"なかったら"、"なければ"、"ないと"。更随便的说法是"N／Naじゃなくちゃ"、"A-く／V-なくちゃ"。

【なくてはいけない】

必须、不…不可。
[N／Na　でなくてはいけない]
[A-くなくてはいけない]
[V-なくてはいけない]

（1） 履歴書は自筆のものでなくてはいけない。／履历表必须是本人亲笔填写的。

（2） 教師はどの生徒に対しても公正でなくてはならない。／老师对哪个学生都必须公正。
（3） 家族が住むには、もう少し広くなくてはだめだ。／要是全家一起住，必须再宽敞点。
（4） 目上の人と話す時はことばづかいに気をつけなくてはいけない。／和比自己年长资深位高的人说话时必须注意措词。
（5） 家族のために働かなくてはならない。／必须为家人而工作。

以"…なくてはいけない／ならない／だめだ"等形式，表示整体上那么做是"义务的"、"必要的"的意思。口语中也可说成"なく(っ)ちゃ"，后边的部分也可以省略。

（例） もっとまじめに勉強しなくちゃだめだよ。／不更加认真学习不行！
（例） もう行かなくちゃ。／必须得去了。

"なくてはいけない"和"なくてはならない"的区别请参考【なければ】2。

【なくてはならない】
→【なければ】2

【なくてもいい】
不…也行(可)。
[N／Na　でなくてもいい]
[A-くなくてもいい]
[V-なくてもいい]

（1） 時間はたっぷりあるから、そんなに急がなくてもいいですよ。／时间有的是，别那么急急忙忙的。
（2） 毎日でなくてもいいから、時々運動してください。／不必每天，但要时常运动。
（3） この染料はお湯で溶かすんだけど、温度はそんなに高くなくてもいいよ。すぐ溶けるから。／这种染料要用开水化开，但温度不那么高也行，也可以马上就化。
（4） 仕事が忙しい場合は、無理して来なくてもいいですよ。／工作忙时，不必勉强来啦。

表示"没有必要做…"的意思。常用"なくてもかまわない"、"なくても大丈夫"的形式。正式的说法是"なくともよい"。

【なくともよい】
不…也行(可)。
[N／Na　でなくともよい]
[A-くなくともよい]
[V-なくともよい]

（1） 履歴書は自筆でなくともよい。但し、その場合は最後に押印、署名のこと。／履历书不是亲笔写的也行，不过，这时要在最后盖章、署名。
（2） 入学式には必ずしも父母同伴でなくともよい。／开学

典礼不一定非要父母陪同参加也可以。
（3）支柱の強度はそれほど強くなくともよい。／支柱的强度不用那么大也行。
（4）委任状を提出すれば、必ずしも本人でなくともよい。／如果提交了委托书也不一定非本人参加不可。

表示"没有必要做…"的意思。是"なくてもよい／いい"的文言表达方式。在现代语中除了正式的场合之外不怎么用。使用"する"一词时，其变化形为"せずともよい"。

【なくもない】

接动词否定形、形容词"ない"的连用形，表示那种事并非完全没有，它也可成立、也存在的意思。也说成"ないこともない"、"ないでもない"。

1 V-なくもない　不是不、不是没有、并非不…。

（1）A：お酒は召し上がらないんですか。／您不喝酒吗？
　　　B：飲まなくもないんですが、あまり強くはありません。／不是不喝，不那么能喝。
（2）時には転職することを考えなくもない。／有时也考虑过调动工作。
（3）日本語の会話は、日本に来てから少し上達したと言えなくもない。／日语会话，不能不说来日本以后有所提高。
（4）最近彼女は少し元気がないような気がしなくもない。／总觉着最近她稍微有点儿没精神。

接动词否定形，表示那样的行为、认识也有成立的情况。与"言う、考える、思う、認める、感じる、きがする"等有关思考、知觉动词一起使用时，表示"总觉得有那样的心情"的意思。

2 N がなくもない　也不是不、也不是没有。

（1）再婚するつもりがなくもない。／也不是不打算再婚。
（2）あの人を恨む気持ちがなくもない。／恨他的心情也不是没有。
（3）A：あの人まだ独身ですが、結婚するつもりがないのでしょうか。／他还独身一人，没有结婚的打算吗？
　　　B：その気もなくはないようですが、今のところは特にそんな様子はありませんね。／好像也不是没有那种打算，不过现在还看不出来。

主要接表示意志和心情的名词，表示并非完全没有那种心情之意。"名词＋も"处于前边时，也可如例（3）使用"Nもなくはない"的形式。

【なけりゃ】

如果不、非…不…。

[N／Na でなけりゃ]
[A-くなけりゃ]
[V-くなけりゃ]
（1）この仕事はあなたでなけりゃ勤まらない。／这项工作非你干不了。
（2）ころばなけりゃ勝てたのに。／如果不摔倒就能取胜了，可是…。

是"なければ"的通俗说法。
→【なければ】

【なければ】

[N／Na でなければ]
[A-くなければ]
[V-なければ]

使用"する"时，除"しなければ"之外，还有"せねば"的形式。口语中也用"なけりゃ"和"なきゃ"的形式。

1 …なければ…ない 非…不…、没有…不、不…不…。

（1）この映画は成人でなければ見ることができない。／这部电影不是成年人不能看。
（2）体がじょうぶでなければこの仕事はつとまらない。／身体不壮，干不了这份工作。
（3）私はワープロでなければ論文が書けない。／没有文字处理机，我写不了论文。
（4）背が高くなければファッションモデルにはなれない。／个头不高当不了时装模特。
（5）安くなければ買わない。／不便宜不买。
（6）勉強しなければ大学には入れない。／不学习考不上大学。
（7）君が手伝ってくれなければこの仕事は完成しない。／你不帮忙的话，这项工作完不成。

句尾伴有动词的否定形和"無理だ"、"むずかしい"等否定表达方式，表示某事情不成立时，其他事情也不成立的意思。也说"…なくては…ない"。

2 …なければいけない 必须、应该。
   …なければならない
   …なければだめだ

（1）教師は、生徒に対して公平でなければならない。／老师对学生必须公平。
（2）そろそろ、帰らなければいけません。／差不多该回去了。
（3）もっと自分を大切にしなければだめですよ。／你应该更加爱护自己啊。

表示"…是必要的／不可缺少的／义务的"的意思。也可如下例所示，省略后边的"ならない"。

（例）もう10時だから、そろそろ帰らなければ／已经10点了，差不多该回家了。

此用法虽然都可以说"なくてはいけない／ならない／だめだ"，但是有以下的区别，"なければならない"、"なくてはならない"表示从社会常识和事情的性质来看，有那样的义务和必要性的意思。也就是多用于述说对谁都有那样的义务、必要性的一般判断。与此相对应"なければいけない"、"なくてはいけな

い"多用于因个别事情产生的义务和必要的场合。"なければだめだ"、"なくてはだめだ"也同样，比起"なければいけない"、"なくてはいけない"更口语化。

"なければ"可用"ねば"代替，"ならない"可用"ならぬ"代替，是书面语性质更强的说法。

（例）　人生には、我慢せねばならぬこともある。／人生中也有必须忍耐的事情。

此外"ならない"可以说成"ならん"，"いけない"可用"いかん"代替，是比较陈旧的说法。

（例）　優勝するには、もっと志気を高めなければならん。／要取得胜利，就应该更加提高士气。

（例）　少しぐらいつらくても我慢しなければいかんよ。／稍微难受一点，也必须忍耐。

3 …なければV-た　如果没有…就…，要不是…就不…。

（1）　彼が助けてくれなければ、この本は完成しなかっただろう。／如果没有他的帮助，这本书也许就写不出来了。

（2）　金目当てでなければ、彼女はあんな老人とは結婚しなかったに違いない。／要不是看上钱，她肯定不会和那样的老人结婚的。

（3）　あの一言さえなければ別れることにはならなかったのに。／要是没说那句话，是不会分道扬镳的。

（4）　あのミスさえしていなければ合格できたはずなのに。／如果你不出那个错的话，

是能考上的。

（5）　体がこんなに弱くなければ仕事が続けられたのに。／如果身体不这么差，就能坚持工作了，可是…。

表示与事实相反，如果情况不同，结果也会不一样。句尾多用"だろう"、"にちがいない"、"はずだ"、"のに"等。

【なさい】

（表示命令或指示）。

[R-なさい]

（1）　うるさい。すこし静かにしなさい。／太吵了，安静一点！

（2）　明日も学校があるんだから、早く寝なさい。／明天还要上学，快睡吧。

（3）　A：あいつ、本当に馬鹿なんだから。／那小子，真混！

　　　B：よしなさいよ。そんな言い方するの。／住嘴，快别那么说。

（4）　A：明日のパーティー、どうするの？／明天的聚会怎么办？

　　　B：行こうかな。どうしようかな。／是去好呢，还是怎么着呢？

　　　A：迷ってないで、行きなさいよ、絶対おもしろいから。／别犹豫啦。去吧，绝对开心的。

（5）　≪試験の問題≫次の文を読んで、記号で答えなさい。／

《考试问题》阅读下文用符号回答。

表示命令和指示。如父母对孩子,教师对学生一样,处于监督岗位的人多用此句型。像例(3)、(4)那样在家属和朋友等比较亲密的人之间也使用。例(3)是禁止表达方式,用于规诫对方的言行。例(4)表示强烈劝诱。例(5)则用于考试问题中的指示。"ごめんなさい(对不起)"是亲密者之间使用的认错表达方式;"おやすみなさい(晚安)"是睡前的问候。

【なさんな】

别…、不要…。

[V-なさんな]
(1) 風邪などひきなさんな。／别感冒啦。
(2) 大丈夫だから、そんなに心配しなさんな。／没事的,别那么担心。

"する"的尊敬语是"なさる",接上表示禁止的"な",构成"なさるな"。其口语形式为"V-なさんな",表示"不要干…"的意思。

只能用于亲密者之间。上年纪的人使用,年轻人几乎不用。一般说成"風邪を引くなよ"、"心配するなよ"。礼貌时说"心配しないで／ご心配なさらないで／ご心配なさらないでください"等,即使用"…ないでください"的形式或者其尊敬形式。

【なしでは…ない】

没有…不…。

[Nなしでは…ない]

(1) あなたなしでは生きていけない。／没有你,我活不下去。
(2) 辞書なしでは英語の新聞を読めない。／没有词典,就读不了英文报。
(3) 議長なしでは会議を始めるわけにはいかない。／主席不到,不能开会。
(4) 背広にネクタイなしでは、かっこうがつかない。／穿西装不打领带,不太像样子。
(5) この会社で働くのに労働許可証なしでは困る。／要在这家公司工作,没有劳动许可证可不行。

句尾伴随表示不可能或者否定意义的表达方式,表示"如果没有那个状态,就不能…"、"为难"、"无论如何需要N"的意思。也能说成"Nが(い)なくては／(い)なければ…できない／困る"等。

【なしに】

没有…、不…。

[Nなしに]
(1) この山は、冬は届け出なしに登山してはいけないことになっている。／有规定,没有申请报告,冬天这座山是不许登的。
(2) 断りなしに外泊したために、寮の規則で一週間ロビーの掃除をさせられた。／因为没报告就在外留宿,为此按

照宿舍的规定被处罚打扫一个星期走廊。
(3) 前田さんは忙しい人だから、約束なしに人と会ったりしないでしょう。／前田是个大忙人，没约好是不见客的吧。
(4) 研究会では、前置きなしにいきなり本題に入らないように、皆にわかりやすい発表をこころがけてください。／在研究会上，请各位注意不要不作说明就进入正题，发言时要让大家容易听懂。
(5) 今度事務所に来たアルバイトの高校生は、いい子なのだが、いつもあいさつなしに帰るので、いつ帰ったかわからなくて困る。／这次来公司打工的高中生是个好孩子，但就是回家前老不打招呼，不知是什么时候就回去了，这一点真叫人不好办。

接在表示"申报"、"拒绝"等动作的名词后，表示不做那种动做就做别的什么的意思。多在"没做当然应该事先做的事，就干别的什么"的上下文中使用。

如下例，"何の"后接名词，再加入"も"，变为"何のNもなしに"的形式。
(例) 彼は何の連絡もなしに突然たずねてきて、金の無心をした。／他事前什么招呼也不打，突然来访是来要钱的。

"なしに"是书面语，口语为"しないで"。

【なぜか】

不知为什么。
(1) 最近なぜか家族のことが気にかかってしかたがない。／最近不知为什么对家人担心得很。
(2) 彼は今日はなぜか元気がないようだ。／他今天不知为什么好像没精神。
(3) だめだと思ってたのに、なぜか希望していた会社に採用されてしまった。／我以为不行了呢，不知为什么还被我所希望去的公司录用了。

表示"虽然不明白原因、理由"的心情。多用于述说与说话人的感觉意志和预想相反的情况。

【なぜ…かというと】

要说为什么…。
(1) なぜ遅刻したかというと、出かける前に電話がかかったからです。／要说为什么迟到，是因为出门前有人打来了电话。
(2) なぜ偏西風が吹くのかというと、地球が自転しているからだ。／要说为什么会刮偏西风，是因为地球自转的原因。
(3) なぜアメリカに留学したかといえば、親戚がいるからです。／要说为什么要去美国留学，是因为那里有亲戚。

（4）なぜあんなに勉強しているのかといえば、彼は弁護士資格をとるつもりなのです。／为什么那么用功，是因为他打算考取律师资格。

以"なぜ…かというと／かといえば"的形式，用于要求其理由。"なぜ"后出现表示结果和现状的表达方式，后半句则阐明其理由。句尾多伴有"からだ"，也有如例（4）那样使用"のだ"的情况。

【なぜかというと…からだ】
要说为什么…是因为…。

（1）A：宇宙に行くとどうして物が落ちないのですか。／到宇宙里为什么东西不会掉下来？
B：なぜかというと、地球の引力が働かなくなるからです。／要说为什么，是因为地球的引力不起作用了。

（2）彼が犯人であるはずがない。なぜかというと、その時彼は私と一緒にいましたから。／他不可能是罪犯。因为当时他和我在一起。

与"なぜかといえば…からだ"意思相同。
→【なぜかといえば…からだ】

【なぜかといえば…からだ】
要说为什么…、因为。

（1）A：天気はなぜ西から東に変化して行くのでしょう。／天气为什么从西向东变化？
B：それはなぜかといえば、地球が自転しているからです。／为什么会这样呢？是因为地球自转的原因。

（2）彼は背広とネクタイを新調した。なぜかといえば、就職の面接がもうすぐあるからだ。／他新买了西装和领带。因为马上就有招工的面试。

用于就前述的事情，说明其原因和理由。句尾一般取"…からだ"的形式，也用"…ためだ"的形式。多用于述说自然现象的原因和判断的理由。

【なぜならば…からだ】
要说为什么…是因为…。

（1）原子力発電には反対です。なぜならば、絶対に安全だという保証がないからです。／我反对利用核能发电。要说为什么，因为它没有绝对安全的保证。

（2）殿下のご結婚相手はまだ発表するわけにはいかない。なぜならば、正式な会議で決まっていないからだ。／殿下的结婚对象还不能公布，因为还没有在正式会议上通过。

（3）私は車は持たないで、タクシーを利用することにして

いる。なぜなら、タクシーなら、駐車場や維持費がかからず、結局安上がりだからである。／我不买汽车,决定坐出租车,是因为出租车不花停车费和保养费,结果还是便宜。

用于就前述的事情,说明其原因和状况。"ば"可以省略。一般用于书面语或较正式场面的口语表达中。在日常会话中多用"なぜかというと／なぜかといえば…からだ"。

【など】

通俗的说法使用"なんか"。

1 …など

a Nなど　等、什么的。

（1）ウェイトレスや皿洗いなどのアルバイトをして学費を貯めた。／当女服务员或者刷盘子什么的,打工攒了学费。

（2）A：このスーツに合うブラウスを探しているんですけど…。／我想找一件和这件西装相配的衬衣。

　　B：これなどいかがでしょうか。お似合いだと思いますよ。／这件怎么样？我看您穿着很合适。

（3）デパートやスーパーなどの大きな店ができたために、小さな店は経営が苦しくなった。／因为开了大的商店和超市等,小店经营困苦。

用于从各种各样的事物中举出主要的为例。包含还有其他类似事物的含意。

b V-るなどする　（表示列举）。

（1）ひげをそるなどして、もうすこし身だしなみに気を付けてほしい。／还是希望你刮了胡子,稍微注意一下穿着打扮。

（2）時には呼びつけて注意するなどしたのですが、あまり効き目はなかったようです。／有时也叫来提醒提醒,可是没有什么效果。

从各种各样的事情中举出主要的为例。包含还有其他类似事情的含意。

2 …などと　说什么、说是。

（1）学校をやめるなどと言って、みんなを困らせている。／说什么不上学了,使大家为难。

（2）来年になれば景気が持ち直すから大丈夫などと、のんきなことを言っている。／说是明年景气恢复就没事了,说得好轻松。

（3）東京で仕事を探すなどと言って、家を出たきり帰ってこない。／说是去东京找工作,离家就没回来。

后接"言う"等表示发话的动词,用于表示该发话大体的内容。虽然是引用的用法,却带有还说了其他相似事情的含义。

3 …など…ない　不干…等事、没…。

(1) あなたの顔など見たくない。／我不想见到你。
(2) 私は嘘などつきませんよ。／我可决不说谎啊。
(3) 賛成するなどと言っていない。／我没说同意什么的。
(4) あんな男となどいっしょに働きたくない。／我不想和那种人一起干活。
(5) そんなことで驚いたりなどしないさ。／我不会为那点事感到吃惊的。
(6) 別にあなたを非難してなどいませんよ。／我并没有谴责你啊！
(7) こんな難しい問題が私のようなものになど解けるはずがありません。／这么难的问题，象我这样的人根本解不开。
(8) こんな結果になるなどとは考えてもみませんでした。／造成这种结果连想也没想过。

接名词、动词或者"名词+助词"等各种成分，其后为表示否定的表达，在表示对某事否定的同时，通过"など"对提示的东西，表示轻蔑的、谦逊的或者意外的心情。如例(7)在说"这样难的问题我根本解不开"的同时，也表示低姿态评价自己的谦逊心情。

4 …など…V-るものか 哪能…、怎么会…

(1) そんな馬鹿げた話など、だれが信じるものか。／那种傻话，谁信哪？
(2) お前になど教えてやるものか。／哪能教给你呀？
(3) あんなやつを助けてなどやるものか。／哪能帮助那样的家伙呀？
(4) これくらいの怪我で、だれが死になどするものか。／这么点伤，怎么会死啊？
(5) 私の気持ちが、あなたなどに分かるものですか。／我的心情你们哪能懂啊。

接名词、动词、"名词+助词"等各种成分，在加强否定的同时，通过"など"对提示的东西，表示不值一提、无聊等轻视的心情。

【なに…ない】

1 なにひとつ…ない 一点…也不…、完全…没有…。

(1) 家が貧しかったので、ほしいものは、なにひとつ買ってもらえなかった。／家境贫寒，我想要的东西一个也没给我买过。
(2) あの大地震でも、家の中のものはなにひとつ壊れなかった。／即使那么大的地震，家里的东西竟一件也没坏。
(3) こんなに一生懸命工夫したのに、まともな作品は何一つ作れていない。／这么拼命干，竟没做出一件像样的作品。

（4）この店には、私が買いたいと思うものは何一つない。／这家店里我想买的东西一件也没有。
（5）膨大な資料を調査してみたが、彼らの残した記録は何一つ見つからなかった。／调查了庞大的材料，但是没有发现一件他们留下的记录。
（6）みなさんにお伝えしなければならないような面白い事件は何一つ起こりませんでした。／应该传达给大家的开心的事一件也没有发生。

就物和事进行全面否定，即"一点…也不…"、"完全…没有…"的意思。用于人物时，则用"だれひとり…ない"的形式。

2 なに…ない　不…，十分…。
（1）彼は父から受け継いだ大きな家に住んで、なに不自由なく暮らしている。／他住在从父亲那里继承下来的大房子里，生活得很自在。
（2）この会は気のあった人たちの集まりだから、なに気兼ねなく自由に振る舞うことができる。／这个会是志趣相同者的聚会，可以不必介意地自由活动。
（3）物質的には何不足ない生活をしているのだが、なぜか満たされない気持ちで日々を過ごしている。／过着物质充足的生活，可是不知为什么每天心情都不充实。
（4）祖父は孫たちに囲まれて、何不自由ない満たされた老後を送っている。／祖父现在儿孙满堂，过着十分充实的晚年生活。

是"なに不自由なく"、"なに不自由ない"等的惯用固定表达方式，表示毫无不便和毫无不足，一种完全满足的状态。

【なにか】

1 なにか＜事物＞　什么…。
（1）冷蔵庫に何か入っているから、お腹がすいたら食べなさい。／冰箱里有东西，饿了你就吃。
（2）この穴は何かでふさいでおいたほうがいいでしょう。／这个洞用什么东西堵上好吧。
（3）何か質問はありませんか。／有没有什么问题啊？
（4）壁に何か堅いものがぶつかったようなあとがある。／墙上有什么硬的东西撞过的痕迹。
（5）私に何かお手伝いできることはありませんか。／有没有什么我能帮忙的？

表示不能明确指示该事。多起副词性作用。也有如例（2）那样与助词一起使用说成"なにかで"或"なにかが"、"なにかを"的形式。若随便地说，还可说成"なんか"。

2 なにか ＜情況＞　总觉得有点儿。

(1) 彼の態度は何か不自然だ。／他的态度总觉得有点儿不自然。

(2) 彼女のことが何か気になってしかたがない。／对她总觉得有点儿担心。

(3) この景色を見ていると、いつも何か寂しい気持ちになってくる。／看到这景色，心里总觉得有点儿寂寞。

表示"为什么会感到那样，虽然不清楚，但总觉得"之意。其随便的说法为"なんか"。

3 …かなにか　什么的。
[N／V　かなにか]

(1) コーヒーか何か飲みませんか。／喝点儿咖啡什么的吧。

(2) はさみか何かありませんか。／有没有剪子什么的？

(3) 石か何かの堅いもので殴られた。／被石头之类的硬东西打了。

(4) 吉田さんは、風邪をひいたか何かで会社を休んでいます。／吉田因感冒什么的请假了。

前接名词或动词，用于表示虽不能明确指示，但是是与其类似的事物时。接"Nかなにか"的助词"が"、"を"多被省略。随便的说法为"かなんか"。

4 Nやなにか　什么的、之类。

(1) 休みの日は雑誌や何かを読んでのんびり過ごします。／休息日读点杂志什么的舒服度过。

(2) かばんの中には洗面用具や何かの身の回り品が入っていた。／皮包里装着洗漱用具之类的日常用品。

(3) A：何を盗まれたんですか。／被偷了什么东西？
B：金庫は荒らされていなかったんですが、たんすの中の宝石や何かがなくなっています。／保险柜没有被撬开，但是柜子中的宝石什么的丢了。

前接名词，用于表示该物以及相类似的东西。"Nかなにか"形式是表示"N のようなもの(如同N样的东西)"之意，"Nやなにか"形式是表示除"N"之外，还有与之类似的东西。随便的说法为"やなんか"。

5 なにか＜质问＞　你说什么。

(1) それならなにか。この会社を辞めてもいいんだな。／那么，你说什么，是说辞了这家公司也行啦。

(2) 君はなにか、僕に責任があると言いたいのか。／你说什么？你是想说我有责任吗？

用升调，用于强烈追问对方时。多伴有谴责的心情。是男性用语，口语。用于对身份、地位、年龄等与自己相等或低于自己的人。

【なにかしら】

总是、什么、某些。
(1) なにかしらアルバイトをしているので、生活には困りません。／因为有工可打，所以生活无愁。
(2) いつもなにかしらお噂を聞いております。／总是听到一些有关您的传闻。
(3) 家のことがなにかしら気にかかったので、急いで帰ってきた。／有些担心家里的事，所以急忙回来了。
(4) 息子は最近なにかしら反抗的な態度を取る。／儿子最近总是采取反抗的态度。
(5) 大勢の人間をまとめなければならないので、何かと気苦労が多い。／必须把很多人都拢在一起，太费心费力了。

表示不能特别明确指示的事物。含有不仅一个还有其他很多之意。是从"なにか知らぬ"、"なにか知らん"转化来的。

用于不特别特定，而且漠然指示各种各样的物和事。类似表达有"いろいろと"、"あれやこれや"。

【なにかと】

1 なにかと　各种、这啦那啦。
(1) なにかと雑用が多くてゆっくりできません。／各种杂事多，不能闲着。
(2) 先生には、いつもなにかとお世話になっております。／承蒙先生总是多方照顾。
(3) 駅の近くだと何かと便利です。／在车站附近什么都方便。
(4) お引っ越しされたばかりではなにかとお忙しいことと存じます。／听说您刚搬完家，想必很忙吧。

2 なにかというと　每逢、动不动、一…就…。
(1) あの人はなにかと言うと文句ばかり言っている。／那人一有点儿什么就光发牢骚。
(2) 母は何かと言うと、その話を持ちだしてくる。／妈妈动不动就提起那件事。
(3) その先輩には何かと言うと意地悪をされた。／动不动就被那个前辈欺负。

表示"每逢以…为契机"的意思。后续表示人的行为。表示该行为总是被重复的意思。也说"なにかにつけて（每逢）"。

【なにがなんでも】

1 なにがなんでも＜有干劲＞　无论如何、务必。
(1) あの人には、なにがなんでも負けたくない。／怎么也不想输给他。
(2) この仕事は、なにがなんでも明日までに終わらせてもらわなければ困ります。／这项工作如果不能在明天以前做完，不好交代。

（3）なにがなんでも彼女を説得してください。／务必请你说服她。

（4）この取引は社運がかかっているんだから、何が何でも成功させなければならない。／这笔买卖关系到公司的命运，无论如何也要成功。

（5）この試合に勝ちさえすれば、オリンピックに出場できる。何が何でも勝たなければならない。／只有赢得这场比赛，才能参加奥运会，所以务必要取胜。

后边伴有表示说话人的意志和委托的表达方式，表示"不论事情如何，也要干到底或希望别人干到底"之意。类似表达方式有"どんなことがあっても(不论发生什么事)"、"是非とも(务必)"。

2 なにがなんでも＋贬义评价＜谴责＞ 再怎么说、无论怎么说。

（1）この記事は、なにがなんでもひどすぎる。／这报道无论怎么说都太过分了。

（2）なにがなんでも、そんな話は信じられない。／再怎么说，也难相信那种话。

（3）なにがなんでもこんな小さな子供にその役は無理だ。／再怎么说，这么小的孩子担当那个脚色也不成啊。

（4）こんな短期間のうちに工事を終わらせろなんて、何が何でもできない相談です。／竟然要我们在这么短时间内完工，再怎么说也是不可能的啊。

后边伴有表示谴责和提醒的表达方式，表示"即使承认有某种情况，但是仍然要谴责和提醒"的心情。类似表达方式有"どんな理由があったにしても(无论有什么理由)"、"いくらなんでも(无论怎么说)"。

【なにかにつけて】
一有机会、无论干什么。

（1）なにかにつけてその時のことが思い出される。／一有点什么，就想起当时的事。

（2）叔父にはなにかにつけて相談にのってもらっている。／有机会就找叔叔商量。

（3）駅の近くだと、なにかにつけて便利です。／如果离车站近，干什么都方便。

（4）彼はなにかにつけて私の悪口を言いふらしている。／他一有机会就说我的坏话。

表示"每逢有什么契机"、"在什么时候肯定会"之意。后续为表示事情和状态的表达方式。其意为那件事在被重复或者一直处于那种状态。也说为"なにかというと(一说到什么)"。

【なにげない】
若无其事、漫不经心、无意中、下意识。

[なにげないN]
[なにげなくV]

（1）何気ないその一言が私の心

をひどく傷つけた。／那句漫不经心的话重重地伤了我的心。
(2) 彼は、内心の動揺を隠して何気ない風を装っている。／他掩饰着内心的不安，装成若无其事的样子。
(3) 彼は特に発言もせずに我々の意見に賛同しているように見えるが、実は、何気ない振りをしてこちらの出方をうかがっているだけなんだ。／看上去他没特别发言，似乎是赞同我们的意见似的，其实在装成若无其事的样子观望我们的态度。
(4) 彼女は何気ない顔つきで、みんながびっくりするような発言を始めた。／她脸上没事似地开始了让大家吃惊的发言。
(5) なにげなく窓の外を見ると、空に大きな虹が架かっていた。／下意识地往窗外一看，天空上架起一道大彩虹。
(6) なにげなく、心に浮かんだ風景をキャンバスに描いてみた。／把无意中浮出心上的风景画在画布上。
(7) 何気なく言った言葉が彼をひどく傷つけてしまった。／无意说的话重重地伤害了他。

表示没有特别深入思考而采取行动的样子。根据上下文，可以有"没有深入想"、"无意识"、"下意识"等意思。作为副词性用法可以换成"なにげなしに(若无其事地)"的形式。

【なにしろ】

无论怎么说，因为，总之。

(1) なにしろ彼は頭がいいから、私がどんなに頑張っても言い負かされてしまう。／总之他脑袋聪明，不管我怎么努力也说不过他。
(2) なにしろ観光シーズンですからどのホテルも予約は取れないと思います。／因为是旅行观光的旺季，我想哪家旅馆都预约不上。
(3) もっと早くお便りしようと思っていたのですが、なにしろ忙しくてゆっくり机に向かう暇もありませんでした。／早就想给你写信啦，但是因为太忙，甚至没有坐到桌前的工夫。
(4) どこにも異常はないかもしれないが、なにしろ大至急検査をしてみる必要がある。／也许哪都没有异常，可是怎么说也有紧急检查的必要。

用于虽然能想出各种各样的事，但是不涉及那些，只把此事暂提示时。多以"なにしろ…から"、"なにしろ…て"等形式用于陈述理由的场合。类似表达方式有"なんにしても(总之)"、"とにかく(反正)"。

【なににもまして】

最、第一。

（1）なににもまして健康が大切です。／健康最重要。

（2）あなたにお会いできたことが、なににもまして嬉しく思いました。／能够见到您是我最高兴的。

（3）なににもまして必要なのは、このプランを実行に移すことだ。／第一需要的是把这个计划付诸实施。

表示"比起其他任何东西都…"、"最好第一…"之意。

【なにも】

1 なにも

a なにも…ない 什么也不…、什么都没…。

（1）外は暗くてなにも見えない。／外边很黑，什么也看不见。

（2）かばんの中にはなにも入っていなかった。／皮包里什么都没有。

（3）そのことについて、私は何も知りませんでした。／关于那件事，我一无所知。

（4）作業は順調に進み、心配していたようなことは何も起こりませんでした。／工作进展顺利，令人担心的事一件也没发生。

后续伴随着表示否定的表达，表示"完全没有…"、"一点儿…也没有"之意。多用于表示有关事、物、人以外的动物的情形。用于人时，句型为"だれも…ない(谁也不)"，用于场所时为"どこも…ない(哪儿都没有)"。

b なにも…ない 没必要、不必。

（1）なにも、みんなの前で、そんなに恥ずかしい話をしなくてもいいでしょう。／在大家面前，不说那么令人害羞的话不好吗？

（2）団体旅行で添乗員もいるのだから、なにもそんなに心配する必要はありませんよ。／团体旅行有陪同，没必要那么担心。

（3）彼らも悪気があって言ったことじゃないんだから、何もそんなに怒ることはないじゃないですか。／他们也不是带有恶意才说的，你没有必要那么生气嘛。

（4）ちょっと注意されただけなのに、何もそんなに気にすることはないですよ。／只是稍微让人提醒了一下，不必那么往心里去啊。

（5）何もそこまで懇切丁寧に指導してあげる必要はありませんよ。彼らはもう十分に訓練を受けている人たちなんですから。／没有什么必要给他们进行那么细致入微的指导，因为他们都是已经充分接受过训练的人啦。

（6）何も試合直前になって延期

したいと言ってくることはないだろうに。/没有像你那样的，都到临比赛了却提出想延期。

后半句接"(そこまで)…しなくてもいい"、"(そう)…する必要がない"之类的表达方式，表示"没有特别需要那么做，可是…"的一种心情。多用于对对方的过头行为进行斥责、责难的场合。

c なにも…わけではない　并没有、并不是。

(1) 私はなにも、あなたがやっていることを非難しているわけではないんです。ただちょっと注意したほうがいいと思って忠告しているんじゃないですか。/我并没有谴责你所干的事，只是想提醒你一下，做个忠告，不是吗？

(2) 私は何もこの仕事がやりたくないわけではないのです。今は他の仕事があるので、少し時間がほしいとお願いしているだけなのです。/我并不是不想干这项工作，只是因为现在有其他工作，求你稍微给我点时间。

(3) あなたは私が邪魔をしていると思っているようですが、何も私は邪魔をしているわけではないのです。手順を踏んで慎重に話を進めようとしているだけなんです。/你似乎觉得我是在有意捣乱，其实我并没妨碍你呀。我只是想按照程序慎重行事而已。

(4) A：お母さんは私のことが嫌いなんでしょう。/妈妈，你是讨厌我吧？
B：何を言ってるの。私は何もあなたが嫌いで反対しているわけではないのよ。あなたのことを気にかけているから、反対しているんじゃないの。/你说什么哪，我不是讨厌你才反对，而是担心你才反对你的。

用于在了解了对方对自己的行动如何看待之后，并来否定那种看法是不正确的场合。也有如例(4)那样接对方的话茬儿的情况。更多场合是推测对方的想法，然后再进行否定。

2 …もなにも

a N もなにも　一切、全部。

(1) 戦争で、家もなにも全てを失ってしまった。/因战争，连家带所有的一切都没有了。

(2) 事故のショックで、自分の名前も何も、すっかり忘れてしまいました。/因为事故的打击，自己的名字以及所有的事情全都忘了。

(3) ペンも何も持っていなかったので、メモが取れませんでした。/笔什么都没带，没记成笔记。

（4）住所も何も書いていないので、どこに連絡すればいいのか分からない。／住址什么都没写，也不知和哪儿联系才好。

接在名词之后，表示"那里所表示的东西以及与其相似的所有的一切"之意。后半句常接"失う(丢失)"、"忘れる(忘记)"、"わからない(不懂)"等表示消失或者否定的表达方式。

b …もなにも

[A／V もなにも] 什么。

（1）A：高田さん、あなた必ずやるって約束してくれたじゃないですか。／高田，你不是跟我保证一定干吗？
　　B：約束するもなにも、私はそんなことを言った覚えもないですよ。／什么保证，我不记得我说过那样的话啊。
（2）A：怪我をしたときは痛かったでしょう。／受了伤的时候，你很疼吧？
　　B：痛いもなにも、一瞬死ぬんじゃあないかと思ったくらいだ。／什么疼呀，那一瞬间我甚至想我是不是死了。
（3）A：彼に会ってずいぶん驚いていましたね。／你见到他吃惊不小吧？
　　B：驚いたもなにも、彼のことは死んだと思っていたんですから。／什么吃惊不小，我都认为他已经死了。

用于接过对方的话茬儿，并加以强烈否定，强调其情况超过对方的所想的场合。一般用在口语之中。

3 なにもかも 全部、一切。

（1）嫌なことはなにもかも忘れて楽しみましょう。／让我们把不愉快的事全忘掉快活起来吧。
（2）なにもかも、あなたの言うとおりにします。／一切的一切，都按你说的办。
（3）あの人なら何もかも任せておいて大丈夫です。／如果是他，委托他什么都行。
（4）戦争で何もかもすっかり失ってしまった。／因为战争所有的一切都失去了。

用在物与事上，表示没有任何限定的一切、全部、所有。用于人时使用"だれもかれも"、用于场所时使用"どこかも／どこもかしこも"。

【なにやら】

1 なにやら 总觉得…、好像…。

（1）なにやら変な臭いがする。／总觉得有一股怪味。
（2）みんなで集まって、なにやら相談をしているらしい。／大家聚在一起，好像在商量着什么事。
（3）なにやら雨が降りそうな天

気ですね。／总觉得要下雨似的。
(4) この曲を聞いていたら、なにやら悲しい気分になってしまった。／听了这首曲子，不知为什么，伤感起来。
(5) あの一家は、なにやら伊豆の方へ引越しをするそうです。／听说那家人好像要搬到伊豆那一带去。

表示不能确切地指明某事。意思是"虽不知是什么，但…"、"虽不知确切的情况，但…"、"虽没弄清理由，但…"。

2 …やらなにやら　…之类。
[Nやらなにやら]
[A-い／V-る　やらなにやら]
(1) お菓子やらなにやらを持ち寄ってパーティーを開いた。／大家各自带来点心之类的食品开了个聚餐会。
(2) 子供の病気やらなにやらで、落ち着いて考える暇もなかった。／由于孩子生病及其它杂事，连静下心来考虑的时间都没有。
(3) 酔っぱらって、泣き叫ぶやら何やらの大騒ぎを演じたあげく、大いびきをかいて寝込んでしまった。／他喝醉了，又哭又喊大闹一场后，就鼾声如雷地睡着了。

表示除此之外还有许多相类似的东西。多含有许多事物混杂在一起的意思。

【なにより】

1 なにより　比什么都…、最…。
(1) 料理を作るのがなにより得意です。／做菜是我最拿手的本事。
(2) 息子が無事でいるかどうかが、なにより気がかりだ。／最令我担心的是儿子是否平安无事。
(3) なにより嬉しかったのは、友達に会えたことです。／最令我高兴的是得以见到朋友。
(4) あなたから励ましの言葉をいただいたことに、なにより感激いたしました。／能得到了你的鼓励，这比什么都令我激动。

表示"与其他任何东西相比都…"、"超过任何事物"的意思。

2 なによりだ　比什么都好。
(1) お元気そうでなによりです。／您身体好，我比什么都高兴。
(2) 就職先が決まったそうで何よりです。／听说你找到了工作单位，我太高兴了。
(3) 温泉に入るのがなによりの楽しみだ。／洗温泉是我最大的享受。

表示"和其他任何事物相比都是最好的"的意思。修饰名词时如例(3)、(4)用"なによりのN"的表达方式。"なによりだ"多用于称赞与对方有关的事物，不用于评价与自己有关的事物。
(误) 私が東大に入学できて何よりです。

"なによりの…"的形式不仅可以用于对方或第三者,也可用于与自己有关的事情。

【なまじ】

不充分、贸然、轻率。

(1) なまじ急いでタクシーに乗ったために、渋滞に巻き込まれてかえって遅刻してしまった。／急急忙忙乘上了出租车,正赶上交通堵塞,反而迟到了。

(2) 今の段階でなまじ私が発言すれば、かえって事態を混乱させることになりかねない。／在现在这种情况下,如果我冒昧发言,反而容易把事情搞乱套的。

(3) なまじ自信があったのがわざわいして、重大なミスを犯してしまった。／由于盲目自信而招致灾祸并酿成大错。

(4) なまじ彼女の状況が理解できるだけに、こんな仕事はとても頼みづらい。／正因为对她的情况有所了解,所以很难把这项工作交给她。

(5) なまじの知識は役に立たないどころか邪魔になることもある。／一知半解的知识有时非但起不了作用,反而会耽误事。

(6) 彼女の前ではなまじなことは言わない方がいい。彼女はこの問題を徹底的に調べているらしいから、我々もそのつもりで準備しなければ負けてしまう。／在她面前还是不随便说话为好。因为她好像正在彻底追查这个问题,我们如不做好思想准备,就会给她看出破绽。

表示有价值的东西不能充分发挥其真正的价值,半途而废的样子。本来好的东西却带来了坏的结果。

修饰名词时如例(5)、(6)用"なまじなN"、"なまじのN"的形式。这种情况,可以和"中途半端な(半途而废的、不完整的)"互换。例(5)的意思是本应掌握好的知识,由于一知半解而带来危害。

【なら₁】

直接接在名词后,表示主题。有时也用"ならば"的形式。

1 Nなら …的话、就…方面说。

(1) A:めがねはどこかな。／眼镜哪儿去了?
    B:めがねなら、タンスの上に置いてありましたよ。／你找的眼镜,在柜子上放着啊。

(2) A:アルバイトを雇うには金がかかりますよ。／雇人打工需要经费。
    B:お金のことなら、心配しなくていいですよ。何とかなりますから。／经费的事,你用不着担心,总会筹集到的。

（3） A：佐藤さん見ませんでしたか。／你见到佐藤了吗？
　　　B：佐藤さんなら、図書館にいましたよ。／佐藤呀，刚才在图书馆来着。
（4） 時間ならば十分ありますから、ご心配なく。／时间的话，足够了，不用担心。
（5） 例のことなら、もう社長に伝えてあります。／要是那件事的话，我已经报告给社长了。

把对方说的话或刚才谈到的话题，或根据当时的情况所预测的事作为话题提出来时，将与其有关的谈话进行下去。经常用于把对方所说的事情作为话题提出来时。

在许多情况下可以和表示主题的"は"互换。但"なら"所具有的"如果以N为话题的话"的假定意思，"は"却没有。因此互换以后，意思也就变了。与表示主题的"Nだったら"意思相近，可以互换。

2 NならNだ　说到…、提到…。

（1） 山ならやっぱり富士山だ。／说到山还得说富士山啊。
（2） ストレス解消法ならゴルフに限る。／说到缓解精神紧张的方法最好是打高尔夫。
（3） 酒なら、なんといってもこの地酒が一番だ。／提到酒，还是这里当地产的酒最好。
（4） カキ料理なら広島が本場だ。／提到牡蛎菜肴，广岛是正宗的。

"Nなら"的后面除了"Nだ"还可以用"Nに限る（最好…）"、"Nが一番だ（…是最好的）"、"Nがいい（还是…的好）"等。以"Nなら"限定话题的范围，用于在其范围内叙述给予评价最高的事物。在这种情况下，用"Nは"替换，意思上没有大的区别。

3 …（助词）なら　如果是…的话。

（1） あの人となら結婚してもいい。／如果是和他的话，可以考虑结婚。
（2） フランス語はだめですが、英語でなら会話ができます。／虽然法语不行，但是用英语能够交谈。
（3） あと一人だけなら入場できます。／如果就一个人的话，可以入场。
（4） A：足の具合はいかがですか。／你的脚好了吗？
　　　B：ゆっくりとなら歩けるようになりました。／可以慢慢走了。
（5） 仕事の後なら時間があります。／如果是下了班的话，有点时间。

接名词、副词、或名词＋助词等，表示"其他的场合也许不是这样，但如果就X而言Y可以成立"。Y一般后续令人满意的事项，积极选择能够使其成立的X。与表示对比的"は"相似，但"なら"可以接疑问词，"は"不可以接疑问词。

（正） 何時なら都合がいいですか。／几点方便呢？
　　　誰となら結婚してもいいですか。／和谁结婚都可以吗？
（误） 何時は都合がいいですか。誰と

は結婚してもいいですか。

【なら₂】

[N／Na なら]
[N／Na だった(の)なら]
[A-い／A-かった (の)なら]
[V-る／V-た (の)なら]

接用言的词典形・夕形,表示"如果实际情况是那样的话"的意思。也可以用"のならば"、"のなら"、"ならば"的形式。口语里常把"の"说成"ん"。

在许多情况下不容易区分有"の"和没有"の"的不同,有"の"时接说话人的发言或具体情况,表示"如果你那么说的话"、"如果事实是那样的话"、"如果实际情况是那样的话"的意思。没有"の"时表示"一般在那种情况下"、"那样做的时候"的意思。直接接名词、ナ形容词的时候一般不能加"の"。接动词、イ形容词时"(の)なら"与"のだったら"意思相近,可以互换,但"のだったら"中的"の"不能省略。

(误) 知っているだったら教えてほしい。
(正) 知っている(の)なら教えてほしい。／如果你知道的话,请告诉我。
知っているのだったら教えてほしい。／如果你知道的话,请告诉我。

1 …(の)なら＜假定条件＞ 要是…的话。

(1) A：風邪をひいてしまいまして。／我感冒了。
B：風邪なら早く帰って休んだほうがいいよ。／要是感冒的话,还是早点儿回去休息休息好。

(2) 彼女のことがそんなに嫌いなら別れたらいい。／你那么讨厌她的话,分手算了。

(3) A：頭がずきずき痛むんです。／头一阵阵地跳着疼。
B：そんなに痛い(の)なら早く帰ったほうがいいですよ。／要是那么疼的话,还是早点儿回去的好。

(4) 行きたくない(の)ならやめておいたらどうですか。／你不想去的话就别去了吧。

(5) 真相を知っている(の)なら私に教えてほしい。／如果你知道真相的话,请你告诉我。

(6) 郵便局に行く(の)なら、この手紙を出してきてくれますか。／如果你去邮局的话,请帮我发了这封信。

(7) あなたがそんなに反対する(の)ならあきらめます。／你那么反对的话,我只好作罢了。

(8) A：ちょっと買い物に行ってくる。／我去买点儿东西。
B：買い物に行く(の)ならついでにおしょうゆを買ってきてちょうだい。／你去买东西的话,顺便把酱油买回来。

(9) A：沖縄ではもう梅雨に

入ったそうですよ。/听说冲绳已进入梅雨季节了。
B：沖縄で梅雨に入ったのなら、九州の梅雨入りも間近ですね。/要是冲绳已进入梅雨季节的话，九州也快入梅了吧。

(10) 二人が昼からこの店で会っていたのなら、二人には午前中のアリバイはないことになる。/如果那两个人是中午以后在这个店见面的话，那么他们二人不在现场的证明就不能成立。

接用言的词典形、夕形，表示"如果实际情况是那样的话"、"如果那是事实的话"的假定条件。用于根据对方的谈话内容或当时的情况，叙述自己意见或看法，向对方提出请求或劝告。

叙述必然会发生的事情或经过一段时间必然会发生的事情时，不能使用"なら"，应使用"たら"、"ば"、"と"。另外，在句尾不能使用单纯叙述事实的表达方式，应使用判断、意志、命令、要求、评价等表示说话人主观态度的表达形式。

(误) 春が来るなら花が咲きます。雨が降るなら道がぬかります。
(正) 春が{来たら/来れば/来ると}花が咲きます。/春天一到花就开。
雨が{降ったら/降ると/降れば}道がぬかります。/如果下雨，道路就会泥泞。
(正) 《午後から雨が降ると聞いて》雨が降る(の)なら、傘を持って行こう。(意志)/《听说下午要下雨》要是下雨的话就带着伞去吧。(意志)

"たら"、"ば"、"と"从时间上先发生前面的条件，后面叙述作为其结果成立的事物。与此相反，"なら"可以是后半句的结果首先成立，然后再说条件部分。
(例) イタリアに行ったらイタリア語を習いなさい。(イタリアに行ってからイタリアで習う)/到了意大利要学意大利语。(到了意大利以后在意大利学习)
(例) イタリアに行くならイタリア語を習いなさい。(イタリアに行く前に自分の国で習う)/去意大利的话要学意大利语。(去意大利之前在本国学习)

2…(の)なら＜与事实相反＞ 如果…就…，可是…。

(1) 電話をくれるのなら、もう少し早い時間に電話してほしかった。/如果你给我打电话的话，希望你再提前点时间打来。
(2) 神戸に来ていたのなら、電話してくれればよかったのに。/你到了神户以后，给我打个电话就好了，可是…。
(3) あいつが来るのならこのパーティには来なかったんだが。/要是早知道那家伙也来的话，我就不参加这个晚会了。
(4) 結婚式に出席する(の)なら黒いスーツを買うのだが。/如果出席婚礼的话就买黑色西服套装了。

"X(の)なら"中的Y，或X和Y都是表示与事实相反的事情时的用法。前者是知道了新的事实X时，表示"如果知道了X就会去做Y这件事，但是因为不知道，所以没有做"的意思。X表示的是事实，Y表示的则是与事实相反的事情。后者表示"如果做了X的话就会做Y，但因为实际没有做X也就不去做Y"，X与Y都表示与事实相反的事情。例(1)~(3)是前者的例子，例(4)是后者的例子。例如例(2)是知道对方来到神户的事实后，对对方没有给自己打电话表示埋怨或后悔的心情"你要是给我打个电话就好了"，X表示事实，Y表示与事实相反。例(4)的意思是"如果出席婚礼就买黑色西服套装，但因为实际上不出席婚礼，所以不买"，X与Y都表示与事实相反的事情。

例(1)~(4)与用"たら"、"ば"表示的与事实相反的假定条件句意思不同，所以不能互换使用。用"たら"、"ば"表示的与事实相反的假定条件句中的X与Y都表示与事实相反的事情，而且，X必须是先于Y发生的事情。而例(1)~(3)只有Y是表示与事实相反的事情。例(4)虽然X与Y都表示与事实相反的事情，假定其能够成立的顺序是先发生Y后发生X。"买了黑西服套装以后再出席婚礼"这种关系只有用"なら"才能表示出来，不能换成"たら"、"ば"。

(例) 先週、神戸に来ていたのなら案内してあげたのに。／如果你上周来神户，我就能陪着你走走了。

"因为不知道你上周到的神户，所以没能陪着你走走"的意思。X是事实，Y表示与事实相反

(例) 先週、神戸に来て{いれば／いたら}案内してあげたのに。／如果我上周到神户来，就能陪着你走走了。

"因为我上周没来神户，所以没能陪你走走"的意思。X与Y都与事实相反

(例) 結婚式に出るなら黒いスーツを買ったのだけど。／要是出席婚礼的话就买黑色西服套装了。

"因为不出席婚礼，所以没有买黑西服套装"的意思。X与Y都不是事实。如果此句成立的话，行动的顺序是先Y后X

(例) 黒いスーツを買って{いれば／いたら}結婚式に出たのだが。／要是买了黑西服套装就参加婚礼了。

"因为没有买黑色西服套装，所以没有出席婚礼"的意思。X与Y都不是事实。如果此句成立的话，行动的顺序是先X后Y。

3 V-る(の)なら…がいい　如果…则…为好。

(1) 靴を買うならイタリア製がいい。／如果买鞋的话，意大利的产品好。

(2) 食事をするなら、このレストランがいいよ。／如果吃饭的话，这家餐厅好。

(3) 英語を習うならアメリカかカナダに留学することをすすめたい。／如果学英语的话，我建议去美国或加拿大留学。

(4) A：大学を卒業したら留学したいと思っているんだ。／大学毕业以后，我想去留学。

B：留学するのならオーストラリアがいいよ。／

留学的话，还是去澳大利亚好。

后接"がいい(还是…的好)"、"をすすめる(推荐…)"等，用于推荐进行某事时最好的方法、手段。常用于广告词中。

如果不是说特定的对方的行为，而是就一般的行动进行叙述时，一般不加"の"。这时与"Nなら…がいい"、"Nは…がいい"表达方式中的表示主题的"なら"、"は"的意思接近。

(例) 靴を買うならイタリア製がいい。/如果买鞋的话，意大利的产品好。

(例) 靴ならイタリア製がいい。/要说鞋，还是意大利的产品好。

(例) 靴はイタリア製がいい。/鞋是意大利的产品好。

4 V-る(の)なら …しろ／…するな 如果…就必须…／就不许…。

(1) 何事もやるなら最後まで徹底的にやれ。/无论什么事，要干就要干到底。

(2) 女性と付き合うなら真剣に付き合いなさい。/与女性交往就要认真交往。

(3) 留学するならいい加減な気持ちではするな。/如果留学的话，三心二意的就不要去了。

(4) 私のことを笑うなら勝手に笑えばいい。/要笑话我的话就随便笑好了。

(5) 泣きたいのなら好きなだけ泣けばいい。/要哭就哭个够吧。

"なら"前后接同一个动词，用于在采取某种行动时，指出应当怎样做。后面除了接命令・禁止的表达方式外，还可以接如"すればいい(…为好)"等提案或建议的表达方式。例(4)、(5)的意思是"愿意那么做就随便吧"。

如果是"一般…的时候"的意思的话，"なら"的前面多不加"の"。但如果是接"你打算那样的话"、"想那么做的话"等特定对方的话语或意向时，如例(5)所示，可以用"のなら"的形式。

5 …(の)なら…で 如果…也没有关系。

[Na ならNa で]

[A (の)ならA で]

[V (の)ならV で]

(1) 嫌なら嫌で、そう言ってくれたらよかったのに。今となっては遅すぎるよ。/不愿意的话，你就告诉我说不愿意好了。你现在才说，已经太晚了。

(2) 金がないならないで、人生何とかなるものさ。/没钱就没钱呗，人生总会有办法的啦。

(3) 会社を辞める(の)なら辞めるで、それからあとの身の振り方ぐらい考えておくべきだった。/你要辞职不干，就辞吧，但应该考虑好以后的出路。

(4) 遅くなる(の)なら遅くなるで、ちゃんと連絡ぐらいしてくれればいいのに。/迟到也没有什么关系，早些通知我一下就好了。

（5） 行かない(の)なら行かないで、ちゃんと断りの連絡だけはしておいたほうがいい。／不去也没关系，最好事先通知我。

"なら"的前后重复同一个词，表示在认可是那种情况也没关系的基础上，阐明当时应采取什么行动，以及对没有采取其行动表示责备或后悔的心情。

6 …(の)なら…と　如果…就说…好了。

[NならN(だ)と]
[Na ならNa(だ)と]
[A(の)ならAと]
[V(の)ならVと]

（1） 欠席なら欠席と前もって知らせておいてください。／如果缺席的话请事先通知我。
（2） そうならそうと言ってほしかった。／希望你能是怎么回事就怎么说。
（3） 嫌なら嫌だとはっきり言ってくれればいいのに。／不愿意就明确地说不愿意就好了。
（4） 好きなら好きとはっきり言っておけばよかった。／喜欢就要明确地说喜欢。
（5） 都合が悪い(の)なら悪いと言ってくれればよかったのに。／不方便的话，就告诉我不方便就好了。
（6） これからは来ない(の)なら来ないとちゃんと事前に連絡して下さいね。／今后不来的话，请事先通知一下说不来。
（7） 行く(の)なら行く、行かない(の)なら行かないとちゃんと言ってくれなければ困るじゃないですか。／要来就来，不来就不来，不说明白可不好办。

重复同一个词，后面接"言う"、"連絡する"等表示发言的词语，表明说话人希望对方或第三者对自己的行动表明态度。

一般用于对没有明确表示态度的行为进行批评，或告诫应当表明态度时。也可以如例（4）用于对自己没有表明态度而懊悔的心情。

7 …(の)ならべつだが　如果是…的话，另当别论，但是…。

[N／Na　ならべつだが]
[A／V　(の)ならべつだが]

（1） そんなに勉強がつまらない(の)なら別だが、自分の心構えについても反省してみてはどうだろうか。／如果对学习那么不感兴趣的话，另当别论，但是你是不是对自己的态度也要反省一下啊。
（2） やめたい(の)なら別だが、もし続けたい(の)ならもう少し基礎的なところから勉強し直した方がいい。／如果不想学了，另当别论，但是想继续学的话，最好重新再从基础的一些东西学起。
（3） 本気で頑張る気があるのな

ら別だがいい加減な気持ちでやっているならやめたほうがいい。／如果是真有心想努力的话还行，你要是马马虎虎地干，我看还是算了吧。
(4) 自分のことなら話は別だが、人のことにそんなに気を揉んでも仕方がないだろう。／如果是自己的事那另当别论，对别人的事那么着急也没用。
(5) どうしても嫌なら話は別だが、我慢して今の会社にとどまるのも一つの考えだ。／如果怎么都不愿意的话另当别论，但是如果能忍耐一下留在现在的公司也是一个考虑。

设想两种不同的情况，其中一种情况也许不太适用，先作为话题提出来，说话人对另一种情况说出自己的意见。后面多接对方的警告・忠告等呼吁。也可以如例(4)、(5)所示用"…なら話は別だが"的形式。

8 …というのなら　如果说是…的话。
(1) A：明日はほかに用事があってお邪魔できないのですが。／我明天还有别的事，不能到府上打扰。
B：来たくないと言うのなら来てもらわなくてもいい。／如果你不想来

的话，那就不劳你大驾了。
(2) 責任をもつと言うのなら、信頼して任せてみてはどうですか。／如果他说负责任的话，就充分相信全权委托如何？
(3) 子供が大事だと言うのなら、もっと家庭を大切にしなくてはだめだ。／如果你爱孩子的话，就应该更加珍惜这个家庭。
(4) 経営に行き詰まっているというのならあんな派手な商売はできないはずだ。／如果是真的经营不下去的话，生意就不会搞得那么排场。

用于说话人根据前面说话的内容对其进行判断时。后续对对方的许可或忠告、提案以及说话人的判断等表达方式。也可以说"ということなら"。

9 …ということなら　如果说…的话。
(1) 癌だということなら退院させてくれるはずがない。／如果说是癌症的话，就不会让我出院。
(2) 自分たちでやるということなら、やらせてみてはどうか。／如果他们说要自己干的话，就让他们干干看怎么样？
(3) 期限内にできないということなら、ほかの業者に頼むことにしよう。／如果他们

说在规定的期限内完不成的话，我们就决定委托其他厂家。

表示说话人根据第三者的发言所做出的应对。用法与"というのなら"大致相同。但"というのなら"可以有两种用法，即根据眼前的对方或第三者的发言说"如果你那样说的话"、"如果他那样说的话"，而"ということなら"一般用后者。

10 どうせ…(の)なら →【どうせ】2
11 …ものなら →【ものなら】1
12 V-ようものなら →【ものなら】2

【なら₃】

[N／Na （だった）なら]
[A-い／A-かった なら]
[V-る／V-た なら]

与"なら2"不同，不能用"のなら"的形式。用"なら"或"ならば"的形式。相当于"N／Naだ"的バ形，接动词以及イ形容词的词典形和タ形。接动词・イ形容词可以与"ば"、"たら"互换，意思上没有大的不同。"たらなら"是稍旧的说法，用于强调"たら"。

1 N／Na なら(ば) 如果是…的话，假如…的话。

(1) 10人一緒なら団体の割り引き料金になる。／如果10个人一起来，票价可以按团体票打折。

(2) まわりがもう少し静かならば落ち着いて勉強できるのですが。／周围要是稍微再安静些就能静下心来用功学习了。

(3) 東京ならこんなに安い家賃で家は借りられません。／如果是在东京，用这么便宜的租金是租不到房子的。

(4) その話が本当なら大変なことになりますよ。／那件事要是真的话，那就糟了。

(5) 私があなたならそんなふうには考えなかったと思う。／我想我要是你的话就不会那么想了。

(6) 日曜日、お天気ならハイキングに行きましょう。／星期日如果天气好的话，去郊游吧。

是"N／Naだ"的バ形，表示"如果是…的话"、"假如是…的情况"等假定条件，或表示"如果情况相反的话"等与事实相反的条件。"だったなら"的郑重的书面表达可以用"である"的バ形"であれば"。可以和"だったら"互换。

与表示主题的"なら1"的区别在于"なら1"只能接名词，表示"如果N是话题的话"的意思。なら3的用法表示是否是事实还未定，或虽然与事实相反但假定是那样的话的意思。在许多情况下很难判断属于哪种用法。

2 NがNならNはNだ 如果说…是…的话，那么…就是…。

(1) 銀座が東京の中心なら心斎橋は大阪の中心だ。／如果说银座是东京的中心，那么心斋桥就是大阪的中心。

(2) パリが芸術の都なら、ロンドンは金融の都だ。／如果说巴黎是艺术之都的话，伦

敦可以说是金融之都。
(3) 兄が努力型の秀才なら弟は天才型の秀才だ。／如果说哥哥是努力奋斗型的高材生，弟弟则是天才型的高材生。

把具有对比性质的人物或事物进行对比时的说法。用于用另一句话做比喻时"如果把…用…表达的话，而…就可以表达为…"的意思。

3 NがNならNもNだ　双方都不怎么样。
(1) 親が親なら子も子だ。／老子和儿子都够差劲的。
(2) 先生が先生なら学生も学生だ。／老师和学生都成问题。
(3) 亭主が亭主なら女房も女房だ。／丈夫和老婆都够呛。
(4) アメリカがアメリカなら日本も日本だ。／美国和日本都各有问题。

前后接如"妻"、"夫"那样成对关系的人物或表示机关・组织的名词。用于对其人物或组织的作法及态度给予负面的评价，例如"都同样糟糕"、"简直是些不可救药的家伙"。用于一对不懂道理・懒惰・不客气・失礼等具有不好的性质・态度的人或组织。也可如例(4)所示用"N1もN1ならN2もN2だ"的形式。

4 …なら(ば)　如果…。
[A／V　なら(ば)]
(1) 今年も真夏の日照時間が短いならば米不足の問題は深刻だ。／今年如果也是盛夏日照时间短的话，大米欠收的问题就要严重了。

(2) この機会を逃すならもう2度と彼には会えないだろう。／如果你错过了这次机会，也许再也见不到他了。
(3) このまま不況が続いたなら失業問題は深刻になる。／如果经济不景气再这样持续下去的话，失业问题就会严重起来。
(4) 今後1週間雨が降らなかったら水不足になる。／今后的一周如果不下雨的话就会造成缺水现象。

接イ形容词、动词的词典形及タ形，表示"如果那种情况成立的话"的意思。假定预料在未来成立的情况，预测其实现时所成立的事物的假定条件。使用"するなら"或"したなら"在意思上没有大的不同。是文言的说法。用于评论性的文章中。可以与"ば"、"たら"互换，在口语中多用"ば"、"たら"。

(1') 今年も真夏の日照時間が{短ければ／短かったら}米不足の問題は深刻だ。／今年如果也是盛夏日照时间短的话，大米欠收的问题就要严重了。
(2') この機会を{逃せば／逃したら}もう2度と彼には会えないだろう。／如果你错过了这次机会，也许就再也见不到他了。
(3') このまま不況が{続けば／続いたら}失業問題が深刻になる。／如果经济不景气再这么持续下去的话，失业问题就会严重起来。
(4') 今後1週間雨が{降らなければ／降らなかったら}水不足にな

る。／今后的一周如果不下雨的话就会造成缺水现象。

5 …たなら　如果…了的话。
[N／Na　だったなら]
[A-かったなら]
[V-たなら]

（1）私が全能の神様だったなら、あなたを助けてあげられるのに。／我要是万能的主，就能帮助你了。

（2）もう少し発見が早かったなら助かったのに。／如果发现再早一会儿的话就能得救了。

（3）困ることがあったならいつでも相談に来い。／如有为难事就随时来找我商量吧。

（4）もしも私に翼があったなら大空を自由にかけまわりたい。／假如我有翅膀的话，想在天空自由翱翔。

（5）≪歌詞≫あの坂を越えたなら幸せが待っている。／≪歌词≫翻过那道坡，幸福在等待。

是强调"たら"的旧式的说法，用于表示假定条件、与事实相反的条件。常在歌词中使用。日常会话一般用"たら"。

6 V-るなら＜观点＞　要是…的话，如果…的话。

（1）事情を知らない人の目から見るなら、少しおおげさな感じがするかもしれない。／在不了解情况的人看来也许有些小题大作。

（2）私に言わせるなら、この作品はあまり面白いとは思えない。／要让我说的话，我认为这个作品不怎么有意思。

（3）戦前と比べるなら生活レベルはずいぶん向上したといえるだろう。／与战前相比，生活水平可以说是大大提高了。

（4）一部を除くなら、彼の意見は正しいと思う。／除去部分内容，我认为他的意见是基本正确的。

是在"見る"或"言う"、"比べる"等动词后接"なら"的惯用的表达方式。表示后续的判断及意见是从什么观点来进行阐述的。是稍书面式的表达方式。たら／と／ば也有同样的用法，可以互换。其它还有"…によるなら／を別にするなら(如果按…的话／如果另论…的话)"等。

【ならいい】

如果是…的话，就算了／也可以。
[N／Na　ならいい]
[A／V　(の)ならいい]

（1）お母さんが病気ならいいよ。早く家に帰ってあげなさい。／如果是你母亲病了的话，就不要在这里了，赶快回家吧。

（2）勉強がそんなに嫌いならいいよ。大学など行かないで就職したらいい。／那么讨厌学习就算了吧，不上大学去工作好了。

（3） A：悪いけど、その仕事はあまり得意じゃないんだ。／对不起，我不太擅长那项工作。
　　　B：やりたくない(の)ならいいよ。他の人に頼むから。／不愿意干也没关系，我再找别人干。
（4） それほど熱心に言う(の)ならいいじゃありませんか。やりたいことをやらせてあげなさいよ。／他既然说得那么恳切不是挺好吗。他想干就让他干吧。

根据以前说话的内容及情况，说话人表示出"如果是那种情况，那样也没关系／也可以／不…也可以"等许可或放任的态度。如例(3)表示"不想做的话，不做也可以"的意思。

【ならでは】

只有…才有的、只有…才能。
[Nならでは]
（1） 親友ならではの細かい心遣いが嬉しかった。／这是只有好朋友才能给予的无微不至的关心，对此我感到非常高兴。
（2） 二枚目俳優ならではの端正な顔立ちをしていた。／他长着一副只有小生演员才有的端端正正的脸庞。
（3） 当店ならではのすばらしい料理をお楽しみください。／请您品尝一下本店独家风味的佳肴。
（4） あの役者ならでは演じられないすばらしい演技だった。／这可是只有那个演员才能表演出的高超演技。

接表示人物或组织的名词后，表示"正因为是N才会这么好"、"只有N才会…"、"不是N就不可能…"的意思。多用"Nならではの N"的形式，也可以用"Nならでは…ない"的形式。表示对N进行高度的评价，常用于商店或公司的广告・宣传词。

【ならない】

1 V-てならない　→【てならない】
2 V-てはならない　→【てはならない】
3 V-なくてはならない
　→【なければ】2
4 V-なければならない
　→【なければ】2

【ならびに】

及、以及。
[NならびにN]
（1） 各国の首相ならびに外相が式典に参列した。／各国总理以及外交部长参加了庆典。
（2） この美術館は主に東欧の絵画並びに工芸品を所蔵している。／这家美术馆主要收藏了东欧的绘画以及工艺品。
（3） 本日ご出席の卒業生の諸君ならびに御家族皆さま方に心からお祝い申しあげま

す。／向今天到会的各位毕业生以及家长表示衷心的祝贺。
（4）優勝者には賞状ならびに記念品が手渡されることになっている。／规定向冠军颁发奖状和记念品。
（5）用紙に住所、氏名ならびに生年月日を記入してください。／请在表格上填上住址、姓名以及出生日期。

进一步列举与前面的事物相同的东西。是书面语言。也可以用于致辞等郑重的口语。

【なり₁】

1 V-るなり 刚…就立刻…、一…就…。
（1）家に帰るなり自分の部屋に閉じ込もって出てこない。／一回到家，就关在自己的房间里不出来。
（2）立ち上がるなり目まいがして倒れそうになった。／刚一站起来就感到头晕，险些摔倒。
（3）会うなり金を貸してくれなどと言うので驚いた。／一见面就提出要借钱，简直令人吃惊。

接表示动作的动词后，表示"在其动作刚刚做完后"的意思。
"刚一…就…"。用于在其动作刚做完就发生了没有预想到的事情时。

2 V-たなり

a V-たなり(で) …着、一直…。
（1）座ったなり動こうともしない。／坐着一动不动。
（2）うつむいたなり黙り込んでいる。／低着头沉默不语。
（3）立ったなりでじっとこちらの様子を伺っている。／一直站着窥视着这边的动静。

表示某种状态维持原状没有进展。也可以和"…したまま(原封不动、照旧)"替换。是多少有些陈旧的说法。

b V-たなり 就那样一直(不)…、一…就(不)…。
（1）家を出たなり一ヶ月も帰ってこなかった。／离开家后一个月都没有回来。
（2）お辞儀をしたなり何も言わずに部屋を出て行った。／鞠了个躬，什么话都没说就走出了房间。
（3）住民の反対にあたって、工事は中断されたなり解決のめどもついていない。／因为遭到了附近居民的反对，工程一直停下来，问题还没有得到解决。

表示某种事态发生后，没有再发生一般认为会继续发生的事而保持着什么都没有发生的状态。可以同"…したまま"替换。是有些陈旧的说法。

【なり₂】

1 …なり …之类、…什么的。
[Nなり]
[V-るなり]

（1）何かお飲み物なりお持ちしましょうか。／我拿些饮料什么的来吧。
（2）そんなに忙しいんだったら友達になり手伝ってもらったらいいのに。／你那么忙的话，请朋友什么的帮帮忙就好了。
（3）そんなに心配なら先生に相談するなりしてみてはどうですか。／你那么担心的话，和老师商量商量怎么样？
（4）壁に絵を飾るなりしたらもっと落ちつくと思いますよ。／我觉得墙上挂张画，屋子里就显得更谐调了。

接名词或动词等各种成分后，从几种可能性中作为例子举出其中一种。

2 V-るなりV-ないなり 或是…或是不…、…也好…不…也好。

（1）行くなり行かないなりはっきり決めてほしい。／去或是不去，希望能明确地决定一下。
（2）やるなりやらないなり、はっきりした態度をとらなければならない。／是干还是不干，必须有个明确的态度。
（3）来るなり来ないなりをきちんと連絡してもらわなければ困ります。／是来还是不来，得不到你的正式通知，我们可不好办。

在动词肯定形后接否定形，表示选择其中一种行为。后续请明确选择哪一种，希望你这样做、这样做会如何等表达方式。有强迫别人选择的意思，所以用错了就会不礼貌。

（误）参加なさるなりなさらないなりをお知らせください。
（正）参加なさるかどうかをお知らせください。／请通知我您是否参加。

3 …なり…なり 或是…或是…、…也好…也好。
[NなりNなり]
[V-るなりV-るなり]

（1）彼の父親なり母親なりに相談しなければならないだろう。／必须和他的父亲或母亲商量商量吧。
（2）東京なり大阪なり、好きなところで生活すればいい。／东京也好大阪也好，只要是在自己喜欢的地方生活就好。
（3）叱るなり誉めるなり、はっきりとした態度をとらなければだめだ。／是批评是表扬，必须有个明确的态度。

列举两个同属一组的人、事、物，选择其中之一。除此两项之外，还有其它的可能性。

4 …なりなんなり 之类的、什么的。
[N／V なりなんなり]

（1）チューリップなりなんなり、少し目立つ花を買ってきて下さい。／郁金香也好什么也好，请买些颜色稍鲜艳些的花来。
（2）ここは私が支払いますから

コーヒーなりなんなり好きなものを注文して下さい。／今天我作东，咖啡呀什么的喜欢什么就点吧。
(3) 転地療養するなり何なりして少し体を休めたほうがいい。／易地疗养啦，就地休养啦，总之，还是歇歇身子骨好。
(4) この部屋は寒そうだから、カーペットを入れるなり何なりしなければいけないね。／这间屋子好像很冷，所以必须铺块地毯什么的。

表示只要是与此类似的事或物什么都可以的意思。表示场所时用"…なりどこなり"。

(例) 外国なりどこなり、好きなところへ行ってしまえ。／外国也好哪儿也好，爱去哪儿就去哪儿吧。

【なり₃】

1 …なり

a …なり　与…相适、那般、那样。
[Nなり]
[A-いなり]
(1) 私なりに努力はしてみましたが、力が及びませんでした。／我尽了自己的努力，但是我的力量达不到。
(2) この事態は役人だけに任せておくのではなく、私たち住人なりの対応策を考えなければならない。／这种事不能只靠政府官员，我们居民必须考虑自己的相应对策。
(3) 彼らは経験が浅いなりによく頑張ってやってくれる。／他们虽然经验不多，但给我们干得非常努力。
(4) 母親が留守の間は、子供たちなりに一生懸命考えて、食事を作っていたようです。／妈妈不在的时候，好像是孩子们自己绞尽脑汁做了饭菜。
(5) この結論は私なりに悩んだ末のものです。／这个结论是我自己苦思苦想的结果。

表示其相应的状态。用于在承认其事物有限度或有缺欠的基础上对其进行一些正面的评价。

b …なり　任凭、顺着。
[Nなり]
[V-るなり]
(1) 彼は妻の言うなりになっている。／他对妻子唯命是从。
(2) その店なら、道なりにまっすぐ行くと右側にあります。／那个商店，沿路往前走，就在右侧。

表示"对其不违背顺从下去"的意思。只用于"言うなり"、"道なり"等固定化的表达方式。与"言うなり"意思相同的还有"言いなり"。

2 …なり…なり　有其相应的…。
[NならNなり]
[NaならNaなり]
[A-いならA-いなり]

[V-るならV-るなり]
（1）嫌なら嫌なりの理由があるはずだ。／他不喜欢一定有他不喜欢的理由。
（2）若いなら若いなりにやってみればいい。／年轻人就按年轻人的办法干就可以啦。
（3）貧乏なら貧乏なりに楽しく生きられる方法がある。／穷有穷着快乐生活下去的方法。
（4）我々の要求を受け入れられないなら、受け入れられないなりにもっと誠意を持って対応すべきだ。／如果不能接受我们的要求，也应该有相应的诚意来对待我们。
（5）金があるならあるなりに心配ごともつきまとう。／有钱也有因钱而缠绕的担心。
（6）新しいビジネスを始めるなら始めるなりの準備というものが必要だ。／要开展新的业务就需要做相应的准备。

重复同一个词。表示"与在这里所说的事相应的"、"与此相符"的意思。其事物有特有的限度、缺点或优点等特征。认这些的基础上与之相应的"的意思。后多续应该是那样、必须那样做、希望那样等表达方式。也有时用"…ば…なり"。
（例）金があるならあるなりに気を使わなければならない。／有钱就要操有钱的心。

3 には…なり 相应的、那样的。
[NにはNなり]
[V-るにはV-るなり]

（1）若い人には若い人なりの考えがあるだろう。／年轻人有年轻人的想法吧。
（2）学生には学生なりの努力が求められている。／既然是学生就要做出学生应该做的相应努力。
（3）金持ちには金持ちなりの心配事がある。／有钱人自有有钱人担心的事情。
（4）この商売にはこの商売なりに、いろいろな苦労や面白さがある。／这个买卖有许多独特的艰辛与乐趣。
（5）断るには断るなりの手順と言うものがある。／要拒绝也应该有个相应的拒绝程序。

重复同一个名词或动词。表示其事物含其特有的限度及缺点或长处等特征。"在承认…的基础上，与之相应的、相称的"的意思。

4 NはNなり 那般、那样。
（1）彼らは彼らなりにいろいろ努力しているのだから、それは認めてやってほしい。／他们尽了他们应尽的许多努力，希望这一点能给予肯定。
（2）私は私なりのやりかたでやってみたい。／我想按照我自己的做法去做做看。
（3）私は私なりに考えて子供をしつけてきたつもりです。／我认为我是按照自己的想法来教育孩子的。

（4） 古い機械は古い機械なりに、年代を経た趣と手慣れた使いやすさがある。／旧机器有旧机器的饱经风霜古老的情趣和顺手好用的优点。

　　重复同一个名词。表示其人或事虽有限度和缺陷"在承认其有限度或有缺陷的基础上,与之相应的、相称的"的意思。

5 それなり　相应、恰如其分。
（1） 小さな会社だがそれなりの利益は上げている。／虽然是个小公司，但也取得了相应的利润。
（2） 嫌だというならそれなりの理由があるのだろう。／既然说不喜欢就有不喜欢的理由吧。
（3） 子供たちもそれなりに力を合わせて頑張っている。／孩子们以自己的方式齐心协力地努力奋斗着。
（4） 努力をすればそれなりの成果はあがるはずだ。／只要努力就会取得相应的成果。

　　表示它有限度和缺点"在承认其基础上与之相应的"的意思。

【なりと】

1 Nなりと（も）　…之类…、…什么的…。
（1） よろしかったら私の話なりとも聞いて下さい。／如果可以的话，也请听我说一说。
（2） ここにおかけになってお茶なりと召し上がっていらして下さい。／请坐在这儿喝点儿茶什么的吧。

　　主要接在名词后，从几个事物中举出一个作为例子。

2 疑问词（＋格助词）＋なりと　不论…、不管…。
（1） お前みたいな勝手なやつはどこへなりと行ってしまえばいい。／像你这样任性的家伙，想到哪儿去就到哪儿去吧。
（2） だれとなりと、好きな男と一緒になるがいい。／不论和谁，只要是和你喜欢的男人在一起就好。
（3） なんなりとお好みのものをお持ちしますのでおっしゃって下さい。／只管说,您喜欢什么我就给您拿什么。
（4） ご希望がありましたら、どうぞ遠慮せずに何なりとお申しつけ下さい。／有什么要求，请您不要客气只管吩咐。

　　用"どこへなりと（不论去哪里）"、"だれとなりと（不论和谁）"、"なんなりと（不论什么）"等惯用句式的固定表达方式，表示无论什么都可以根据自己的喜好进行选择的意思。

【なる】

1 …なる　变成…、变为…。
[N／Na　になる]
[A-くなる]
[V-ようになる]

(1) 木が切り倒されて山が裸になってしまった。／树木被伐光了，山成了秃山。
(2) 彼女は働きすぎて病気になった。／她劳累过度病倒了。
(3) このあたりは、昔は静かなところだったのですが、ずいぶんにぎやかになったものですね。／这一带过去很安静，可是现在变成了相当热闹的地方啊。
(4) 酒を飲んで顔が赤くなりました。／喝了酒，脸发红了。
(5) 道路が拡張されたために車が増えて、だんだん住みにくくなっています。／因为道路拓宽车辆增加，渐渐地不适于居住了。
(6) 練習の成果があって、ようやく平仮名が全部読めるようになりました。／练习有了成果，总算把平假名都念了下来。
(7) 以前は無口だったが、最近はよくしゃべるようになりました。／以前他不爱说话，最近变得爱说了。
(8) 彼と一緒に仕事をするようになって、ずいぶんいろいろなことを学びました。／和他一起工作以后，学到了很多东西。

表示事物的变化。"する"表示行为人所存在的有意图的变化，"なる"表示其物体本身的自然变化。
→【ように3】6

2 Nからなる 由…组成、由…构成。
(1) この本は4つの章からなっている。／这本书是由4章构成的。
(2) この委員会は委員長以下5人の委員からなっている。／这个委员会由委员长以下5名委员组成。
(3) 日本の議会は参議院と衆議院からなる。／日本的议会由参议院和众议院组成。
(4) 3つの主要な論点からなる議題を提案した。／提出了由3个主要论点组成的议案。

接名词后，表示"由此构成"的意思。也有如例(3)"XとYとからなる"的形式。用在句尾时常用"…からなっている"，郑重的书面语言也可以用"…からなる"。修饰名词的时候用"…からなるN"的形式。

3 …ことになる 相当于…。
(1) この大会も今年で4回目ということになりますね。／这个大会到今年是第4次了吧。
(2) 私とあの人はいとこどうしということになる。／我和他相当于表兄弟的关系。
→【ことになる】

4 R-そうになる 马上就要…。
(1) 叱られて泣きそうになった。／挨了骂，快要哭了。
(2) この臭いをかぐとくしゃみが出そうになる。／一闻到

这种气味就要打喷嚏。
→【そうだ2】2b

5 …となる 成为…、变为…。
[N／Na となる]
（1）彼はまだ20歳なのに、もうすぐ一児の父となります。／他才20岁，却马上就要当爸爸了。
（2）人々は次々に島を出て行き、ついにそこは無人島となった。／人们纷纷离岛而去，那里终于变成了无人岛。
（3）その法案には様々な問題があることが明らかとなった。／显然这项法案有许多问题。
（4）この戦争は最終的には悲劇的な結末となった。／这场战争最终的结局是悲剧性的。
（5）結局は、両国の話し合いは物別れとなった。／最终两国的谈判破裂了。

接名词或ナ形容词，表示在这里所显示的东西或状态发生的变化。因为这个变化要一直到最后阶段，所以有些不好表示最终阶段的词如"にぎやか(热闹)"、"病気(生病)"、"元気(健康)"就不能用。凡是用"…となる"的都可以同"…になる"互换，而反之却不一定。
（误）にぎやかとなった。
（正）にぎやかになった。／变得热闹起来。

6 …となると →【となると1】、【となると2】

7 Nともなると 到了…程度、到了…地步。
（1）3月ともなるとだいぶ暖かく感じられるようになります。／到了3月份就感到暖和多了。
（2）大学生ともなると、ある程度は自分でお小遣いをかせがなければならない。／成了大学生，应当在一定程度上自己挣些零花钱了。
→【ともなると】

8 …になる 定于…、定为…。
[Nになる]
[V-ることになる]
（1）来年から5月4日は休校日になります。／从明年起5月4日为校休日。
（2）今年の秋に結婚することになりました。／定于今年秋天结婚。

表示对将来的行为做出某种决定或达成某种协定以及产生某种结果。不把谁决定的作为问题，是自然趋势或外界的支配产生的结果。也可使用下列形式"N+助詞"。
（例）会議は5時からになりました。／会议定为5点开始。
→【ことになる】

9 Nになると 至于…、说到…。
（1）国語なら教えられるが、数学になると全く手がでない。／语文的话还能教，要说数学根本教不了。
（2）練習ではうまくいったのに、いざ本番になると上がってしまいました。／排演时还不错，可是一到正式演出就怯场了。

表示"到了某个水准、阶段时"的意思。

也可以用"Nとなると"的形式。
10 お R-になる（敬语的惯用形式）。
（1）先生はお帰りになりました。／老师已经回去了。
（2）おかけになってお待ち下さい。／请您坐下等。
→【お…になる】

【なるたけ】
尽量…、尽可能…。
（1）この仕事はなるたけ早く仕上げて下さい。／请尽快地把这项工作干完。
（2）壊れやすい品物だから、なるたけ気を付けて運んでね。／因为是易碎物品，请尽量小心搬运。
是"できるだけ"、"なるべく"的通俗说法。

【なるべく】
1 なるべく　尽量、尽可能。
（1）今晩はなるべく早めに帰ってきて下さいね。／今晚请尽量早点儿回来啊。
（2）明日は試合だから、今日は無理をしないでなるべく体を休めておくようにしよう。／明天有比赛，所以今天不能太累，得尽量放松休息好。
（3）この活動には、なるべく多くの人に参加してもらいたい。／希望尽可能多的人参加这项活动。
（4）この品物は壊れやすいから、なるべく注意して取り扱って下さいね。／这个东西容易碎，所以请尽量注意轻拿轻放。
（5）かなり長い距離を歩くと聞きましたので、荷物はなるべく少なくするようにしました。／因为听说要走相当长的路，所以做到了尽量少带行李。
表示"尽可能"、"尽量"的意思。后多接意志·希望·请求等表达方式。

2 なるべくなら　尽可能、如果可能的话。
（1）なるべくなら、今晩は早く帰って休みたい。／如果可能的话，我今晚想早点儿回去休息。
（2）なるべくなら、だれにも会わずに帰ろうと思っていたのですが、知り合いに見つかって声をかけられてしまいました。／我本来想如果可能的话，谁也不见就回来，可是被熟人看到后给叫住了。
（3）この話はなるべくなら人に知られたくないので、黙っていて下さいね。／这件事我不想让别人知道，你尽量不要对别人说。
（4）なるべくなら武力を使わずに話し合いで解決したいものだ。／希望尽可能不动用武力通过协商解决。

表示"如果可能的话"、"如果可以的话"的意思。后多接表示需求・意志的词句。

【なるほど】

诚然、的确、原来如此。

(1) いい店だとは聞いていたが、なるほどサービスもいいし料理もうまい。／听说是家挺不错的饭店，去了一看，果然服务好饭菜也香。

(2) あなたの言うことはなるほどもっともだが、私の立場も考えてほしい。／你所说的确实有道理，可是也请你考虑一下我的处境。

(3) なるほど、富士山というのは美しい山だ／的确，富士山是美丽的山。

(4) なるほど、噂には聞いていましたが、実際に使ってみると本当に便利なものなのですね。／以前听人说过，确实如此，实际用了以后真的非常方便。

(5) A：きのうは久しぶりに大学時代の友達に会ってきたよ。／昨天见到了时隔很久没见面的大学时代的朋友。
B：なるほど。だからあんなに嬉しそうにしていたんですね。／原来如此。所以你才那么高兴的啊。

(6) A：このコピー機は、濃度調整が自動でできるようになっております。／这台复印机可以自动调节浓度。
B：なるほど。／噢，原来如此。
A：それから、用紙の選択も自動になっております。／而且可以自动选择不同规格的纸张。
B：なるほど。／噢，是这样啊。

对从别人那里得到的知识或对方所主张的事表示认同的心情。另外还用于表示再度确认自己的知识的正确以及对疑念所得到的解答的认同等心情。例(6)是用比"认同"更随意的心情向对方表示同意或注意的一种随声附和。这种用法有时听起来有些狂妄自大，所以对身分、地位高于自己的人不用。

【なれた】

惯了、习惯了。

[R-なれたN]

(1) 使いなれた道具を使う。／使用用惯了的工具。

(2) 老後も住み慣れた土地で暮らしたい。／老年后我想在住惯了的地方生活。

(3) そのベテランの工員は、扱い慣れた自信に満ちた態度で機械を操作していた。／那个非常内行的工人以充满自信的态度熟练地操作着机

（4）彼は人前で話し慣れているから、上がらない。／他习惯了在人前说话，所以不怯场。

接动词连用形，表示因其动作经常进行而非常熟悉或很习惯。多用"…なれた"的形式修饰名词。也有在少数情况下如例（4）用"…なれている／なれていない"的形式做句子的谓语。

【なれば】

1 …となれば →【となれば】
2 …ともなれば →【ともなれば】

【なんか】

1 なんか＜事物＞

"なにか"的通俗说法，用于口语。
→【なにか】

a なんか 什么的、那一类的。

（1）A：なんかたべるものない？／有什么吃的没有？
B：冷蔵庫見てみたら？なんか入っていると思うけど。／你打开冰箱看看，我想里边可能有吧。
（2）誕生日にはなんか買ってやろうと思っています。／我正在想他生日的时候买点儿东西送他呢。
（3）今日手伝えなかったことは、きっと何かで償うよ。／今天没能帮上忙，以后一定会以什么补偿给你的。
（4）何か変な音が聞こえませんでしたか。／你没听到什么奇怪的声音吗？
（5）この部屋、何か臭わない？／你没闻到这屋里有什么味儿吗？

用于表示不能明确指出就是该事物。

b なんか＜样子＞ 不知为什么、总觉得。

（1）彼女と話しているとなんかほっとした気持ちになる。／和她聊聊天不知为什么觉得一下子安下心来。
（2）あの人の言っていること、なんか変だと思いませんか。／你不觉得他所说的事有点儿怪吗？
（3）今日は子供たちがなんか妙に静かですね。なにかいたずらをしているんじゃありませんか。／不知为什么孩子们今天特别安静。是不是在做什么恶作剧。
（4）なんか不思議だなあ、この町は。前に来たことがあるような気がしてならない。／真怪啊，这条街。我总觉得以前好像来过。

表示"不知为什么"、"总觉得"的意思。

c …かなんか 什么的、之类的。
[N／A／V かなんか]

（1）今度の休みは映画かなんか

行かない？／这次公休日你不去看看电影什么的吗？
(2) この傷は石かなんかがぶつかってできたものでしょう。／这块伤是石头什么砍的吧。
(3) お見舞いには果物かなんかを持って行くことにしよう。／看望病人带些水果什么的去吧。
(4) 田中君は試験が近いかなんかでとても忙しそうです。／田中君好像因考试临近非常忙。
(5) A：田中君はどうしたの？／田中君怎么了？
B：忘れものをしたかなんかで、取りに戻っています。／忘了东西还是什么的，回去取了。

用于不能明确指出就是该物，但表示是与该物类似的东西。

d Nやなんか 之类的。
(1) スポーツは好きですが、野球やなんかの球技はあまり得意ではないんですよ。／我喜欢体育运动，但不太擅长棒球等球类运动。
(2) 出張やなんかで旅行をするときはいつもこの鞄を持っていきます。／出差啦旅行的时候总是带这个书包。
(3) この話は友達やなんかには言わないで下さいね。／这话你可千万不要对朋友或其他什么人讲。

(4) 山で遭難したときは、持っていたチョコレートやなんかを食べて救助を待ちました。／在山上遇了险的时候吃了自己带来的巧克力等东西等待救援。

用于表示该物或与该物类似的东西。

2 なんか
a (Nや)Nなんか 等、之类的。
(1) お酒はワインなんか好きで、よく飲んでいます。／酒类我喜欢喝葡萄酒什么的，而且经常喝。
(2) 食料品なんかは近くの店で買うことができます。／食品什么的可以在附近的商店购买。
(3) これなんかどうですか？似合うと思いますよ。／你看这个怎么样？我觉得挺适合你的。
(4) 山本さんや鈴木さんなんかはこの案に反対のようです。／好像山本和铃木等人反对这个提案。
(5) 部品なんかは揃っているんですが、技術者がいないので直せないんです。／零件什么的都凑齐了，因为没有技术人员所以无法修理。

从许多事物中举出主要的一件作为例子，暗示还有其他类似的东西。是"など"的通俗说法，用于口语。

b V-たりなんかして 干些…事。

（1）休みの日は本を読んだりなんかして過ごします。／公休日看看书什么的打发过去。
（2）どうしたの？ひとりで笑ったりなんかして。／怎么了？一个人在那儿笑。
（3）お父さんたら急に怒り出したりなんかして。この頃少し疲れてるのかな。／父亲动不动就突然发起火来，是不是最近有些累了。

从许多事物中举出主要的一件作为例子，暗示还做其他类似的事情。是"など"的通俗说法，用于口语。

c なんか…ない　连…都不、连…都没。

（1）お金がないから、旅行なんか滅多にできない。／因为没钱，所以很少能去旅游。
（2）あんな男となんか口もききたくない。／我连理都不想理那种男人。
（3）そんなばかげたことなんか考えたこともありません。／那种荒唐事我连想都没想过。
（4）こんな汚い部屋になんか一日だって泊まりたくない。／这么脏的屋子，哪怕一天我都不愿意住。
（5）こんな天気の良い日は、家の中で本を読んでなんかいないで、外を散歩しましょうよ。／这么好的天，别在家里看书了，出去散散步吧。
（6）あんな映画ちっともおもしろくなんかないよ。／那种电影一点儿意思都没有。

接名词以及动词、名词＋助词等各种成分，后续表示否定的表达。表示对所举事物的否定。同时通过"なんか"对所举事物表示轻蔑和谦虚或意外等心情。如果后续"おまえなんか嫌いだ（我讨厌你）"、"あんなやつなんか死んでしまえ（那种人死了算了）"等表示否定意思的表达时，有时不能用否定形"ない"。なんか…ない"是"など…ない"的通俗说法，用于口语。

【なんか…ものか】

才不…呢！怎么会…、哪能…。

[…なんかV-るものか]

（1）家になんか帰ってやるもんか。／我才不会回家呢。
（2）誰がそんな話なんか信じるものか。／难道会有人相信那种话吗？
（3）あんな男となんか二度と口を利いてやるものか。／我才不会再理那种人呢。
（4）あんなひとに教えてなんかやるものか。／我怎么会教给那种人呢？
（5）一人でも寂しくなんかあるものか。／即使是一个人也没什么好寂寞的。
（6）A：講演会いかがでしたか。おもしろい話が聞けたでしょう。／讲演会怎么样？听到了许多有趣

的事吧。
B：おもしろくなんかあるものですか。すごくくだらない話でしたよ。／还有意思呢。没劲透了。

接名词・动词・形容词以及名词＋助词等各种成分。在强烈否定下文的同时通过"なんか"对所举的事表示"荒唐的东西、不足为取的、岂有此理的事"等蔑视的心情。是"など…ものか"的通俗说法。

【なんだか】

总觉得…、不知为什么。

（1）このあたりはなんだか気味が悪いね。／总觉得这一带有些令人毛骨悚然。
（2）あなたと話していたら、なんだか少し気分が楽になってきた。／和你聊了聊之后就觉得轻松起来了。
（3）彼は最近なんだか私のことを避けているような気がする。／我总觉得他最近好像总躲着我。

表示"不知是什么原因或理由"、"不知为什么"的意思。是"なぜか"的通俗说法。

【なんだろう】

→【でなくてなんだろう】

【なんて₁】

1 なんて

a なんてV　什么、怎么。

（1）よく聞こえないのですが、あの人はなんて言っているのですか。／我听不太清楚,他在说什么呢？
（2）この字は何て書いてあるのか分からない。／看不明白这个字写的是什么。
（3）このことを知ったら、お母さん何て思うかしら。／妈妈知道了这件事会怎么想呢？

后续"言う"或"書く"等动词, 表示其内容不详之意。是"なんと"的通俗说法。

b なんて(いう)N　(叫做)什么的。

（1）さっき来た人はなんていう人ですか。／刚才来的那个人叫什么来着？
（2）後藤さんは何ていう会社にお勤めですか。／后藤在什么公司工作来着？
（3）あの人、なんて名前だったかしら。／那个人叫什么来着？
（4）彼、なんて町に住んでいるんだっけ。／他住在什么街来着。

用于询问人或物的名字。是"なんというN"的通俗说法。

c なんて(いう)Nだ　真是太…了。

（1）あなたって人は、なんていう人なの。／你这个人到底是什么人啊。
（2）あれだけの仕事を1日で片づけてしまうなんて、何て

いう早業だろう。／那么多工作一天就干完了，真够麻利的。
(3) 事故で子供を失ってしまうなんて、なんて事だ。／在事故中失去了孩子，真是太可怜了。
(4) 友人を見殺しにするなんて、あなたってなんて人なの。／对朋友见死不救，你这叫什么人啊。

是"なんというNだ"的通俗说法，表示对程度之甚的惊讶或愕然的心情。

d なんてことない 算不了什么、没什么。
(1) これくらいのけが、なんて事ないさ。／这点儿伤算不了什么。
(2) この程度の仕事は何て事ない。1日で片付くさ。／这点工作算不了什么，一天就能做完。
(3) 一見何て事ない仕事のようだけれど、やってみると非常に手がかかる。／乍一看好像是很简单的工作，但是干起来才知道非常费事。

表示"不是什么大不了的事"的意思。是"なんということない"的通俗说法。

2 なんて…んだろう 多么…啊。
[なんて…Nなんだろう]
[なんてNa なんだろう]
[なんてA-いんだろう]
(1) ここはなんて寂しいところなんでしょう。／这里是个多么荒凉的地方啊。
(2) 彼の演奏はなんてすばらしいんだろう。／他的演奏太棒了！
(3) この子は何てかわいげのない子供なんだろう。／这个孩子太不可爱了。
(4) 家の中に木を植えるとは、何て大胆な発想なんだろう。／在家里种树，这是多么大胆的设想啊！

对于吃惊、惊讶或认为非常棒的事情，用感叹的语气表达出来。是"なんと…のだろう"的通俗说法。

【なんて₂】

1 Nなんて （表示轻蔑）…之类的。
(1) あなたなんて大嫌い。／我讨厌透你了。
(2) そんな馬鹿げた話なんて、だれも信じませんよ。／那种荒唐话，谁相信哪。
(3) あの人の言うことなんて、嘘に決まっています。／他说的话肯定是谎话。

用轻蔑的语气把认为是"愚蠢的事"、"无聊的事"作为主题提出来。是通俗的口语。

2 …なんて （说、想）什么的。
(1) みんなには時間を守れなんて言ったけど、そう言った本人が遅刻してしまった。／对大家说什么要遵守时间，可是说这种话的人却迟到了。
(2) 息子が大学進学は嫌だなん

て言い出して困っている。／儿子说什么不愿意上大学，真没办法。
(3) 私が彼をだましたなんて言っているらしいけど、彼のほうこそ嘘をついているんです。／他好像说是我骗了他，其实正是他在说谎。
(4) あやまれば許してもらえるなんて甘い考えは捨てなさい。／以为道了歉就能得到原谅，快丢掉这个天真的想法吧。
(5) まさか、親に頼めば借金を払ってもらえるなんて思っているんじゃないでしょうね。／你难道是在想如果求求父母，他们就会替你还钱吗？

后续"言う"、"思う"、"考える"等动词或以之相当的名词，在表示发言或思考的内容的同时，对其内容感到意外或轻蔑。是"などと"的通俗说法。

3 …なんて 简直太…、真是太…。
[N／Na（だ）なんて]
[A／V なんて]
(1) 一家そろって海外旅行だなんて、うらやましいですね。／全家人一起去出国旅游，真令人羡慕啊。
(2) あなたにそんなことを言うなんて、実にひどい男だ。／他对你说了那种话，真太差劲了。
(3) こんなところであなたに会うなんて、びっくりしましたよ。／在这种地方碰到你，太让我吃惊了。
(4) こんな安い給料でまじめに働くなんて馬鹿らしい。／拿这么点儿工资还认真地干太傻了吧。
(5) あんな怠け者が一生懸命働きたいなんて、嘘にきまっているでしょう。／那种懒汉说什么要拼命地干，肯定是谎话。
(6) この吹雪の中を出て行くなんて、命を捨てに行くようなものだ。／冒着这么大的暴风雪出去，简直就是去送死。

后面用"うらやましい"、"ひどい"等表示评价的词，表示成为其评价对象的事物。后面多接表示感到意外的惊讶心情或表示轻蔑心情的"くだらないものだ（无聊的东西）"、"馬鹿げた事だ（荒唐的事）"等词。是通俗的口语。

【なんでも】

1 なんでも 全都、什么都。
(1) ほしいものは何でも手に入る。／想要的东西都可以弄到手。
(2) 何でも好きなものを注文して下さい。／你喜欢什么就点什么吧。
(3) あの人は植物の事なら何でも知っている。／他对植物什么都懂。

表示"不论何事"、"不论何物"、"全都"的意思。

2 なんでも …らしい／…そうだ
听说…，据说…。

（1）何でも彼女はもうすぐ仕事をやめるそうですよ。／据说她马上就要辞掉工作。

（2）うわさによると、何でも彼らは浜松に引っ越したという話だ。／据说他们搬到浜松去了。

（3）何でもこの窪地は、隕石が落下したあとだということです。／听说这块洼地是陨石落下时砸的坑。

（4）何でもこのあたりには幽霊が出るっていう話ですよ。／据说这一带有幽灵出现。

后续"らしい／そうだ／という話だ／ということだ"等表示传闻的词，用于在没有确切的把握情况下对听来的内容做转述。

3 なんでもない

a なんでもない　算不了什么、不费吹灰之力。

（1）あの頃の苦労に比べればこんな苦労は何でもない。／和那时的辛苦相比，这点儿辛苦算不了什么。

（2）何でもないことにそんなに大騒ぎするな。／不要为一点儿小事那么大惊小怪。

（3）この程度の仕事は彼女にとっては何でもないことです。／这点儿工作对她来说算不了什么。

（4）A：顔色が悪いけど気分でも悪いんじゃないですか。／你脸色不太好，是不是身体不舒服？

　　B：いいえ、何でもありません。大丈夫です。／不，没什么。不要紧。

表示"不是什么值得一提的事"、"不是什么大不了的事"的意思。

b Nでもなんでもない　并不是…。

（1）病気でも何でもない。ただ怠けたくて休んでいただけだ。／不是什么病，只是想偷懒就休息了。

（2）こんなものは芸術でも何でもありません。だれだって少し練習すれば作れます。／这种东西根本不是什么艺术品。无论谁稍加练习都做得来。

（3）お前とはもう友達でもなんでもない。二度と僕の前に顔を出さないでくれ。／我和你已经不是朋友了，不要再来找我了。

（4）彼は政治家でもなんでもない。ただのペテン師だ。／他并不是什么政治家，只不过是个骗子而已。

接名词之后，强调"不是那样"。多数场合"那样"的事是好事情，通过对其的强烈否定表明很强的批评之意。

4 なにがなんでも
→【なにがなんでも】

【なんと】

1 なんと 什么、怎么。

(1) ご両親はなんとおっしゃっていましたか。／你父母说什么了？

(2) なんと言ってなぐさめてよいか分かりません。／不知说什么来安慰他才好。

(3) 報告書には何と書いてありましたか。／报告书里写了些什么？

(4) 彼らには何と伝えればいいんでしょうか。／向他们转达些什么好呢？

"如何"、"怎样"的意思。后续"言う"、"書く"等动词，表示其内容不详。

2 なんと…のだろう 多么…啊。

[なんと…Nなのだろう]
[なんとNa なのだろう]
[なんとA-いのだろう]

(1) なんと美しい人なのでしょう。／多么美的人啊！

(2) 彼女の気持ちが理解できなかったなんて、俺はなんと馬鹿だったのだろう。／没有能理解她的心情，我有多么傻呀。

(3) 軽装で雪山に登るとは、何と無謀な若者たちなのだろう。／穿着很少的衣服登雪山，是一群多么莽撞的年轻人啊。

对于吃惊、惊讶或认为非常棒的事情，用感叹的语气表达出来。用于书面语言。口语中用"なんて…んだろう"。

【なんという】

1 なんというN 叫做什么的…。

(1) あの人は何という名前ですか。／他叫什么名字？

(2) その赤いのは何という花ですか。／那朵红花叫什么花。

用于询问东西的名字。通俗的说法是"なんていうN"。

2 なんという＋连体修饰语＋N 简直是太…。

(1) なんという馬鹿なやつだ。／简直是个大傻瓜。

(2) 若いのになんという冷静沈着な人物なのだろう。／他虽然年纪轻轻，却是一个那么沉着冷静的人。

(3) 練習がつらいならやめてしまえだなんて、なんという思いやりのないことを言ってしまったのだろう。／"不原意练就别练了"，他这么说多么不体贴人啊。

(4) 子供たちまで皆殺しにするなんて何という残虐な奴らだろう。／连孩子们都杀了，是多么凶残的家伙们啊。

后续伴有修饰句的名词，对于吃惊、惊讶或认为非常棒的事情，用感叹的心情表达出来。常用"なんという…のだろう"的形式。

3 なんというNだ 真是…、太…。

(1) こんな大きな石を一人で持ち上げられるなんて、何という男だ。／这么大的石头，他一个人就能举起来，真是

个奇人。
（2）一瞬のうちにして、家族全部を失ってしまうなんて、なんということだ。/转瞬间就失去了全家人，太惨了。
（3）何ということだろう。月が真っ赤に染まっている。/这是怎么回事啊！月亮变得红红的。
（4）外国で同じバスに乗りあわせるなんて、何という偶然だろう。/在国外不期而遇同乘一辆公共汽车，简直太偶然了。

对于吃惊、惊讶或认为非常棒的事情，用感叹的心情表达出来。

4 なんということもない　没有什么特别的。
（1）何ということもなく、毎日が穏やかに過ぎて行く。/平平淡淡地过着每一天，没有什么特殊的事情发生。
（2）特に何ということもない平凡な人間だ。/他是一个没有什么特别引人注意的普通人。

用于说明某人没有特别值得一提的引人注意的地方。

【なんとか】

1 なんとか＜有意识地＞　想办法、设法。
（1）なんとかして山田さんを助け出そう。/一定要设法救出山田。
（2）このゴミの山を早くなんとかしないといけない。/必须尽快想办法处理掉这个垃圾堆。
（3）早くなんとか手を打たないと、大変なことになりますよ。/如果不赶快采取措施会酿成大祸。
（4）お忙しいことは承知していますが、何とか明日までに仕上げていただけないでしょうか。/我知道您很忙，但能不能请您设法在明天之前完成啊？
（5）A：あしたまでに仕上げるのはちょっと無理ですよ。/在明天之前完成有点困难。
　　B：そこを何とかできないでしょうか。何とかお願いしますよ。/您能不能给想想办法。拜托了。

"なんとかする（想办法）"、"なんとか手を打つ（想方设法）"等后续表示采取某种手段做某件事的意思的动词。表示"想尽办法"的意思。
例（1）用"なんとかして…する／しよう"的形式表示想尽办法打开困难的局面。另外，如例（4）、（5）所示后接表示请求的词句时，表示虽然知道很难办，但还是提出了无理的要求。

2 なんとか＜自动的＞　总算、勉强、好歹。
（1）安月給だがなんとか食べていくことはできる。/虽然

工资低，但总算还能生活得下去。
(2) みなさんのご支援でなんとかここまで頑張ってやって来れました。／在大家的支持下总算坚持到了现在。
(3) 銀行が金を貸してくれると言うから、何とか倒産だけはまぬがれることができそうだ。／因为说是银行给贷款，看来总算可以免于倒闭了。

后面用表示可能的表达方式，表示虽然是很困难的状况，或虽然不是十分满意的状况，但总算可以进行某事了。与"どうにか"、"やっと"的不同，参照"やっと2"。

3 なんとかなる 总会有办法的、能够过得去。
(1) そんなに心配しなくてもなんとかなりますよ。／不必那么担心，总会有办法的。
(2) 二階の雨漏り、何とかならないかしら。／二楼的漏雨，能不能想办法解决一下。
(3) これだけ蓄えがあればなんとかなるだろう。／有这些积蓄，总能过得去吧。

能够把不好的事态向好的方向转变，或虽不能说很充分，但能够将就下去。

【なんとかいう】

1 なんとかいう
a なんとかいう 说点儿什么。
(1) 私の言うことは聞こうとしないから、あなたから何とか言ってやって下さい。／他根本就不听我的，你去跟他说说吧。
(2) 黙っていないで何とか言ったらどうなんだ。／别老不开口，说点儿什么好不好？

命令或请求别人发言，表示无论什么都可以，请说点儿什么吧。是口语。

b なんとかいうN 叫做什么的。
(1) 大阪の何とかいう人から電話がありましたよ。／一个大阪的叫什么的人打来电话了。
(2) 以前佐藤さんが何とかいう学校に通っていただろう。あれはなんていう名前だったかな。／以前佐藤不是上过一个什么学校嘛。那个学校叫什么名字来着。

用于指对名字不太清楚的人或物。是口语。

2 …とかなんとかいう
a Nとかなんとかいう N 叫做什么之类的。
(1) ポエムとか何とかいう喫茶店で会うと言っていました。／说是在叫什么"波埃姆（音）"的咖啡馆见面。
(2) 田中とか何とかいう男の人がたずねてきましたよ。／有个叫田中什么的人来过了。

表示虽然想起了某个名字或单词，但没有把握。

b …とかなんとかいう 说…啦…啦。

(1) あの男は給料が安いとかなんとか言って辞めたそうだ。／听说他以工资低啦什么的为由辞职不干了。
(2) 彼女は自信を失ったとか何とか言っていたようです。／她好像是说她自己失去了信心什么的。
(3) やりたくないとか何とか言っているようだが、本当はやってみたくてしかたがないんだ。／虽然好像说是不愿意干啦什么的，其实他非常想干。

对所说的内容没有把握或除此之外还说了许多，不能特指一个内容。

【なんとしても】

无论如何也…、怎么也…。

(1) なんとしても彼には負けたくない。／无论如何也不想输给他。
(2) なんとしても彼に追いつくことができなかった。／怎么追也没能追上他。
(3) なんとしても戦争の再発だけは防がなければならない。／无论如何必须防止战争再次爆发。

表示"用尽各种手段也要…"、"无论如何努力也…"的意思。是"どうしても(无论如何)"的书面语言。

【なんとなく】

总觉得、不由得、无意中。

(1) なんとなく旅に出てみたくなりました。／不知为什么想出去旅游。
(2) 彼と話していると、なんとなく気が休まるんです。／和他谈了谈觉得心情轻松多了。
(3) 何となく町をぶらついていて彼女に出会ったのです。／我是在街上闲逛的时候无意中碰到她的。

表示"无明确理由或目的"的意思。

【なんとはなしに】

不知为什么、不由得、无意中。

(1) なんとはなしに昔の友達に会ってみたくなりました。／不知怎的很想见见从前的朋友。
(2) 何とはなしに嫌な予感がするので、早く家に帰りました。／不知为什么有种不好的预感，所以就赶快回家了。
(3) 何とはなしに町を歩いていたら後ろから呼びとめられた。／在街上信步闲逛时，后边有人叫住了我。

意同"なんとなく(总觉得、不由得、无意中)"。

→【なんとなく】

【なんとも】

1 なんとも　真的、实在是。
(1) なんとも申し訳ないことを

してしまいました。／実在是做了件对不起你的事。
(2)　何とも困ったことをしてくれたものだ。／真是办了一件让我为难的事。
(3)　あいつの生意気な態度には、何とも腹がたって仕方がない。／那个家伙的傲慢态度真的让我气愤得不得了。
(4)　人が突然消えてしまうなんて、何とも不思議な話ですね。／人突然就失踪了，简直太令人奇怪了。

　　多用于对不好的状况。无法形容其程度。

2 なんとも…ない

a なんともV-ない　什么也不(没)…、怎么也不(没)…。

(1)　結果がどうなるかはまだなんとも言えませんね。／结果如何还不好说。
(2)　みんなは納得したかもしれないが、私は何とも釈然としない気持ちだ。／大家也许想通了，但我还是怎么也想不通。
(3)　彼女の言っていることは何とも分かりかねる。／对她说的话怎么也理解不了。
(4)　あんなことをする人たちの気持ちは何とも理解できない。／怎么也不能理解做那种事的人的心情。

　　用"言えない"、"分からない"等表达方式表示不知说什么好、不能确切地理解情况，不能彻底领会等心情。

b なんともV-ようがない　无法…。

(1)　こんな事になって、なんともお詫びのしようがありません。／出了这种事，不知如何道歉才好。
(2)　非常に複雑な状態なので、なんとも説明のしようがありません。／因为情况非常复杂，不知如何解释才好。
(3)　成功するかどうか、今の段階では何とも言いようがない。／能不能成功，在现阶段不好说。
(4)　資料がこんなに少ないのでは、何とも判断のしようがありません。／凭这么点儿资料，还判断不了什么。

　　用"言いようがない"、"説明のしようがない"的形式，表示不知说什么好、不能确切地理解情况，不能彻底领会等心情。

　　例(1)是表示强烈的道歉心情的惯用的表达方式。表示感谢时比"なんとも"用的更多的是"なんとお礼を言ってよいのか分かりません(不知怎么感谢才好)"等表达方式。

c なんともない　没什么、不要紧。なんともおもわない

(1)　A：気分が悪いんじゃありませんか。／是不是身体不舒服？
　　　B：いいえ、なんともありません。ちょっと疲れ

ただけです。／不，没什么，就是稍有点儿累。
(2) 軽い打ち身だけで、頭のけがは何ともありませんでした。／只是轻微的创伤，头上的伤没什么事。
(3) A：あの映画、こわかったでしょう。／那个电影很可怕吧。
　　B：ううん。何ともなかったよ。／不，没什么可怕的。
(4) 私がこんなに心配しているのに、彼の方は何とも思っていない様子でした。／我这么担心，可他那儿好像满不在乎。
(5) こんなに馬鹿にされているのに、あなたは何とも感じないのですか。／这么被愚弄，难道你毫不介意吗？
(6) A：さっきはあんなこと言ってごめんなさい。／刚才我说出那种话，真对不起。
　　B：いや、別に何とも思っていないよ。／没什么，我没往心里去。

用"なんともない"的形式表示"没什么要紧的"、"没什么问题"的意思。多用于有关身体的情况或感情的状态。另外，用"何とも思わない"、"何とも感じない"的形式表示不认为(没感到)有什么大事。

dＡ-くもなんともない　一点儿也不…，根本不…。
(1) そんな話は恐くも何ともないさ。／那种故事一点儿都不可怕。
(2) 彼の冗談はおもしろくも何ともない。／他的玩笑一点儿意思也没有。
(3) 一人でいたって寂しくも何ともない。／即使是一个人也毫不寂寞。
(4) 人の日記なんか読みたくも何ともないよ。／根本不想看别人的日记。
(5) そんなくだらないもの、ほしくも何ともない。／我根本不想要那种无聊的东西。

与表示感叹的"恐い"、"おもしろい"和表示需求的"したい"、"ほしい"等词一起使用，表示强烈否定的心情。"根本不…"、"毫不…"。

【なんにしても】
无论怎么样都…，总之。
(1) なんにしても健康が一番です。／总之，健康是最重要的。
(2) なんにしてもこの場は引き上げたほうがいいよ。／总之，这种场合还是回去为好。
(3) なんにしても年内に立ち退いてもらいます。／无论如何，请在年前把房子腾出来。

表示"可能还会有其他许多情况，但不论在什么情况下"的意思。

【なんにしろ】

不论是什么、不管怎样。

[Nはなんにしろ]

（1）事情は何にしろ、早く故障した部品を取りかえなければならない。／不管情况怎样，必须赶快换掉有毛病的零件。

（2）理由は何にしろ、あなたのやったことは間違っている。／无论有什么理由，你所做的事全都错了。

（3）理由は何にしろ、約束が果たせなかったことについては責任をとってもらいます。／无论有什么理由，关于没履约一事要追究你的责任。

表示"也许是有许多情况或理由，但…"的意思。用于在承认有情况或理由的基础上进行提醒·劝告·要求。

【なんら…ない】

1 なんらV-ない　没有任何…、毫无…。

（1）彼らがどう言おうと、私にはなんらかかわりのないことだ。／不管他们怎么说，这件事和我毫不相干。

（2）彼の話から何ら得るところがなかった。／没有从他的话中得到任何有价值的东西。

（3）我々がこれほど努力しているのに、状況は何ら変わらない。／我们这么努力，可惜却丝毫没有改变。

表示强烈否定的心情"完全没有…"、"毫不…"。用于郑重的表达。口语中常用"なにも…ない"。

2 なんらのNもV-ない　没有丝毫的…。

（1）彼らの対応にはなんらの誠意も感じられない。／从他们表现出的态度中没有感到任何诚意。

（2）住民の生活に対しては何らの配慮もなされていない。／对居民的生活没有给予丝毫的关照。

（3）彼らからは何らの回答も得られなかった。／没有能从他们那里得到任何答复。

表示强烈否定的心情。用于郑重的表达。口语中常用"なんらのNもV-ない"。

【に】

1 R-にV　…了又…、反复…、再三…。

（1）待ちに待った帰国の日がついやってきた。／盼望已久的归国之日终于来到了。

（2）電車は遅れに遅れて、東京駅に着いたときは夜中を過ぎていた。／电车不断晚点，到东京站的时候，已经过了半夜了。

（3）彼の死を悼んで、人々は泣きに泣いた。／哀悼他的死，人们哭了又哭。

重复同一动词，强调所说的动作或

作用的程度非常激烈。多用于过去式的文体。

2 V-るにV-れない　想…也不能。
（1）人手が足りないのでやめるにやめられない。／因为人手不够，所以想不干也不行。
（2）ものすごくおかしな話だったけど、みんながまじめな顔をして聞いているので、笑うに笑えなかった。／虽然是一个极可笑的故事，但是看到大家都严肃认真地听着，我想笑也不敢笑。
（3）戦時中は言うに言えない苦労をしてきた。／战争期间经历了无法用语言表达的艰辛。
（4）事業は失敗するし、妻には逃げられるし、全く泣くに泣けない気持ちだ。／事业上失败了，妻子也跑了，真是想哭也哭不出来。
（5）ここまで深入りしてしまっては、いまさら引くに引けない。／已经陷到这种地步，如今想抽身也不可能了。

重复同一动词，表示"即使想那样做也不能"、"无论如何做不到…"的意思。例（3）～（5）是惯用的表达方式。例（4）表示的是想那样做也做不到的严重状态。例（5）表示的是不能停下来的状态。

【にあたって】
在…的时候，值此…之际。

[Nにあたって]
[V-るにあたって]
（1）開会にあたってひとことご挨拶を申し上げます。／值此会议召开之际，请允许我讲几句话。
（2）年頭にあたって集会を持ち、住民達の結束が揺るぎないものであることを確認しあった。／值此年初召开集会之际，确认了居民们的团结是不可动摇的。
（3）試合に臨むにあたって、相手の弱点を徹底的に研究した。／面临比赛之际，全面研究了对方的弱点。
（4）お嬢さんをお嫁に出すにあたってのお気持ちはいかがでしたか。／在送女儿出嫁的时候，您心情如何？
（5）新しい生活を始めるにあたっての資金は、親の援助で何とか調達できた。／在父母的帮助下，总算把要开始新生活时所需的资金筹措好了。

接名词及动词的词典形。表示"已经到了事情的重要阶段"的意思。在…之际。多用于致词及感谢信等形式。更形式化的用法可以用"にあたり(まして)"。修饰名词时如例（4）、（5）所示用"…にあたってのN"的形式。

【にあたらない】
→【にはあたらない】

【にあたり】

在…之时。
[Nにあたり]
[V-るにあたり]

(1) 代表団の選出にあたり、被選挙人名簿を作成した。／在选举代表团的时候，制定了候选人的名单。

(2) 今回の企画を実現にあたりまして、皆様から多大のご支援を賜りましたことを感謝致します。／在此次计划得以实现之际，感谢诸位所给予的大力支持。

是比"にあたって"更形式化的说法。
→【にあたって】

【にあって】

1 Nにあって 处于…情况下。

(1) 異国の地にあって、仕事を探すこともままならない。／在异国他乡找工作很难找到如意的工作。

(2) 住民代表という立場にあって、寝る時間も惜しんでその問題に取り組んでいる。／身为居民代表，废寝忘食地致力于解决那个问题。

(3) 大臣という職にあって、不正を働いていたとは許せない。／虽然身居大臣的要职，但是做了坏事也是不可饶恕的。

(4) 母は病床にあって、なおも子供達のことを気にかけている。／母亲虽然卧病在床，还仍然惦记着孩子们。

接名词，表示"在这里所显示的情况下"的意思。所显示的情况与后面要说的事情的关系比较随意，根据上下文可以是顺接也可以是逆接。例(1)与例(2)是顺接的例子。例(3)与例(4)是逆接的例子，表示"虽然身处那种环境／尽管如此"的意思。

2 Nにあっても 即使身处…的情况下。

(1) 彼は苦境にあっても、めげずに頑張っている。／即使身处困境，他也毫不畏惧顽强奋斗。

(2) 暖かい家庭の中にあっても、彼女の心は満たされなかった。／即使生活在温暖的家庭里，她内心里仍然不满意。

(3) 母は死の間際にあっても、子供達の幸福を願い続けた。／母亲即使是在临终的时候还在不断地祝愿孩子们幸福。

接名词，表示"即使身处这样的情况下"的意思。后续在这种情况下发生与所预测的不同的事情。是书面语言。

3 Nにあっては＜情况＞ 在…的时候、在…的情况下。

(1) こんな厳寒の地にあっては、新鮮な野菜が食卓に上るなど、滅多にないことだ。／在这种严寒的地方，能吃上新鲜的蔬菜什么的，那可是少有的事。

(2) いつ戦争が起こるか知れな

い状況にあっては、明るい未来を思い描くことなどできない。/在不知何时将爆发战争的情况下，很难描绘未来的光明。
（3）夫が病床にあっては、子供達に十分な教育を受けさせることもできなかった。/丈夫卧病在床，无法使孩子们充分受到良好的教育。
（4）わが社にあっては、若者が自由に発言できる雰囲気を大切にしている。/在我们公司，非常重视营造使年轻人能够自由发言的气氛。
（5）「鉄の女」といわれた彼女も家にあっては良き母であった。/被称作"铁娘子"的她在家也是个好母亲。

接表示场所或状况的名词后，表示"在那种情况下"的意思。在…之中。用于表示在"厳寒の地"、"病床"等情况严峻的时候，后续表示不尽人意的状况。如果不是这种时候则例如（4）、（5）只单纯表示"在这里"的意思。是书面语言。

4 Nにあっては＜人＞　提到…(这个人)。
（1）高橋さんにあっては、どんな強敵でも勝てそうにありませんね。/高桥这个人，任何强敌都无法战胜他。
（2）あの男にあっては、嘘もまことと言いくるめられる。油断は禁物だ。/那个人能把假的说成真的，对他这种

人千万不可大意。
（3）あなたにあってはかなわないな。しょうがない。お望み通りに致しましょう。/我是服了你啦。没法子，就按你的意思做吧。

接表示人的名词后，用于做出谁也比不过他的评价。例（3）是对对方巧言的劝诱和强烈的要求无法拒绝时的表达，有些和对方开玩笑的感觉。也可以说"…にかかっては"。

【にいたる】

是书面的表达方式。

1 …にいたる　到达…、达到…、发展到…地步。
[N／V-るにいたる]
（1）この川は大草原を横切って流れ、やがては海に至る。/这条河横贯大草原，然后流入大海。
（2）彼はトントン拍子で出世を続け、やがて大蔵大臣になるに至る。/他飞黄腾达，不久就当上了大藏大臣。
（3）仕事を辞めて留学するに至った動機は、人生の目標というものを見つめなおしてみたいと思ったことであった。/我辞掉工作去留学的动机是想重新审视自己的人生目标。
（4）さんざん悩んだ結果、仕事を辞めて田舎で自給自足の生

活をするという結論に至った。／极其苦恼，最后得出结论，辞掉工作，到乡下去过自给自足的生活。

表示"到达"的意思。既可以如例（1）所示表示到达空间的场所，也可以如例（2）、（3）、（4）所示表示事物或想法的变化或结果达到某个阶段或结论。是生硬的书面的表达方式。

2 Nにいたるまで 至…、直到…。

（1）旅行中に買ったものからハンドバッグの中身に至るまで、厳しく調べられた。／从旅行时买的物品到手提包里的东西都被进行了严格的检查。

（2）部長クラスから新入社員に至るまで、すべての社員に特別手当が支給された。／从处长级干部到新职员，对所有的职员都发了特别津贴。

（3）テレビの普及によって、東京などの大都市から地方の村々に至るまで、ほぼ同じような情報が行き渡るようになった。／由于电视机的普及，从东京等大城市到地方的各个村镇都能传递大致相同的信息。

与"まで"的意思大致相同。用于说明细微到每个角落的范围的事情。常与"…から"一起使用。

3 にいたって 到了…阶段（才…）。
[N／V-るにいたって]

（1）編集段階に至って、初めて撮影したビデオの映像が使いものにならないことがわかったが、すでに遅かった。／到了编辑阶段才发现拍摄的录相的图像不能用，可是已经晚了。

（2）上司にはっきり注意されるに至って、ようやく自分の言葉遣いに問題があることに気づいた。／直到被上司明确提醒后才发觉自己的说话措辞有问题。

（3）卒業するに至って、やっと大学に入った目的が少し見えてきたような気がする。／到了大学毕业好像才感觉到稍微看清了上大学的目的。

表示"到达某种极端状态的时候"的意思。后常伴有"ようやく／やっと／初めて"等词。

4 Nにいたっては 至于…、谈到…。

（1）父も母も私の転職に大反対し、姉にいたっては、そんなことより早く結婚しろと言い出す始末だった。／父母都坚决反对我调动工作，至于姐姐甚至说出，与其那样还是早点儿结婚之类的话。

（2）首相が代わってからというもの、住宅問題も教育問題も手付かずで、軍事面にいたっては予算が増加する一方である。／虽说换了首相，但不论住房问题还是教育问题都没有着手解决，至

于军事方面却在不断地增加预算。

（3）不登校の生徒に対して、どの教師も何の対応もしようとせず、教頭にいたってはどこかよその学校に転校してもらえたらなどと言う始末である。／对不到校上课的学生，哪个教师都不想采取对策，至于副校长竟然说请您的孩子转到其他学校去吧。

（4）ことここにいたっては、家庭裁判所に仲裁を頼むしかないのではないだろうか。／事到如今，恐怕只有提交家庭案件法院来仲裁了。

用于从若干件不好的事情中就一件极端的事例进行阐述。例(4)的"ここにいたっては"是"事情到了这种严重的地步的话"的惯用句。

5 …にいたっても　虽然到了…程度，即使到了…地步。

[N／V-るにいたっても]

（1）投票率が史上最低という事態に至っても、なお自分たちが国民から信頼されていると信じて疑わない政治家も少なくない。／虽然投票率达到历史最低点，但仍有不少政治家坚信不疑自己仍然是受到国民信赖的。

（2）大学を卒業するに至っても、まだ自分の将来の目的があやふやな若者が大勢い

る。／有许多年轻人即使到了大学毕业，对自己将来干什么还糊里糊涂。

（3）高校での成績が下から10番以内にまで下がるに至っても、両親は僕に東京大学を受験させたがった。／即使在高中的成绩下降到了倒数10名以内，可父母还是想让我考东京大学。

表示"即使到了某个极端的阶段"的意思。后常伴有"まだ／なお／いまだに (还／尚／仍然)"等词。

【にいわせれば】

依…看，让…说。

[Nにいわせれば]

（1）あの人に言わせれば、こんな辞書はまったく使いものにならないということらしい。／按他的话说，这种辞典似乎根本没有办法用。

（2）映画好きのいとこに言わせれば、この映画は映像と音楽が見事に調和した、素晴らしい作品だという話だ。／按喜欢电影的表弟的话说，这部影片是个图像和音乐完美结合的好作品。

（3）あなたは気に入っているかもしれないが、私に言わせればそんな作品は素人のお遊びみたいなものだ。／也许你喜欢，但要叫我说那种

作品就像外行人搞着玩儿的一类东西。
（4）彼に言わせると、今度見つかった恐竜の化石は、進化の歴史を変えるかもしれないような重要なものなんだそうだ。／据他讲这次发现的恐龙化石是非常重要的,也许会改变生物的进化史。

接表示人的名词后,意思为"按其人的意见"。用于说其意见是充满自信的。

【において】

1 Nにおいて＜状況＞　在…地点、在…时候、在…方面。

（1）卒業式は大講堂において行われた。／毕业典礼在礼堂举行了。
（2）その時代において、女性が学問を志すのは珍しいことであった。／在那个时代,女人立志钻研学问的是很少见的。
（3）調査の過程において様々なことが明らかになった。／在调查过程中弄清了许多问题。
（4）日本の物理学会において、彼の右に出る者（＝彼より優れている者）はいない。／在日本物理学会中无人在他之上（他是最优秀的）。
（5）当時の状況において戦争反対を訴えるのは限りなく勇気のいることだった。／在当时的情况下呼吁反对战争是需要极大的勇气的。

接表示场所、时代或状况的名词,表示某件事发生或某种状态存在的背景。一般可以用"で"替换,如"大講堂で",但比"で"的感觉郑重。修饰名词时,用"NにおけるN"的形式,如"大講堂における式典"。

2 Nにおいて＜領域＞　在…方面。

（1）絵付けの技術において彼にかなうものはいない。／在陶瓷绘画技术上没人赶得上他。
（2）大筋においてその意見は正しい。／大致上那种意见是对的。
（3）造形の美しさにおいてはこの作品が優れている。／在造型的美观上这个作品非常好。
（4）資金援助をするという点においては賛成だが、自衛隊を派遣するという点においては強く反対する。／在资金援助的问题上是赞成的,但是在派遣自卫队的问题上坚决反对。

表示"关于…"、"在那一点上"的意思。后面多用对其事物的评价或是与其他事物做比较的表达形式。

【におうじた】

→【におうじて】

【におうじて】

根据…、按照…。

[Nにおうじて]

（1）物価の変動に応じて給料を上げる。／根据物价的浮动情况来提高工资。

（2）売行きに応じて生産量を加減する。／根据销售情况来调整产量。

（3）状況に応じて戦法を変える。／根据情况改变战术。

（4）情報に応じた戦法をとる。／根据情报制定战术。

（5）功績に応じた報酬を与える。／根据业绩的大小给予报酬。

表示"根据其情况的变化或多样性"的意思。后面接"加減する(调整)"、"戦法を変える(改变战术)"等表示相应发生变化的表达。修饰名词时如例（4）、（5）用"Nにおうじたト"的形式。

【におかれましては】

关于…的情况。

[Nにおかれましては]

（1）先生におかれましては、お元気そうでなによりです。／老师身体健康对我们来说是最高兴的事。

（2）先生におかれましては、ますます御壮健の由、私ども一同喜んでおります。／得知老师身体愈加康健，我们都非常高兴。

接表示身分、地位高于自己人的名词后，用于向其人问候及叙述有关健康等近况。是非常郑重的书信套语。

【における】

在…的、在…方面的。

[NにおけるN]

（1）過去における過ちを謝罪する。／对过去的错误谢罪。

（2）在職中における功労が認められた。／任职期间的功劳得到了认可。

（3）学校における母語の使用が禁止された。／在学校被禁止使用母语。

用于修饰名词，表示某件事情发生、某种状态存在时的背景场所或时间及状况。如例（3）在表示事情的背景时，可以和"での"替换，但比"での"的感觉更加郑重。修饰动词时用"において"的形式，如"過去において過ちを犯した(在过去犯了错误)"。

【にかかったら】

→【にかかっては】

【にかかっては】

说到…、提到…。

[Nにかかっては]

（1）彼の毒舌にかかっては社長も太刀打ちできない。／说到他尖酸刻薄，连总经理也难以招架。

（2）あなたにかかっては私も嫌とは言えなくなる。／对于你，连我都无法说不愿意。

（3） 彼女にかかってはいつもしらないうちにイエスと言わされてしまう。／对于她，总是在不知不觉中就同意了她的意见。

接表示人或人的言行的名词。用于提示，后续对于其人的态度和语言无人能及的表达。也可以说"…にあっては"，但不同的是"…にかかっては"可以说是从感到没有办法的人的角度来说的。

（正） 私にかかっては社長も太刀打ちできないさ。／对于我，总经理也得让三分。

（誤） 私にあっては社長も太刀打ちできないさ。

有时也说"…にかかったら"、"…にかかると"。

【にかかると】
→【にかかっては】

【にかかわらず】

1 Nにかかわらず　无论…都…。

（1） 試合は晴雨にかかわらず決行する。／无论是晴天还是雨天，比赛都照常举行。

（2） 性別にかかわらず優れた人材を確保したい。／不论性别是男是女，要确保住优秀人材。

（3） このクラブは年齢や社会的地位にかかわらず、どなたでも参加できます。／这个俱乐部不论年龄和社会地位如何，谁都可以参加。

接天气、性别、年龄等含有差异的名词后，表示"与这些差异无关"、"不把这些差异当作问题"的意思。

2 …にかかわらず　无论…与否…。
[V-る V-ないにかかわらず]
[A-い A-くないにかかわらず]

（1） 経験のあるなしにかかわらず、だれでも参加することができる。／无论有无经验，谁都可以参加。

（2） 結果の良し悪しにかかわらず彼の努力は評価されるだろう。／无论结果好坏，他的努力是会得到好评的吧。

（3） 成功するしないにかかわらず、努力することに意義があると思う。／无论成功与否，我认为努力本身是有意义的。

（4） 父が賛成するかしないかにかかわらず、私はこの仕事に就こうと思う。／无论父亲是否赞成，我都要从事这个工作。

接两个表示对立的事物，表示"与这些无关"、"不把这些作为问题"的意思。在"経験のあるなし"、"結果の良し悪し"等惯用的表达方式中主语后用"の"，其它的时候一般用"が"。也可以如例（4）用"…か…ないか"的形式。

【にかかわる】
　　关系到…、涉及到…。
[Nにかかわる]

（1） 人の命にかかわる仕事をするにはそれなりの覚悟がい

る。／从事性命攸关的工作就要有相应的思想准备。
(2) こんなひどい商品を売ったら店の評判にかかわる。／要是卖这么劣质的商品的话会影响到商店的声誉。
(3) 例の議員が武器の密輸に関係していたかどうかははっきりさせなければならない。これは政党の名誉にかかわる重大な問題だ。／必须查清那个议员与走私武器是否有关，这是关系到政党声誉的重大问题。
(4) たとえ噂でも倒産しそうだなどという話が広まると、会社の存続にかかわる。／即使是谣言，公司要倒闭的话传开后，也要影响到公司的生存。
(5) あんな人にいつまでもかかわっていたら、あなたまで評判を落としてしまいますよ。／总和那种人纠缠在一起的话，就连你也会名声扫地的啊。
(6) この裁判にかかわって以来、子どもの人権について深く考えるようになった。／介入这个案子以来，我开始深入考虑有关儿童的人权问题了。
(7) 事件が起きてから十年たった。いつまでもこの事件にかかわっているわけにはいかないが、いまだに犯人はつかまっていない。／事件发生已经过了十年。虽然我不能老陷在这个案件里，但到现在犯人还没被抓到。

表示"影响到…"或"关系到…"的意思。例(1)～(4)是"影响到…"的意思。接表示受影响的名词如"名誉、评判、生死、合否(名誉、声誉、生死、合格与否)"等。例(5)～(7)是"关系到…"、"有关联"的意思。接"人(人)"、"仕事(工作)"、"出来事(事情)"等词。

【にかぎったことではない】
→【かぎる】2

【にかけたら】
在…方面、论…。
[Nにかけたら]
(1) スピードにかけたら、その投手の右に出る者はいない。／论速度，没有比那个投手再快的了。
(2) 記憶力にかけたら、彼女は学校中の学生の中で5本の指に入るだろう。／论记忆力，她在学校的学生当中是屈指可数的。

表示"关于这件事"的意思。也可以说"Nにかけては"。
→【にかけたら】2

【にかけて】
1 NからNにかけて 从…到…。
(1) 台風は今晩から明日の朝に

かけて上陸するもようです。／看样子台风将于今晚到明晨之间登陆。
（2）今月から来月にかけて休暇をとるつもりだ。／我打算从这个月到下个月请假休息。
（3）北陸から東北にかけての一帯が大雪の被害に見舞われた。／从北陆到东北一带遭受了雪灾。

接表示场所或时间的名词后，表示"两个地点·时间之间"的意思。表示时间时，既可以如例（1）所示表示两个时间中的某一时刻，也可以如例（2）所示表示其间的某一时间带。和"…から…まで（に）"的用法类似，但没有明确地特别指定界线，只是笼统地表示跨越两个领域的时间或空间。

2 Nにかけて　在…方面、论…。
（1）話術にかけて彼の右に出るものはいない。／在说话技巧方面没有人能超过他。
（2）忍耐力にかけては人より優れているという自信がある。／自信在忍耐力上比别人强。
（3）彼は誠実な男だが、商売にかけての才能はあまり期待できない。／他是个诚实的人，但却没有什么做生意的才能。

表示"关于那件事"意思。后面多接对人的技术或能力的评价。修饰名词时如例（3）用"NかけてのN"的形式。

3 Nにかけて（も）　拼命、舍面子。
（1）命にかけてもこの秘密は守り通す。／拼命也要将这个秘密保守到底。
（2）私の命にかけて、彼らを助け出してみせます。／就是拼上我的小命也要救出他们。
（3）面子にかけても約束は守る。／即使丢面子也得遵守诺言。

惯用句式的表达方式。接"命（性命）"、"名誉（名誉）"、"信用（信誉）"、"面目（脸面）"等表示从社会的角度对人的生存或价值给予保证的名词。表示"无论如何绝对"的强烈决心。后面接表示决心或诺言的表达。

【にかこつけて】

托故、借口。

[Nにかこつけて]
（1）仕事にかこつけてヨーロッパ旅行を楽しんできた。／借口工作去欧洲旅游消遣了一番。
（2）病気にかこつけて仕事もせずにぶらぶらしている。／借口有病，不工作游手好闲。
（3）接待にかこつけて上等な酒を思いっきり飲んできた。／借口招待客人，自己大喝高级酒。

接表示事情的名词后，表示"那并不是直接的理由或原因，但却以此为借口"的意思。

【にかたくない】

不难…。

[Nにかたくない]

（1）このままインフレが続くと社会不安が増大し、政権の基盤が危うくなることは想像にかたくない。／如果通货膨胀再这样持续下去的话，社会不稳定就会增大，可以想像政权的基础就会变得危险。

（2）親からも教師からも見放された太郎が、非行グループの誘いに救いを求めそうになっただろうことは想像に難くない。／不难想像被父母和老师抛弃了的太郎会受流氓团伙的勾引而向流氓团伙求助的情况。

（3）なぜ彼があのような行動に走ったのか、事件の前後の事情をよく聞いてみれば理解にかたくない。／他为什么要采取那种行动，只要听一听事件前后的情况就不难理解了。

一般作为惯用句用"想像／理解にかたくない"的形式。表示能容易地想像出来，谁都能想明白的意思。是生硬的书面表达方式。

【にかまけて】

只顾…、一心…。
[Nにかまけて]

（1）仕事にかまけてちっとも子供の相手をしてやらない。／只顾工作，根本不搭理孩子。

（2）遊びにかまけて勉強しようともしない。／只顾玩根本不想学习。

（3）資料の整理にばかりかまけていては、仕事は前へ進まない。／如果只顾整理资料的话，工作就不会向前进展。

接表示事情的名词后，表示对某事竭尽全力而不顾其他的事。后面多接对其他事忽视不顾的否定式表达。

【にかわって】

代替、替。
[Nにかわって]

（1）母にかわって、私があいさつします。／我代替母亲来问候您。

（2）急病の母にかわって、父が出席した。／父亲代替突然患病的母亲出席了。

（3）本日ご出席いただけなかった山田さんに代わって、ご家族の方に賞状と副賞を受け取っていただきます。／请山田先生的家属代替今天未能出席的山田先生接受奖状和奖品。

（4）21世紀には、これまでの先進諸国に代わって、アジア諸国が世界をリードするようになるのではないだろうか。／21世纪亚洲各国必将取代目前的先进国家而领导世界。

（5）山田さんが立候補を辞退す

るとなると、彼女に代わる実力者を立てなければならない。／如果山田女士拒绝参加竞选，就必须再推举一个能够代替她的有实力的人物。

表示应由某人做的事改由其他的人来做。修饰名词时如例（5）"Nにかかわる"的形式。也可以说"…のかかわりに"。

【にかわり】

代替、替。

[Nにかわり]

(1) 急病の母にかわり、父が出席いたします。／父亲将代替突然患病的母亲出席。
(2) 21世紀には、これまでの先進諸国に代わり、アジア諸国が世界をリードする立場に立つという予測があるが、まだ未知数の部分が多いと言わざるを得ない。／有预测说21世纪亚洲各国将取代迄今为止的先进国家而站在世界的前列，但是也不得不说还有许多未知的部分。

是"にかわって"的郑重书面语言。

→【にかわって】

【にかわる】

→【にかわって】

【にかんして】

关于…、有关…。

[Nにかんして]

(1) その事件に関して学校から報告があった。／关于那件事，已经得到了学校的报告。
(2) 地震災害に関しては、我が国は多くの経験と知識をもっている。／有关地震灾害的问题，我国有着丰富的经验和知识。
(3) その問題に関して質問したいことがある。／关于那个问题有问题要问。
(4) 地質学に関しての本を読んでいる。／正在阅读有关地质学的书。
(5) その事件に関しての報告はまだ受けていない。／还没有接到有关那个事件的报告。
(6) コンピュータに関する彼の知識は相当なものだ。／他有关计算机的知识相当丰富。
(7) 地質調査に関する報告をするように求められた。／要求做出有关地质调查的报告。

表示"有关…"、"关于…"的意思。修饰名词时如例（4）～（7）用"Nに関してのN"或"Nに関するN"的形式。是比"について"稍正规的说法。

【にかんする】

→【にかんして】

【にきまっている】

一定…、肯定…。

[N／A／V にきまっている]

（1） こんないたずらをするのはあいつにきまっている。／肯定是那家伙干的这种恶作剧。
（2） きっと彼も参加したがるに決まっている。／肯定他也想参加。
（3） そんなことを言ったら彼女が気を悪くするに決まっているじゃないか。／说了那种话，肯定会使她心情不好。
（4） A：田辺さん、ちゃんと時間にまにあったかしら。／不知田边是否按时赶到了。
　　 B：30分も遅く出ていったのだから、遅刻したに決まっているじゃないの。／出门就晚了30分钟，那还不肯定迟到了。

表示说话人充满自信的推测"肯定是那样"。坚持与对方所推测的内容不同时用"に決まっているじゃない(か／の)(那还不肯定是…吗？)"的形式。是"にちがいない(肯定、没错)"的口语说法。

【にくい】

难以…、不容易…。

[R-にくい]

（1） あの人の話は発音が不明瞭で分かりにくい。／那个人的发音不清楚，不容易听懂。
（2） 砂利道はハイヒールでは歩きにくい。／穿高跟鞋在碎石路上行走不便。
（3） 人前ではちょっと話しにくい内容なのです。／是在人前很难启齿的话。
（4） あんなえらい先生のところにはなかなか相談に行きにくい。／很难到名望那么高的老师那里去讨教。

与イ形容词的变化相同。接动词连用形，表示那样做很困难，轻易做不到的意思。既可以如例(1)、(2)表示物理上的困难，也可以如例(3)、(4)表示心理上的困难。除了"分かりにくい(难懂)"等例子外，还用于"歩く(行走)"、"話す(说话)"等表示意志性行为的动词。

（误） あの人は喜びにくい人です。
（正） あの人を喜ばせるのはむずかしい。／很难让他高兴。

反义词有"R-やすい"。

【にくらべて】

与…相比。

[Nにくらべて]
[Vのにくらべて]

（1） 例年に比べて今年は野菜の出来がいい。／与往年相比，今年的蔬菜收成好。
（2） 男性に比べて女性の方が柔軟性があると言われる。／据说女性比男性更有灵活性。
（3） ワープロを使うと、手で書くのに比べて字もきれいだし早い。／使用文字处理机，

字比手写的美观，而且速度快。
（4）大都市間を移動するのに比べて、田舎の町へ行くのは何倍も時間がかかる。／比起在大城市之间往来，去乡镇要多花几倍的时间。
（5）東京に比べると大阪の方が物価が安い。／与东京相比，大阪的物价便宜。
（6）ジョギングに比べると、水泳は全身運動で身体にもいいということだ。／与跑步相比，据说游泳是全身运动，对身体也好。

用"Xにくらべて Y"、"Xにくらべると Y"的形式，表示与X相比就Y而言的意思。可以和"Xより Y"互换。

【にくらべると】
→【にくらべて】

【にくわえ】

加上…，而且…。

[N にくわえ]
（1）激しい風にくわえ、大雨に見舞われて、被害が拡大した。／狂风怒吼加上大雨滂沱，灾情严重了。
（2）学生たちは日々の課題にくわえ毎週明けにはレポート提出を義務付けられていた。／学生们在每天的功课之外还规定在每周一必

須提交学习报告。
是"…にくわえて"的书面语言。
→【にくわえて】

【にくわえて】

加上…，而且…。

[N にくわえて]
（1）激しい風にくわえて、雨もひどくなってきた。／刮着狂风，而且雨又下大了。
（2）学生たちは毎日の宿題にくわえて毎週レポートを出さなければならなかった。／学生们天天有作业，而且每周还要交学习报告。
（3）ふたりは、子供の誕生に加えて、仕事も順調に進み、幸せで一杯の毎日を送っている。／俩个人有了自己的孩子，工作也一帆风顺，每天过着幸福的生活。
（4）その地場産業は、国内需要の低迷に加えて安価な外国製製品の流入に押されて、苦しい状態が続いている。／当地的产业因国内需求低迷，再加上廉价的外国产品的流入，因此困难的状况一直在持续着。

表示某件事并未到此结束，再添加上别的事物的意思。稍有书面语言的感觉。

【にこしたことはない】

莫过于…、最好是…。
[Nであるにこしたことはない]
[Na(である)にこしたことはない]
[A-いにこしたことはない]
[V-るにこしたことはない]

(1) 体はじょうぶにこしたことはない。／身体结实是再好不过的了。
(2) 金はあるにこしたことはない。／最好莫过于有钱。
(3) そうじのことを考えないかぎり、家は広いにこしたことはない。／只要不考虑打扫卫生的事，房子最好要宽敞。
(4) なにごとも慎重にやるにこしたことはないといつも私に言っている父が、きのう階段から落ちて足を折った。／父亲总是对我说做什么事最好要慎重，但是他昨天却从楼梯上摔了下来，脚骨折了。

表示"以…为好"的意思。多用于在常识上认为是理所当然的事。

【にこたえ】

应…、根据…、响应…。
[Nにこたえ]
(1) その青年は人々の期待にこたえ、大きな熊を撃ち取った。／那个青年没有辜负人们的期望，击毙了大熊。
(2) 消費者の声に応え、従来より操作が簡単な製品を開発する方針だ。／我们的方针是根据消费者的呼声开发比过去更加操作简单的产品。

是"…にこたえて"的书面语言。

→【にこたえ】

【にこたえて】

应…、根据…、响应…。
[Nにこたえて]
(1) その選手は両親の期待にこたえてみごとに完走した。／那个运动员没有辜负父母的期望，顺利地跑完了全程。
(2) 多数の学生の要望に応えまして、日曜日も図書館を開館することにしました。／应多数学生的要求，决定星期日图书馆也开放。
(3) 多くの消費者の皆様のご意見にお応えして、この程、より使いやすい製品を発売いたしました。／根据众多消费者的意见，最近，我们出售了使用更加方便的产品。
(4) 国連からの要請に応えて、政府は救援チームを派遣することにした。／应联合国的请求，政府决定派遣救援队。
(5) 多くのファンの声援に応える完璧なプレーをなしとげた。／在众多球迷的声援下，打了一场漂亮的比赛。

接"期待"、"要求"等名词后，表示为了使其得以实现。修饰名词时如例（5）用"Nにこたえる N"的形式。稍有书面语言的感觉。

【にさいし】

当…之际、在…的时候。
[Nにさいし]
[V-るにさいし]
(1) 今回の合併に際し、大規模な合理化が行われた。／在此次合并之际进行了大规模的合理化裁减。
(2) 会長選出に際し不正が行われたとの噂がある。／有传闻说在选举会长的时候有不正当的行为。

是"…にさいして"的书面语言。
→【にさいして】

【にさいして】

当…之际、当…的时候。
[Nにさいして]
[V-るにさいして]
(1) お別れに際して一言ご挨拶を申し上げます。／临别之际，请允许我讲几句。
(2) 今回の初来日に際して、大統領は通商代表団を伴ってきた。／此次的首次访日，总统率贸易代表团前来。
(3) この度の大規模なアジア現代美術展を開催するに際して、各国の多数のアーティストの協力と参加を得られたことには大きな意義がある。／在举办此次大规模的亚洲现代美术展览之际，能够得到各国众多的美术界人士的协助与参与是非常有意义的。
(4) 長年の懸案であった平和条約を締結するに際して、両国はお互いの歴史認識を深め合う意義を改めて認識すべきである。／在缔结长年的悬而未决的和平条约之际，两国应重新就加深认识相互历史意义达成共识。
(5) 今回の会議参加に際しての最大の懸案事項はやはり安全保証問題であろう。／参加这次会议时的最大悬案依然是安全保证问题。

以某件事为契机的意思。修饰名词时如例（5）"N／V-るにさいしてのN"的形式。是书面语言。

【にさきだち】

在…之前、先于…。
[Nにさきだち]
[V-るにさきだち]
(1) 実験にさきだち、入念なチェックを行った。／在实验之前，进行了细致的检查。
(2) 出陣に先立ち神に祈りをさげた。／在出征之前向神祈祷。

是"にさきだって"的书面语言。
→【にさきだって】

【にさきだって】

在…之前、先于…。
[Nにさきだって]
[V-るにさきだって]
(1) 試験開始にさきだって、注意事項を説明する。／在考试开始之前，说明注意事项。
(2) 首相来日に先だって、事務次官レベルの事前協議が始まった。／在首相访日之前，召开了副部长级的事务磋商会议。
(3) 開会を宣告するに先だって、今回の災害の犠牲者に黙祷を捧げたいと思います。／在宣布开会之前，我提议向此次灾害的牺牲者默哀。
(4) 交渉を始めるに先だって、お互いの内政問題を議題にしないという暗黙の合意が両国の間にできたようだ。／两国在开始谈判之前，好像达成了默契，不把相互间的内政问题作为议题。

表示"在…开始之前"的意思。用于叙说在此之前做应做的事情。修饰名词时用"Nにさきだつ N"的形式。没有"V-るにさきだつ N"的形式。
(正) 首相来日に先立つ事前協議が始まった。／开始了首相访日前的事务磋商。
(誤) 首相が来日するに先立つ事前協議が始まった。

【にしたがい】

随着…、按照…。
[Nにしたがい]
[V-るにしたがい]
(1) 引率者の指示に従い行動すること。／要按领队的指示行动。
(2) 上昇するに従い気温が上がる。／随着上升气温也升高。

是"にしたがって"的书面语言。
→【にしたがって】

【にしたがって】

1 Nにしたがって 按照…、根据…。
(1) 引率者の指示にしたがって、行動して下さい。／请按领队的指示行动。
(2) しきたりに従って式をとり行った。／按惯例举行了仪式。
(3) 上司の命令に従って不正を働いた。／根据上司的命令做了违法的事。
(4) 矢印に従って進んで下さい。／请按箭头所指方向前进。

接表示人、规则、指示等名词后，表示按其指示行动的意思。

2 V-るにしたがって 随着…、伴随…。
(1) 上昇するにしたがって気圧が下がる。／升得越高，气压就会越低。
(2) 進むにしたがって道は険しくなる。／越往前走，道路变得险峻起来。
(3) この材質は年月を重ねるに

従って美しいつやがでて来る。/这种材质随着年深日久会发出美丽的光泽。

表示"随着其动作或作用的进展"的意思。后面所接的"気圧が下がる"、"険しくなる"等是随着前面所说的动作或作用的进展而发生的变化。

【にしたって】

是"にしろ"、"にしても"的口语表达方式。

1 Nにしたって　就连…也…、即使…也…。

（1）社長にしたって成功の見通しがあって言っていることではない。/就是总经理也不是因为有了成功的希望才这么说的。
（2）彼にしたって、今ごろは自分の行いを恥じているはずだ。/即使是他，现在对于自己的行为也会感到羞愧的。
（3）結婚式にしたってあんなに派手にやる必要はなかったんだ。/即使是结婚典礼也没必要搞得那么铺张。
（4）住むところにしたって、探すのには一苦労だ。/就是住处，找起来也是一件很辛苦的事。
（5）食事の支度ひとつにしたってあの歳では重荷になっているはずだ。/就连做饭这样的事对于那么大年龄的人来说也是很重的负担。

接表示人或事物的名词。"即使是那样的人、物、事也…"的意思。从许多事物中举出一个作为例子，对其进行论述。也可以说另外还有同样的事。

2 V-るにしたって　即使…也…。

（1）人に注意を与えるにしたって、もう少し言葉遣いには気を付けるべきだ。/即使是提醒别人注意，也应该稍注意些措辞。
（2）休暇を増やすにしたって、仕事量が変わらなければ休むこともできない。/即使是增加休假，如果工作量不变也无法休息。
（3）休暇をとるにしたって、旅行などとても無理だ。/即使请了假也不可能去旅游。

表示"即使是那种情况"的意思。含有"姑且承认这里所说的事情，但…"的意思。后续的事情与预测的不同。

3 疑问词＋にしたって　无论…。

（1）どちらにしたって勝てる見込みはほとんどない。/无论哪一方都没有取胜的希望。
（2）なにをやるにしたって金がかかる。/无论干什么都要花钱。
（3）だれにしたってこんな問題にはかかわりあいたくない。/无论是谁都不愿意和这样的问题有瓜葛。
（4）なんにしたってこの種の問題を解決するには時間がかかる。/总之，解决这种问题

需要时间。

与"いずれ"、"どちら"、"なに"一起使用,表示"无论什么场合"、"无论是谁"等意思。也可以如例(2)用含有疑问句的句节。是"…にしても"在通俗的口语中的说法。

【にしたら】

作为…来说。

[Nにしたら]

(1) せっかくの申し出を断ってしまったのだから、彼にしたら、自分の親切が踏みにじられたと感じていることだろう。／好容易提出申请却被拒绝了,作为他来说,一定会感到自己的热情受到了践踏。

(2) 母親は子供のためを思って厳しくしつけようとしたのでしょうが、子供にしたら自分が嫌われていると思いこんでしまったのです。／妈妈为了孩子着想才严格对孩子管教,可是孩子却认为是妈妈不喜欢自己。

(3) 学生の語学力を高めるには必要な訓練なのだが、学生にしたら退屈きまわりない授業だと思うにちがいない。／虽然是为提高学生的外语能力所必须的训练,但是作为学生来说一定认为是极无聊的课。

(4) 私にしたら親切のつもりだったのですが、言い方がきつかったのか彼はすっかり怒ってしまいました。／作为我来说是出于好意,也许是语言上有些严厉,他勃然大怒。

接表示人的名词后,表示"站在他的角度来说"的意思。用于站在别人的角度上推测其人的想法。不能用于有关说话人本身的立场。

(误) 私にしたらたいへん嬉しく思います。

(正) 私としてはたいへん嬉しく思います。／作为我来说感到非常高兴。

【にして】

1 Nにして＜时间＞（表示短暂的时间）

(1) 火がついたと思ったら、一瞬にして燃え尽きてしまった。／火刚着起来,转眼就都烧光了。

(2) この大作をわずか三日にして完成させたとは、驚いた。／仅仅用了三天就完成了这样的大作,太令人吃惊了。

与表示短时间的表达一起使用,表示"在短暂的时间内"的意思。

2 Nにして＜阶段＞ 到了…阶段,才…。

(1) この歳にして初めて人生のなんたるかが分かった。／到了这个岁数才懂得了人生的真谛。

（2） 40にしてようやく子宝に恵まれた（＝子供が生まれた）。／到了40岁才得了个宝贝儿子。
（3） 長年苦労を共にした妻にして初めて理解できることである。／这是只有长年同甘共苦的妻子才能够理解的事。

表示"到了那个阶段"的意思。用于表示到了某个阶段才发生了某事。常用的形式有"Nにしてようやく"、"Nにして初めて"。

3 Nにして＜并存＞ 虽然…但是…、是…同时也是…。
（1） 教師にして学問のなんであるかを知らない。／身为教师却不知学问为何物。
（2） 彼は科学者にして優秀な政治家でもある。／他是科学家，同时也是优秀的政治家。

表示"是…，而且也是…"的意思。既有如例（1）所示"虽然…但是…"后续逆接的表达方式，也有如例（2）所示的单纯并列的东西。用于书面语言。

4 …にして（接特定的名词或副词，表示时间、状态等，可灵活翻译）
（1） 幸いにして大事にいたらずにすんだ。／庆幸的是没有酿成大祸。
（2） 不幸にして、重い病にかかってしまった。／不幸身患重病。
（3） その事故で一瞬にして家族全員を失った。／在那次事故中转眼间就失去了全家人。
（4） 生まれながらにして体の弱い子供だった。／是个天生体弱的孩子。
（5） その小舟は、たちまちにして波に飲まれて沈んでいった。／那只小船立即就被波涛吞没沉下去了。

接特定的名词或副词，用于叙述事情的状况。既有如例（1）或例（2）所示说话人评价后续事项是否是幸运的事，也有如例（3）～（5）所示用于叙述事情应有的状态或发生的状态。

【にしてからが】
从…来看…、首先…就…。
[Nにしてからが]
（1） リーダーにしてからがやる気がないのだから、ほかの人たちがやるはずがない。／首先领导就无心去干，其他人更不可能干了。
（2） 課長にしてからが事態を把握していないのだから、ヒラの社員によくわからないのも無理はない。／连课长都没有把握局势，也难怪一般职员不清楚了。
（3） 夫にしてからが、自分の事を全然分かってくれようともしない。／就连自己的丈夫都根本不想理解自己。

举出一个本来离这个最远的例子。用于表示"连这个都这样，更何况别的就不用说了"的心情。多是负面评价。也可以说"からして"。

【にしては】

照…来说…、就…而言算是…。

[N／Na／V にしては]

（1）子供にしてはむずかしい言葉をよく知っている。／一个小孩子却知道不少难词。

（2）このアパートは都心にしては家賃が安い。／这个公寓地处市中心房租就算便宜了。

（3）貧乏人にしてはずいぶん立派なところに住んでいる。／作为一个穷人来说，住的地方是够好的了。

（4）始めたばかりにしてはずいぶん上達したものだ。／就刚开始做这件事而言，就算是做得相当不错的了。

（5）近々結婚するにしてはあまり楽しそうな様子ではない。／马上就要结婚了，可却看不出他有多高兴。

（6）下調べをしたにしては不十分な内容であった。／就事先已经调查过了而言，内容是不充分的。

表示"按其比例"的意思。后续与预测不同的事情。许多情况下可以和"X（な）のに"互换，但"のに"有X是既定事实的意思，而"Xにしては"没有这样的意思。

【にしてみたら】

→【にしてみれば】

【にしてみれば】

从…角度来看，对…来说。

[Nにしてみれば]

（1）今何の歌がはやっているかなんて、私にしてみればどうでもいいことだ。それよりもっと大切なことが山ほどある。／现在流行什么歌在我看来都无所谓。我还有许多比这更重要的事。

（2）長い間使っていなかった古いコンピュータをあげたのだが、彼女にしてみればとてもありがたかったらしく、何度も何度もお礼を言われた。／我虽然给她的是长时间不用的旧计算机，但在她来看好像非常宝贝，多次道谢。

（3）私は軽い気持ちで話していたのだが、あの人にしてみれば大きな問題だったのだろう。彼は落ち込んで誰とも口をきかなくなってしまった。／我是很随意地说说，但在他看来也许就是大问题了。他变得情绪消沉和谁都不讲话了。

（4）母にしてみれば、大切に育ってきた息子が突然家を出ていったのだから、たいそうショックだろうが、私は親離れしようとしている弟に声援を送りたい気持ち

だった。／对于妈妈来说，精心培育的儿子突然离家出走，是很大的打击。可是我内心却支持弟弟离开父母独立生活。

接表示人的名词后，表示"对于该人来说"的意思。用于说该人与其他人相比有不同的看法时。也可以说"…にしてみたら"。

【にしても】

通俗的口语说法用"…にしたって"，郑重的口语用"にせよ"、"…にしろ"。

1 Nにしても　即使…也…、就算…也…。

（1）彼にしても、こんな騒ぎになるとは思ってもいなかったでしょう。／就是他也没有想到会闹到这种地步吧。

（2）母にしても初めから賛成していたわけではありません。／就是妈妈也不是从一开始就赞成的。

（3）かなりハードな仕事だし、給料にしても決していいというわけでもない。／工作相当辛苦，而工资却绝对不能算高。

（4）歩き方ひとつにしてもきちんと作法に則っている。／就连每一步走路的姿势都规规矩矩地按照礼法去做。

（5）身につけているものひとつにしても育ちのよさが感じられた。／从他身上佩带的一件饰物就可以感到他的教养之好。

接表示人或物的名词，用于表示除此之外虽然也可以说还有同样的情况，但就此人或此物来说。从许多情况中举出一个来强调其他也肯定是这样，如例（4）、（5）表示"单从这一点就可以看出"。

2 …にしても　即使…也…。
［N（である）にしても］
［A／V　にしても］

（1）子供のいたずらにしても笑って済ませられる問題ではない。／即使是小孩子的恶作剧也不是能一笑了之的问题。

（2）たとえ失敗作であるにしても十分に人を引き付ける魅力がある。／虽然是失败之作，但也有十分吸引人的魅力。

（3）忙しいにしても連絡ぐらいは入れられただろうに。／就是忙也能和我们保持联系呀。

（4）私を嫌っているにしても、こんな仕打ちはあんまりだ。／即使不喜欢我，这种作法也太过份了。

（5）いくら貧しいにしても人から施しは受けたくない。／无论如何贫穷也不愿接受别人的施舍。

表示"即使假设承认是这里所说的事态"的意思。后面所说的事情与预测的不同，多如例（5）与"いくら"、"どんなに"等

疑問詞一起使用。

3 …にしても…にしても 无论…都…、…也好…也好。

[Nにしても Nにしても]
[Vにしても Vにしても]

（1）山田にしても佐藤にしても、この仕事に向いているとはいえない。／无论是山田还是佐藤都不能说适合这项工作。

（2）犬にしても猫にしてもこのマンションではペットを飼ってはいけないことになっている。／这所公寓规定不许养宠物，无论是狗还是猫。

（3）当選にしても落選にしても、今回の選挙に立候補したことは大いに意味があった。／无论是当选还是落选，能在这次选举中当候选人就非常有意义。

（4）行くにしても行かないにしても、一応準備だけはしておきなさい。／无论去还是不去，先做好准备吧。

（5）勝つにしても負けるにしても、正々堂々と戦いたい。／不论是输是赢都要光明正大地参加比赛。

（6）勝ったにしても負けたにしても、よく頑張ったとほめてやりたい。／无论是赢了还是输了，都要表扬他拼博尽了力。

举出同类或对立的两个事物，表示"无论哪方面"的意思。

4 疑問詞＋にしても 无论…。

（1）いずれにしても結論は次回に持ち越されることになった。／总之结论留待下次会上作出。

（2）だれにしてもそんなことはやりたくない。／无论是谁都不想干那种事。

（3）なんにしても年内に立ち退いてもらいます。／无论如何请您年内从这里搬出去。

（4）だれがやったにしても、我々全員で責任をとらなければならない。／不论是谁干的，我们大家都要负责任。

（5）何をするにしても、よく考えてから行動しなさい。／无论干什么都要认真考虑之后再干。

与"いずれ"、"だれ"、"なに"等疑问词一起使用，表示"无论什么场合"、"无论是谁"等意思。也可以如例（4）、（5）用含有疑问词的句节。

5 それにしても →【それにしても】

【にしろ】

无论…都…。

（1）役人がわいろを受け取ったかどうか問題になっているが、かりに金銭の授受はなかったにしろ、なんらかの報酬をもらったことは間違いない。／现在的问题是政

府官员是否受贿了，即使没有接受金钱，也肯定是接受了某些报酬。
（2）　妻にしろ子供達にしろ、彼の気持ちを理解しようとするものはいなかった。／无论妻子还是孩子们没有一个人想理解他。
（3）　どちらの案を採用するにしろ、メンバーには十分な説明をする必要がある。／无论采用哪个方案，都有必要对每个成员做充分的说明。

是"…にしても"的郑重的书面语言。也可以说"…にせよ"。
→【それにしても】

【にすぎない】
→【すぎない】

【にする】
→【する】

【にせよ】
　　即使…、…也好…也好…。
（1）　直接の責任は部下にあるにせよ、彼の監督不行き届きも糾弾されるだろう。／即使直接责任在部下，他的管理不善也应受到谴责。
（2）　来るにせよ来ないにせよ、連絡ぐらいはしてほしい。／不论是来还是不来，希望和我联系一下。
（3）　いずれにせよもう一度検査をしなければならない。／不管怎么样，一定要再检查一遍。

是"…にしても"的郑重的书面语言。也可以说"…にしろ"。
→【にしても】

【にそういない】
　　一定…、肯定…。
[N／V　にそういない]
（1）　犯人はあの男に相違ない。／罪犯肯定是他。
（2）　彼女は3日前に家を出たまま帰ってこない。きっとなにか事件に巻き込まれたに相違ない。／她3天前离家至今未归，一定是被卷进什么事件中去了。
（3）　これを知ったら、彼はきっと烈火のごとく怒り出すに相違ない。／若知道了这件事，他一定会暴跳如雷的。

表示说话人非常有把握"一定是那样"、"肯定是…"。用于书面语言。可以和"…にちがいない"互换。

【にそくして】
　　根据…、按照…。
[Nにそくして]
（1）　事実にそくして想像をまじえないで事件について話してください。／请你不要掺

杂自己的想像，根据事实把事件说一下。

（2）経験にそくしていうと、ぼくの人生にとって若いときの異文化体験の意味はとても大きい。／根据经验来说，年轻时对异国文化的体验对我的一生有非常大的意义。

（3）ゼロ才児保育につきましてはそれぞれの家庭で事情が異なると思いますから、実情に即して対処いたします。／关于零岁儿的保育问题，我想各个家庭的情况不同，我们会根据实际情况处置的。

（4）この問題は私的な感情ではなく、法にそくして解釈しなければならない。／这个问题不应从私人感情出发，必须依据法律做出解释。

（5）法律に即して言うと、今回の事件は刑事事件として取り扱うべき性格のものだ。／按照法律来说，此次的事件应当作为刑事事件来处理。

接表示事实、体验、规范等名词后，表示"按照…"、"根据…"或"以…为基准"的意思。如例（1）～（3）接事实、体验等名词时写作"即して"。如例（4）、（5）接法律或规范等名词时写作"則して"。

【にそった】
→【にそって】

【にそって】
沿着…、跟着…、按照…。

[Nにそって]

（1）この道に沿ってずっと行くと、右手に大きい公園が見えてきます。／沿着这条路一直走，就能看到右边有个大公园。

（2）川岸に沿って、桜並木が続いていた。／河的沿岸种着樱花林荫树。

（3）この塀に沿って植えてある花は、日陰でもよく育つ。／沿着这道围墙种的花，即使在背阴处也能生长得很好。

（4）書いてある手順に沿ってやってください。／请按照所写的顺序做。

（5）マニュアルに沿った手紙の書き方しか知らないのでは、いざというとき困る。／如果只知道按照入门手册的写信方法，到了关键时候还是会束手无策。

（6）妻は夫に添って病室に入っていった。／妻子陪着丈夫一道进入了病房。

接河流及道路等长长沿续的东西或表示按程序以及按说明的操作流程等名词后，表示"正如所延续下去的那样／沿着其边沿一直／按照"等意思。这种情况下，用汉字"沿う"。也有如例（6）表示紧跟着人或物的意思，此时汉字用"添う"。修饰名词时如例（5）用"NにそったN"的形式。

【にたいして】

1 …にたいして　対…、向…。
[Nにたいして]
[Na なのにたいして]
[A-いのにたいして]
[Vのにたいして]

（1）　私の発言に対して彼は猛烈に攻撃を加えてきた。／他对我的发言给予了猛烈的攻击。

（2）　私の質問に対して何も答えてくれなかった。／对我的提问没有给予任何回答。

（3）　彼は女性に対しては親切に指導してくれる。／他对妇女给予热情的指导。

（4）　現在容疑者に対しての取り調べが行われているところです。／现在正在对嫌疑人进行审讯。

（5）　私が手を振って合図したのに対して、彼女は大きく腕を振って応えてくれた。／我向她摆手示意，作为回应，她向我使劲挥动手臂。

表示"向着／根据某事物"等意思。后续对所面向的行为以及态度产生某种作用。修饰名词时用"…にたいしてのN"、"…にたいするN"的形式。

2 N＋数量词＋にたいして　比例是…、比…。

（1）　研究員1人に対して年間40万円の補助金が与えられる。／给每位研究员一年40万日元的津贴。

（2）　学生20人に対して教員一人が配置されている。／每20名学生配备一名教员。

（3）　砂3に対して1の割合で土を混ぜます。／以3比1的比例把沙子和土混起来。

（4）　学生1人に対して20平米のスペースが確保されている。／确保每个学生有20平方米的空间。

以数量表示的数字为单位，表示"根据其单位"的意思。也可以和"…について（每…）"、"…につき（每…）"互换。

3 …のにたいして　与…相反、…而…。

（1）　彼が自民党を支持しているのに対して、彼女は共産党を支援している。／他支持自民党，而她支持共产党。

（2）　兄が背が高いのに対して、弟の方はクラスで一番低い。／哥哥的个子很高，而弟弟却是班里最矮的。

用于列举表示两个对立的事物。

【にたいする】

1 NにたいするN　対…的…。

（1）　私の疑問に対する答えはなかなか得られない。／总得不到对我问题的答复。

（2）　子供に対する親の愛情ははかり知れない。／父母对于孩子之爱是无法估量的。

（3）　親に対する反抗心をむき出しにしてくってかかった。／

毫不掩飾地表現出对父母的反抗心，来顶撞父母。
(4) 書画に対する造詣が深い。／对书画的造诣很深。

表示"对…的…"、"有关…的…"的意思，用于修饰后续的名词。也可以如"その間に対しての解答"用"Nにたいしての N"的形式。

2 N＋数量詞＋にたいする N 比例是…，…比…。
(1) 研究員1人に対する年間の補助金は40万円である。／每个研究员一年的津贴是40万日元。
(2) 教員1人に対する学生数は20人という計算になる。／按每个教员20名学生计算。

以数量表示的数字为单位，"根据其单位"的意思，用于修饰后续的名词。

【にたえない】

1 V-るにたえない 不堪…、忍耐不了…。
(1) 幼い子供が朝から晩まで通りで物乞いをしている姿は見るにたえない。／小孩子从早到晚在大街上乞讨的身影令我目不忍睹。
(2) 近ごろの週刊誌は暴露記事が多く、読むにたえない。／最近的周刊杂志曝光的报道太多，没法看。
(3) 地震のあと、町はパニック状態となった。暴徒が次々に商店をおそい、正視するにたえない光景が繰り広げられた。／地震发生后，街道陷入恐慌状态。暴徒不断袭击商店，眼前一片目不忍睹的情景。

表示由于情况太严重，不能听下去或看下去的意思。只能用"見る"、"読む"、"正視する"等极有限的动词。

2 Nにたえない 不胜…。
(1) このようなお言葉をいただき、感謝の念にたえません。／承蒙您这么说，不胜感激。
(2) 晩年近くなってボランティア活動を通じて若い人々とこのようなすばらしい出会いがあろうとは考えてもみないことであった。感激にたえない。／没想到临到晚年通过志愿者活动结识了这么多年轻人，真是太激动了。

接在"感謝"、"感激"等有限的名词后，用于强调其意思。一般作为比较生硬的客套话使用。

【にたえる】

1 Nにたえる （能）耐、承受。
(1) この木はきびしい冬の寒さにたえて、春になると美しい花を咲かせます。／这棵树经受住了冬天的严寒，到了春天就会开出美丽的花朵。
(2) 重圧に耐えられなくなって、彼は社長の座を降りた。／承受不了沉重的压力，他不当总经理了。

表示不屈服地忍耐下去的意思。否定的表达方式多用表示不可能的"たえられない"。

2 …にたえる　値得…。
[Nにたえる]
[V-るにたえる]
（1）アマチュアの展覧会ではあるが鑑賞にたえる作品が並んでいる。／虽然是业余人员的展览会，但陈列着许多值得一看的作品。
（2）きびしい読者の批判にたえる紙面作りを目指したい。／旨在创作能够经得起读者批评的版面。
（3）読むに耐える記事が書けるようになるまでには相当の訓練が要る。／能够写出有价值的新闻报导需要相当的训练。

接"鑑賞"、"批判"、"読む"、"見る"等有限的名词或动词后，表示有充分那样做的价值的意思。否定的表达一般用"たえない"，不用"たえられない"。
→【にたえない】

【にたりない】

　　不足…、不值得…。
[V-るにたりない]
（1）とるに足りない(=つまらない)ことをそんなに気にするな。／不必对那种不值一提的事介意。
（2）あんなものは恐れるに足りない。／那种东西不足为惧。
（3）彼は信頼するに足りない人物だ。／他是个不值得信赖的人。

表示"不是那么大不了的东西"、"不值得那样去做"的意思。

【にたる】

　　值得…。
[V-るにたるN]
（1）昨今の政治家は私利私欲に走り、尊敬するにたる人物はいなくなってしまった。／现在的政治家都追求私欲，已经没有值得尊敬的人物了。
（2）学校で子供たちが信頼するにたる教師に出会えるかどうかが問題だ。／问题是孩子们在学校能不能遇到值得信赖的老师。
（3）一生のうちに語るに足る冒険などそうあるものではない。／一生中没有多少值得一谈的冒险。
（4）会議では皆それぞれ勝手なことをいうばかりで、耳を傾けるに足る意見は出なかった。／在会上大家都只顾说各自的意见，而并没有发表出值得洗耳恭听的意见。
（5）すべてが眠ったような平和な島では、報道するに足るニュースなどなにもなかった。／在一切像沉睡着的和平的岛屿上，没有任何值得

报道的新闻。

接在"尊敬する"、"信頼する"等有限的动词后,表示"非常有那样做的必要"、"与那样做相符的"的意思。是生硬的书面语言。

【にちがいない】
→【ちがいない】

【について】

1 Nについて 关于…、就…。
(1) 農村の生活様式について調べている。／正在调查有关农村的生活方式。
(2) その点については全面的に賛成はできない。／关于那一点不能完全赞成。
(3) 彼女は自分自身について何も語ろうとしない。／她不想谈有关她自己的任何事情。
(4) 事故の原因について究明する。／查明有关事故的原因。
(5) 経営方針についての説明を受けた。／听取了关于经营方针的说明。
(6) 将来についての夢を語った。／谈了有关将来的理想。
(7) ことの善悪についての判断ができなくなっている。／无法对事情的善恶进行判断。

表示"关于…"的意思。修饰名词时如例(5)～(7)用"NについてのN"的形式。郑重地说的时候用"つきまして"。
(例) その件につきましては後お返

事さしあげます。／关于那件事以后给您答复。

2 N＋数量词＋について 每…。
(1) 車1台について5千円の使用料をちょうだいします。／每辆车收取5千日元的使用费。
(2) 乗客1人について3つまでの手荷物を持ち込むことができます。／每位乘客可以携带3件手提行李。
(3) 作業員5人について1部屋しか割り当てられなかった。／只能每5个工人住了一间屋子。

接数量词,表示以其数字为单位"按其单位"的意思。意同"…に対して"。

【につき】

1 Nにつき＜有关＞ 关于…、就…。
(1) 本部の移転問題につき審議が行われた。／就本部的迁移问题进行了审议。
(2) 領土の分割案につき関係各国の代表から厳しい批判が浴びせられた。／有关领土的分割方案受到了有关各国代表的严厉批判。

是"Nについて"的郑重说法。
→【について】1

2 Nにつき＜理由＞ 因…。
(1) 改装中につきしばらくお休みさせていただきます。／因正在装修暂停营业。

（2）　父は高齢につき参加をとりやめさせていただきます。／父亲因为年纪大不参加了。

接名词后，表示"因其理由"的意思。用于郑重的书信等。

3 N＋数量词＋につき　每…。

（1）　参加者200人につき、5人の随行員がついた。／每200名参加者配备了5名随行人员。

（2）　テニスコートの使用料は1時間につき千円ちょうだいします。／网球场的使用费每小时收取1千日元。

（3）　食費は1人1日につき2千円かかる。／伙食费每人每天花费2千日元。

是"N＋数量词＋について"的郑重的说法。

→【について】2

【につけ】

1 Nにつけ　不论…都…。

（1）　何事につけ我慢が肝心だ。／无论什么事，忍耐是最重要的。

（2）　彼は何かにつけ私のことを目のかたきにする。／他不论干什么事总是把我当成眼中钉。

（3）　山田さんご夫婦には何かにつけ親切にしていただいています。／山田先生夫妇从各个方面热情关照我。

是惯用的固定的表达方式。用"何事につけ"、"何かにつけ"的形式，分别表示"无论什么场合"、"每当有个什么契机"的意思。

2 V-るにつけ　每当…就…。

（1）　彼女の姿を見るにつけ、その時のことが思い出される。／每当看到她的身影，就令我想起那个时候的事来。

（2）　そのことを考えるにつけ後悔の念にさいなまれる。／每当想起那件事就悔恨得不得了。

（3）　その曲を聞くにつけ、苦しかったあの時代のことが思い出される。／每当听到那个曲子，就想起那个苦难的时代。

是惯用的固定的表达方式。接"見る"、"思う"、"考える"等动词，表示"每当看到或想到就联想起"的意思。后面接"思い出(回忆)"、"後悔(后悔)"等与感情或思考有关的内容。

3 …につけ…につけ　无论…都…、…也好…也好。

[Aにつけ Aにつけ]
[Vにつけ Vにつけ]

（1）　いいにつけ悪いにつけ、あの人達の協力を仰ぐしかない。／无论好坏都只有仰仗他们的合作了。

（2）　話しがまとまるにつけ、まとまらないにつけ、仲介の労を取ってくれた方にはお礼をしなければなりません。／无论是谈得成还是谈不成，都要感谢从中斡旋的人。

是惯用的固定的表达方式。列举两个表示对立内容的词句。表示"无论是其中的哪一方"的意思。

【につれて】
随着…、伴随…。
[Nにつれて]
[V-るにつれて]
（1） 町の発展につれて、前になかった新しい問題が生まれて来た。／随着城镇的发展，出现了以前所没有的新问题。
（2） 時間がたつにつれて、悲しみは薄らいできた。／随着时间的推移，悲伤淡漠了下来。
（3） 設備が古くなるにつれて、故障の箇所が増えて来た。／随着设备的老化，故障的地方也多了起来。
（4） 試合が進むにつれて、観衆も興奮してきて大騒ぎとなった。／随着比赛的进行，观众也随之兴奋喧哗起来。
（5） 成長するにつれて、娘は無口になってきた。／随着年龄的增长，女儿变得不爱说话了。

某事态进展的同时，其他的事态也在进展。表示笼统的比例关系。书面语言可以用"…につれ"。

【にて】
在…。

[Nにて]
（1） 校門前にて写真撮影を行います。／在校门前照像。
（2） では、これにて失礼致します。／那么，我失陪了。
（3） 会場係は当方にて手配いたします。／会场工作人员由我们安排。

表示事情发生的场所。用于"これにて"、"当方にて"等惯用的表达方式。用于郑重的书信等书面语言。可以和"で"互换。

【にとって】
对于…来说。
[Nにとって]
（1） 彼にとってこんな修理は何でもないことです。／对他来说修理这点儿东西算不了什么。
（2） 年金生活者にとってはインフレは深刻な問題である。／对靠退休金生活的人来说，通货膨胀是个严重的问题。
（3） 度重なる自然災害が国家の再建にとって大きな痛手となった。／接二连三的自然灾害对于国家的重建是重大的打击。
（4） 病床の私にとっては、友人の励ましがなによりも有り難いものだった。／对于躺在病床上的我来说，朋友的鼓励是最宝贵的。

多接表示人或组织的名词后，表示"从其立场来看"的意思。偶尔也有如例（3）接表示事情的名词后，表示"从这一点来看"的意思。后续表示可能·不可能的词句或表示评价的如"むずかしい（困难）"、"有り難い（宝贵）"、"深刻だ（严重）"等词句。不能用"賛成（赞成）"、"反対（反对）"、"感謝する（感谢）"等与表明态度有关的词。
（误）　その案は私にとって反対です。
（正）　私はその案に反対です。／我反对那个方案。

【にどと…ない】

再也不…、不再…。
[にどとV-ない]
（1）こんな恐ろしい思いは二度としたくない。／再也不愿意想这种恐怖的事了。
（2）同じ間違いは二度と犯さないようにしましょう。／让我们不要再犯同样的错误了。
（3）こんなチャンスは二度と訪れないだろう。／这种机会不会再有第二次了吧。
（4）あんなサービスの悪いレストランには二度と行きたくない。／再也不想去服务态度那么恶劣的餐厅了。
（5）今、別れたら、あの人にはもう二度と会えないかもしれない。／现在分手后，也许就再也见不到他了。
用于强烈的否定"絶対不…"、"决不再…"。

【にとどまらず】

不仅…、不限于…。
[Nにとどまらず]
（1）その流行は大都市にとどまらず地方にも広がっていった。／那种流行不仅大城市也传到了地方。
（2）干ばつはその年だけにとどまらず、その後3年間も続いた。／干旱不仅发生在当年，在其后又持续了3年。
（3）大気汚染による被害は、老人や幼い子供達にとどまらず、若者達にまで広がった。／大气污染的危害不仅对老人和孩子，也危及到了青年人。

接表示地域或时间的名词后，表示"不只限于此范围"、"不仅如此"的意思。

【にともない】

随着…、伴随…。
[Nにともない]
[Vのにともない]
（1）高齢化にともない、老人医療の問題も深刻になりつつある。／随着老龄化的到来，老人的医疗问题日益严重起来。
（2）地球の温暖化にともない、海面も急速に上昇している。／随着地球变暖，海面也快速上升了。
（3）政界再編の動きに伴いまし

て、このたび新しく党を結成するはこびとなりました。／伴随着政界重组的动向，此次重新组成了政党。

是比"にともなって"更生硬的说法。
→【にともなって】

【にともなって】

随着…，伴随…。

[Nにともなって]
[Vのにともなって]

（1）気温の上昇にともなって湿度も上がり蒸し暑くなってきた。／随着气温的升高，湿度也随之升高，天气变得闷热起来了。

（2）学生数が増えるのにともなって、学生の質も多様化してきた。／随着学生数量的增加，学生的质量也变得参差不齐。

（3）父親の転勤に伴って、一家の生活拠点は仙台からニューヨークへと移ることになった。／随着父亲的调动工作，一家的生活据点就由仙台转到了纽约。

"にともなって"的前后用表示变化的词。表示与前面所说的变化连带着，发生后叙的变化。一般不用于私人的事情，用于说规模大的变化。是正式的书面语言。

【になく】

与（往常）不同。

[Nになく]

（1）店の中はいつになく静かだった。／店里与平时不同，异常的安静。

（2）例年になく、今年の夏は涼しい日が多い。／与往年不同，今年夏天凉快的日子多。

（3）彼女は歌がうまいと言われて、柄にもなく顔を赤らめていた。／当她被夸歌唱得好时，竟然脸红了。

是惯用的固定的表达方式，表示"与往常不同"的意思。也可以说"…にもなく"。

【になると】

→【なる】9

【ににあわず】

与…不相称，和…不般配。

[Nににあわず]

（1）いつもの佐藤さんに似合わず口数が少なかった。／佐藤与平日不同，今天话语不多。

（2）彼は大きな体に似合わず気の小さいところがある。／他身材高大，却有些小心眼。

表示"与该物所应有的性质不一致地…"的意思。

【には】

1 Nには

为了强调助词"に"前面的名词,在"に"的后面加"は"。

a Nには＜时间・场所・方向・对方等＞ 在…时间,在…地方,向…。
(1) 春には桜が咲きます。／春天樱花开放。
(2) 10時には帰ってくると思います。／我想10点钟会回来的。
(3) この町には大学が三つもあります。／这个城市里有三所大学。
(4) 結局国には帰りませんでした。／结果没有回国。
(5) 山田さんにはきのう会いました。／昨天见到了山田。
(6) みなさんには申し訳ございませんが、今日の集まりは中止になりました。／非常对不起大家,今天的集会取消了。

接助词"に",可以提示表示各种意思的句子,提示主题或与其他事物做比较时在"に"的后面加"は"。如果没有必要加"は"的意思时,可以只用"に"。

b Nには＜评价的基准＞ 对于…来说。
(1) このセーターは私には大きすぎる。／这个毛衣我穿太大。
(2) この問題はむずかしすぎて私には分かりません。／这道题太难,我不懂。
(3) この仕事は経験のない人には無理でしょう。／这个工作对于没有经验的人来说恐怕干不了。

接表示人的名词,意思是"对于此人来说"。大きい"、"難しい"、"できる"、"できない"等是对某种情况做出评价。含有表示对比的"其他的暂且不论"的意思。只用"に"的形式不多,一般用"…には"的形式。

c Nには＜尊敬的对象＞ （对你们、您、老师、先生等表示尊敬）。
(1) 皆様にはお変わりなくお過ごしのことと存じます。／想必你们生活得很好,平平安安吧。
(2) 先生にはお変わりなくお過ごしのこととお喜び申し上げます。／老师依然如故身体康健,倍感欣慰。

接表示身分、地位高于自己的对方的名词后,用于对其人表示尊敬。只用于郑重的书信。更加郑重的表达还有"…におかれましたは"。

2 V-るには 要…就得…。
(1) そこに行くには険しい山を超えなけばならない。／要去那里就必须翻过险山。
(2) その電車に乗るには予約をとる必要があります。／乘坐那辆电车需要预先定票。
(3) 健康を維持するには早寝早起きが一番だ。／要保持健康早睡早起是最要紧的。

表示"要那么做就得…"、"要想那样就得…"的意思。

3 V-るにはVが 做是做了,但…。
(1) 行くには行くが、彼に会え

るかどうかは分からない。／去是去，但不知能不能见到他。
（2）A：あしたまでに完成させると約束したんですって。／听说定的是明天之前完成。
　　B：うん。約束するにはしたけれど、できるかどうか自信がないんだ。／是。虽说是那么定的，但能不能完成没信心。
（3）いちおう説明するにはしたのですが、まだみんな、十分に理解できていないようでした。／虽然大致解释了一遍，但好像大家还没有充分理解。

重复同一动词，表示"做是做了，但不知能否达到满意的结果"的意思。

【にはあたらない】

不必…、用不着…。

[V-るにはあたらない]

（1）中学校で教師をしている友人の話によると、学校でのいじめが深刻だという。しかし驚くにはあたらない。大人の社会も同じなのだから。／据在中学当老师的朋友说，学校里欺负人的现象很严重。但也无需惊讶，因为成年人的社会也是一样的。

（2）彼ひとりだけ仲間を置いて下山したからといって、非難するには当たらない。あのような天候のもとではそれ以外の方法はなかっただろう。／虽说他扔下同伴一个人下了山，也不能责备他。在那种气候条件下只好那样做了。

（3）子どもがちっとも親のいうことをきかないからといって、嘆くには当たらない。きっといつか親の心がわかる日がくる。／虽说孩子一点儿都不听父母的话，但也不必叹息。总有一天他们会明白父母的心情。

（4）彼が会議でひとことも発言しなかったからといって責めるには当たらない。あのワンマン社長の前ではだれでもそうなのだ。／虽说他在会上没有发言，但也不必责备他，在那个大权独揽的总经理的面前谁会这样的。

接"驚く"、"非難する"等动词，表示那样做不合适，不得要领的意思。多和"…からといって(虽说…但…)"等表示理由的词句一起使用，表示"因为这个理由而吃惊或责备是不合适的"的意思。

【にはおよばない】

1 …にはおよばない　不必…、用不着…。

[Nにはおよばない]
[V-るにはおよばない]

(1) 検査では何も異常は見つかりませんでした。すっかり元気になりましたから、ご心配には及びません。／在检查中没有发现任何异常。已经完全康复了，请不要担心。

(2) 分かりきったことだから、わざわざ説明するには及びません。／已是明明白白的事了，用不着特意说明。

(3) こんな遠くまで、はるばるお越しいただくには及びません。／您不必特意到这么远来。

表示"不用那样做"、"没有那个必要"的意思。也可以说"…にはあたらない"。

2 それにはおよばない 不必那样。

(1) A：車で家までお送りしましょう。／我用车送您到家吧。

B：いいえ、それには及びません。歩いても5分ほどの所ですから、どうぞご心配なく。／不，不用了。走路5分钟就到了，所以请不必费心了。

(2) A：空港までお迎えにあがりますよ。／到机场去接您吧。

B：大丈夫です。よく知っている所ですから、それには及びませんよ。／不用了。因为是非常熟悉的地方，所以不用接了。

用于对对方提出的事表示拒绝"不用为我做那些也没关系"。有承认对方关心的意思。是比"その必要はありません（没有那个必要）"客气的说法。

【にはんし】

　　与…相反。

[Nにはんし]

(1) 大方の予想に反して、我らのチームが圧勝した。／与多数人的预料相反，我们队大获全胜。

(2) 人々の期待に反し、景気は依然低迷を続けている。／与人们的期待相反，景气依然持续低迷。

是"にはんして"的书面语言。

→【にはんして】

【にはんして】

　　与…相反。

[Nにはんして]

(1) 予想にはんして、今年の試験はそれほど難しくはなかったそうだ。／与预料的相反，听说今年的考试不太难。

(2) 周囲の期待に反して、彼らは結局結婚しなかった。／与周围的期待相反，他们最终没有结婚。

（3）年初の予測に反して、今年は天候不順の年となった。／与年初的预测相反，今年的天气反常。
（4）今回の交渉では、大方の見方に反して、相手側がかなり思い切った譲歩案を提示した模様だ。／在这次谈判中，与人们的预料相反，对方提出了相当大程度的让步方案。

接"予想"、"期待"等表示预测将来的名词后，表示结果是与此相反的事物。可以和"…とは違って(与…不同)"、"…とは反対に(与…相反)"互换。是书面语言。修饰名词时用"Nにはんする／にはんしたN"的形式。
（例）　先週の試合は、大方の予想に反する結果となった。／上周比赛的结果出乎大家的意料。

【にひかえて】

1 NをNにひかえて＜时间＞　面临。
（1）試合を十日後に控えて選手たちは練習に余念がない。／还有十天就要比赛了，运动员们都在埋头苦练。
（2）結婚を間近に控えた娘が他の男と遊び回るなんてとんでもない。／眼看就要结婚的女儿却和别的男人去玩，太不像话了。
（3）入学試験を目前に控えてあわただしい毎日だ。／面临升学考试，每天非常忙碌。

用"XをYにひかえて"的形式，表示X所表示的事情已经迫近。Y多用"間近に・10日後に・数ヵ月後に"等表示时间的词句。可以省略"Yに"，用"Xをひかえて"的形式。如例（2）所示修饰名词时用"ひかえたN"的形式。

2 NをNにひかえて＜场所＞　靠、背靠。
（1）神戸は背後に六甲山をひかえて東西に広がっている。／神户背靠六甲山向东西扩展开来。
（2）彼の別荘は後ろに山をひかえた景色のよい場所にある。／他的别墅是在背靠青山的景色优美的地方。

表示如山、湖、海、湾那样的大的空间就在身后的样子。如例（2）所示修饰名词时用"ひかえたN"。

【にひきかえ】

与…相反、与…不同。

[Nにひきかえ]
（1）兄にひきかえ弟はだれにでも好かれる好青年だ。／与哥哥不同，弟弟是个人见人爱的好青年。
（2）努力家の姉に引きかえ、弟は怠け者だ。／与勤奋努力的姐姐相反，弟弟是个懒汉。
（3）このごろは子供っぽい男子学生にひきかえ女子学生のほうが社会性があってしっかりしているようだ。／最近好像男学生很孩子气，倒

是女学生有社会能力，很成熟。

（4）市当局の柔軟な姿勢にひきかえ、窓口の高圧的な対応は市民の反発を招いている。／与市当局的灵活态度相反，窗口的高压态度引起了市民的反感。

把两个对照性的事物做对比，表示"与一方相反另一方"的意思。口语用"Nにくらべて（与…相比）"。

【にほかならない】

1 Nにほかならない　正是…、不外乎…。

（1）この会を成功のうちに終わらせることが出来ましたのは、皆様がたのご協力のたまものに他なりません。／这次大会能够开得成功，完全是靠大家的共同努力。

（2）年を取るというのは、すなわち経験を積むということに他ならない。／上了年纪也就是积累了经验。

用于断定地说"除此之外就没有"、"正是"。

2 …にほかならない　正是…、不外乎…、无非是…。

[…から／…ため　にほかならない]

（1）父が肺ガンになったのは、あの工場で長年働いたために他ならない。／父亲得了肺癌就是因为在那个工厂常年工作积劳的结果。

（2）彼が私を憎むのは、私の業績をねたんでいるからに他ならない。／他恨我，无非是因为嫉妒我的成就。

（3）この仕事にこんなにも打ち込むことができたのは、家族が支えていてくれたからに他ならない。／能够如此全身心地投入这项工作，正是由于家人支持的结果。

用于断定地说事情发生的理由及原因不是别的，就是这个。

【にむかって】

向着…。

1 Nにむかって＜方向＞

（1）この飛行機は現在ボストンに向かっています。／这架飞机现在正在飞往波士顿。

（2）病人はだんだん快方に向かっています。／病人正在逐渐恢复健康。

（3）両国の関係は最悪の事態に向かって一気に進んでいった。／两国的关系不断向着最坏的事态发展。

（4）春に向かってだんだん暖かくなってきた。／春天临近，渐渐暖和起来。

（5）このトンネルは出口に向かって下り坂になっている。／这个隧道接近出口处，呈下坡路。

表示物体移动时的方向、时间及状态变化时的去向。例（1）～（3）表示"这

架飞机"、"病人"、"两国的关系"所要到达的目的地。也可如例（1）、（2）作句子的谓语。例（4）和例（5）后续表示变化的词句，表示"随着临近…，发生某种情况的变化"的意思。如例（4）表示随着临近春天，发生了气温上升的变化。

2 Nにむかって＜面向＞ 面向…、面对…。

（1）机（つくえ）に向（む）かって本（ほん）を読（よ）む。／伏案读书。

（2）黒板（こくばん）に向（む）かって座（すわ）る。／面向黑板而坐。

（3）マリア像（ぞう）に向（む）かって祈（いの）りを捧（ささ）げる。／对着玛利亚的像祈祷。

（4）私（わたし）の部屋（へや）は正面（しょうめん）に向（む）かって左側（ひだりがわ）にあります。／我的房间对着正面，在左侧。

接表示物或人的名词后，表示对其采取直接面对的姿势。

3 Nにむかって＜对方＞ 对…、向…。

（1）親（おや）に向（む）かって乱暴（らんぼう）な口（くち）をきくな。／不许对父母说话粗野。

（2）敵（てき）に向（む）かって発砲（はっぽう）する。／向敌人开枪。

（3）上司（じょうし）に向（む）かって反抗的（はんこうてき）な態度（たいど）を示（しめ）す。／对上司表示反抗的态度。

接表示人的名词后，表示要对其采取某种态度或进行某种行为时的对方。也可以说"…にたいして"。

【にむけて】

1 Nにむけて＜方向＞ 向着…、面对…。

（1）入口（いりぐち）に背（せ）を向（む）けて座（すわ）っている。／背对入口而坐。

（2）飛行機（ひこうき）は機首（きしゅ）を北（きた）に向（む）けて進（すす）んでいた。／飞机调头向北飞去。

（3）飛行機（ひこうき）は北（きた）に向（む）けた。／飞机向北飞去。

接表示场所或方位的名词后，表示物体移动所要去的地点或人的姿势面对的方向。也可如例（3）用作句子的谓语。

2 Nにむけて＜目的地＞ 向着…、朝着…。

（1）飛行機（ひこうき）はヨーロッパに向（む）けて飛（と）び立（た）った。／飞机向着欧洲起飞了。

（2）彼（かれ）らは任地（にんち）に向（む）かって出発（しゅっぱつ）した。／他们向着赴任地出发了。

接表示场所的名词后，表示作为移动的目标的地点。后续表示移动的词句。

3 Nにむけて＜对方＞ 向…。

（1）人々（ひとびと）に向（む）けて戦争（せんそう）の終結（しゅうけつ）を訴（うった）えた。／向人们呼吁结束战争。

（2）アメリカに向（む）けて、強（つよ）い態度（たいど）を取（と）り続（つづ）けた。／继续对美国采取强硬态度。

（3）彼（かれ）は戦争（せんそう）の当事者（とうじしゃ）たちに向（む）けて根気強（こんきづよ）く停戦協定（ていせんきょうてい）の締結（ていけつ）を訴（うった）え続（つづ）けた。／他顽强地不断地向战争双方呼吁缔结停战协定。

接表示人或组织的名词后，表示

"向…"的意思。

4 Nにむけて＜目标＞　朝着…方向努力。
(1) スポーツ大会に向けて厳しい練習が続けられた。／朝着进军运动大会的目标进行了严格的训练。
(2) 国際会議の開催に向けてメンバー全員の協力が求められた。／为了迎接国际会议的召开，要求全体成员共同努力。
(3) 平和的な問題解決に向けて人々は努力を惜しまなかった。／朝着和平解决问题的方向，人们尽了最大的努力。

接表示事情的名词后，表示"以实现此事为目的"的意思。后续表示行为的词句。

【にめんした】
→【にめんして】

【にめんして】
1 Nにめんして＜面向＞　面对…、面向…。
(1) 美しい庭に面して、バルコニーが広がっている。／阳台面对着美丽的庭院伸展开来。
(2) この家は広い道路に面している。／这所房子对着宽宽的大马路。
(3) リゾート地のホテルで、海に面した部屋を予約した。／在疗养地的宾馆里预定了面临大海的房间。

接道路或庭院以及大海等表示宽阔场所的名词，表示正对着这个场所有一个空间存在。可以如例(2)把"…にめんしている"放在句尾。另外，修饰名词时，如例(3)用"Nにめんした N"的形式。

2 Nにめんして＜面对＞　面对…。
(1) 彼女は非常事態に面しても適切な行動の取れる強い精神力の持ち主なのだ。／她是个坚强意志的人，即使面对紧急状况也能采取相应适当的行动。
(2) 彼は危機的事態に面しても冷静に対処できる人だ。／他是个面对危急局面也能够冷静对待的人。

表示面对困难或危机等严峻的状况。

【にも】
为了强调"に"前面的名词，在"に"后面加"も"。

1 Nにも
a Nにも＜时间・场所・方向・对方等＞　在…也…、对…也…、向…也…。
(1) あそこにも人がいます。／那里也有人。
(2) 田中さんにも教えてあげよう。／也告诉田中吧。
(3) 箱根にも日光にも行きました。／不论箱根还是日光都

去过了。

接了助词"に"，可以提示表示各种意思的句子，后面加"も"，表示"不只这些，对其他的事物也可以这么说"的意思。没有必要加"も"的意思时，可以只用"に"。

b N にも＜尊敬的对象＞　你们也…、您也…、老师也…、先生也…。

（1）ご家族のみなさまがたにもおすこやかにお過ごしのこととと拝察申し上げます。／欣慰地得知您和全家人都身体康健，生活愉快。

（2）皆々様にもご健勝にお過しの由、お喜び申し上げます。／获悉大家也都身体康健，非常高兴。

接表示对方为身分、地位高于自己的人的名词，用于对其人表示敬意。只能用于惯用的表达，是非常正规的书信问候语。更加郑重的表达方式有"…におかれましては"。

2 V-ようにも

a V-ようにも…ない　即使想…也不能…。

（1）助けを呼ぼうにも声が出ない。／想呼救却喊不出声来。

（2）機械を止めようにも、方法が分からなかったのです。／想关上机器，但是不知道怎么个关法。

（3）先に進もうにも足が疲れて一歩も踏み出せなかった。／即使想往前走，可是腿累得一步也迈不动了。

（4）手術をしたときはすでに手遅れで、助けようにも助けようがなかったのです。／手术的时候已耽误了，想救也没法救了。

接"呼ぼう"、"止めよう"等动词的意向形，后续否定的表达形式，表示"即使想那么做也不行"的意思。

b V-ようにも V-れない　即使想…也不能…。

（1）少し休みたいけれど、忙しくて休もうにも休めない。／想休息一下，但忙得想休息也休息不了。

（2）こんなに遠くまで来てしまっては、帰ろうにも帰れない。／来到这么远的地方，想回去也回不去了。

（3）こんな恐ろしい事件は、忘れようにも忘れられない。／这么可怕的事件，想忘也忘不掉。

（4）土砂崩れで道がふさがれており、それ以上進もうにも進めない状態だった。／因为塌方道路被堵住了，想再往前走也走不过去了。

接"帰ろう"、"忘れよう"等动词的意向形，后面是同一动词的可能态的否定形，表示"即使想那么做也不能"、"无论如何也做不到…"的意思。

【にもかかわらず】

虽然…但是…、尽管…却…。

[N／A／V　にもかかわらず]

[Na であるにもかかわらず]

（1）悪条件にもかかわらず、無

事登頂に成功した。／尽管条件恶劣，但成功地登上了山顶。
(2) 母が止めたにもかかわらず、息子は出かけていった。／尽管妈妈出面阻止，可是儿子还是出去了。
(3) あれだけ努力したにもかかわらず、すべて失敗に終わってしまった。／虽然那么努力，但一切还是以失败告终了。
(4) 規則で禁止されているにもかかわらず、彼はバイクで通学した。／尽管有明文规定禁止骑摩托车上学，他还是照骑不误。

表示"虽然是那种事态，但…"的意思。后续表示与预测相反的事态。也可如下面的例子，用于句子的开头。

(例) 危険な場所だと十分注意されていた。にもかかわらず、軽装で出かけて遭難するはめになった。／尽管别人已警告过他那是个危险的地方，但他还是穿着轻便的服装出发了，最后落了个遇难的下场。

【にもとづいた】

→【にもとづいて】

【にもとづいて】

根据…、按照…。

[Nにもとづいて]
(1) 実際にあった話に基づいて小説を書いた。／根据实际发生的事写了小说。
(2) 計画表に基づいて行動する。／按计划表行动。
(3) 過去の経験に基づいて判断を下す。／根据已往的经验做出判断。
(4) この小説は実際にあったことに基づいている。／这个小说是根据真人真事写的。
(5) 長年の経験に基づいた判断だから、信頼できる。／因为是根据长年的经验做出的判断，所以可以信赖。

表示"以此为依据"、"以此为根据"的意思。可以如例(4)做谓语。修饰名词时如例(5)用"…にもとづいたN"的形式。也可以用"…にもとづいてのN"的形式。

【にもなく】

与（往常）不同。

[Nにもなく]
(1) 今日はがらにもなく背広なんかを着ている。／他今天与往常不同穿了西装。
(2) その光景を見て、我にもなく動揺してしまった。／看到那种光景，就连我也不知不觉地动摇了。

是惯用的固定的表达方式，表示"与其人或其物往常的样子或性质不同"的意思。

【にもならない】

1 Nにもならない　就连…都成不了。
（1）あまりにばかばかしい話で、冗談にもならない。／这件事太无聊了，连个笑话也算不上。
（2）こんなに細い木では焚きつけにもならない。／这种碎木头连劈柴都够不上。

接"冗談(玩笑)"、"焚きつけ(劈柴)"等一些没有什么用的东西之后，表示连这样的价值都没有的意思。

2 V-るきにもならない　就连…都不想。
（1）あまりにばかばかしくて笑う気にもならない。／因为太无聊了，连笑的心思都没有了。
（2）彼の考え方があまりに子供っぽいので、腹を立てる気にもならなかった。／他的想法太孩子气了，让人气都气不起来。

表示"成不了那种心情"的意思。多数情况含有其价值之低不值得那么想的负面评价的意思。

【によったら】
→【によると】1b

【によって】

1 Nによって＜原因＞　由于…、因为…。
（1）私の不注意な発言によって、彼を傷つけてしまった。／由于我的冒昧的发言，伤害了他。
（2）踏切事故によって、電車は3時間も遅れました。／由于道口发生事故，电车晚点了3个小时。
（3）ほとんどの会社は不況によって経営が悪化した。／几乎所有的公司都因为不景气而经营恶化。

接名词后，表示"那就是原因"的意思。后续表示结果的词句。

2 Nによって＜被动句的动作主体＞　由…、被…。
（1）この建物は有名な建築家によって設計された。／这座建筑是由著名的建筑师设计的。
（2）その村の家の多くは洪水によって押し流された。／这个村里的许多房屋被洪水冲走了。
（3）敵の反撃によって苦しめられた。／由于敌人的反击，使我们苦不堪言。
（4）これらの聖典はヨーロッパからの宣教師たちによってもたらされた。／这些圣经是由从欧洲来的传教士们带来的。
（5）3年生の児童たちによって校庭に立派な人文字が描かれた。／在校园里，由3年级的孩子们组成了一个壮观的人字。

（6）この奇抜なファッションは新しいものを好む若者たちによってただちに受け入れられた。／这种奇特时装立即为喜好新事物的年轻人所接受。

表示被动句中的动作主体。与"XにYされる"的"Xに"相同,但如果"Y"的动词是"設計する"、"作る"、"書く"等表示创造出某物的词的时候不能用"に",要用"によって"。另外,像例（2）、（3）中"洪水"、"敵の反撃"等表示原因或解释某件事时,可以和"で"互换。

（例）洪水で押し流された。／被洪水冲跑了。

3 Nによって＜手段＞　根据…、通过…、靠…。

（1）この資料によって多くの事実が明らかになった。／通过这个资料,弄清楚了许多事实。
（2）給料をカットすることによって、不況を乗り切ろうしている。／想通过削减工资来渡过经济萧条。
（3）交通網の整備によって、遠距離通勤が可能になった。／通过对交通网的调整使长途通勤成为了可能。
（4）コンピュータによって大量の文書管理が可能になった。／通过计算机管理大量文件已成可能。
（5）インターネットによって世界中の情報がいとも簡単に手に入るようになった。／通过因特网可以毫不费力地得到世界各地的情报。

表示"与此为手段"、"用其方法"的意思。

4 Nによって＜依据＞　根据…、依据…。

（1）この資料によっていままで不明だった多くの点が明らかになった。／通过这个资料搞清了迄今为止许多不清楚的地方。
（2）行くか行かないかは、あしたの天気によって決めよう。／去还是不去,看明天的天气再决定吧。
（3）先生の御指導によってこの作品を完成させることができました。／在老师的指导下得以完成了这个作品。
（4）試験の成績よりも通常の授業でどれだけ活躍したかによって成績をつけようと思う。／比起考试成绩我想根据平时在课堂上的表现来打分。
（5）恒例によって会議の後に夕食会を設けることにした。／我们决定按照惯例,在会议之后设晚餐会。
（6）例によって彼らは夜遅くまで議論を続けた。／像往常一样他们一直讨论到半夜。

接名词或"疑问詞…か"的形式,表示"以此为依据"、"以此为根据"的意思。例

（5）、（6）是作为惯用句的固定的表达方式。表示"像往常一样"的意思。

5 Nによって＜情況＞ 因…、根据…。

（1）人によって考え方が違う。／想法因人而异。
（2）明日は所によって雨が降るそうだ。／据说明天部分地区有雨。
（3）時と場合によって、考え方を変えなければならないかもしれない。／根据时间或场合的不同也许必须改变想法。
（4）場合によってはこの契約を破棄しなければならないかもしれない。／根据情况这个合同可能要取消。
（5）事と次第によっては、裁判に訴えなければならない。／根据情况和事态，有时必须打官司。

表示"根据其中的种种情况"的意思。例（5）是惯用句，与"場合によって（根据情况）"意思相同。

【によらず】

不论…、不按…。

[Nによらず]
（1）この会社では、性別や年齢によらず、能力のあるなしによって評価される。／在这个公司不按性别与年龄，而是按能力来评价员工。
（2）古いしきたりによらず、新しい簡素なやりかたで式を行いたい。／我想不按老规矩，用新式俭朴的方式举办婚礼。
（3）彼は見かけによらず頑固な男だ。／与他的外表不同，他是个非常固执的人。
（4）何事によらず、注意を怠らないことが肝心だ。／关键是无论在什么情况下都不能疏忽大意。

表示"与…无关"、"与…不对应"的意思。例（3）、（4）是惯用句。例（3）表示"与外表不同"，例（4）表示"无论在什么情况下"的意思。

【により】

根据…、通过…。

（1）水質汚染がかなり広がっていることが、環境庁の調査により明らかになった。／经环境厅调查查明水质污染已大面积扩展。
（2）関東地方はところにより雨。／关东地方部分地区有雨。

是"によって"的书面语言。
→【によって】

【による】

由…、由于…、因…、根据…。

[Nによる]
（1）学長による祝辞に引き続いて、卒業生代表によるスピーチが行われた。／校

长祝词之后，毕业生代表讲了话。
（2）計画の大幅な変更は、山田の強い主張によるものである。／计划的大幅度修改是由于山田强烈要求的结果。
（3）地震による津波の心配はないということである。／据说不必担心有因地震而引发的海啸。
（4）晩御飯を食べて帰るかどうかは、会議の終わる時間による。／吃完晚饭后回不回家要根据会议的结束时间而定。
（5）車で行くかどうかは場合による。晴れていたら自転車の方が気持ちがいいが、もし雨が降ったら車で行くしかない。／是不是开车去要根据情况而定。如果是晴天骑自行车舒服，但是雨天的话就只有开车去了。

用于表示"动作主体"、"原因"、"根据"等。例（1）～（3）的N表示动作主体或原因，例（4）、（5）的N表示决定某事的条件。表示动作主体或原因的用法用于生硬的文章体。表示条件的用法可用于一般的口语。

【によると】

1 Nによると

a Nによると　据…、按…、根据…。

（1）天気予報によると、明日は晴れるそうです。／据天气预报说，明天是晴天。
（2）彼の説明によると、この機械は廃棄物を処理するためのものだということです。／根据他的说明，这个机器是用来处理废弃物的。
（3）あの雲の様子によると、明日は多分晴れるだろう。／看那片云彩的形状，明天可能是晴天。

表示传闻的出处或推测的依据。后续表示传闻的"…そうだ"、"…ということだ"或表示推测的"…だろう"、"…らしい"等。例（1）、（2）也可以用"…によれば"。

b ことによると／ばあいによると　根据情况或许…。

（1）ことによると今回の旅行はキャンセルしなければならないかもしれない。／根据情况，这次旅行也许要取消。
（2）場合によると彼らも応援に来てくれるかもしれない。／根据情况，也许他们也会来声援的。

是惯用句的固定的表达方式。表示"或许"、"在某种条件下"的意思。后续表示推测的内容。也可用"ことによったら"、"場合によったら"的形式。

2 Vところによると　据…、据说…。

（1）聞いたところによると、最近は飛行機でいく方が電車より安い場合もあるそうですね。／听说最近有时乘飞机去比乘电车还要便宜。
（2）彼の主張するところによる

と、彼は事件とは関係ないということだ。／据他自己说他和事件没有关系。
（3）祖父の語ったところによると、このあたりには昔古い農家があったということだ。／据祖父讲这一带过去有古老的农家。

表示所听传闻的出处或判断的依据。后续表示传闻的"…そうだ"、"…ということだ"或表示推测・判断的词语。也可用"…ところによれば"的形式。

【によれば】

据…、根据…、按照…。

（1）この記録によれば、その城が完成したのは11世紀末のことだ。／据这项记载，那个城堡是在11世纪末建成的。
（2）彼の話によれば、この茶碗は骨董品として価値の高いものだそうだ。／据他说这个茶碗作为古董有着很高的价值。

意同"…によると"。
→【によると】1a、2

【にわたって】

在…范围内、涉及…、一直…。

【Nにわたって】

（1）この研究グループは水質汚染の調査を10年にわたって続けてきた。／这个研究小组已经持续了10年对水质污染的调查工作。

（2）彼はこの町を数回にわたって訪れ、ダム建設についての住民との話し合いをおこなっている。／他几次来到这个城镇，就修筑水库之事与当地居民进行协商。
（3）首相はヨーロッパからアメリカ大陸まで8カ国にわたって訪問し、経済問題についての理解を求めた。／首相从欧洲到美洲大陆访问了8个国家，就经济问题寻求他们的理解。
（4）外国人労働者に関する意識調査の質問項目は多岐に渡っており、とても一言で説明することはできない。／有关对外国工人的工作意识调查，设问项目涉及方面很多，根本无法用一句话解释清楚。

接表示期间、次数、场所的范围等词。形容其规模之大。后常伴"行う／続ける／訪れる"等动词。用于正规的文章体。

【にわたり】

在…范围内、涉及…、一直…。

【Nにわたり】

（1）話し合いは数回にわたり、最終的には和解した。／经过数次协商，最后达成和解。
（2）彼の研究は多岐にわたり、その成果は世界中の学者に強い影響を与えた。／他的研究涉及许多领域，其成果

对全世界的学者有很大的影响。
(3) 彼女が訪れた国は実に23カ国に渡り、その旅を記録した写真集は普通の人々の生活を生き生きと写し取っていることで評判になっている。／她到过23个国家，记录了其行程的摄影集生动地拍摄出一般老百姓的生活，受到了好评。

与"にわたって"意思相同。"にわたって"多修饰紧跟其后的动词，而"にわたり"多用于句节的后面。用于书面的正规文体。

【ぬ】

文言中表示否定的助动词。现在除了"…ません"及"知らん(不知道)"、"好かん(不喜欢)"中的"ん"可以看出文言的痕迹。还可以用于作为惯用句的固定说法。

1 V-ぬ 不…。
(1) 知らぬ存ぜぬで(=知らないと主張し続けて)押し通す。／一口咬定说什么也不知道。
(2) 知らぬが仏(=知れば腹も立つが知らなければおだやかな気持ちでいられる)。／不知道就心不烦(知道了也许会生气，但是如果不知道就能保持一种平静的心情)。
(3) 予期せぬ(=予期しない)事件が起こった。／发生了预想不到的事件。

(4) 急いで対策を考えなければならぬ。／必须立即考虑对策。

是作为惯用句的固定的表达方式。表示"不…"的意思。例(4)是"…なければならない"的文言性说法。

2 V-ぬうちに 趁还没有…。
(1) 誰にも気付かれぬうちにここを抜け出そう。／趁没人察觉，从这儿溜走吧。
(2) 暗くならぬうちに家にたどり着けるといいのだが。／趁天黑之前能赶回家就好了。

是"…ないうちに"的文言性说法。
→【うち】2 Ｃ

3 V-ぬばかり 快要…、几乎就要…。
(1) おまえは馬鹿だと言わぬばかりの顔をした。／他那副表情是差点儿就要骂出来"你是个混蛋"。
(2) 泣かぬばかりに懇願した／几乎要哭出来地恳求。

是惯用句式的固定表达方式。表示"眼看就要…的样子"的意思。是"V-んばかり"的文言性表达方式。
→【ばかり】6

4 V-ぬまでも 即使不…也得…。
(1) この崖から落ちたら、死に至らぬまでも重傷はまぬがれないだろう。／从这个悬崖上掉下去，就是摔不死，也难免要受重伤。
(2) 実刑は受けぬまでも罰金は払わせられるだろう。／即使不被判刑也得被判交罚金吧。

है "…ないまでも" 的文言的说法。
→【ないまでも】

5 V-ぬまに　在不(没)…之时。

（1）鬼のいぬ間に洗濯(＝邪魔になる人がいない間にしたいことをする)。／阎王不在, 小鬼造反。(＝趁碍事的人不在时, 做想干的事)

（2）知らぬ間にこんなに遠くまで来てしまった。／不知不觉间就走了这么远。

　　是惯用句式的固定的表达方式, 表示"在不(没)…之时"的意思。

【ぬき】

1 Nぬきで　省去…、撇开…、去掉…。

（1）この集まりでは、形式張ったこと抜きで気楽にやりましょう。／这次的聚会, 我们免去形式上的东西, 开得轻松些吧。

（2）この後は偉い人抜きで、若手だけで飲みに行きましょう。／从现在起, 撇开大人物, 就我们年轻人去喝酒吧。

（3）前置きは抜きで、さっそく本論に入りましょう。／省去开场白, 马上进入正题吧。

　　表示"除去…"的意思。也可如例（3）用"Nはぬきで"的形式。

2 Nぬきに…V-れない　没有…就不可能…。

（1）この企画は、彼の協力抜きには考えられない。／这项计划没有他的协助是不可能

实现的。

（2）資金援助抜きに研究を続けることは不可能だ。／没有资金援助就不可能继续进行研究。

（3）今回の企画の成功は山田君の活躍抜きに語れない。／这次的计划得以成功, 如果没有山田君的积极努力就无从谈起。

　　接名词, 在句尾用"…できない"、"V-れない"、"不可能だ", 表示"如果没有…就不能做到…"的意思。

3 Nはぬきにして　除去…、免去…。

（1）この際、仕事の話は抜きにして、大いに楽しみましょう。／现在, 不谈工作上的事, 好好乐一乐吧。

（2）冗談は抜きにして、内容の討議に入りましょう。／把玩笑话收起来, 开始讨论吧。

　　表示"除去…"、"停止…"的意思。

【ぬく】

　　…到底、一直…。

[R-ぬく]

（1）苦しかったが最後まで走りぬいた。／虽然很痛苦, 但还是坚持跑完了全程。

（2）一度始めたからには、あきらめずに最後までやりぬこう。／一旦干起来就不要放弃一直干到底。

（3）考え抜いた結果の決心だからもう変わることはない。

／因为这是我经过再三考虑下的决心，所以不会再改变了。

（4）この長い漂流を耐え抜くことができたのは、「ここで死にたくない」という強い気持ちがあったからだと思います。／能够在这次漫长的漂流中坚持下来，我想是因为有"我可不想死在这里"的坚强信念在支撑着。

把所必须的行为·过程做完的意思。经受着痛苦而完成的意思较强。

【ぬまでも】

即使不…也…。

[V-ぬまでも]

（1）邸宅とは言わぬまでも、せめて小さな一戸建てぐらいは建てたいものだ。／即使谈不上是豪宅，至少也想建一所独门独户的住宅。

（2）この崖から落ちたら、死に至らぬまでも、重傷はまぬがれないだろう。／从这么高的山崖掉下去的话，即使摔不死，也免不了要受重伤的。

是"…ないまでも"的文言的说法。

→【ないまでも】

【ねばならない】

必须…、应该…、要…。

[V-ねばならない]

（1）平和の実現のために努力せねばならない。／要为实现和平而努力。

（2）一致協力して問題解決に当たらねばならない。／必须同心协力努力解决问题。

是"…なければならない"的书面语言。

→【なければ】2

【ねばならぬ】

必须…、应该…、要…。

[V-ねばならぬ]

（1）暴力には力を合わせて立ち向かわねばならぬ。／对付暴力，大家必须齐心合力一起斗争。

（2）自然破壊は防がねばならぬ。／必须防止破坏自然。

是比"…ねばならない"更加文言的表达方式。

→【なければ】2

【の₁】

1 NのN

a NのN＜所属＞　…的…。

（1）これはあなたの財布じゃないですか。／这不是你的钱包吗？

（2）こちらは東京電気の田中さんです。／这位是东京电器的田中先生。

（3）東京のアパートはとても高い。／东京的公寓非常贵。

修饰名词，表示该名词所表示的东

西的所属者或所在地。

b Nの N ＜性质＞ …的…。
（1） 病気の人を見舞う。／探望生病的人。
（2） バラの花を贈る。／送玫瑰花。
（3） 3時の電車に乗る。／乘3点的电车。
（4） カップ1杯の水を加える。／加一杯水。

修饰名词，表示该名词的性质、状态、种类、数量等各种意思。

c Nの N ＜同位语＞（表示同一物或人）
（1） 友人の和男に相談した。／与朋友和男商量了。
（2） 社長の木村さんをご紹介しましょう。／我来介绍一下总经理木村先生。
（3） これは次女の安子でございます。／这是我的二女儿安子。

表示前面的名词和后面的名词是同一物(人)。后面的名词多用人或物的名字等固有名词。

d N（＋助词）のN …的…。
（1） 子供の成長は早い。／孩子的成长很快。
（2） 自転車の修理を頼んだ。／求了人修理自行车。
（3） アメリカからの観光客を案内する。／为从美国来的游客作向导。
（4） 京都までのバスに乗った。／乘上了开往京都的公共汽车。
（5） 田中さんとの旅行は楽しかった。／与田中的旅行很愉快。
（6） 京都での宿泊はホテルより旅館のほうがいい。／在东京的投宿住旅馆比住饭店好。

"子供が成長する"、"自転車を修理する"、"アメリカから観光客が来る"中的"子供"和"成長"、"自転車"和"修理"、"アメリカ"和"観光客"之间的关系是通过用前面的名词修饰后面的名词来表达的。如"子供が成長する"和"自転車を修理する"中的"が"和"を"变成"子供の成長"和"自転車の修理"，不再使用"が"或"を"。"の"还可以接在其他的助词后，如"アメリカからの観光客"、"田中さんとの旅行"。而"に"的后面不能接"の"，要把"に"换成"へ"。

(誤) 母にの手紙
(正) 母への手紙／给妈妈的信。

e Nの…N …的…。
（1） 彼の書いた絵はすばらしい。／他画的画棒极了。
（2） 学生たちの歌う声が聞こえる。／传来了学生们的歌声。
（3） タイプの上手な人を探している。／正在找打字好的人。
（4） 花の咲く頃にまた来てください。／请在花开时节再来。

在"彼が書いた絵"、"タイプが上手な人"这种修饰名词(这里是"画"、"人")的句节里可以用"の"代替"が"。

2 …の
a Nの …的（东西）。
（1） これは私のです。／这是我

的。
(2) 電気製品はこの会社のが使いやすい。／电器产品是这个公司的好用。
(3) この電話は壊れてますので、隣の部屋のをお使い下さい。／这个电话坏了，请用隔壁房间的电话。
(4) ラーメンなら、駅前のそば屋のが安くておいしいよ。／拉面的话，车站前的面馆的又便宜又好吃。
(5) 柄物のハンカチしか置いてないけど、無地のはありませんか。／只有花手绢，有不带花的吗？

表示"…的东西"的意思。

b …の …的…。
[Naなの]
[A／Vの]
(1) これはちょっと小さすぎます。もう少し大きいのはないですか。／这个稍有点儿小，还有再大点儿的吗？
(2) みんなで料理を持ちよってパーティーをしたんだけど、私が作ったのが一番評判よかったんだ。／大家各自带了饭菜来参加晚会，我做的菜得到的评价最高。
(3) これは大きすぎて使いにくい。もっと小さくて便利なのを探さなくてはならない。／这个太大不好用。得找个更小巧方便的。

(4) その牛乳は古いから、さっき買ってきたのを使って下さい。／那牛奶时间长了，用刚买的吧。

接动词或形容词，表示"大的东西"、"我做的东西"等意思。

c Nの…の …的…。
[NのNa なの]
[Nの A／V の]
(1) 戸棚のなるべく頑丈なのを探してきてほしい。／请帮我找一个尽量结实些的柜橱。
(2) ビールの冷えたのはないですか。／啤酒有冰镇的吗？
(3) 袋の中にリンゴの腐ったのが入っていた。／袋子里装的是烂苹果。

用"Nの+修饰语+の"的形式，表示就N所表示的东西而言，特指处于定语所显示的状态下的东西。如例(2)的意思就是"这里要说啤酒，就是指其中冰镇过的啤酒"。

【の₂】

1 …の＜提问＞ …吗。
[N／Naなの]
[A／V の]
(1) A：遊んでばかりいて。試験、本当に大丈夫なの？／老是玩，考试真的没问题了吗？
B：心配するなよ。大丈夫だってば。／别操心啦，我不是说没问题了嘛。
(2) A：明子ちゃんは、なにを

して遊びたいの？／明子，你想玩什么？
B：バトミントン。／羽毛球。
(3) A：スポーツは何が得意なの？／你善长什么体育项目？
B：テニスです。／网球。
(4) 元気ないね。どうしたの？／无精打采的，怎么啦？

用上升的语调表示发问。用于对孩子以及亲密的人说话时。

2 …の＜用轻松的语气表示断定＞ 是…的。
[N／Na なの]
[A／V の]

(1) お母さん、あの子がいじわるするの。／妈妈，那个孩子欺负我。
(2) A：あした映画に行きませんか。／明天去看电影吗？
B：残念だけど、明日はほかに用事があるの。／很遗憾，明天还有别的事。
(3) 彼は私に腹を立てているみたいなの。／他好像是在生我的气。
(4) A：元気ないですね。／怎么无精打彩的？
B：ええ、ちょっと気分が悪いの。／嗯，有点儿不舒服。
(5) A：もう少し早く歩けない？／能再走快点儿吗？
B：ごめんね。ちょっと足が痛いの。／对不起，我的脚有点儿疼。

用下降的语调，用于孩子及妇女以轻松的语气表示断定。

3 …の＜确认＞（向对方表示确认）
(1) A：やあ、明子さん。今日は。／喂，明子，你好。
B：あら和夫さん。来てたの。／哎呀，和夫，你来了。
(2) 春子：正子さん、朝日高校出身なんですって？私もよ。／春子：正子小姐，听说你是朝日高中毕业的，我也是。
正子：へえ、春子さんも朝日高校出身なの。／正子：真的？你也是朝日高中毕业的呀。
(3) A：君の発表すごくおもしろかったよ。／你的发表非常有意思。
B：あれ、君も聞いてくれていたの。／哎呀，你也听了。

用上升或下降的语调，向对方表示确认。

4 …の＜用轻松的语调表示命令＞ 你得…、你要…。
[V-る／V-ない の]
(1) 病気なんだから、大人しく

寝ているの。/你有病了，得乖乖地躺着。
(2) そんなわがままは言わないの。/不许说那种任性的话。
(3) 明日は早いんだから、今晩は早く寝るの。/明天得早起，所以你今晚要早睡！
(4) 男の子はこんなことで泣かないの。/男孩子不能为这点儿事哭鼻子。

用平调或下降的语调，表示女性以轻松的语气对晚辈的命令或禁止。

【の…の】

1 の…のと （说）…啦…啦。
[Nだの Nだのと]
[Na だの Na だのと]
[AのAのと]
[VのVのと]

(1) 量が多すぎるの少なすぎるのと文句ばかり言っている。/他一个劲儿地发牢骚，一会儿说量太多啦，一会儿又说太少啦。
(2) 頭が痛いの気が進まないのと言っては、誘いを断っている。/他说什么头疼啦什么没心思啦，拒绝了邀请。
(3) 形が気に入らないの色が嫌いだのと、気むずかしいことばかり言っている。/说什么不中意样式啦不喜欢颜色啦，净说些难伺候的话。
(4) 私の父は、礼儀が悪いの言葉づかいが悪いのと、口うるさい。/我父亲一会儿说我不懂礼貌啦一会儿又说我措辞不当啦，真烦人。

举出同类的东西，表示说三道四地发牢骚。也有以下的惯用句用法。

(例) なんのか（ん）のと（＝ああだこうだと、いろいろ）文句ばかり言っている。/怨这个怨那个的总是发牢骚。
(例) 四の五の言わずに（＝あれこれ言わずに）ついてこい。/别说三道四的，跟我来吧。

2 …の…ないの
a …の…ないのと …啦，不…啦。
[A-いのA-くないのと]
[V-るのV-ないのと]

(1) 行くの行かないのと言い争っている。/他们争论着是去还是不去。
(2) 結婚したいのしたくないのとわがままを言う。/一会儿说什么想结婚啦一会儿又说不想结婚啦，尽说些任性的话。
(3) 会社を辞めるの辞めないのと悩んでいた。/苦恼辞不辞去公司的工作。
(4) A：あの二人、離婚するんですって？/听说他俩要离婚。
B：ううん。離婚するのしないのと大騒ぎしたけど、結局はうまくおさまったみたいよ。/

嗯。离呀不离的闹得挺厉害的，但最后好像没事了。

举出有对比性的内容，表示怨这个怨那个地发牢骚。

b …の…ないのって 什么…不…、…极了。

[A-いの A-くないのって]
[V-るの V-ないのって]

（1） A：北海道、寒かったでしょ。／北海道很冷了吧。
B：寒いの寒くないのって。耳が凍るんじゃないかと思ったよ。／冷极了，耳朵都要冻掉了。

（2） A：あの治療は痛かったでしょうね。／那种治疗很疼吧。
B：痛いの痛くないのって。思わず大声で叫んじゃったよ。／疼死了，我都忍不住叫了起来。

表示程度极为激烈。"非常…的状态"的意思。后面多述说由此而发生的事情。也说"…のなんのって"。用于通俗的口语。

3 …のなんの

a …のなんのと 说…什么的。

[A／V のなんのと]

（1） 高すぎるのなんのと、文句ばかり言っている。／总是发牢骚说太贵什么的。

（2） やりたくないのなんのとわがままを言い始めた。／说起了不愿意干什么的任性话。

（3） 頭が痛いのなんのと理由をつけては学校を休んでいる。／编个头疼什么的理由不上学。

表示对不愿意的事唠唠叨叨发牢骚的样子。

b …のなんのって 什么…不…、…极了。

[A／V のなんのって]

（1） A：彼女に会って驚いたんじゃない？／你见到她没吓一跳吧。
B：驚いたのなんのって。すっかり変わっちゃってるんだもの。始めは全然違う人かと思ったよ。／吓了我一大跳。她简直是变了一个人。一开始我还以为是另一个人呢。

（2） A：あのホテルは車の音がうるさくありませんでしたか。／那个宾馆汽车的噪音不吵吗？
B：いやあ、うるさいのなんのって、結局一晩中寝られなかった。／哎呀，简直是吵死了，闹得我一个晚上都没睡着。

（3） 喜んだのなんのって、あんなに嬉しそうな顔は見たこ

とがない。／还说什么不高兴呢．从来没见过他那么高兴的样子。

意同2b的"…の…ないのって"。

【のいたり】
→【いたり】

【のか】
[N／Na　なのか]
[A／V　のか]

1 …のか＜判明＞　原来是…。
(1) なんだ、猫だったのか。誰か人がいるのかと思った。／原来是猫啊．我还以为有个什么人呢。
(2) 彼は知っていると思っていたのに。全然知らなかったのか。／我以为他知道呢．原来他根本不知道。
(3) なんだ。まだだれも来ていないのか。ぼくが一番遅いと思ってたのに。／原来一个人都没来呢．我还以为我是来得最晚的呢。

用下降的语调。用略带吃惊的语气述说判明了与自己原来判断是不同的事。

2 …のか＜提问＞　…吗。
(1) 朝の5時？そんなに早く起きるのか。／早晨5点？得起那么早啊？
(2) 君は娘に恋人がいたことも知らなかったのか？／你连你女儿有了恋人都不知道吗？
(3) A：もう帰るのか？／这就回去吗？
　　B：うん。今日は疲れたから。／嗯。今天累了。

用上升语调．表示向对方的发问或确认。

3 …のか＜間接疑問＞　…呢、是…、还是不…。
(1) 何時までに行けばいいのか聞いてみよう。／问一问几点之前去好呢。
(2) 彼はいつも無表情で、何を考えているのかさっぱり分からない。／他总是面无表情，简直不知他在想什么呢。
(3) この書類、どこに送ったらいいのか教えて下さい。／请告诉我把这个文件送到哪儿。
(4) 行くのか行かないのかはっきりして下さい。／请表明态度是去还是不去。
(5) あの人はやる気があるのかないのか、さっぱり分からない。／根本不知他是想干还是不想干。

把"何時までに行けばいいのですが"、"行くのですが、行かないのですが"等疑问表达作为间接疑问表达方式放入句中。

【のきわみ】
→【きわみ】

【のだ】

[N／Na なのだ]
[A／V のだ]

一般作为书面语言使用，口语多用"んだ"。敬体的说法是"のです"，也可用于会话。在随意的会话中如"どうしたの？"可以只用"の"做结句。另外，正规的书面语言可用"のである"。

1 …のだ＜说明＞ （因为）是…。

（1） 道路が渋滞している。きっとこの先で工事をしているのだ。／道路堵塞，一定是前面正在施工。

（2） 彼をすっかり怒らせてしまった。よほど私の言ったことが気にさわったのだろう。／我把他彻底惹火了。是不是我的话严重伤害了他的感情。

（3） 泰子は私のことが嫌いなのだ。だって、このところ私を避けようとしているもの。／泰子一定是讨厌我，因为她最近老躲着我。

用于说明前文所叙述的事情或当时的情况的原因或理由。

2 …のだ＜主张＞ …是…的。

（1） やっぱりこれでよかったのだ。／还是这样为好。

（2） 誰がなんと言おうと私の意見は間違っていないのだ。／不管谁说什么，反正我的意见没有错。

（3） 誰が反対しても僕はやるのだ。／无论谁反对，我都是要干的。

用于说话人为了证实自己说服他人而坚持强硬的主张或表示决心。

3 疑问词…のだ …呢？

（1） 彼は私を避けようとしている。いったい私の何が気に入らないのだ。／他老躲着我，到底是不喜欢我哪儿呢？

（2） こんな馬鹿げたことを言い出したのはだれなのだ。／说出这种蠢话的究竟是谁？

接含有疑问词的句子，用于要求自己或听话人做出某些说明。

4 つまり…のだ 也就是说…。

（1） 防災設備さえ完備していればこのようなことにならなかった。つまりこの災害は天災ではなく人災だったのだ。／如果防火设施完备就不会发生这种事。也就是说这场火灾不是天灾是人祸。

（2） 私が言いたいのは、緊急に対策を打たなければならないということなのだ。／我想说的就是必须紧急采取对策。

（3） 会社の経営は最悪の事態を迎えている。要するに、人員削減はもはや避けられないことなのだ。／公司的经营正面临着最严重的局面。总之，裁减人员已是不可避免的事了。

接"つまり（就是说）"、"私が言いたいのは（我要说的是）"、"要するに（总

之)"等词的后面。用于说话人把刚才说过的话用另一句话重新表达出来。

5 だから…のだ　所以オ…的。

（1）コンセントが抜けている。だからスイッチを入れてもつかなかったのだ。／插销没插着。所以怎么开开关灯也不亮。

（2）エンジンオイルが漏れている。だから変な臭いがしたのだ。／机油泄漏了。所以才有一股怪味儿。

（3）産業廃棄物の不法投棄が後をたたない。そのために我々の生活が脅かされているのだ。／由于非法抛弃工业废料屡屡不断。为此我们的生活正在受到威胁。

接"だから"、"そのために"等词的后面。表示这里所说的事情是根据前文所说的事情得出的结论。

6 …のだから　因为…。

[N／Na　なのだから]
[A／V　のだから]

（1）まだ子供なのだから、わからなくても仕方がないでしょう。／因为还是个孩子，不明白也就算了。

（2）私でもできたのだから、あなたにできないはずがない。／连我都办到了。你不可能办不到。

（3）あした出発するのだから、今日中に準備をしておいた方がいい。／因为明天要出发，所以最好在今天做好准备。

（4）冬の山は危険なのだから、くれぐれも慎重に行動してくださいね。／冬天山上很危险，所以请千万谨慎行动。

接句节后。表示承认这里所说的是事实，并根据其事实的理由·原因引出以后的话。如例(1)首先承认他是个孩子，并以此为根据得出不明白也没办法的结论。如果是"まだ子供だから分からないのだろう"则是推测理由"不明白是因为是孩子的缘故吧"。口语里一般用"…んだから"。

【のだった】

1 V-るのだった＜后悔＞　如果当初…就好了、当初真应该…。

（1）あと10分あれば間に合ったのに。もう少し早く準備しておくのだった。／再有10分钟就赶上了。真应该早点儿做准备。

（2）こんなにつまらない仕事なら、断るのだった。／要知道是这么没意思的工作拒绝了就好了。

（3）試験は悲惨な結果だった。こんなことなら、もっとしっかり勉強しておくのだったと後悔しています。／考试惨败。早知如此，当初应该更加努力地学习。

对没有做的事表示后悔。具有如果做了就好了的心情。口语里一般"…ん

だった。

2 …のだった＜感慨＞ 表示感慨。

[N／Na　なのだった]
[A／V　のだった]

（1）田辺はそれが贈賄であると知りながら、金を渡したのだった。／田辺明知那是行贿，还是递了钱。

（2）この小さな事故が後の大惨事のきっかけとなるのだったが、その時はことの重大さにだれも気付いていなかった。／就是这个小事故酿成了后来的大惨剧，但是，当时谁也没有意识到问题的严重性。

与"のだ(1)"的用法相近。用于对过去的事，怀着某种感慨来述说。多用于小说或随笔等书面语言。

【のだったら】

如果是…的话。

[N／Na　なのだったら]
[A／V　のだったら]

（1）風邪なんだったら、そんな薄着はだめだよ。／如果是感冒了的话，可不能穿那么少。

（2）そんなに嫌いなんだったら、むりに食べなくてもいいよ。／要是那么不喜欢吃的话，就不要勉强吃了。

（3）こんなに寒いんだったら、もう1枚着て来るんだった。／要知道这么冷的话，就再多穿一件衣服来了。

（4）A：そのパーティ、私も行きたいな。／那个晚会，我也真想去啊。
　　B：あなたが行くんだったら私も行こうかな。／如果你去的话，我也去吧。

对刚听到的事或现在的状况，表示"如果是那样"、"如果是那种情况"的意思。口语里多用"んだったら"。

【のだろう】

[N／Na　なのだろう]
[A／V　のだろう]

是"のだ"和"だろう"组合在一起的形式。口语中常用"んだろう"。

1 …のだろう＜推测＞ 是…吧。…んだろう

（1）大川さんはうれしそうだ。何かいいことがあったのだろう。／大川好像很高兴，也许有什么好事了吧。

（2）子供はよく眠っている。今日一日よく遊んだのだろう。／孩子睡得很香，一定是今天玩了一天玩累了。

（3）大きなスーパーマーケットができて一年もしないうちに、前の八百屋は営業をやめてしまった。きっと、お客をみんなとられたのだろう。／大型超级市场建成不到一

年，从前的那个菜店就停止营业了。一定是顾客都被超级市场夺去了。
(4) 実験に失敗したのにこのような興味深い結果が得られたのには、何か別の要因があるのだろう。／虽然试验失败了，却得出了这种意味深长的结果，这其中一定有什么原因吧。
(5) この製品は特別に売れ行きがいい。きっと宣伝が上手なんだろう。／这个产品销路特别好，一定是宣传得好吧。

用下降语调，表示推测。在"だろう"的前面加上"の"表示对理由及原因的推测。用于说话人对情况的判断。

2 …のだろう＜确认＞ 是…吧。
…んだろう

(1) A：10年ぶりの同窓会だね。君も行くんだろう？／是时隔10年才开的同窗会呀。你也去吧？
B：うん、行くつもりだ。／嗯，我准备去。
(2) A：来月ディズニーランドに行くの。／下个月我去迪斯尼乐园。
B：え、また？もう何回も行ったんだろう？／怎么，还去？你不是已经去过好多次了吗？
(3) A：来週は試験だから、週末は忙しいんだろ

う？／下周要考试了，周末该忙了吧。
B：うん。まあね。／嗯。也许吧。
(4) A：新しいコンピュータ買ったんだって？新型は便利なんだろう。／听说你买了新计算机，新型计算机方便吧。
B：ええ。本当に便利ですよ。／是。方便极了。

用上升语调，表示确认。有"の／ん"时表示根据上下文或刚才的情况得到的信息或推测为依据来确认。一般为男性使用的口语。多用"んだろう"的形式。

3 …のだろうか 是…吧。
…んだろうか

(1) 子どもたちが公園にたくさんいる。今日は学校が休みなのだろうか。／公园里孩子真多。今天学校是放假吧。
(2) A：山口さんこの頃元気がないね。／山口最近没精神哪。
B：うん。顔色も悪いし、体の具合でも悪いのだろうか。／是啊。他脸色也不好，是不是身体不好啊。
(3) A：来年は入試だというのに、太郎ったら、全然勉強しようとしないんですよ。／明年就升学考试了，可是太郎这个家伙根本就不想学习。

B：うん。あれでどこかの高校(こうこう)に入(はい)れるんだろうか。心配(しんぱい)だなあ。／是啊．这样下去能上哪个高中呢．真令人担心啊。

（4） A：山下(やました)さん、うれしそうね。／山下好像很高兴啊。

B：ほんとだね。何(なに)かいいことでもあったんだろうか。／可不是嘛。他是不是有了什么好事了吧。

表示说话人怀疑、担心的心情。"のだろうか"用于说话人根据从文中得到的信息或情况做出推测时。

【ので】

因为…。

[N／Na　なので]
[A／V　ので]

（1） 雨(あめ)が降(ふ)りそうなので試合(しあい)は中止(ちゅうし)します。／因为要下雨了．中止比赛。

（2） もう遅(おそ)いのでこれで失礼(しつれい)いたします。／天不早了．我这就告辞了。

（3） 風邪(かぜ)をひいたので会社(かいしゃ)を休(やす)みました。／因为感冒了．没有上班。

（4） 入学式(にゅうがくしき)は10時(じ)からですので、9時頃(ごろ)家(いえ)を出(で)れば間(ま)に合(あ)うと思(おも)います。／因为开学典礼10点开始．所以我想9点来钟出家门就来得及。

（5） A：これからお茶(ちゃ)でもどうですか。／现在去喝茶怎么样？

B：すみません、ちょっと用事(ようじ)がありますので。／对不起．我还有点儿事。

前面的句节说的事为原因或理由．后面句节中所说的是因此而发生的事。用于客观承认前项事与后项事的因果关系。所以一般后项为已经成立或确实要成立的事，不能用于说话人根据自己的判断下命令。

（误） 時間(じかん)がないので急(いそ)げ。
（正） 時間(じかん)がないから急(いそ)げ。／没时间了．赶快！

如例（5）所示常用于阐述拒绝的理由或辩解。在通俗的口语中用"んで"。

【のであった】

表示感慨。

[N／Na　なのであった]
[A／V　のであった]

（1） 彼(かれ)は大学(だいがく)を辞(や)めて故郷(こきょう)に帰(かえ)った。ようやく父(ちち)のあとを受(う)けて家業(かぎょう)を継(つ)ぐ決心(けっしん)がついたのであった。／他大学退了学回到了故乡。终于下定决心继承父业。

（2） ついに両国(りょうこく)に平和(へいわ)が訪(おとず)れたのであった。／两国终于迎来了和平。

是满怀感慨地回顾过去的"のだった"的郑重说法。

【のである】

…是…的(灵活翻译或不译)。

[N／Na　なのである]
[A／V　のである]

（1）解決には時間がかかりそうだ。問題は簡単ではないのである。／要解决问题好像还需要时间，因为问题不那么简单。

（2）結局のところ、政局に大きな変化は期待できないのである。／总之，不能期待政局发生大的变化。

是"のだ"的郑重说法。

→【のだ】

【のです】

[N／Na　なのです]
[A／V　のです]

是"のだ"的敬体的说法。用于礼貌的会话，一般常用"んです"的形式。

1 …のです＜说明＞　（因为)是…。

（1）遅くなってすみません。途中で渋滞に巻き込まれてしまったのです。／我来晚了，真对不起。因为在来的路上遇到了堵车。

（2）電話を使わせていただきたいのですが、よろしいでしょうか。／我想用一下电话，可以吗？

（3）ハヤブサは突然急降下を始めました。獲物を見つけたのです。／游隼突然开始俯冲，是因为它发现了猎物。

→【のだ】1

2 …のです＜主张＞　…是…的。

（1）これからはあなたたちがこの店をまもり発展させて行くのです。／今后要靠你们把本店维护和发展下去。

（2）やはり私の考えは間違っていなかったのです。／我的想法还是没有错。

（3）あなたはことの本質を理解していないのです。／你是还没有理解事情的本质。

（4）だれがなんと言おうと、私は仕事を辞めるのです。／无论谁说什么，我都要辞掉工作。

→【のだ】2

3 …のです＜话题的契机＞（表示新话题的契机或背景）

（1）先週京都へ行ってきたのですが、そこで偶然高橋さんに会いましてね。相変わらず仕事に励んでいるようでした。／上星期我去京都了，在那里偶然碰到了高桥，他好像依然如故在努力地工作。

（2）実は近々結婚するのです。それでご挨拶にうかがいたいのですが、ご都合はいかがでしょうか。／情况是这样的，我最近要结婚，为此想去拜访一下您，您方便吗？

为了营造提出新话题的契机，表示

成为其话题背景的事。

4 …のですか　…呢、…吗。
（1）どうして彼が犯人だとわかったのですか。／你怎么知道了他就是犯人的呢？
（2）田中さんはタフですね。なにかスポーツでもしているのですか。／田中身体真健壮啊。在参加什么体育活动吗？
（3）A：もうお帰りになるのですか。／您这就回去了呀？
　　　B：ええ。ほかに用事もありますので。／是的。我还有点儿其他事。

就当时的情况或刚说过的内容，要求听话人做出某种说明。

5 つまり…のです　即…、也就是…。
（1）締切は今月末、つまりあと5日しかないのです。／截止日期是本月底，也就是说只剩下5天了。
（2）私が言いたいのは、緊急に対策を打たなければならないということなのです。／我想说的就是必须紧急采取对策。

→【のだ】4

6 だから…のだ　所以才…的。
（1）ずいぶん熱が高いですよ。だから頭がいたかったのですね。／烧得相当厉害。所以才头疼的啊。
（2）社長は私を信頼していない。だからこの仕事を任せてもらえなかったのだ。／总经理不信任我。所以才不把这项工作交给我。
（3）ここにすきまがあるようですね。そのために風が吹き込んでくるのですよ。／这儿好像有条缝隙。所以风才吹进来的呀。

→【のだ】5

7 …のですから　因为…。
（1）時間はあるのですから、ゆっくりやって下さい。／还有时间，请慢慢干吧。
（2）ここまで来たのだから、あともう一息です。／已经到了这儿了，只需再加一把劲儿了。

→【のだ】6

【のでは】

如果…的话。

[N／Na　なのでは]
[A／V　のでは]
（1）そんなに臆病なのでは、どこにも行けませんよ。／要是那么胆小的话，哪儿也去不成了。
（2）雨なのではしかたがない。あしたにしよう。／下雨的话那就没办法了。改成明天吧。
（3）こんなに暑いのでは、きょ

うの遠足はたいへんだろうね。/这么热的话，今天的郊游可够呛啊。
(4) こんなにたくさんの人に見られているのでは緊張してしまうでしょう。/让这么多人看着，肯定紧张吧。

　　根据刚听到的事情或情况，表示如果是那样的话，如果是那种情况的话的意思。后面常接"こまる(不好办)"、"たいへんだ(够呛)"等持否定态度的表达方式。口语里多用"なんじゃ"、"んじゃ"的形式。

【のではあるまいか】
　　→【ではあるまいか】

【のではないか】
　　→【ではないか2】

【のではないだろうか】
　　→【ではないだろうか】

【のではなかったか】
[N／Na　なのではなかったか]
[A／V　のではなかったか]
1…のではなかったか＜疑问＞
不是…吗？
(1) 当時の人々は人間が空を飛ぶなどということは考えもしなかったのではなかったか。/当时的人也许连想都没想过人能在天上飞。

(2) 古代人にとってはこれも貴重な食物なのではなかったか。/对于古代人来说这大概也是宝贵的食物了吧？
→【ではなかったか】
2…のではなかったか＜责备＞
不是…了吗。
(1) あなたたちは規律を守ると誓ったのではなかったか。/你们不是发誓要遵守纪律的吗？
(2) これまでは平和に共存してきたのではなかったか。/迄今为止不是和平共处过来了吗？

　　用于表示因为事态与前句所说的事有出入，说话人对听话人的责备或遗憾的心情。

【のではなかろうか】
　　→【ではなかろうか】

【のに1】
[N／Na　なのに]
[A-い／A-かった　のに]
[V-る／V-た　のに]
1…のに＜用于句中＞
　　接句节。用"XのにY"的形式，表示不能得出由X推侧出的结果，而成为与其不同结果的Y。X与Y表示已确定的事实，对Y一般不能用没有确定的事实、疑问、命令、请求、劝诱、意志、期望、推量等表达方式。
(误)　雨が降っているのに出かけなさい。

（误）雨が降っているのに出かけたい。
（误）雨が降っているのに出かけるだろう。

a …のに＜相反的原因＞　虽然…却…、居然…。

（1）5月なのに真夏のように暑い。／才到5月却像盛夏一样炎热。
（2）家が近いのによく遅刻する。／家近却总迟到。
（3）雨が降っているのに出かけていった。／下着雨还是出门了。
（4）真夜中過ぎたのにまだ帰ってこない。／都过了半夜了，还没回来。
（5）今日は日曜日なのに会社に行くんですか。／今天是星期天还去公司上班啊？
（6）5月なのに何でこんなに暑いんだろう。／才5月，怎么就这么热呢。

当"XのにY"的X与Y之间有因果关系时，其因果关系却不能成立的用法。

如例（3）不是通常的"因为下着雨，所以没出门"的因果关系，而是正相反的情况。多伴有说话人对预想外的结果和不同的意外感和怀疑的心情。

例（6）是对预料之外的现状的原因的提问形式，表示意外和怀疑。

例（5）虽然是疑问句，但可以用"のに"。其理由是例（5）要去公司是已经确定的事实，可是对"星期天还去公司上班"感到奇怪，对这种事实用"のですか"的形式提问。

对此如果不用"のだ"，而用以下的疑问句问去不去公司时就显得不自然。

（误）今日は日曜日なのに会社に行きますか。

b …のに＜对比＞　而…、却…。

（1）昨日はいい天気だったのに今日は雨だ。／昨天是个好天，而今天却下起了雨。
（2）あの中国人は日本語はあまり上手でないのに、英語はうまい。／那个中国人日语不太好，但英语很棒。
（3）お兄さんはよく勉強するのに弟は授業をよくサボる。／哥哥很用功，而弟弟却经常逃学。

X与Y不具有因果关系，是表示对比的关系的用法。

如例（2）是把表示对比关系的"日语不好"与"英语棒"放在一起的用法，而不是表示"那个中国人因为日语不好，所以英语才棒"的因果关系。

这时的"のに"可以和"けれども"以及"が"互换，但"けれども"或"が"只是单纯地表示对比关系，而"のに"的X与Y的关系超出通常的预料，使说话人感到"奇怪、反常"。

（例）あの中国人は日本語はあまり上手ではない{けれども／が}、英語はうまい。／那个中国人虽然日语不太好，但英语很棒。

c …のに＜预料之外＞　原以为…却…、原打算…可是…。

（1）合格すると思っていたのに、不合格だった。／原以为能及格，可是却没有及格。

（2）今晩中に電話するつもりだったのに、うっかり忘れてしまった。／原准备今天晚上打电话，可是稀里糊涂地给忘了。

（3）和子さんには来てほしかったのに、来てくれなかった。／非常希望和子能来，可是她却没有来。

（4）せっかくおいでくださったのに、申し訳ございませんでした。／承蒙您特意光临，(我却不在)非常抱歉。

表示预测落空，结果超出预料之外。在例（1）～（3）中 X 用"…と思っていた(原以为…)"、"つもりだった(原打算…)"、"来てほしかった(本来非常希望她来)"等表示预测、意向、希望的词句，Y 表示与此相反的结果。

例（4）的意思是"承蒙您特意光临，(我却不在)非常抱歉"，省略了表示结果的（）中的部分，后面表达的是自己对这种与对方所期待的相反结果的歉意心情。

2 …のに＜用于句尾＞ …却…。

（1）スピードを出すから事故を起こしたんだ。ゆっくり走れと言っておいたのに。／因为速度太快才出了事故，我说过了慢点儿开，你却…。

（2）絶対来るとあんなに固く約束したのに。／说好了一定来的，却（没有来）。

（3）もっと早く出発すればよかったのに。／要是再早点儿出发就好了。

（4）あなたも来ればいいのに。／你也来就好了，可是…。

（5）あと 5 秒早ければ始発電車に間に合ったのに。／要是再早 5 秒钟就赶上头班电车了。

用于句尾，表示因为结果与预想的不同而感到遗憾的心情。用于对说话人以外的行为表示责备或不满以及如例（5）所示用于与事实相反的条件句的句尾。

3 せっかく…のに →【せっかく】5

4 N でも…のに 就连…都…、更何况…。

（1）電気屋でも直せないのに、あなたに直せるはずがないじゃないの。／电器商店都修不了，你不是更修不了吗。

（2）九州でもこんなに寒いのに、まして北海道はどんなに寒いだろう。／连九州都这么冷，北海道该有多冷啊。

（3）こんな簡単な問題は、小学生でも解けるのに、どうして間違えたりしたの？／这么简单的题，连小学生都能解，为什么你却错了呢？

展开自己的论点"如果是 N 的话是理所当然的，但结果却相反(以为电器商店能修，可是却修不了)。N 尚且如此，更何况比其可能性小的你了(你这个外行就更修不了了)"。

【のに₂】

为了…、用于…。

[V-るのに]
（1）この道具はパイプを切るのに使います。／这个工具是用来切管子的。
（2）暖房は冬を快適に過ごすのに不可欠です。／暖气是舒适过冬所不可缺少的。
（3）彼を説得するのには時間が必要です。／说服他需要时间。

接动词的词典形，表示目的。可以和"…するために"互换，但后续词只限于"使う"、"必要だ"、"不可欠だ"等，不如"…するために"随意。

（误）留学するのに英語を習っている。
（正）留学するために英語を習っている。／为了留学正在学英语。

接名词表示同一意思时，变为"Nに"。

（例）辞書は語学の勉強に必要だ。／辞典是外语学习所必须的。

【のは…だ】

[N／Na　なのは…だ]
[A／V　のは…だ]

用"XのはYだ"的形式。在X的部分说听话人已经知道的事情或已经预测到的事情。在Y的部分说听话人不知道的新情况。

1 …のは　Nだ／N+助词+だ　…的是…。
（1）このことを私に教えてくれたのは山田さんです。／告诉我这件事的是山田先生。
（2）彼の言うことを信じているのはあなただけだ。／相信他的话的只有你。
（3）ここに通うようになったのは去年の3月からです。／每天经过这里是从去年3月开始的。

先叙述某件事，然后再表示与此事的成立相关的人或物。"だ／です"的前面用名词或名词+助词，不能用助词"が"和"を"。

（误）このことを私に教えてくれたのは山田さんがです。

2 のは…からだ　之所以…是因为…。
（1）彼女が試験に失敗したのは、体の調子が悪かったからだ。／她考试没考好，是因为身体不舒服。
（2）大阪に行ったのは事故の原因をたしかめたかったからです。／去大阪是因为想查清事故的原因。

先说出某件事，然后再阐述其理由。

3 のは…ためだ　之所以…是因为…。
（1）電車が遅れたのは、踏切事故があったためだ。／电车晚点是因为道口发生了事故。
（2）彼らが国に帰ったのは、子供たちに会うためだ。／他们回国是为了看看孩子们。

先说出某件事，然后再阐述其理由。

4 のは…おかげだ　之所以…多亏了…。
（1）子供が助かったのはあなたのおかげです。／孩子能够得救多亏了您。

（2） この事業が成功したのは、みんなが力を合わせて頑張ったおかげだ。／这项事业能够成功是大家共同努力的结果。

先说出令人满意的事，然后再阐述其理由。

5 のは…せいだ　之所以…是因为…(的缘故)。
（1） 雪崩に巻き込まれたのは、無謀な計画のせいだ。／之所以卷入雪崩是由于计划不周。
（2） 試合に負けたのは私がミスをしたせいだ。／比赛输了是因为我的失误。

先说出令人不满意的事，然后再阐述其理由。

【のみ】

1 Nのみ　只、仅。
（1） 経験のみに頼っていては成功しない。／只依靠经验不会成功。
（2） 金持ちのみが得をする世の中だ。／这个社会是只有有钱人才得益的社会。
（3） 洪水の後に残されたのは、石の土台のみだった。／洪水过后剩下的只有石头基石。

表示只限于此的意思。是用于书面的生硬表达。口语中可以用"だけ"或"ばかり"。

2 V-るのみだ　只有…。
（1） 準備は整った。あとはスイッチをいれるのみだ。／都准备好了。只差开开关就行了。
（2） 早くしなければと焦るのみで、いっこうに仕事がはかどらない。／工作总没有进展，再不快点儿，最后就只有着急了。

表示"只有"的意思。例（1）表示某一动作处于马上就可进行的状态。例（2）表示只进行这种动作。可以和"…するばかりだ"互换。

3 Nあるのみだ　只有…。
（1） こうなったからは前進あるのみだ。／到了这种地步只有向前进了。
（2） 成功するためには、ひたすら努力あるのみです。／要成功，只有不懈地努力。

接"前進"、"努力"、"忍耐"等名词后，表示"应该做的只有这个"的意思。

【のみならず】

1 …のみならず…も　不仅…也…。
[Nのみならずも]
[Naであるのみならずなでも]
[A-いのみならずA-くも]
[VのみならずNもV]
（1） 若い人のみならず老人や子供達にも人気がある。／不仅青年人，也受到老人和孩子们的欢迎。
（2） 戦火で家を焼かれたのみならず、家族も失った。／在战火中不仅房屋被烧毁了，还失去了亲人。

（3） 彼女は聡明であるのみならず容姿端麗でもある。／她不仅聪明，而且容貌端庄秀丽。

用以表示添加"不仅如此…而且…"。是"だけでなく…も"的郑重的书面语言。

2 のみならず　不仅如此。

（1） 彼はその作品によって国内で絶大な人気を得た。のみならず、海外でも広く名前を知られることとなった。／他因那部作品在国内受到极大的欢迎。不仅如此，在海外也名声大噪。

（2） 彼女はありあまる才能を恵まれていた。のみならず彼女は努力家でもあった。／她不仅才华横溢，还非常勤奋。

接前面的句子，表示不仅如此的意思。暗示还有其他类似的东西。是郑重的书面表达方式。

【ば】

[N／Na　なら（ば）]
[A-ければ]
[V-ば]

用言的活用形之一，表示条件。是日语中表示条件的最典型的形式，具有与"たら"、"と"、"なら"进行部分重叠使用的用法。

接名词、ナ形容词时可以省略"ば"，多用"N／Naなら"的形式。其生硬的书面表达方式为"N／Naであれば"。否定式"N／Naでなければ"既可以用于书面语也可以用于口语。イ形容词的"いい"不能变成"いければ"，必须变成"よければ"。

"ば"的用法大多与"たら"相同，但一般书面语用"ば"，口语中用"たら"。在比较随意的口语中，语尾的"子音+ebd"有时可以变为"子音+ya"（例：あれば→ありゃ，行けば→行きゃ，飲めば→飲みゃ，なければ→なけりゃ）。"A-ければ"变为"A-きゃ"（例：なければ→なきゃ）。

1 …ば＜一般条件＞　如果…就…。

[…ば　N／Na　だ]
[…ば　A-い]
[…ば　V-る]

（1） 春が来れば花が咲く。／春天一到，花就开。

（2） 10を2で割れば5になる。／10除以2等于5。

（3） 台風が近づけば気圧が下がる。／台风临近，气压就会降低。

（4） 年をとれば身体が弱くなる。／上了年纪身体就会变弱。

（5） 経済状態が悪化すれば犯罪が増加する。／经济状况恶化，犯罪就会增加。

（6） 人間というものは、余分な金を持ち歩けばつい使いたくなるものだ。／人带着多余的钱出门就总想花掉。

（7） 信じていれば夢はかなうものだ。／只要信，美梦就能成真。

（8） だれでもほめられればうれしい。／无论是谁，受到表扬都高兴。

（9） 風がふけば桶屋がもうかる。／意料之外的结果（期待毫无

指望的事情)。
(10) 終わりよければすべてよし。／结尾好就一切都好。

不是指特定的人或物，而是述说一般事物的条件关系，表示"如果X成立Y就一定会成立"的意思。与特定的时间无关，表示通常成立的规律性、法则性的关系或因果关系，句尾用词典形。不是以个人的经验或个别的一次性事情为题，而是用于"当X成立时，就一定会成为Y"、"一般会成为这样"、"本质上是这样"的场合。

一般不用主语，如用主语则表示对同属某一种类的事物进行论述，如"无论是谁"、"N这种东西"等。再如例(6)、(7)所示在句尾多用表示本来就具有这种性质的意思的"ものだ"。另外如例(9)～(10)常用于谚语或格言。

2 …ば＜反复・习惯＞

表示某个特定的人物或事物反复进行的动作或习惯"每当X成立Y就会成立"、"要做X这件事就必然要做Y"。与1的＜一般条件＞的区别在于＜一般条件＞是述说不特定的主语是超越时光成立的事情，句尾一定要用词典形。而这个用法不只用词典形还可以用夕形。用于述说特定主语的习惯或反复进行的动作。

a …ば…V-る 只要…就…、一…就…。

(1) 祖母は天気がよければ毎朝近所を散歩します。／只要天气好，祖母每天都在附近散步。
(2) 彼は暇さえあればいつもテレビを見ている。／他只要有时间就总是看电视。
(3) 父は私の顔を見れば「勉強しろ」と言う。／爸爸一看到我就说"赶紧用功"。
(4) 愛犬のポチは主人の姿を見ればとんでくる。／爱犬一看到主人的身影就飞跑过来。

句尾用表示动作的动词的词典形，表示特定的主语现在的习惯或反复性的动作。

b …ば…V-た 过去总是…、当时只要…就会…。

(1) 子供のころは、天気がよければ、よく母とこの河原を散歩したものだ。／孩提时代，只要天气好，就经常和妈妈在这个河滩上散步。
(2) 学生のころは暇さえあればお酒を飲んで友達と語り明かしたものだ。／在学生时代只要有时间就和朋友喝酒聊天到天亮。
(3) 父は東京へ行けば必ずお土産を買ってきてくれた。／父亲只要去东京就一定给我买礼物回来。
(4) 20年ほど前には、街から少し離れれば、いくらでも自然が残っていた。／20多年前，离城市不远的一些地方，不管多少总是留有许多大自然的景色。

表示特定的主语过去的习惯或在过去的特定条件下一定会成立的事"过去总是这样"、"只要那样做肯定就会是那种结果"。也可以如例(1)、(2)后接表示回忆的"V-たものだ"。

作为"…ば…V-た"这个句型,有表示与事实相反的4那种＜与事实相反＞的用法,与＜反复·习惯＞的用法的不同点在于后者是在说实际已经成立的事实。

另外,表示述说过去事实的用法在"たら"里也有,与"ば"相比,"たら"一般是表示过去只有一次成立的事情,而"ば"是表示过去反复进行的行为或是在一定的条件下总是成立的事情。

(例1) ビールを2本飲めば酔っぱらいました。／过去只要喝两瓶啤酒就醉。

(例2) ビールを2本飲んだら酔っぱらいました。／喝了两瓶啤酒就醉了。

(例1)表示过去反复发生的事"只要喝两瓶就肯定／总是醉",(例2)表示过去发生的一次事"有一次喝了两瓶就醉了"。

3 …ば＜假定条件＞

表示特定的事物·人物的关系"如果X成立Y就成立"。X表示未实现和已实现的两种情况,Y经常表示未实现的事情。

1的＜一般条件＞是述说事物的一般情况,句尾用结尾的词典形,＜假定条件＞是把＜一般条件＞作为特定的个别性的事情进行预测的用法,句尾可以接"だろう"、"かもしれない"等。

(例) ＜一般条件＞食事を減らせば誰でもやせる。／如果减少食量谁都会瘦。

(例) ＜假定条件＞食事を減らせばあなたもやせるだろう。／如果减少食量你也会瘦吧。

用于Y的可以是未实现的事、意志及命令等"表述·施事"的表达方式。

a …ば＋未实现的事物 如果…的话、假如…的话。

(1) もし私が彼の立場なら、やっぱり同じように考えるだろう。／如果我是他的话,也会同样考虑的。

(2) もし天気が悪ければ、試合は中止になるかもしれない。／如果天气不好的话,比赛可能会中止。

(3) 手術をすれば助かるでしょう。／如果手术的话就能得救吧。

(4) こんなに安ければ、きっとたくさん売れると思う。／这么便宜的话,我想一定会畅销的。

(5) それだけ成績がよければ、どの大学にでも入学できるはずです。／学习成绩这么好,不论哪所大学都会考上的。

(6) ふだん物静かな夫がめずらしく、一時間も説教していた。あれだけ叱られれば、息子も少しは反省するにちがいない。／平时很文静的丈夫,今天居然对儿子教训了一个小时。儿子受到这样的训斥,一定会作出反省的。

对于特定的人物或事物表示"只要X成立Y也当然会成立吧"的意思。Y表示未实现的事情,句尾多用表示推量或预测的表达方式,如"だろう(是…吧)"、"にちがいない(一定是)"、"はずだ(应该是)"、"かもしれない(也许是)"或"思う

(我认为)"等。

例(1)～(3)是假定未成立的X，推测在那种情况下应当成立的Y的用法。例(4)～(6)表示X是已经实现的的事情"如果这种情况成立，Y也当然会成立吧"。

说话人对Y的成立如果有相当的自信时，如下列例句，句尾的谓语用现在式结句。

(7) 応募人数が多ければ抽選になります。／如果报名的人数多就抽签决定。

(8) うっかりミスさえしなければ必ず合格できますよ。／只要不出差错就一定能合格。

(9) 食事の量を減らして運動をすれば、2、3キロぐらいはすぐ減りますよ。／减少食量多运动的话，马上就会减掉2、3公斤。

(10) A：気分が悪くなってきたよ。／感觉有些不舒服了。
B：それだけ飲めば、気分も悪くなるよ。／喝那么多当然不舒服了。

"ば"常用于表示X是使Y能够成立的必要条件。例(8)用"Xさえ…ばY"的形式，表示"为了Y的成立，只要有X就足够了"的意思。例(9)是说怎样做才能取得预期的效果的表达方式。例(10)的意思是"喝那么多酒，不舒服是必然的"。

这些都是表示"只要是X就一定会是Y"的＜一般条件＞，也适用于述说特定的情况。从例(10)来看，把"无论是谁喝多了都会难受"这一般条件针对特定的对方说"你也同样，喝这么多肯定会难受的"。

b …ば＋意志・希望　如果…、假如…。

(1) 安ければ買うつもりです。／如果便宜就打算买。

(2) A：こんどの日曜日、天気がよければハイキングに行こうよ。／这个星期日如果天气好的话，我们去郊游吧。
B：いいね。すこしぐらい天気が悪くても行こうよ。／好啊，即使天气不太好，我们也去吧。

(3) A：なにか飲む？／你喝点儿什么？
B：そうだな、ビールがあれば飲みたいな。／是啊，要是有啤酒的话，倒是想喝点儿。

(4) レポートを提出しなければ、合格点はあげません。／不提交学习报告就不给及格。

(5) 田中さんが行かなければ、私も行かない。／如果田中不去的话，我也不去。

(6) 田中さんが行けば、私も行く。／如果田中去的话，我也去。

(7) 掃除を手伝ってくれればおこづかいをあげる。／你要是帮我扫除，就给你零花钱。

(8) お電話くだされば お迎えに上がります。／您给我打个电话，我就去接您。

(9) もし、今学期中にこの本を

読み終われば、次にこの本を読みます。／如果这个学期能把这本书看完，然后就看这一本。
(10) もし雨が降れば中止しよう。／如果下雨就中止吧。

在"Xば…しよう／したい"的形式中，Y表示意志或期望时，用于X的谓语受到某种条件的制约。作为一般的倾向，X的谓语如果是状态性的表达就不会发生问题。如果接表示动作及变化的动词时句子多会显得不自然。

例(1)～(5)因为用的是イ形容词及"ある"、"V-ない"等状态性的谓语，所以使用"ば"是没有问题的。例(6)～(10)虽然X表示动作·变化，也可以用"ば"。例(6)中的听话人和说话人采取的是同一种动作。例(7)、(8)的意思是"只要你采取X的行动，我就采取Y的行动"，向对方提出交换条件，达成协议。例(9)、(10)表示"不太清楚能不能看完／也许看不完，但如果能看完的话"、"假如下起雨来"的意思，是对X的事情能不能确实成立怀有疑问，考虑到也许不能成立的说法。

例(6)～(10)虽然X表示动作·变化，也可以用"ば"。但如果是有关未来行动的预定，按照时间的顺序来表达动作的经过时，不可以用"ば"。如例(9)的意思如果是看完了这本书后，再看下一本的话，就不能用"ば"，而必须用"たら"。

(误) この本を読めば次にこの本を読みます。
(正) この本を読んだら次にこの本を読みます。／看完了这本书，然后再看这本书。

c …ば＋呼吁·要求 如果…就。
(1) そう思いたければ勝手に思え。／你愿意怎么想就随你想好了。
(2) やりたくなければやるな。／你不愿意干就别干了。
(3) 宿題をすませなければ遊びに行ってはいけない。／你不写完作业就不许去玩。
(4) 飲みたくなければ飲まなくてもいい。／如果你不愿意喝，不喝也可以。
(5) お時間があれば、もう少しゆっくりしていってくださいよ。／如果您有时间就请再多坐一会儿吧。
(6) 明日、天気がよければ海に行きませんか。／明天如果天好的话，去不去海边？
(7) 7時までに仕事が終われば、来てください。／如果7点之前工作能完的话，请来一下。

上述各例为"ば"后续"命令·禁止·许可·劝诱·请求"等要求对方行动的"施事"的句子。句尾表示"呼吁、要求"时，一般X很难使用表示动作·变化的动词。比Y表示"意志·期望"的情况更要受到严格的制约。

"ば"可以后续"V-たい"、"V-ない"、"ある"等状态性的谓语。例(1)～(6)就都是这方面的例子。例(7)是"ば"前可以接表示变化的动词的例子。在变化的动词"終わる"后接表示请求的表达。意思是"也许完不了，假如能够做完的话"，说话人对做完的可能性抱有怀疑及否定的心情。这种情况可以用"ば"。

但一般来说，X表示动作或变化，其动作·变化发生后，在要求进行或禁止后

续的行动或动作时,不能用"ば",而必须用"たら"。

(误) 駅に着けば迎えに来てください。
(正) 駅に着いたら迎えに来てください。/我到车站后请来接我。
(误) お酒を飲めば運転するな。
(正) お酒を飲んだら運転するな/如果喝了酒就不要开车。

d …ば+发问 如果…是不是就…呢。

(1) A: 学生ならば、料金は安くなりますか。/如果是学生的话,费用可以便宜吗?
　　B: 大人料金の2割引になります。/是成人费用的8折。
(2) この病気は手術をすれば治りますか。/这个病动手术能治好吗?
(3) あやまれば許してくれるでしょうか。/如果道歉的话,能原谅我吗?
(4) A: どうすれば機嫌を直してくれるかしら。/怎么才能让他高兴起来呢?
　　B: 何か贈り物をして丁寧にあやまるのが一番ね。/最好是送些礼物再好好地道个歉。
(5) A: どのぐらい入院すればよくなるでしょうか。/得住院多长时间才能好呢?
　　B: 2週間ぐらいですね。/两个星期左右吧。
(6) A: どこに行けばその本を見つけることができるでしょうか。/到哪儿去才能找到那本书呢?
　　B: 神田の古本屋を探せば、一冊ぐらいはあるかもしれませんね。/到神田的旧书店找一找,说不定会有一本。

用"XばYか"的形式,表示提问要求听话人做出回答。例(1)~(3)是要求对方回答"是"或"不是"的疑问句。例(4)~(6)是用"怎么"、"哪里"等疑问句的例子。后者是"ば"常用于通过"どうすればYか"的形式,询问为了取得好结果Y,采取什么样的手段·方法X。相反,如果是问当X成立以后,应当采取什么行动时,用"たら"比较合适,而用"ば"就不合适。

(误) 雨が降ればどうしますか。
(正) 雨が降ったらどうしますか。/如果下起雨来怎么办呢?

e 疑问词+V-ば…のか 怎么才能…呢?

(1) いったいどういうふうに説明すれば分かってもらえるのか。/到底怎么解释才能让你们明白呢?
(2) 何年勉強すればあんなに上手に英語がしゃべれるようになるのだろう。/学几年才能把英语说得那么好呢?
(3) どれだけ待てば、手紙は来るのか。/等多长时间才能来信呢?

(4) 人間、一体何度同じ過ちを繰り返せば、気がすむのであろうか。/人到底要重复多少次同样的错误心情才能安宁呢？

接在"何/どれだけ/どんなに"等疑问词后的动词バ形表示反问。意思是"不论怎么…都不尽人意"，表示对事情的焦躁和绝望的心情。句尾用"のか/のだ/のだろう(か)"等。"V-ば"可以和"V-たら"互换。

4…ば＜与事实相反＞

述说前后与事实相反的事。表示如果事情不是这样的话就应该实现(了)。用于两种情况。一是说已经实现了的事情。二是说根本不可能实现的事。

对好的事情没能实现时。怀有后悔以及遗憾的心情。而当避开了坏的事情以后有松了一口气"没有遇上那件事。太好了"的感觉。

是不是＜与事实相反＞。很多情况下从形式上不容易区别。以下的句型常用于反事实的条件句。这种用法的"ば"可以和"たら"互换。

a…ば …のに/…のだが 如果就好了，但…。

(1) 宿題がなければ夏休みはもっと楽しいのに。(残念なことに宿題がある。)/如果没有作业，暑假会更快乐。(遗憾的是有作业。)
(2) お金があれば買うんだけどなあ。(お金が無いから買えない。)/要是有钱就买了。(因为没有钱买不了。)
(3) お金があれば買えたんだが。(お金がなかったので買えな かった。)/如果有钱的话就买下了。(因为没有钱，所以买不起。)
(4) A：試験うまくいった？/考试考的好吗？
B：うまくいっていれば、こんな不機嫌な顔はしていないさ。(試験に失敗したから、こんな不機嫌な顔をしている)/考的好就不会这么不高兴了。(因为没考好才这么不高兴)

"XばYのに/のだが/のだけれど"形式的反事实条件句。Y的谓语有词典形和夕形两种。例(1)、(2)是前者的例子。是希望与现状不同或是感叹现状的表达方式。例(3)是后者的例子。假定与过去事实不同的事态。如果是那样就会成为不同的结果。例(4)的形式是"V-ていればV-ている"。对已经实现了的事。表示假设如果情况不同，现状就不会是这样了。

在例(1)～(3)中如果句尾用"のに"、"のだが"、"のだけれど"就很清楚是反事实条件句。但也可以如例(4)句尾不用这些词。

b…ば …だろう/…はずだ 如果…就一定会…。

(1) 地震の起こるのがあと1時間遅ければ被害はずっと大きかっただろう。/如果地震再晚一个小时，受灾会大得多。
(2) 気をつけていれば、あんな事故は起きなかったはずだ。

(3) 発見がもう少し遅ければ助からなかったかもしれない。／如果再晚一会儿发现，也许就没救了。
(4) あの時すぐに手術をしていれば、助かったにちがいない。／如果当时马上手术的话，肯定会得救的。
(5) 彼が止めに入らなければ、ひどい喧嘩になっていたと思う。／如果不是他来劝阻，我想会打一场大架的。
(6) あの時、あの飛行機に乗っていれば、私は今ここにいないはずだ。／当时要是坐了那架飞机，我现在就不在这儿了。

推侧如果是另一种情况就必然会发生的事。句尾用"だろう・はずだ・かもしれない・にちがいない・と思う"等表示预测・推侧的表达方式。

例(1)〜(5)接谓语的夕形时，表示过去的事实会不同。例(6)接谓语的词典形时，表示现状会不同。

c …ば…ところだ(った)　差点就…，如果…就…了。

(1) もう少し若ければ、私が自分で行くところだ。／要是再年轻点儿，我就自己去了。
(2) あのとき、あの飛行機に乗っていれば私も事故に巻き込まれていたところだ。／当时要是坐了那班飞机，我也就卷入事故中去了。
(3) 今日の授業は突然休講になったらしい。田中が電話をしてくれなければ、もう少しで学校に行くところだった。／今天好像是突然停课。要不是田中给我打电话，我就差点儿去学校了。
(4) 電車がもう少し早く来ていれば大惨事になるところだった。／要是电车再早一会儿到就会酿成大祸。
(5) 注意していただかなければ忘れていたところでした。／要不是您提醒，我就差点儿忘了。

句尾用"V-るところだった"、"V-ていたところだ"、"V-ていたところだった"等形式。

"…ばV-るところだ"是一种表示假设的说法。假设如果情况与X不同，眼看就要发生而未发生的事情Y。(1)就是这种例子，表示"实际上因为不年轻了，所以去不了，但心情上是想去的"的意思。

"…ばV-ていたところだ"是说过去可能会发生的情况"如果情况不同，就那样做了／就成为那样了"的意思。例(2)就是这方面的例子。

例(3)、(4)的"…ばV-るところだった"表示情况如果不同，本来该发生的事情在发生之前避免了。用于"没有造成坏的结果，太好了"的场合。

例(5)的"忘れていたところだった"也可以说成"忘れているところだった"，但前者表示过去的某个时间里的情况"避免了忘掉"，后者表示现在的情况

"幸而没有忘掉"。
→【ところだ】2

d …ば V-た／V-ていた 如果…就…了。

（1）安ければ買った。／要是便宜就买了。
（2）もっと早く来れば間に合った。／要是再早点儿来就赶上了。
（3）手当てが早ければ、彼は助かっていた。／如果救治早的话，他就得救了。
（4）きちんとした説明があれば、私も反対しなかった。／如果有个像样的说明，我也就不会反对了。

句尾用动词的タ形，表示与事实相反的事情。对于过去了的事情，假设实际没有发生或与实际不同的情况发生了。例（2）表示的意思是"要是再早点儿来赶上了，但实际上因为来晚了没有赶上"。

通常，反事实的条件句，如前面的a～c多在句尾用"のに／のだが／のだけど"或"だろう／かもしれない／はずだ／にちがいない／と思う"、"ところだ（った）"等，但也有如d没有这些词的句型。句尾用タ形结尾的，要注意用"ば"的句子和用"たら"的句子的不同。

（例1）ボタンを押したら爆発した。／按了钮后爆炸了。
（例2）ボタンを押せば爆発した。／如果按钮就会爆炸。

（例1）表示实际发生的事"按了钮，于是就爆炸了"。而（例2）则表示与事实相反的条件句"如果按钮就会爆炸，但实际上因为没有按钮，所以没有爆炸"的意思。

5 …ば＜确定条件＞ …之后，感到…。

（1）彼は変わり者だという評判だったが、会ってみれば、うわさほどのことはなかった。／据说他是个怪人，见面一看，倒不像传说的那样。
（2）言われてみればそれももっともな気がする。／听人一说觉得那也有道理。
（3）始める前は心配だったが、すべてが終わってみれば、それほど大したことではなかったと思う。／开始之前有些担心，一切结束以后，觉得也没什么大不了的事。

用"XばY"的形式用于表示当X成立时对Y有了重新认识的意思。这种用法一般使用"たら"和"と"，而"ば"只限用于诗歌或小说以及较陈旧的文学的表达形式。在口语中一般可用"V-てみれば"的形式，表示了解事实后的理解心情"那也是有道理的"、"那是理所应当的"等意思。

例（1）～（3）可以和"たら"互换，但如果用了"たら"意思就成为"做了某事以后从而发现了什么事"。如例（1）换成"たら"，把句子变为"会ってみたら、うわさほどのことはなかったよ"，就成为"见了面以后才发现和传闻的不同"的意思。这种述说自己的新感受时，一般用"たら"或"と"，而用"ば"则多显得不自然。

（误）昨日、台所で変な音がするので泥棒かと思って行ってみれば、弟がラーメンを作っていた。
（正）昨日、台所で変な音がするので

泥棒かと思って行って{行ってみたら／行ってみると}、弟がラーメンを作っていた。／昨天听到厨房里有奇怪的声音，以为是小偷，过去一看，原来是弟弟在做面条。

(误) 朝起きれば、雨が降っていた。
(正) 朝{起きたら／起きると}、雨が降っていた。／早晨起来一看，下雨了。

如以下的例子，同一人物接前面的动作做后一动作，而且只是一次性的动作时，不能用"ば"和"たら"，只能用"と"。

(误) 次郎は家に{帰れば／帰ったら}、テレビを見た。
(正) 次郎は家にかえると、テレビを見た。／次郎一回到家就看起了电视。

6 …ば…で …呢，又…。
[A-ければ A-いで]
[V-ば V-たで]

(1) 自動車がないとさぞ不便だろうと思っていたが、なければないでやっていけるものだ。／原以为没有汽车一定很不方便，但是没有也能过得去。

(2) 父は暑さに弱い。それでは冬が好きかというとそうではない。寒ければ寒いで文句ばかり言っている。／父亲怕热，那么是不是就喜欢冬天呢？也不是。天冷时又老叨唠嫌冷。

(3) 金などというものは、無ければ困るが、あればあったでやっかいなものだ。／钱这个东西，没有的话着急，有钱吧又有有钱的麻烦。

(4) 子供が小さい間は、病気をしないだろうかちゃんと育つだろうかと心配ばかりしていたが、大きくなれば大きくなったで、受験やら就職やら心配の種はなくならない。／孩子小的时候，总是担心会不会得病啦发育好不好啦，长大了以后又操心升学啦找工作啦，操心的事没完没了。

重复使用同一个动词或形容词。用于提出对照性的事情，表示不论是哪种情况都一样。例(1)的意思是"有车方便，没有也不像想的那么困难"，例(2)是"父亲不论天热天冷都发牢骚"，例(3)是"有钱没钱都麻烦"，例(4)的意思是"孩子小的时候和长大了之后，都让人操心"。例(4)的第二个"大きく"可以省略，说成"大きくなれば なったで"。与"…たら…で"的表达方式相近。

7 …ば＜引言＞

用于后续的发言是在什么样的条件下进行的，提前限定其范围，进行预告或注释。在某种程度上是固定化了的惯用的表达方式。在一般的情况下可以和"たら"互换。

a …ば＋请求・劝诱 如果…的话。

(1) もし、お差し支えなければ、ご住所とお名前をお聞かせください。／如果没有什么不方便，请告诉我您的住址和姓名。

（2） A：今日の説明会はもう終わったんでしょうか。／今天的说明会已经结束了吗？
B：はい、3時に終了いたしました。よろしければ、来週の火曜日にも説明会がございますが。／是的，3点结束的。如果您方便，下星期二还有说明会。

（3） よろしければ、もう一杯いかがですか。／如果行的话，再来一杯怎么样？

用于对听话人进行请求或劝诱和建议时的惯用的表达形式，表示考虑到对方的情况和心情。意思是"如果您方便或愿意的话"，是说话人一种很客气的礼貌的表达形式。表明如果您不方便或是不想那样做的话可以不必答应。

b …ば＜观点＞　要说…。

（1） A：本当に行くのかい。／你真的去吗？
B：うん。でも正直に言えば、本当は行きたくないんだ。／嗯。但是说老实话，其实我是不想去的。

（2） 50年前と比べれば、日本人もずいぶん背が高くなったと言える。／和50年前相比，可以说日本人的个子长高了许多。

（3） 今は円高なので、国内旅行よりも海外旅行の方が安くつくらしい。考えてみればおかしな話だ。／因为现在日元升值，所以去海外旅行比在国内旅行还便宜。想起来是不正常的。

（4） 思えば、事業が成功するまでのこの10年は長い年月だった。／想起来，事业成功前的10年是漫长的岁月。

接"言う"、"思う"、"比べる"等表示发言、思考、比较的动词。对于后续的发言和说明是出于什么样的立场·观点，提前做出预告和说明。

例（1）、（2）可以和"正直に言って／言うと／言ったら"、"比べて／比べると／比べたら"互换。例（3）可以和"考えてみると／みたら"互换。例（4）的意思是"现在想起来"，用于满怀感慨地回顾过去的事情，不能与テ形及"たら"、"と"互换。

在某种程度上固定化的惯用表达方式很多，如"はっきり言えば"、"極端に言えば"、"からみれば"、"からすれば"等。

8 V-ば＜劝诱＞　如果…的话怎么样呢。

（1） ≪服売り場で≫≪在服装柜台≫
A：これなんかどうかなあ。／这个怎么样啊。
B：着てみれば？／穿穿看吧。

（2） A：ゆうべから、すごく頭が痛いんだ。／从昨天晚上就头疼得厉害。
B：そんなに痛いの？会社休めば？／那么疼吗？

就别上班了，怎么样？
（3） A：あ、これ間違ってる。／哎呀，这个错了。
　　　 B：教えてあげれば？／就告诉他吧。

用上升语调发音，用于劝听话人采取某个行动时。如只用"V-ば"结尾，给人的感觉多是对于说话人来说无所谓的很随便的感觉。也可以和"V-たら"、"V-たらどう"互换。用于通俗的口语。

9 …も…ば…も　既…又…、也…也…、又…又…。
（1）彼は心臓が悪いくせに酒も飲めばたばこも吸う。／他心脏不好，还又喝酒又抽烟。
（2）彼は器用な男で料理もできれば裁縫もできる。／他是个心灵手巧的人，既会做饭又会做衣服。
（3）勲章なんかもらっても、うれしくもなければ、名誉とも思わない。／即使得了勋章既没感到高兴也没感到光荣。
（4）動物が好きな人もいれば、嫌いな人もいる。／既有喜欢动物的人，也有讨厌动物的人。
（5）人の一生にはいい時もあれば悪い時もある。／人的一生既有好的时候，也有不好的时候。

例（1）～（3）是把类似的事情并列起来加以强调，例（4）、（5）是把对照性的事情并列起来，表示还有很多情况。这些例句有"酒も飲むしたばこも吸う"，可以和使用"…し"的用法互换。再如"動物の好きな人がいれば嫌いな人もいる"中的第一个"も"可以换成"が"。

10 おもえば　→【おもえば】
11 …かとおもえば　→【かとおもえば】
12 …からいえば　→【からいう】1
13 …からすれば　→【からする】1
14 …からみれば　→【からみる】1
15 さえ…ば　→【さえ】2
16 ってば　用于表示责备、不满、着急的时候
（1）お父さんってば、早く来てよ。／爸呀，快来呀。
（2）絶対に私が正しいんだってば。／绝对我是对的。
→【ってば】
17 …といえば　→【といえば】
18 …とすれば　→【とすれば1】、【とすれば2】
19 …となれば　→【となれば】
20 …ともなれば　→【ともなれば】
21 …ならば　→【なら1】、【なら2】、【なら3】
22 …にいわせれば　→【にいわせれば】
23 …にしてみれば　→【にしてみれば】
24 …ば…ほど　越…越…。
（1）考えれば考えるほど分からなくなる。／越想越不明白。
（2）食べれば食べるほど太る。／越吃越胖。
→【ほど】4 b
25 …も…ば　只要…就…。
（1）その部品なら1000円も出せば買えるよ。／那个零件有1000日元就能买下来。

（2）こんな作業は5分もあれば終わる。／这个工作有5分钟就能做完。
→【も】4d

26…も…あれば…もある →【も】10

【は…で】

而…呢,…、…,而…。

[NはNで]
（1）彼の言うことなど気にせず、君は君で自分が正しいと思ったことをやればいいのだ。／不要介意他的话，你认为自己对的事就去做好了。
（2）姉はオリンピックで金メダルを取り、妹は妹で、初めて書いた小説が芥川賞を受賞した。／姐姐在奥林匹克运动会上夺得了金牌，而妹妹呢也很了不起，第一本小说就得了芥川奖。
（3）タヌキは若い女に化け、キツネはキツネで立派な侍に変わった。／狸变做一个年轻的女人，而狐则变成威武的武士。

用"XはXで"的形式，重复同一名词，用于一面同其它的事物做对比一面就X进行阐述。

【ばあい】

[Nのばあい]
[Na なばあい]
[A／V ばあい]

1 …ばあい 时候、情况、场合。
（1）雨天の場合は順延します。／如果是下雨就顺延。
（2）火事、地震など、非常の場合には、エレベーターを使用せずに階段をご利用下さい。／在发生火灾、地震等非常情况下，请不要使用电梯，要走楼梯。
（3）あの場合にはやむを得なかった。／那种情况下也是不得已。
（4）陸からの救助が困難な場合には、ヘリコプターを利用することになるだろう。／陆上的救助困难的时候，也许会动用直升飞机。
（5）この契約が成立した場合には謝礼をさしあげます。／这个合同签订之时，一定给您酬谢。
（6）万一8時になっても私が戻らない場合には警察に連絡して下さい。／万一到了8点我还没有回来，请和警察联系。

从可能发生的情况中只举出一个做为问题提出来。

例（1）～（6）可以和"…時は（…的时候）"互换。但下列表示根据说话人个人经历的具体的时间关系的句子不能用"場合"。

（正）私が行った時には会議は始まっていた。／我去的时候，会议已经开始了。

(误) 私が行った場合には会議は始まっていた。

2 …ばあいもある 也有…的时候、也有…的情况。
(1) 患者の様態によっては手術できない場合もある。／根据患者的情况，有时候也不能手术。
(2) 商品はたくさん用意しておりますが、品切れになる場合もございます。／我们虽然准备了许多商品，但也会有脱销的时候。
(3) 優秀な学生であっても、希望した学校に入学できない場合もあるし、逆の場合もありうる。／即使是优秀的学生，有时也会考不上自己想上的学校，也会有相反的情况。

用于阐述某种情况有发生的可能。例(1)、(2)多用于下列的句子"在一般的情况下是没有问题的，但也可能有例外，所以事先说一下"。

3 …ばあいをのぞいて 除了…时候、除了…情况。
(1) 緊急の場合を除いて、非常階段を使用しないで下さい。／除了紧急的时候，请不要使用紧急出入楼梯。
(2) 非常時の場合を除いてこの門が閉鎖されることはない。／除了非常的时候，这个门不上锁。
(3) 病気やけがなど特別な場合を除いて、再試験は行わない。／除伤病等特殊情况不再进行补考。

用于举出发生了某特殊情况。阐述在这种情况发生时的例外规定。后多接续"…ないでください(请不要…)"、"…しない(不…)"。例(1)表示"只有在紧急的时候才能使用紧急出口楼梯"的意思。例(3)表示"只有伤病等特殊情况才能参加补考"的意思。有时也说"場合以外は"。

4 V-ているばあいではない 不是…的时候。
(1) 今は泣いている場合じゃないよ。／现在不是哭的时候。
(2) もう議論している場合ではない。行動あるのみだ。／现在不是争论的时候，只有付之行动了。
(3) A：入学試験に落ちたら、学校に行かなくてもすむな。／考不上学就可以不上学了吧。
B：冗談を言っている場合じゃないだろう。少しは勉強したらどうだ。／现在不是开玩笑的时候，再用用功吧。

用于说明现在的状态或对方采取的行动不合适，告诫听话人现在事态紧急。

5 ばあいによっては →【によって】5

【はい】

用于肯定的应答及随声附和等。与"はい"相似的表达方式有"うん"、"ええ"。"うん"只能用于家人及朋友之间或

关系非常亲密的人很随意或对晚辈说话时。在郑重的场合说"はい"或"ええ"。否定时用"いいえ"、"ううん"、"いや"等。

1 はい＜肯定＞ 是、是的。
（1） A：これはあなたの本ですか。／这是你的书吗？
　　　B：はい、そうです。／是，是的。
（2） A：明日、学校へ行きますか。／明天去学校吗？
　　　B：はい、行きます。／是的，明天去学校。
（3） A：おいしいですか。／好吃吗？
　　　B：はい、とてもおいしいです。／好吃，非常好吃。
（4） A：便利ですか。／方便吗？
　　　B：はい、便利です。／是的，方便。
（5） A：国へ帰るんですか。／是回国吗？
　　　B：はい、そうです。／是，是的。

　　在问到说话人的判断是否正确的疑问句中，用于回答对方的判断是正确的。这时如例（1）所示"はい、そうです。"只能用于接名词时使用。
　　接动词、形容词时如例（2）、（3）、（4）重复同一动词、形容词。但如例（5）的问话是"のですか"、"んですか"时也可以说"はい、そうです。"。
（例） A：これは、あなたの车ではありませんね。／这不是你的车吧。
　　　B 1：はい、ちがいます。／对，不是。
　　　B 2：いいえ、わたしのです。／不，是我的车。

　　在以上否定疑问句的例子中对方的判断正确时用"はい"，不正确时用"いいえ"。既如果"这不是你的车"的判断正确的话，用"はい"来回答，回答如B 1"对，不是"或"对，不是我的车"。
　　通过以上例子可以明白，对否定疑问句的回答如果提问者的预想或判断正确就用"はい"，不正确就用"いいえ"，判断的内容本身和是肯定还是否定没有关系。在实际会话当中，对否定疑问句的回答很多时候也不用"はい"、"いいえ"。

2 はい＜答应＞ 好的、好吧。
（1） A：行ってくれますね。／你去吗？
　　　B：はい。／去。
（2） A：いっしょにやりましょう。／一起干吧。
　　　B：はい。／好的。
（3） A：これをあっちに持って行ってください。／请把这个拿到那边儿去。
　　　B：はい、わかりました。／好的，我明白了。
（4） A：いっしょに食事をしませんか。／一起去吃饭好吗？
　　　B 1：はい、行きましょう。／好吧，一起去吧。
　　　B 2：いや、今日はちょっと。／哎呀，今天不行。
（5） 母：早くおふろに入りなさ

い。/母亲：赶快洗澡。
子：はいはい。/孩子：知道了，知道了。
母：「はい」は、一回！/母亲：答应一次"知道了"就行了。

用于答应对方的请求或要求和劝诱时。例(4)虽然形式上是疑问句，但并不是在问是对还是不对，而是表示劝诱，因此在答应时可以用"はい"。谢绝时如果用"いいえ"的话，给人拒绝的感觉太强烈，因此一般避免说"いいえ"。例(5)对于请求或要求说两次"知道了"，好像是很不耐烦的回答，给人一种没有礼貌的印象。

3 はい＜应答＞ 哎，到。
(1) A：山田君。/山田君。
    B：はい。/到。
(2) A：ちょっとおたずねしますが…。/请问…。
    B：はい。/什么事？
(3) A：あのう。/那个…。
    B：はい。/什么事？
(4) A：おーい。ちょっと。/喂，等一等。
    B：はい。/哎（什么事？）。

用于在别人向自己打招呼时或是在点名中被叫到名字时的回答。这时候不用"ええ"。在比较随意的场合下，被叫到的时候也可以用"はあい"或"なに"、"なあに"。

4 はい＜随声附和＞ 噢、是吗、好的。
(1) ≪電話で≫≪电话中的对话≫
    A：来週の旅行のことですが…。/我和你说一下下周旅行的事。

B：はい。/好的。
A：他の方は皆さんいらっしゃることになったんですが。/别人都决定去了。
B：あ、はい。/啊，是吗？
A：ええ、それで、Bさんのご都合はどうかと思いまして…。/所以我想问问B先生你能去吗？
B：すみません。それができねえ。急に用事ができてしまいまして、申し訳ないんですが…。/对不起。我突然有点儿急事，实在对不起。
A：だめですか…。/不能去吗？

"はい"或"ええ"、"うん"多用于随声附和别人的话。这时只是表示理解对方的话，在听对方说话，不是表示同意对方的话。

5 はい＜唤起注意＞ 喂，好。
(1) はい、みなさんこっちを向いて。/好，大家请面向这面。
(2) はい、みなさん出発しますよ。/喂，我们出发啦。
(3) はいどうぞ。/请。
(4) はい、お茶。/请喝茶。
(5) はい、これでございます。/您看这个。

用于引起对方的注意。此时不能用"うん"、"ええ"。

6 はい＜追加承認＞ 是啊、确实是这样。

（1） A：おじいさんは、こちらには長くお住まいですか。／爷爷，您在这儿住了很长时间吗？
B：私ですか。私は、戦前からずっとここに住んでおります。はい。／你说我啊。我从战前就一直住在这儿。就是这样。

（2） 客：どっちが似合うかしら。／顾客：你看我穿哪件合适？
店員：そりゃもう、どちらもお似合いでございます。はい。／售货员：我看您穿哪件都合适。真的。

好像是在确认自己的话似的加在自己所说的话之后。给人的感觉比较陈旧和谦恭。

【ばいい】

[N／Na なら(ば)いい]
[A-ければいい]
[V-ばいい]

是活用语的バ形后续"いい"的惯用的说法。稍郑重的说法是"ばよい"、"ばよろしい"。

→【たらいい】、【といい】

1 V-ばいい＜劝诱＞ …就可以、…就行。

（1） 休みたければ休めばいい。／你要是想休息的话就休息吧。

（2） お金がないのなら、お父さんに借りればいいじゃない。／没有钱的话，就向你父亲借好了。

（3） A：どうすればやせられるでしょうか。／怎么才能瘦呢？
B：食べる量を減らして、たくさん運動すればいいんじゃないですか。／那就要减少食量多运动。

（4） A：何時ごろ行きましょうか。／几点去呢？
B：10時までに来てくれればいい。／10点之前来就行。

是劝诱或提议对方采取某特定行为的表达方式。用于为了取得特定的好结果给对方出主意或提出要求应采取什么样的方法・手段时。与"たらいい"意思相近，一般可以互换。但在"ばいい"的用法里"只要那样做就足够了"的意思较强。根据上下文有时表示对说话人来说是无所谓的事，或是表示说话人认为"连那么简单的事都不懂吗"这样一种满不在乎的态度。在征求意见时，如例（3A）用"どうすればやせられるか"的形式表明目的地提问，或是用"どうすればいいか"的疑问句。

2 …ばいい＜愿望＞ …该多好、但愿…。

（1） この子が男の子ならいいのに。／这孩子要是个男孩子

就好了。
(2) もうすこし暇ならいいのに。／再有些空闲时间就好了。
(3) もう少し給料が高ければいいのだが。／工资要是再高点儿就好了。
(4) もっと家が広ければいいのになあ。／房子要是再宽敞点儿就好了。
(5) 明日、雨が晴れればいいなあ。／明天雨停了就好了。
(6) 父が生きていればなあ。／父亲要是还活着该有多好啊！
(7) 順子さんもパーティに出席してくれればいいなあ。／顺子小姐也能来出席晚会就好了。

表示说话人的愿望。句尾多用"のだが／のに／(のに)なあ"。现状与所希望的情况不同或不能实现时表示"不能那样太遗憾了"的心情。也常用例(6)的形式，省略"いい"，只用"…ばなあ"。一般情况下可以和"たらいい"、"ならいい"互换。

3 …ばよかった　要是…就好了。
(1) 親がもっと金持ちならばよかったのに。／父母要是更有钱就好了。
(2) 体がもっと丈夫ならばよかったのに。／身体再结实些就好了。
(3) もう10センチ背が高ければよかったのに。／个子要是再高10厘米就好了。
(4) あんな映画、見に行かなければよかった。／那种电影不去看就好了。
(5) A：スキー旅行楽しかったよ。君も来ればよかった。／滑雪旅行非常愉快。你也来了就好了。
　　B：僕も行けばよかったと思うよ。残念だった。／我也觉得我要是去了就好了。太遗憾了。

実際没有发生或現状与期待不符时，表示说话人的遗憾心情或对听话人的责备。例(4)用否定形"なければよかった"是对实际已经做了的事感到后悔的说法。句尾除了接"のに"还可以接"のだが／のだけれども"。与"たらよかった"的意思基本相同。虽然也可以用"とよかった"，但常用的是"たらよかった"、"ばよかった"。说自己的行动时一般不用"のに"。

(误) 僕も行けばよかったのに。
(正) 僕も行けばよかったんだが。／我要是也去了就好了。

【はいざしらず】
→【いざしらず】

【はおろか】
不要说…就连…也…。
[Nはおろか]
(1) 私は、海外旅行はおろか国内旅行さえ、ほとんど行ったことがない。／我不要说出国旅行就连国内旅行也几

（2）吉井さんはアレルギーがひどくて、卵はおろかパンも食べられないそうだ。／据说吉井先生过敏症很厉害，不要说鸡蛋，就连面包也不能吃。
（3）この学生には単位は出せません。今学期はレポートはおろか出席さえしていないんです。／不能给这个学生学分。这学期别说交学习报告了，他连课都不上。
（4）発見されたとき、その男の人は住所はおろか名前すら記憶していなかったという。／据说他被发现的时候，不要说是住址就连名字也都不记得了。
（5）もし歩いていてピストルを突きつけられたら絶対に逆らわないでお金を渡しなさい。さもないと金はおろか命までなくすことになるよ。／如果走着路被人用手枪顶住，千万不要反抗，把钱交出去。不然的话，别说钱，就连命都保不住。
（6）戦争も末期になると、青年はおろか妻子ある中年の男まで戦場に送り込まれた。／战争到了后期，不要说青年，就连有妻儿的中年男人也被送上了战场。

如"XはおろかYさえ／も／すら…ない"的形式。"はおろか"多与否定的表达方式一起使用。表示理所当然，不用说了的意思。程度轻的用X表示。用于强调Y。在陈旧生硬的文体中使用。口语中用"…どころか(岂止…、非但…)"。

【ばかり】

1 数量词＋ばかり　左右、上下。

（1）一時間ばかり待ってください。／请等一个小时左右。
（2）三日ばかり会社を休んだ。／有三天左右没去公司上班。
（3）りんごを三つばかりください。／请给我三个苹果。
（4）1000円ばかり貸してくれませんか。／能不能借给我一千日元。
（5）この道を100メートルばかり行くと大きな道路に出ます。／沿着这条路走100米左右就有一条大路。
（6）来るのが少しばかり遅すぎたようだ。／来得好像有点儿太晚了。
（7）ちょっとばかり頭がいいからといってあんなにいばることはないじゃないか。／虽说头脑有点儿小聪明，也用不着那么狂啊。

接表示数量的词后，表示大致的量。例（1）～（5）可以和"ほど"互换。日常会话中常用"ほど"。

在现代语中可以如例（1）、（2）所示用于表示时间的长度，但不能用于时刻·

日期。时刻・日期用"ぐらい"或"ごろ"。
- (误) 3時ばかりに来てください。
- (正) 3時{ぐらい／ごろ}に来てください。／请在3点左右来。
- (误) 10月3日ばかりに来てください。
- (正) 10月3日{ぐらい／ごろ}に来てください。／请在10月3日前后来。

例(3)、(4)与"りんごを三つください"、"1000円貸してください"意思相同。加"ばかり"不把数量说得很明确而使表达更柔和。也可以如例(6)、(7)所示接"すこし"、"わずか"、"少々"等。

2 …ばかり＜限度＞

在口语中也可以用"ばっかり"。

a N (+助词+) ばかり　只、净、光。

- (1) このごろ、夜遅くへんな電話ばかりかかってくる。／最近半夜总是来奇怪的电话。
- (2) うちの子はまんがばかり読んでいる。／我家孩子光看漫画书。
- (3) 彼はいつも文句ばかり言っている。／他总是发牢骚。
- (4) 今日は朝から失敗ばかりしている。／今天从一清早就老是出错儿。
- (5) 6月に入ってから、毎日雨ばかりだ。／进入6月以后，每天总是下雨。
- (6) 子供とばかり遊んでいる。／总是和小孩子玩。
- (7) 父は末っ子にばかり甘い。／父亲总是娇惯最小的孩子。
- (8) この店の材料は厳選されたものばかりで、いずれも最高級品だ。／这个店的材料都是经过严格挑选的最上等的物品。

表示"只有这个没别的"的意思。用于述说"很多同样的东西"、"多次重复同样的事"。

如例(1)～(5)、(8)所示接在名词后的"ばかり"放在助词"が"、"を"的前面，成为"ばかりが"、"ばかりを"。但大多省略"が"、"を"。有其他助词时接"名詞+助詞"后。如例(6)、(7)成为"とばかり"、"にばかり"。不能接在"まで"、"より"的后面。另外也不能接在表示理由的"から"的后面。与"だけ"、"のみ"很相似。但含有"多次重复"、"总是"、"全部"的意思时不能用"だけ"或"のみ"。

- (正) うちの子はいい子ばかりだ。／我们家的孩子都是好孩子。
- (误) うちの子はいい子{だけ／のみ}だ。
- (正) 母は朝から晩まで小言ばかり言っている。／母亲从早到晚总是叨叨唠唠。
- (误) 母は朝から晩まで小言{だけ／のみ}言っている。

b V-てばかりいる　总是…、老是…。

- (1) 彼は寝てばかりいる。／他总是睡觉。
- (2) 遊んでばかりいないで、勉強しなさい。／不要老是玩，用点儿功吧。
- (3) 食べてばかりいると太りますよ。／老吃的话就会发胖哟。
- (4) 母は朝から怒ってばかりいる。／妈妈从一大早就老是

发火。

用于说话人对多次重复的事或总是处于同样状态的事持批判的态度来述说。不能和"だけ"、"のみ"互换。

c …ばかりで　只…、光…、净…。
[Na ばかりで]
[A-いばかりで]
[V-るばかりで]
（1）彼は言うばかりで自分では何もしない。／他只会耍嘴皮子，自己什么也不干。
（2）サウナなんか熱いばかりで、ちっともいいと思わないね。／我觉得桑拿浴就是热，一点都不好。
（3）このごろの野菜はきれいなばかりで味はもうひとつだ。／现在的蔬菜也就是新鲜好看，味道却不行。
（4）忙しいばかりで、ちっとももうからない。／净瞎忙，一点儿都不赚钱。

除了"ばかり"所强调的事，再没有其他的事了。表示说话人对此的负面评价。后半句接否定的表现形式。

d Nばかりは　惟有、只有。
（1）そればかりはお許し下さい。／惟有这一点请您原谅。
（2）命ばかりはお助け下さい。／请救我一命。
（3）今度ばかりは許せない。／这次绝不原谅。
（4）他のことは譲歩してもいいが、この条件ばかりはゆずれない。／其他事可以让步，但只有这个条件不能让。
（5）いつもは厳格な父も、この時ばかりは叱らなかった。／平时很严厉的父亲在这个时候没有发火。

接"これ・それ・あれ"及名词后，强调"其他事暂且不论，惟有这件事"、"至少在这个时候"。是生硬的书面语言。如用于日常语会给人陈旧夸张的感觉。

3 V-たばかりだ　刚…。
（1）さっき着いたばかりです。／刚才刚到的。
（2）このあいだ買ったばかりなのに、テレビが壊れてしまった。／前几天刚买的电视就坏了。
（3）まだ3時になったばかりなのに、表はうす暗くなってきた。／才刚到3点，外面天就黑了。
（4）日本に来たばかりのころは、日本語もよく判らなくて本当に困った。／刚到日本的时候，也不太懂日语，真是太为难了。
（5）山田さんは一昨年結婚したばかりなのに、もう離婚を考えているらしい。／山田前年刚结婚，好像就已经在考虑离婚了。

表示一个动作完成后还没有过去多长时间。即使不是动作刚刚结束，也可以像例（5）那样用于作为说话人的感觉时间并没有多长。

4 V-るばかりだ〈朝着一个方向发

展＞ 越発…、一直…。

(1) 手術が終わってからも、父の病気は悪くなるばかりでした。／动了手术以后，父亲的病情也是越来越糟了。

(2) コンピュータが導入されてからも、仕事は増えるばかりでちっとも楽にならない。／引进计算机以后，工作越增越多，一点儿也没轻松起来。

(3) 英語も数学も学校を出てからは、忘れていくばかりだ。／从学校毕业以后，英语和数学都快忘光了。

表示一直朝着坏的方向发展。也可以说"…する一方だ(越発…、一直…)"。

5 V-るばかりだ＜准备完毕＞ 只等…。

(1) 荷物もみんな用意して、すぐにも出かけるばかりにしてあった。／行李都准备好了，只等马上动身出发了。

(2) 部品も全部そろって後は組み立てるばかりという時になって、説明書がないことに気がついた。／零件也都备齐了，到了该组装的时候才发现没有说明书。

(3) 料理もできた。ビールも冷えている。後は、お客の到着を待つばかりだ。／饭菜已做好，啤酒也冰镇上了。只等客人来了。

(4) 今はただ祈るばかりだ。／现在只有祈祷了。

経常用"V-るばかりにしてある"、"V-るばかりになっている"的形式。例(1)～(3)表示都准备完了，随时可以进入下一个行动的状态。例(4)表示"一切都做好了，就只差…了"的意思。

6 …ばかり＜比喩＞

a …ばかりのN 几乎…、简直…。

[A-いばかりのN]
[V-るばかりのN]

(1) 頂上からの景色は輝くばかりの美しさだった。／从山顶上看到的景色绚丽多姿。

(2) 船はまばゆいばかりの陽の光を浴びながら進んでいった。／船沐浴着耀眼的阳光向前驶去。

(3) 透き通るばかりの肌の白さに目をうばわれた。／透明白皙的皮肤光彩夺目。

(4) 用意された品々は目を見張るばかりの素晴らしさである。／所备的物品件件都令人瞠目结舌。

(5) 雲つくばかりの大男が現れた。／一个顶天立地的巨人出现了。

用比喻表示程度之甚。多是惯用的表达方式。属书面语言，常用于故事中。

b V-んばかり 几乎…、眼看就要…。

(1) デパートはあふれんばかりの買物客でごったがえしていた。／百货商店里挤满了购物的顾客，熙熙攘攘。

(2) 彼のスピーチが終わると、

われんばかりの拍手がわきおこった。／他的演讲一结束，就爆发出雷鸣般的掌声。

（3）山々は赤に黄色に燃えんばかりに輝いている。／群山（被晚霞）染成一片赤橙色。

（4）お姫様の美しさは輝かんばかりでした。／公主美丽超群光彩照人。

（5）泣かんばかりに頼むので、しかたなく引き受けた。／因为他是几乎要哭出来地苦苦央求，所以没办法我只得答应了。

（6）ひさびさの再会を喜んだ祖母は手を引かんばかりにして我々を招きいれた。／奶奶见到了久别的我们，高兴极了，拉着我们的手把我们领进屋里。

（7）彼女は意外だと言わんばかりに不満気な顔をしていた。／她好像很深感意外似地露出不满的神色。

（8）彼はまるで馬鹿だと言わんばかりの目付きで私の方を見た。／他用愤怒的目光瞪着我，差点儿要骂出"混蛋"来。

（9）彼はほとんど返事もせずに、早く帰れと言わんばかりだった。／他不再回答，几乎要喊出"快滚！"。

形式是去掉"V-ない"中的"ない"加"ん"。

例（1）～（3）的意思是"马上就要到…程度"，例（4）是"耀眼的美丽"的意思，用比喻来表示程度之甚。例（5）、（6）表示"几乎马上就要…的样子"、"可以说是正在…的状态"。例（7）～（9）用"…と言わんばかり"的形式，表示虽然实际上没有说出口，但从态度上给人这种感觉。

多与"様子・態度・目付き・口調（样子・态度・眼神・口气）"等词一起使用。

7 …ばかりに

a …ばかりに　就因为…。

［Aばかりに］

［V-たばかりに］

（1）働きがないばかりに、妻に馬鹿にされている。／就因为没有工作才被妻子看不起。

（2）二人は好き合っているのだが、親同士の仲が悪いばかりに、いまだに結婚できずにいる。／两个人虽然相爱，但是就因为两家父母关系不好，所以到现在还没能结婚。

（3）彼の言葉を信じたばかりにひどいめにあった。／就是因为相信了他的话才吃了大苦头。

（4）コンピュータを持っていると言ったばかりに、よけいな仕事まで押しつけられる羽目になってしまった。／只因为说了有计算机，结果就连份外的工作也都推到我这儿来了。

表示就是因为那件事的缘故的意思。后续内容多是处于坏的结果状态或是发生了不好的事情。

bR-たいばかりに　就是因为想…。

ほしいばかりに

（1）彼に会いたいばかりに、こんなに遠くまでやって来た。／就是因为想见他，才跑到这么远的地方来。

（2）嫌われたくないばかりに、心にもないお世辞を言ってしまった。／就是因为不想招人讨厌，所以才说了言不由衷的奉承话。

（3）わずかな金がほしいばかりに、人を殺すなんて、なんて馬鹿げたことだろう。／为了得到一点儿钱就杀人，是多么愚蠢啊。

表示"无论如何想…"或"不想…"的意思。后续为此不辞辛苦或不愿意做也得做等内容。

8　V-てばかりもいられない　也不能总是…。

（1）父が亡くなって一か月が過ぎた。これからの生活を考えると泣いてばかりもいられない。／父亲去世一个月了，考虑到今后的生活也不能总是哭。

（2）このごろ体の調子がどうも良くならない。かといって、休んでばかりもいられない。／最近身体情况总是不太好，但是也不能老休息。

（3）ひとごとだと思って、笑ってばかりもいられない。／不能以为是别人的事就总是嘲笑。

（4）よその国のことだと傍観してばかりもいられない。／不能认为是其他国家的事就袖手旁观。

也可以用"V-てばかりはいられない"的形式。意思为"不能老那么做"。用于说话人对现状感到"不能安心"、"不能大意"。多与表示感情和态度的词如"笑う・泣く・喜ぶ・傍観する・安心する"等一起使用。

9　…とばかりはいえない　不能一概说。

（1）一概にマンガが悪いとばかりは言えない。中にはすばらしいものもある。／不能一概说漫画都不好。里面也有好的。

（2）一流大学を出て、一流企業に勤めているからといって、人間としてりっぱだとばかりはいえない。／不能一概认为毕业于一流大学，在一流企业工作，人品就好。

表示"不能一概认为就是那样，也有不是的时候"、"不能笼统地说"的意思。

10　…とばかりおもっていた　一直以为…。

[N／Na　だとばかりおもっていた]
[A／V　とばかりおもっていた]

（1）河田さんは独身だとばかり思っていたが、もうお子さんが二人もあるそうだ。／我一直以为河田还没有成家，

可是听说他已经有两个孩子了。
(2) 試験は来週だとばかり思っていたら、今週の金曜日だった。／我一直以为是下星期考试，结果是这个星期五。
(3) A：昨日はどうしてパーティーに来なかったんですか。／你昨天为什么没来参加晚会？
　　B：えっ、昨日だったんですか。明日だとばかり思っていました。／什么？是昨天呀，我一直以为是明天呢。

用于说话人"误会了以为是…"，由于某个契机，认识到自己想错了的意思。如果情况明了，后面的部分可以省略。

11 …とばかり（に） 以为…是（机会），认为…。
(1) 相手チームの調子が崩れた。彼らはこのときとばかりに攻め込んだ。／对方队乱了阵脚，他们一看正是机会就攻了上去。
(2) 「えいっ」とばかり切り付けた。／"嘿！"的一声就砍了下来。
(3) 今がチャンスとばかりに攻めかかった。／认为现在正是机会，发动了进攻。

→【とばかり】

【ばかりか】

是书面的生硬表达方式。

1 …ばかりか …も／…まで 不仅…而且…。
[Nばかりか …も／…まで]
[Na なばかりか …も／…まで]
[A／V ばかりか …も／…まで]
(1) 彼女は、現代語ばかりか古典も読める。／她不仅能看现代文章，也能看古典文学。
(2) 会社の同僚ばかりか家族までが私を馬鹿にしている。／不仅公司的同事，就连家里的人也看不起我。
(3) そのニュースが放送されると、日本国内ばかりか遠く海外からも激励の手紙がよせられた。／那条新闻一播出，不仅日本国内，从遥远的海外也寄来了鼓励的信。
(4) 手術をしても歩けるようにはならないかもしれないと言われていたが、手術後の回復はめざましく、歩けるようになったばかりか軽い運動もこなせるようになった。／虽然医生说即使动了手术也不一定能走路，但手术后的恢复非常快，不但可以走路了，还能做些轻微的运动。
(5) 最近では、東京や大阪のような大都市ばかりか、中小都市でも道路の渋滞がひどくなってきているらしい。／最近不但东京、大阪那样的

大城市，好像中小城市的交通堵塞也非常严重。

表示"不仅如此，而且…"的意思。先说程度轻的，然后再说不仅如此，还有程度更高的。

例（1）表示"她不仅看得懂现代文章，还能看得懂更难的古典文学"的意思。例（2）表示"不仅公司里的同事，就连（应该是最信任我的）家里的人也看不起我"的意思。

用"V-ないばかりか"的形式时常用于说不好的事情。

（例）彼は自分の失敗を認めないばかりか、相手が悪いなどと言い出す始末だ。／他不但不承认自己的失败，反而竟说出是对方不好。

（例）親切に忠告してやったのに、彼は、まじめに聞かないばかりかしまいには怒りだした。／我恳切地向他提出了忠告，可是他不但不认真听，到后来还发起火来。

（例）薬を飲んだが、全然きかないばかりか、かえって気分が悪くなってきた。／喝了药后，不仅毫不见效，反而难受起来。

2 そればかりか　不仅如此。

（1）上田さんは英語が話せる。そればかりか韓国語もインドネシア語も話せる。／上田会讲英语。不仅如此，还会讲韩语和印度尼西亚语。

（2）彼はその男に着る物を与えた。そればかりか、いくらかの金まで持たせてやった。／他给那个人衣物。不仅如此，还给了一些钱，让那人带上。

（3）日本の私立高校には、たいてい制服がある。そればかりか靴やカバンまで決まっているという学校が多い。／日本的私立高中一般都有校服。不仅如此，有许多学校就连鞋和书包都是统一的。

用法与1相同。先说程度轻的事，然后再说程度更高的事。

【ばかりでなく…も】

不但…也…。

（1）山田さんは英語ばかりでなく中国語も話せる。／山田不但会讲英语，还会讲汉语。

（2）漢字が書けないばかりでなく、ひらがなも書けない。／不仅不会写汉字，连平假名也写不下来。

（3）佐藤さんがイギリスに行くことは、友人ばかりでなく家族でさえも知らなかった。／佐藤去英国一事，不但朋友不知道，就连家里人也不知道。

（4）このアパートは、暑いばかりでなく音もうるさい。／这个公寓不但热还吵。

用"Xばかりでなく Y も"的形式，表示"X 就不用说了，就连 Y 也…"的意思。除了"も"，还可以用"まで"或"さえ"。口语里常用"だけじゃなくて"。

【ばこそ】

正因为…才…。

[N／Na であればこそ]
[A-ければこそ]
[V-ばこそ]

（1）すぐれた教師であればこそ、学生からあれほど慕われるのです。／正因为是优秀教师,才那么受学生的爱戴。

（2）体が健康であればこそ、つらい仕事もやれるのだ。／正是因为身体健康才能够做繁重的工作。

（3）問題に対する関心が深ければこそ、こんなに長く研究を続けてこられたのだ。／正是因为对问题有很强的兴趣,才能够这么长时间地坚持研究。

（4）あなたを信頼していればこそ、お願いするのですよ。／正因为相信你才求你的。

（5）家族を愛すればこそ、自分が犠牲になることなどはおそれない。／正因为爱家人才不怕自己牺牲。

"ば"后加"こそ"。表示"正是这个理由"的意思,是强调理由的稍陈旧的说法。句尾多用"のだ"。一般可以和表示理由的"から"互换,但如果用"から"就失去了强调理由的意思。

（例）すぐれた教師だから、学生からあれほど慕われるのです。／因为是优秀教师才那么受学生的爱戴。

近似的表达方式有"からこそ(正因为…,所以才…)",但"からこそ"可以用于好的理由也可以用于坏的理由,而"ばこそ"却不太用于说坏的理由。

（误）体が弱ければこそ嫌いなものも無理して食べなければならない。

（正）体が弱いからこそ嫌いなものも無理して食べなければならない。／正因为身体弱,对不爱吃的东西也得勉强吃。

是书面语言。可用于文章或郑重的口语。

→【からこそ】

【はじめ】

1 Nをはじめ（として）…など 以…为首、以及。

（1）日本の伝統芸能としては、歌舞伎をはじめ、能、茶の湯、生け花などが挙げられる。／作为日本的传统技艺,可以列举出歌舞伎及能乐、茶道、花道等。

（2）日本語には外来語が多い。英語をはじめフランス語、ドイツ語、ポルトガル語、オランダ語などさまざまな外国語起源の外来語が使われている。／日语里外来语很多。有英语及法语、德语、葡萄牙语、荷兰语等各种外语起源的外来语。

先举出具有代表性的东西,然后再列举相同的例子。

2 Nをはじめ（として）…まで 从

…到…。
（1）その会議には、歴史学者をはじめ、町の研究家から一般市民にいたるまで、さまざまな人々が参加した。／参加那个会议的有历史学家、乡镇问题研究人员以及一般市民等各界人士。
（2）彼の葬儀には、友人知人を初め、面識のない人までが参列した。／朋友熟人，甚至没见过面的人都参加了他的葬礼。

表示由核心的人或物扩展到很广的范围。

【はじめて】

在…之后才…。
[V-て(みて)はじめて]
（1）病気になってはじめて健康のありがたさがわかる。／得病后才知健康的宝贵。
（2）外国に行って初めて自分の国について何も知らないことに気がついた。／到了外国才感到自己对自己的国家一无所知。
（3）言われてみて初めて、自分がいかに狭量であったかに気がついた。／被人说了以后才发现自己有多么小心眼儿。

表示"发生了某件事才…"的意思。用于述说经历了某件事后对以前没有注意到的事或虽然知道但没认真想过的事有了新的认识。

【はず】

[Nのはず]
[Na なはず]
[A／V はず]

1 …はずだ＜说话人的判断＞ 应该…、按说…该…。
（1）A：山田さんも明日の会議には出席するんですか。／山田也出席明天的会吗？
　　B：いや、今週は東京に行くと言っていたから、明日の会議には来ないはずだよ。／不,因为他说这周去东京,所以明天的会他是不会来啦。
（2）あれから4年たったのだから、今年はあの子も卒業のはずだ。／从那时起已经过了4年了, 今年那孩子应该毕业。
（3）今はにぎやかなこの辺りも、昔は静かだったはずだ。／现在这一带很热闹, 过去是很寂静的。
（4）A：本当にこのボタンを押せばいいのかい？押しても動かないよ。／真的按这个钮就行吗？按了也不动啊。
　　B：説明書によるとそれで

いいはずなんだけど。変だなあ。／按说明书上说的应该这样就可以了。这可怪了。

(5) A：あそこにいるの、下田さんじゃありませんか。／在那儿的那个人不是下田吗？
　　 B：おかしいな。下田さんは昨日ニューヨークに発ったはずだよ。／奇怪呀，下田应该是昨天去纽约了。

(6) A：会議は一時からですか。／会议是一点开始吗？
　　 B：ええ、そのはずです。／是的，应该是。

用于说话人根据某些依据阐明自己认为肯定是那样的。其判断的根据在逻辑上必须是合乎情理的。因此下面的例句就不能使用。

(误) めがねが見つからない。またどこかに置き忘れたはずだ。
(正) めがねが見つからない。またどこかに置き忘れたんだ。／眼镜找不到了，又忘在什么地方了。

例(4)、(5)表示现实与说话人的判断不同时，说话人感到意外·可疑的心情。

对于第三者的预计行为，可以说"彼は来年帰国するはずです。(他应该是明年回国)"，但对于说话人本身的行为，不能用"はず"。要用"つもり(打算)"、"V-ようと思う(我要…)"、"…予定だ(预计…)"。

(误) 私は来年帰国するはずです。
(正) 私は来年帰国する予定です。／我预计明年回国。

虽然是自己本身的行为，但如以下例句，不能由自己的意志决定的事情或与预计的行动不同时，可以使用。

(正) マニュアルを何回も読んだからできるはずなんだけど、どうしてもコンピューターが起動しない。／看了好几遍说明书了，应该是会用了，可是计算机就是不起动。

(正) その旅行には、私も行くはずでしたが、結局行けませんでした。／本来我也是要去那次旅游的，结果没有去成。

2 …はずだ＜理解＞　怪不得…。
[Na なはずだ]
[A／V　はずだ]

(1) この部屋、寒いねえ。(窓が開いているのを見つけて)寒いはずだ。窓が開いているよ。／这个屋子好冷啊。(看到窗户开着)怪不得冷，窗户开着呢。

(2) ≪作品をみながら≫彼が自慢するはずだ。本当にすばらしいできだ。／≪一边看作品≫怪不得他那么张狂，画得也真棒。

(3) さっきから道が妙にすいていると思っていたが、すいているはずだ。今日は日曜日だ。／从刚才就觉得路上车辆特别少，怪不得车少，原来今天是星期天。

表示说话人对原来认为奇怪或不理解的事发现了能够很好说明的事实，可以理解了。

3 V-たはず 的确…、确实…。
(1) おかしなことに、閉めたはずの金庫のカギが開いていた。／真奇怪，本来锁着的保险柜打开了。
(2) A：書類、間違っていたよ。／文件拿错了。
　　B：えっ、よく確かめたはずなんですけど。すみません。／哎？我还仔细查看了呢。对不起。
(3) ちゃんとかばんに入れたはずなのに、家に帰ってみると財布がない。／明明放进书包了，可是回家一看钱包却没有了。

用于说话人认为理所当然的事与现实不符时，表示说话人的后悔、奇怪等心情。

4 …はずがない＜対可能性的否定＞ 不可能…、不会…。
(1) あの温厚な人がそんなひどいことをするはずがない。／那个敦厚的人不会干那种不讲道理的事。
(2) かぎがない？そんなはずはない。さっき机の上に置いたんだから。／钥匙没了？不可能。刚才就放在桌子上了。
(3) これは君の部屋にあったんだよ。君が知らないはずはない。／这个在你的屋子里来着，你不可能不知道。

用"はずがない"、"はずはない"的形式，表示"不会有、不可能、很奇怪"等说话人的强烈疑问。

例(3)表示"说不知道是很奇怪的，肯定是知道的"的意思。

1的用法"…ないはずだ"表示说话人认为"不会…吧"，如例(1)"不会干那种不讲道理的事"，说话人的主张不是很强烈。

5 …はずだった 应该是…(但…)。
(1) 彼も来るはずだったが、急用ができて来られないそうだ。／本来他也是要来的，据说有急事来不了了。
(2) 理論上はうまくいくはずだったが、実際にやってみると、うまくいかなかった。／从理论上行得通，而实际干起来却行不通。
(3) 初めの計画では、道路はもっと北側を通るはずだったのに、いつの間にか変更されてしまった。／在最初的计划里，道路应该铺得再靠北一些，但不知什么时候被变更了。

表示"认为一定会是这样"的意思，而实际上却出现了不同的结果。多含有说话人意外或失望、后悔等心情。经常用"はずだったが／のに／けれど"等逆接的形式。

6 …はずではなかった 本来不该…。
(1) こんなはずではなかった。もっとうまくいくと思っていたのに。／本来不应该是这样的。我原以为会更好呢。
(2) こんなはずじゃなかったの

に。／本来不应该是这样的。
（3）彼が来るはずではなかったのに。／本来不该他来的。

常用"こんなはずではなかった"的形式，表示实际与说话人的预测不同，的失望和后悔的心情。也经常用"…はずではなかったのに"的形式。

【はずみ】

在…时候…、刚一…就…。
[Nのはずみ　で／に]
[V-たはずみ　で／に]

（1）ころんだはずみに足首を捻挫してしまった。／在跌倒的时候扭伤了脚脖子。
（2）衝突のはずみで、乗客は車外に放り出された。／由于撞车的惯性乘客被抛出了车外。
（3）このあいだは、もののはずみで「二度とくるな」などと言ってしまったが、本当にそう思っているわけではない。／前几天我顺口就说出"你不要再来了"的话，其实我并不是那么想的。

表示"趁着某个动作的余势"的意思。用于发生了预想不到的事或没有准备的事的时候。例（3）的"もののはずみで"是惯用句式的表达方式。一般可以和"V-た拍子に"互换。

【はたして】

1 はたして…か　到底…、究竟…。

（1）説明書の通りに組み立ててみたが、はたしてこれでうまく動くものかどうか自信がない。／按照说明书试着组装起来了，可是这样能不能发动我可一点儿信心也没有。
（2）この程度の補償金で、はたして被害者は納得するだろうか。／这么点儿赔偿金，到底受害人能不能接受呢？
（3）この程度の金額で、はたして彼が承知するだろうか。／就这么点儿钱，他真的能答应吗？
（4）はたして、どのチームが優勝するだろうか。／到底哪个队能获胜呢？
（5）機械には特に悪いところがないとすると、はたして何が故障の原因だったのだろうか。／如果机器没有特别不好的地方，那么到底什么是故障的原因呢？
（6）はたして誰の言っていることが真実なのだろうか。／到底谁说的话是真的呢？

表示"真能…吗？"的意思。用"はたして…か"、"はたして…だろうか"、"はたして…かどうか"的形式，表示说话人对"能不能按预想的发展"持怀疑态度。另外，如例（4）～（6）与含有"いつ／どこ／だれ／なに／どう"等疑问词的疑问句一起使用，表示"到底…呢"的意思。是书面的表达形式。

2 はたして…した　果然…。
(1) 彼もやって来るのではないかと思っていたところ、はたして現れた。／我刚想他也许也会来，果真就来了。
(2) はたして彼女は合格した。／果然她及格了。

表示"和预想的一样"、"到底还是…了"的意思。表示说话人所预料的事真的发生了。是书面语言。

3 はたして…としても　纵然是…、即使是…。
(1) はたして彼の言うことが事実であったとしても、彼に責任がないということにはならない。／即使他说的是事实，也不能证明他就没有责任。

表示"即使真是…"、"真是…的话"、"纵然是…"的意思，强调的是假定。此用法是文言的用法，不能用于日常的口语。

【はとわず】

→【をとわず】

【ぱなし】

[R-っぱなし]

1 R-っぱなし＜放任＞　置之不理、放置不管。
(1) ドアを開けっ放しにしないでください。／别大敞着门不关。
(2) しまった。ストーブをつけっぱなしで出てきてしまった。／糟了。没熄灭炉子就出来了。
(3) うちの子ときたら、食べたら食べっぱなし、服は脱いだら脱ぎっぱなしで、家の中がちっとも片づかない。／我们家的孩子，吃完了碗筷一扔，衣服脱了随手一丢，把家里弄得乱七八糟。

表示对本应做的事不去做，而"保持原样"、"还是原来的样子"的意思。与"V-たまま"不同，多含有负面的评价。

2 R-っぱなし＜持续＞　一直、总是。
(1) 新幹線はとても混んでいて、東京から大阪まで立ちっぱなしだった。／新干线非常拥挤，从东京一直站到了大阪。
(2) うちのチームはここの所ずっと負けっぱなしだ。／我们队最近总是输。
(3) 今日は失敗ばかりで、一日中文句の言われっぱなしだった。／今天总是出错，一天老挨埋怨了。

表示相同的事情或相同的状态一直持续着的意思。

【はやいか】

刚…就…。

[V-るがはやいか]
(1) 小学校5年の息子は、ただいまと言うが早いか、もう遊びに行ってしまった。／上小学5年级的儿子刚说了句我

回来了就跑出去玩了。
（2）彼は、そばにあった棒をつかむがはやいか、どろぼうになぐりかかった。／他抓起身旁的棍子就向小偷打去。

表示在一个动作之后紧接着发生了另一件事。意思为"与…几乎同时"、"刚…立刻就…"。

例（1）表示"几乎分不清说我回来了和出去玩哪个发生在前就…"，既"几乎与说我回来了的同时就已经出去玩了"的意思。是书面语言的表达方式。

【はんいで】

在…范围内。
［Nのはんいで］
［NからNのはんいで］
［Vはんいで］

（1）私にわかる範囲でよければお答えしましょう。／如果在我所了解的范围内可以的话，我愿给予回答。
（2）差しつかえない範囲でお答え下さい。／若无妨碍，请在你所知的范围内作出回答。
（3）駅から歩いて10分ぐらいの範囲で、いいアパートはありませんか。／距车站步行10分钟左右的范围内有没有好的公寓？
（4）今日の午後、花火工場で爆発事故がありました。半径5キロから10キロの範囲で、被害があったもようです。／今天下午，花炮厂发生了爆炸事故。好像在半径5公里至10公里的范围内都受到了危害。

表示"某个有限的范围"的意思。

【はんたいに】

1 はんたいに　反、相反。

（1）あの子は、靴を反対にはいている。／那个孩子鞋穿反了。
（2）父は酒が一滴も飲めない。反対に母はとても酒に強い。／父亲滴酒不能沾，相反母亲却酒量非常大。
（3）彼はどろぼうに飛びかかったが、反対にやられてしまった。／他向小偷扑了过去，可是却被小偷打了。
（4）今学期は、いっしょうけんめい勉強したが、成績は反対にさがってしまった。／这学期非常用功，而成绩却下降了。

表示"相反"的意思。可用于如例（1）所示"左右、上下"等两个东西反了的时候，也可用于如例（2）所示述说两个对照性的事物，还可如例（3）、（4）用于成为与一般所认为的相反的结果。

2 …と(は)はんたいに　与…相反。

（1）姉は友だちと騒ぐのが好きだが、私は姉と反対に静かに音楽でも聞いている方が好きだ。／姐姐喜欢和朋友一起闹，我和姐姐相反，喜欢静静地听音乐。

（2） 私の部屋は南むきで陽あたりがいいが、うるさい。それとは反対に妹の部屋は、陽あたりは悪いが静かだ。／我的房间朝南向阳，但很吵。与此相反，妹妹的房间不向阳，但很安静。

（3） 山田さんが晩年いい作品を残したのと反対に、若くして賞をとった石田さんはその後ぱっとしなかった。／山田在晩年留下了许多好的作品，而年纪轻轻就得了奖的石田却在得奖之后，再没有大的作为。

（4） 弟が有名になっていくのとは反対に、兄の人気は衰えてきた。／弟弟名声越来越大，而哥哥却渐渐地不受欢迎了。

表示"与…相反"的意思。如例（1）、（2）、（3）用于比较两个对照性的事物，或如例（4）用于述说反比例变化下去的状态。

【はんめん】

1 …はんめん　另一方面、相反。
［Nであるはんめん］
［Na な／である　はんめん］
［A-いはんめん］
［V-るはんめん］

（1） この薬はよく効く反面、副作用も強い。／这个药很有效，相反副作用也很大。

（2） 化学繊維は丈夫である反面、火に弱いという欠点がある。／化学纤维很结实，相反也有不耐火的缺点。

（3） 自動車は便利な反面、交通事故や大気汚染というマイナスの側面も持っている。／汽车有方便的一面，同时也有引起交通事故，污染空气的不好的一面。

（4） 彼は目上に対して腰が低い反面、目下に対してはいばっている。／他对上司点头哈腰，相反对下属却摆臭架子。

（5） おじはがんこ者である反面、涙もろい性格だ。／叔父是个脾气执拗的人，但性格很脆弱。

表示"与…相反"的意思。表示在同一事物中存在着不同性格的两个方面。

2 そのはんめん（では）　另一方面。

（1） 田中先生はたいへんきびしい方だが、その反面、とてもやさしいところもある。／田中先生是位非常严厉的人，但是另一方面，也有非常慈祥的地方。

（2） 加藤さんは仕事が速いので有名だ。しかし、その反面、ミスも多い。／加藤以工作麻利而闻名。但另一方面，失误也多。

（3） 急激な近代化とそれに伴う経済成長のおかげで、我々の生活は確かに向上した。

だが、その反面では、伝統的な固有の文化が失われるという結果をもたらした。／由于现代化的飞速发展以及随之而来的经济增长，我们的生活水平确实提高了。但是，另一方面所带来的结果是失去了固有的传统文化。

与1的意思相同。如例（1）所示用"…が／けれど，その反面…"的形式，如例（2）、（3）所示用"（しかし／だが）その反面（では）…"的形式。

【ひいては】

进而，甚至。

（1）今回の事件は、一社員の不祥事であるばかりでなく、ひいては会社全体の信用をも失墜させる大きな問題であると言うことができる。／这次事件不仅仅是一个员工做了不体面的事，也可以说是使整个公司丧失了信用的大问题。

（2）無謀な森林の伐採は森に住む小動物の命を奪うだけではなく、ひいては地球的規模の自然破壊につながるものである。／盲目的森林砍伐不仅夺去了住在森林里的小动物的生命，进而关系到全球性的自然破坏。

接前文，表示"那就是原因"、"进而"的意思。例（1）表示"看起来很小的事实际上会成为重大问题的原因"的意思。例（2）表示"一件小事牵扯到更大的问题"的意思。

【ひかえて】

→【にひかえて】

【ひさしぶり】

→【ぶり】2

【ひじょうに】

非常。

（1）今日はひじょうに寒い。／今天非常冷。

（2）非常に結構なお味でした。／味道非常好。

（3）その提案は非常にありがたいのですが、家族ともよく相談しませんと。／您的那个方案非常好。可是我和家人也得商量一下。

是比较生硬的表达方式。表示程度之甚。口语中常用"とても（非常）"、"すごく（很）"。

【ひではない】

无法相比。

[Nのひではない]

（1）アラビア語の難しさは英語などの比ではない。／阿拉伯语的难度是英语所无法相比的。

（2）彼は専門的な教育を受けたことはないが、その博識は並みの学者の比ではない。／他

虽然没有受过专业性的教育，但其广博的学识是一般的学者所无法相比的。

（3）現在でも医学部に入学することは難しい。しかし、当時女性が医者になることの困難さは現代の比ではなかった。／即使是现在进入医学部学习也是很难的。但是，当时妇女当医生的困难程度是现代的医生无法相比的。

表示"不同等，程度高得无法相比"的意思。

【ひとつ】

1 ひとつ…ない

强调"没有"。类似的表达方式有"…も…ない"、"…として…ない"等。有关频率时使用"一度も／一回も／一ぺんも…ない"。

a Nひとつ…ない 连…都没(不)…。

[Nひとつない]
[Nひとつ V-ない]

（1）雲一つない青空。／晴空万里，没有一丝云彩。
（2）しみひとつない美しい肌。／无瑕的美肌。
（3）街は清潔で、ちりひとつ落ちていない。／街道清洁，没有一点尘土。
（4）夜の公園には、猫の仔一匹いなかった。／夜晚的公园连只小猫的影子都没有。
（5）あたりはしーんとして、物音ひとつしない。／四周非常安静，没有一丝声响。
（6）彼の意見に誰一人反対しなかった。／没有一个人反对他的意见。
（7）昨日から何ひとつ食べていない。／从昨天起就什么东西都没吃。

表示"完全没有…"的意思。如例（1）、（2）用"没有一丝云彩／斑点"来强调"天空的蓝"、"肌肤的美"。另外如例（3）～（5）与动词一起使用，表示"完全没有…"的意思。除了"ひとつ"之外，还常用"一匹、一人、一枚"等"一＋数量词"的形式。再如例（6）、（7）用"誰ひとり…ない"、"何ひとつ…ない"的形式，表示"没有任何人"、"没有任何物"的意思。

b ひとつも…ない 根本没(不)…、一点儿都没(也不)…。

[ひとつもない]
[ひとつも A-ない]
[ひとつも V-ない]

（1）知った顔はひとつもない。／没有一个认识的人。
（2）この料理はひとつもうまくない。／这个菜一点儿都不好吃。
（3）彼の作文には、まちがいはひとつもなかった。／他的作文里一处错误也没有。
（4）このごろのファッションなんか、ひとつもいいと思わない。／最近的时装什么的，我一点儿也不觉得好。
（5）あいつは、君の忠告なんかひとつも覚えてやしないよ。／那家伙对你的劝告一点儿

都没放在心上。

是强调"丝毫没有…"、"完全没有…"的说法。

2 もうひとつ／いまひとつ …ない 差一点、不够。
(1) 給料はいいが、仕事の内容がもうひとつ気に入らない。／工资还可以，但对工作的内容不太满意。
(2) 風邪がもうひとつよくならない。／感冒还没有完全好。
(3) 今年のみかんは、甘味がもうひとつ足りない。／今年的桔子不够甜。
(4) 今年のみかんは、甘味がもうひとつだ。／今年的桔子不够甜。

用"もうひとつ…ない"、"今ひとつ…ない"的形式，表示没有达到说话人所期待的程度。意思为"虽不是很坏，但不如意、不满意"。例(1)表示"对内容不太满意"，例(2)的意思为"感冒还没有完全好"，例(3)、(4)的意思为"不够甜"。另外，例(4)的"もうひとつだ"也是同样的意思。

3 Nひとつ…できない 连…都不会、连…都不能。
(1) 近ごろの子供はぞうきんひとつ満足にしぼれない。／现在的孩子连块抹布都拧不好。
(2) 女優のくせに、歌ひとつ歌えない。／还是女演员呢，连个歌都不会唱。
(3) このごろの若いやつは、挨拶ひとつ満足にできない。／现在的年轻人连个招呼都打不好。
(4) 留学してから、もう半年にもなるのに、息子ははがきひとつよこさない。／儿子去留学都半年了，连个明信片也不寄一张来。
(5) ビール一杯飲めないようでは、社会にでてから困るだろう。／要是连杯啤酒都不能喝的话，走上社会以后会作难的。
(6) 当時はたいへん貧しく、子供達に着物一枚新しく買ってやれなかった。／当时非常贫困，给孩子们都买不起件新衣服。

用于强调本来应该做到的很简单的事情却做不到。暗示比这再难的事就更不可能做到了。多含有说话人持不满或批评的态度。

4 ひとつ 一点、稍微。
(1) ひとつよろしくお願いしますよ。／请多关照。
(2) ひとつ頼まれてほしいことがあるんですが。／有点儿事想求您。
(3) ひとつ頼まれてくれないか。／求你点儿事。
(4) ここはひとつやってみるか。／我试一试吧。
(5) ひとつ話にのってみようか。／我也算一份儿吧。
(6) おひとつどうぞ。／请吃一点儿。

(7) ひとついかがですか。／您来一点儿怎么样？

是日常口语的惯用的表达方式。表示"稍微试一下"的意思。用于如例（1）～（3）请求别人做某事时，或如例（4）、（5）尝试着要做某事时。例（6）、（7）用于劝人吃东西时。

【ひとつまちがえば】

差一点儿，弄不好就会…、稍有差错就会…。

（1） 出産というのは大変な仕事で、医学の進んだ現在でもひとつまちがえば命にかかわる。／接生是件非常危险的工作，即使是在医学发达的今天，搞不好也会性命攸关。

（2） 政治家の不用意な発言が続いている。ひとつ間違えば外交問題にも発展しかねない。／政治家总在做出不谨慎的发言。一句话说错了也许就会发展成外交问题。

（3） カーレースは、ひとつまちがえば、大事故につながることもある危険な競技である。／赛车是一种稍不注意就有可能酿成大事故的危险的体育比赛。

（4） ひとつ間違えば大惨事になるところだった。／差一点儿就酿成重大事故。

（5） 乗る予定だった飛行機が墜落した。ひとつ間違えば、私もあの事故で死んでいたと思うとぞっとする。／我原定要乘坐的飞机坠毁了。一想到我也差点儿在那次事故中丧生就不寒而栗。

表示"差一点儿"的意思。

例（1）、（2）、（3）表示差一点儿就有酿成大祸的可能的意思。常用"ひとつまちがえば…こともある／かねない"的形式。

例（4）、（5）是差一点儿就酿成大祸的例子。例（4）的"ひとつ間違えば…ところだった"的形式用于表示"实际上虽然没有成为那样，但差一点儿就危险了"的意思。

【ひととおり】

1 ひととおり　粗略、大概。

（1） 教科書は一通り読んだが、まだ問題集には手を付けていない。／课本粗略地看过了，但还没开始着手做习题。

（2） テニスを始めようと思って、道具は一通り揃えたのだが、忙しくて暇がない。／想开始学打网球，球拍等基本准备齐了，但太忙，没有时间打。

（3） そんなに上手なわけではないが、お茶もお花も一通りは習った。／虽然不是那么太好，但茶道花道都大致学过了。

表示"大致上"、"基本上达到满意的程度"的意思。

2 ひととおりのN　尋常的、一般的。

（1）一通りのことはできるようになった。／一般的事都学会了。

（2）この問題は難しくて一通りの説明ではわからない。／这个问题很难，只靠一般地讲一讲还是搞不明白。

（3）私が合格した時、母は一通りの喜びようではなかった。／我考上的时候，妈妈高兴极了。

（4）みんなが頑張っているのだから、成功しようとすれば、一通りの努力ではだめだ。／大家都在努力，要想成功，一般的努力是不行的。

表示"普通的"、"一般的"的意思。多用"ひととおりのNではない"、"ひとおりのNでは、…ない"的形式。表示"不是一般的程度"、"一般的程度是不行的"的意思。

3 ひととおりではない　非同一般。

（1）成功するまでの彼の努力は、一通りではなかった。／成功之前他所做出的努力非同寻常。

（2）愛用していたワープロが壊れたので、あわてて友だちから借りてきたが、慣れない機械というのは、使いにくいこと一通りではない。／因为常用的文字处理机坏了，急忙向朋友借了一台，没用惯的机器那种不顺手可非同一般。

表示"不是一般的程度"的意思。例（1）表示"不同寻常的努力"，例（2）表示"非常难用"。

【ひとり…だけでなく】

不只是…、不仅仅是…。

[ひとりNだけでなく]

（1）子供のいじめは、ひとり日本だけでなく世界諸国の問題でもある。／孩子中的欺负人的问题，不只是日本，也是世界各国的问题。

（2）この活動は、ひとり本校だけでなく、広く地域に呼びかけて進めたい。／不只在本校，准备向更多的地域发出呼吁推进这项活动。

表示"不仅如此"的意思。是书面语言，用于比较严肃的话题。

更文言的表达还有"ひとり…のみならず"。

【ひとり…のみならず】

不只是…、不仅仅是…。

[ひとりNのみならず]

（1）環境汚染の問題は、ひとり我が国のみならず全世界の問題でもある。／环境污染问题不仅是我国的问题，也是全世界的问题。

（2）このＢＧＯの組織には、ひとりイギリスのみならず、多くの国の人々が参加している。／不只是英国，许多国

家的人参加了这个BGO的组织。

是比"ひとり…だけでなく"更加文言的说法。

→【ひとり…だけでなく】

【ふう】

1 Nふう 样式、风格。

（1） あの寺は中国風だ。／那是一座中国风格的寺庙。

（2） 音楽家だというので、ちょっと変わった人間を想像していたが、やってきたのはサラリーマン風のごく普通の男だった。／因为听说他是音乐家，就想像他也许有点古里古怪的，可是来的却是个工薪族打扮的极普通的人。

（3） 美智子さんは、今風のしゃれた装いでパーティーに現れた。／美智子穿着入时地出现在晚会上。

表示"那种样式"、"那种风格"的意思。修饰名词时用"Nふうの N"的形式。

2 …ふう＜样子＞ 样子。

[Na なふう]

[A-ふう]

[V-ている／V-た ふう]

（1） そんなに嫌がっているふうでもなかった。／他并没有表现出很不愿意的样子。

（2） 男は何気ないふうを装って近づいてきた。／那个男人装做若无其事的样子向我靠了过来。

（3） 久しぶりに会った松井さんは、ずいぶんやつれて、生活にも困っているふうだった。／我见到了久别的松井，他非常憔悴，一副穷困潦倒的样子。

（4） なんにも知らないくせに知ったふうなことを言うな。／什么都不知道，你就别装着说知道了。

表示"那种样子"的意思。

3 …ふう＜方法＞

a こういうふう 这样、这种。

（1） こういうふうにやってごらん。／请你按照这个样子做做看。

（2） あの人も、ああいうふうに遊んでばっかりいると、ろくなことにはならないよ。／他老那么玩，不会有什么好处的。

（3） どういうふうに説明していいのかわからない。／不知道怎样说明才好。

（4） A：きみ、最近太りすぎじゃない？／你最近是不是太胖了。

B：失礼な奴だな。そういうふうに、人の嫌がることをはっきり言うもんじゃないよ。／你这个没礼貌的家伙。你不应该那样直接了当地说出别人不愿意听的话。

（5） そういうふうな言い方は失礼だよ。／那种说法是不礼貌的。

除了"こういう"，还可以用"そういう／ああいう／どういう"等，表示特定的做法、方法。与ナ形容词活用形变化相同。也可以说"こんなふう、そんなふう、あんなふう、どんなふう"。

b …というふうに　像…样地。
（1） 好きな時間に会社へ行き、好きな時間に帰るというふうにはいかないものだろうか。／能不能想什么时候上班就什么时候上班，想什么时候下班就什么时候下班呀？
（2） ひとり帰り、またひとり帰りというふうにして、だんだん客が少なくなってきた。／走了一个，又走了一个，就这样客人渐渐地少了。
（3） 今月は京都、来月は奈良というふうに、毎月どこか近くに旅行することにした。／我准备这个月京都，下个月奈良，每个月到附近一个地方去旅游。

用于对"做法、方法"或"状态"等举例说明。

【ふしがある】

有…之处。
（1） 彼はどうも行くのをいやがっているふしがある。／他好像有点儿不愿意去。
（2） 犯人は、その日被害者が家にいることを知っていたと思われるふしがある。／让人感到犯人似乎知道被害人那天在家。
（3） その男の言動には、どことなくあやしいふしがある。／总觉得那个男人的言行有可疑之处。

表示"有那种样子"的意思。例（1）、（2）用于"虽然不是本人明确地说，但通过言行可以看出"。例（3）用于"有可疑之处"的意思。

【ふそくはない】

没有不满意，满意。
（1） 相手にとって不足はない。／对于对方来说没有什么不满意的。
（2） 給料には不足はないが、仕事の内容がもうひとつ気に入らない。／工资方面还满意，但工作内容不尽如人意。
（3） 彼は大統領として不足のない人物だ。／他作为总统是够格的。

表示"如说话人的期待，没有不满意"的意思。

【ふと】

1 ふと　偶然、突然。
（1） 彼は映画の広告を見つけて、ふと立ち止まった。／他看到了电影广告，突然站住了。

（2）ふと思いついて近所の本屋に寄ってみることにした。／突然想起来，决定到附近的书店顺路去看看。
（3）人は死んでしまうとどうなるのだろうと妙なことをふと考えた。／突然有了一个奇怪的念头，想到人死了以后会怎么样呢？
（4）普段は何とも思わないのだが、何かの拍子に、忙しいだけのこんな生活がふとむなしくなるときがある。／平时倒没觉得什么，偶尔有时突然觉得这种忙忙碌碌的日子挺空虚的。

表示"偶然地"、"意外地"的意思。例（1）表示没有特别的理由或目的，因偶然想到或借某个机会做某事。另外，如例（2）、（3）、（4）与"考える、思う、思い出す(考虑、想、想起)"以及"むなしくなる、さびしくなる(空虚起来、寂寞起来)"等表示心理变化的词句一同使用，表示不知何故，在某个偶然的情况下想起或察觉到。

2 ふとV-ると　无意中…。
（1）ふと見上げると、空にはぽっかり白い雲が浮かんでいた。／无意中抬头一看，天空飘着一朵白云。
（2）ふと見回すと、まわりには誰もいなくなっていた。／无意中环视四周，一个人也没有了。
（3）仕事をしていて、ふと気がつくと外はもう暗くなっていた。／干着干着工作，无意中向外边一看，天已经黑了。

表示"无意中…"的意思。后续无意中发现的事情。

3 ふとしたN　微不足道、小小不言。
（1）長い一生の間には、ふとしたことで、人生が嫌になることがあるものだ。／在漫长的一生中，有时也会因为一点儿小事而厌倦人生。
（2）ふとしたきっかけで、彼とつきあうようになった。／由于偶然的机缘开始和他交往起来。
（3）小さいころ、祖母にはずいぶん可愛がってもらった。今でも、ふとしたひょうしに祖母のことを思い出すことがある。／小的时候祖母非常疼爱我，即使现在，有时还会因为一点儿小事就想起祖母。
（4）赤ん坊は、ふとした病気がもとで死んでしまった。／婴儿因为一点儿小病夭折了。

表示"微不足道的原因、理由、契机"的意思。例（4）表示"本不是要命的大病，却死了"的意思。

【ぶり】

1 …ぶり　样子、状态、情况。
[Nぶり]
[R-ぶり]

(1) 最近の彼女の活躍ぶりは、みんなが知っている。/她最近很活跃，其情况众所周知。
(2) 東京の電車の混雑ぶりは異常だ。/东京的电车的拥挤状况是异乎寻常的。
(3) 間違いを指摘された時の、彼のあわてぶりといったらなかった。/被指出错误的时候，他惊慌的样子就甭说有多狼狈了。
(4) 彼は飲みっぷりがいいね。/他酒喝得真痛快。
(5) 佐藤さんの話しぶりからすると、交渉はあまりうまくいっていないようだ。/从佐藤说话的口气来看，好像谈判进行得不顺利。

接在"活躍ぶり、混雑ぶり、勉強ぶり"等表示动作的名词或动词的连用形后，表示其样子、情景。动词"食べる、飲む"变为"食べっぷり、飲みっぷり"的形式。例(4)表示"看他喝酒的样子很豪爽"的意思。

2 …ぶり　经过…之后又…、时隔…之后又…。

(1) 10数年ぶりに国に帰った。/阔别10数年后，回到了故乡。
(2) 国に帰るのは5年ぶりだ。/阔别5年之后回到祖国。
(3) 父の半年ぶりの帰国に、家族みんなが大喜びでした。/父亲时隔半年回国了，对此全家人高兴极了。
(4) 三日ぶりにふろに入った。/时隔三天才洗了澡。
(5) 遭難者は18時間ぶりに救出された。/时隔18个小时后遇难者被救了出来。
(6) 最近、ずっと忙しかったが、今日はひさしぶりにゆっくりすごした。/最近一直很忙，今天总算轻松了一天。
(7) A：下田さん、お元気ですか。御無沙汰してます。/下田，你好吗？好久不见了。
B：やあ、田中さん。久しぶりですね。/哎呀，是田中啊。好久不见了。

接表示时间长度的词，多用"…ぶりに…した"的形式，用于述说再一次做很长时间没有做的事。可以如例(4)用于很短的时间，但必须的条件是"平时每天都洗澡，因感冒有三天没洗了"，对于说话人来说感到时间很长。"ひさしぶりですね"、"おひさしぶりです"用于问候长时间没见面的对方。

【ぶる】

冒充…、假装…、摆…样子。

[N/Na　ぶる]
(1) 彼は、通ぶってフランスの上等なワインしか飲まない。/他假装行家的样子只喝法国的高级葡萄酒。
(2) 父は学者ぶって解説を始め

た。/父亲摆出学者派头开始讲解。
(3) あの人は上品ぶってはいるが、たいした家柄の出ではない。/他假装文雅, 其实出身门第并非有多高贵。
(4) 彼はもったいぶってなかなか教えてくれない。/他摆架子不肯教给我。
(5) 三年生になった長女は、先輩ぶって一年生の妹にいろいろ教えたりしている。/上三年级的大女儿摆出前辈的架式给上一年级的妹妹讲这讲那。

表示"用好像…的态度"的意思。摆出"好像很了不起"的样子。例(1)~(3)多用于说话人对某人的负面的评价。如"本来不是那样, 却要摆出那种架式"或"本来没什么了不起的, 却要摆出大派头"。例(4)的"もったいぶって"是惯用的表达方式, 表示"装模做样摆架子"的意思。与"なかなか教えない/言わない(不肯教/不肯说)"一起使用。只限用于特定的词汇。

【ぶん】

1 …ぶん 部分、份儿。
[Nのぶん]
[Vぶん]
[表示期间的名词+ぶん]
(1) 甘いものが大好きな弟は、私のぶんのケーキまで食べてしまった。/非常爱吃甜食的弟弟连我的那份蛋糕也给吃了。
(2) 心配しなくていいよ。君のぶんはちゃんと残しておいたから。/别担心, 你那儿已经给你留好了。
(3) 子供に食べさせる分まで奪われてしまった。/连给孩子吃的那份儿食物也被抢走了。
(4) 来月分の食費まで先に使ってしまった。/连下个月的伙食费都提前用掉了。
(5) 部屋を借りるためには、はじめに家賃三ヶ月分のお金が必要です。/要租房需要在一开始先交相当于三个月房租的钱。

表示"分摊的…/分的份儿"、"所需的东西"的意思。例(4)的意思是"连下个月用的伙食费都用掉了"。例(5)的意思是"相当于三个月的金额"。

2 …ぶん(だけ) 按其程度。
[Nのぶん]
[Na なぶん]
[A/V ぶん]
(1) 1年間の休職の分だけ、仕事がたまっていた。/因为休息了一年, 所以工作积压了很多。
(2) 外で元気な分、彼は家ではおとなしい。/在外面活泼, 在家里老实。
(3) 食べれば食べたぶん(だけ)太る。/吃得越多相应就会越胖。

（4） 早く始めれば、その分（だけ）仕事が早く終わる。／早点儿开始工作就可以早点儿结束。

（5） 彼を信頼していたぶん（だけ）裏切られたときのショックも大きかった。／正是因为太相信他，所以被出卖时，受到的打击更大。

表示"根据其程度"的意思。常用例（3）、（4）"…V-ばV-たぶんだけ"、"…V-ば、そのぶんだけ"的形式。表示"那么多的量、与其相应的量"的意思。

例（3）的意思是"吃得越多就会相应地越胖"，例（4）的意思是"早开始就可以早结束"，例（5）的意思是"正是因为太相信他，所以受到的打击更大"。"だけ"可以省略。

3 このぶんでいくと　照这种情况进展的话。
　このぶんでは
（1） 一年かかって、まだ半分も終わっていない。このぶんでいくと完成するには三年ぐらいかかりそうだ。／干了一年还没有完成一半。照这个样子，恐怕要用三年才能完成。

（2） このぶんでは徹夜になりそうだ。／照这样下去，今晚得干个通宵了。

（3） このぶんでいくと、仕事は予定より早く終わりそうだ。／照这样干下去，工作要比计划的提前完成。

表示"如果照这个样子进展的话"、"照这个速度进展的话"的意思。

4 …ぶんには　如果是、只是。
[Na なぶんには]
[A／V　ぶんには]
（1） はたで見ているぶんには楽そうだが、自分でやってみるとどんなに大変かがわかる。／在一边看别人干，好像很轻松，自己一干就知道有多难了。

（2） 私はいかなる宗教も信じない。しかし、他人が信じるぶんには一向にかまわない。／我不信仰任何宗教。但是，如果是别人信我也不反对。

（3） A：申し訳ありません。会議の始まる時間がいつもより少し遅くなりそうですが。／对不起。会议开始的时间要比往常晚一点儿。
　　B：遅くなるぶんには、かまわないよ。／晚点儿倒没关系。

表示"只是…"的意思。例（1）的意思是"如果只是看，自己不干的话，好像很轻松"，例（2）的意思是"自己不信宗教，但别人信也不反对"，例（3）的意思是"早了不好办，晚点儿没关系"。

【べからざる】

不能、不可。
[V-るべからざる]
（1） 川端康成は日本の文学史

上、欠くべからざる作家だ。／川端康成是日本文学史上必不可少的作家。
(2) 大臣の地位を利用して、企業から多額の金を受け取るなどは、政治家として許すべからざる犯罪行為である。／利用大臣的地位，接受企业的巨额赠款，这是作为政治家所不能允许的严重犯罪行为。
(3) いかなる理由があったにせよ、警官が一般市民に暴力を加えるなど、あり得べからざる異常事態だ。／无论有何理由，警官对一般市民施加暴力，是不应该发生的异常事态。

"べからざるN"是"べきではないN"的文言的形式。说明其行为或事态"不正确、不好"，表示"不能…"、"不可…"的意思。

例(1)是说"必不可少的、不应该忘记的人物"，例(2)表示"不可饶恕的严重犯罪行为"，例(3)的意思是"不该发生的事态、不应发生的事态"。

不能用于所有的动词，只能用于如例(1)～(3)里的"欠くべからざる人物"、"許すべからざる行為"、"あり得べからざる事態"等惯用的表达方式。例(3)不能接"得る"，而是接"得"。是生硬的书面语言。

【べからず】

禁止、不得、不可。

[V-るべからず]

(1) 落書きするべからず。／禁止在墙上乱写乱画。
(2) 芝生に入るべからず。／禁止进入草坪。
(3) 犬に小便させるべからず。／禁止让狗在此处便溺。

表示禁止。是"べきはない"的文言的形式。说明其行为"不正确／不理想／不好"，表示"不许…"的意思。

是语感很强烈的表示禁止的说法，多写在招牌或布告上。但在最近开始使用如"芝生に入ってはいけません(不要进入草坪)"、"芝生育成中(草坪生长中)"等语感温和的表达方式。

在招牌或布告上常用的表示禁止的说法还有"…禁止"、"V-ることを禁ず"等，也都是语气相当强烈的表示禁止的说法。是生硬的书面语言。口语里不用。

【べき】

[N／Na であるべき]
[A-くあるべき]
[V-るべき]

文言助动词"べし"的活用形。在现代语中接动词的词典形。接"する"时可以用"するべき"、"すべき"两种形式。

1 …べきだ　应该、应当。

(1) 学生は勉強す(る)べきだ。／学生应该用功学习。
(2) 他人の私生活に干渉す(る)べきではない。／不应干涉他人的私生活。
(3) 近頃は小学生まで塾に通っているそうだが、子供はもっと自由に遊ばせるべきだ。／听说现在连小学生都

在上补习学校，应该让孩子更加自由地玩耍。

(4) 女性は常に化粧をして美しくあるべきだなどという考えには賛成できない。／我不能赞成认为女性应当经常化妆保持美丽的想法。

(5) 地球的規模で自然破壊が進んでいる。人間は自然に対してもっと謙虚であるべきだ。／全球规模的对自然的破坏越来越严重。人类对自然应采取更加谦虚的态度。

(6) 教師：君、成績がよくないね。もっと勉強するべきだね。／老师：你的成绩可不好啊。还应更努力学习。
学生：すみません。／学生：对不起。

(7) A：海外研修に行くかどうか迷っているんだ。／我正在犹豫去不去海外进修呢。
B：そりゃ、行くべきだよ。いいチャンスじゃないか。／那当然应该去了。多好的机会啊！

(8) この仕事はきみがやるべきだ。／这件工作你应该做。

(9) 会社の電話で私用の電話をするべきじゃない。／不应当用公司的电话打私人电话。

表示"那样做是应该的"、"那样做是对的"、"必须…"的意思。否定形是"べきではない"，意思为"那样做不好"、"那样做不对"、"不许…"。

例(1)～(5)是说话人对一般的事情发表意见的例子。用于有关对方的行为时，表示劝告·禁止·命令等。可以用于书面，也可以用于日常会话。

2 …べきだった／ではなかった
当时应该…／当时不应该…。
[V-る／V-ておく　べきだった]

(1) あの時買っておくべきだった。／那时买下来就好了。

(2) あんなひどいことを言うべきではなかった。／当时不该说那种过份的话。

(3) 君はやっぱりあのときに留学しておくべきだったんだよ。／那个时候你还是应该去留学。

对于过去的事情，表示"要是那样做就好了"、"要是不做那种事就好了"的意思。

例(1)的意思是"那时买下来就好了(实际上没有买)"。例(2)的意思是"不说那种过份的话就好了(已经说了过份的话)"。例(3)是"你那时没有去留学，要是去留学就好了"的意思。说话人在述说自己的事时，表示后悔或反省的心情。可以用于书面，也可以用于口语。

3 …べきN　必须…、必然…、应该…。

(1) 外交政策について、議論すべきことは多い。／关于外交政策还有许多应该讨论的事。

(2) エジプトのピラミッドは、永遠に残すべき人類の遺産である。／埃及的金字塔是应该永远保存下去的人类的

遺产。
（3） エイズは恐るべき速さで世界中に広がっている。／艾滋病以惊人的速度向全世界蔓延。
（4） 人は皆死すべき運命を背負っている。／人都是要死的。

表示"必须要做的事"、"必然会发生的事"的意思。

例（1）是"应该讨论的事情"，例（2）是"必须保存下去的人类的遗产"的意思。例（3）、（4）是惯用的表达方式，表示"惊人的速度"、"必然要死的命运"的意思。

是书面的生硬的表达方式。

【べく】

［V-るべく］

文言助动词"べし"的连用形。作为生硬的书面语言也用于现代语中。接动词的词典形。接"する"时可以用"するべく"、"すべく"两种形式，但"すべく"的感觉比较生硬。

1 …べくV-た　为了…、为了能够…。
（1） 大学に進むべく上京した。／为上大学来到了京城。
（2） 速やかに解決すべく努力致します。／为迅速解决问题而努力。
（3） しかるべく処置されたい。／希望得到适当的处置。

表示"为了做…"、"为了能够做…"的意思。例（3）是"请给予适当的处置"的意思。是书面的生硬表达方式。

2 V…べくしてV-た　该…、必然…。
（1） この機械の危険性は以前から何度も指摘されていた。この事故は起こるべくして起こったといえる。／这个机器的危险性以前就被指出过多次。所以这次事故的发生可以说是必然的。
（2） 彼が勝ったのは偶然ではない。練習につぐ練習を重ねて、彼は勝つべくして勝ったのだ。／他取胜不是偶然的，是通过不断的练习才取胜的。

重复同一动词，表示所预料的事实际发生了。例（1）的意思为"担心会发生事故，还真的发生了"。例（2）的意思是"他的取胜不是偶然或好运，而是努力的必然结果"。

是书面的生硬表达方式。

3 …べくもない　无从…、无法…。
（1） 多勢に無勢では勝つべくもない。／众寡悬殊，难以取胜。
（2） 優勝は望むべくもない。／夺冠已没有指望。
（3） 突然の母の死を、遠く海外にいた彼は知るべくもなかった。／对于母亲的突然去世，远在海外的他当然不可能知道。

表示"做不到…"、"不可能…"的意思。是生硬的文言的表达方式。现在不太使用。

【べし】

应该…、必须…、值得…。

［V-るべし］

(1) 学生はすべからく勉強に励むべし。／学生必须努力学习。
(2) 後生おそるべし。／后生可畏。
(3) 今度の試験は、よほど難しかったらしく、クラスで一番良くできる生徒でも60点しかとれなかった。後は推して知るべしだ。／这次的考试好像相当难，就连班里最好的学生才只得了60分，其他的人就可想而知了。

文言的表达方式。在现代语中除了惯用的表达用法以外已几乎不再使用。意思为"作为理所当然应该做的"、"那样做是理所应该的"，表示命令。

例(1)用"すべからく…べし"的形式，表示"作为学生必须要做的事是要用功学习"的意思。

例(2)是"年轻人将来会大有作为，必须爱护"的意思的惯用句。

例(3)的"後は推して知るべしだ"是惯用的表达方式。"一推测就会马上明白"的意思。在这里的意思是"其他的学生不用说成绩更不好"。

【へた】

ナ形容詞。在名词前时用"へたなN"的形式。

1 へた

a へた　不擅长、笨拙、不好。

(1) 字がへたなので、もっぱらワープロを愛用している。／因为字写得不好，所以总爱用文字处理机来打字。

(2) A：日本語がへたで、すみません。／我日语不好，对不起。
　　B：へただなんてとんでもない。とてもじょうずですよ。／怎么能说不好呢。你的日语非常好啊。
(3) 父は、へたなくせにゴルフが好きだ。／父亲高尔夫打得不好却非常喜欢。
(4) へたな言いわけはやめなさい。／不要强词夺理了。
(5) 社長は気むずかしい人だから、へたなことを言って、怒らせないように気をつけたほうがいい。／总经理是个不好伺候的人，还是当心点儿好，别说错话惹他生气。

表示"不擅长、不好"的意思。例(1)～(4)表示"不好、不擅长、技术不高"。例(5)表示"没有经过认真思考就去说去做"。

b Nは…がへただ　…不好、…不行。

[NはNがへただ]
[NはV-るのがへただ]

(1) 私は計算がへただ。／我在计算方面不行。
(2) 私は歌を歌うのが下手だ。／我唱歌唱得不好。
(3) 山下さんはピアノはうまいが、歌は下手だ。／山下钢琴弹得很好，可是唱歌唱得不好。

（4）英語は読む方はなんとかなるが、話すのは下手だ。／英语读还凑和，但说得不好。

（5）A：テニスはやるんだろう？／你打网球吧？
　　B：うん、へただけど。／嗯，但打得不好。

　　表示"做不好"、"不擅长"的意思。类似的表达方式有"…が苦手だ(不擅长…)"。但"苦手だ"含有不太喜欢的意思，而"へただ"不含有此意。

2 へたに　疏忽、大意、不慎重。

（1）このごろの機械は複雑だから、故障しても素人がへたにいじらない方がいい。／因为现在的机器非常复杂，所以发生了故障外行最好不要随便摆弄。

（2）へたに動かすと爆発するかもしれないので、うかつに手がだせない。／摆弄不好会爆炸的，所以不能随便动手。

（3）A：うちの娘が反抗期でね。家族と口もきかないんだ。注意した方がいいのかなあ。／我女儿现在正处于反抗期，和家里的人都不说话。是不是得劝劝她。
　　B：でも、へたに注意するとよけいに反抗するかもしれないよ。／但是，劝不好会更加引起她的反抗。

　　表示"不给予充分的注意或关照"的意思。疏忽、粗心大意。既有如例(1)所示"搞不好的可能性很大，还是不做为好"的用法。也有例(2)、(3)所示"不充分注意或关照的话，可能会发生不好的事，所以要注意"的用法。

3 へたをすると　弄不好、搞不好。

（1）A：試験はどうだった。／考试考得怎么样？
　　B：それが、あまり良くなかったんだ。へたをすると、卒業できないかもしれないなあ。／考得不太好。搞不好也许毕不了业呢。

（2）風邪のようなありふれた病気でもへたをすると命とりになることがある。／即使是感冒那样的常见病，搞不好也会要人命的。

（3）不景気で中小企業の倒産があいついでいる。へたをすると、うちの会社も倒産するかもしれない。／因为不景气中小企业相继倒闭。说不定我们公司也会倒闭。

（4）道を歩いていたら、上から植木鉢が落ちてきた。へたをすると大怪我をするところだった。／走着走着路，从上边掉下来个花盆，差点儿受了重伤。

　　表示"弄不好、说不定"的意思。例(1)～(3)用于有可能成为坏结果时。多表示说话人的担心或不安。例(4)用"へたをすると…V-るとろだった"的形

式。表示"差一点儿就造成坏的结果，但是避免了灾难"的意思。

【べつだん】

1 べつだん…ない　并不特别…、并没有什么…。

（1）べつだん変わったことはない。／没有什么特别的事情。
（2）彼はいつもより口数が少ないようだったが、私はべつだん気にもしなかった。／他好像比平时话少，我也没太在意。

表示"没有特别的…"的意思。是稍有些生硬的书面表达方式。

2 べつだんのN　特别的、特殊的。

（1）別段のご配慮をいただきたく存じます。／希望能得到您的特别关照。
（2）来賓として招かれて、別段の扱いを受けた。／作为被邀请的贵宾，受到了特殊的礼遇。

表示"特别的"、"与往常不同的"的意思。例（1）是非常郑重的生硬的表达方式。

【べつとして】

1 Nはべつとして　另当别论、除了…。

（1）中国語は別として、そのほかのアジアの言語となると学習する人が極端に少なくなる。／中文另当别论，其它亚洲语言，学的人极少。

（2）京都や奈良といった観光地は別として、小さい寺や神社には観光収入はないのが普通だ。／除了京都或奈良那样的旅游城市，一般来说小寺院或神社没有观光收入。
（3）中国での生活が長かった西田さんは別として、うちの会社には他に中国語のできる人はいない。／除了曾经长期在中国生活的西田外，我们公司没有其他人会中文。

表示"…是例外"、"另当别论"的意思。也可以说"べつにして"。

2 …はべつとして　…暂且不论。
[…かどうかはべつとして]
[疑問詞＋かはべつとして]

（1）将来役に立つかどうかは別として、学生時代にいろいろな分野の勉強をしておくことは、けっして無駄ではない。／姑且不论将来是否有用，在学生时代学好许多领域的科目，绝不会白学的。
（2）実現可能かどうかは別として、この計画は一度検討してみる価値はあると思う。／姑且不论是否能实现，我认为这个计划有再研究一遍的价值。
（3）だれが言ったかは別として、今回のような発言がでてくる背景には根深い偏見が存在すると思われる。／是谁

说的暂且不论，总觉得这次的发言的背后存在着根深蒂固的偏见。

表示"关于…的问题暂且不论"的意思。也可以说"べつにして"。

【べつに】

1 べつに…ない　不特别…、不怎么…。

（1）別に変わったことは何もない。／没有什么特殊的事。

（2）会社の宴会など別に行きたくはないが、断わる適当な理由も見つからないので、しかたなく行くことにした。／并不特别想去参加公司的宴会，但是又找不到适当的理由拒绝，没办法只好去了。

（3）今どき洋酒なんか、別に珍しくはないが、海外旅行のおみやげにわざわざ持ってきてくれた彼の気持ちがうれしい。／虽说现在洋酒不是什么稀罕东西，但他去海外旅行时，作为礼品特意为我带回来，这片心意令我非常高兴。

（4）あなたなんかいなくても、別に困らないわ。／即使你不在，我也没什么可为难的。

（5）A：どうかしたの。／怎么了？
　　B：いや、べつに。／不，没什么。

表示"没有特别的…"、"没有值得一提的…"的意思。也可以如例（5）省略"…ない"的部分。

2（…とは）べつに　分开、另。
[Nとはべつに]
[Vのとはべつに]

（1）料金とは別に600円の送料が必要です。／费用外需另付邮资600日元。

（2）サービス料は別にいただきます。／服务费另收。

（3）みんなに配ったのとは別に、君には特別なプレゼントを用意しておいた。／和分给大家的不同，给你准备了特别的礼物。

（4）昨日来たのとは別に、もうひとつ小包が来ています。／和昨天寄来的不同，今天又寄来了一个包裹。

（5）映画館はすごく込んでいたので、友だちとは別に座ることにした。／电影院里特别拥挤，就和朋友分开坐了。

（6）彼女は旅館に泊まった私達とは別にとなりの町のホテルに泊まった。／她没有住我们下榻的旅馆，住在了旁边小镇的饭店里。

例（1）～（4）表示"…以外"、"除了…"的意思。例（5）、（6）表示"与…分开"、"与…不同"的意思。

3 Nべつに　按…。

（1）クラス別に写真を撮った。／按班照了像。

(2) 小学校や中学校では男女別に名簿をつくるのをやめようという動きがある。／有这样的动向，在中小学不按性别编制花名册。
(3) アンケートの結果を、年齢別に集計した。／把问卷调查的结果按年龄汇总。
(4) 調査の結果を国別に見ていくと、中国をはじめとしたアジアの国々の経済成長が著しいことがわかる。／调查的结果从国别来看，可以看出以中国为代表的亚洲各国的经济增长是显著的。

表示"每…"、"以…为基准"的意思。

【べつにして】
→【べつとして】

【ぽい】
好…、容易…。
(1) 気が短くて怒りっぽい。／性子急，爱发火。
(2) 将来の計画について熱っぽく語っていた。／兴致勃勃地谈论着未来的计划。
→【っぽい】

【ほう】
1 …ほう＜方向＞　方向、方面。
[Nのほう]
[Vほう]

(1) 京都の北のほうは冬には雪がずいぶん積もる。／京都的北部冬天积雪很厚。
(2) あっちの方へ行ってみましょう。／我们到那边去看看吧。
(3) A：どこに座ろうか。／我们坐哪儿呢？
　　B：前の方にしようよ。／坐前边吧。
(4) まっすぐ私の方を見てください。／请直视着我这边儿。
(5) 太陽が沈むほうに向かって鳥が飛んで行った。／鸟向着太阳落山的方向飞去。
(6) A：それで、山下さんはまっすぐ家に帰ると言ったんですね？／那么，山下是说过他就直接回家了吧。
　　B：ええ、そう言いました。でも、山下さんが歩いて行った方には駅もバス停もないんで、おかしいなと思ったんです。／是的，是那么说的。但是，他去的方向并没有电车站和汽车站，好奇怪啊。

表示大致的方向、方位。多接在表示方位的"东·西·南·北"和"あっち·こっち·どっち·こちら·そちら·どちら"、"前·後·左·右·上·下"等表示方向的名词后。

2 …ほう＜一方＞　…方面、…一方。

[Nのほう]
[Na なほう]
[A／V ほう]

(1) A：どちらになさいますか。／您要哪个？
    B：じゃ、大きいほうをください。／那么，给我那个大的吧。

(2) A：いくらですか。／多少钱？
    B：こちらの赤い方が1万円、あちらの方が1万3千円となっております。／这个红的1万日元，那个1万3千元。

(3) どちらでもあなたのお好きな方で結構です。／无论是哪个，只要是你喜欢的就行。

(4) A：連絡は御自宅と会社とどちらにさしあげましょうか。／如果联系的话是和您家里联系还是和您公司联系。
    B：自宅の方にお願いします。／请和我家里联系。

(5) 私の方からお電話します。／由我来给您打电话。

(6) A：たいへん申し訳ございませんでした。／太对不起了。
    B：いや、悪いのはこちらの方です。／不，是我不好。

(7) 妻：悟は学校で問題なくやっているのかしら。／妻子：小悟在学校没什么事吧。
    夫：放っておけばいいさ。何かあれば、学校の方から何か言ってくるだろう。／丈夫：不要管他。如果有事，学校方面会和我们说的。

(8) A：パチンコで5千円も負けちゃったよ。／我玩弹子机输了5千日元了。
    B：君なんか、まだましな方だよ。僕なんか一万円以上負けてるよ。／你还算好的呢。我都输了1万多日元了。

(9) 自分で言うのもなんだが、子供のころ僕は成績のよい方だった。／我自己说不太好，小时候我的成绩还不错。

(10) A：御専門は物理学でしたね。／您的专业是物理学吧。
     B：ええ、原子力の方をやっております。／对，我是搞原子能的。

(11) 二つの作品のうち先生が手伝った方はさすがに完成度が高い。／在两篇作品中还是老师指导过的那篇完成得好。

指两个事物中的其中一方。例(5)、(6)是把说话人与听话人做对比，说话人

一方用"私の方／こちらの方"，听话人一方用"あなたの方／そちらの方"表示。例(7)的"学校の方から"与"学校から"的意思相同，是在把"我方"与"校方"做比较。另外也有如例(9)、(10)所示指笼统的部分或某一方面的用法。例(9)的意思是"总之，成绩是属于比较好的"。例(10)不是在把两个事物做比较，是"在物理学中是研究原子能的"的意思。

3 …ほう＜比較＞

[Nのほう]

[Na なほう]

[A／V　ほう]

a …ほうが…より(も)　…比…更…。

(1) 飛行機のほうが新幹線より速い。／飞机比新干线快。

(2) 高いより安い方がいいに決まっている。／当然是便宜比贵好了。

(3) 新幹線で行く方が飛行機で行くより便利だ。／乘新干线去比乘飞机去方便。

(4) イタリアへ行くなら、ローマやベニスみたいな観光地より田舎の方がおもしろいよ。／如果去意大利的话，比起罗马和威尼斯那样的观光城市来，乡村更有意思。

(5) スポーツは見るより自分でやる方が好きだ。／在体育运动方面，比起观看比赛来，我更喜欢自己玩。

(6) 漢字は読むことより書くことの方が難しい。／汉字写比读难。

(7) 加藤さんよりも佐藤さんの方が、親切に相談にのってくれる。／与加藤相比，佐藤更能热情地与我讨论问题。

(8) 彼のけがよりも精神的なショックの方が心配だ。／比起他身体上的伤，我更担心是对他精神上的打击。

把两个事物做比较，用"…ほうが"表示的事物程度高。"…ほうが"和"…より(も)"的顺序可以互换变为"…より(も)…のほうが"。如果前后文关系非常明了常可以省去"…ほうが"或"…より(も)"。

b どちらのほう　哪一方面。

(1) A：田中さんと井上さんとでは、どちらのほうが背が高いですか。／田中和井上谁的个子高？

B：田中さんの方が背が高いです。／田中的个子高。

(2) A：コーヒーと紅茶と、どちらのほうがよろしいですか。／咖啡和红茶，你喝哪个？

B：どちらでも結構です。／哪个都可以。

用于把两个事物做比较，问其中的一方时，也可以省去"のほう"，只说"どちら"。

4 V ほうがいい＜勧告＞　最好是…，还是…为好。

(1) 僕が話すより、君が直接話す方がいいと思う。／我认为

你直接去说比我说要好。
(2) そんなに頭が痛いんだったら医者に行ったほうがいいよ。／如果头那么疼的话，还是去看医生的好。
(3) あいつとつきあうのはやめたほうがいい。／还是不要再和那家伙交往了。
(4) A：ときどき胃が痛むんだ。／有时候胃疼。
　　B：たいしたことはないと思っても、一度医者に行っておく方がいいよ。／你即使觉得问题不大，也还是去看看医生为好。
(5) 退院したばかりなんだから、あまり無理をしない方がいいと思うよ。／你刚出院，还是不要太逞强的好。
(6) あの人おしゃべりだから、話さない方がいいんじゃない。／那个人爱说，最好是不要对他说。

用于说话人认为这样为好，向听话人提出劝告或建议时。接动词的词典形・夕形・否定形。

无论是接词典形还是接夕形都没有大的区别，但是对听话人进行较为强烈的劝告时多用夕形。例如面对现在正在患感冒的人说话时用"V-たほうがいい"。但是，否定形一般用"…ない"的形式，而不能用"…なかったほうがいい"的形式。

(正) あの人には話さないほうがいいよ。／最好是不对他说。

(误) あの人に話さなかったほうがいいよ。

5 …ほうがましだ＜选择＞　还是…好些

[Nのほうがましだ]
[Na なほうがましだ]
[A-いほうがましだ]
[Vほうがましだ]

(1) A：テストとレポートとどっちがいい？／参加考试和交学习报告哪个好？
　　B：レポートの方がましかな。／还是交学习报告好些吧。
(2) どうせやらなくちゃいけないなら、日曜日に働くよりは、金曜日に残業して片づけてしまう方がまだましだ。／如果非得干的话，与其星期天干，还是星期五加班干吧。
(3) あんな男と結婚するくらいなら死んだほうがましだ。／和那样的男人结婚还不如死了好。
(4) 途中でやめるぐらなら始めからやらないほうがましだ。／与其半途而废还不如当初就不干。

表示说话人在比较两个都不太满意的事时做出的不情愿的选择。"如果一定要做出选择的话，还是…为好"的意思。

有时用"…くらいなら(与其…)"表示比较的对象。"…くらいなら"与"…よ

り"相似，但含有说话人认为这件事不好的意思。

6 …ほうがよかった＜后悔＞　如果…就好了。

[Nのほうがよかった]
[Na なほうがよかった]
[A／V ほうがよかった]

（1）人に頼まないで自分でやった方がよかった。／要是不求人自己干就好了。

（2）A：髪を切ったんだけど、似合う？／我剪了头，怎么样？
　　B：えっ、切ったの。長い方がよかったのに。／啊，剪了头了？还是长头发好。

（3）せっかくの連休だからと思って、ドライブに出たが、車が渋滞していてまったく動かない。こんなことなら、来ない方がよかった。／好容易有个连休，开车去兜风，结果交通堵塞，车根本开不动。早知这样还不如不来呢。

（4）少し有名になると仕事がどんどん入ってくるようになったが、苦労のわりには収入は増えない。いっそ、無名のままの方がよかった。／稍微出了点儿名工作也多了起来，工作辛苦而收入却没增加。还不如不出名的好。

表示说话人对过去发生的事感到遗憾和后悔。"比起实际发生的事，还是与此不同的事更合适"的意思。说话人在述说自己的行为时表示"后悔"，在述说他人的行为时表示遗憾或失望的心情。

【ほうだい】

1 R-（たい）ほうだい　随便、随心所欲。

（1）近所の子供たちは、後片付けもせずに、家の中を散らかし放題に散らかして帰っていった。／邻居的孩子们玩完了也不收拾，把家里弄得乱七八糟的就走了。

（2）誰も叱らないものだから、子供達はやりたいほうだい部屋の中を散らかしている。／因为没有人管束，孩子们随心所欲把屋子弄得乱七八糟。

（3）口の悪い姉は相手の気持ちも考えずいつも言いたい放題だ。／爱唠叨的姐姐总是不顾别人的心情想说什么就说什么。

接"やる"、"する"、"言う"等动词的连用形，表示对其他人毫无顾忌地随心所欲的举止。含有对说话人负面的评价。其它的惯用的表达方式还有"勝手放題にする（为所欲为）"等。

2 R-ほうだい　自由、放任。

（1）バイキング料理というのは、同じ料金で食べほうだいの料理のことだ。／自助餐就是每个人付同样的钱随便吃。

(2) ≪ビアホールの広告≫2000円で飲み放題。／≪啤酒店广告≫2000日元随便喝。

(3) 病気をしてからは、あんなに好きだった庭いじりもできず、庭も荒れ放題だ。／生病以后，原来那么喜欢修整庭院，现在也不行了，庭院全都荒芜了。

　　表示可以无限制地自由地去做某事的意思。多和"食べる・飲む"等词一起使用。也可如例（3）所示表示"对该事不采取积极的态度，任其发展下去"的意思。

【ほか】

1 …ほか

a …ほか　除…之外。

[Nのほか]

[Na なほか]

[A／V　ほか]

(1) 今日のパーティーには、学生のほかに先生方もお呼びしてある。／今天的晚会，除学生之外，也邀请了老师。

(2) うちの会社には、田中さんのほかにはロシア語のできる人はいない。／我们公司，除田中先生之外，没有人会俄语。

(3) 今回の会議には、学識経験者のほか、銀行、電気メーカーといった企業の人事部長が参加した。／除学识渊博的学者外，银行、电器厂家等有关企业的人事部长出席了这次会议。

(4) お支払いは、銀行、郵便局のほか、お近くのコンビニエンスストアなどでも扱っております。／除在银行、邮局之外，也可以在您家附近的便民商店办理支付手续。

(5) 今度引っ越したアパートは、ちょっと駅から遠い他はだいたい希望通りだ。／这次搬入的公寓，除离车站稍远，有点儿不便之外，基本合我心意。

(6) きょうは授業にでる他には特に何も予定はない。／今天除上课之外，其他没有什么特别的计划。

　　表示"除那件事之外"之意。以"ほか"、"ほかに"、"ほかは"等形式使用。

b Nほか　…等。

(1) 田中他三名が出席します。／田中等共三人出席。

(2) 出演山田太郎他。／演出者：山田太郎等。

　　用于表示代表性人物或事物名称时。是书面语较生硬的表达方式，常用于介绍演讲者及戏剧的演员等场合。

2 ほかに(は)　其他、除此之外、还…。

(1) A：留守番ありがとう。何か変わったことはありませんでしたか。／谢谢你留下来值班，有什么情况吗？

B：まちがい電話が一本かかってきただけで、ほかには何も変わったことはありませんでした。／只有一个打错的电话，其他没有什么。

（2）《税関で》／《在海关》

A：何か申告するものはありますか。／有什么要申报的吗？

B：ウイスキーが5本です。／有5瓶威士忌。

A：他には？／还有别的吗？

B：他にはべつに。／没有什么了。

（3）ボーイ：コーヒーでございます。他に御用はございませんか。／服务员：这是您的咖啡，还需要点儿别的什么吗？

客：今のところ、特にありません。／客人：暂时不要什么了。

表示"除此之外"之意。

3 ほかのN　其他的…、別的…。

（1）石田さんに頼もうと思ったが、忙しそうなので、他の人に頼んだ。／本想求石田先生，但看他好像很忙，就拜托了别人。

（2）ここがよくわかりません。ほかのところはやさしかったんですが。／其他地方还比较

简单，可这儿不太明白。

（3）A：この店は高すぎるね。／这家商店太贵了啊。

B：そうね。ほか（の店）へ行きましょう。／是啊，咱们去其他商店吧。

（4）これはちょっと高すぎますから、他のを見せてくれませんか。／这个稍微有点贵，能给我看看其他的吗？

表示"提出现在话题以外的以及不同的事物"。像例（4）那样，原本是"其他之物"之意，有时也可使用"ほかの"这一表达方式。

4 …ほかはない

[V-るほかはない]

a …ほかはない　只有、只好、只得。

（1）気は進まないが、上司の命令であるので従うほかはない。／虽然不愿意，但因是上司的命令，只得服从。

（2）だれも代わりに行ってくれる人がいないので、自分で行く他はない。／因没人替我去，只好自己去。

（3）体力も気力も限界だ。この勝負はあきらめる他はない。／不论体力、还是气力都已到了极限，只好放弃这次比赛。

表示"虽不符合心愿，但是又没有其他方法，不得已而为之"的意思。是书面性语言。另外还有"…ほかすべがない"、"…しか手がない"等表达方式。口语中还可使用"…しかない"、"…ほかしかたがない"等。

b …というほかはない　只能说。

（1）十分な装備を持たずに冬山に登るなど、無謀と言うほかはない。／不带足装备就去进行冬季登山，只能说是蛮干。

（2）あんな高いところから落ちたのにこの程度のけがですんだのは、幸運だったと言うほかはない。／从那么高的地方掉下来，才受了这么点轻伤，只能说是幸运。

（3）世界には前世の記憶をもった人がいるという。それが事実だとしたら、ただ不思議と言うほかはない。／据说世界上有人能记着前世的事。假如那是事实的话，只能说是不可思议。

表示"只有这么说"、"真是…"之意。是书面语较生硬的表达方式。

5 …よりほかに…ない
　…よりほかは…ない　只有、只好、没有比…。

（1）田中さんよりほかに頼れる人はいない。／只有依靠田中先生了。(除田中先生没有能依靠的人了。)

（2）入学試験も目前にせまった。ここまでくれば、がんばるより他はない。／入学考试已迫在眉睫。事已至此，只有努力了。

→【より】3b、【より】3c

6 ほかならない

a Nにほかならない　无非是…、不外乎…、完全是…。

（1）今回の優勝は彼の努力のたまものにほかならない。／这次夺冠，完全是他努力的结果。

（2）日本における投票率の低さは、政治に対する失望感の現れにほかならない。／在日本投票率的下降，不外乎是对政治失望的表现。

（3）このような事故が起きた原因は、利益優先で安全性を軽視してきた結果にほかならない。／引起这样事故的原因，完全是因为一直重利益轻安全所造成的结果。

用"XはYにほかならない"的形式，表示"X不是其他，确实是Y"、"X不是Y以外的任何东西"之意。是书面语较生硬的表达方式，不用于日常会话。

b ほかならないN／ほかならぬN　既然是、不外、无非、正是。

（1）ほかならない彼の頼みなので、引き受けることにしました。／正因为是他的恳求，所以就承担了下来。

（2）他ならない鈴木さんからの御依頼ですから、喜んでお引受けいたしましょう。／既然是铃木先生的委托，那就高兴地接受下来吧。

（3）ほかならぬ彼の頼みなので、断るわけにはいかなかった。／既然是他的请求，就没

(4) うわさ話をしていたところにやって来たのは、ほかならぬ当人だった。／正当大家在议论他时候，他来了。
(5) 現在の繁栄をもたらしたのも、自然破壊をもたらしたのも、他ならぬ人間である。／带来现在繁荣的和造成自然破坏的，都是人类本身。

表示"不是别的，确实是…"。例(1)～(3)含有"要是别人的事的话，姑且可以不接受"之意，经常用于上下文表示"对于说话人来说，因为是特别重要的人的委托所以不能拒绝"这种句中。例(4)～(5)用于强调确实是某事时。"ほかならぬ"比"ほかならない"用得多。

【ほしい】

"ほしい"的汉字书写形式是"欲しい"，但"V—てほしい"的形式，多用平假名来书写。

1 Nがほしい 想要…。
(1) もっと広い家が欲しい。／想要更大的房子。
(2) A：誕生日のプレゼントは何が欲しい？／想要什么生日礼物？
B：そうね。新しい服が欲しいな。／是啊，真想要一套新衣服。
(3) 子供の頃、僕は野球のユニホームが欲しかった。／孩童时，我曾想要过棒球运动服。
(4) 今は何も欲しくない。／现在什么也不想要。
(5) ≪小説≫彼はどうしても金がほしい。そのことを考えると夜もねむれないぐらいだ。／≪小说≫他无论如何想得到钱，一想到这事，甚至夜不能眠。

表示说话人"想弄到手"、"想使其成为自己的东西"的欲望要求(疑问句时表示听话者的愿望要求)。"ほしい"是表示感情的形容词，句末以断定形式使用时，只限于例(1)那样表示说话人本身的愿望或例(2)那样询问听话者的要求。直接表示第三者欲望时不能使用。表示第三者愿望时应使用"…は…をほしがっている"、"…がほしいようだ"等表达方式。

(正) 妹は人形をほしがっている。／妹妹想要个娃娃。
(误) 妹は人形がほしいです。

但是，像例(5)那样，在视点可以自由移动的小说的叙述部分中，在句末使用断定形式问题也不大。另外，像例(2)那样直接询问对方要求时，限于关系较密切的人。需要礼貌程度时，应避免"砂糖がほしいですが"的说法，而使用"砂糖はいかがですか"，即尽量不使用"ほしい"。

2 V—てほしい

a Nに V—てほしい 想…、希望…。
(1) この展覧会には、たくさんの人に来てほしい。／希望有更多的人来参加这个展览会。
(2) あまり仕事が多いので、だれかに手伝ってほしいと思っている。／要干的工作

太多，想找个人帮帮忙。
（3）母には、いつまでも元気で長生きしてほしい。／希望母亲永远健康长寿。
（4）妻にはいつまでもきれいでいてほしい。／希望妻子永远年轻漂亮。
（5）僕を置いて外国へなんか行かないでほしい。／希望你不要把我丢在一边，去什么外国。
（6）子供たちには自分の利益ばかり考えるような人間にだけはなってほしくない。／只希望孩子们不要成为一心只考虑个人利益的人。
（7）A：うちの会社にも落度があったかもしれません。／我们公司说不定也有过错。
B：君にまで、そんなことを言って欲しくないね。／不希望连你也说那种话。

表示说话人对自己以外的人的希望或要求。是"我想请您…"、"希望能保持这种状态"之意，有时像例（1）、（2）那样表示希望"他为我做点什么"，或像例（3）、（4）那样表示希望"他处于某种状态·成为某种状态"。

使用否定形时，有"V-ないでほしい"和"V-てほしくない"两种用法。"V-ないでほしい"作为"…しないでください"这种期望的表达方式经常像例（5）那样被使用(有关期望表达方式，可参照3)。使用"V-ほしくない"时，一般像例

（6）那样和听话人无关地叙述自己的愿望或像例（7）那样对听话人所做出的行为给与指责。

b …がV－てほしい 希望…。
（1）寒い冬にはもうあきあきしてきた。早く春がきてほしい。／对严冬已经腻烦了，希望春天早点到来。
（2）早く夏休みが始まってほしい。／真希望暑假早点开始。
（3）これだけ晴天が続くと、農家ならずとも雨が降ってほしいと思わない人はいないだろう。／晴天再这么持续下去，即使不是农家，恐怕也没有不希望下雨的吧。
（4）彼の愛が永遠に変わらないでほしいと思うのはぜいたくでしょうか。／希望他的爱永远不变，这种想法是不是太奢侈了。

表示盼望某种状态产生。对象为人时，像用法2 a那样以"Nに"来表示。但是像例（1）～（5）那样盼望某种状态产生时要用"が"来表示。

3 ほしい(んだけれど)

表示说话者欲望的"想得到N""我想请您…"。根据情况不同有时会成为间接请求的表达方式。像"ほしいんですが…"、"ほしいんだけど…"这样欲说又止的说法，有客气的感觉，是一种委婉的拜托方式。

a Nがほしいんですが 想要…、想买…。
（1）客：すみません。これがほしいんですが。／顾客：

对不起，我想买这个…。
店員：こちらでございますか。ありがとうございます。/店员：是这个吗？谢谢。
（２）店員：これなどいかがですか。/店员：这样的行吗？
客：そうねえ、もうちょっと明るい色のがほしいんだけど。/顾客：是啊，不过我想要更亮丽一些的…。
（３）《友だちの家で》/《在朋友家》
A：水が一杯ほしいんだけど。/我想要杯水…。
B：いいよ。ちょっと待って。/好啊，请稍等。
（４）《おもちゃ屋で》/《在玩具商店》
子供：お母さん、これほしい。/孩子：妈妈，我想买这个。
母親：ダメ。今日は何も買いません。/母亲：不行，今天什么都不买。

叙述说话者"想得到某种东西"的欲望要求。是间接请求的表达方式。经常使用像例（１）、（２）"すみません。Nがほしいんですが/ですけど"的说法。

b Ｖ-てほしい（んだけれど）　希望…、想…。

（１）客：プレゼントなので、リボンをかけてほしいんですが。/顾客：因这是礼品，希望能给扎个绸带…。
店員：はい、少々お待ちください。/店员：好，您稍等一下。
（２）A：今日は早く帰ってきてほしいんだけど。/希望你今天能早点回来…。
B：うん、わかった。/嗯，知道了。
（３）A：田中さんに来週の予定を教えてあげてほしいんですが。/想和田中先生说说下周的安排…。
B：ああ、いいですよ。/啊，可以呀。
（４）あしたは出かけないでほしいんだけど。/希望你明天不要出门…。
（５）君にこの仕事をやってほしいんだが。/这个工作想让你来干…。
（６）君には東京に行ってほしい。/想让你去东京。

叙述说话人"想让听话人做某种行为"的愿望。是间接地表示请求的表达形式。表示"不要做"的期望时，使用例（４）"Ｖ-ないでほしい"的形式。例（５）、（６）用于男性，给人以压制感。

４ Ｖ-させてほしい（んだけれど）　希望让…。

（１）A：来週休ませてほしいんですけど。/希望允许我下周休假…。

B：ああ、いいよ。／啊,行啊。

(2) この件はぼくに任せてほしいんだけど。／这件事,希望能让我做…。

(3) 私に行かせてほしいんですが。／希望能让我去…。

以"(私に)Vさせてほしいんですが／けれど"的形式,用于说话人对自己将要进行的行为求得许可时。

【ほしがる】

想…。

[Nをほしがる]

(1) 山下さんは新しい車を欲しがっている。／山下想要辆新汽车。

(2) 桃子が欲しがっているのは女の子の人形ではなくて、熊のぬいぐるみだ。／桃子想要的不是女孩娃娃,而是布绒狗熊。

(3) 人の物を欲しがってはいけない。／不能想要别人的东西。

(4) 当時まだ一年生だった僕は、母の注意をひきたいばかりに、わざと妹のおもちゃをほしがってみせた。／当时的我还仅仅一年级,只是想引起妈妈的注意,故意做出想要妹妹的玩具的样子。

用于叙述"想要"这种心情溢于言表时。

一般用于说话人以外的人。用于说话人自身的愿望时,使用"…がほしい"的形式。但是,像例(4)那样,和自己本身内心无关只是做出样子给别人看,即使是说话人本身的愿望也可使用"ほしがる"。

【ほど】

1 数量词＋ほど＜概数＞ …左右。

(1) 水を10ccほど入れてください。／请加入10cc左右的水。

(2) 修理には一週間ほどかかります。／修理需要一周左右的时间。

(3) 完成するまでに3時間ほどかかります。／到完成为止,需要3小时左右。

(4) 仕事はまだ半分ほど残っている。／工作还有一半左右没有完成。

(5) A：りんごください。／请给我苹果。
　　B：いくつですか。／要几个?
　　A：五つほど。／拿5个吧。

接在表示数量的词之后,表示大体数量(概数)。也可用于表示时间长短、天数等概数时。但是,在表示时刻、日期等不具有时间长短的表达方式中一般不用,这时要用"ごろ"。

(误) 3時ほど来てください。

(正) 3時ごろ来てください。／请3点左右来。

例(5)是一种礼貌的表达方式,和"五つください"意思一样。即不明确说"五个"而用概数来表示,目的是给听话人以选择余地,给人以柔和的感觉。

表示概数的"ほど"可以和"くらい

或"ぐらい"互换使用。

2 …ほど…ない＜比较＞

[Nほど…ない]

[Vほど…ない]

a …ほど…ない　没有那么…。

（1）今年の夏は去年ほど暑くない。／今年夏天没有去年那么热。

（2）試験は思っていたほど難しくなかった。／考试没有想象的那么难。

（3）教師の仕事はそばでみているほど楽ではない。／教师这种工作不像旁观者看着那么轻松。

（4）佐藤は今井ほど勤勉な学生ではない。／佐藤不是像今井那么勤奋的学生。

（5）この地域は大都市近郊ほどは、宅地開発が進んでいない。／这一地区的住宅开发没有大城市近郊进展那么快。

以"XはYほど…ない"的形式，表示以Y为基准，X在Y之下的意思。如"XはYほど大きくない(X没有Y那么大)"既是"XはYより小さい(X比Y小)"的意思。

但是，使用"XはYより…(X比Y…)"句型时，不过是单纯地将两者进行比较。而使用"XはYほど…ない"的句型时，有时含有"X也是这样，Y也是这样，不过两者比较时就…"的意思。比如例（1）就有"今年夏天也热，不过比去年好一些"的含义。

b …ほど…Nはない　没有比…更…、最…。

（1）試験ほどいやなものはない。／没有比考试更烦人了。

（2）いろんな方が親切にして下さいましたが、あなたほど親身になって下さった方は他にありません。／很多人都对我很热情，不过没有一个人像你那样待我像亲人一样。

（3）東京ほど家賃の高いところはない。／没有比东京房租更贵的地方了。

（4）これほどすばらしい作品は他にありません。／没有比这再好的作品了。

（5）川口さんほどよく勉強する学生はいない。／没有比川口更勤奋的学生了。

（6）子供に先立たれることほどつらいことはない。／没有比白发人送黑发人更伤心的了。

通过叙述"没有其他同等的事"，表示"…ほど"所表现的是最高程度。例（1）表示"考试比任何事都烦"，例（2）表示"你对我最好"。

3 …ほど＜程度＞

a …ほど　…得、…得令人…、如此的…、那样的…。

[Nほど]

[A-いほど]

[V-るほど]

（1）この商品はおもしろいほどよく売れる。／这种商品很走俏，简直让人感到奇怪。

(2) 顔も見たくないほどきらいだ。／我讨厌他甚至不想见到他。
(3) 今日は死ぬほど疲れた。／今天累得要死。
(4) そのニュースをきいて、彼は飛び上がるほど驚いた。／听到这个消息，他吃惊得几乎跳起来。
(5) 東京中を足が棒になるほど歩き回ったが、探していた本は見つからなかった。／跑遍整个东京，腿都要跑断了，也没有找到我要找的书。
(6) 医者の話では、胃に親指の先ほどの腫瘍があるという。／医生说，胃里长了一个有拇指尖那么大的肿瘤。
(7) それほど言うなら、好きなようにすればいい。／如果那样说的话，那就随你的便吧。
(8) なんの連絡もしてこないから、どれほど心配したかわからない。／什么联系也没有来，真不知有多担心。

用比喻或具体事例表示动作和状态处于某种程度。"これ／それ／あれ／どれ"后续"ほど"时，意思为"こんなに／そんなに／あんなに／どんなに（这么／那么／那么／多么）"。

b …ほどだ　甚至能…、甚至达到…程度。

[Na なほどだ]
[A／V　ほどだ]

(1) ずいぶん元気になって、昨日なんか外に散歩にでかけたほどです。／完全恢复了健康，像昨天甚至能出去散步了。
(2) 彼は犬がたいへん嫌いだ。道に犬がいれば、わざわざ遠回りするほどだ。／他非常讨厌狗，甚至到了在路上看见狗就特意绕道走的地步。
(3) コンサートはたいへんな人気で、立ち見がでるほどだった。／演唱会非常火爆，甚至有很多观众没有坐位站着看。
(4) このシャツは着やすいし値段も安いので、とても気に入っている。色違いで3枚も持っているほどだ。／这种衬衫穿着舒服价钱也便宜，我非常中意，甚至买了3件不同颜色的。
(5) 事故後の彼の回復ぶりは、奇跡とも言えるほどだ。／他事故后的恢复情况很好，简直可以说是奇迹。

用于举具体事例说明这以前叙述的事达到何种程度。

c …ほどの…ではない　并非…程度、没有达到…地步、不至于。

[…ほどのNではない]
[…ほどの　こと／もの　ではない]

(1) 医者に行くほどのけがではない。／这伤很轻，还用不着看医生。
(2) そんなに深刻に悩むほどの

問題ではない。/还不是那么伤脑筋的问题。
(3) そんなに怒るほどのことではない。/并不是让人那么生气的事。
(4) 確かに便利そうな機械だが、20万円も出すほどのものではない。/看来这机器确实很方便，但也不至于价钱高达20万日元。

表示"比…程度要低"，含有没什么了不起，并不是重大问题的意思。

d …というほどではない 并非达到…程度、并不是说就…。

[N／Na というほどではない]
[A／V というほどではない]

(1) 酒は好きだが、毎日飲まないではいられないというほどじゃない。/虽然喜欢酒，但并非每天不喝不行。
(2) 英語は少し勉強しましたが、通訳ができるというほどではありません。/虽然学了一些英语，但并没达到可以当翻译的水平。
(3) 数年前から胃を悪くしているが、手術をしなければいけないというほどではない。/几年前胃就不太好，但还没到非要动手术的地步。
(4) A：高級車買ったんだって？/听说你买了高级轿车？
B：いや、高級車というほどじゃないけれど。わ

りといい車なんだ。/不，说不上是高级轿车，不过也是比较不错的车。

表示程度并非那么高。从开始叙述的事中，列举一般想象的事例，补充说明没有那么高的程度。

4 …ほど＜按比例变化＞
a …ほど 越…越…。
[N／Na ほど]
[A-いほど]
[V-るほど]

(1) 年をとるほど体が弱くなる。/年纪越大，体质越弱。
(2) 上等のワインは、古くなるほどうまくなる。/上等的葡萄酒，时间越长味道越醇。
(3) 駅に近いほど家賃は高くなる。/离车站越近房租越贵。
(4) 北へ行くほど寒くなる。/越往北越冷。
(5) まじめな人ほどストレスがたまる。/越是认真的人，越容易精神疲劳。
(6) 健康に自信がある人ほど、病気になかなか気づかないことが多い。/很多事例说明越是对自己健康自信的人，越是不易发现自己的病。
(7) 酔うほどに、宴はにぎやかになっていった。/宴会上人们越喝醉了越热闹。

用于表示随着"…ほど"所表示的事物程度的提高，另一方的程度也提高的意思。例(1)表示的是"上了年纪身体越来越弱"，例(2)表示的是"葡萄酒时间一

长会更醇"的意思。

像例(1)～(4)所使用的"…ほど…Naに／A-く／V-ようになる"的形式，多用于表示一般事物。例(7)所使用的"…ほどに"是书面表达方式。近似的表达方式有"…につれて"、"…ば…ほど"。

b …ば…ほど　越…越…。
[N／Na であればあるほど]
[A-ければA-いほど]
[V-ばV-るほど]

(1) 食べれば食べるほど太る。／越吃越胖。

(2) A：どれぐらいのご予算ですか。／您打算花多少买啊？
B：(安ければ)安いほどいいんですが。／越便宜越好啦，…。

(3) 活発で優秀な学生であればあるほど、知識を一方的に与えるような授業はつまらなく感じるのだろう。／只是一味地灌输知识，这种课越是活泼优秀的学生，就越会感到没意思吧。

(4) 電気製品というのは、高くなればなるほど、使いにくくなる。／电器这种东西，价钱越贵，越难用。

(5) どうしたらいいのか、考えれば考えるほどわからなくなってしまった。／到底该怎么办，越想越不明白。

(6) 眠ろうとすればするほど眼が冴えてくる。／越想睡越睁着眼睡不着。

(7) この説明書は、読めば読むほどわからなくなる。／这一说明书，越看越不明白。

同一个单词重复使用，表示伴随着一事物的进行其他事物也在进行。意思是另一事物随"…ば"所表示的事物成正比变化，不过像例(4)～(7)那样与一般预想的成反比变化时也可使用该句型。

【ほどなく】　不久，不大工夫。
[V-てほどなく]
[V-るとほどなく]

(1) 祖父が亡くなってほどなく祖母も亡くなった。／祖父逝去不久，祖母也逝去了。

(2) 広島と長崎に原爆が落とされてほどなく、第二次世界大戦は終結した。／广岛和长崎被投下原子弹之后不久，第二次世界大战就结束了。

(3) 新しい社長が就任すると、ほどなく社内で経営側への非難が始まった。／新总经理就任不久，公司内就开始出现了对经营方面的谴责。

(4) Z社がパソコンを大幅値下げすると、ほどなく他社もそれに追随して値下げを始めた。／Z公司的电脑大幅度降价后，不久其他公司也开始随之降价。

表示一件事发生后，没过多长时间的意思。用以叙述过去的事。是书面语较生硬的表达方式。也可用"ほどなくし

て"。

【ほとんど】

1 ほとんど　几乎、大部分、就要。

（1）この小説はほとんど読んでしまった。／这部小说就要读完了。

（2）京都の有名な寺にはほとんどいったことがある。／京都的有名寺庙几乎都去过了。

（3）新しいビルは、ほとんど完成している。／新大楼就要完成了。

（4）彼ほどの成績なら、合格はほとんど確実だ。／他那样的成绩，几乎可以说百分之百及格了。

（5）地域のスポーツクラブに行ってみたら、ほとんどが年輩の人だったのには驚いた。／去社区体育俱乐部一看，让人吃惊的是大部分都是上了年纪的人。

（6）このクラスのほとんどが、アジアからの留学生だ。／这个班，大部分都是亚洲来的留学生。

　表示"大体"、"大部分"之意。对谓语部分加以修饰。像例（1）～（3）那样表示"虽不是全部，但也接近全部"，像例（4）那样表示"接近百分之百"。另外像例（5）、（6）那样也可以"(Nの)ほとんどが"的形式，表示"全体中的大部分"之意。

2 ほとんど…ない　几乎没有…、几乎不…、差一点…。

（1）給料日前でほとんど金がない。／发工资之前几乎没有钱了。

（2）彼は酒はほとんど飲まない。／他几乎不喝酒。

（3）英語はほとんど読めない。／几乎不会念英语。

（4）この仕事を三日で仕上げるのは、ほとんど不可能に近い。／要三天完成这一工作，几乎就不可能。

（5）このごろは忙しくて、あれほど好きだったテニスにも、ほとんど行っていない。／这阵子忙得很，连非常喜欢打的网球，几乎都没去打。

（6）今でこそ有名だが、10年ほど前には、彼の名前を知っている人は、ほとんどいなかった。／他就是现在有名了，但是在10年前几乎没人知道他的名字。

（7）ほとんど飲まず食わずで、一日中働き続けた。／几乎没吃没喝，连着干了一天。

（8）遭難して三日めには、食料もほとんどなくなった。／遇险后的第三天，食品也差不多都吃光了。

　表示量非常少或频率很低。

3 ほとんど…た　几乎…、差一点…、险些…。

[ほとんどV-るところだった]
[ほとんどR-かけた]

（1）子供の頃、チフスでほとん

ど死にかけたことがある。/小时候，差一点因伤寒丧命。
(2) 横道から飛び出してきた自転車とほとんどぶつかるところだった。/险些和从胡同里飞奔出来的自行车相撞。
(3) 事業は、ほとんどうまくいきかけたのだが、運悪く得意先が倒産してしまい、それからは悪いこと続きだった。/事业上几乎开始好转，可是运气不佳主顾倒闭了，从那之后倒楣的事接连不断。

表示"差一点成为事实"。该句型多用于像例(1)～(2)那样表示"在危险时刻得救"的场合。

【まい】

接在五段动词典形、一段动词连用形或词典形后(例：行くまい、話すまい、見まい、見るまい)。"来る"和"する"分别用"くるまい/こまい""するまい/すまい"两种形式。常用的形式是接词典形后的"くるまい""するまい"。

动词以外的用法是，"ない"成为"あるまい"，即"Nではない"、"Naではない"、"A-くない"分别成为"Nではあるまい"、"Naではあるまい"、"A-くあるまい"。

另外，接在"ます"后有时还可以成为"ますまい"。

1 …まい
a V-まい〈意志〉 不打算…、不想…。
(1) 酒はもう二度と飲むまい。/我再不喝酒了。
(2) あいつにはもう二度と会うまい。/再不想见到那家伙了。
(3) A：佐々木さんとけんかしたんだって？/听说你和佐佐木吵架了？
B：そうなんだよ。人が親切で言ってるのに聞こうともしないんだ。あいつにはもう何も言うまいと思っているんだ。/是的。人家好心说的话他一点也听不进去。以后再也不和他说什么了。
(4) 二日酔いの間はもう二度と飲みすぎるまいと思うが、ついまた飲み過ぎてしまう。/醉的那两天虽然心想再也不多喝了，可是不知不觉又喝多了。
(5) そのとき、広子は、二度と田中には会うまいと固く決心した。/那时，广子下了大决心，再也不见田中了。
(6) 母を悲しませまいと思ってそのことは知らせずにおいた。/因不想让母亲伤心，那件事就没有告诉她。

表示说话人"不做…"的否定意志。口语中使用"V-ないようにしよう"、"V-ないつもりだ"。另外，像例(5)那样以"…まいと決心する/思う/考える"等形式，用于叙述他人"不做…"的意志时。

例(6)是"不想让母亲伤心…"的意思。是书面语较生硬的表达方式。

ｂＶ－まいとする　想不…、为了不…。

（1）銃を奪われまいとして争いになった。／为了不让对方把枪夺去，而进行了争斗。

（2）夏子は泣くまいとして歯を食いしばった。／夏子为了不哭出来而拼命咬牙忍耐着。

（3）家族の者を心配させまいとする気持ちから、会社をやめたことは言わずにおいた。／为了不让家里人担心，而没把辞职的事告诉他们。

表示"不想让…发生而…"的意思。是书面语较生硬的表达方式。使用"…まいとして"时，有时可省略"して"。

（例）銃を奪われまいと争いになった。／为了不让对方把枪夺去，而进行了争斗。

２…まい＜推測＞　不会…吧、也许不…、大概不…。

（1）このうれしさは他人にはわかるまい。／这份喜悦，别人也许不会明白。

（2）税金を減らすのに反対する人はまずあるまい。／大概不会有反对减税的人吧。

（3）山田氏の当選はまず間違いあるまい。／田中氏当选大概不会有错。

（4）年老いた両親も亡くなって、ふるさとにはもうだれもいなくなってしまった。もう二度と訪れることもあるまい。／年迈的父母已经双亡，老家已没有任何亲人，也许不会再回去了吧。

（5）こんな話をしてもだれも信じてはくれまいと思って、今まで黙っていたのです。／我想说这话大概也不会有人相信，所以至今沈默着。

（6）顔を見るだけで他人の過去を当てるなんて妙な話だが、これだけ証人がいるのならまんざら嘘でもあるまい。／有人说他仅看面相就可猜到别人的过去，这虽说很荒唐，但有这么多人作证的话，不会是假的吧。

（7）他ならぬ松下さんの御依頼ですから、父もまさかいやとは言いますまい。／这不是别人，而是松下的请求，父亲不会再推脱的吧。

（8）子供が初めて下宿した時には、かぜをひいてはいまいか、一人でさびしがっていはしまいかと心配でならなかった。／孩子第一次上学寄宿在外时，担心得不得了，总是想会不会感冒呀，一个人会不会寂寞呀。

表示"不会…吧"的意思。表示说话人的推测。像例（7）那样，在口语中很少使用，一般用"言わないだろう"、"言わないでしょう"。像例（5）那样后接"と思って／と考えて"作为引用时，口语是可以用

的。这一句型是书面语较生硬的表达方式。

3 …でもあるまい

a Nでもあるまい　这时…已不…吧、就是…也不…吧。

（1）仕事を紹介して下さる人もあるが、私ももう70だ。この歳になって、いまさら会社勤めでもあるまい。／也有人给我介绍工作，可我已70岁了。这岁数已不适合在公司工作了吧。

（2）自分から家を出ておきながら、今ごろになって、同居でもあるまい。／是自己跑出家的，事到如今，再住在一起也不合适了吧。

表示判断某事不合适、不适当。多以"いまさら／いまごろ…でもあるまい"的形式，用于在叙述时期太晚已不合适时。

b Nでもあるまいし　又不是…。

（1）子供でもあるまいし、自分のことは自分でしなさい。／又不是小孩子，自己的事自己做！

（2）学生でもあるまいし、アルバイトはやめて、きちんと勤めなさい。／又不是学生，不要打工了，要好好上班！

（3）17や18の小娘でもあるまいし、男に振られたぐらいで、いつまでもくよくよするのはやめなさい。／又不是17、18岁的小姑娘，不要

因为被男朋友甩了这点小事，总是闷闷不乐的！

表示"又不是…"、"不该是…"的意思。经常在忠告、批评时，以后续"…しなさい"、"…してはいけない"等禁止命令的形式使用。也有"では／じゃあるまい"的形式。

c V-ることもあるまい　不该…吧、没必要…吧。

（1）あんなにひどい言い方をすることもあるまいに。／不该说那么无情的话吧。

（2）あの程度のことで、大の大人が泣くこともあるまい。／为了那点事，那么大人没必要哭吧。

（3）電話か手紙で用は足りるのだから、わざわざ行くほどのこともあるまい。／打个电话或写信就能解决问题，没必要特意去吧。

在叙述"那种行为不适当"或"那种行为没必要"等带有批评性质的判断时，使用该句型。是书面语较生硬的表达方式，口语中经常用"V-ることもないだろう"。

4 まいか

a …ではあるまいか　不是…吗、难道不是…吗。

[N／Na（なの）ではあるまいか]
[A／V のではあるまいか]

（1）彼は若くみえるが、本当はかなりの年輩なのではあるまいか。／他看上去很年轻，但实际上已有一把年纪了吧。

（2）佐藤さんは知らないふりをしているが、全部わかっているのではあるまいか。／佐藤装作不知道的样子，其实全都清楚吧。

（3）児童の自殺があいついだのには、現在の教育制度に、何か問題があるのではあるまいか。／儿童相继不断地自杀，难道不是现在的教育制度中存在什么问题吗？

（4）他人への無関心が、このような事件を引き起こす一因となったのではあるまいか。／对他人的冷漠，难道不是引起这一事件的原因之一吗？

（5）知識のみを偏重してきたことは、現在の入試制度の大きな欠陥ではあるまいか。／只偏重知识，不是现在的考试制度的一大缺陷吗？

（6）会社や組織のためにのみ働き続ける生活は、誰よりも本人が一番苦しいのではあるまいか。／这种只知道为公司或组织拼命工作的生活，大概本人比任何人都痛苦。

　　表示"不是…吗"的意思。"Xではあるまいか"是说话人表示"たぶんXだ／大概是…"的推测表达方式。

　　接在名词、ナ形容词后时，有"N/Naではあるまいか"、"N/Naなのではあるまいか"这两种形式。

　　像例(3)～(6)那样，或用于问题提起部分，或用于叙述结尾部分。表面上采取质问对方的形式，而实质叙述说话人的主张时，用该句型较多。是主要用于书面语的较生硬的表达方式。

b V-てくれまいか
　　V-てもらえまいか　能…吗。

（1）忙しいからと一度は断ったのだが、なんとかやってもらえまいかと何度も頼まれてしかたなく引き受けた。／我说很忙曾一度回绝了他，可他几次求我说能不能想办法帮帮他，没办法，我就接受了。

（2）A：例のニューヨーク支店の件だが、支店長として、まず君に行ってもらえまいか。／还是纽约分店那件事，我作为分店的经理，先要求你去一趟吧。

　　　B：かしこまりました。／知道了。

　　表示请求。是男性用的较生硬的表达方式。口语中一般使用"V-てくれ／もらえないだろうか"。像例(1)那样使用的"…と頼まれた／言われた"的形式，多用于引用文中。

5 V-ようがV-まいが　→【よう2】4c
6 V-ようとV-まいと　→【よう2】6c

【まえ】
1 Nのまえに　…的前面、…前。
（1）駅の前に大きなマンションが建った。／车站前建了一

(2) 僕の前に田中が座っていた。／田中坐在了我前面。
(3) 食事の前に手を洗いましょう。／饭前要洗手。
(4) 授業の前に先生のところへ行くように言われた。／有人让我上课之前去老师那儿一趟。

表示空间或时间的关系。如例(1)、(2)表示在N的正面或前方。例(3)、(4)表示在N某一时间之前的意思。

2 V-るのまえに …之前、…前。
(1) 食事をする前に手を洗いましょう。／吃饭之前洗洗手吧。
(2) 私は、夜寝る前に軽く一杯酒を飲むことにしている。／我在晚上睡觉之前要喝一小杯酒。
(3) 大学を卒業する前に、一度ゆっくり仲間と旅行でもしてみたい。／在大学毕业之前，想和朋友一起进行一次休闲旅行什么的。
(4) 結婚する前には、大阪の会社に勤めていました。／结婚之前，我在大阪的一家公司上班。

以"XまえにY"的形式，表示Y发生在X发生之前。不管句尾谓语的时态是什么，"…まえに"的动词要使用辞典形。
(正) 食事をする前に手を洗った。／吃饭之前洗了手。
(误) 食事をした前に手を洗った。

3 Nをまえに(して) 面对…、面临…、…之前。
(1) 国会議員のA氏は記者団を前に終始上機嫌だった。／国会议员A氏，面对记者团始终情绪高昂。
(2) テーブルの上の書類の山を前に、どうしたらいいのか、途方にくれてしまった。／面对桌子上堆得像山一样的文件，束手无策，不知该如何是好。
(3) 試験を前にして、学生たちは緊張していた。／学生们在考试之前非常紧张。
(4) 首相は出発を前に、記者会見を行う予定。／首相预定在出发之前会见记者。

表示空间上或时间上的关系。例(1)、(2)面对人和物。例(3)、(4)表示事情发生之前。表示时间上的关系时可以和"…をひかえて"互换。

【まさか】

1 まさか…ないだろう 不会…、怎能…、怎会…、难道会…。
(1) 彼には何度も念を押しておいたから、まさか遅れることはないだろう。／嘱咐了他好几次，他怎么会迟到呢。
(2) いくら強いといっても、相手はまだ小学生だ。まさか大の大人が負けるようなことはないだろう。／再怎么说强，对手也还是个小学生，那么大的成人难道会输吗？

(3) まさかそんなことはないと思うが念のためにもう一度調べてみよう。／虽然决不会有那样的事，但为了慎重起见还是再查一遍吧。

(4) あんなに何度も練習したのだから、まさか失敗することはあるまい。／做了那么多次的练习，怎么会失败呢。

(5) A：お金が足りませんが…／钱不够了…

　　B：まさかそんなはずはない。／怎么会呢。

(6) A：だれが秘密をもらしたんだろう。／是谁把秘密泄露出去的呢。

　　B：君、まさか僕を疑っているんじゃないだろうね。／你不会是在怀疑我吧。

(7) まさか、あなた、あの人と結婚する気じゃないでしょうね。／你不会有和他结婚的意思吧。

句尾使用"ないだろう"、"まい"、"はずはない"、"わけがない"等否定的表达方式．表示"那种事实际上不会发生，不应该发生"的否认态度。另外，像例(6)、(7)那样用"まさか…じゃないだろう／でしょうね"的形式．表示很强的怀疑态度。

2 まさか…とはおもわなかった　没想到会…。

[まさか Nだとはおもわなかった]

[まさか Naだとはおもわなかった]

[まさか Aとはおもわなかった]

[まさか Vとはおもわなかった]

(1) 山田さんが病気で入院しているとは聞いていたが、まさかこんなに悪いとは思わなかった。／听说山田因病住院了，没想到会这么严重。

(2) まさか私が優勝できるとは思いませんでした。／真没想到我会取胜。

(3) まさか彼があんな冗談を本気にするとは思わなかった。／没想到他会把那玩笑当真。

(4) まさか彼がこんなに早く亡くなるなんて誰も想像していなかった。／谁也没有想到他会那么快死去。

(5) まさかこんな大惨事になるとは誰も予想していなかった。／谁也没想到会酿成这么大的惨案。

(6) A：犯人は彼だったよ。／罪犯就是他。

　　B：まさか。／真没想到。

与"とは思わなかった"、"とは知らなかった"等表达方式相呼应使用．表示对没有想到的事却发生了而感到惊奇。口语中多像例(6)那样只用"まさか"。

3 まさか+否定表达方式　总不能…。

(1) A：あんな失敗をするなんて、あいつは馬鹿じゃないか。もっときつく言ったほうがいいん

694 まさに

じゃないですか。／失敗得那么惨，那家伙真是愚蠢。不能说得再严厉些吗。

B：まさか本人に面と向かって「ばか」とも言えないじゃないか。／总不能当着本人的面说"混蛋"吧。

（2）いくら助けてやりたくても、まさかテストの答えを教えるわけにもいかないし、自力で頑張ってもらうしかない。／无论怎么想帮助他，总不能把考试答案告诉他吧，只能让他自己努力。

与表示可能的"V-れる"的否定形或"ともいえない"、"わけにもいかない"等否定表达方式相呼应，列举极端事例，表示实际上不能那么做，但说话人又真想那么做的心情。

4 まさかのN　一旦、万一。

（1）健康には自信があるが、家族のことを考えてまさかの時のために保険に入っている。／虽然对自己的健康很自信，考虑到家庭的利益，为万一起见而入了保险。

（2）まさかの場合は、ここに電話してください。／一旦有什么事，请给这里打电话。

表示"紧急场合·万一发生什么事"的意思。

【まさに】

是书面语较生硬的表达方式，用于口语时有夸张的感觉。

1 まさに　真正、确实、正是。

（1）警察に届けられていたのは、まさに私がなくした書類だった。／有人交到警察那里的正是我丢失的文件。

（2）その絵は実際の幽霊を描いたものとして有名で、その姿にはまさに鬼気迫るものがある。／那幅画，作为描绘了实际的幽灵而出名，那一形象确实给人以阴森可怕的感觉。

（3）《領収書》金十万円正に受領致しました。／《发票》收到现金十万日元整。

（4）A：日本政府のはっきりしない態度が、アジア諸国との関係を悪化させているのではないか。／难道不是日本政府不明朗的态度，使其和亚洲各国的关系开始恶化的吗？

B：まさにそのとおりだ。／确实是这样。

（5）この夏、「世界リゾート博」を訪れた人は113万人を超えた。同博宣伝部長のS氏は「晴天続きのまさにリゾート日和でした。」とほくほく顔だった。／今年夏天，参加"世界度假村博览会"的人数超过113万。该博览会宣

传部长S氏高兴地说:"连续的晴天正是度假的艳阳天。"表示"确实是"、"真的"之意。

2まさに… V-ようとしている(ところだ) 将、即将、将要、正要。

（1）私が到着した時、会議はまさに始まろうとしているところだった。／我到的时候,会议正要开始。

（2）《テレビ中継放送》今まさに世紀の祭典オリンピックが始まろうとしております。／《电视转播》现在,世纪圣典奥林匹克运动会即将开始。

（3）ハイジャックの犯人をのせた飛行機は警察が包囲する中、今まさに飛び立とうとしている。／在警察包围中,载有截机犯的飞机现在正要起飞。

（4）彼らが駅に到着した時、列車はまさに動きださんとするところだった。／他们到达车站时,列车就要开动了。

表示"马上就要进行"、"正好刚要开始"之意。较生硬的说法有时也可像例（4）那样使用"V-んとしている"。

【まじき】
→【あるまじき…だ】

【まして】

1まして(や) 何况、况且。

（1）日本語の勉強を始めて3年になるが、まだ新聞を読むのも難しい。まして古典などはとても読めない。／开始学习日语已经3年,但看报纸还很困难,何况古典什么的更读不了了。

（2）この辺りは昼でも人通りが少ない。まして夜ともなると、怖くて一人では歩けない。／这一带白天都很少有人通过,何况到了晚上,更是可怕得不敢一个人走。

（3）僕でもできた仕事だ。まして君のような優秀な人間にできないはずはない。／连我都会的工作,何况像你那样的优秀人才不可能不会。

（4）家族の死は常に悲しい。まして、子供の死ともなれば、残された者の嘆きは、いかばかりであろうか。／亲属的死使人悲伤。何况,对于孩子的死,活着的人该是多么悲伤呀。

常使用"Xは…ましてYは…"或"Xでも…ましてYは…"的形式。将X和比X程度更高的Y做比较,表示"连X都那样,Y更是那样或当然那样"的意思。"ましてや"是书面语稍生硬的表达方式。

2Nにもまして 比…更。

（1）日本の夏は暑い。しかし、暑さにもまして耐えがたいのは、湿度の高さだ。／日本的夏天很热。但是比酷热更难耐的是湿度高。

(2) 本当にいい映画だった。映像の美しさはもちろんだが、それにもまして音楽がすばらしかった。／真是一部不错的电影。画面漂亮自不必说，更精采的是音乐。

(3) 彼はもともとまじめでよく働く人間だが、子どもが生まれてからというもの、以前にもましてよく働くようになった。／他本来就是认真勤奋的人，自从有了孩子之后，比以前更加能干了。

(4) 何にもましてうれしかったのは、友人の加藤君と10年ぶりに再会できたことだった。／比什么都高兴的是，又见到了阔别10年的朋友加藤。

以"Xにもまして…なのはYだ"、"XにもましてYが…"等形式，表示"X是当然的…，不过Y更…"的意思。通过和X比较，用以强调Y的程度更高。像例(3)那样以"前にもまして"、"以前にもまして"的形式使用时，意思即成为"比以前更…"。例(4)"何にもまして"的用法，是"比什么都…"、"最…"的意思。

【まず】

1 まず 先、首先、开头。

(1) まずはじめに、本日の予定をお知らせいたします。／首先，通知一下今天的安排。

(2) 《司会者の発言》次にみなさんのご意見をお伺いしたいと思います。では、まず川口さんからお願いします。／《主持人的发言》下面想听听大家的意见。先请川口先生发言。

(3) 今年の夏は暑いらしいから、ボーナスが入ったら、まずクーラーを買おうと思っている。／今年夏天好像很热，所以拿到奖金以后，想先买台空调。

(4) 日本の年中行事として、まず盆と正月が挙げられる。／提到日本的节日，首先会想到盂兰盆节和元旦。

(5) その国の文化を知るには、まず言葉からだ。／要了解该国文化，首先从语言开始。

表示"首先、最初"之意。例(4)、(5)有"他のものはさておき／其他暂且不提"的意思。

2 まずは 姑且、谨此、暂且、总算。

(1) まずは一安心した。／总算放心了。

(2) 《手紙》まずはご報告まで。／《信函》谨此奉告。

(3) 《手紙》取り急ぎ、まずはお礼まで。／《信函》暂且匆匆致谢。

(4) 《手紙》まずは用件のみにて、失礼いたします。／《信函》暂且就此匆匆搁笔。

表示"虽不完全，但大致如此"、"虽不充分，但姑且…"的意思。例(1)是"まずはほっとした"、"まずはよかった"等的固定说法。可和"なにはともあれ"、"とに

かく"等互换使用。例(2)~(4)是书信结尾使用的惯用表达方式。

3 まず…だろう／…まい 大概、大致、大体、差不多。

(1) 患者:もう、普通の生活に戻っても大丈夫でしょうか。／患者:已经可以恢复正常生活了吧？

医者:そうですね、無理さえしなければ、まず大丈夫でしょう。／医生:是啊，只要不过度劳累，大概没什么问题。

(2) 予算は十分にあるから、足りなくなることはまずないだろう。／预算很充足，大概不会不够吧。

(3) 山田氏の当選はまず間違いあるまい。／山田氏的当选大体不会错了吧。

(4) この怪我ではまず助かるまい。／这种伤差不多是没救了。

(5) この案に反対する人はまずいない。／大概不会有人反对这一提案的。

(6) 彼が一度「だめだ」と言ったら、もう可能性はないと思ってまず間違いない。／他一旦说"不行"，我想就已经没有可能性了，这大概不会错。

和"…だろう"、"…まい"等一起使用，表示说话人的推断相当准确。"まず…まい"是"まず…ないだろう"的意思，是书面语较生硬的表达方式。像例(5)、(6)那样不带"…だろう"使用时，表示具有更强信心的推测。

【また】

1 また

a また＜反复＞ 又、再、还。

(1) また、飛行機が落ちたらしい。／好像又掉下一架飞机。

(2) 同じ問題をまた間違えた。／又做错了同样的题。

(3) A:すみません。来週の金曜日、休ませていただきたいのですが。／对不起，下周星期五我想休息…。

B:またですか。先週も休んだでしょう。／又休息？上周不是休了吗。

(4) A:さようなら、また来てくださいね。／再见，(有空)再来玩啊。

B:有り難うございます。また、おじゃまします。／谢谢。有空)还来打扰您。

(5) 《授業の終わりに》では、また来週。／《下课时》那么，下周再见。

(6) A:じゃ、また。／那么，再见。

B:じゃあね。／再见。

表示同样的事反复发生。作为寒暄

语在分手时也可像例(4)～(6)那样使用。

b また＜附加＞ 还、另外。
(1) 教科書は、大学生協で購入できる。また、大きな書店でも販売している。／教科书可以在大学的服务部购买。另外在大书店也有卖的。
(2) 10月から大手私鉄の運賃が平均20％値上げされる。また、地下鉄、市バスも来年4月に値上げを予定している。／从10月份起大的私营铁路票价平均增长20％。另外，地铁、市公交车也预计在明年的4月涨价。
(3) 《テレビのニュースで》現在、新幹線は京都神戸間が不通になっております。また、在来線は大阪神戸間が不通となっております。／《电视新闻》现在，新干线京都至神户段不通车。另外大阪神户间的老线路段也不通车。
(4) 《テレビのニュースで》天皇皇后両陛下の韓国御訪問は10月と決まりました。また、首席随行員は渡辺外相が務めます。／《电视新闻》天皇和皇后陛下，决定10月访问韩国。另外，首席随行人员渡边外相也一同前往。

与先前叙述事物有关，再附加说明或其他事物时，使用该句型。

c また＜列挙＞ 既…又、不但…还、不仅…还。
(1) 彼は良き父であり、また良き夫でもある。／他既是好父亲又是好丈夫。
(2) この本はおもしろく、またためになる。／这本书不但有意思，而且还有价值。
(3) 喫煙は健康に悪いし、また、周囲の迷惑にもなる。／吸烟不仅对健康有害，而且会给周围的人造成麻烦。

是"而且、加之"之意。用于列举同类事物时。经常以"また…も"的形式出现。

d また＜選択＞ 另外…也。
(1) 参加してもよい。また、参加しなくてもよい。／参加也行，不参加也行。
(2) 黒か青のインクで書くこと。また、ワープロの使用も可。／要用黑墨水或兰墨水笔书写。用文字处理机打印也可以。

表示"两者中任选其一"之意。经常以"また…も"的形式出现。

2 …もまた 也还是…。
[N もまた]
[Na なのもまた]
[A／V のもまた]
(1) 山でのキャンプ生活は電気もガスもないが、不便なのもまた楽しい。／山上的露营生活，虽然没有电也没有煤气，不过这种不方便的生活也还是一种乐趣。

（2）暑いのも困るが寒いのもまたたいへんだ。／热了不好过，冷了也还是够呛。
（3）晴れた日の散歩は楽しい。しかし、雨にぬれながら歩くのもまた風情があっていいものだ。／晴天散步很惬意，但是，雨中散步也还是别有一番情趣的。
（4）天才といえども、彼もまた人の子だ。うれしいときもあれば悲しいときもある。／虽说是天才，但他也还是个普通人的孩子，既有高兴的时候，也有悲伤的时候。

是"和…一样"的意思。例（1）～（3）表示和前面所叙述的事一样。例（4）表示"天才的他也和普通人一样"。

3 …また 又…、可…。
（1）いったいまたどうしてそんなことを。／到底为什么又要做那种事。
（2）どうしてまた、こんなことになったのだろうか。／为什么又成这样了呢。
（3）しかしよくまた、こんなことができたものだ。／哎，这可真是了不起啊。
（4）これはまたきれいな絵ですね。／这可真是一幅漂亮的画啊。

和"いったい"、"どうして"、"これは"等相呼应使用，表示说话人惊奇、不可思议的心情。

4 またのN 下一次的、再一次的、另外的。
（1）またのお越しをお待ちしております。／我期待着您下一次再来。
（2）きょうは忙しいので、この話はまたの機会にお願いします。／今天我很忙，这件事下次有机会再说。
（3）彼は医者だが、またの名を北山淳といって有名な小説家でもある。／他是医生，而且还是一位以北山淳为笔名的著名的小说家。

是"下一次、另外的"意思。例（1）和例（2）都是惯用的固定表达方式，一般只限于和"またの機会／チャンス／とき／日／名"等名词一起使用。

例（3）所用的"またの名…である"是"另外的名字是…"的意思。

5 Nまた N 接连、不断。
（1）一行は、山また山の奥地に進んで行った。／一行向着绵绵山脉的深处进发。
（2）残業また残業で休む暇もない。／连续加班，连休息时间都没有。
（3）人また人で歩くこともできない。／人挨着人，走都走不动。

反复使用同一名词，表示同一物体的连接状或同一事物接连不断发生的状态。

【まだ】
1 まだ…ない 还未…、还没…。

(1) A：昼ご飯は、もう食べましたか。／吃午饭了吗？
　　B：いいえ、まだ食べていません。／不，还没吃呢。
(2) A：この本は、もう読みましたか。／这本书，你已经看了吗？
　　B：いいえ、まだです。／不，还没呢。
(3) 事故の原因は、まだわかっていない。／还不知道事故的原因。
(4) 子：お母さん、ご飯まだ？／孩子：妈妈，饭还没好吗？
　　母：もうちょっと待ってね。／母亲：再稍等会儿。
(5) 風邪はまだよくならない。／感冒还没好。
(6) その時はまだ何が起こったのかわからなかった。／当时还不知道发生了什么事。
(7) 外国には、まだ一度も行ったことがない。／还没去过一次外国呢。

　　表示所预定的事现在还未进行或还没有完成。
　　对"もう…ましたか"这一问题的否定答案，多使用"いいえ、まだ…ていません"这一形式。也可用"いいえ、まだです"。如果用"いいえ、まだ…ません"就不太适当，有时会被解释为"没那打算…"的意思。
(误) A：昼ごはんはもう食べましたか。
　　B：いいえ、まだ食べません。

2 まだ＜从过去持续到现在＞ 还…。

(1) A：敏子は何をしているの？／敏子在干什么呢？
　　B：おねえちゃんは、まだ電話をしているよ。／姐姐还在打电话呢。
(2) もう一週間になるのに、父と母はまだけんかをしている。／已经过了一周了，可爸爸妈妈还在吵架。
(3) 子どもの時に大きな地震があった。あの時のことは、今でもまだはっきりと覚えている。／小时候发生过一次大地震，那时的情景，至今还记忆犹新。
(4) 今年になっても、日本の経済はまだ低迷を続けている。／直到今年，日本的经济还持续处于低迷状态。
(5) A：昔、みんなで温泉に行ったことがあったね。／过去，我们大家曾一起去洗过温泉啊。
　　B：ああ、まだおじいさんが生きていたころだね。／是啊，那时爷爷还健在呢。
(6) 昔と違って、60代といってもまだ若い。／和过去不同，现在60多岁还算年轻。
(7) 9月なのにまだ暑い。／都

9月份了，还那么热。
(8) さなえちゃんは偉そうなことを言っても、まだ子供だね。／早苗再怎么夸口，也还是个孩子。
(9) まだ未成年なのに酒を飲んではいけない。／还未成年，不许喝酒。

多以"まだV-ている"的形式使用，表示同样的状态一直持续着。例(5)以"まだV-ていた"的形式，表示现在虽不同了，但在过去的某个时间其状态一直持续着，是"现在不在了，可那个时候还活着"的意思。例(7)～(9)强调的是，现在也和以前一样停留在同样的状态下，还未达到当然应该达到的下一个阶段。例(7)表示"夏天已经过去，该到凉快的时候了，可并非那样"。例(8)表示"还未成为大人"。例(9)是"还未到可以喝酒的年龄"之意。

3 まだ＜向未来持续＞ 还会。

(1) これから、まだもっと寒くなる。／这以后还会更冷。
(2) 雨は、まだ二、三日続くだろう。／这雨还会持续两三天吧。
(3) 景気はまだ当分よくならないと思われる。／人们认为景气暂时还不会好转。
(4) まだこの株は値上がります。／这一股票还会升值。
(5) まだまだこれからが大変ですよ。／这以后还会更厉害的。

表示现在的状态还会继续下去。使用"まだまだ"时，成为"还会更进一步"之意，表示程度会更高或时间持续更长。像例(2)那样如使用了"二、三日"、"三日"这样具体的时间时，不能用"まだまだ"。

4 まだ…ある 还有…。

(1) 開演までには、まだ時間がある。／离开演还有一段时间。
(2) 目的地まで、まだ20キロはある。／离目的地少说还有20公里。
(3) 食糧はまだ三日分ほど残っている。／还有够三天吃的粮食。
(4) まだ他にも話したいことがある。／还有要说的话。

表示还留有某些东西或时间等。

5 まだ＜经过＞ 才、仅、不过

(1) まだ一時間しかたっていない。／才过了一小时。
(2) 日本にきて、まだ半年だ。／来到日本才半年时间。
(3) まだ10分ほどしか勉強していないのに、もう眠くなってきた。／才不过看了10分钟的书，就开始犯困了。
(4) 震災からまだ一年にしかならないのに、街の復興はめざましい。／震灾后，才不过一年，城市的恢复状况非常显著。
(5) もう夕方かとおもったが、まだ3時だ。／以为已经到了傍晚，才不过3点啊。

和表示时间的词呼应使用，强调离

某些事仅过了很短的时间。

6 まだ＜比較＞ 还是、还算。

（1）何日もかかって、長いレポートを書かされるよりは、一日ですむ試験の方がまだいい。／与其让我们花费好几天的时间写长的论文，还不如一天就完事的考试好一些。

（2）家事はみんな嫌いだが、掃除よりも洗濯の方が、まだましだ。／谁都讨厌干家务活，不过，比起扫除来洗衣服还算轻松一些。

（3）A：ああ、いやだ。試験が5つもある。／啊，真烦人，我们有5门考试。
B：君なんか、まだましな方だよ。僕なんか、11もあるよ。／你还算好呢，我有11门考试呢。

（4）今度の地震で家も財産もなくしたが、命があっただけ、まだ救われる。／这次地震家也没了，财产也没了。不过，只要人活着，就还算有救。

以"まだいい"、"まだましだ"的形式表示哪方面都不好，不过比起一方来另一方还算好一些。

【またしても】 又…。

（1）またしても空の事故が起こった。／又发生了空难。

（2）またしてもあいつにしてやられた。／又被那家伙给骗了。

（3）《高校野球の実況中継で》平安高校、またしてもホームランを打ちました！／《高中棒球锦标赛实况转播》平安高中又打了个本垒打。

说话人用惊奇的口气叙述同一事情持续反复发生。像例（1）、（2）多用于不好的事情。虽然是强调"また"的说法，但因感觉上较生硬，所以多使用于书面语或电视、广播等新闻报导以及解说词方面。日常的口语中还是"また"用得多一些。

【または】

或是…、或。

[NまたはN]

（1）黒か青のペンまたはえんぴつで書いて下さい。／请用黑色蓝色钢笔或铅笔填写。

（2）13日までに到着するように郵送するか、または、持参してください。／请在13日之前寄过来或是直接交过来。

（3）400字詰め原稿用紙に手書き、またはA4の用紙にワープロで打つこと。／要求写在400字稿纸上或使用文字处理机打在A4的纸上。

表示两者之间无论哪方都可以。例（1）是"钢笔也可以，铅笔也没关系"。例（2）是"邮寄或是交来都可以"的意思。是

书面性语言的表达方式，经常用于告示通知等场合。

【またもや】

又…。
(1) またもや、彼が登場した。／他又上台了。
(2) またもや人為的なミスによる飛行機事故が起きたことは、看過できない問題である。／又是人为造成的飞机事故，这是不能忽视的问题。
(3) またもや、汚職事件が発覚した。／又暴露了一起渎职事件。

是"又…、再次…"的意思。表示同一事情连接发生，是稍有些陈旧的表达方式。一般还是"また"、"またしても"使用得多一些。也可以说"またも"。是书面语言。

【まったく】

1 まったく…ない　绝对不…、完全没有…、根本不…、一点没有…。
(1) きのうのクラスはまったくおもしろくなかった。／昨天的课一点都没有意思。
(2) 彼は家ではまったく勉強をしない。／他在家根本不学习。
(3) この一週間全く雨が降っていない。／这周一场雨也没下。
(4) その選手のフォームは全く文句のつけようのない美しさだ。／那位选手的姿势帅得完全无可挑剔。
(5) そのバイオリニストのアルバムは、デビューアルバムとしては全く申し分のない出来である。／那位小提琴手的专辑唱片，作为首发专辑片来说绝对无可挑剔。

强调否定意思时使用该句型。比"ぜんぜん"、"すこしも"、"ちっとも"等表达方式生硬。强调"无可挑剔"、"没的说"、"无法挑剔"等意思时，除"まったく"外很难用其他说法表示。

2 まったく　完全、简直、真、实在。
(1) これとこれはまったく同じものです。／这个和这个是完全一样的东西。
(2) それとこれとはまったくちがう話だ。／那个和这个完全是两回事儿。
(3) まったくいやな雨だなあ。／真是讨厌的雨啊。
(4) またお金すれたの？まったくこまった人ね。／又忘了带钱？简直拿你没办法啊。
(5) A：うっとうしい天気だね。／这天气真闷人啊。
　　B：まったくだ。／真是。
(6) きのうの演奏は全くすばらしいものだった。／昨天的演奏实在是太好了。

强调程度时使用该句型。例(5)即是强调表示对对方的说法的肯定心情。

【まで】

1 NからNまで 从…到…。

(1) シンポジウムは1時から3時まで第3会場で行います。／专题讨论会在第3会场举行。时间从1点到3点。

(2) A：大阪から東京までどのくらいかかりますか。／从东京到大阪需要多长时间？
B：新幹線なら3時間ぐらいでしょう。／乘新干线的话，3小时左右吧。

(3) 《ホテルで》／《在饭店》
A：シングルでいくらですか。／单人房间多少钱？
B：シングルのお部屋は、7500円から12000円までとなっております。／单人房间，从7500日元到12000日元不等。

(4) 教科書の25頁から35頁まで読んでおいてください。／请预先看一下教科书的第25页到35页的内容。

(5) この映画は、子供からお年寄りまでご家族みんなで楽しんで頂けます。／这部电影，从孩子到老人全家都会喜欢的。

(6) A：昼休みは何時までですか。／午休到几点？
B：1時までです。／到1点。

2 Nまで＜目的地＞ 到…。

(1) バスに乗らずに駅まで歩いて行くことにした。／决定到车站不坐公共汽车而走着去。

(2) 公園まで走りましょう。／跑到公园吧。

(3) 毎日学校まで歩きます。／每天步行到学校。

(4) 川幅が広くて向こう岸まで泳げそうもない。／河面那么宽，看样子游不到对岸。

(5) 先週の日曜日は、散歩がてら隣の町まで行ってみた。／上周日，散步顺便到邻近的小镇去转了转。

(6) A：京都にはどうやって行ったらいいですか。／到京都怎么走好呢？
B：そうですねえ。山手線で東京駅まで行って、新幹線に乗るのが一番早いと思いますよ。／是啊。乘山手线到东京站，然后乘新干线，我想这样最快。

(7) わからないことがありましたら、係りまでおたずね下さい。／如有不明白的地方，请到主管人员那里去问。

和"行く、来る、歩く、走る、泳ぐ"等动词一起使用，表示移动结束的场所。"歩く、走る、泳ぐ"等移动动词，虽不能直接接在"に"或者"へ"后，不过可以和"ま

で"一起使用。
（正）　公園まで走りましょう。／跑步到公园吧。
（误）　公園｛に／へ｝走りましょう。
（正）　毎日学校まで歩きます。／每天步行到学校。
（误）　毎日学校｛に／へ｝歩きます。
（正）　向こう岸まで泳いだ。／游到了对岸。
（误）　向こう岸｛に／へ｝泳いだ。

另外，参照以下例句可以知道"まで"表示的是持续动作结束的场所，所以不能同时选择两个以上场所。

（正）　イタリアではローマとミラノ｛に／へ｝行った。／在意大利，去了罗马和米兰。
（误）　イタリアではローマとミラノまで行った。

例(7)和"係りに"意思一样，但感觉上更加郑重。

3 …まで＜时间＞
a Ｎまで　到…、…之前。
（1）　3時まで勉強します。／学习到3点。
（2）　きのうは結局朝方まで飲んでいた。／结果昨天一直喝到天亮。
（3）　私はなまけもので、日曜日はもちろん普通の日でも、たいてい11時頃まで寝ている。／我是个懒人，星期日不用说，就是平时大抵上也要睡到11点左右。
（4）　ついこのあいだまでセーターを着ていたのに、この二三日急に暖かくなった。／前几天还一直穿着毛衣呢，可这两三天一下暖和起来了。
（5）　祖父は死ぬ直前まで意識がはっきりしていた。／祖父在死之前一直意识很清醒。

接在表示时间的名词之后，表示在以"まで"所表示的时间以前的动作或事件一直持续着。后面要伴随着表示动作或状态继续着的表达方式，而不能使用表示事件发生的表达方式。

（误）　5時まで到着します。
（正）　5時までに到着します。／5点之前到达。

有关"まで"和"までに"的不同点，请参照"までに"的用法。

b Ｖ－るまで　…到、…之前、到…为止。
（1）　あなたが帰ってくるまで、いつまでも待っています。／我永远等着你，一直等到你回来。
（2）　私がいいと言うまで目をつぶっていてください。／在我说好了之前不要睁眼。
（3）　田中さんは結婚して退職するまで、貿易会社に勤めていたそうだ。／听说田中在结了婚退职前，一直在贸易公司上班。
（4）　《医者が患者に》もう少し暖かくなるまで外出はしないほうがいいでしょう。／《医生对患者》还得稍暖和一点再出门吧。
（5）　佐藤さんは会社を辞めるなんて、昨日山田さんに聞くまで知りませんでした。／佐藤

要辞职这件事，我是昨天听山田说了才知道的。
(6) 肉がやわらかくなるまで、中火で煮ます。／用中火煮到肉烂为止。

接在表示事件的短句之后，表示该事件发生前一直持续着同样的状态或动作。例(6)是在说明顺序等时经常使用的表达方式，指示用中火煮，直到肉煮烂时再停止煮这一行为。

4 …まで＜程度＞

a Nまで 连…都、甚至…都、到…地步。

(1) 近頃は子供ばかりか、いい年をしたおとなまでマンガを読んでいる。／最近别说孩子，连挺大岁数的人都看起了漫画。

(2) きみまでそんなことを言うのか。／连你都那么说吗？

(3) 一番信頼していた部下までが、彼を裏切った。／甚至连他最信任的部下都背叛了他。

(4) 子供にまでばかにされている。／甚至被孩子看不起。

(5) そんなつまらないものまで買うんですか。／连那么无聊的东西都买呀。

(6) 落ちぶれた身には、風までが冷たい。／对于穷困潦倒的人来说，连风都是冷酷无情的。(人要是倒楣，连喝凉水都塞牙缝儿。)

(7) だんだん暗くなって来るのにさがしている家は見つからない。その上、雨まで降ってきた。／天越来越黑了，可要找的人家还没发现，甚至还下起来了雨。

(8) 今年はいいことばかりだ。新しい家に引っ越したし、子供も生まれた。その上、宝くじまで当たった。／今年尽是好事，搬了新家，又生了孩子，而且还中了彩票。

(9) 私にも悪い点はあるが、そこまで言われたら、黙ってはいられない。／我也有不好的地方，不过话要说到那种地步，就不能保持沉默了。

(10) 生活に困って盗みまでするようになった。／生活困苦，甚至到了偷盗的地步。

是说话人带有惊奇口气叙述"不用说一般能考虑到的范围，甚至涉及到一般没想到的范围"时的表达方式。如例(1)的意思是"漫画一般是小孩儿读的东西，可是最近不仅小孩儿连大人也开始读了"。例(7)的意思是"天黑下来就很不利了，可又加上下起了雨这一更恶劣的状况"。例(8)相反表示的是在好事上又加上更好的事。像例(4)的"子供にまで"那样，有时也可用"名詞＋助詞＋まで"的形式。

b V-るまでになる 达到…地步、到…程度。

(1) 苦労の甲斐あって、やっと日本語で論文が書けるまでになった。／辛勤努力有了结果，终于达到能用日语写论文的程度了。

（2）人工飼育されていたひなは、ひとりで餌がとれるまでに成長した。／人工饲养的雏鸡，已长到自己能吃食的程度了。

（3）リハビリの結果、ひじを曲げられるまでになった。／经过医疗指导，肘关节已可以弯曲了。

除"なる"外还可和"成長する・育つ・回復する・進歩する"等表示变化的动词一起使用。表示经过长时间及努力而达到现在的结果和状态。在表示"经过努力而达到了现在的良好结果和状态"这种情况下多使用该句型。

c V-るまで(のこと)もない　未达到…程度、无需、没必要、用不着。

（1）この程度の風邪なら、医者に行くまでのこともない。うまいものを食べて、一日ぐっすり眠れば治る。／这点感冒，没必要去看医生。吃点好的，闷头睡一觉就会好的。

（2）その程度の用事ならわざわざ出向くまでもない。電話でじゅうぶんだ。／为那点事，没必要亲自前去，打个电话就行了。

（3）皆さんよく御存知のことですから、わざわざ説明するまでもないでしょう。／都是大家知道的事，用不着特意说明吧。

（4）改めてご紹介するまでもありませんが、山本先生は世界的に有名な建築家でいらっしゃいます。／用不着我再介绍了，山本先生是世界有名的建筑家。

（5）田中先生は、御専門の物理学は言うまでもなく、平和運動の推進者としてたいへん有名であります。／无需说田中先生在他的本行物理学方面很有名，作为一名和平运动的推进者也非常有名。

（6）子供の頃、兄が大事にしていた万年筆を持ちだしてなくしてしまったことがある。後でひどく怒られたことは言うまでもない。／孩童时，曾将哥哥视如珍宝的钢笔拿出来弄丢了。之后不用说被哥哥狠狠地骂了一顿。

是"没必要做…"的意思。例（1）、（2）表示"因程度低，所以没必要做…／不做也没关系"。例（3）～（5）表示"因是理所当然的事，所以没必要做"。例（6）是"事后当然被骂了一顿"的意思。

d …までして　甚至于到…地步。
[Nまでして]
[V-てまで]

（1）色々ほしいものはあるが、借金までして買いたいとは思わない。／虽然想要的东西很多，但也没想要借钱去买。

（2）徹夜までしてがんばったのに、テストでいい点が取れ

なかった。／拼命复习，甚至到通宵，可考试也没取得好成绩。

(3) 彼が自殺までして守りたかった秘密というのは何だろう。／他甚至不惜采取自杀的手段要保守的秘密到底是什么呢？

(4) 彼は、友だちを騙してまで、出世したいのだろうか。／他就那么想出人头地？甚至不惜欺骗朋友。

(5) 自然を破壊してまで、山の中に新しい道路をつくる必要はない。／没必要甚至不惜破坏自然而在山里修条新路。

接在表示极端事物的形式后，表示"竟然做那样的事"的意思。像例(1)、(4)、(5)那样，在责备为达目的而不择手段时使用。经常在表示"为做某事，而采取那样的手段是不好的"、"(我)不想为了某些目的而使用那种手段"的语境中使用该句型。另外，像例(2)、(3)那样表达"付出不一般的努力"、"以极大的牺牲为代价，而为达到某种目的"意思时也使用该句型。

5 …までだ

a V－るまで(のこと)だ 大不了…就是了。

(1) 父があくまで反対するなら、家を出るまでのことだ。／父亲坚持反对的话，大不了离开家就是了。

(2) もし入学試験に失敗しても、私はあきらめない。もう一年がんばるまでのことだ。／入学考试失败的话，我也不灰心，大不了再努力一年就是了。

表示说话人"现在的方法即使不行也不沮丧，再采取别的办法"的决心。

b V－たまで(のこと)だ 也就是…，不过是…。

(1) そんなに怒ることはない。本当のことを言ったまでだ。／没必要那么生气，不过是说了真话而已。

(2) 妻：どうして子供たちに結婚する前の話なんかしたんですか。／妻子：为什么把结婚前的事告诉孩子们？

夫：聞かれたから答えたまでで、別に深い意味はないよ。／丈夫：他们问我也就顺口说了，没有其他更深的意思哟。

表示"说话人所作的事只是那点理由，没有其他意思"。

c これ／それ までだ 也就是这样了、完了、无话可说。

(1) いくらお金を貯めても、死んでしまえばそれまでだから、生きているうちに楽しんだ方がいい。／再怎么存钱，死了也就一切都完了，不如活着时享受更好。

(2) 運がよかったと言ってしまえばそれまでだが、彼があの若さで成功したのにはそれな

りの理由がある。／如果说那只是运气好也就无话可说了,不过他那么年轻取得了成功自有他的道理。
（3）　もはや、これまでだ。／事到如今,万事皆休。

以"V-ば、それまでだ"的形式,表示"这样就完了"的意思。另外,例（3）是惯用句,用于陷于绝境时。

6 V-ないまでだ　即便不是…也、即使没有…也。

（1）　喜びはしないまでも、いやがりはしないだろう。／即便不高兴,但也不会讨厌吧。
（2）　優勝とは言わないまでも、ベスト4ぐらいはねらいたい。／即便拿不到冠军,也要拿到前4名。
→【ないまでも】

【までに】

1 …までに　在…之前、到…为止。
[Nまでに]
[V-るまでに]
（1）　レポートは来週の木曜日までに提出して下さい。／请在下周星期四之前将报告书提交上来。
（2）　何時までに伺えばよろしいですか。／我几点之前拜访您好呢？
（3）　明日までにこの仕事を済ませてしまいたい。／想在明天之前完成这项工作。

（4）　夏休みが終わるまでにこの本を読んでしまいたい。／想在暑假之前读完这本书。

附在表示时间的名词或表示事件的短句之后,表示动作的期限或截止日期。后面伴随着表示动作或作用的表达方式,说明要在这期限以前的某个时间之内完成这些动作或作用。

"…まで…する"的形式表示动作或状态到"某时间"一直持续着,而"…までに…する"的形式不表示持续,是表示某事物的发生。所以,在"…までに"的句中,后面不能用表示继续的表达方式。

（误）　5時までにここで待っています。
（正）　5時までここで待っています。／5点之前在这儿等着。

另外,除表示期限的句子之外,还有在书信等形式中使用的"参考までに"这一习惯用法,一般在表示"为了参考"、"说不定能得到参考"的意思中使用。

（例）　ご参考までに資料をお送りします。／送去资料,谨供参考。

2 V-るまでになる
→【まで】4b

【まま】

在口语中也可用"まんま"。

1 …ままだ　仍旧、老样子、一如原样、一直没…、原封未动。
[Nのままだ]
[Na なままだ]
[A-いままだ]
[V-たままだ]
（1）　10年ぶりに会ったが、彼は昔のままだった。／时隔10年又

見面了，他还是老样子。
(2) テーブルの上は、朝出かけた時のままだった。／桌子上面，和早晨出去时一样，原封没动。
(3) このあたりは開発もされず、昔と変わらず、不便なままだ。／这一带也没有进行开发，和过去一样，还是那么不方便。
(4) 小学生の息子に辞書を買ってやったが、あまり使わないのか、いつまでも新しいままだ。／给上小学的儿子买的字典，大概没怎么使用，始终是那么新。
(5) 彼には、去年一万円借りたままだ。／去年向他借了一万日元至今没还。
(6) 彼は、先週からずっと会社を休んだままだ。／他从上周开始一直休息没上班。
(7) 母は一時ごろに買物に出かけたままだ。／妈妈一点左右出去买东西还没回来。
(8) 桜の木は台風で倒れたままだ。／被台风吹倒的樱花树一直倒在那里。
(9) 新幹線は込んでいて、大阪から東京までずっと立ったままだった。／新干线车里很拥挤，从大阪一直站到东京。
(10) 彼はずっとうつ向いたままだった。／他一直搭拉着脑袋。

表示同一种状态持续不断。例(1)～(4)接在名词、ナ形容词、イ形容词后，表示过去某时间的状态至今未变一直持续着。另外，例(5)～(10)接在动词的夕形后，表示以"V-た"形式所表现的动作完了之后，同一状态一直持续着。

一般，在当然应该继续进行的事但还未进行的情况下多使用该句型。例如，例(5)表示的是"借了之后还没有还"，例(6)表示的是"还没到公司上班"的意思。

2 …まま(で)　就那样…、保持着原样…。

[Nのまま(で)]
[Na なまま(で)]
[A-いまま(で)]
[V-たまま(で)]

(1) 日本のトマトは、煮たりしないで生のまま食べた方がうまい。／日本的西红柿，不要做熟了，就那样生吃最好。
(2) 店員：袋にお入れしましょうか。／店员：帮你装在口袋里吧。
　　客：いや、そのままでけっこうです。／顾客：不用，就这样挺好。
(3) 年をとっても、きれいなままでいたい。／上了年纪，也还是想保持着青春美貌。
(4) 日本酒はあたためて飲む人が多いが、私は冷たいままで飲むのが好きだ。／很多人都是把日本清酒温一温再喝，但我喜欢就那样凉着喝。
(5) 靴をはいたまま部屋に入ら

ないで下さい。／请不要穿着鞋进屋。
（6）クーラーをつけたまま寝ると風邪をひきますよ。／开着空调睡觉可要感冒哟。
（7）ストーブを消さないまま学校に来てしまった。／没关炉子，就来了学校。
（8）三日前に家をでたまま行方がわからない。／三天前离开家至今不知去向。
（9）急いでいたので、さよならも言わないまま、帰ってきてしまった。／因为很急，也没说再见就回来了。
（10）戦後の混乱で父とはずっと連絡がとれなかった。結局父は、私が結婚したことも知らないまま亡くなった。／因战后混乱，一直和父亲没有取得联系。结果我结婚的事他一直不知道就那样去世了。

表示在"没有变化的同样状态下"的意思。像例(1)～(4)那样，表示不改变现在的状态或状态不变。像例(5)～(10)那样，接在动词夕形或否定形之后，表示"在那一状态下，进行…"的意思。

使用表示瞬间动作的动词，表示在那一结果持续的状态下，进行下一动作或事态时，使用该句型。两个动词的主语必须是一样的。

（误）電車はこんでいて、山田さんは立ったまま、私はすわっていた。
（正）電車はこんでいて、山田さんは立ったままだったが、私はすわっていた。／电车非常拥挤，我坐着可山田先生却一直站着来着。
（误）彼が待っているまま、私は他の人と話していた。
（正）彼を待たせたまま、私は他の人と話していた。／我和其他人讲话时，就让他那么一直等着来着。

3 …まま(に)

a Ⅴ-るまま(に)　随意、任凭…那样、随心所欲。

（1）足の向くまま、気の向くまま、ふらりと旅に出た。／走到哪儿算哪儿，高兴去哪儿就去哪儿，就这样无目的地外出旅行了。
（2）気の向くままに、絵筆をはしらせた。／随心所欲地挥动着画笔。
（3）あなたの思うまま、自由に計画を立ててください。／就按你所想的那样，随意定计划吧。

表示"听其自然，按喜欢的去做"的意思。一般只用于像"足の向くまま"、"気の向くまま"等，所能使用的动词不多。

b Ⅴ-られるまま(に)　任人摆布、惟命是从、任凭…。

（1）春の風に誘われるままに、公園を散歩した。／任凭春风拂面，我散步在公园。
（2）彼は、上司に命令されるままに行動していただけだ。／他只是按上司命令采取了行动而已。

（3）被害者は犯人に要求されるままに金を渡していたようだ。／受害者好像是在犯人的胁迫下交出了钱。

表示服从其他什么人的意志或状态，任凭摆布的样子。也可用"V-られるがままに"的表现形式。

c …ままに なる／する 搁置，不管，放任，保持原状。

[V-たままに なる／する]

（1）暑いのでドアはあけたままにしておいてください。／太热了，门就那么开着吧。

（2）病気はだんだん悪くなってきている。このままにしておいてはいけない。／病情越来越严重，不能这么搁置不管。

（3）家族を失って、彼女は悲しみにうちひしがれている。今は、そっとこのままにしておいた方がいい。／失去亲人，她已是悲痛欲绝，现在就让她这么安静地呆着为好。

（4）電気がついたままになっていた。／灯一直这么开着。

（5）あの事件以来、ドアはこわれたままになっている。／那次事件以后，这门一直这么坏着没人管。

表示"不去改变，使同一状态持续着"的意思。例（1）～（3）的"V-たままにしておく"、"このままにしておく"，是指说话人由于某些理由，特意不去改变该状态。例（4）、（5）的"V-たままになっている"表示保持原状态搁置不管的意思。

4 V-たままを 按所…样子去做。

（1）見たままを話してください。／请把所看到的讲一下。

（2）遠慮なく、思ったままを言ってください。／不要客气，怎么想的就怎么说。

（3）田中さんに聞いたままを伝えただけです。／只是把听田中讲的原封不动地告诉了你而已。

表示不加以改变，按原样去做的意思。使用"感じたまま、見たまま、聞いたまま"等形式。

5 …がまま 任凭。

[V-る／V-られる がまま]

（1）言われるがままに、はんこを押してしまった。／按着所说的那样盖了图章。

（2）なぐられても、けられても、彼はされるがままになっていた。／别人怎么打他踢他也都不还手。

（3）あるがままの姿を見てもらいたい。／希望你看到真实的形象。

是一种惯用的固定表达方式，表示不加以改变的服从状态。例（1）、（2）和"V-られるまま（に）"一样，例（1）是"按所说的去做"，例（2）是"被动地不加以抵抗"的意思。例（3）表示的是"不加以修饰的真实形象"的意思。

【まみれ】

沾满。

[Nまみれ]

(1) 子供たちは汗まみれになっても気にせずに遊んでいる。／孩子们玩儿得浑身是汗也不在乎。

(2) あの仏像は何年も放っておかれたので、ほこりまみれだ。／那尊佛像因搁置了多年，沾满了尘土。

(3) 犯行現場には血まみれのナイフが残されていた。／犯罪现场留下了一把沾满血迹的刀子。

表示沾满污垢的状态。使用"Nまみれになる"、"Nまみれだ"、"Nまみれの"等表达方式。如"ほこりまみれ"、"血まみれ"、"泥まみれ"等所示，可使用的名词有限。

【まもなく】

1 まもなく　不久、马上、很快、一会儿。

(1) 《駅のアナウンス》まもなく急行がまいります。／《车站广播》快车很快就要进站了。

(2) 《劇場のアナウンス》まもなく開演です。席のほうにお戻りください。／《剧场广播》马上就要开演了，请各位回到座位上去。

(3) 一学期も終わりに近づき、まもなく楽しい夏休みがやって来る。／已快到期末，不久就是愉快的暑假了。

表示在下一次事情发生之前仅有一点点时间。是比"すぐに"稍郑重一些的说法。

2 V-ると／V-て まもなく　…不久。

(1) 彼女は結婚してまもなく、夫の海外赴任についてアメリカへ行ってしまった。／她结婚不久，就跟着到海外赴任的丈夫去了美国。

(2) 病院に運ばれてまもなく、みちこは女のあかちゃんを出産した。／被送到医院不久，美智子就生了个女孩儿。

(3) 会社をやめてまもなく、青木さんは喫茶店を開業した。／辞去公司工作不久，青木开了家咖啡店。

(4) 夜があけるとまもなく小鳥たちが鳴き始める。／天刚亮不久，小鸟们就开始鸣叫。

后续表示事情的表达方式。一般用于"第一件事情发生不久，接着又发生与其有关联的另一个事情"这种表示二者之间时间的前后关系上。

近似的表达方式有"V-てすぐ"。"V-てすぐ"用于两个事物前后马上就发生时，而"V-るとまもなく／V-てまもなく"没那么紧迫，用于"过一会儿／不久以后下一个事情发生"时。

【まるで】

1 まるで　简直、完全、仿佛、宛如。

(1) 今日は風が強くて、まるで

台風みたいだ。／今天这风刮得很大，简直就像台风似的。
(2) あんなつまらないことで怒りだすなんて、まるで子供みたいだ。／为那么无聊的事就发起火来，简直就像个孩子。
(3) 彼は、入学試験を受ける友人のことを、まるで自分のことのように心配している。／他把朋友参加入学考试的事，完全当作自己的事一样担心。
(4) きのうあんなに大きな事件があったのに、街はまるで何事もなかったかのように平静を取り戻していた。／昨天发生了那么大的事件，可是今天街上恢复了平静，就好像什么也没发生似的。
(5) 大事件にもかかわらず、人々はまるで何事もなかったかのごとく振舞っている。／尽管发生了大事件，但人们就好像什么也没发生似的照样生活。

使用"まるで…ようだ／みたいだ"、"まるで…かのように／かのごとく"的表达方式，将某种状态比作其他例子，将二者加以比较，表示"虽然实际上不同，但却非常相似"。不能和"らしい"一起使用。

(误) あの人は、まるで女らしい人です。
(正) あの人は{たいへん／とても}女らしい人です。／她(非常)有女人味儿。

2 まるで…ない　完全不…、简直不…、一点不…。
(1) 私は外国語はまるでだめなんです。／我的外语根本就不行。
(2) うちの兄弟はまるで似ていない。／我们哥儿俩一点儿都不像。
(3) いくら仕事ができても、自分の身の回りのことがまるでできないようでは、一人前のおとなとは言えない。／不管工作做得多好，自己的生活一点不能自理的话，也不能说是一个够格的成年人。
(4) あいつのやり方はまるでなってない。／那家伙的作法，根本不行。
(5) みんなの話では、ずいぶん嫌な男のように思えたが、実際に会ってみると、聞いていたのとはまるで違っていた。／照大家的话来说，我想他是一个非常招人讨厌的人，可实际见到他，和听到的完全不一样。

伴随否定形或表示否定意思的表达方式，表示"全然不…"、"完全不…"的意思。例(4)是"根本不行"的意思。

【まわる】

（表示在一定范围内转悠。）

[R-まわる]

（1） この寒いのに子供達は外を走り回っている。／这么冷的天孩子们还在外面跑着玩儿。
（2） 病人がスイカが食べたいというので、スイカを求めて12月の街を駆けずり回った。／病人说想吃西瓜，于是为找西瓜，跑遍了腊月的大街小巷。
（3） 売れっ子ジャーナリストの彼は世界中を飛び回っている。／他是一名走红的记者，在世界各国飞来飞去。
（4） 子供は小犬に追いかけられて、部屋中を逃げまわった。／孩子被小狗追得满屋乱窜。

和"動く／动"、"走る／跑"、"飛ぶ／飞"、"泳ぐ／游泳"等表示移动的动词或"暴れる／闹"、"遊ぶ／玩"、"跳ねる／跳"等表示动作的动词一起使用，表示"到处…"、"在…范围内…"之意。

【まんざら】

1 まんざら…でもない 并不完全…、未必一定…。
　　まんざら…ではない
（1） 彼のことはまんざら知らないわけでもない。／关于他的事我并不是毫不知晓。
（2） 祖母は、一時期教師をしていたことがあるから、人前でしゃべるのはまんざら素人でもない。／祖母当过一段教师，所以在人面前说话并不外行。
（3） 大勢の人の前で歌うのは、まんざら嫌いでもない。／并非不喜欢在众人面前唱歌。
（4） 彼女の様子では、まんざら彼が嫌いでもないようだ。／从她的表现来看，并非讨厌他。
（5） おれもまんざら捨てたものではない。／我也并不完全是一无是处的。

表示"未必…"、"并不完全…"的意思。X中要加入否定形或否定的表达方式。例（3）、（4）表示"不那么讨厌，相反更喜欢"。例（5）是习惯用法，表示"有相当好的地方"之意。

2 まんざらでもない 不错，心情好…。
（1） 子供のことをほめられて彼はまんざらでもないようすだった。／孩子被别人夸奖，他一付很高兴的样子。
（2） まんざらでもない顔をしていた。／一付喜形于色的表情。
（3） お世辞だとわかっていても、自分が描いた絵をほめられるのはまんざらでもない。／明知是奉承，但自己画的画被别人夸奖，也是令人高兴的事。
（4） 今でこそみんな忘れてしまったが、学生のころの英語の成績はまんざらでもなかっ

た。／只是现在都忘了，但当学生的时候英语成绩还是相当不错的。

表示"不坏的心情"。或不如说更高兴的意思。经常使用"まんざらでもない様子／ふう／みたい／ようだ"、"まんざらでもない（という）顔をしている"等表达方式。像例（4）那样表示的是"不坏，或不如说是相当好"的意思。

【まんまと】

巧妙地、漂亮地、轻而易举地。

（1）やつにまんまと騙された。／让那家伙轻儿易举地骗了一着。
（2）まんまと、してやられた。／轻易地被骗了一回。
（3）まんまと一杯くわされた。／让人巧妙地蒙了一下。
（4）犯人は、金をだまし取ることにまんまと成功した。／罪犯轻而易举地成功地骗取了钱财。

"非常顺利地"、"巧妙地"之意。"まんまと"后经常使用"騙す"、"してやる"、"一杯くわせる"、"忍び込む"等习惯固定用法。用于钻别人空子，成功地骗取了钱财或采取不太受赞赏的手段顺利得手的场合时。

像例（1）～（3）那样，使用"まんまとV-された"的表达方式时，表现了说话人的不甘心的心态或对那惯用手段之巧妙表示惊讶的心情。

【みえる】

1 …がみえる　能看到、可以看到。
[Nがみえる]
[Nが V-るのがみえる]
[Nが V-ているのがみえる]
[Nが V-るところがみえる]
[Nが V-ているところがみえる]

（1）晴れた日には、ここから富士山がよく見える。／晴天时，从这里可以清楚地看到富士山。
（2）田舎は空気がきれいなので星がよく見える。／农村空气清新，因此可以清楚地看到星星。
（3）この部屋の窓から、電車が通るのがよく見える。／从这间屋子的窗户，能清楚地看见电车通过。
（4）この部屋の窓から、子供達が公園で遊んでいるのが見える。／从这间屋子的窗户，可以看见孩子们在公园里玩耍。
（5）ちょうどそのとき、裏からだれかが出てくるところが見えました。／正好那时，看到从后面有人出来。
（6）子供の頃、私の部屋から、庭の桜の木が見えた。／小时候，从我的房间可以看到院子里的樱花树。
（7）彼は生まれつき目が見えない。／他天生就看不见。
（8）目が悪いので、めがねがな

みえる 717

いと遠くの文字は見えない。／视力不好，所以不戴眼镜就看不清远处的字。
(9) 黒板の字が小さくて見えません。／黑板上的字太小，看不清。

表示并非有意识地想看，而是"自然地映入眼帘"、"能看到"之意。"見えない"表示的是因视力有问题，有障碍物或太远等理由而"看不到"的意思。

"みられる"也是"見ることができる"的意思，但这不是单纯的在视觉上映入眼帘，而是"被允许看"、"有看的机会"的意思。所以，在下列句子中，如果属于有无机会看到的问题时，不能使用"みえる"。

(正) A：歌舞伎を見たいんですが、どこへ行けば見られますか。／我想看歌舞伎表演，去哪儿能看到呢？
    B：そりゃ、歌舞伎座でしょうね。／那得去歌舞伎剧院才可以看到吧。
(误) 歌舞伎を見たいんですが、どこへ行けば見えますか。
(正) 大都会では、蝶やとんぼが身近に見られなくなった。／在大城市已看不到蝴蝶蜻蜓在身边飞了。
(误) 大都会では、蝶やとんぼが身近に見えなくなった。

2 みえる
a Nがみえる　可以看到、能看到。
(1) 今学期の彼の成績には、努力の跡が見える。／从他这学期的成绩里，可以看到他努力的迹像。
(2) 彼女にはまったく反省の色が見えない。／在她的脸上一点也看不出有反省的意思。
(3) 当時の日記には、当時彼が苦悩していた様子があちこちに見える。／在当时的日记里，很多地方可以看到当时他很苦恼的情形。
(4) 彼が父親を嫌っていることは、言葉の端々に見える。／从他的话里处处可以看出他不喜欢父亲。

表示"人们认为"、"知道是那样"、"那样感觉"的意思。

b …が…みえる　像…、似…、看上去。
[…が　N／Na　にみえる]
[…が　A-くみえる]
[…が　V-てみえる]
(1) 壁のしみが人の形に見える。／墙上的污痕，像人的形状。
(2) あの子は背が高くて、とても小学生には見えない。／那个孩子个子很高，一点不像个小学生。
(3) 父は最近体の調子がいいらしく、前よりずっと元気に見える。／父亲最近身体状况好像不错，看上去比以前精神多了。
(4) あの人は、実際の年よりずっと若く見える。／他比实际年龄看上去要年轻得多。
(5) みんなに祝福されて、彼の顔はいっそう輝いて見えた。

／在大家的祝福下，看上去他更是满面生辉。

説話人从所看到的情况加以判断，表示"使人那样认为"、"让人那样感受"。也可使用下面c"…そうにみえる"、d"…ようにみえる"的形式。

c …そうにみえる　使人感到、看上去。

[Na そうにみえる]
[A－そうにみえる]
[R－そうにみえる]

（1）料理にパセリかなにか緑色のものを添えるとおいしそうに見える。／在菜看上添加一些荷兰芹等绿颜色的东西，让人看上去就觉得很好吃了。

（2）この人形は今にも動きだしそうに見える。／这个娃娃看上去马上就要动起来似的。

（3）その日の山本さんは、なんだか寂しそうに見えた。／那天的山本先生，看上去好像很寂寞似的。

（4）この仕事ははじめ楽そうに見えたが、やってみるとなかなかたいへんだ。／这个工作开始看上去好像很轻松似的，可实际上一做非常辛苦。

（5）あいつは一見やさしそうに見えるが冷たいところのある男だ。／他初一看好像很和蔼，实际上是一个有着冷酷一面的男人。

（6）このごろの電気製品は、いろいろな機能がついていて一見便利そうに見えるが、実際にはいらないものばかりだ。／最近的电器产品，加带了各种功能，乍一看很方便似的，实际尽是些没必要的东西。

説話人从所看到的情况加以判断，表示"使人那么认为"、"让人感到"的意思。像例（4）～（6）那样表示"外表看上去是那样，但真实情况不知道"、"实际上不同"的意思时，也使用的比较多。

d …ようにみえる　看似…、看上去像…。

[Nのようにみえる]
[Na なようにみえる]
[A－ようにみえる]
[Vようにみえる]

（1）この宝石は猫の目のように見えるところから、キャッツアイという名前がついている。／这种宝石看上去很像猫的眼睛，所以起名为猫眼石。

（2）夏休みの間に、子供たちは急に成長したように見える。／暑假期间，孩子们看上去好像突然长大了。

（3）便利なように見えたので買ってみたが、使ってみるとたいしたことはなかった。／看上去好像非常方便，所以就买下了，可实际一用并没什么。

みえる 719

(4) 彼は賛成しているように見えるが、本当のところはわからない。／看上去他好像赞成似的，但其真实意图我并不清楚。
(5) 男は何も知らないといったが、何かを隠しているように見えた。／那男的说他什么也不知道，但看上去好像隐瞒了什么。

说话人从所看到的情况加以判断，表示"使人那么认为"、"让人感到"的意思。例(1)是"因为像猫的眼睛"的意思。一般经常用于像例(3)～(5)那样，表示"外表看是那样，但真实情况不知道"、"和实际不同"时。

e …とみえる　可以看作是、可以看出。
(1) すぐに返事をしないところをみると、佐藤さんはあまり気が進まないとみえる。／从不马上回话来看，可以认为佐藤先生不太满意。
(2) その子はおもちゃを買ってもらったのがよほどうれしかったとみえて、寝ている間も離さなかった。／可以看出给那孩子买了玩具后他有多高兴，连睡觉时也不离手。
(3) 母はたいへん驚いたとみえて、しばらく口をきかなかった。／妈妈半天没开口，可看出她很吃惊。
(4) 山田は、まだ飲み足りないとみえて、しきりにもう一軒行こうと誘う。／可看出山田还没喝够，一个劲儿地劝别人再去一家。

说话人从所看到的情况加以判断，表示"使人那样感觉"、"让人那么想"的意思。口语中也这样使用，但说起来属于书面用语。口语中还是使用"みたいだ"、"らしい"比较多。

f …かにみえる
　…かのようにみえる　看上去似乎、看来好像。
(1) 彼は他人の非難などまったく意に介していないかにみえる。／看来他好像对别人的指责丝毫不介意似的。
(2) きのうあんな事件があったのに、街は静かで何ごともなかったかにみえる。／昨天发生了那么大的事，可现在街上安静得好像什么事也没发生似的。
(3) 景気の悪化は一応おさまったかにみえるが、まだまだ安心はできない。／看来景气的恶化得一时的控制，但人们还是不能放心。
(4) その法案は、そのまますんなりと参議院を通過するかにみえたが、僅差で否決されるという意外な結末を迎えた。／那一提案看来似乎能顺利在参议院通过，可是迎来的却是因微弱的几票之差被否决的意外结局。

表示"表面上使人那样感觉，那么想"

720 みこみ

的意思。一般用于在叙述"真实的情况并不清楚,可表面上是那么显示的"/"有可能实际不是那样"时。像例(4)那样使用"かにみえたが"的表达方式时,意思为"虽然让人那么认为,可现实却出现了和预想不同的结果"。是书面语较生硬的表达方式。口语中一般使用"ようにみえる"、"みたいにみえる"。

3 Nがみえる　来、光临、光顾

（1）あなた、山下さんが見えましたよ。／老公,山下先生来了。

（2）先週、斎藤さんが挨拶に見えた。／上周,斎藤先生来看望你了。

（3）明日のパーティーには、田中さんも見えるはずだ。／明天的招待会,田中先生也会光临的。

（4）A：留守中だれか来ましたか。／我不在家时有谁来了吗？

　　　B：今日はどなたも見えませんでした。／今天谁也没有来。

是"来る"的尊敬语。和"いらっしゃる"、"おいでになる"意思相同。更礼貌的说法是"…がお見えになる"。

【みこみ】

1 …みこみがある　有希望、有可能。

[Nのみこみがある]
[V-るみこみがある]

（1）A：先生、この足はもう治らないんでしょうか。／大夫,这腿就没救了吗？

　　　B：残念ですが、回復の見込みはほとんどありません。／很遗憾,几乎没有恢复的希望了。

（2）もう二十日も晴天が続いている。水不足が心配されているが、近いうちに雨が降る見込みはまったくない。／已经连续20多天的晴天了。尽管大家很担心供水不足,可是近几天一点没有要下雨的可能性。

（3）A：このあたりに地下鉄の駅ができるというのは、どの程度見込みのある話なんですか。／说要在这一带建地铁车站,到底有多大希望呀？

　　　B：さあ、どうなんでしょうね。／是啊,怎么说呢。

（4）川口はいつも文句ばかり言っている。あんなやつは、見込みがない。／川口整天发牢骚,那家伙是没希望了。

表示"有那种可能性"、"是那种预想、估计"的意思。修饰名词时,使用"…見込みのあるN"的表达方式。像例(3)那样根据语意关系很明确时只使用"みこみがある",前半部分可省略。特别是例(4)对于某些人说"見込みがある／ない"时,

意思为"有(没有)前途"。

2 …みこみだ 推測、估计、预定、将。

[Nのみこみだ]
[V-るみこみだ]

(1) 《ニュース》JR東海道線は、明朝6時には回復する見込みです。/《新闻》JR东海道线，预计明晨6时恢复通车。

(2) 《新聞記事》JR東海道線は明朝6時には回復の見込み。/《报纸报道》JR东海道线明晨6时将恢复通车。

(3) 台風の影響で新幹線のダイヤはたいへん乱れております。復旧は夜遅くになる見込みです。/由于台风影响，新干线的运行时刻已被打乱。估计要到晚上很晚的时间才能恢复。

(4) 《履歴書》〇〇年3月31日高校卒業見込み。/《履历书》预计〇〇年3月31日高中毕业。

意思为"估计…"、"推测…"。例(4)是填写履历表时的一种固定格式，和"卒業予定(预定毕业)"意思一样，是书面语较生硬的用法。除用于书面语之外，多用于广播或新闻播报中。

3 みこみがたつ 预定、有希望。

(1) やっと、借金の返済の見込みが立った。/终于有希望还钱了。

(2) 《アナウンス》先ほど、JR東海道線で脱線事故があっ

たもようです。今のところ、復旧の見込みは立っておりません。/《广播》刚才，在JR东海道线上发生了出轨事故，现在还不能预定何时能恢复正常。

是"有…预定、计划"的意思。例(2)表示"什么时候恢复，还不清楚"。

4 みこみちがいだ／みこみはずれだ 看错了，预计错了。

(1) 彼には大いに期待していたが、まったくの見込み違いだった。/本来对他抱以很大的期望，结果完全看错了。

(2) 今年は冷夏で、クーラーなどの電気製品はさっぱり売れなかった。猛暑を期待していたのに、見込みはずれだった。/今年是冷夏，所以，空调等电器产品销售情况很不好。本来期待的是一个酷暑，结果预计错了。

使用"みこみちがいだった"、"みこみはずれだった"这种夕形的表达方式比较多。意思为"和预想的不同"、"没有如期以至"。也可用"みこみがはずれた"的形式。

【みこんで】

估计在内、计算在内、认为有希望、相信。

[…をみこんで]
[Nをみこんで]
[V-るのをみこんで]

722　みせる

（1）　君を見込んで頼むのだが、ぜひ今度の仕事に参加してほしい。／相信你才来拜托的，希望你务必参加这次的工作。
（2）　君を男と見込んで頼みたいことがある。／我是把你当作男子汉才有事求来你的。
（3）　完成までに時間がかかる地下鉄工事などは、物価の上昇を見込んで、余裕のある予算を組んでおいた方がよい。／到完工为止需要花费时间的地铁等工程，要考虑到物价上涨因素，将预算作的充分些为好。
（4）　商品には、はじめから売れ残るのを見込んだ値段がかけてある。／商品在定价时，一开始就考虑到了有可能销售不完的因素。

意思为"期待…"、"预想…"。像例（1）、（2）那样，表示高度评价那个人的能力，并期待着他（她）会出色地完成工作。另外，例（3）、（4）表示的是"一开始就将其计算在内"、"事先就考虑在内"的意思。

【みせる】

1　…をみせる　　给…看、显示。
［NがNに…をみせる］
（1）　私は友だちにアルバムをみせた。／我给朋友看了像册。
（2）　来月工場に行って、実際に製品を作っているところをみせてもらうことになった。／决定下月去工厂，让他们给我们看一下产品的实际制造过程。
（3）　その子はうまく字が書けるようになったのを母親にみせたくてしかたがないようだった。／那个孩子好像非常想让妈妈看一下他的字已经能写得很好了。
（4）　家族と離れて元気がなかった彼も、最近やっと笑顔をみせるようになった。／连离开家人无精打彩的他，最近也终于露出了笑脸。
（5）　9月に入って、さすがの猛暑も衰えをみせるようになった。／进入九月以后，本来的酷热也显示出了衰势。
（6）　微熱が続いたのであちこちの医者にみせたが、結局原因はわからなかった。／因为持续低烧，看了很多医生，结果还是原因不明。

例（1）～（3）是使人能够看到的意思。例（4）是将内心状态或感情表露在态度或表情上。例（5）是能感觉到的状态变化。例（6）的"医者にみせる"是表示请医生诊断。

2　かおをみせる
　　すがたをみせる　　露脸、露面。
（1）　このごろ彼はちっとも学校に顔をみせない。／最近，他总不在学校露面。
（2）　久しぶりだね。たまには顔を

見せてくれよ。／好久不見了。偶尔也得露露面哟。
（3）8時ごろになって、やっと月が雲の晴れ間から顔を見せた。／到了八点，月亮终于从云中露了出来。
（4）8時ごろになって、やっと星が姿を見せた。／到了八点，终于看到了星星。

表示"人来了"或"一直没看见的，现在看见了"的意思。

3 Nが…を…みせる　使…看上去。
[Nが…をNa にみせる]
[Nが…をA-くみせる]
[Nが…をV-ようにみせる]
（1）華やかな衣装が彼女を実際より若く見せている。／华丽的服装使她看上去比实际年龄要年轻。
（2）明るいライトが商品をいっそうきれいに見せている。／明亮的灯光使商品看上去更漂亮。
（3）ショートカットの髪がいっそう彼女を活発に見せている。／短发型使她看上去更活泼。
（4）明るい照明が商品を新鮮にみせている。／明亮的灯光照明使商品看上去很新鲜。

接名词后，以前面的表述构成原因，表示使看的人产生那样的感觉的意思。

4 …ようにみせる　使人看上去像…。
[Nのようにみせる]
[Na なようにみせる]
[A-いようにみせる]
[Vようにみせる]
（1）犯人は、わざとドアを壊して外部から進入したように見せている。／凶手故意将门毁坏，造成一种从外面闯入的假象。
（2）出かけたように見せて、実は家の中に隠れていた。／造成像是出了门的假像，实际在家里藏着来着。
（3）彼は娘の家出をあまり気にしていないように見せてはいるが、本当は心配でたまらないのだ。／虽然他使人看上去好像对女儿的离家出走不太介意似的，实际上担心得不得了。

表示实际上不是那样却做出那样给人看的意思。

5 V-てみせる　→【てみせる】

【みたいだ】

[N／Na／A／V　みたいだ]

主要用于口语。虽然书面语言中也使用，但是一种相当通俗的表达方式。在严谨的文章或郑重的场合一般使用"ようだ"。使用"ようだ"构成的惯用表达方式，很难用"みたいだ"互换。

1 …みたい〈比喻〉

用于列举相似的例子，来表示事物的状态·性质·形状·动作时。和"よう"意思相同。强调非常相像时，使用"まるで／ちょうど…みたい"的形式。"あたかも"、"いかにも"、"さながら"是书面语较生硬

的说法。所以不和"みたい"一起使用。

a Nみたいな N　像…一样的、像…似的。

（1）この薬は、チョコレートみたいな味がする。／这药有股巧克力似的味道。

（2）竹下さんって、あの学生みたいな人でしょ？／你说的竹下先生，就是像学生的那个人吧？

（3）いい年をして、子供みたいな服を着ないでほしいな。／年纪不小了，别穿像小孩儿一样的衣服了。

（4）飛行機みたいな形の雲が浮かんでいる。／漂浮着一朵像飞机形状的云彩。

使用形式是"N1みたいなN2"。一般用于列举什么样的东西和N2相似并加以说明时。可以和"NのようなN"互换使用。有很多学习者会和"NらしいN"混同。"NみたいなN"只是列举相似的例子，不表示N1等于N2的意思。例如："男みたいな人"，说的是那个人很像男人，但实际上并不是男人。而"男らしい人"，意思是"非常有男人味儿。男人特征很突出的人"。是针对男性所使用的表达方式。

b …みたいだ　就像…、真像…。
[N／V　みたいだ]

（1）すごい風だ。まるで台風みたいだ。／这么大的风，简直就像台风一样。

（2）君ってまるで子供みたいだね。／你可真像个孩子。

（3）その地方の方言に慣れるまでは、まるで外国語を聞いているみたいだった。／在未习惯那个地方的方言之前，简直就像听外语一样。

（4）私が合格するなんてうそみたい。／我能通过，那简直神了。

就有关事物的状态・性质・形状・动作等，说话人将自己的感觉，列举出容易理解并近似的例子进行叙述时使用该句型。可以用"…ようだ"替换使用。在日常会话中，女性使用该句型时，像例（4）那样大都在句尾省略"だ"。"うそみたい"的意思是"难以置信，非常吃惊"。

c …みたいに　像…一样…。
[N／A／V　みたいに]

（1）もう9月も半ばなのに、真夏みたいに暑い。／已经是九月过半了，可还像盛夏那么热。

（2）この服は、買って何年にもなるが、新品みたいにきれいだ。／这件衣服，买都买了好几年了，可还像新的一样那么漂亮。

（3）子供みたいにすねるのはやめろよ。／不要像小孩儿那样那么任性。

（4）こんなにうまいコーヒーが、一杯100円だなんて、ただみたいに安いね。／这么好喝的咖啡，才100日元一杯，这不便宜得和白给一样嘛。

（5）私ばかりが悪いみたいに言わないでよ。あなただって

悪いんだから。/不要说好像都是我不好似的，其实也有你的不是啊。
(6) A：学校ではあまり会わないね。/在学校总也看不见你啊。
B：おいおい、そんな言い方をしたら、僕が授業をさぼってばかりいるみたいに聞こえるじゃないか。/嗳嗳，照你那么说，听起来好像我总是旷课不上学似的。

用于列举相似的东西为例，就有关事物的状态·性质·形状·动作进行叙述时。例(5)、(6)两个例子，含有"实际不是那样，可是…"的意思。

d …みたいなものだ　像…一样。
[Nみたいなものだ]
[V-たみたいなものだ]
(1) 僕の給料なんか、会社の儲けに比べたら、ただみたいなものさ。/我的工资，比起公司的利润来，还不像零一样嘛。
(2) 《野球をみながら》こんなに点差があけば、もう勝ったみたいなものだ。/《一边看棒球比赛》那么大的分数之差，还不就等于赢了一样。
(3) A：中田さん、店、売ったんだって？/听说田中把店给卖了？
B：売ったというか、まあ、取られたみたいなものだ。借金の抵当にはいってたんだそうだよ。/说是卖，咳，像被抢走一样。据说充当了债务抵押。

意思为"虽然现实还不是那样，但几乎已成为事实"或"可以说几乎是一样的状态"。

口语中不说"ものだ"而用"もんだ"多一些。

2 …みたいだ＜推測＞　好像。
(1) 誰も彼女の本名を知らないみたいだ。/好像谁也不知道她的真名。
(2) 田中さんは甘いものが嫌いみたいだ。/田中先生好像不喜欢甜的东西。
(3) どうもかぜをひいたみたいだ。/总觉得像感冒了。
(4) 今度発売された辞書は、すごくいいみたいだよ。/这次发售的词典，好像特别好。
(5) 何か焦げているみたいだ。へんな匂いがする。/好像什么烧焦了，有股糊味儿。
(6) A：あの人誰？/那人是谁？
B：誰だろう。近所の人じゃないみたいだね。/谁呀，好像不是这附近的人吧。
(7) A：試験はいつあるんだい。/考试什么时候进行？
B：来週みたいだよ。/好

像是下周。
(8) A：あの人会社をやめたの？／他辞职了？
　　B：みたいだね。／好像是。
(9) A：小林さんはもうアメリカに行ったのかな？／小林先生已经去美国了吧？
　　B：ええ、きのう出発したみたいですよ。／对，好像是昨天走的。
(10) A：山本さん怒っていたでしょう？／山本先生生气了吧？
　　B：うん、すごく怒ってるみたいだった。／嗯，好像发了很大火。

　　表示说话人的推断。意思为"虽不能清楚地断定，但却那么认为"。是说话人以自己亲身所直接体验到的，如看到了什么，听到了什么声音，闻到了什么味道，来叙述自己的推断时的表达方式。
　　如果根据从他人那里听到的间接信息，来表示说话人的推断时，使用"らしい"。如果将听到的内容原封不动报告时，使用"そうだ"。
(例) 山下さんは今日は来ないみたいですね（もう、時間も遅いし）。／山下先生今天好像不来了（而且时间也太晚了）。
(例) 山下さんは今日は来ないらしいですよ（直接きいたわけではないが、他の人がそう言っていた）。／山下先生今天好像不来了（不是直接听他讲的，而是别人那么说的）。
(例) 山下さんは今日は来ないそうです（山下さんから「行かない」という伝言があった）。／听说山下先生今天不来了（山下先生留言说'不去'）。

　　"…みたいだ"和"…みたいだった"两者用的都比较多，但意思有所不同。像下例所示，"V-たみたいだ"是就过去发生的事，说话人在说话的时候叙述推测的结果。
(例) A：田中さんはいつ来たのかな？／田中先生什么时候来的呀？
　　B：午前中は見かけなかったから、昼から来たみたいですよ。／一上午没看到他，好像是中午来的。
　　"V-たみたいだった"表示说话人在过去的某一时候是那样认为的。
(例) 昨日の夜は妙だった。誰か来たみたいだったから、ドアをあけてみたが、だれもいなかった。そんなことが何度もあった。／昨天夜里很奇怪，觉着好像谁来了，可打开门一看，谁也没有。这种事出现过好几次了。

　　另外，在叙述所看到的状态时，比如，对眼前摆着的蛋糕不说"このケーキはおいしいみたいだ"，而说"このケーキはおいしそうだ"。
(例) A：これ、新しく買ったテープレコーダーです。／这个，是新买的录音机。
(正) B：便利そうですね。／好像很好用啊。
(誤) B：便利みたいですね。
　　这时使用的"そう"和表示传闻的"そう"不同，需要注意。表示传闻时应该是"おいしいそうだ"、"便利だそうだ"。

3 …みたい＜挙例＞　像…一样的。

[NみたいなN]
[Nみたいに]
（1）東京や大阪みたいな大都会には住みたくない。／不想住在像东京或大阪那样的大城市里。
（2）A：三分間写真の機械って、どんなところにある？／哪儿有三分钟成像的相机啊？
　　　B：さあ、デパートみたいなところにはあるんじゃないかな。／是啊，像百货商店那样的地方会有吧。
（3）何か細くて長い棒みたいな物はありませんか。／有没有细长的像棍子一样的东西？
（4）佐藤さんみたいに英語が上手になりたい。／真想像佐藤先生的英语那么好。
（5）今年みたいに暑いと、働くのが本当にいやになる。／要像今年那么热，就真不想干活了。
（6）君みたいなあわて者、見たことがないよ。／真没见过像你这样毛手毛脚的。
（7）彼みたいに勝手なことばかりしていると、そのうち誰も相手にしなくなる。／像他那样想干什么干什么，过不了多久就没人理他了。

举例时使用。例（1）是"例如，东京或大阪等大城市"。例（2）是"例如，像百货商店或百货商店那样的大商场"的意思。

例（5）、（6）、（7）虽然用的也是举例形式，但实际上可以这样考虑为好，"因为今年夏天很热，所以真不想干活了"、"你真是毛手毛脚"、"他很随便，想干什么干什么，所以不久就不会有人理他了"。礼貌的口语可以使用"…のような／ように"。

【みだりに】
胡乱，随便。
（1）みだりに動物にえさを与えないでください。／不要随便给动物喂食。
（2）みだりに他人の部屋に立ち入るべきではない。／不应随意进出他人房间。
（3）新聞と言えども、個人のプライバシーをみだりに公表することはゆるされない。／即便是报纸，也不容许随意公开个人隐私。

意思为"没必要，可是却…"、"未经允许"、"随便地"。一般后面接续禁止他人行为的表达方式，如"みだりに…するな／してはいけない"等。日常会话中经常使用"勝手に…しないでください"。是书面语较生硬的表达方式。

【みる】
1 …をみる　看…、望…、观察、照看、试。
[Nをみる]
[Vのをみる]

728 みる

(1) テレビを見るのが好きだ。／我喜欢看电视。
(2) 窓からぼんやりと雲が流れて行くのを見ていた。／(刚才)呆呆地从窗口看着云彩的流动。
(3) このごろは忙しくて新聞を見るひまもない。／近来忙得连看报纸的时间都没有。
(4) 料理の味を見てください。／请尝一下菜的味道怎么样。
(5) 風呂の湯かげんをみる。／看一下洗澡水的温度如何。
(6) しばらく反響を見てみよう。／暂时观察一下反应。
(7) 機械の調子をみる。／试一下机器运行情况。
(8) 近所のおばさんに子供の面倒をみてもらっている。／请邻居的阿姨帮助照看着孩子。
(9) もしよかったら、うちの子の勉強を見てもらえませんか。／如果方便的话，能否帮助辅导一下我孩子的学习？
(10) あの人の言うことは全部本気にしていると馬鹿をみるよ。／他说的话，要全部当真的话，是会吃亏上当的哟。
(11) あの人は子供の時からずっと辛い目をみてきたのだから、今度こそ幸せになって欲しい。／正因为他从小一直受歧视，所以这次希望他能得到幸福。
(12) 作品は20年後に完成をみた。／在20年后作品终于完成了。

除了有"用眼看"这一基本意思之外，还有"用手或舌头去试"、"照看"等意思。例(10)、(11)是习惯用语，意思为有那样的体验。例(12)是书面语较生硬的用法，是"用了很长时间，终于完成了，成功了"的意思。表示"医生给病人看病"意思的"みる"要用汉字的"診る"。

2 Nを…みる　看做、认为。
[NをA-くみる]
[NがV-るとみる]
(1) 試験を甘くみていると失敗しますよ。／轻视考试，就要失败哟。
(2) 政府は今回の事件を重くみて、対策委員会を設置することを決定しました。／政府很看重这次事件，决定为其设置专门委员会。
(3) 警察は、A容疑者にはまだ余罪があるとみて、厳しく追求する構えです。／警察认为A嫌疑犯还有其他罪行，准备更严厉地追究。

意思是"认为是…"、"推测为…"。是书面语中较生硬的表达方式。

3 にみる　被看做…、从中看…。
(1) 最近の新聞の論調にみる経済偏重の傾向は目にあまるものがある。／从最近新闻论调中看到的偏重经济倾向，有的东西甚至令人难以接受。
(2) 今回の地震は、近年まれにみる大災害となった。／这

次地震．造成了近年来罕见的大灾害。

（3）《新聞や雑誌などの見出し》アンケート調査にみる大学生の生活実態と金銭感覚／《报纸或杂志等的标题》从民意调查中看大学生的生活实际状况和对金钱的感觉。

意思是"被看作…"。是书面语中所使用的较生硬的用法。

4 …ところをみると　从…来看。

（1）うれしそうな顔をしているところをみると、試験はうまくいったようだ。／从他高兴的表情来看．考试一定考得不错。

（2）いまだに返事がないところをみると、交渉はうまく行っていないようだ。／从到现在还没答复来看．好像谈判进展得不太顺利。

（3）平気な顔をしているところをみると、まだ事故のことを知らされていないのだろう。／从他平静的表情来看．他大概还不知道出了事故。

说话人以直接经验为根据叙述自己的推测时使用该句型。句尾多使用"らしい／ようだ／にちがいない"等。有时也可使用"…ところからみて"这种形式。

（例）高級車に乗っているところからみて、相当の金持ちらしい。／从乘坐高级轿车来看．好像相当有钱。

5 V-てみる　→【てみる】

6 …からみると　→【からみると】1

【みるからに】

看上去(就)…。

（1）部屋に入ってきたのは、見るからに品の良い中年の女性だった。／进屋来的人．是一位看上去就很文雅的中年妇女。

（2）このコートは見るからに安物だ。／这件大衣．看上去就是便宜货。

（3）あの人はいつも見るからに上等そうなものを着ている。／他总是穿着看上去很高档的服装。

（4）店の奥から、見るからにやさしそうなおばあさんが出てきました。／从店里出来一位看上去很和蔼的老奶奶。

（5）通夜、葬式と続いて、ふだんは元気な彼も見るからに疲れたようすで座っていた。／又是守灵又是葬礼．平时精力很充沛的他看上去也很疲劳地坐在那里。

意思为"从外观上很容易判断"、"看一眼马上就明白"。

【むき】

1 Nむき＜方向＞　朝…。

（1）南向きの部屋は明るくて暖かい。／朝南的房间．既亮堂又暖和。

（2）右向きに置いてください。

／请面向右放。
（3） 横向きに寝てください。／请侧身睡。
（4） 前向きに検討したいと考えております。／我们想朝着积极的方向给予考虑。

接在表示东西南北等方向及前后左右、上下等方位的名词之后，表示正面对着那个方向。例（4）的"前向きに"是习惯用语，意思为"努力尽量使其实现"。

2 Nむき＜适应性＞ 适用于…、面对…、适合…。
（1） 女性向きのスポーツにはどんなものがありますか。／适合女性的体育运动有哪些呢？
（2） この映画は子供向きだ。／这部电影是面向儿童的。
（3） この家は部屋数も多く台所も広い。どちらかというと大家族向きだ。／这栋房子，间数多，厨房也大。总体来说是适合于大家庭的。
（4） この機械はたいへん性能がよいが、値段も高く大型で一般家庭向きではない。／这个机器性能非常好，不过价钱太贵体积也大，不适用于一般家庭。
（5） セールスの仕事には向き不向きがある。／销售这项工作，有的人适合有的人不适合。
（6） この機械は大きすぎて家庭で使うのには不向きだ。／这台机器太大，在家庭里使用不太适合。

意思为"作为N正好"、"对N很适合"。"Nむきではない"可和"Nに不向きだ"替换使用。例（5）"向き不向きがある"是习惯用语，意思是"因人而异，有适合与不适合之分"。和"むけ"的不同之处，请参照"むけ"的用法。

3 Ｖむきもある 也有…人、也有…倾向。
（1） 君の活躍を快く思わないむきもあるようだから、はでな言動は慎んだ方がいい。／好像也有人对你的活跃感到不快，所以浮华的言行还是收敛些为好。
（2） 今回の計画については実現を危ぶむむきもある。／关于这次计划，也有人觉得难以实现。

意思为"也有那样认为的人"。例（1）是"也有不认为好的人"，例（2）是"也有人认为实现很难"。是书面语较生硬的表达方式。

4 むきになる 认真、郑重其事。
（1） むきになって言い張った。／郑重其事地坚决自己的主张。
（2） そんなにむきにならなくてもいいじゃないか。／用不着那么太认真嘛。
（3） 彼はいい男だが、仕事の話となるとすぐむきになるので困る。／他是个好人，可是一说起工作马上就变得特别较真起来，真拿他没办法。

表示"本来没什么大不了的事,却当真起来,或生气或固持己见"。例(2)的意思是"要稍微冷静一下,心平气和一些为好"。

【むく】

适合。

（1）彼は学者としてはすぐれているが、教師にはむかない。／他作为一个学者来说很优秀，但不适合当老师。
（2）私は人と接する仕事にむいていると思う。／我认为我适合做和人打交道的工作。
（3）私は知らない人に会うのが嫌いなので、セールスの仕事にはむいていません。／我不喜欢见生人，所以不适合做推销工作。
（4）この仕事は美智子さんみたいにおしゃれな人に向いていると思うんだけど。／我想这项工作适合像美智子那样爱漂亮的人…。
（5）私に向いた仕事はないでしょうか。／难道没有适合我的工作吗？

意思是"(对某人)有适应性"。"(某人)适合于(某工作)"、"(某工作)适合于(某人)"这两种形式均可使用。也可以使用"むいている"。另外，修饰名词时经常使用"Nにむいたn"的形式。

【むけ】

1 NむけのN　向…、面向…。

（1）この会社では、子供向けのテレビ番組を作っている。／这家公司在制作面向儿童的电视节目。
（2）小学生向けの辞書は字が大きくて読みやすい。／面向小学生的词典，字大容易看。
（3）輸出むけの製品はサイズが少し大きくなっている。／(面向)出口产品，尺寸稍大一些。

以"N1むけのN2"的形式，表示以N1为对象而做出的N2的意思。例(1)的意思是"为儿童制作的节目"。

近似的表达方式还有"…むきの…"、"…ようの…"。"…むき"是"适合于…"的意思。"…ようの"是"为…使用的，为…时候使用的"的意思。如"来客用のスリッパ(来客用的拖鞋)"、"パーティー用バッグ(晚会用的提包)"。

2 Nむけに　面向…。

（1）当社では、輸出向けに左ハンドルの自動車を早くから生産している。／本公司很早就在生产面向出口的左方向盘汽车。
（2）最近、中高年むけにスポーツクラブや文化教室を開いている地方自治体が増えている。／最近，不少地方自治体开设了面向中老年的运动俱乐部或文化教室。
（3）Y社では、若い女性むけにアルコール分が少なくカラフルな、缶入りカクテルを開発中である。／Y公司正

在开发面向年轻女性的酒精含量少色泽鲜艳的罐装鸡尾酒。

意思为"以…为对象,把…作为对象"。

【むけて】

向…做…、朝着…做…。

[Nにむけて]

(1) 全日空103便は8月10日午前8時に、成田からロンドンに向けて出発した。／全日空103航班8月10日上午8点,从成田向伦敦出发。

(2) 来たるべきオリンピックに向けて準備が着々と進められている。／面对即将到来的奥林匹克运动会,准备工作正在扎扎实实地进展。

(3) 新空港建設については、事前に住民に向けての十分な説明がなされなければならない。／关于新机场的建设问题,事前一定要向居民做详细的说明。

例(1)表示的是朝着目的地或所去方向。例(2)表示的是朝着未来目标。另外,例(3)指的是该行为所涉及的对象。

【むしろ】

1 むしろ 倒不如说、反倒。

(1) じゃましようと思っているわけではない。むしろ君たちに協力したいと思っているのだ。／并没想打搅你们,倒不如说是想帮助你们。

(2) A:総選挙からこっち、景気はよくなりましたか。／大选以后,经济状况有所好转吗?

B:そうですね。むしろ前より悪くなったんじゃないですか。／是啊,倒不如说比以前更糟。

(3) 景気はよくなるどころか、むしろ悪くなってきている。／经济状况不但没有好转,反倒越来越糟。

将两个事物加以比较,表示从某方面来说,其中一方程度更高一些。

2 …より(も)むしろ 与其…莫不如、与其…宁可。

[Nより(も)むしろ]
[V-る／V-ている より(も)むしろ]

(1) お盆のこむ時期には、旅行なんかするよりも、むしろ家でゆっくりしたい。／在盂兰盆节交通那么拥挤时,与其去旅行,宁可在家休息为好。

(2) 大都会よりもむしろ地方の中・小都市で働きたいと考える人が増えてきている。／与其在大城市,还不如在地方的中小城市工作,这样想的人越来越多。

(3) 円高のせいで、国内旅行よりもむしろ海外へ行く方が安くつくという逆転現象

が起こっている。／因日元升值，出现了在国内旅游还不如去海外更便宜的逆转现象。
（4）この点については教師よりもむしろ学生の方がよく知っている。／关于这一点，学生倒比老师知道得多。

以"XよりもむしろY"的形式，表示从某种方面来说Y程度更高一些。

像例（1）、（2）不单纯是比较，而是含有说话人的价值判断，多表示的是"两者从中选一的话，倒是后者更好"。这时，后面一般带有"…するほうがよい"、"…したい"、"Nがいい／よい"等表示说话人的喜好或意图的表达方式。

例（3）、（4），含有"和一般所认为的正好相反"、"和所期待的相反"的意思。可以和"かえって"、"逆に"、"反対に"等互换使用。

3 Ｖ-るぐらいならむしろ　如果…的话，还不如…。

（1）行きたくない大学に無理をして行くぐらいなら、むしろ働きたいと思っている。／我想要是勉强去不想去的大学上学，还不如工作。
（2）こんなに金利の安い時に貯金なんかするぐらいなら、むしろ海外旅行にでも行った方がいい。／在利息这么低的时候存钱，还不如去海外旅行什么的更好呢。
（3）あんな奴に援助を受けるぐらいなら、むしろ死を選ぶ。／与其接受那家伙的援助，还不如去死。

以"XぐらいならY"的形式，表示对于说话人来说"比起X来更喜欢Y"。对于说话人X并不是所期望的，所以选择Y"。也可以使用"XくらいならY"。

4 …というよりむしろ…だ　与其说…，倒不如说是…。

（1）あの人は天才というより、むしろ努力の人です。／与其说他是个天才，倒不如说他是个很努力的人。
（2）今回の出来事は、事故というよりむしろ人災だ。／这次出的事，与其说是事故倒不如说是人祸。
（3）彼女は美人と言うよりむしろ可愛いという感じだ。／说她是美人，倒不如说她给人感觉很可爱。

用于对某些事的表现或判断方法加以比较时。意思为"可以采取X这种说法或看法，但加以比较的话，Y的说法、看法更妥当一些"。

【むやみに】

胡乱、随便、轻率、轻易。

（1）人の物にむやみにさわらないほうがいい。／最好不要随便触摸别人的东西。
（2）山で道に迷ったときはむやみに歩き回らないほうがいい。／在山上迷了路时，最好不要随便乱走。
（3）たとえ小さな虫でも、むやみに殺してはいけない。／

即使是小虫子也不要轻易杀掉。
（4）最近、父は年のせいか、むやみに怒る。／最近，爸爸大概是年龄的关系吧，总是胡乱发火。

表示不考虑后果会怎样而做出的轻率行为。一般后续"するな"、"してはいけない"等禁止的表达方式或"しない方がよい"、"するのはよくない"等。例（4）表示的是过于频频的状态。"むやみやたらに"是"むやみに"的强调说法。也可使用"むやみと"的形式。

【むり】

1 むり 无理、过份、不量力。
（1）無理を言わないでよ。／别不讲理啊。
（2）無理なことをお願いしてみません。／提出过份的要求，实在对不起。
（3）若い時とは違って無理がきかない。／和年轻时不同，已力所不能及了。

意思为"不合理的事，过份的事"。例（3）是习惯用法，意思是"承受不了过重的负担"。

2 …はむりだ 勉强、不合适、难以办到。
（1）一日に新しい漢字を50も覚えるのは無理だ。／一天要记50个新汉字很难做到。
（2）その仕事は子供には無理ですよ。／那项工作对孩子可不合适啊。

（3）A：これ、明日までに修理してもらえますか。／这个，明天以前能修好吗？
B：明日ですか、ちょっと無理ですね。／明天啊？有点勉强。

表示难以做到、非常困难、不可能的意思。

3 …にはむりがある …里有不合理的地方、不切合实际。
（1）今度の計画には無理がある。／这次计划里有不合理的地方。
（2）この工事を3ヶ月で完成させるというのには無理がある。／这一工程说要用3个月完成，这不合乎实际。
（3）君の考え方には無理があるよ。／你的想法里有不切实际的地方。

表示有不可能实现的地方，另外还有不合乎道理的地方。

4 むりに 硬要、强行。
（1）A：かばんが壊れちゃった。／书包坏了。
B：そんな小さなかばんに無理に詰め込むからだよ。／是因为你硬要往那么小的书包里塞那么多东西的。
（2）このスーツケースは、鍵を壊して無理に開けようとするとブザーがなるようになっています。／这个旅行

箱．如硬要破坏箱锁开启的话，蜂鸣器就会响。

（3）いやがる友人を無理につれて行った。／硬拉着不情愿去的朋友去了。

（4）行きたくなければ、無理に行くことはない。／不想去的话，就不要勉强去。

（5）彼がいやがっても、無理にでも連れて行くつもりだ。／不管他愿意不愿意，也要硬拉他去。

表示强迫干不能办的事或不想干的事。

5 むりをする 过度、不量力。

（1）無理をすると体をこわしますよ。／过度劳累，会搞垮身体的哟。

（2）夜遅くまで勉強するのもいいが、試験も近いのに、今、無理をして病気にでもなったら大変だよ。／晚上学习到很晚也没什么不好，不过考试也临近了，现在再过度用功，生了病什么的可就麻烦了。

（3）あの会社は不動産取引でかなり無理をしていたようです。／那家公司在不动产交易上好像相当勉强了。

表示对做不到的事，难度大的事强行去做。

6 …のもむりもない

　…のもむり（は）ない 合情合理、有道理、合乎情理。

（1）あんなひどいことを言われては、彼が怒るのも無理はない。／别人说他说得那么难听，他发火也是情有可原的。

（2）うちの子は遊んでばかりいる。あんなに遊んでばかりいては成績が悪いのも無理はない。／我家孩子光知道玩儿。那么贪玩儿的话成绩不好也是理所当然的了。

（3）A：仕事をする気になれないなあ。／真没心思工作了。
　　B：こんなに暑くちゃ、無理ないよ。／这么热，也是的。

接续在表示事物的表达方式之后，表示那一事物的发生也是当然的。一般多和这是理所当然的以及与其相关的原因或理由一起叙述。像例（3）那样，可将"…のも"的部分省略掉。

【めく】

像…样子、带…气息、有…意味。

[Nめく]

（1）少しずつ春めいてきた。／有点春天的气息了。

（2）どことなく謎めいた女性がホールの入り口に立っていた。／一个神秘稀稀的女人站在大厅的入口处。

（3）彼は、皮肉めいた言い方をした。／他说了带有讽刺意味的话。

(4) 彼の作り物めいた笑いが、気になった。／他那付强装出的笑脸，让人担心。

附在名词之后．表示具有该事物的要素。比如例（1）的意思是逐渐要到春天了．一般在冬天结束时使用。所使用的名词是有限的。修饰名词时．所使用的形式如例（3）、（4）所示是"NめいたN"。

【めぐって】

围绕…、就…。

[Nをめぐって]
(1) 憲法の改正をめぐって国会で激しい論議が闘わされている。／就宪法修正问题，国会展开了激烈的争论。
(2) 彼の自殺をめぐって様々なうわさや憶測が乱れとんだ。／围绕他的自杀，各种传言、猜想纷纷扬扬。
(3) 人事をめぐって、社内は険悪な雰囲気となった。／围绕人事问题．公司内气氛非常紧张。

是"…に関して"、"…について"的意思。用于将某些事其中也包括周边的事物作为对象提出来时。与"…について"不同的是不能任意地和各种动词一起使用。

(误) 日本の経済をめぐって研究しています。
(正) 日本の経済について研究をしています。／正在就有关日本经济问题进行研究。

后续动词一般限制在"議論する、議論を闘わす、うわさが流れる、紛糾する"等。即必须是就N到底如何，各种人进行议论、交谈的动词。"をめぐり"多用于书面语。修饰名词时，应使用"NをめぐるN"、"NをめぐってのN"的表达方式。

(例) 政治献金をめぐる疑惑がマスコミに大きくとりあげられている。／宣传媒体大肆报道了有关政治捐款的丑闻。
(例) 父親の遺産をめぐっての争いは、日増しにひどくなっていった。／围绕父亲遗产的纷争，日趋严重。

【めったに】

1 めったに…ない　不多见、很少、不常。

(1) 私は酒はめったに飲まない。／我不常喝酒。
(2) うちの子は丈夫でめったに病気もしない。／我的孩子身体好，很少生病。
(3) 人混みは好きではないので、東京や大阪などの大都市にはめったに行かない。／因不喜欢人多嘈杂，所以不常去东京大阪等大城市。
(4) この頃の機械は優秀で故障はめったにない。／最近出的机器性能很好，很少出故障。
(5) わが家はずいぶん田舎にあるので、お客がやって来ることはめったにない。／我家在偏远的乡下，所以不常有客人来。

(6) 学生時代の友人とも遠く離れてしまって、めったに会うこともない。／和学生时代的朋友都离得很远，所以不常见面。
(7) 近頃は町中で野生の小動物を見かけるようなこともめったになくなった。／近来，在街上野生小动物也很少见了。

表示某种事发生的次数非常少。多使用例(1)～(3)的"めったにV－ない"或例(4)、(5)"…はめったにない"的形式。

"たまに"也是表示频度较少，但强调的重点不同。例如，下列的(例1)、(例2)都表示"喝酒的次数非常少"，但(例1)的"めったに…ない"强调的是次数"少"，相对(例2)"たまに"表示的是虽然频度低，但"有"时还是喝酒的。

(例1) 私は酒はめったに飲みません。／我很少喝酒。
(例2) 私は酒は嫌いですが、友だちに誘われたときなど、たまには飲むこともあります。／我不喜欢喝酒，不过朋友相约时，偶尔也喝点。

一般表示频度逐渐降低的顺序为：あまり…ない(不太…)、ほとんど／めったに…ない(几乎不、很少)、ぜんぜん／まったく…ない(完全不…)。

2 めったな　少见的、稀少的、靠不住的。

(1) めったなことで驚かない私も、そのときばかりはさすがにうろたえてしまった。／对什么事一般都很少吃惊的我，就那个时候真的也慌了。

(2) A：山下さんが盗ったんじゃない？／不是山田偷的吗？
B：しっ。証拠もないのに、めったなことを言うもんじゃないよ。／嘘，又没有证据，不要乱说。
(3) この機械は丈夫ですから、めったなことでは故障しません。／这机器很结实，一般很少出故障。
(4) このことは、めったな人に話してはいけない。／这件事不要和其他无关的人说。

这是习惯用法。以"めったなことで(は)…ない"的形式，表示"没有什么特别以外的事，不会…"的意思。例(1)的意思是"对一般的事很冷静，几乎不吃惊"，例(2)是"靠不住的、欠思考的话不要说"的意思。

例(4)"めったなN"这一形式已不太使用，在这里表示"除非是特别重要的人，对其他人不要讲"的意思。

【も】

1 Nも＜累加＞

a Nも　也、又。

(1) A：なんだか、すごく疲れました。／不知为什么，怎么那么累呀。
B：ええ、私もです。／嗯，我也是。
(2) 東京へ行くので、帰りに静

岡にも寄って来る。/因去东京,回来时也顺便去一下静冈。
(3) 今日も雨だ。/今天又下雨。
(4) 私のアパートは日当たりが悪い。そのうえ、風通しも良くない。/我住的公寓,光线不好,而且通风也不好。
(5) 今日は風が強いし、雨も降りだしそうだ。/今天风大,而且看样子又要下雨。

用于再附加上同一类型事物。也可以像例(3)那样,虽然前提还存在着其他同样的事物,但仅单一地暗示该事物的存在。不仅可以直接接在名词之后,也可以像例(2)那样接在"名词+助词"之后。

b NもNも …也…也、…和…都…、…都…。

(1) セルソさんもイサベラさんもペルーの人です。/塞鲁索和伊莎蓓拉都是秘鲁人。
(2) 山下さんも田中さんも、英語はあまり得意じゃないでしょう。/山下和田中俩人英语都不太好吧。
(3) 空港までは電車でもバスでも行ける。/乘电车和公共汽车都能到机场。
(4) 田中さんにも山下さんにも連絡しておきました。/田中和山下,俩人都通知了。
(5) A:田中さんか森本さんを呼んできてくれない?/能把田中或森本叫来吗?
B:田中さんも森本さんもまだ出社していないんですけれど。/可田中和森本俩人都没来公司上班。
(6) 雨も降ってきたし、風も強くなってきました。/雨下起来了,风也越来越大了。
(7) 金もないし、暇もない。/既没钱又没时间。
(8) 猫が好きな人もいるし、嫌いな人もいる。/有人喜欢猫,也有人不喜欢猫。

用于并列提出同类事物。不仅可以直接接在名词之后,也可以像例(3)、(4)那样接在"名词+助词"之后。

2 …も…も＜対句形式＞

a …も…も…ない 既…又…。

[NもNも…ない]
[NaもNaもない]
[A-くもA-くもない]
[R-もR-もしない]

(1) 寒くも暑くもなく、ちょうどいい気候だ。/既不冷也不热,这气候正好。
(2) 成績は上がりも下がりもしない。現状維持だ。/成绩既没提高也没降低,就是维持现状。
(3) 趣味で音楽をやるのに上手も下手もない。/业余好好音乐,但说不上好也说不上坏。
(4) 今はな、長男も次男もない時代だな。/现在呀,也不分

什么长子和次子了。
(5) 最近は男も女もない時代だ。／最近干什么事也分不出个男女了。
(6) あまりの強さに手も足もでない(＝どうしようもない)。／对方太强了，我们毫无办法。(＝毫无办法)
(7) 根も葉もない(＝根拠のない)噂をたてられる。／出现了没根没叶(＝毫无根据)的传言。
(8) 私は逃げも隠れもしない。文句があったら、いつでも来なさい。／我不躲也不藏，有什么意见随时冲我来。

举出"冷·热"、"手·脚"等成一对的单词，表示不是其中任何一方的意思。习惯上的用法较多，更固定的说法有"にっちもさっちもいかない(＝无论如何都没办法)"。

(例) 今回の事件はにっちもさっちもない状態だ。／这次的事件，陷入了进退两难的困境。

b V-るも V-ないもない 没…不…，不…不…。

(1) A：すみません。十日までにはできそうもありません。／对不起，十号以前看样子完成不了。
B：何を言ってるんだ。いまさら、できるもできないもないだろう。やってもらわないと困るよ。／说什么呢，事

到如今，不是完得成完不成的问题了。再不干的话可就麻烦了。
(2) A：すみませんでした。許してください。／实在对不起了，请你原谅。
B：許すも許さないもない。君の責任じゃないんだから。／没什么原谅不原谅的，因为这不是你的责任。
(3) A：ご主人、単身赴任なさるんですって？賛成なさったんですか。／你说你丈夫要一个人去外地工作(要单身赴任)？你同意他去呀？
B：賛成するもしないもないんですよ。全部一人で決めてしまってから、言うんですから。／没什么同意不同意的，都是他一个人决定了之后才说的。
(4) A：反対なさるんじゃないかと心配しているんですが。／我正担心你会不会反对呢。
B：反対するもしないもない。喜んで応援するよ。／没什么反对不反对的，我会高兴支持你的。

同一个动词重复使用，表示"做与不做已不成为问题"的意思。用于重复对方

c …もなにもない 不仅没…也没…、没…不…。
(1) 愛もなにもない乾いた心に潤いが戻ってきた。／在没有任何爱的干枯的心里恢复了甘甜。
(2) 政治倫理も何もない政界には、何を言っても無駄だ。／对没有任何政治伦理的政界,说什么都是徒劳的。
(3) 母：テレビを消して、手伝ってちょうだい。／母亲：把电视关上,过来帮帮忙。
　　子供：だってぇ、今いいところなんだもん。／孩子：可是,现在正是精采的地方呢。
　　母：だってもなにもありません。すぐ来なさい。／母亲：没什么可是不可是的,马上过来！
(4) A：被害状況をよく調べましてから、救助隊を派遣するかどうか決定したいと考えております。／我考虑在好好调查受害状况之后,决定是否派遣救援队。
　　B：何を言っているんだ。調べるも何もないだろう。これだけけが人が出ているんだから。／说什么呢,有什么调查不调查的,已经有这么多受伤的人员啦。
(5) A：反対なさるじゃないかと心配しているんですが。／我正担心你会不会反对呢。
　　B：反対するもなにもない。喜んで応援するよ。／什么反对不反对的,我会高兴支持你的。

用于加强否定时。例(1)、(2)接在名词之后,表示不仅没有此而且其他也没有,主要强调没有一切。例(3)～(5)重复对方话的一部分,或给与强烈否定或强烈责备如那么说会很为难。和"V－るもV－ないもない"用法相同。

d …も…も …还是…都、…不…全凭…、全都…。
[V－るも　V－る／V－ない　も]
(1) 行くも止まるも君の心一つです。／走还是停,都你说了算。
(2) 行くも行かないもあなたしだいです。／去还是不去随你便。
(3) 成功するもしないも努力しだいだ。／成功不成功全凭努力了。
(4) 勝つも負けるも時の運だ。／胜负全看时运了。

使用"行く・行かない"、"勝つ・負ける"等为正负一对的词句。后面伴随着"…しだいだ"、"…にかかっている"等表达方式。表示"做什么,全凭…"、"会成为什么,由…决定"的意思。

3 极端事例＋も　连…也、甚至…都。
[N（＋助词）も]
[V-るのも]
（1）日本語をはじめて1年になりますが、まだひらがなも書けません。／学日语都快一年了，可还连平假名都不会写呢。
（2）スミスさんは、かなり難しい漢字も読めます。／史密斯连相当难的汉字都会读。
（3）こんな簡単な仕事は子供にもできる。／这么简单的工作连孩子也会做。
（4）恐ろしくて、声もできませんでした。／吓得声都出不来了。
（5）立っていることもできないほど疲れました。／累得甚至站都站不住了。
（6）あんな奴は顔を見るのも嫌だ。／那家伙，看他一眼都烦。
（7）最悪の場合も考えておいたほうがよい。／最好连最坏的结果都要考虑到。
（8）頭が痛いときには、小さな音でさえもがまんできない。／头痛的时候，甚至连一点小声音都受不了。
（9）人類は月にまでも行くことができるようになった。／现在人类甚至能登上月球了。

列举极端的事例，暗示比其程度低的事物当然更是那样。比如例（1）中含有最简单的平假名都不会写，那比其更难的片假名或汉字当然更不会写了的意思。另外，有时也可像例（8）、（9）那样，伴随着使用"さえ"、"まで"等来加强语意。

4 数量词＋も
a 数量词＋も　强调数量多、程度高。
（1）雨はもう三日も降っています。／雨已经下了三天了。
（2）大根一本が300円もするなんて…。／一根萝卜就要300日元…，真贵。
（3）反戦デモには十万人もの人が参加した。／有10万人参加了反战游行。
（4）いっぺんにビールを20本も飲むなんて、あいつはどうかしているよ。／一次要喝20瓶啤酒，那家伙怎么了。
（5）ほしいけれど、10万円もするなら、買えない。／真想要，可是要10万日元的话，买不起。
（6）新しい車を買おうと思って貯金を始めたが、目標までまだ50万円も足りない。／为买新车开始存钱了，可离目标还差50万日元呢。

用于强调数量多、程度高时。

b 数量词＋も…ない　…也不…、连…都不。
（1）泳ぐのは苦手で、ほんの5mも泳げない。／不善长游泳，连5米都游不了。
（2）ここからあそこまで10mも

ないだろう。／从这到那连10米都不到吧。
(3) 財布の中には500円も残っていない。／钱包里连500日元都没有了。
(4) ベッドに入って10分もたないうちに寝てしまった。／他上床后，10分钟都不到就睡着了。

强调数量少，程度低，加强否定语意时使用该句型。强调程度高时容易和"も－4a"用法混淆，所以要注意。

(例) こんな豪勢な暮らしをしていて、わずか10万円も支払えないのか。(程度小)／过着这么奢侈的生活，区区10万日元都付不起吗。

(例) 学生の身分で月々10万円も支払えるはずがない。(程度大)／一个学生，每月不会付得起10万日元的。

c 最小数量＋も…ない ——…也没(不)。
(1) 客はひとりも来なかった。／客人一个也没来。
(2) 彼女のことは一日も忘れたことはない。／我一天也没有忘记过她。
(3) 外国へは一回も行ったことがない。／一次也没有去过外国。
(4) 失敗は彼が原因だったが、彼を責めようとする人はひとりもいなかった。／虽然失败原因在他，可没有一个人想责备他。
(5) この料理は少しもおいしくない。／这菜一点也不好吃。

附加有表示最小限量"1"的"ひとりも(一个人也)"、"ひとつも(一个也)"、"一回も(一次也)"或"すこし(一点也)"等词和否定表达方式一起使用，表示"まったく／ぜんぜん…ない(完全／根本不…)"的意思。

d 数量词＋も …ば／…たら …的话、就…。
(1) この仕事なら、三日もあれば充分だ。／这项工作有三天的话足以完成。
(2) A：テープレコーダーって、いくらぐらいするものですか。／录音机要多少钱？
B：そうですねえ、安いものなら、五千円もあれば買えますよ。／是啊，便宜点儿的话，有5000日元就能买。
(3) もうしばらく待ってください。10分もしたら、先生は戻っていらっしゃると思います。／请再等一会儿。我想再过10分钟，老师就会回来的。
(4) 雨はだんだん小降りになってきた。あと10分もすればきれいに晴れ上がるだろう。／雨越下越小了。再有10分钟的话，天气大概就会放晴吧。
(5) このあたりは、自然が豊か

だが、もう10年もたてば、開発されてしまうだろう。／这一带自然资源现在很丰富，可再过10年的话，就都会被开发光了吧。

表示有这种程度的数量就足以完成某事物。除了可以用"ば"外也可以用"たら"或"と"。另外，句尾经常出现"だろう"、"でしょう"、"と思う"等表示说话人推测的表达方式。

e 数量词＋も…か 大概有…(时间、数量)吧，可能…吧。

（1）事故にあってから、救出されるまで1時間もあったでしょうか。夢中だったのでよくわかりません。／事故发生以后，到被救之前，大概过了有一小时吧，因当时脑子很乱所以记不清了。

（2）A：その魚はどれくらいの大きさでしたか。／那条鱼有多大呀？
　　B：そうですねえ。50ｃｍもあったかなあ。／是啊，有50公分长吧。

（3）昔、家の庭に大きな木があった。高さは4.5ｍもあっただろうか。杉か何かだったと思う。／以前，我家的院子里有棵大树，大概有4.5米那么高吧，好像是杉树还是什么来着。

（4）直径3センチもあろうかという氷の固まりが降ってきた。／下起了大概有直径3公分那么大的冰雹。

和"あったでしょうか"、"あろうか"等一起使用，表示说话人主观上判断的大体数量。

5 疑问词＋も

a 疑问词＋(助词)＋も …也、…都、不管…都(也)、无论…都(也)。

（1）山田さんはいつも本を読んでいる。／山田先生无论何时都在看书。

（2）だれもが知っている。／谁都知道。

（3）どれもみんなすばらしい。／无论哪个都很棒。

（4）どちらも正しい。／无论哪个都是对的。

（5）誰も知らない。／谁也不知道。

（6）このことは誰にも話さないでください。／这件事对谁都不要说。

（7）何も買えない。／什么都买不了。

（8）この辞書はどれも役にたたない。／这些词典，一本都用不上。

（9）どちらも正しくない。／无论哪个都不对。

和"だれ・なに・どれ・どこ・いつ"等一起使用，表示哪种场合都适合。像例（1）～（4）那样用于肯定句时，表示全面肯定。像例（5）～（9）那样用于否定句时，表示全面否定。但是，下面的例句中的"いくらもある"表示有很多，"いくらもない"表示几乎没有。

（例） そんな話はいくらもある。／那样的事多了。
（例） 財布の中には、いくらも入っていない。／钱包里，没几个钱了。

b なん＋量词＋も　好几…、好多…。
（1）タイには何人も友だちがいる。／在泰国我有好多朋友。
（2）何回も海外旅行をしたことがある。／海外旅行去了好多次。
（3）何度もノックしたが、返事がない。／敲了几次门都没有反应。
（4）雨は何日も降り続いた。／雨连着下了好几天。
（5）何か月も留守にしたので、庭は荒れ放題だ。／因几个月不在家，院子都荒废了。

表示数量或次数多的意思。

c なん＋量词＋も…ない　没几…。
（1）この問題が解ける人は何人もいないでしょう。／能解这个问题的没几个人吧。
（2）私の国では、雨が降る日は一年に何日もない。／在我们国家，一年里没几天下雨的日子。
（3）すぐに終わります。何分もかかりません。／马上就完，用不了几分钟。
（4）こんなチャンスは、人生に何度もない。／这样的机会，人生中没有几回。

表示数量或次数少。不过，也有时像下面（例2）那样表示数量多的时候，所以要注意。
（例1）試験まで後何日もない。（＝短い間）／离考试没几天了。（＝时间短）
（例2）彼は何ヶ月も姿を見せなかった。（＝長い間）／他几个月没露面了。（＝时间长）

6 Nも＜提示主题＞　也。
（1）秋も深まって、紅葉が美しい。／已是深秋，红叶美丽宜人。
（2）夜もふけた。／夜也深了。
（3）長かった夏休みも終わって、あしたからまた学校が始まります。／长长的暑期也已结束，明天又要开学了。
（4）彼にも困ったものだ。／对他也是很为难的事。
（5）さっきまであんなに泣いていた赤ん坊もようやく寝ました。／刚才还大哭的婴儿也终于睡着了。
（6）彼のきげんも直って、平和な空気が戻った。／他的气也消了，又恢复了平和的气氛。

用于像例（1）～（3）那样，说话人带有感慨地列举出伴随着季节的变化、事情的始末等时间的推移而变化的事物或像例（4）～（6）那样，暗示其他也有同样的事物，以缓和的表达方式进行提示时。

7 NもN＜强调＞　那个真是…。
（1）あいつは、うそつきもうそつき、大うそつきだ。／那家伙，可真是能撒谎，简直是个撒谎大王。

も 745

（2）彼の両親の家は、山奥も山奥、一番近い駅から車で3時間もかかるところにある。／他父母的家那可真是在山窝里，从最近的车站乘车也要用3个小时。
（3）A：佐藤さん、酒飲みなんですって？／听说佐藤爱喝酒？
　　　B：酒飲みも酒飲み、ものすごい酒飲みだ。／那可是真爱喝酒，是个非常贪杯的人。

重复使用同一个单词，强调该程度已非一般。

8 NもNなら
　　NもNだが　…不…，…也不…。
（1）親も親なら子も子だね。／大人不好吧，孩子也是（有其父，必有其子）。
（2）兄さんも兄さんだが、姉さんだってひどいよ。／哥哥不好，可嫂子也够差劲儿的。
（3）わいろをもらう政治家も政治家だが、それを贈る企業も企業だ。／受贿的政治家不怎么样，可行贿的企业也够呛。

以"XもXならYもYだ"的形式，对双方的问题都表示谴责。

9 …もあり…もある　既…又…，既…且…。
[NでもありNでもある]
[NaでもありNaでもある]
[A-くもありA-くもある]

（1）彼はこの会社の創始者でもあり、今の社長でもある。／他既是这个公司的创立者，又是现在的总经理。
（2）藤田さんは私の義兄でもあり師でもある。／藤田先生既是我的姐夫，又是我的老师。
（3）彼の言ったことは、心外でもあり不愉快でもある。／他说的话，既让人意外，又让人不愉快。
（4）娘の結婚は、嬉しくもありさみしくもある。／女儿的出嫁，既让人高兴又使人寂寞。

以"XもありYもある"的形式，表示既是X又是Y的意思。

10 …もあれば…もある　有…也有…。
[NもあればNもある]
[VこともあればVこともある]

（1）起きる時間は決まっていない。早く起きることもあれば遅く起きることもある。／起床时间没有一定，有早起的时候，也有晚起的时候。
（2）人生、楽もあれば苦もある。／人生有乐也有苦。
（3）株価の変動は誰にも分からない。上がることもあれば、下がることもある。／股市的变动谁也摸不清，有涨也有跌。
（4）車に乗っていると、便利な時もあれば、不便な時もあ

る。／开车,有方便的时候,也有不方便的时候。

(5) 温泉といってもいろいろだ。硫黄が含まれているものもあれば、炭酸が含まれているものもある。／说起温泉也各有不同,有含硫黄的,也有含炭酸的。

列举出某些事物的变化情况,表示有各种不同的情况。多用于列举对照性的事物时。

11…もV－ない 也不…。
[NもV－ない]
[R－もしない]

(1) あいつは本当に失礼な奴だ。道であっても、挨拶もしない。／那家伙真是个不懂礼貌的东西,在路上碰见,也不打招呼。

(2) 息子は体のぐあいでも悪いのか、夕食に手もつけない。／儿子是不是身体不舒服,晚饭动也没动。

(3) あの子は、ほんとうに強情だ。あんなにひどく叱られても、泣きもしない。／那孩子真犟,那么骂他也不哭。

(4) 前から気がついていたのか、母は父が会社をやめたと聞いても驚きもしなかった。／大概事前有所察觉吧,妈妈听说爸爸辞了职也不吃惊。

(5) うちの猫は魚がきらいで、さしみをやっても見向きもしない。／我家的猫不喜欢

吃鱼,喂它生鱼片它都不睬。

(6) さわりもしないのに、ガラスのコップが割れてしまった。／碰都没碰,可玻璃杯却碎了。

(7) 夕方になっても、電気もつけないで、本に熱中していた。／到了傍晚,灯也不开,一直在埋头看书。

(8) 山田さんは怒ったのか、さよならも言わないで帰ってしまった。／山田先生大概生气了,连声再见也不说就回去了。

(9) この寒いのに、子供たちは、上着も着ないで、走り回っている。／这么冷的天,孩子们也不穿外套,在外面跑着玩儿。

用于强调否定意义时。一般认为是理所当然的事却没有做,说话人对此表示惊讶,愕然时使用的比较多。

12…もV－ずに 也不(没)…就…。

(1) わたしは深く考えもせず、失礼なことを言ってしまった。／我也没好好想一下,就说出了失礼的话。

(2) 彼女は食事もとらずに、けが人の看病をしている。／她护理着受伤的病人,饭都没吃。

(3) 彼女は、若い女性が興味を持ちそうなことにはいっさい目もくれず、研究に没頭していた。／她对年轻女性

所感兴趣的一切都不关心，只是埋头搞研究。

是"…もしないで"的书面表达方式。

→【も】11

13 …もの／…こと もV-ない 该…没…。

[V-る もの／こと もV-ない]

（1）寝坊したので、食べるものも食べないであわてて会社へ行った。／因睡懒觉起晚了，饭也没吃，就急急忙忙去了公司。

（2）急に雨が降り出したので、買うものも買わないで帰ってきてしまった。／因突然下起了雨，该买的东西也没买就回来了。

（3）時間が足りなかったので、言いたいことも十分には言えなかった。／因为时间不够了，想说的话也没能分说完。

（4）こんな無能な医者では助かる命も助からない。／找这么无能的医生看病，就是能救的命也救不回来呀。

重复使用同一动词，表示"平时认为当然能做的事也做不了"的意思。另外，还有以下的习惯用法。

（例）叔父が急に亡くなったというので、取るものも取りあえず（＝大急ぎで／急忙）駆けつけた。／听说叔父突然去世，急忙赶了去。

【もう₁】

1 もう＋数量词 再…、还…、又…。

（1）すみません、もう5分ここにいてください。／对不起，在这儿再呆5分钟。

（2）もう一時間待って、彼が来なかったら先に行く。／再等1小时，他不来的话，我就先走了。

（3）もう一人紹介したい人がいる。／还有一个人想介绍给你。

（4）もう百円あれば、切符が買える。／再有100日元，就能买票了。

（5）もう10ページ読めば、この本は読み終えられる。／再看10页，这本书就看完了。

（6）もう一回だけテストしてみよう。／只再试一次吧。

（7）もう一度だけ会ってください。／只再见一次面。

（8）みんなが来てから、もう一回先生に電話してみた。／大家来了之后，又给老师打了一次电话。

表示再加量时使用该句型。比如，例（4）的意思是"虽然有一些钱，但再加100日元的话，就可以买到票了"。

像"あと5分"那样用"あと"替换比较多，但"あと"带有"这是最后一次了"的含义，而"もう"没有那种特别的含义。就次数来说，难以说这是最后一次时，不用"あと"而用"もう"。比如例（8）要说成"みんなが来てからあと一回先生に電

話してみた"就显得有点不自然。

2 もうすこし

a もうすこし／もうちょっと＜量＞　再…一点儿、再…一会儿。

(1) もう少し、ミルクをください。／再给我一点儿牛奶。
(2) もう少しここで過ごしたい。／想在这儿再住一段儿。
(3) もう少し待てば、順番が回ってくる。／再等一会儿，就轮到我们了。
(4) ゴールまで、もうちょっとだ。／离到终点，就差一点儿了。

表示比现在的状态有少量的增减或变化。也可以说"あとすこし"。另外"もうちょっと"是比"もうすこし"更通俗易懂的表达方式。因此一般多用于日常会话中。表示量多时不能使用。

(误) もうたくさんほしい。
(正) もっとたくさんほしい。／想要更多。

b もうすこし／もうちょっと＜度＞　再…一点儿。

(1) もう少しいい車を買いたい。／想买一辆再稍好一点儿的车。
(2) 温度はもう少し低くした方がいい。／温度再降低一点为好。
(3) もう少し大きな声で話したほうがいい。／最好声音再大一点儿说。
(4) かれなら、もう少しむずかしい問題もできるだろう。／对他来说，再难一点儿的问题也会做吧。
(5) もうちょっと安いものはありませんか。／有再便宜点儿的吗？

和表示属性或状态的表达方式一起使用，表示比现在的状态程度高一点儿的意思。

c もうすこしでV-そうだった　再…一点儿就…、再…一会儿就…、差一点就…。

(1) もう少しでうまくいきそうだったのに、邪魔が入ってしまった。／再有一会儿就顺利完成了，可这时有人来添了乱。
(2) もう少しで会社に遅れそうになったが、ぎりぎりで間にあった。／再晚一点儿就迟到了，不过勉勉强强赶上了。
(3) もう少しで本当のことを言いそうになったが、何とか我慢した。／差一点儿就要说出了实情，但终于忍住了。
(4) 二人はもう少しでけんかしそうになったが、わたしが何とか止めた。／俩人差一点就要打起来了，我设法制止了他们。

意思是"某事态就要发生"。大部分情况可以和"もうすこしで…ところだ"互换使用。较随意的会话中也可以使用"もうちょっとで"。

d もうすこしでV-るところだった

差一点儿就…。
（1）もう少しでけがするところだった。／差一点儿就受伤了。
（2）ぼんやり歩いていて、もう少しで車にひかれるところだった。／心不在焉地走着，差点儿让车撞着。
（3）赤ちゃんはもう少しで寝るところだったのに、電話の音で目をさましてしまった。／婴儿差一点就睡着了．结果又让电话声吵醒了。
（4）実験はまた失敗したが、本当はもう少しで成功するところだったのだ。／实验又失败了。其实这次差一点就要成功了。

是加强"V-るところだった"语意的说法。
→【ところだ】2 b

【もう₂】

1 もう＜完了＞　已经…、已…了。
（1）今日の仕事はもう全部終わった。／今天的工作已全部结束。
（2）A：今評判になっているあの映画、もう見ましたか。／现在受到好评的那部电影，你已经看了吗？
　　B：ええ、この前の日曜日に見ました。／啊，上星期日看过了。
（3）食事はもうできている。／饭已经做好了。
（4）その問題なら、もう解決している。／那个问题已解决了。
（5）彼の娘はもう大学を卒業したそうだ。／听说他女儿已经大学毕业了。
（6）駅についたときにもう特急は出てしまっていた。／到车站时快车已经开出了。
（7）手紙はもう投函したので、取り返せないんです。／信已投入信箱．无法取回了。
（8）A：すみません、今日はもう閉店ですか。／对不起．请问今天已经关门了吗？
　　B：いいえ、まだ開いています。／不．还在营业。
（9）A：この本はもう出ましたか。／这书已经出了吗？
　　B：いいえ、まだ出ていません。予定は来週です。／不．还没出．预计下星期出。

和动词句一起使用．表示行为事情等到某个时间已经完了。在询问完或没完的疑问句中也使用"もう"。在表示还未达到完成状态时．无论是陈述句还是疑问句都使用"まだ…ない"。

2 もう ＋时间／＋年龄　已是(到)。

(1) おしゃべりに夢中になっていたら、もう5時だ。／只顾聊天，不觉中已是5点了。
(2) 気がついたらもう朝だった。／等发觉时已是早晨了。
(3) この子はもう10才だから、十分事故の証人になれる。／这个孩子已10岁了，完全可以做事故的证人。
(4) こよみの上ではもう春なのに、まだ雪が降っている。／日历上已是春天，可还在下着雪。
(5) もう夜が明けるのに彼らはまだ話し続けている。／天已经亮了，可他们还在交谈。
(6) もう8時ですよ。起きなさい、学校に遅れますよ。／已经8点了，快起来，要迟到了啊。

和表示时间或年龄的表达方式一起使用，表示已经到了充足的阶段。像例(1)、(2)含有比想象要早地达到该时间的意思。

3 もうNaだ／もういい 已经…了。
(1) もうおなかが一杯だ。／肚子已经饱了。
(2) 今日はもう十分に楽しんだ。／今天已经很开心了。
(3) A：お湯はわいていますか。／水已经烧开了吗？
　　B：ええ、もういいですよ。／啊，已经开了。
(4) A：機械、直ったんですか。／机器，修好了吗？
　　B：ええ、これでもういいはずです。／啊，这应该算修好了。
(5) A：ちょっと目を閉じて。1、2、3。／闭一下眼睛。1、2、3。
　　B：もういい？／好了吗？
　　A：いいよ。はい、目を開けて。／好了。好，睁开眼吧。

和"一杯だ"、"十分だ"一起使用，表示应该已是十分满足的状态。"もういい"的意思是基本上"达到充分适当的状态"，可以在各种状况下使用。根据上下文的关系，可成为"準備ができた(准备好了)"、"解決した(解决了)"等意思。有关"もういい"的否定用法，参照"もう"5b。

4 もう…ない 不再…、已不…。
(1) 山田さんはもうここにはいません。／山田先生已不在这儿了。
(2) この喫茶店はもう営業していない。／这家咖啡馆已不再营业了。
(3) 疲れて、もう何も考えられなくなった。／累了，什么事也考虑不了了。
(4) 交渉のあと、だれももう文句を言わなかった。／交涉之后，任何人都不再发牢骚了。
(5) かれとは、もうこれ以上話したくない。／已不想和他说更多的话了。

(6) わたしは、18才、もう子供ではない。／我18岁了，已不是孩子了。
(7) もう二度とあの人には会わないだろう。／再也不会见到他了吧。
(8) もう誰も信じられないと言って、彼女は泣いていた。／她哭了，说她再也不能相信任何人了。
(9) こんな待遇の悪い職場にはもうがまんができない。／在待遇这么差的工作单位，已经忍耐不了。
(10) さいふの中にはもう100円しか残っていなかったので、家へ帰るのにバスも乗れなかった。／钱包里就只剩下100日元了，所以，回家连公共汽车都没坐成。
(11) 10万円の値段がついたので、もうこれ以上は上がらないだろうと思った。／价格达到了10万日元，我想不会再涨得比这更高了吧。

以某个点为界线，表示从那以后再没有超过这程度的。

5 もう＜否定的态度＞
a もう＋否定表达方式　已经。
(1) こんな退屈な仕事はもうやめたい。／那么乏味的工作，已不想干了。
(2) もうあの人の愚痴を聞くのはいやだ。／已经听烦了他的抱怨了。
(3) これ以上歩き続けるのは体力的にもう無理です。／再这么走下去，体力上已吃不消了。
(4) あの人をかばい続けられるのももう限界だ。／已到了最大极限了，不能继续庇护他了。
(5) 戦争をするのは、もうたくさんだ。／不能再有战争了。
(6) こんなまずいものを食べるのはもうたくさんだ。／吃这么难吃的东西，已经够了。
(7) もういいかげんに妹をいじめるのはやめなさい。／不要再随便欺负妹妹了。

使用"無理だ"、"いやだ"等否定意义的谓语，表示再不能继续某种状态了。"もうたくさんだ"意思是"已达到极限，再往下发展，就令人厌烦了"，多用于感情方面达到相当程度时。另外也可以像例(7)那样用于禁止以后的行动。

b もういい　已够了、已可以了、行了、好了、就这样吧。
(1) A：ほかに出す書類がありますか。／还需要交其他什么文件吗？
　　B：これでもういいです。／这些就可以了。
(2) A：チョコレート買いましょうか。／还买巧克力吗？
　　B：いや、これだけ食料があれば、もういいで

す。／不，有这些食品就够了。

(3) A：もう一杯いかがですか。／再来一杯，好吗？
B：いや、もういいです。／不，不要了。

(4) A：急なアルバイトさえなかったら、来られたんだけど。／如果没有突然增加的临时工要打，我就会来了…。
B：言い訳はもういいよ。／不要再解释了。

(5) A：お母さんの気持ちも考えてみなさい。／你也要考虑一下妈妈的心情。
B：もういいよ。お説教は聞き飽きたよ。／好了，你的说教我已经听够了。

(6) A：頑張っていたのに、うまく行かなくて残念だったね。／努力去做了，可没做好，还是令人遗憾的啊。
B：もういいんです。何か、ほかの事を考えます。／你不用说了，我还是想想做点别的事情吧。

(7) A：もう一回探しなおせば、みつかるかもしれません。／再找一遍，说不定就会找着。
B：もういいよ。あきらめよう。／好了，不找了。

基本上的意思是"这些足已，再往下就不需要了"。可以在各种状况下使用。例(3)是拒绝的表达方式。例(4)、(5)是"这是限度，再往下就接受不了了"的意思，表示说话人拒绝的态度。在讨厌、腻烦时经常使用。像例(6)、(7)那样，表示放弃所留恋的东西时的心情，也可以使用。"もういい"的肯定用法，参照"もう" 3。

6 もう＜指责＞ 又…。

(1) お母さんたら、もう。わたしの友達の悪口を言うのはやめてよ。／妈妈，你又…。不要说我朋友的坏话了。

(2) もう、あなたったら、こんなやさしい計算もできないの。／又是这样，你，这么简单的计算都不会吗？

(3) 山田さんたら、もう、また『お茶入れて』ですって。自分でやればいいのに。／山田，你又说："给我倒茶"，你自己倒不行吗…

(4) A：あ、また、汚した。／啊，又弄脏了。
B：もう。／瞧你…。

插在句首或句中，表示对对方的责难心情。只用于随意的会话中。女性使用较多。多和含有责备口气的"(っ)たら"一起使用。

【もうすぐ】

马上就…、很快就…。

(1) 田中さんはもうすぐ来ます。／田中马上就来。

（2）もうすぐ夏休みですね。／很快就是暑假了吧。
（3）クリスマスまで、もうすぐだ。／离圣诞节没有几天了。
（4）桜の花はもうすぐ咲きそうだ。／眼看樱花就要开了。
（5）もうすぐここに30階建てのマンションが建つそうだ。／听说很快要在这里建一栋30层的豪华公寓。

表示从现在到该事情发生为止没多长时间了。比"すぐ"表示的时间长。在口语中经常使用。

【もかまわず】

（连…都）不顾，冒着…。
[N（に）もかまわず]
[Vの（に）もかまわず]
（1）喜びのあまり、人目もかまわず抱きついた。／欣喜若狂，不顾众目睽睽，拥抱在了一起。
（2）役員たちから慎重な対応を求める声が上がっているのもかまわず、社長は新分野への参入を決断した。／不顾干部们要求慎重对待的呼声高涨，总经理还是下了决心要开辟新领域。
（3）世論から厳しい批判を浴びせられているのにも構わず、その議員は再び立候補した。／不顾舆论的严厉批判，那位议员再一次宣布要参加竞选。

表示"不把…放在心上"的意思。多使用"人目もかまわず"这种惯用表达方式。

【もくされている】

被看作…、被认为…、受瞩目。
[Nともくされている]
（1）今度の競馬では、マックイーンが一番人気と目されている。／这次赛马，玛奎恩最受人瞩目。
（2）彼がその事件の最重要参考人と目されている。／他被看作是那个事件最重要的见证人。
（3）事業の後継者と目されているのは、重役の市川氏だ。／被认为是事业接班人的是董事市川先生。
（4）知事選挙で最有力候補と目されているのは、早田氏です。／在县知事选举中，被认为最有实力的候选人是早田先生。

是"とみなされている、そういう評判がたっている（被看作、得到公认）"的意思。但是，"目されている"一般用于真正的情况是什么将会怎样还不清楚的状况时。

【もさることながら】

…也是不用说的事，当然如此，…不用说，…更是如此。
[Nもさることながら]

(1) 彼は、大学の成績もさることながら、スポーツ万能で親孝行という申し分のない息子だ。／他在大学的成绩不用说，在体育方面更是多面手，在家庭还是个孝子，是一个无可挑剔的儿子。

(2) このドレスは、デザインもさることながら、色使いがすばらしい。／这件礼服，设计上没得挑，颜色的配备上更是绝妙。

(3) あのレストランは、料理もさることながら、眺めの良さが最も印象的だった。／那家餐厅，饭菜质量当然好，而周围的景色更给人留下深刻印象。

以"Xもさることながら Y"的形式，表示"X也是这样，而Y更是这样"、"X也是这样，而更能列举出Y也是如此"的意思。一般用于认为这件事好时。

【もし】

后面伴随着条件句，对事物进行假设，是表现说话人态度的副词。

多用于句首。类似表达方式有"かりに"、"もしも"。与"もしも"的不同之处，参照"もしも"条目。

1 もし…たら　如果…的话。

(1) もし雨が降ってきたら、洗濯物を取り込んでおいてね。／如果下雨的话，要把洗的衣服拿进来啊。

(2) もしよろしければ、週末、家にいらっしゃいませんか。／如果方便的话，周末能到我家里来一趟吗？

(3) もしお暇なら、いっしょにドライブに行きませんか。／如果有时间的话，一起去开车兜风好吗？

(4) もし気が付くのが1秒でも遅かったら大惨事になっていただろう。／如果再晚一秒钟发现的话，后果就不堪设想吧。

除了"たら"，还可以使用"…は／…なら"等。伴随顺接假定条件，表示"假如那样的话"的意思。例(1)～(3)表示的是真是假还未定的未知事物。例(4)接在与事实相反的事物之前，用于预测或想象地加以叙述时。

与"かりに"很相似，但是"かりに"用于在想象现实中不存在的事物的基础上，进行假定时。因此在叙述像例(1)那样现实上有成立的可能性的事情时不太合适。相反，如果说话人有假定意识的话，就可以与事实无关地使用"もし"。因此像例(1)那样眼看实际上就要发生或像例(4)那样与事实相反都可以使用"もし"。

(误) かりに雨が降ってきたら、洗濯物を取り込んでおいてね。

2 もし…ても／…としても　假使是…也…。

(1) 天気予報では曇りですが、もし雨でも遠足は決行します。／天气预报是阴天，不过，假使下雨也坚决去郊游。

(2) 薬で治りそうですが、もし手術をすることになって

も、簡単に済みます。／看样子吃药也能治好，即使做手术，也是很简单的。
(3) もし泥棒に入られたとしたって、たいてい金目になるものはない。／假使是小偷进来了的话，也没什么值钱的东西可偷。
(4) もし入社試験に合格しても、本人に入社の意志がないのなら辞退すべきだ。／即便是录用考试合格，但本人没有进入本公司意向的话也应辞退。

后伴随着"ても"、"としても"、"としたって"等条件句，表示"假使那样的状况成立的话也…"的意思。一般多有"不太有那种可能性，不过…"的含义。大体上可和"かりに"互换使用。

【もしかしたら】

1 もしかしたら…かもしれない
说不定…、或许…、可能…。
(1) 仕事の量が減ったから、もしかしたらわたしも日曜日に出かけられるかもしれない。／工作量减少了，或许星期日我也可以出去了。
(2) いまはいい天気だが、すこし雲が出て来たから、もしかしたら雨が降るかもしれない。／现在天气是不错，不过有些云浮上来了，说不定会下雨。
(3) この名刺があれば、もしかしたら、彼に面会できるかもしれない。／有这张名片的话，或许能和他会面。
(4) 彼はここ2、3日大学に出て来ない。もしかしたら彼は病気かもしれない。／他这2、3天没来大学，可能是病了。
(5) もしかしたら、中田さんが知っているかもしれないが、はっきりしたことはまだわからない。／说不定中田知道，不过具体的还不清楚。
(6) もしかしたら、山川さんがその本をもっているのではないだろうか。／说不定山川有那本书呢吧。

伴随着"…かもしれない"、"…のではないだろうか"等推测的表达方式，表示一种有可能发生那种事的推测，也显示出说话人对自己的判断不太自信。也可以说"もしかすると"、"もしかして"、"ひょっとすると"。

2 もしかしたら…か 可能…吧、说不定…吧、或许…。
(1) A：あの人、もしかしたら、山本さんじゃないですか。／那人可能是山本先生吧。
　　B：ええ。そうですよ。ご存じですか。／啊，是啊。你认识他吗？
(2) もしかしたら事故にでもあったんじゃない？／莫非是遇到了什么事故吧？

（3）もしかしたら今日（きょう）は雨（あめ）になるのではないだろうか。／说不定今天会下雨吧。

伴随着"…か"、"じゃない？"等表示疑问的表达方式，表示对自己的判断不怎么自信。也可以说"もしかすると"、"もしかして"、"ひょっとして"。

【もしくは】

是书面语。以"XもしくはY"的形式使用。是一种经常用于公文等较郑重的表达方式，不用于日常会话中。日常会话中经常使用的形式是"XかY"。

1 NもしくはN　…或…、…或者…。

（1）黒（くろ）もしくは青（あお）のインクを使（つか）用（よう）すること。／请使用黑或篮色墨水。

（2）お問（と）い合（あ）わせは、電話（でんわ）もしくは往復葉書（おうふくはがき）でお願（ねが）いします。／咨询请打电话或邮寄往返明信片。

（3）この施設（しせつ）は、会員（かいいん）もしくはその家族（かぞく）に限（かぎ）り使用（しよう）できる。／这一设施只限于会员或其家属使用。

（4）《法令（ほうれい）》第84条（だい）第2項（じょうだい）の規定（き）による命令（めいれい）に違反（いはん）した者（もの）は、これを6ヶ月以下（げつ）の懲役（ちょうえき）もしくは禁固（きんこ）または一万円以下（いちまんえん）の罰金（ばっきん）に処（しょ）する。／对违反《法令条款》第84条第2项规定的人处以六个月以下徒刑或监禁，或者处以一万日元以下的罚款。

意思为"二者中的其中一方"。使其选择X或Y的任何一方，或者表示如果符合X或Y的条件，采取哪一方都可以。像例（4）那样，作为法律用语使用时比较特别，当"XまたはY"中的X更进一步分为两部分时，使用"XaもしくはXb／Xa或Xb"的形式，其关系即成为"XaもしくはXb、またはY／Xa或Xb，或者是Y"。

2 V-るか、もしくは　…，或者…。

（1）応募書類（おうぼしょるい）は、5月10日（がつとおか）までに郵送（ゆうそう）するか、もしくは持参（じさん）すること。／请于5月10日前，将申请材料邮寄过来或直接交来。

（2）パンフレットを御希望（ごきぼう）の方（かた）は、葉書（はがき）で申（もう）し込（こ）むか、もしくはFAXをご利用（りよう）下さい。／需要资料（小册子）者，请发明信片或传真向我们索取。

（3）受講申（じゅこうもう）し込（こ）みは、京都市内（きょうとしない）にお住（す）まい、もしくは京都市内（きょうとしない）に通勤（つうきん）なさっている方（かた）に限（かぎ）ります。／听课申请仅限于住在京都市内或在京都市内上班的人。

意思是"二者中的其中一方"。例（1）、（2）是"让选择X或Y的任何一方"时的说法。例（3）是摆出两个条件，"符合X或者Y的条件，哪一方都可以"的意思。像例（3）那样承接表示动作的名词时，有时可使用"NもしくはNする"的形式。

【もしも】

是"もし"更强调的说法，表示"假使那样的话"的意思。

1 もしも…たら 如果…的话。

（1）もしも家が買えるなら、海辺の洋館がいい。／如果能买房子的话，海边的西式建筑比较好。

（2）もしも僕が君の立場だったら、違う行動をとると思う。／如果我站在你的立场的话，我想我会采取不同的行动。

（3）もしも私が君ぐらい若ければ世界中を飛びまわっているだろう。／如果我像你那么年轻的话，肯定会周游世界各国的。

（4）もしも地震が起こるのがあと30分遅ければ、被害は甚大なものになっていただろう。／如果地震再晚发生30分钟的话，受害程度就会不堪设想。

和后面"たら／ば／なら"等表示条件的形式一起使用，表示对事实与否，未定的事物或与事实相反的事，做出"假使那样的话"的假定判断的意思。

2 もしものN 万一、…意外、三长两短。

（1）父にもしものことがあったらどうしよう。／父亲有个三长两短的话怎么办？

（2）もしもの場合にはすぐ連絡してください。／出现意外情况时马上和我联系。

（3）大地震はそんなにちょくちょく起こるわけではないが、もしもの時のために準備をしておいた方がよい。／大地震并不是时常发生，但最好也要做好预防万一的准备。

"もしも"后续"時／場合／こと"等名词，表示"万一要成为那种状态时"的意思。用于"死"、"危笃状态"、"大灾难"等不希望发生的重大事情时。例（1）是"死"的委婉说法。和"万一"意思大体相同，可以互换使用。"もし"没有这种用法。

【もちまして】
→【もって2】

【もちろん】

1 もちろん 当然、不用说、不言而喻。

（1）A：一緒に行きますか。／一起去吗？
　　B：もちろん。／那还用说。

（2）A：そこへ行ったら、彼女に会えますか。／去那儿，能见到她吗？
　　B：もちろんですよ。／当然能了。

（3）この仕事は、残業が多くなるかもしれません。もちろん、その分の給料はちゃんと支払われます。／这项工作说不定会经常加班。当然，会支付那部分的加班费的。

（4）A：あの、休日は、きちんと取れるのでしょうか。／请问，休息日都

能休息吗？
B：それは、もちろんですよ。/那是当然的了。

　　表示理所当然和可以接受的心情。通过该状态就其可以做出推测来看,是强调确实如此的表达方式。另外,像以下例子那样,也可用于对前面所叙述的事给与保留时。

（例）　わたしはこの計画に賛成です。もちろん、実行できるかどうかは社長の決定を待たなければなりませんが。/我赞成这一计划。当然，能否实施还必须要等待总经理的决定。

（例）　娘は、土曜日の午後はアルバイトをして、友達と喫茶店でおしゃべりをして帰って来ます。もちろん、いつもそうだというわけではありませんが、だいたいそういう習慣になっていたようです。/我女儿，一般在星期六的下午打工，然后和朋友一起在咖啡店聊会儿天再回来。当然，也不总是这样，不过，大体上好像是这种习惯。

2 Nはもちろん　…自不必说、…不用说、当然。

（1）　彼は、英語はもちろん、ドイツ語も中国語もできる。/他英语不用说，德语汉语都会。

（2）　彼は、スポーツ万能で、テニスはもちろん、ゴルフもサッカーもうまい。/他在体育上是多面手，网球自不必说，高尔夫球足球也都很棒。

（3）　委員長の高田さんはもちろん、委員会の全メンバーが参加します。/委员长高田先生不用说，委员会的全体成员都参加。

（4）　来週のパーティーは、いろいろな国の料理はもちろん、カラオケもディスコもある。/下星期的晚会，各国的菜肴自不必说，还有卡拉OK和迪斯科。

（5）　この本は、勉強にはもちろん役に立つし、見るだけでも楽しい。/这本书对学习当然有用，就是光看也是令人愉快的。

（6）　彼は子供の送り迎えはもちろん、料理もせんたくも家事は何でもやる。/他接送孩子自不必说，做饭洗衣服什么家务事都干。

　　列举出当然包括在内的具有代表性的事物N，然后再列举出同一范畴的其他事时使用该句型。也有"もちろんのこと"这种表达方式。

【もって₁】

以…、用…、拿…。

[Nをもって]

（1）　自信をもってがんばってね。/要满怀信心，努力去做哟。

（2）　A：しめきりが明日というレポートがみっつもあるんだ。/我还有三个截止到明天要交的报告

书呢。
B：余裕をもってやらないからこういうことになるのよ。／你不打出充裕的时间去写，所以才这样的。
(3) わたしは、そのとき確信をもって、こう言ったんです。／那时我是很有把握地这样说的。
(4) これは、自信をもっておすすめできる商品です。／这是我们很有信心向您推荐的商品。

可以使用"ものを持つ(拿东西)"、"手に持つ(手持)"时的具有具体动作的动词"持つ"，也可以和"自信"、"確信"等表示抽象意思的名词一起使用，表示"具有…"的意思。

【もって₂】

1 Nをもって　以此…。

(1) このレポートをもって、結果報告とする。／以这一小论文，作为最终报告。
(2) この書類をもって、証明書とみなす。／以这些文件，姑且当成证明书。
(3) これをもって、挨拶とさせていただきます。／谨此致谢。

"根据…"的意思。一般用于会议等正式场合的发言。作为书面语时，是文件中使用的较生硬的表达方式。经常和表示"…とみなす(作为…)"意思时的文一起使用。

2 Nをもちまして　謹此…、以此…。

(1) 本日をもちまして当劇場は閉館いたします。／从即日起本剧场停业。
(2) 当店は7時をもちまして閉店させていただきます。／本店七时关门。
(3) これをもちまして閉会(と)させていただきます。／大会至此结束。
(4) 只今をもちまして受付は締め切らせていただきます。／现在截止办理手续。

告知时间或状况，宣布会议等结束时使用该句型。限定于正式的致辞等场合，在随意的会话中不能使用。比"をもって"更郑重。

【もっと】

更…、再稍微…、更加…。

(1) もっと大きい声で話してくれませんか。／再大声点儿说好吗？
(2) もっと時間をかければもっといいものができると思います。／我想再多花一点时间的话，会做出更好的来。
(3) 地下鉄が開通すればこのあたりはもっと便利になる。／地铁开通的话，这一带会更方便。
(4) A：痛むのはこの辺ですか。／是这儿疼吗？
B：いや、もっと右です。／不，再往右点儿。

760　もっとも

(5) A：そのラケット、よく売れますよ。／这种球拍，很好卖噢。
B：これよりもっと軽いのはありませんか。／有比这更轻一点的吗？
A：あちらの黒いののほうがもっと軽いんですが、あまり軽すぎるのも使いにくいんじゃないでしょうか。／那边那个黑的更轻一些，不过，太轻了也不好使吧。

(6) もっと(はっきり)言うと、あの子はやる気がまったくない。／再说得清楚点儿，那孩子根本就没有做的意思。

(7) もっと驚いたことには会社でそのことを知らなかったのは私だけだった。／更使人吃惊的是，在公司里只有我一个人不知道那件事。

表示各种程度都比现在严重。也可像例(4)那样附在表示程度的名词(前、后、上、下等)后面。是口语表达方式。

【もっとも】

1 もっとも　话虽如此，不过，可是。

(1) レポートは来週提出して下さい。もっとも、はやくできた人は今日出してもかまいません。／下星期将报告书交上来。不过，早写完的人今天交也可以。

(2) この事故では、橋本さんに責任がある。もっとも、相手の村田さんにも落度があったことは否定できない。／在这次事故中，桥本有责任。但话又说回来，不能否认对方村田也有过错。

(3) 彼は強かったなあ。もっとも、毎日あれだけ練習しているのだから当然か。／他可真利害呀。不过，每天那么拼命地练，也该如此吧。

用于对前文的内容，给与部分纠正。

2 もっとも …が/…けど　话虽如此，不过…。

(1) あしたから旅行に行きます。もっとも二、三日の旅行ですが。／明天开始去旅行。不过也就是2、3天的旅行。

(2) あのホテルにした方がいいんじゃない。もっとも、私も行ったことがないから、本当にいいかどうかわからないけど。／还是定那个饭店好吧。不过，我也没去过，是否真好我也不清楚。

(3) 彼女がそう言っていました。もっともうそか本当かは分からないけど。／她是那么说的。不过，是真是假不知道。

(4) わたしは来年東大へ行きます。もっとも試験に受かればの話ですが。／我明年上

東大。当然，那得是考得上才能去。
（5）スポーツをするなら、サッカーが一番面白い。もっとも疲れることは疲れるけど。／搞体育的话，还是足球最有意思。话又说回来，累是累点儿。

用于对前文内容给予部分订正，或否定听话人对其内容将要预想到的事情。"…けど"是口语表达方式。

【もっぱら】

1 もっぱら 专门、主要、净。
（1）世間ではもっぱら消費税のことでもちきりだ。／社会上谈论的净是消费税的问题。
（2）いろいろな酒類があったが、彼はもっぱら日本酒ばかり飲んでいた。／有那么多种类的酒，可他只喝日本酒。
（3）A：愛読書は何ですか。／你喜欢读什么书？
B：私はもっぱら推理小説です。／我主要读推理小说。
（4）日曜はもっぱらテレビにゴロ寝です。／星期天就是看电视睡懒觉。

是"几乎只干那件事"的意思。

2 もっぱらのN 净是…。
（1）K監督の新作が面白いともっぱらの評判だ。／净是些说K导演的新作很有意思

的评论。
（2）王子の花嫁候補の第一位はあの令嬢だと、もっぱらのうわさだ。／到处都在传说王子新娘候补第一人选就是那位小姐。
（3）もうすぐ大きな異動があると、社内ではもっぱらのうわさになっている。／公司内部一片传言，说马上要有大的人事变动。

和"評判"、"うわさ"等一起使用，表示"大家都在那么说"的意思。

【もと】

1 Nのもと(で) 在…之下(范围)。
（1）子供は太陽のもとで思いきりはねまわるのが一番だ。／小孩子在阳光下尽情地欢蹦乱跳是最开心的。
（2）彼はすぐれた先生のもとでみっちり基礎を学んだ。／他在优秀老师的手下，扎扎实实地打了基础。
（3）先生のあたたかい指導のもとで、生徒たちは伸び伸びと自分らしい作品を作り出していった。／在老师热心的指导下，学生们不断地拿出了有自己特色的作品。
（4）各国の選挙監視団の監視のもとで、建国以来初の民主的な選挙が行われた。／在各国选举监督团的监督下，

进行了建国以来的第一次民主选举。

意思是"在…下"、"在…的影响所涉及的范围下"。修饰名词时成为"Nのもとでの N"的形式。

(例) 選挙監視団の監視のもとでの選挙が行われた。／在选举监督团监督下进行了选举。

是书面性语言表达方式。在更加郑重的场合,还可以说"Nのもと"。

(例) 各国の選挙監視団の監視のもと、建国以来初の民主的な選挙が行われた。／在各国监督团监督下进行了建国以来的第一次民主选举。

2 Nのもとに 在…下、在…之下。
(1) 両親の了解のもとに3年間の留学が可能になった。／得到父母的充分理解,我的三年留学计划成为了可能。
(2) 弁護士立ち会いのもとに当事者間の協議が行われた。／在律师在场的情况下,当事人之间进行了协商。
(3) 他分野での対立点は棚上げにするという暗黙の合意のもとに、両者の連携は成り立っている。／在把其他领域的分歧点暂且搁置的默契之下,双方达成了合作协议。

表示"以…为条件"、"在…状况下"的意思。是书面语。

【もどうぜん】
→【どうぜん】2

【もともと】

1 もともと 原本是、本来、根本。
(1) その本はもともと彼のものだったんだ。だから、彼に返すのは当然のことだ。／那本书本来就是他的,所以还给他是理所当然的。
(2) 彼は結局裁判で負けたが、もともと彼の主張は根拠が薄いものだった。／结果法院裁决他败诉了。不过本来他的主张就是根据不足。
(3) 彼はもともと保守系だ。あんな発言をしてもおかしくない。／他原本就是保守派。那样发言也是不奇怪的。
(4) もともと彼は九州の出身だから、大学を出た後九州の会社に就職してもおかしくない。／他本来就是九州人,大学毕业后在九州的公司就职也是不足为奇的。
(5) もともと(は)別々の国だったが、統一されてひとつの国になった。／原本是两个国家,后统一成为一个国家。
(6) あのマンションの敷地はもともと(は)工場だった。／那座公寓所占的地,原来是座工厂。
(7) あの歌手はもともと(は)サラリーマンだった。／那位歌手,过去是公司职员。

是"本来"的意思。用于叙述有关事物

の最初阶段时。对某种狀況和原来狀況相比重新认识怎么样时。多使用该句型。也有"もともとは"的说法。

2 …てもともとだ 不赔不赚、也和原来一样。
（1）初めからあまり可能性がなかったから、失敗してもともとだ。／一开始可能性就不大。所以失败了也是想像之中的。
（2）勉強不足だとは思うが、とにかく、試験を受けてみよう。落ちてもともとだ。／明知自己不够用功。但好歹也要试一把。就是落榜也没什么。
（3）断られてもともとだと思って、思い切って彼女にプロポーズしてみた。／我想被拒绝也无所谓。就大着胆试探着向她求了婚。
（4）A：先生にいい点をくれるよう頼んでみたけど、できないと言われたよ。／试着求老师给个好分。可老师说不行。
　　B：まあ、だめでもともとだね。／咳。本来就不行又何必呢。

在"…て"的部分上。使用表示"だめ(不行)"、"失敗(失败)"等意思的词语。表示"和什么都没干时一样"的意思。用于做可能性不大的事或挑战后失败了等场合。也可以说"…てももともとだ"。

【もとより】

1 もとより 一开始就…、本来、原来。
（1）そのことはもとより承知しています。／那件事一开始我就知道。
（2）反対に会うのは、もとよりわかっていたことです。／本来就知道会遭到反对的。

意思是"从一开始"。经常和"わかっていた(过去就知道)"、"そう思っていた(过去就是那样认为的)"这样意思的句子一起使用。是稍郑重一些的说法。

2 …はもとより 当然、不用说、不待言。
（1）ワープロはもとより、タイプライターすら使ったことがない。いつも手書きだ。／不用说文字处理机了。连打字机也没用过。经常是手写。
（2）すしはもとより、すきやきも彼は食べられない。とにかく日本料理はいっさいだめだ。／别说寿司了。日式牛肉火锅他也不能吃。总之。日本菜肴一概都不行。
（3）胃はもとより肺もやられているのが検査でわかった。／经过检查。得知胃就不用说了连肺也有毛病了。
（4）結果はもとより、その過程も大切だ。／结果自不必说。其过程也是很重要的。
（5）迎えに行くのはもとより、

彼の滞在中一切の世話をしなければならない。／当然要去迎接，而且他在逗留期间的一切也都要照顾好。

先举出被认为是理解当然的事，然后表示"不仅如此，还有更重要的／不重要的事"的意思。

【もの】

使用汉字"物"时，用于用法1当中表示可以用具体的手抓住的物体。除此以外一般使用"もの"。

1 もの＜物体＞　东西。
(1) この部屋にはいろいろな物がある。／这间屋子里有各种各样的东西。
(2) 何かすぐ食べられる物があれば、それでいい。／有什么马上能吃的东西就行。
(3) どうぞ、すきなものをとってください。／请，请拿你喜欢的东西。
(4) 赤ちゃんは、動かないものには興味を示さない。／婴儿对不动的东西不感兴趣。
(5) 買いたいものがあるので、帰りにデパートに寄る。／因为有想买的东西，所以回去时顺便去一下百货商店。
(6) この料理の本の中には、わたしにできるものはひとつもない。／这本烹饪书里，没有一个我会做的东西。
(7) 古い蔵書の中でおもしろいものをみつけた。／在旧藏书中发现了有意思的书。
(8) この写真は彼女のものだ。／这张相片是她的。
(9) 不思議なものを見たような気がする。／感觉像看到了不可思议的东西。
(10) 山のすそに、けむりのようなものが見えた。／在山脚下，看到了像烟一样的东西。

用于不是特指而是一般地列举与物体或是在时间发展过程中所发生的事(事件)无关而存在的某些事物。

很多时候"もの"和"こと"用法难以区别。不同点在于是否是表示在时间发展过程中所发生的事。与动作或事件有关时不用"もの"而用"こと"。例如，一般不说"話したいものがある"而说"話したいことがある(我有话要说)"。同样一般不说"たいへんなものが起こった"，而"たいへんなことが起こった(发生了重大事件)"才是正确的。

2 もの＜语言・知识・作品等＞　东西。
(1) 子供がものを言うようになった。／孩子会说话了。
(2) あの人はあまりものを知らない。／他知道的东西不太多。
(3) 学生のころから、ものを書くのがすきだった。／当学生时，就喜欢写东西。
(4) かれとわたしとは、ものの考え方が違う。／他和我对问题的想法不同。
(5) 市役所に苦情を待ち込んだら、たまたまもののわかる人がいて、すぐ解決してくれた。

／向市政府去诉苦，正巧遇见一个通情达理的人，马上替我们解决了问题。

和"言う"、"見る"、"知る"等动词一起使用，表示与该动词对应的"语言"、"知识"、"作品"等意思。"ものを言う"除有"说话"的意思外，也有表示发挥力量的用法。

（例） 彼の肩書きがものを言う。／他的官衔起作用。

例（5）的"ものがわかる"是"有理解能力"的意思。

3 Nというもの
a Nというもの　…这种东西。

（1）彼女は愛国心というものをもっていないのだろうか。／她难道没有爱国心吗？
（2）わたしは一度も愛情などというものを感じたことがない。／我一次也没感受到过爱情这种东西。
（3）今まで彼は恐れというものを知らなかった。／以前他不知道什么是害怕。

使用表示"爱情"等抽象概念的名词，以示强调。

b Nというものは…だ　…这种东西是…。

（1）人間というものは不可解だ。／人这种动物是不可理解的。
（2）男にとって、女というものはいつまでたっても謎だ。／对男人来说，女人永远是个谜。
（3）金というものは、なくても困るし、あり過ぎても困る。／钱这种东西，没有难受，过多也苦恼。
（4）幸福というものは、あまり続き過ぎると、感じられなくなる。／幸福这种东西，持续太长了，就感觉不到了。
（5）時間というものは、だれに対しても平等だ。／时间对任何人都是平等的。

附在"人"、"幸福"等名词之后，用于对其属性或性质进行一般化的叙述时。也有"…というのは"这种表达方式。也有像例（3）、（4）那样的动词句。根据上下文的关系，有时也含有各种感慨。用于名词句时可以改换说"…とは…だ"。

4 V-れないものはV-れない　不…还是不…、不能…还是不能…、不…就是不…。

（1）A：これだけお願いしてもだめですか。／这么求也不行吗？
　　B：いくら頼まれても、できないものはできないんだ。／再怎么求，不行还是不行。
（2）A：まだわかりませんか。／还不懂吗？
　　B：いくら言われても、わからないものはわからないんだ。／再怎么说，不懂就是不懂。
（3）A：本当にあしたまでに仕上がらないんですか。／真的到明天也完成不了吗？

B：急がされても、書けないものは書けないんです。／再怎么催，写不完还是写不完。

使用表示可能的"V-れる"的形式或像"分かる"那样具有可能意思的动词。是强调办不到的表达方式。多和"…ても"一起使用。

5 …もの／…もん　因为、由于。

(1) 借りたお金は返しておきました。もらいっぱなしではいやだもの。／借的钱已经还了。因为我不喜欢借了东西不还。

(2) A：展覧会に出品する話は断ったんですか。／你谢绝了在展览会上展出你的作品吗？
B：ええ。しめきりが早くて、わたし、そんなに速くかけないもの。／是的，截止日期太早，因为那么早我画不出来。

(3) わたし、姉ですもの。弟の心配をするのは当たり前でしょう。／我因为是姐姐，所以担心弟弟的事是应该的呀。

(4) A：寝坊したから、会社は休んだの。／早晨睡懒觉，所以没来公司上班。
B：これだもん。いやになるよな。／你就是这样，可真够烦人的。

(5) 雪が降ったんだもの。行けるわけないでしょう。／下着雪呢，不可能去嘛。

(6) A：もうすこしいたら。／再待一会儿怎么样。
B：いっぱいやることがあるんだもの。帰らなくちゃ。／还有好多事要干呢，所以不回去不行了。

(7) A：また、でかけるの。／又要出去？
B：うん。だって、吉田さんも行くんだもの。／嗯，再说，因为吉田也要去的。

(8) A：どうして抗議しないんだ。／为什么不抗议呢？
B：だって仕方がないもの。／有什么可说的呢，没办法呀！

(9) A：冷蔵庫を空にしたの、よっちゃんでしょ。／把冰箱里的东西都吃空了，是小阳阳吧？
B：うん、だってお腹すいちゃったんだもん。／嗯，可是，因为我肚子饿了嘛。

在较随便的会话中附在句尾，表示原因、理由。多用于为坚持自己的正当性时。

"もの"年轻女性或小孩使用较多。"もの"的更口语化的形式是"もん"，(年龄层较低的)男女都可以使用。像例(7)

～（9）那样，也常和"だって"一起使用。和"だって"一起使用时，成为带有撒娇口气的表示理由的形式。主要用于小孩、年轻女性。

【ものか】
[Na なものか]
[A-いものか]
[V-るものか]

1 …ものか／…もんか　哪能…、怎么会…呢、难道…、决不…。

（1）A：はさみも持って行く？／剪刀也带去吗？
　　　B：そんなもの必要なもんか。／怎么会需要那种东西呢？
（2）A：藤井さんが一番になったそうね。／听说藤井得了第一？
　　　B：そんなことがあるもんか。何かの間違いだろう。／哪能有那种事儿？哪儿弄错了吧。
（3）こんな複雑な文章、訳せるものですか。／这么复杂的文章，怎么可能译得了呢。
（4）誘われたって、だれが行くものか。／就是接到邀请，谁会去呀？
（5）あんな人に、頼むもんか。／怎么能求那种人呢？
（6）誰が人に手渡したりするものですか。／谁会把它交给别人呀？

伴随下降的声调，表示强烈否定的情绪。例（4）～（6）表示说话人"不做…"的强烈意志。在较随便的会话中使用。

一般男性用"ものか"，女性用礼貌语"ものですか"。

2 V-ないものだろうか　难道不能…吗、不能…吗。

（1）もう少し涼しくならないものかなあ。／难道不能再凉快点儿吗？
（2）もう少し分かりやすく書けなかったものか。／难道不能再写得更容易辨认点儿吗？
（3）何とかして晩までに青森まで行けないものか考えてみよう。／考虑考虑难道不能设法晚上之前到青森吗？
（4）だれかに協力してもらえないものだろうか。／难道不能求谁帮帮忙吗？
（5）2時間の通勤時間を何とか利用できないものかと考えた。／我想难道不能想办法利用一下2小时的上下班时间吗？
（6）A：彼と話しができないものでしょうか。／不能和他说说吗？
　　　B：何とか方法を考えましょう。／让我们设法想想怎么办吧。

表示说话人希望某事能实现的心情。例（2）的"…なかったものか"含有对没能实现的事感到困惑的心态。另外，句

尾伴随゛(と)考える゛其意为不知能否实现。有时也可像例(6)那样作为客气的请求表达方式来使用。

3 どうしたもの(だろう)か　到底怎么回事儿，到底该怎么办。

(1) 反対派への説明はどうしたものかね。／对反对派的说明到底该怎么办呢？

(2) 彼らに対する報酬はどうしたものだろうか。／对他们的报酬该怎么办呢？

(3) 今後の資金繰りはどうしたものか、少し考えさせてくれ。／今后的资金运筹该怎么办，让我稍微考虑一下。

表示不明白该如何行动的困惑心情。有对手时，也可作为提问的形式使用。

【ものがある】

有价值、有…的一面。

[Na なものがある]
[A-いものがある]
[V-るものがある]

(1) この作品は発想に斬新なものがある。／这一作品在构思上有新意。

(2) 彼の潜在能力にはすばらしいものがある。／在他的潜能里有极优秀的东西。

(3) この文章はまだまだ未熟だが、しかし随所にキラリと光るものがある。／这篇文章虽不很成熟，但到处可见闪光点。

(4) 彼女の計画書は結局通らなかったが、いくつかの点で見るべきものがある。／尽管最终她的计划书没得到通过，但是在很多点上都有值得看的东西。

可看到某些特征之意。例(4)的゛見るべきもの゛意思是゛有值得看的精采内容゛。゛ある゛部分也可使用゛見られる゛、゛認められる゛等。

(例) この文章はまだまだ未熟だが、しかし随所にキラリと光るものが見られる。／这篇文章虽不很成熟，但随处能够见到闪光点。是书面语。

【ものだ】

[Na なものだ]
[A-いものだ]
[V ものだ]

1 …ものだ＜本能＞　本来就是…、就该、就是。

(1) 人の心は、なかなかわからないものだ。／人心难测。

(2) 人間は本来自分勝手なものです。／人原本就是很自私自利的。

(3) 赤ちゃんは泣くものだ。／婴儿就是爱哭的。

(4) 金というのはすぐなくなるものだ。／金钱就是一种瞬间即逝的东西。

(5) 水は本来低きに流れるものです。／水本来就往低处流。

(6) 世間とは冷たいものだ。一時は騒いでもすぐに忘れる。

／世间是很冷酷的，即使一时很红火，但很快就会被忘记。
(7) 人生なんて、はかないものだ。／人生是短暂无常的。
(8) A：すみません、レポートを書くのを忘れました。／对不起，小论文忘了写了。
B：学生というのは本来勤勉なものだ。アルバイトばかりしていてはいけないよ。／学生就该勤奋学习的，不要光打工哟。

对所谓真理、普遍性的事物，就其本来性质，带有某种感慨叙述时使用该句型。多和"本来"一起使用。作为普遍性的特性来叙述，有时也可作为训戒。比如例(8)就是叙述学生应该有的态度。

2 …ものだ＜感慨＞

a …ものだ　真是…。
(1) 「ステレオがないと生活できない」とは、今の学生はぜいたくなことを言うものだ。／说什么"没有立体音响就不能生活"，现在的学生真是要求太高了。
(2) この校舎も古くなったものだ。／这栋校舍也真够旧的了。
(3) この町も、昔と違ってきれいになったものだ。／这条街，真是和过去不同，变得漂亮多了。
(4) 昔のことを思うと、いい世の中になったものだと思う。／一想起过去的事，就觉得现在真是好世道了。
(5) あたりを見回して、かれはつくづく遠くへ来たものだと思った。／环视周围，他感到真是走得够远的了。

表示感慨、赞叹。

b よく(も)…ものだ　竟然、居然。
(1) あんなに負債の大きかった会社の再建がよくできたものだ。／负债那么多的公司居然又重振雄风了。
(2) こんなむずかしい問題が、よく解けたものだ。／那么难的问题竟然解开了。
(3) 昔世話になっていた人に、よくもあんな失礼なことができたものだ。／竟然对过去帮助过自己的人，做出那么失礼的事。
(4) 完成した作品を見ると、みんなよく頑張ったものだと思う。／看着完成了的作品，才感到大家竟然做出了很大的努力。
(5) こんな小さい記事がよく見つけられたものだ。／竟然发现了那么小的(报刊、杂志上的)消息。
(6) あんなに不況のときによく就職できたものだと思う。／在那么不景气的时候，居然能找到工作。

表示对某事、某行为钦佩欣赏的心情。很多时候这一用法中如没有"よく(も)"的话，就显得句子很不自然。

3 V-たいものだ　真想…、很想…。

(1) そのお話はぜひうかがいたいものです。／很想听一听那件事。

(2) それはぜひ見たいものだ。／那是一定要看的。

(3) 海外へ行かれるときには、わたしも一度、ご一緒したいものです。／您去海外的时候，我也很想一起去。

(4) 私も彼の好運にあやかりたいものだ。／我也真想沾他的光交上好运。

(5) 今のわたしを、死んだ両親にみてもらいたいものだ。／真想让死去的父母看一下现在的我。

(6) このまま平和な生活が続いてほしいものだ。／真希望和平的生活就这么持续下去。

和表示欲望要求的"たい"、"ほしい"等一起使用，表示强调态心情。

4 V-たものだ（感慨地回忆过去）。

(1) 学生のころはよく貧乏旅行をしたものです。／学生时代，经常进行穷困旅行。

(2) 彼は、若い頃は周りの人とよくけんかをしたものだが、今はすっかりおだやかになった。／他年轻时经常跟周围的人打架，可现在完全变得温和了。

(3) 小さい頃はよくみんなで近くの森へ遊びに行ったものです。／记得小的时候大家经常一起去附近的森林里去玩儿。

(4) そのころは週末になると映画館にいりびたったものでした。／那时候一到周末就泡在电影院里。

(5) 小学校時代、彼のいたずらには、先生たちが手を焼いたものでした。／小学生时代，老师们对他的淘气非常棘手。

用于带着感慨的心情回忆过去经常做的事时。

【ものだから】

[N／Na　なものだから]
[A ものだから]
[V ものだから]

1 …ものだから　就是因为…。

(1) 私の前を走っている人が転んだものだから、それにつまずいて私もころんでしまった。／就是因为在我前面跑的人摔倒了，所以我也被绊倒了。

(2) 「父危篤すぐ帰れ」という電報が来たものだから、あわてて新幹線に飛び乗って帰って来た。／就因为收到"父病危速归"的电报，所以急忙跳上新干线回来了。

（3）彼がこの本をあまりに薦めるものだから、つい借りてしまった。／就因为他使劲儿推荐这本书，所以就借了。
（4）駅まであまりに遠かったものだから、タクシーに乗ってしまった。／因为到车站太远，所以乘了出租车。
（5）A：昨日は練習に来なかったね。／昨天没来练习吧？
B：ええ、妹が熱を出したものですから。／是，因为我妹妹发烧了。
（6）英語が苦手なものですから海外旅行は尻ごみしてしまいます。／就因为英语不好，所以对海外旅行畏缩不敢去。

表示原因・理由。可以和"から"互换使用，但是后面不能跟表示意志、命令的表达方式。
（误）近いものだから、歩こう。
（正）近いから歩こう。／因为不远，走着去吧。

多用于在叙述"由于事态的程度很厉害或重大，因此而做了什么"时。在口语中使用很普遍。更随意的说法是"もんだから"。

2 …おもったものだから 以为…所以就…、我想…所以就。
（1）彼はもう知っていると思ったものだから、伝えませんでした。／我以为他已经知道了，所以就没告诉他。
（2）彼女はたぶんいないと思っ

たものですから、電話しませんでした。／我想她可能不在，所以就没打电话。
（3）子供の様子がいつもとは違うと思ったものですから、すぐ病院へ連れて行きました。／因为觉得孩子的样子有些异常，所以就马上带到医院去了。
（4）雨が降るといけないと思ったものですから、洗濯ものを取り込んでおきました。／我想一下雨就糟了，所以把洗的衣服收了回来。
（5）手紙では間に合わないと思ったものだから、ファックスにしました。／我怕写信会来不及，所以就发了传真。

和"思ったから"大体相同，但"思ったものだから"给人以带有辩解的感觉。

【ものではない】

1 V-るものではない 不该…、不要…。
（1）人の悪口を言うものではない。／不该说别人坏话。
（2）男は人前で泣くものではありません。／男儿有泪不轻弹（男人不该在人面前哭）。
（3）動物をいじめるものではない。／不要耍弄动物。

接表示人行为的动词，表示"不应该…"。用于给予忠告时。

2 V-たものではない　不能，不可能。
（1）こんなすっぱいみかん、食べられたもんじゃない。／这么酸的橘子没法儿吃。
（2）こんな下手な写真など、人に見せられたものではない。／这么难看的照片，怎么能给人看呢。
（3）あいつにまかせたら何をしでかすか分かったものではない。／托付给那家伙，不知道会搞出什么名堂来呢。

接"できる"、"分かる"等表示可能的动词。用于强调那是"不可能的"的否定心情时。一般用于口语中。通俗的说法是"もんじゃない"。用于负面评价事物时。

【ものでもない】

1 V-たものでもない　也并不那么…。
（1）しろうとばかりの劇だが、すぐれたところもあり、そう馬鹿にしたものでもない。／虽然都是票友演的剧，但也有很不错的地方，不能小看人家。
（2）みんな、主任になったばかりの佐々木さんを若すぎて頼りないと言うが、彼の行動力はそう見くびったものでもない。／大家都说刚刚当上主任的佐佐木太年轻不可靠，可从他的工作能力来看也并不能小看他。
（3）年をとったといっても、わたしのテニスの腕はまだ捨てたものでもない。／虽说已上了年纪，但我打网球的技术也还是蛮不错的嘛。

接续在含有"轻视"意思的表达方式之后。表示"并不那么坏"的意思。

2 V-ないものでもない　也并非不…
（1）この程度の料理なら、私にも作れないものでもない。／这种水平的菜，我也并不是做不来。
（2）道は険しいが、気をつけて歩いて行けば行けないものでもない。／路虽险，但小心走的话也不是走不过去。
（3）理由次第では、手を貸さないものでもない。／根据你讲的理由，我也并非不帮忙。
（4）このルートで休みなしに走れば、間に合わぬものでもない。／按这条路线不间歇地跑下去的话，并不见得来不及。

消极地表示"能…"。是生硬的稍有些陈旧的说法。和"V-なくもない"意思大体相同。

【ものとおもう】

1 …ものとおもう　认为…、以为…。
（1）そういうことはないものと思うが、一応確かめてみよう。／我认为不会有那种事，不过，先查一下吧。
（2）母は、子供たちも一緒に行くものと思っている。／妈妈认

为孩子们也会一起去的。
表示说话人有把握。

2 …ものとおもっていた　原来认为是…、原以为…。
（1）スキーはむずかしいものと思っていたが、やってみたら、簡単だった。／原以为滑雪很难，可是实际一滑，很简单。
（2）間違いはもう全部直したものと思っていたら、まだ少しあると言われた。／原以为错的地方全部改正过来了，可被告之还有一些没改。
（3）あしたはストで休みになるものと思っていたから、授業の準備は全然しなかった。／原以为明天罢工会休息，所以一点也没做上课的准备。
（4）古典なんて退屈なものと思っていたが、読んでみたら、意外におもしろかった。／原以为古典的东西很乏味，读了以后，没想到挺有意思的。
（5）吉田さんは来ないものと思って、5人分の食事しか作らなかった。／原以为吉田不会来，所以只做了五个人的饭。

表示说话人信以为真。一般用于开始时确信是真实的，可实际上并非如此时。

3 …ものとおもわれる　看来，人们认为。

（1）選挙の結果については明日の夕方には大勢がわかるものと思われる。／关于选举的结果，看来明天的傍晚就会知道个大概。
（2）この調子の悪さでは、あまりいい結果は期待できないものと思われる。／从情况不很好来看，不会期待着有什么太好的结果的。
（3）犯人は東京方面へ逃げたものと思われる。／人们认为凶手向东京方面逃窜了。

和"と思われる（／被认为）"意思一样，是作为推测的表达方式来使用的。带有"もの"的表达方式一般在较严肃的会话或文章中使用。

【ものとする】
当作，理解为，认定为。
（1）このことは共通の理解を得たものとする。／就这件事可认为达成了共识。
（2）これで契約が成立したものとする。／以此证明合同的成立。

表示"当作…"、"理解为…"的意思。

【ものともせずに】
→【をものともせずに】

【ものなら】
1 …ものなら　如果能…的话。

(1) できるものなら世界中を旅行してみたい。／如果可能的话，想到世界各国去旅行。

(2) もし願いがかなうものなら、この美術館にある絵が全部ほしい。／如果愿望能实现的话，这座美术馆里的画我都想要。

(3) もし希望通りのことができるものなら、今すぐ引退して、趣味の花作りに打ち込みたい。／如果能做想做的事的话，真想现在马上退职，专心作花匠。

(4) こんな職場などやめられるものならやめてしまいたいが、家族がいるから、そうはいかない。／那样的工作单位如果能辞掉当然想辞掉，但因有家属，所以做不到。

(5) A：今年はスキーに行かないんですか。／今年不去滑雪啊？
B：行けるもんならもう行っているわよ。忙しくてどうしても休みがもらえないの。／能去的话早去了，因为太忙怎么也请不下假来。

(6) やれるものならやってみろ。／你能干的话就干干看吧！

就实现可能性很小的事物，假设"如果实现了的话"时，使用该句型。多使用可能动词。另外，如果重复使用同一动词，就是强调实际上不可能做的事。例(6)是习惯用语，是向对方挑战的说法。

2 V-ようものなら　如果要…的话。

(1) そんなことを彼女に言おうものなら、軽蔑されるだろう。／如果你要跟她说了那样的事，就会被看不起的。

(2) そんな言葉を使おうものなら何と下品な女かと思われるだろう。／如果要使用那样的语言，别人就会认为你是个多么粗俗的女人呀。

(3) 最後の試験に遅刻でもしようものなら、僕の一生は狂ってしまうだろう。／如果最后的考试要是迟到了的话，我的一生就会乱套的啊。

(4) 彼女は気が短くて、僕がデートにすこしでも遅れでもしようものなら、怒って帰ってしまう。／她性子特急，我要是约会时哪怕迟到一点或是什么的，她都会生气回去的。

(5) となりの子供はわがままで、ちょっと注意でもしようものなら、大声で泣き叫ぶ。／邻居的孩子很任性，哪怕稍微说他一下，他都会大声哭喊的。

这是一种稍有些夸张的条件叙述方法，表达的意思是"假使万一发生了那样的事就会…"。一般后面接续"产生重大事态"的内容。

【ものの】

1 …ものの　虽然…但是。

（1）輸入果物は、高いもののめずらしいらしく、人気があってよく売れている。／进口水果虽然贵，但是似乎因为很少见，所以很受欢迎，非常好卖。

（2）新しい登山靴を買ったものの、忙しくてまだ一度も山へ行っていない。／虽然买了新登山鞋，但是忙得一次也没去登过山。

（3）今日中にこの仕事をやりますと言ったものの、とてもできそうにない。／虽然说了今天之内我要做完这项工作，但看样子不太可能。

（4）自然の多い郊外に家を買ったものの、休みの日は寝てばかりだ。／虽然在郊外的风景区买了房子，但休息的时候净睡觉了。

（5）次の企画を始めるお金はあるものの、アイデアがなくて困っている。／虽然有了下一次计划的启动资金，但为没有好的创意而困惑。

（6）招待状は出したものの、まだほかの準備は全くできていない。／请柬是发出去，可是其他的准备一点没做。

（7）先月仕事で久しぶりに東京へ行った。大学時代の友人に電話でもかけてみようとは思ったものの、忙しさにまぎれて、つい、そのままにしてしまった。／上个月因工作去了好久没去的东京，本想给大学时代的朋友打个电话什么的，但是忙得最终也没打成。

叙述过去的事或现在的状况，后续"但是…"的句子。后面的部分多为表示从前面所预测的事一般没有发生或根本不可能发生之意的表达方式。

例（1）的意思是"因为很贵，本应卖不出去，可是却卖得很好"。例（3）的意思是"自己说了可以办到却办不到"。句子后面一般接续对于自己所说的或所做的以及某种状态没有信心，很难实现等的表达方式。

2 …とはいうものの　虽说…但是。

（1）四月とはいうものの風がつめたく、桜もまだだ。／虽说是4月了，但风还很凉，樱花也没开。

（2）相手は子供とはいうものの、なかなか手ごわい。／虽说对手是个孩子，但很难对付。

（3）「石の上にも三年」とは言うものの、こんなに訓練がきびしくてはやめたくなる。／虽说是"（在石头上坐三年石头也会变暖）功到自然成"，但是训练这么严格，都想不干了。

（4）人間は平等だとはいうものの、この世は不平等なことばかりだ。／说是人人平等，但是这世上净是不平等的事。

表示"和一般所推测的事不符"之意。

例(1)的意思是"四月一般很暖和是樱花开放季节,但今年却并非如此"。也可像例(3)那样多接续在成语等后面使用。

3 とはいうものの　但是、虽说是这样。

(1) 大学時代は英文学専攻だった。とはいうものの、英語はほとんどしゃべれない。/我虽然在大学专攻英国文学,但是,英语几乎不能说。

(2) 車庫付きの家も買ったし、すっかり結婚の準備は整っている。とはいうものの、肝心の結婚相手がまだ見つかっていないのが悩みだ。/既买了带车库的房子,又完全做好了结婚的准备。但是,让人苦恼的是最重要的结婚对象还没有找到。

表示与从前面事项所预想到的不同的事态仍持续着。意思是"说是那么说,可是…"、"但是"。

【ものを】

1 …ものを　却…、可是…。

(1) 黙っていればわからないものを、彼はつい白状してしまった。/不说的话谁也不知道,可他最终还是坦白了。

(2) 本来ならば長兄が会社を継ぐはずのものを、その事故のせいで次兄が継ぐことになってしまった。/本来应该是大哥继承公司,但由于那次事故,决定由二哥来继承。

(3) 知らせてくれたら、すぐ手伝いに行ったものを、何も言わないとはみずくさい人だ。/告诉我的话,我马上就去帮忙了,可你什么都不说,真是太见外了。

(4) 場所が場所なら大事故となるものを、この程度のけがですんでよかったと思いなさい。/就那地方,搞不好就会酿成大事故,而你才受了这点伤,你就万幸吧。

和"のに"意思大体相同,像例(1)～(3)那样对发生的不称心的结果带有不满的意思时,多使用该句型。

2 …すればいいものを　…的话就好了,可是却…、…的话不就行了,可是却…。

(1) すぐに医者に行けばいいものを、がまんしていたから、ひどくなってしまったのだ。/马上去看医生就好了,可是却忍着,所以就厉害了。

(2) そこで引き返せばいいものを、まっすぐ行ったものだから、山に迷い込んでしまった。/在那里折回的话就好了,可是却一直走了下去,所以在山中迷了路。

(3) そのまま逃げだせばいいものを、うろうろしていたので彼は結局警官に捕まってしまった。/就那样逃出去就好了,可是却转来转去的,结果

他被警察抓住了。
(4) 部屋が火につつまれたときすぐ逃げればよかったものを、ペットを助けに行ったばかりに逃げ遅れて死んでしまった。／房间被火包围的时候马上跑出去的话就好了，可是就因为去救宠物，跑晚了，结果被烧死了。
(5) わたしに話してくれればいいものを、どうして、ひとこと言ってくれなかったんですか。／跟我说不就行了，为什么一句话都不说呢？

表达的意思是"…的话就不会有坏结果。可是，因为没那样做，所以产生了不好的后果"。多用于带有悔恨或谴责的心情时。

【もはや】

副词。是比"もう"更生硬的表达方式。

1 もはや…だ （如今）已是…。

(1) 少し前までは車を持つことが庶民の夢だったが、もはや一家に車二台の時代だ。／前不久有车还是一般百姓的梦想，可现在已是一家两辆车的时代了。
(2) 資金繰りに走り回ったがついに不渡り手形を出してしまった。もはや会社もこれまでだ。／虽然为了筹措资金而到处奔走，但最终还是开出了空头支票。公司时至今日也就算完了。

(3) 地球の自然環境の悪化はもはや無視できないところまで来ている。／地球自然环境的破坏已到了不可忽视的阶段。
(4) 保守か革新かという論点はもはや時代遅れだ。／保守还是革新这一论点，已经过时了。

叙述以往的经过，将此告一段落，或表示现状已到如此，已是这样了。

2 もはや…ない 已经不…，已经没…。

(1) この理論が時代遅れになった今、彼から得るものはもはや何もない。／在这一理论落后于时代的今天，已经从他那里得不到任何东西了。
(2) 終戦から半世紀もたっている。もはや戦後ではないという人もいる。／二战结束已过了半个世纪。还有人说现在已经不是战后了。
(3) 彼のスキャンダルがあちこちでうわさになりはじめた。こうなってはもはや手の打ちようがない。／他的丑闻在各处传开来。到这一步已没办法采取措施了。
(4) 長年彼のうそにだまされてきて、もはやだれ一人として彼を信じる者はなかった。／他长年说谎骗人，事到如今已没有任何人信任他了。

表示持续到现在的状态再不能持续

下去了。例(3)的意思是"传言已传播到这种地步,已经没有制止的方法了"。

【もらう】
→【てもらう】

【や₁】

1 NやN …啦…、…或…。

(1) 机の上には皿や紙コップなどが置いてあった。／桌子上放着盘子啦纸杯什么的。

(2) バスは中学生や高校生ですぐにいっぱいになった。／公共汽车被中学生和高中生一下就挤满了。

(3) その村には米や野菜はあるが、肉はなかなか手に入らない。／那个村子里有米啦蔬菜啦,但是肉很难搞到手。

用于列举东西时。如果用"ＸとＹ"时,说明只有ＸＹ两个,而"ＸやＹ"含有除此之外还有其他什么的意思。

2 数量词＋や＋数量词 …或…、…或是…。

(1) うちの息子は一度外国に出かけると一ヶ月や二ヶ月はなんの連絡もありません。／我儿子一旦出国,就一个月或两个月的没有任何联系。

(2) 善人だと言われている人でも、悪いことの一つや二つはしているだろう。／即使是被公认为善人的人,也会做过一两件坏事吧。

(3) 彼女ももうすぐ二十歳なんだから、ボーイフレンドが一人や二人いてもおかしくない。／她也已经马上要到20岁了,有一个两个男朋友也不足为奇。

(4) 彼は気前がいいから、5万や10万なら理由を聞かずに貸してくれる。／他很慷慨,借个5万10万的不问理由就会借给你。

(5) 狭い部屋ですが、一晩や二晩ならがまんできるでしょう。／房子很窄,一晚或两晚还是可以凑和的吧。

(6) 給料は安いが、子供の一人や二人は育てられる。／工资很低,不过养一两个孩子没问题。

(7) 国際化の時代なのに外国語の一つや二つできないようでは困ります。／因是国际化的时代,要是不懂一两国外语的话就会为难。

列举出大约数量,表示那不是什么了不起的数。后续"大丈夫だ(／没关系)"、"かまわない(／没关系)"、"たいしたことはない(／没什么了不起的)"。一般使用1、2(一人或两人等)较多。

【や₂】

1 V-るや 当…时、一…马上…。

(1) 「どうして俺なんか生んだんだ」という兄のことばを聞くや、母は顔を真っ赤にして

おこりだした。／"为什么要生我？"当听到哥哥的这句话时，妈妈气得脸通红。

（2）「父死す」の電報を受け取るや、すぐさま彼は汽車に飛び乗った。／接到"父去世"的电报，他马上飞奔乘上了火车。

表示"与…同时"、"一…马上就…"的意思。是老式说法。书面语。

2 V-るやいなや　刚一…就…、一…立刻就…。

（1）彼はそれを聞くやいなや、ものも言わずに立ち去った。／他一听那话，什么也没说就离开了。

（2）その薬を飲むやいなや、急に眠気がおそってきた。／吃了那个药，困意一下子就袭了上来。

（3）開店のドアが開くや否や、客はなだれのように押しよせた。／刚打开店门，顾客立刻蜂拥而至。

表示跟着一个动作之后马上进行下一个动作。意思是"在刚做甚至还没做这短短的期间内"、"一…立刻就…"。是书面语。

【やがて】

不久，马上。

（1）秋が終わり、やがてきびしい冬がやってきた。／秋天过去了，不久严冬就到来了。

（2）小さな誤解が、やがて取り返しのつかない国際問題に発展することもある。／有时小的误解，很快会发展成无法挽回的国际问题。

（3）あの子は心をとざして、だれに対しても反抗的だが、やがてわかる時がくる。今はそっとしておいてやろう。／那孩子内心封闭，对谁都是抵触情绪，不过他很快就会懂事的，现在不要去管他。

（4）この小川がやがて大きな河になりそして海にそそぎこむ。／这条小溪不久变成大河然后注入大海。

意思是"不久"、"过些时候"。和"…になる（成为）"、"…にいたる（到达）"等表示"由于自然变化而成为那样"的意思的表达方式一起使用。

【やすい】

容易…，好…。

[R-やすい]

（1）このペンはとても書きやすい。／这杆笔非常好写。

（2）先生は気さくで話しやすいが、奥さんはこわそうなので家に遊びに行きにくい。／老师非常爽快好说话，可他夫人看上去很厉害，所以难以去他家玩儿。

（3）その町は物価も安く、人も親切で住みやすいところです。／这个城市物价便宜，人也热情，是个容易生活的地

方。
(4) かたかなの「ツ」と「シ」は間違いやすいので気をつけてください。／片假名的"ツ"和"シ"容易弄错，所以请注意。
(5) 彼はふとりやすい体質なので、食べすぎないようにしているそうだ。／他是很容易胖的体质，所以据说他很注意不敢吃得过多。
(6) そのおもちゃは壊れやすくてあぶない。／这个玩具既容易坏，又很危险。

変化和イ形容词一样。接在动词连用形后，表示该动作很容易做，该事情很容易发生。作为特性，将要成为那样的倾向时，用"恋いをしやすい(很容易恋上别人)"的话，不如用"すぐに人を好きになる(很快就喜欢上别人)"那样，使用"すぐに…する"的表达方式。而"おこりやすい(容易生气)"、"泣きやすい(容易哭)"等，一般也都使用"すぐにおこる、おこりっぽい"、"すぐに泣く"。其反意词的说法是"…にくい"。

【やたらに】
胡乱、随便、任意、非常、过分。
(1) 今日はやたらに忙しい一日だった。／今天是非常忙碌的一天。
(2) 最近やたらにのどがかわく。なにか病気かもしれない。／最近嗓子非常干渴，说不定得了什么病。
(3) 今年の夏はやたらに雨が多い。／今年夏天雨水非常多。
(4) 彼は、女子学生をみると、やたらに話しかけては嫌われているようだ。／他总是一见到女学生就不知好歹地搭腔，好像是很遭人讨厌。
(5) この学校はやたらに規則を変更するので困る。／这所学校老随意变更规则真难办。

表示程度厉害，没有秩序。也可使用"やたらと"。也有"むやみやたらに"、"めったやたらに"的说法。

【やっと】
1 やっと＜愿望得以实现＞　终于、好容易。
(1) 三回試験を受けて、やっと合格した。／经过三次考试，终于通过了。
(2) テストもやっと終わった。／考试也好容易完了。
(3) 何日も練習してやっとできるようになった。／经过几天的练习终于会了。
(4) やっと、退院できるところまで快復した。／终于恢复到可以出院了。
(5) 1995年にトンネルはやっと完成した。／1995年隧道建设终于完成了。
(6) きびしく注意したので、孫もやっといたずらをしなくなった。／通过严厉的警告，

孙子终于不淘气了。
（7）　明日でやっと試験も終わる。／明天考试也终于要结束了。
（8）　貯金もかなりできた。これでやっと独立できる。／也存了不少钱，这么一来，终于可以自立了。
（9）　娘も来年はやっと卒業だ。／女儿明年也终于要毕业了。

表示经过一番艰苦努力或长时间之后，说话人所期待的事实现了。多使用"やっとV－た"的形式。表示说话人的"松口气的心情"或"喜悦"，或表示"费时"、"不得了"等心情。

相似的表达方式有"ようやく"、"とうとう"、"ついに"。"とうとう"、"ついに"对说话人来说既可以用于期盼的事也可用于非期盼的事。但是"やっと"只能用于说话人所盼望的事。

（例）　長い間入院していた祖父が｛とうとう／ついに｝亡くなった。／长期住院的祖父到底去世了。

在上列例子中如使用"やっと"，即成为说话人"一直在等着祖父的死"的意思。而"とうとう／ついに"和说话人盼望与否无关，是表示长时间或经过一段过程达到最后的阶段的中性的表达方式。

另外，"やっと"、"ようやく"是在说话人所盼望的事得以实现时使用，所以不能表示最后没能实现的事。

（误）　彼は、｛やっと／ようやく｝来なかった。
（正）　彼は、｛とうとう／ついに｝来なかった。／他到底没来。

2 やっと＜极限的状态＞

口语、书面语都可以使用。近似的表达方式有"どうにか"、"なんとか"、"かろ

うじて"、"からくも"等。"どうにか"、"なんとか"是口语表达方式，"かろうじて"是书面语稍有些生硬的表达方式。"からくも"用于生硬的书面语中。有关和"かろうじて"不同之处参照"かろうじて1"。

a やっとV－た　好歹算…、勉强、刚好…、总算…。

（1）　タクシーをとばして、やっと約束の時間に間に合った。／乘上出租车疾驶，总算赶上了约定的时间。
（2）　試合は延長戦にもつれこんだが、全力を振り絞ってやっと勝った。／比赛虽然进入了延时赛，但竭尽全力好歹算赢了。
（3）　うちの子は先月やっと二才になったばかりだ。／我那孩子上个月刚刚满两岁。
（4）　彼が出発してから、まだやっと三日しかたっていない。／他出发之后，刚只是过了3天。

例（1）、（2）表示"虽然很难，不过经过一番辛劳，好歹还算顺利完成"。例（3）、（4）和表示数量的表达方式一起使用，表达的意思是"这些数量，已是极限，不会比这更多"或"这一数量很少"。在此，例（3）的意思是"刚到两岁不久（还小呢）"，例（4）是"刚只过三天"的意思。

b やっとV－ている　勉强、好容易才…。

（1）　退職してからは、国から支払われる年金で、やっと生活している。／退职以后，靠国家支付的养老金，勉强

(2) 私は太りやすい体質で、ダイエットをしてやっと現在の体重を維持している。／我是很容易发胖的体质，经过节食好容易才维持住现在的体重。
(3) 人工呼吸器を使って、やっと生きている状態だ。／使用人工呼吸器，勉强维持着生命。
(4) 一面焼け野原で、焼け残った家も、燃え残った柱のおかげで、やっと立っているというありさまだった。／在一片被火烧光的原野上，烧得残缺不全的房子，因有还未烧尽的柱子支撑，所以勉强站立着。

例(1)、(2)表示"虽然不尽如意，尽管很苦但还保持着现在的状态"。例(3)、(4)表示"离(死/倒)这种最坏的状态只有一步之遥，尽力设法维持现在的状态"。

c やっとV-るN　勉强、好歹…。
(1) 私の家は家族5人がやっと暮らせる広さしかない。／我家很小，住五口人勉强能生活。
(2) 柿の実は、大人が背伸びをしてやっと届くところにあった。／柿子长在大人跷起脚才勉强够得着的地方。
(3) 何年も英語を勉強しているが、やさしい本がやっと読める程度で、新聞なんかとても読めない。／学了几年的英语，容易的书勉强能看懂，报纸什么的根本看不懂。

表示"好容易、勉强、好歹能达到…程度"。意思是"虽然很难，但是设法勉强能做"。和表示可能的表达方式一起使用。

d やっとNだ　好容易才…、勉强才…、才刚刚…。
(1) 宿題はなかなか終わらない。まだやっと半分だ。／作业老也写不完，好容易才写了一半。
(2) この本はすごく難しくて、なかなか進まない。三時間かかって、やっと5ページだ。／这本书非常难，总也读不下去，用了三个小时，好容易才看了5页。
(3) 私の収入は、何もかも全部含めても、やっと10万円だ。／我的收入，什么都加进去，才将将10万日元。
(4) 娘は、まだやっと18才だ。結婚なんかとんでもない。／女儿才刚刚18岁，离结婚还早着呢。
(5) うちの子は、まだやっと幼稚園だ。／我儿子才刚刚上托儿所呢。

像例(1)～(3)那样和表示数量的表达方式一起使用，表示"经过艰辛，才达到那一数量"。用于说话人认为"那一数量，和努力程度相比还是太少"时。另外，像例(4)、(5)那样和表示年龄或学年等的表达方式一起使用。表达"只不过"、"非

常年轻/小"的意思。

e やっとのN　勉强的、好容易…、好不容易…。
（1）戦争中は毎日食べていくのがやっとの生活だった。／战争期间，每天的生活能吃上饭就很勉强了。
（2）日常会話がやっとの語学力では、大学の授業を受けるのは難しいだろう。／要是只有勉强能日常会话的语言能力的话，听大学的课程太难了吧。
（3）やっとの思いで、彼女に秘密を打ち明けた。／好容易下了决心，向她吐露了秘密。
（4）やっとのことで、一戸建ての家を手にいれた。／好不容易买了套独门独户的房子。

使用"…するのがやっとのN"、"Nがやっとの N"的形式，表示"那样做已是最大限度，没有再大的余地了"的意思。另外，例（3）、（4）的"やっとの思いで"、"やっとのことで"是习惯用语，表达的意思是"经过非常大的艰辛和努力"。

f Nが／…のが やっとだ　勉强、刚够。
（1）家の前の道は、車一台が通るのがやっとだ。／我家前面的路，勉强能通过一辆车。
（2）私の給料では、食べていくのがやっとだ。／我的工资，刚够吃饭的。
（3）子供の頃は体力がなくて、毎日学校に通うのがやっとだった。／小时候体力很差，勉强能坚持每天上下学。
（4）この本はすごく難しくて、なかなか進まない。一日に5ページがやっとだ。／这本书很难，总也读不下去，一天也就勉强能看5页。

意思是"那样做已是最大限度，没有再大的余地了"。

【やっぱり】
→【やはり】

【やなんぞ】
等什么的、之类的。

[Nやなんぞ]
（1）大学の名前やなんぞでぼくを評価してほしくない。／不希望用所上大学的名字之类的来评价我。
（2）不況やなんぞには負けていられない。皆で会社のためにがんばろう。／不要向不景气等现实状况低头，大家为了公司努力去干吧。
（3）塾やなんぞに行っても、やる気がなくちゃだめだ。／尽管去了补习班，但不努力的话也不行。
（4）たった一度の受賞やなんぞで得意になってはいけないよ。／就得这么一次奖什么的，可不要骄傲哟。

是"之类的"的意思，用于带有否定性

质时。也可以说"やなんか"。是稍旧一些的说法。

【やむ】

不…、停了。
[R－やむ]
(1) 夜中の三時ごろになってやっと赤ちゃんは泣きやんだ。／直到夜里3点左右，婴儿才终于不哭了。
(2) となりの部屋の電話のベルが鳴りやんだ。／隔壁房间的电话铃不响了。
(3) 一ヶ月降り続いた雨が降りやんだ後は一面の洪水だった。／持续了一个月的雨停了之后，周围一片汪洋。

意思是"一直持续的现象结束了"。和"泣く"、"鳴る"、"降る"等有限的自动词一起使用。表示"降りやむ"的意思时，一般只单独用"やむ"即可。

【やら】

1 …やら…やら　又…又…。
(1) 来月はレポートやら試験やらでひどく忙しくなりそうだ。／下个月又是论文又是考试，看起来要非常紧张了。
(2) スケート場は子供やらつきそいの母親やらでごったがえしていた。／滑冰场上又是孩子又是照料孩子的母亲们，真是乱糟糟的。
(3) 日が沈んで、山道は寒いやらこわいやらで小さい子は泣きだしてしまった。／太阳下山后，山道又冷又可怕，幼小的孩子吓得哭了起来。
(4) 皆さんにこんなに祝ってもらえるとは恥ずかしいやら、嬉しいやら、なんともお礼の言いようがありません。／得到大家如此的祝贺，又高兴又不好意思，真不知该说些什么。
(5) きのうは電車で財布をすられるやら傘を忘れるやらでさんざんだった。／昨天在电车上又丢了钱包又忘了伞，真是倒霉透了。

像"…や…などいろいろ(…啦…等各种)"、"…たり…たりして(又…又…)"那样，用于从几项中列举出两项时。一般多用在表示"由于这样那样的事，真够呛"的意思时。

2 …のやら…のやら　一会儿…一会儿又…、有…还是没有…、做…还是没做…。
(1) 行きたいのやら行きたくないのやら、あの人の気持ちはどうもよくわからない。／一会儿想去一会儿又不想去，实在不明白他的心思。
(2) 息子に結婚する気があるのやらないのやら私にはわかりません。／儿子有没有结婚的意思，我不清楚。
(3) うちの子はいつも部屋にいるけど、勉強しているのや

らしていないのやら、まったくわからない。／我孩子经常在屋里，但是在学习还是没在学习，我根本不知道。

（4）こんなに辛くては、味がいいのやら悪いのやらさっぱりわからない。／这么辣，味道是好还是不好，一点都吃不出来了。

（5）本人に直接、病名を言っていい(の)やら悪い(の)やら判断がつかない。／直接告诉患者病名，是好是坏难以判断。

（6）毎日カバンを持って家を出るけど、どこで何をしているのやら。／每天都拿着书包出家门，可谁知道他在哪儿干什么呢。

意思是"不知道二者当中是哪一个"。一般多用于说话人难以判断，或对话题中所涉及人物态度不明朗感到不高兴时。口语中像例（6）那样有时经常会把后面的"していないのやらわからない"部分省略掉。

3 疑问词…のやら　…什么…呢。

（1）きのうの昼に何を食べたのやらまったく思い出せない。／昨天中午吃了什么了呢，完全想不起来了。

（2）お祝いに何をあげていいのやらわからない。／真不知道去祝贺时给送些什么好。

（3）どこにしまったのやらいくらさがしても見つからない。／收在什么地方了呢，怎么找也找不到。

句尾使用"分からない(不知道)"、"思い出せない(想不起来)"等动词，表示不能特定是什么的意思。有时也可省略"の"。

4 疑问词＋やら　什么…呢。

（1）なにやら騒がしいと思ったら、近所が火事だった。／以为是什么吵吵闹闹呢，原来是附近发生了火灾。

（2）妻の誕生日がいつやらはっきりおぼえていない。／记不清妻子的生日是哪天了。

（3）会議のあとでどこやら高そうなバーに連れて行かれた。／会议之后被带到一家好像很贵的酒吧去了。

（4）どうやらやっと事件の解決の糸口が見えてきた。／总算找到了解决事件的头绪。

（5）彼に会ったのがいつのことやらはっきり覚えていない。／记不清和他见面是什么时候的事了。

接在"なに"、"どこ"等的疑问词后，表示不能清楚地指出那些是什么。例（1）可以和"なにか、なんだか"，例（2）可以和"いつか"，例（3）可以和"どこか"，例（4）可以和"どうにか"互换使用。另外，也有像例（5）那样的"いつのことやら"或"なんのことやら"等说法。

5 疑问词＋が＋疑问词＋やら　…是…呢。

（1）40年も会っていないのではじめは誰が誰やらさっぱり

わからなかった。／因为40年没见面了，刚开始都分不清谁是谁了。

（2）暗い夜道を歩いてるうちに、どこがどこやら分からなくなってしまった。／在夜路中走着走着，不觉中不知走到哪儿了。

后面使用"分からない(不知道)"、"思い出せない(想不起来)"等动词，表示不能特定是什么的意思。

【やる】

→【てやる】

【ゆえ】

旧式说法。是书面语。

1 ゆえ　理由、缘故。

（1）ゆえあって故郷を捨て、この極寒の地に参りました。／因故背井离乡，来到这严寒地带。

（2）彼はゆえなく職務を解かれ、失意のうちに亡くなった。／他被无故地解聘了职务，在失意中死去。

（3）若い女が故ありげな様子で門のそばにたたずんでいた。／一个年轻女性刚才好像有什么事似地伫立在门口。

表示原因、理由的意思。例（1）是文言故事的解说词。例（2）意思是"没有理由地被解聘了工作"，例（3）是"好像有什么事的样子"。"ゆえあって"、"ゆえなく"、"ゆえありげ"都是习惯用语的表达方式。

2 Nのゆえに　由于…原因、因…缘故。

（1）貧乏のゆえに高等教育を受けられない子供たちがいる。／有的孩子们因贫困而接受不了高等教育。

（2）政府の無策の故に国内は内乱状態に陥った。／由于政府的束手无策，国内陷入内乱状态。

意思是"由于…原因/理由"。和"…のため"意思相同。

3 …がゆえ　因为…、由于…。

（1）女性であるが故に差別されることがある。／有时因为是女性所以受到歧视。

（2）事が重大であるが故に、報告の遅れが悔やまれる。／因为事情重大，所以懊悔报告晚了。

（3）親が放任していたが故に非行に走る若者もいる。／也有的年轻人是因为家长的放任而堕落。

（4）容易に会えぬが故に会いたさがつのる。／由于不容易见面，就越发想见面。

（5）若さ(が)故の過ちもあるのだ。／也有些过错就是因为年轻而犯的。

接简体的句子，表示"那是原因/成为理由"的意思。

4 …のはNゆえである　…的原因

是…。
(1) 息子は窃盗、万引きで何度つかまったことか。それでも見捨てないのは子供可愛さゆえである。／儿子因盗窃他人财物,在商店里偷商品不知被抓过几次。尽管这样仍没有抛弃他是因为太爱孩子。
(2) 冬山登山は確かに死と隣り合わせだ。だがそれでも行くのは冬山の魅力ゆえである。／冬天登山确实是与死为伴。但是尽管这样还去是因为冬季的山太有魅力了。

意思是"(做)…是因为…"。用于叙述在困难的状态下还硬去干什么时的理由。

【よう₁】

1 R-ようがない 没办法…。
(1) こんなにひどく壊れていては、直しようがない。／坏得这么厉害,没法修了。
(2) あの二人の関係はもう修復しようがない。／那两个人的关系已无法挽回。
(3) ここまで来てしまったからにはもう戻りようがない。／既然到了这儿,就已无法回去了。
(4) そんなにひどいことをしたのなら、言い訳のしようがないと思う。／做了那么无情的事,我想辩解也没用了。

表示"采取什么办法也不可能了"的意思。用于表示其他没有任何办法时。像"修复する"、"改善する"等汉语动词,有时也可以使用"漢語＋の＋しようがない"的形式。
(例) あの二人の関係はもう修復のしようがない。／那两个人的关系已无法挽回。

2 R-ようで(は) 看你如何…、取决于…。
(1) 気の持ちようで何とでもなることだ。／这事看你怎么想了,你怎么想就能怎么成。
(2) 考えようではサラリーマン生活も悪くはない。／看你怎么想了,工薪者的生活也并不坏。
(3) あなたの気持ちの持ちようひとつできまるんだから。／这就取决于你的心情而定了。
(4) 物は言いようで角が立つ。／话也要看怎么说了,说不好就会伤人。
(5) 仕事はやりようでいくらでも時間を節約できる。／工作看怎么干了,干得好,能节约出好多时间来。
(6) 馬鹿とはさみは使いよう。／傻子和剪子,看你会用不会用（用好了都能发挥作用）。

意思是"取决于想法／做法"。例(3)以"R-ようひとつで"的形式,表示仅这一点就可决定后面的事。后半句接"どのようにもできる／どうにでもなる(怎么

様都可以／无论如何都能成)"或"異なる／いろいろだ(不同／各种各样)"等表达方式。例(6)的"使いようでどうにもなる"的后半部被省略掉了，是表达事物根据做法不同都会做好的意思的谚语。

3 R-ようによっては 要看怎么…，取决于…。

(1) 考えようによっては、彼らの人生も幸せだったと言えるのかもしれない。／要看怎么想了，说不定可以说他们的人生也是幸福的。
(2) その仕事はやりようによってはとても素晴らしいものになるだろう。／那项工作取决于干的方法，说不定会干得很出色呢。
(3) あの山は、見ようによっては仏像が寝ているように見える。／那座山，根据角度，看上去很像一尊卧佛。

意思是"取决于想法／做法"，由于方法或观点不同，会得出不同的结果。

【よう₂】

[V-よう]

是动词活用形的一种，表示说话人的意志或推测。"-よう"接在一段动词的连用形后(例：見よう、食べよう)。"来る"、"する"时变"こよう"、"しよう"。五段动词在"お段"上"-う"(例：行こう、読もう、話そう)。敬体如"食べましょう、行きましょう"用"R-ましょう"的形式。

1 V-よう＜意向＞

使用表示意向行为的动词，表示说话

人行动的意向。另外，根据使用的状况，有＜提议＞、＜劝诱＞、＜间接要求＞等不同用法。

礼貌的说法，使用"…しましょう／いたしましょう"等。

a V-よう＜意志＞（表示意志）…吧。

(1) 夏休みには海に行こう。／夏天去海边吧！
(2) 来年こそはよい成績がとれるように頑張ろう。／明年一定要努力取得好成绩！
(3) 何にもすることないから、テレビでも見ようっと。／没什么可干的了，看电视吧！
(4) はっきり申しましょう。あなたにはこの仕事は無理です。／老实说吧，这工作对你太勉强。
(5) A：今夜一杯いかがですか。／今晚喝点儿怎么样？
   B：そうですねえ。今日は遠慮しておきましょう。／我想想啊。我看今天算了吧。

使用表示意志行为的动词，表示说话人想要进行那一行为的意志。例(3)的"V-ようっと"是用于口语中的自言自语的说法，也可发成短音"V-よっと"。

b V-よう＜提议＞（表示提议）。

(1) 足が痛いのか。おぶってやろう。／脚还疼吧，我背着你吧。
(2) 忙しいのなら、手伝ってあ

げよう。／忙的话，我来帮你吧。
(3) その荷物、お持ちしましょう。／那行李，我来拿吧。
(4) 切符は私が手配いたしましょう。／票我来安排吧。
(5) 駅までお送りしましょう。／送你到车站吧。

用于说话人提出为对方做什么时。是说话人为对方想要做的对对方有益的事。自谦的表达方式像例(3)～(5)那样使用"…いたしましょう"或"お…しましょう／いたしましょう"。

c V-よう＜勧誘＞（表示劝诱）。
(1) 君もいっしょに行こうよ。／你也一起去吧。
(2) 一度ゆっくり話し合おう。／找机会好好谈一次吧。
(3) 今夜は飲み明かそうよ。／今晚喝个通宵吧。
(4) お待たせしました。では出かけましょう。／让你久等了。那么我们走吧。

用于劝诱听话人也和自己一起行动时。在 b 的 (表示提议)中，行为者只是说话人，而(表示劝诱)，是劝诱听话人和说话人一起行动的用法。

d V-よう＜呼吁＞（表示呼吁）。
(1) 横断する時は左右の車に注意しよう。／过马路时要注意左右车辆！
(2) 飲酒運転は絶対に避けよう。／绝对禁止酒后开车！
(3) 食事の前には手を洗いましょう。／饭前要洗手！
(4) 動物にいたずらしないようにしましょう。／请不要戏弄动物！

以"…する／しないようにしよう"的形式，用于号召人们采取(不采取)某种行动。在常见的广告牌或幕布标语中经常使用，是呼吁人们遵守这些规则的说法。

e もらおう／V-てもらおう …吧。
(1) ビールをもう一本もらおう。／再来一瓶啤酒！
(2) あんたには死んでもらおう。／你去死吧！
(3) ちょっと警察署まで来ていただきましょう。／请来一下警察署。

以"(V-て)もらおう／いただこう"的形式，表示间接地要求听话人做某事时。和"ビールをください"、"死んでくれ"、"来てください"这样的请求表达方式很相似。但是"(V-て)もらおう"将说话人的要求单方地强加于对方的语气更强一些。如果不是社会上的实力派人物或在职业上有权威的人物，很难使用。

2 V-よう＜推量＞（表示推量）。
是说话人表示推量"だろう"的稍陈旧的说法。是书面语。像"よかろう／寒かろう"那样イ形容词的"A-かろう"的形式和这个是同样的用法。口语中使用"だろう(と思う)"、"でしょう"等。

a V-よう …吧。
(1) 場合によっては延期されることもあろう。／根据具体情况，也可能会延期吧。
(2) この点については次のようなことが言えよう。／有关

这一点，可以说是以下情况吧。
（3）午後からは全国的に晴れましょう。／下午以后，全国就会放晴吧。
（4）山沿いでは雪になりましょう。／山区附近可能要下雪吧。

表示说话人的推测。经常使用不表示意志的"ある"、"なる"或像"言える"、"できる"、"考えられる"、"あり得る"等表示可能意思的词语。否定形式是"V-まい"。

是书面语，较陈旧的说法。口语中使用"だろう"。"V-ましょう"是"V-よう"的礼貌表达方式，过去的天气预报等经常这样用，但现在使用"でしょう"。

b V-ようか …吧、…吗、为什么…、难道…吗。
（1）結論としては、次のようなことが言えようか。／作为结论，我们也许可以这样说吧。
（2）こんなひどいことをする人間がこの世にあろうか。／难道这世上有做这么无情的事的人吗？
（3）こんなに貧しい人達をどうして放っておけようか。／怎么能对如此贫困的人们置之不理呢？
（4）そんな馬鹿げたことがありえましょうか。／难道会有那么愚蠢的事吗？

是"だろうか"的书面表达方式。表示疑问或反问。例（2）～（4）是反问的例子，可以解释为"…だろうか。いやそうではない（是…吗？不，不是）"。一般多使用简体。

3 V-ようか＜意向＞（表示打算、意图）。
在动词意向形后附上表示疑问的"か"，表示在说话人自身的意向中有不明确的部分，或问听话人的打算。基本的用法和"V-よう"一样，但是由于加了"か"，添加了疑虑・质问的意思这一点有所不同。

a V-ようか＜意志＞（表示意志）。
（1）どうしようか。／怎么办？
（2）昼ご飯は何にしようかな。／中午饭吃什么呢？
（3）行こうか、それともやめておこうか。／是去，还是不去呢？
（4）私の考えていること、白状しちゃおうか。／把我的想法，还是都坦白了吧？
（5）こんな仕事やめてしまおうかしら。／还是放弃这样的工作吧？
（6）これからどうして暮らしていこうか。／今后如何生活下去呢？

表示说话人犹豫该事做还是不做，打算未定的状态。除"か"外有时还可以加"かな"、"かしら"。"かな"、"かしら"是自言自语的表达方式，难以和敬体一起用，一般不说"ましょうかな／ましょうかしら"等。

b V-ようか＜申请＞（表示申请）。
（1）君の代わりに僕がやろうか。

／我来替你干吧。
(2) 荷物、僕が持とうか。／行李，我拿吧。
(3) 何かお手伝いしましょうか。／我来帮你干点什么吧。
(4) いいこと教えてあげましょうか。／告诉你件好事吧。

可以使用升调、降调的任何一种语调。不过使用升调时，强调询问的心理。

c V-ようか＜劝诱＞（表示劝诱）。
(1) 結婚しようか。／（咱们）结婚吧！
(2) 何時に待ち合わせしようか。／几点见面啊！
(3) どこかで食事しましょうか。／在哪儿吃个饭吧！
(4) いっしょに海外旅行しましょうか。／一起去海外旅行吧！

以询问的方式劝诱听话人和说话人一起行动。使用降调时比较多。使用升调时，强调询问的心情。

d もらおうか／V-てもらおうか 给我…吧、为我…吧。
(1) お茶を一杯もらおうか。／给我来杯茶吧。
(2) これ、コピーしてもらおうか。／这个，帮我复印一下吧。
(3) 君には、しばらく席をはずしていただきましょうか。／你能暂时出去一会儿吗？
(4) A：もうすぐ、帰ると思います。／我想他很快就回来。

B：じゃ、ここで待たせてもらいましょうか。／那么，我就在这儿等一会儿吧。

用于间接地要求听话人进行某些行动时。加上"か"，就带有了说话人现在刚刚那样想到的意思，或说话人犹豫的感觉，比没有"か"而单方面要求对方，在意思上要稍微柔和一些。一般是社会地位高的人物对身份、地位、年龄低于自己的人所使用的。

4 V-ようが

是"V-ても"的书面表达方式。表达的是"采取什么样的行动也…／是什么样的状态都…"的意思。不管前面如何，后面要接表示要完成的事情或决心·要求以及"自由的／随意的"等表示评价的表达方式。很多时候也可以和"V-ようと"互换使用。但有的地方不能和"ても"互换使用。

a V-ようが 不管…。
(1) どこで何をしようが私の勝手でしょう。／在哪干什么，这是我自己的事。
(2) 人になんといわれようが、自分の決めたことは実行する。／不管别人怎么说，自己决定的事就去做。
(3) 彼がどうなろうが、私の知ったことではない。／他怎么样，我管不着。

表示不管前面的事情如何，后面的事情都是成立的。后半部分使用意志·决心或像"自由だ／勝手だ（自由的／随意的）"那种表示评价的形式。

b V-ようがV-ようが 不管是…

还是…。
（1） 出掛けようが家にいようが、あなたの自由です。／是出去还是在家里，这是你的自由。
（2） 雨が降ろうがやりが降ろうが、試合は決行します。／不管是下雨还是下刀子，比赛照常进行。
（3） みんなに笑われようがバカにされようが、気にしない。／不管大家是笑话还是歧视，我都不在乎。

重复叙述正反两面或类似意思的事情，表示"不管发生什么／不管做什么"的意思。用法上同 a 一样。

c V-ようが V-まいが 不管是…不是…、不管…不…。
（1） あなたが出席しようがしまいが、私は出席します。／不管你出席不出席，我要出席。
（2） 勉強をやろうがやるまいが私の勝手でしょう。／学不学习，是我自己的事。
（3） パーティは参加しようがしまいが、皆さんの自由です。／参加不参加晚会，是大家的自由。

使用同一个动词肯定和否定的意向形，表示"无论采取哪一行动"的意思。是"…してもしなくても"的生硬说法。

5 V-ようじゃないか 不…吗，…吧。
（1） 一緒に飲もうじゃないか。／不一起喝点儿吗？
（2） みんなでがんばろうじゃないか。／大家一起努力吧！
（3） よし、そんなにおれと喧嘩したいのなら、受けて立とうじゃないか。／好，如果真那么想和我打架的话，就一起来吧。
（4） 今夜は、語り明かそうではありませんか。／今晚，不聊个通宵吗？

附在表示意向行为的动词后，强烈表明自己的意向。用于劝诱对方一起行动时。比"V-ようか"推动对方的意思更强。主要是男性使用。女性一般用"…ましょう"。其礼貌的表达方式是"…ようではありませんか／ないですか"。

6 V-ようと
是"V-ても"的书面表达方式，表示"无论采取什么样的行动也…／是什么样的状态都…"的意思。后半部分接不管前面怎样都要成立的事情或"自由だ／勝手だ(是自由的／随意的)"等表示评价的形式。很多时候可以和"V-ようが"互换使用，但有时不能和"ても"互换使用。

a V-ようと 不管…。
（1） なにをしようと私の自由でしょう。／不管干什么，是我的自由。
（2） どこへ行こうとあなたの勝手です。／要去什么地方，是你的事。
（3） どんなに馬鹿にされようと腹をたてるでもなく彼はひたすら働いている。／不管别人怎么歧视，他都不生气，就一个劲儿地干活。

表示不管前面的事情如何，后面的事情都是成立的。后半部分接表示"勝手だ／自由だ／関係ない（随意的／自由的／没有关系）"等意思的表达方式。

b V-ようとV-ようと　不管是…还是…，…也好…也好。
（1）努力しようと怠けようと結果がすべてだ。／不管是努力还是偷懒，结果就是一切。
（2）あなたが泣こうとわめこうと、僕には関係ない。／不管你是哭也好叫也好，和我没关系。
（3）行こうとやめようと私の勝手だ。／去也好不去也好，是我自己的事。
（4）遊ぼうと勉強しようとお好きなようにしてください。／玩儿也好学习也好，喜欢怎么样就怎么样吧。
（5）煮て食おうと焼いて食おうとご自由に。／煮着吃也行烤着吃也行，请随意。
（6）駆け落ちしようと心中しようと勝手にしろ。／私奔也好情死也好，随你便！

重复叙述正反两面或表示类似意思的事情，表示"做什么都没关系／是自由的"的意思，或无论采取什么行动都与其无关，后面的事情照样成立。

c V-ようとV-まいと　做…不做…都…。
（1）行こうと行くまいとあなたの自由だ。／去不去是你的自由。
（2）たくさん食べようと食べまいと料金は同じだ。／吃多吃少价钱都是一样的。
（3）君が彼女に会おうと会うまいと僕には関係のないことだ。／你和她见不见面，和我没关系。

表示"做不做都…"的意思。

d V-ようとも　不管…都…。
（1）皆にどんなに反対されようとも決めたことは実行する。／不管大家怎么反对，决定了的事就要干。
（2）たとえどんなことが起ころうとも、彼からは一生離れない。／不管发生什么事，一辈子我都不离开他。
（3）どんなに脅かされようとも、彼は毅然とした態度をくずさなかった。／无论受到怎样的威胁，他都毅然不改初衷。
（4）いかに富に恵まれようとも、精神が貧しくては幸せとは言えない。／无论如何富有，精神匮乏也不能称之为幸福。

在"V-よう"后加上"も"，是"V-ても"的书面语。意思·用法和不加"も"时是一样的，但这种用法稍带些陈旧的语感。多和"(たとえ)どんなに／いかに"等词呼应使用。

7 V-ようとおもう　想…，打算…。
（1）お正月には温泉に行こうと思う。／新年打算去洗温泉。
（2）来年はもっと頑張ろうと思

う。／明年打算更努力去做。
(3) 今夜は早く寝ようと思っている。／今晚想早点儿睡。
(4) 今の仕事を辞めようかと思っている。／我想要不要辞去现在的工作。
(5) 外国に住もうとは思わない。／不打算在外国居住。
(6) あなたは一生この仕事を続けようと思いますか。／你打算一辈子都干这个工作吗？

接表示意向行为的动词，用于说话人表示打算或意向时。疑问句是问对方意向的表达方式。另外，例(4)的"かと思う"是表示说话人有些迷惑或犹豫。"V-ようと(は)思わない"表示说话人没有那样的意向。

和"つもりだ"近似，但"つもりだ"可以表示第三者的意向，这一点有所不同。
(正) 山田さんは留学するつもりだ。／山田打算留学。
(误) 山田さんは留学しようと思う。

另外，"V-ると思う"表示的不是说话人的意向而是说话人的推测。因此想表达意向时不能使用，而必须使用"V-ようと思う"。
(误) 私は東京へ行くと思う。(作为意向的表达方式是错的)
(正) 私は東京へ行こうと思う。／我打算去东京。

8 V-ようとする
a V-ようとする＜眼前＞ 即将…、就要…。
(1) 時計は正午を知らせようとしている。／表针眼看就要指到中午了。
(2) 長かった夏休みもじきに終わろうとしている。／漫长的暑假也马上就要结束了。
(3) 日は地平線の彼方に沈もうとしている。／眼看太阳就要落到地平线的那边去了。
(4) 上り坂にさしかかろうとする所で車がエンストを起こしてしまった。／在就要靠近上坡的地方，汽车的引擎发生了故障。
(5) お風呂に入ろうとしていたところに、電話がかかってきた。／刚要洗澡，来了电话。

表示动作或变化将要开始或结束的"临近／咫尺"的意思。使用"始まる""終わる"等与人的意向无关的无意向动词是比较典型的，但是使用像"V-ようとするところ"这样的句型时也可以使用意向动词。使用无意向动词时，一般多在文学或诗歌等的形式中。

b V-ようとする＜尝试＞ 想要…。
(1) 息子は東大に入ろうとしている。／儿子想上东大。
(2) 彼女は25歳になる前に何とか結婚しようとしている。／她想怎么也得在25岁以前结婚。
(3) いくら思い出そうとしても、名前が思い出せない。／无论怎么想也想不起名字。
(4) 棚の上の花びんをとろうとして、足を踏みはずしてしまった。／想取架上的花瓶，结果脚踏空了。

（5）本人にやろうとする意欲がなければ、いくら言っても無駄です。／本人如没有想干的愿望的话，怎么说都没用。
（6）寝ようとすればするほど、目がさえてきてしまった。／越想睡，眼睛越睁得大大的睡不着。

接表示意向行为的动词，表示为实现该动作行为而进行努力或尝试。

c V-ようと(も／は)しない　不想…，不打算…，都不…。
（1）うちの息子はいくら言っても勉強をしようとしない。／我儿子不管你怎么说他都不愿学习。
（2）隣りの奥さんは私に会っても挨拶ひとつしようとしない。／邻居的太太，看见我连个招呼都不打。
（3）その患者は食べ物を一切うけつけようとしない。／那个患者什么都吃不下。
（4）声をかけても振り向こうともしない。／跟他打招呼，连个头都不回。
（5）彼女はこの見合い話をおそらく承諾しようとはしないだろう。／恐怕她不会同意这次相亲吧。

接表示意向行为的动词，表示没有要进行该动作或行为的打算。中间加有"も"的"V-ようともしない"是"…しようとさえしない(连…都没…)"的否定

的强调说法。有时也可像例（5）那样把"は"加在中间使用。

9 V-ようとはおもわなかった　没想到会…。
（1）こんなことになろうとは思わなかった。／没想到会成这样。
（2）被害がこれほどまで広がろうとは、専門家も予想しなかった。／灾害到这种程度，连专家也没想到。
（3）息子が、たった一度の受験で司法試験に合格しようとは夢にも思わなかった。／做梦也没想到儿子只一次就通过了司法考试。
（4）たったの五日で論文が完成しようとは誰一人想像しなかった。／谁也想像不到仅5天就能完成论文。

接像"なる"那种表示和人的意向无关的无意向动词，表示"没想到会成为那样"的意思。例（3）、（4）的"合格しよう"、"完成しよう"表示的是"能合格／完成"、"成为合格／完成"那种自然地成为那样的意思，而不是表示说话人的意向。后续动词除"思う"以外，还可以接续"予想／想像する"等动词。不过经常使用的形式是"-なかった"。属书面语。

10 V-ようにも V-れない　想…也不能…。
（1）頭が痛くて、起きようにも起きられない。／头疼得想起也起不来。
（2）まわりがうるさくて、落ち

着いて考えようにも考えられない。/周围乱糟糟的，想冷静考虑一下都不行。
(3) 風が強すぎて走ろうにも走れない。/风大得想跑也跑不动。
(4) 雨が降っているので、外で遊ぼうにも遊べない。/因下着雨，想在外面玩儿也玩儿不成。

接在表示意向行为的动词之后，表示"即使想要…也不行"的意思。前后使用同一个动词。多用于表示尽管有想做的强烈愿望，但那也是不可能的意思时。

【ようするに】
总而言之、总归、到底
(1) 要するに、日本は官僚型政治だ。/总之，日本是官僚型政治。
(2) いろいろ理由はあるが、要するに君の考えは甘い。/是有各种理由，不过总而言之你的想法太幼稚。
(3) 要するに看護婦さんが足りないのだ。/总归护士是不够的。
(4) 《前にいろいろ説明したあとで》要するに、私が言いたいことはこれに尽きる。/《在前面做了各种说明之后》总之，我想说的就这些。
(5) 《相手の話をさえぎって》要するに、君の考えはお決ま

りのものだね。/《打断对方的话》总而言之，你的想法是不变了，对吧。
(6) 要するに、君は何が言いたいのだ。/归根到底，你是想要说什么呀。

归纳这之前所叙述的内容，拿出自己的结论或问及确认对方的结论时使用该句型。在叙述不包含个人意见而是自然形成的结果的句子中不适用。这时使用"結局/(結果)"等。是书面语。
(误) 健闘したが、要するに日本チームは負けてしまった。
(正) 健闘したが、結局日本チームは負けてしまった。/虽然经过努力奋斗，结果日本队还是输了。

【ようだ₁】
[Nのようだ]
[A/V ようだ]

与ナ形容词的变化形式相同，其连用形、连体形分别是"ように"、"ような"。

1…ようだ＜比喻＞
a…ようだ 像…一样的、像…一样地、…似的。
(1) この雪はまるで綿のようです。/这雪像棉花一样。
(2) 彼女の心は氷のように冷たい。/她的心像冰一样冷酷。
(3) 男は狂ったように走り続けた。/那男的发疯似地拼命奔跑。
(4) 赤ん坊は火がついたように泣き出した。/婴儿拼命地大哭起来。

（5） あたりは、水を打ったように静まりかえっている。／周围变得鸦雀无声。
（6） 新製品は面白いようによく売れた。／新产品销路非常好。
（7） 6月が来たばかりなのに真夏のような暑さだ。／刚刚进入6月，可却像盛夏一样炎热。
（8） 会場は割れるような拍手の渦につつまれた。／会场响起暴风雨般的掌声。
（9） 身を切るような寒さが続いている。／彻骨严寒持续着。

将事物的状态·性质·形状及动作的状态，比喻成与此不同的其他事物。不仅可以比喻成同一性质的事物，也可以比喻成完全是其他想像的事物。多附在名词或动词后面使用。偶尔也可以像例（6）那样附在イ形容词之后，但是不能附在ナ形容词之后。另外，有时也可伴随着像以下的"あたかも"、"いかにも"、"さながら"、"まるで"、"ちょうど"等表示添加意思的副词一起使用。

（例） 町はすっかりさびれてしまって、まるで火が消えたようだ。／街上一片萧条景象，就像火熄灭后那样沉寂。
（例） 家族が一堂に揃い、あたかも盆と正月がいっしょに来たようだ。／亲属们汇聚一堂，就像盂兰盆节和新年一起到来一样。

有很多习惯、固定的用语。惯用表达方式除此之外还有"雲をつかむような話／竹を割ったような性格／血のにじむような努力／手が切れるような新札／飛ぶように売れる／目を皿のようにして探す(不着边际的事／心直口快的性格／艰苦的努力／崭新的钞票／畅销／瞪大眼睛寻找)"等。

口语中经常使用"みたいだ"。另外，书面语有时也使用"ごとし"。

b V-る／V-た かのようだ 就好像…似的、好像…一样。

（1） 彼はなにも知らなかったかのように振る舞っていた。／他就好像什么也不知道似的泰然自若。
（2） 父はあらかじめ知っていたかのように、平然としていた。／父亲就像事先知道一样那么冷静。
（3） 本当は見たこともないのに、いかにも自分の目で見てきたかのように話す。／实际上根本没曾见过，可是就像自己亲眼见到一样在那说。
（4） 極楽にでもいるかのような幸せな気分だ。／感到就像在天堂一样幸福。
（5） 犯人は事件のことを初めて聞いたかのような態度をとった。／犯人的态度就像第一次才听说这一事件似的。
（6） あたりは一面霧に包まれ、まるで別世界にいるかのようだ。／周围被雾笼罩着，简直是别有天地。

接动词的词典形、タ形，表示实际上

不是那样，可是做的或感觉到的却像是那样的状态。多用于列举说明与事实矛盾或假想的事物时。

2 …ような／…ように

a …ように＜举例＞　像…那样，按照…样。

(1) あの人のように英語がペラペラ話せたらいいのに。／要像他那样能说一口流利的英语就好了。

(2) ニューヨークのように世界中の人々が住む都市では、各国の本格的な料理を味わうことができる。／在纽约那种住着世界各国人的城市里，可以品尝到各国正宗的佳肴。

(3) 母親が美人だったように、娘たちもみな美人ぞろいだ。／像母亲过去那么漂亮一样，女儿们也都个个是美人。

(4) 私が発音するようにあとについて言ってください。／按我的发音，跟我一起说。

(5) 先生がおっしゃったようにお伝えしておきました。／按老师说的那样告诉他们了。

在以Y叙述的事物和性质或内容、方法等方面，将一致的具体的人物或事物作为例子列举时，使用"XようにY"的形式。例(4)的意思是"摹仿动作"，例(5)可以和"とおりに"互换使用。

表示＜比喻＞的[ようだ1]，是将本来与其不同的别的事物比喻成"宛如…"，而本句型的用法是将具有和Y同一性质或内容的X作为具体的例子列举出来。但是，这两种用法有时是相关联的，很难将其清楚地加以区别。

b …ようなN＜举例＞　像…样的。

(1) 風邪をひいたときは、みかんのようなビタミンCを多く含む果物を食べるといい。／感冒的时候，吃像橘子那样含维生素C多的水果最好。

(2) あなたのようなご親切な方にはなかなか出会えません。／很难碰到像你那么热情的人。

(3) これはどこにでもあるようなものではない。／这可不是到处都有的东西。

(4) 彼はあなたが思っているような人ではない。／他不是你所想像的那种人。

(5) このまま放っておくと、取り返しがつかないようなことになりかねない。／这么搁置不管的话，说不定就补救不了了。

(6) これを食べても死ぬようなことはありません。安心してください。／吃了这个不会死的，你放心吧。

(7) 薬を飲んでもよくならないような場合は医者に相談してください。／吃了药还不见好的话，请找医生咨询。

将后续名词所表示的具体内容作为例子表示时使用该句型。比如在"みかんのような果物"中，后面的名词则表示含有前面的名词在内的以及比其更高一层

的意思。接短句时没有"ような"也成立，不过在意思上会产生不同。比如从例（7）中去掉"ような"说成"薬を飲んでもよくならない場合"的话，是只限于那种特定场合的表达方式，但是要说成"薬を飲んでもよくならないような場合"的话，意思就是"这以外还会有各种情况，不比如在这种情况下"。

c …ように＜引言＞　像…那样、如同…。

（1） ご存じのように、日本は人口密度の高い国です。／众所周知，日本是一个人口密度很高的国家。

（2） あなたがおっしゃっていたように、彼は本当に素敵な方ですね。／如同你说的那样，他真是一个很有魅力的人。

（3） すでに述べたようにアフリカの食糧不足は深刻な状況にある。／如前所述，非洲的粮荒，已到很严重的地步。

（4） ことわざにもあるように、外国に行ったらその国の習慣に従って暮らすのが一番である。／俗语中也说过，入乡随俗是最重要的（到了外国就要按照该国的习惯生活是最重要的）。

（5） あのにこにこした表情が表しているように、彼はとても明るい性格の人です。／正像那现出微笑的表情一样，他是一位性格非常开朗

的人。

表示前面所叙述的事物或已知的事实与要说的事物是一致的，用于后面要进行说明的引言。可以和"とおり"互换使用。

d つぎのように／いかのように　如下…。

（1） 結果は次のようにまとめることができる。／结果可以归纳如下。

（2） 中には以下のような意見もあった。／其中也有如下意见。

（3） 本稿の結論をまとめれば、次のようになる。／本稿结论概括如下。

（4） 以下で示すように、我が国の出生率は下がる一方である。／如下所示，我国出生率呈下降趋势。

用于事先预告，之后表示具体内容。在竖写的文章中，有时也用"右のように（／如右所示…）"、"左のように（／如左所示…）"来表示。

【ようだ₂】

[Nのようだ]
[Na なようだ]
[A／V　ようだ]

用于名词或ナ形容词时，除"Nの／Naなようだ"之外还有"N／Naだったようだ"、"N／Naじゃないようだ"等形式。

1 …ようだ＜推测＞　好像…、就像…。

（1） あの人はこの大学の学生で

はないようだ。／他好像不是这所大学的学生。
（2）どうやら君の負けのようだね。／多半你要输了。
（3）先生はお酒がお好きなようだ。／先生好像很喜欢喝酒。
（4）こちらの方がちょっとおいしいようだ。／这边的好像好吃一点。
（5）どうも風邪を引いてしまったようだ。／总觉得像感冒了。
（6）あの声は、誰かが外で喧嘩しているようだ。／听那声音，好像是谁在外面打架。
（7）ざっと見たところ、最低500人は集まっているようだ。／粗略地一看，好像至少集中了有500人。

表示说话人对事物所具有的印象或推测性的判断。就事物的外表或自己的感觉，"总有那种感觉／看上去就像那样"，抓住其印象或外来表示的形式。用于通过说话人身体的感觉·视觉·听觉·味觉等来叙述所抓住的印象或状态，并综合那些观察来叙述说话人推测性的判断时。

（例）A：雨が降ってきましたね。／下起雨来了呵。
B：ええ、そのようですね。／啊，好像是。

这是委婉的表示方法，这个例子也可以不使用"ようだ"而使用"そうですね"。"ようだ"是避开判断，对对方客气地表达意思时使用，多伴着"どうやら"、"どうも"、"何となく"、"何だか"等副词一起

使用。在随意的口语中使用"みたいだ"。

2 …ようなきがする
…ようなかんじがする 感觉像…、觉得好像是(有)…、仿佛…。

（1）ちょっと期待を裏切られたような気がする。／仿佛觉得被人欺骗了似的。
（2）もう他に方法はないような気がする。／感觉好像已经没有其他办法了。
（3）あまりほめられるとちょっとくすぐったいような感じがする。／过份的夸奖，感到有些不好意思。
（4）何となく不吉なことが起こるような予感がした。／总有一种会发生不祥的预感。
（5）運動したら、何だか体が軽くなったような感じだ。／运动以后，总感觉身体变轻了一样。

在"ような"的后面接续"気"、"感じ"、"予感"等名词，表示和以"ようだ"结尾时大体相同的意思。

3 …ように おもう／かんじる 觉得好像…、似乎…。

（1）こちらのほうがお似合いになるように思います。／我觉得这个对你似乎合适。
（2）心なしか彼の表情が陰ったように思われた。／也许是心理作用，他的表情给人感觉好像阴阴不乐似的。
（3）あの二人はとても仲がいいように見える。／那两个人

（4）その日の彼は様子がいつもと違うように感じた。／觉得那天的他似乎和平常不一样。

（5）今年の冬は去年より、少し暖かいように感じられる。／感觉今年的冬天好像比去年暖和一些。

在"ように"后面接续"おもう"、"おもわれる"、"みえる"、"感じる"等表示思考或感觉的动词，一般用于叙述感觉·印象的内容或婉转地叙述自己的主张时。

4 …ようでは　如果…的话,那就…。

（1）こんな問題が解けないようではそれこそ困る。／如果这样的问题都解决不了，那可就难办了。

（2）きみが行かないようでは誰も行くわけがない。／你要是不去的话，那谁也不会去。

（3）こんなことができないようでは、話にならない。／如果这样的事都不行的话，那没法谈。

（4）こんな質問をするようでは、まだまだ勉強がたりない。／如果问这样的问题，那就说明学习的还不够。

意思是"那样的话",后面伴随着与期望相反的事物或"困る/だめだ"等负面评价的表达方式。

5 …ようで(いて)　看上去好像…但实际上…。

（1）一見やさしいようで、実際やってみると案外むずかしい。／一看很容易，可实际一做却非常难。

（2）ふだんはおとなしいようでいて、いざとなるとなかなか決断力に富んだ女性です。／她平时看上去很温和，但是到关键时刻却是一位非常富有决断能力的女性。

（3）一見、内気で温厚なようだが、実は短気で、喧嘩っぱやい性格の男だ。／他看上去好像腼腆敦厚，实际上却是一个没耐性，动不动就打架的男人。

表示的意思是"刚开始看是这样的印象,可是…"。一般多使用"一見/見かけは…ようで、実際は…"这样的形式. 表示与实际性质不同的事。有时也可以说"…ようだが"。

6 …ようでもあり　…ようでもあるし　既是…又是…一样(似的)、又…又…一样。

（1）僕の言ったことが彼には分かったようでもあり、全く理解していないようでもある。／我对他说的话，他既像是听懂了，又像是完全没理解。

（2）この会社での30年間は、長かったようでもあり、あっと言う間だったような感じもします。／在这家公司30年，既感觉很长又感觉像是一瞬间似的。

（3）彼は本当は結婚したい気持ちがあるようでもあるし、まったくその気がないようでもある。/他既好像真有想结婚的意思，又好像完全没有似的。

列举正相反的或矛盾的内容，表示说话人对某一事物有着相互矛盾的感觉、印象。"…ようでもあるし"是书面语。

7 …ような…ような　又像…又像…。

（1）そのようなことがあったようななかったような…／那种事既好像发生过又好像没发生过似的。

（2）分かったような分からないような中途半端な感じだ。／是一种似懂非懂的夹生感觉。

（3）悲しいような懐かしいような複雑な気持ちである。／又悲伤又怀念，心情复杂。

用法与前面的6类似，但这是口语。

8 …ようなら／…ようだったら　如果要…样的话。

（1）この薬を飲んでも熱が下がらないようなら、医者と相談した方がよいでしょう。／吃了这付药烧还不退的话，还是最好去问医生。

（2）遅れるようだったら、お電話ください。／要是晚来的话，请打个电话。

（3）明日お天気がよいようでしたら、ハイキングに行きませんか。／如果明天天气好的话，不去郊游吗？

是"ようだ"的表示条件的形式，意思是"那样的情况下"。在书面语中，也可使用"…ようであれば"。

【ような₁】

像…一样的。

（1）6月が来たばかりなのに真夏のような暑さだ。／刚到6月却像盛夏一样炎热。

（2）会場は割れるような拍手の渦につつまれた。／会场响起暴风雨般的掌声。

→【ようだ1】

【ような₂】

好像…。

（1）ちょっと期待を裏切られたような気がする。／感觉好像被人欺骗了似的。

（2）あそこに置いたような置かなかったような、記憶がはっきりしない。／又像是放在那里了又好像不是，记不清了。

→【ようだ2】

【ように₁】

像…一样地。

（1）あの人のように英語がペラペラしゃべれるようになりたい。／真想像他一样说一口流利的英语。

（2）私が発音するようにあとに

ついて言って下さい。／请按我的发音说。
→【ようだ1】

【ように₂】
…样。
（1）こちらのほうがお似合いになるように思われます。／给人感觉还是这个更合适。
（2）心なしか彼の表情が陰ったように思われた。／可能是心理作用，他的表情给人闷闷不乐的感觉。
→【ようだ2】

【ように₃】
1 V-る／V-ない よう(に)＜目的＞
为了…。
（1）後ろの席の人にも聞こえるように大きな声で話した。／为了让后面座位的人也能听到，大声地讲了话。
（2）子供にも読めるよう名前にふりがなをつけた。／为了让孩子也能读出姓名，在旁边注了假名。
（3）赤ん坊を起こさないようにそっと布団を出た。／为了不弄醒婴儿，轻轻地钻出被窝儿。
（4）忘れないようにノートにメモしておこう。／为了不忘掉，记在本上吧。

前后使用动词，表示"为了使该状态·状况成立而做／不做…"的意思。有时也可省略"に"。在"ように"的前面多使用"なる"、"できる"等与人的意向无关的表示无意向行为的动词和表示可能的"V-れる"，或者动词否定形等表示状态性的意思的表达方式，后面的句子一般是表示说话人意向行为的动词。前后主语可以像例（1）～（3）那样不同，也可以像例（4）那样是同一主语。

另外，前后主语一致，前面的动词也是表示意向性动作时，一般使用"ために"。

（误）息子が家で仕事ができるために父親は家を改築した。
（正）息子が家で仕事ができるように父親は家を改築した。（異主語・非意志的）／为了让儿子能够在家里工作，父亲改建了房子。（主语不同・非意向性）
（正）家で仕事をするために家を改築した。（同一主語・意志的）／为了能在家里工作，改建了房子。（同一主语・意向性）

2 V-る／V-ない よう(に)＜劝告＞
要…、请…。
（1）忘れ物をしないようにしてください。／请不要忘了东西。
（2）時間内に終了するようお願いします。／请在规定的时间内完成。
（3）風邪をひかないようにご注意ください。／请注意不要感冒。
（4）私語は慎むようにしなさい。／请不要交头接耳。
（5）集合時間は守るように。／

请遵守集合时间。
(6) 授業中はおしゃべりしないように。／上课时请不要讲话。

是对听话人表示忠告或劝告的表达方式。后半部使用"しなさい／してください"或"お願いします"等动词，有时也可省略这些动词而以"ように"结尾。另外，也可省略"ように"的"に"，但是像例(5)、(6)那样用"ように"结尾时一般不能省略。"V-ないように"的形式，多表示否定性的忠告·劝告。

3 V-る／V-ない よう(に)＜祈盼＞希望能…。
(1) 息子が大学に合格できるよう神に祈った。／向上帝祈祷儿子能够通过大学考试。
(2) 現状がさらに改善されるよう期待している。／期待着能更一步改善现状。
(3) 《年賀状》新しい年が幸い多き年でありますよう祈っております。／《贺年卡》祝新年幸福美满！
(4) 《病気見舞いの手紙》早く全快なさいますよう、祈念いたしております。／《给病人的慰问信》祝早日康复！
(5) どうか合格できますように。／但愿你能够考上！
(6) すべてがうまくいきますよう。／祝你一切顺利！
(7) あしたは雨が降りませんように。／希望明天不要下雨！

是对自己或他人，表示祈祷、希望的表达方式。"ように"的后面使用"祈る"、"祈念する"、"念じる"、"望む"、"願う"、"希望する"、"期待する"等动词。也可像例(5)、(6)那样以"…よう(に)"结尾。这时一般"…ように"的前面要用敬体。在演讲、书信的结束语中经常使用。

4 V-る／V-ない よう(に)いう 要(不要)…
(1) すぐ家に帰るように言われました。／被告之要马上回家。
(2) これからは遅刻しないように注意しておきました。／提醒他今后不要迟到。
(3) 戻りましたら、家に電話するようお伝えください。／请转告他回来后要给家里打个电话。
(4) 隣りの人に、ステレオの音量を下げてもらうように頼んだ。／请求邻居，把音响的音量关小一点儿。

后半部使用"言う"、"伝える"等表示传达的动词，用于间接引用所要求的内容时。如表示直接引用时要按下面"命令や依頼の表現＋と＋伝達の動詞"的形式。
(例) 「すぐ帰れ」と言った。／说："马上回去！"
(例) 「ステレオの音量を下げてください」と頼んだ。／请求说："请把音响的声音关小一点儿。"

5 V-る／V-ない ようにする 要做到… 设法做到…
(1) 私は肉を小さく切って、こ

どもにも食べられるようにした。/我把肉切得很小，让孩子也能吃。
（2）大きな活字を使い、老人にも読みやすいようにする。/使用大号字，让老人也能看清。
（3）できるだけ英会話のテレビを見るようにしている。/尽量做到看英语会话的电视。
（4）彼女の機嫌を損ねることは言わないようにした。/努力做到了不说使她不高兴的话。
（5）試験日には、目覚まし時計を2台セットして寝坊しないようにしよう。/考试那天，为了别起晚了，我要上两台闹钟。
（6）油ものは食べないようにしている。/尽量不吃油腻东西。

表示将使其行为或状况成立作为目标，而进行努力/用心/照料。像例（4）〜（6）那样使用否定形时，意思是将不使其成立作为目标。例（3）和例（6）意思是要使其成为习惯。一般都在"ように"的前面使用动词。但有时也会像例（2）那样使用"V-やすい"的形式。这时也可以说"読みやすくする"。

6 V-る／V-ない ようになる 变得…、逐渐会…、就能…。
（1）日本語が話せるようになりました。/逐渐能说日语了。
（2）眼鏡をかければ、黒板の字が見えるようになります。/戴上眼镜，就能看清黑板上的字。
（3）赤ちゃんはずいぶん活発に動くようになりました。/婴儿已长大，活动已相当自如了。
（4）隣りの子供は最近きちんとあいさつするようになった。/邻居的孩子最近会规规矩矩地打招呼了。
（5）注意したら文句を言わないようになった。/提醒之后，变得不发牢骚了。

接动词词典形，表示从不可能的状态到可能状态，或从不能实行的状态变化到能实行的状态。像例（1）那样多使用表示可能的"V-れる"的形式。像例（5）那样接续否定形时，表示向不实行状态的变化，这时也可以说"言わなくなった"。

【ようやく】

1ようやく　好不容易、总算、渐渐、终于。
[ようやく　V-た／V-る]
[ようやくNだ]
（1）冬の長い夜も終わりに近づき、ようやく東の空が白み始めた。/冬天的长夜即将过去，东方的天空上开始渐渐地泛起了鱼肚白。
（2）降り続いた雨もようやく上がって、陽が差し始めた。/

連綿不断的雨总算停了．阳光开始照射大地。

（3）冬の朝は遅い。7時頃になってようやく陽が昇る。／冬天的早晨来得很迟，到了7点左右，太阳才渐渐升起。

（4）子供たちも、ようやく一人前になって、それぞれ独立していった。／孩子们也逐渐地成人，都分别独立了。

（5）会議も終わる頃になって、彼はようやく現れた。／会议快结束时，他终于露面了。

（6）水道とガスは、震災から3カ月たって、ようやく復旧した。／自来水和煤气，震灾过了3个月才恢复。

（7）何度も計画を変更して、ようやく社長の了解を得ることができた。／几次修改计划，才得到总经理的认可。

（8）来年は娘もようやく卒業だ。／明年女儿也总算要毕业了。

像例（1）～（3）那样，用于自然现象渐渐变化的状态时。另外，像例（4）～（8）那样用于经过长时间或半途中出现各种情况之后事态发生变化或说话人所预料所期待的事实实现了时。

多用于符合说话人愿望时，但也并不是特指说话人期盼的事物。实现了所期盼的事物，并想表达"高兴"、"放心了"的心情时，一般多使用"やっと"。

2 ようやく

表达经过时间和劳累实现了的状态。近似的表达方式有"どうにか"、"なん とか"、"やっと"、"かろうじて"、"からくも"。区别参照"やっと1"。

a ようやくV-た　好容易…、勉勉强强…、终于。

（1）タクシーを飛ばして、ようやく時間に間に合った。／催促出租车拼命开，勉勉强强地赶上了。

（2）試合は延長戦にもつれこんだが、一点差でようやく勝つことができた。／比赛在加时赛中你拼我夺，终于以一分之差取胜。

（3）何時間にもわたる手術の結果、ようやく命をとりとめた。／经过几个小时的手术，终于保住了生命。

表示"很危险，但还…了"的意思。用于叙述得到好结果时。表示"避免了坏的事态发生"时，要使用"かろうじて…なかった"的形式。

（正）｛ようやく／やっと／かろうじて｝約束の時間に間に合った。／终于赶上了约定时间。

（误）危ないところだったが、｛ようやく／やっと｝大事故にはならなかった。

（正）危ないところだったが、かろうじて大事故にはならなかった。／虽然很危险，但还好没有酿成大事故。

b ようやくV-ている　勉强…着。

（1）世界は、微妙なかけひきで、ようやく軍事的な均衡を保っている。／世界以微妙的外交策略，勉强保持着军事上的均衡。

（2）両親から援助を受けて、ようやく生計をたてている。／接受了父母的援助，才勉强维持着生计。
（3）病人は、人工呼吸器を使って、ようやく息をしているという状態だ。／病人使用人工呼吸器，勉强维持着呼吸。

表示"很严重，但勉强…着"的意思。没有使用"やっと"时那种紧迫的感觉。

cようやくV-るN　勉强。
（1）家と家のすき間は、人一人がようやく通れる広さしかない。／房子和房子之间，只有勉强能通过一个人的空隙。
（2）人に支えてもらって、ようやく歩ける状態だ。／请人搀着，勉强能走。
（3）本人は気にしているが、「ここにある」と言われてようやく気が付く程度の傷で、たいしたことはない。／本人很在意，可实际上是别人说："在这儿呢。"才勉强发现的这么点儿伤，没什么大不了的。
（4）鍵は、大人が背伸びをして、ようやく手が届く高さに隠してあって、子供にはとることができない。／钥匙藏在大人伸手才勉强够到的地方，小孩儿是拿不到的。

和表示可能的表达方式一起使用，表示"勉强能…程度"的意思。用于表示"虽然很难，但勉勉强强可以…"的意思时。

【よかった】

1 V-てよかった　幸亏、好在、值得。

（1）あ、雨だ。かさを持ってきてよかった。／啊，下雨了。幸亏拿着伞呢。
（2）財布、見つかってよかったですね。／幸好钱包找到了啊。
（3）今日はお天気になってよかった。おかげで予定どおり遠足に行ける。／今天幸亏是个好天气，托天气的福，可以按预定去郊游了。
（4）友達もできたしいろんな経験もできたし、本当に日本に来てよかったと思っている。／又交了朋友又积累了很多经验，我来日本来得很值得。
（5）あの映画、見に行かなくてよかったよ。全然おもしろくなかったんだって。／幸亏没去看那个电影，都说一点意思都没有。

表示评价某动作行为或事物成为事实是件好事。"よかった"虽是过去形，但表达的是现在的心情。

2 V-ばよかった
a V-ばよかった　…的话就好了。
（1）しまった。あいつの電話番号をメモしておけばよかった。／糟了，要记下那家伙的

（2） あの服、買っておけばよかった。もう売り切れてしまったんだって。／那衣服，买了就好了。听说已经卖完了。
（3） 野菜がしなびている。冷蔵庫に入れておいたらよかった。／菜都蔫了，放在冰箱里就好了。
（4） 一人で悩んでいないで、もっと早く相談しに来ればよかった。／別一个人苦恼着，早点儿来咨询就好了。
（5） 田中さんも誘ってあげたらよかったね。／也叫上田中就好了啊。

以"V-ばよかった"、"V-たらよかった"的形式，表示对实际上没做的事，要做就好了的后悔心情。

b V-なければよかった 没（不）…就好了。
（1） こんな服、買わなければよかった。派手すぎてとても着られない。／这件衣服不买就好了。太花哨实在不能穿。
（2） こんなごちそうが出るんなら、さっき間食しなければよかった。／要是知道有这么多好吃的，刚才不吃零食就好了。
（3） あいつ、彼女が結婚することを知らなかったのか。それなら言わなかったらよかった。／他原来不知道她

结婚的事啊。要是那样的话不说就好了。
（4） きのうはあんなに飲まなければよかった。二日酔いで頭が痛い。／昨天要是不喝那么多酒就好了。今天头还疼呢。

以"V-なければよかった"、"V-なかったらよかった"形式，表示对已做的事不该做的后悔心情。

3 V-ばよかったのに
a V-ばよかったのに …的话就好了，可…。
（1） 昨日のパーティーにあなたも来ればよかったのに。楽しかったよ。／昨天的晚会你也来就好了，大家可高兴啦。
（2） そんなにやりたくないのなら「いやだ」と言えばよかったのに。／假如那么不想做的话，你明说了不就是了嘛。
（3） 今日は花子も誘ったらよかったのに。あの人このごろ暇だって言ってたよ。／今天要叫上花子就好了，她说她最近有时间。
（4） 田中じゃなくて君が立候補したらよかったのに。田中じゃたぶん勝てないよ。／候选人不是田中而是你就好了，田中大概赢不了。
（5） 行きたくなかったのなら、断ればよかったのに。／不想去的话，推掉就好了。

以"V-ばよかったのに"、"V-たら

よかったのに"的形式.表示对听话人实际没做的事.认为应该做或遗憾及责备的心情。

b V-なければよかったのに 没(不)…的话就好了。

（1）そんなこと言わなければよかったのに。／那种话不说就好了。

（2）あんな人に会いに行かなければよかったのに。／你要不去见那种人就好了。

（3）風邪をひいているのなら、スキーなんかしなかったらよかったのに。／要是感冒了的话，不去滑雪什么的就好了。

以"V-なければよかったのに"、"V-なかったらよかったのに"的形式．对听话人已做的事，表示不该做或遗憾或责备的心情。

【よかろう】
行吧、好吧、可以吧、没关系吧。

（1）のんびりしたいのなら、観光地に行くよりは温泉の方がよかろう。／要想放松放松的话，去观光地不如去温泉好吧。

（2）どうせみんな時間どおりには集まらないのだから、少しぐらい遅れて行ってもよかろう。／反正都不会按预定时间集合的，稍晚一会儿去也没关系吧。

（3）医者には止められているが、

少々ならよかろうと思ってビールを1杯飲んだのが間違いだった。／医生劝阻过，但我想就一点儿没关系吧就喝了一杯啤酒，看来不该喝。

（4）どうせすぐに戻ってくるんだから、車はここに止めておけばよかろう。／反正马上就回来了，把车停在这儿没关系吧。

（5）荷物を運ぶのは若い者に任せたらよかろう。／搬运行李的事让年轻人干好吧。

（6）どうしても行きたければアマゾンでもどこでも行くがよかろう。ただし、何が起こっても私は知らないぞ。／非要想去的话，什么亚马逊或什么别的地方，你爱去哪儿去哪儿。但是，要是发生了什么我可管不着啊。

是"よい"的推量形．表示"可以吧"、"没关系吧"的意思．有时也可以像例（6）那样以"…よかろう"的形式．作为表示许可的形式．在口语中年轻人几乎不使用。

【よぎなくさせる】
→【をよぎなくさせる】

【よぎなくされる】
→【をよぎなくされる】

【よく】
1 よく＜頻率＞ 经常。

(1) 彼はこの店によく来る。／他经常来这个店。
(2) 私は仕事でよく中国へ行くが、まだ一度も万里の長城に行ったことがない。／我虽然因工作经常去中国，可是一次也没去过长城。
(3) 若い頃はよく一人で貧乏旅行をしたものだ。／年轻的时候，经常是一个人没钱也去旅行。

表示次数多。屡次、频繁地。

2 よく＜程度＞ 做得好、充分地、很好地、仔细地。
(1) 最近よく眠れなくて困っている。／最近总是睡不好，真没办法。
(2) おやつは手をよく洗ってから食べるのよ。／点心，要洗好手再吃哟。
(3) 次の文章をよく読んで問題に答えなさい。／请仔细阅读下面的文章，然后回答问题。
(4) 《試合の後で監督が選手に》みんな、よくやった。／《比赛之后教练对运动员说》大家都打得不错。
(5) 《山の頂上まで登った人に》よくがんばったね。／《对登上山顶的人说》做得不错！（很好地坚持下来了啊。）

表示充分的程度。充分地。圆满地。像例(4)、(5)那样有时也用于夸奖为圆满地完成困难的工作所作出的努力。

3 よく(ぞ)＜感动＞ 难为、竟能。
(1) よくいらっしゃいました。／您来得正好。
(2) そんな大事な秘密をよく私に話してくださいました。／难为您把那么重要的秘密跟我说了。
(3) 本当にみんな、こんな夜遅くまでよく働いてくれたね。ありがとう。／实在是难为大家干到这么晚，谢谢。
(4) こんな遠いところまでよくぞいらして下さいました。／难为大家来到这么远的地方。

表示对特意为自己做那么难的事高兴而感激的心情。多和"てくれる"一起使用。

4 よく(も)＜惊奇＞ 竟然、居然。
(1) おじいさんの子供の頃なんて、よくもそんな古い写真が残っていたね。／这是爷爷小时候？竟然保留着这么古老的照片。
(2) 田中さん、よくもあんな早い英語を正確に聞き取れるもんだね。／田中，那么快的英语，你居然能准确地听下来。
(3) あんな吹雪の中でよくも無事でいられましたね。どうやって寒さをしのいでいたんですか。／在那么大的暴风雪中居然安然无恙。你是怎么抵御严寒的？

对做了很难的事或不可能发生的事竟然发生而表示惊奇。

5 よく(も)＜责难＞　竟然、居然。

（1）よくもみんなの前で私に恥をかかせてくれたな。／你竟然在大家面前让我出丑。

（2）あなた、よくそんな人を傷つけるようなことを平気で言えるものですね。／你居然能满不在乎地说出那样伤害人的话来。

（3）あいつ、みんなにあれだけ迷惑をかけておいて、よくも平気な顔で出社できたものだ。／那家伙给大家带来那么大的麻烦，居然还能无动于衷地来公司上班。

（4）あの人、よく毎日同じもの食べて飽きませんね。おなかがいっぱいになれば味なんてどうでもいいんでしょうね。／他每天吃同一种东西也不腻啊。真是只要能填饱肚子，什么味道不味道的什么都行呵。

（5）あいつ、ふられた彼女に毎晩電話して「やり直そう」って言ってるらしいよ。あんな情けないこと、よくやるよ。／好像每天晚上他都给把他甩掉的女朋友打电话说："重新和好吧"。那么低三下四的事，也亏他做得出来。

（6）A：お前、すこし運動でもしてやせた方がいいじゃないか。／你能不能稍微运动运动瘦一点下来不好吗？

　　B：よく言うよ。お前だっていつもごろごろして全然体を動かしていないじゃないか。／亏你还说我呢。你不是也经常闲呆着根本不运动嘛。

对做麻烦事，无情的事或不合情理的事，表示"为什么要做那样的事?"这种生气·责难·惊讶·轻蔑的心情。和"てくれる"一起使用时，是挖苦的表达方式。例（6）是对于对方说的话，表示"你没有说那话的资格"这种责备的口气。例（5）、（6）是惯用句，只有"よく"的形式。

【よそに】

1 Nをよそに＜无视＞　不顾、不管、莫然视之。

（1）弟は親の心配をよそに毎晩遅くまで遊んでいる。／弟弟不顾父母的担心，每天都玩儿到很晚。

（2）反則をした選手は、観衆のブーイングをよそに、平然と試合を続けた。／犯规的选手，毫不在乎观众的起哄，坦然地继续比赛。

（3）密室政治という悪評をよそに、また密室での決定がなされた。／对密室政治这种坏名声不管不顾，还是进行了密室策划。

(4) 周囲の期待をよそに、彼はせっかく入った一流企業を退職し、小さな店をはじめた。／不顾周围人对他的期待，辞掉了好不容易进去的一流企业，开始经营小店铺。

使用"心配、噂、非難、批判、期待(担心·传言·责难·批评·期待)"等表示他人给与的感情或评价的名词，表示无视这些或不放在心上的意思。后半部接续意向性动作。

２ Nをよそに＜没有关系＞　不关心、漠视、不管。

(1) 高速道路の渋滞をよそに、私たちはゆうゆうと新幹線で東京に向かった。／我们不慌不忙地乘新干线去了东京，根本没理会高速公路堵不堵车。

(2) 最近結婚した友達は、最近の海外旅行ブームをよそに、奈良へ新婚旅行に出かけた。／最近刚结婚的朋友，漠视最近的海外旅行热，去了奈良旅行结婚。

(3) 昨今の不景気をよそに、デパートのお歳暮コーナーでは高額のお歳暮に人気が集まっている。／百货商场的新年礼品柜台丝毫没有受到近来经济萧条的影响，照旧挤满了买高价礼品的人们。

使用表示某状态的名词，表示与此没关系，不为其烦恼的意思。

【よほど】

在口语中加强语气时用"よっぽど"。

１ よほど

a よほど　颇、相当、很大程度。

(1) こんな大邸宅を建てるなんて、よほどの金持ちに違いない。／建这么大的豪宅，一定是相当有钱的人。

(2) よっぽどのことがなければ、彼はここに来ません。／要是没有大事的话，他不会来这里。

(3) あいつはよほど金に困っているらしい。昨日も友達に昼ごはんをおごってもらっていた。／好像他在钱方面相当困难了，昨天还让朋友请他吃的中午饭。

(4) よっぽど疲れていたんだろう。弟は帰ってくるとご飯も食べずに寝てしまった。／大概太疲劳了吧？弟弟一回来，饭都没吃就睡了。

(5) その映画、続けて３回も観たって？よっぽどよかったんだね。／你说连着看了３遍那个电影？看来相当不错吧？

(6) 泣き言を言わない彼女が愚痴をこぼすとは、よほど仕事がつらかったんだろうと思う。／从不诉苦的她要是抱怨的话，我想大概是工作

相当艰苦了。

表示从一般的标准来看已并非一般程度。用于边推测事物的程度边叙述时。

b …ほうがよほど　…更(相当)…、…得多。

（1）真夏の日本よりインドネシアの方がよっぽど涼しかった。／比起日本的盛夏，印度尼西亚要凉快得多。

（2）こんなに狭くて家賃の高い部屋に住むくらいなら、今の古い部屋の方がよっぽどましだ。／与其住这么窄房费又那么贵的房子，宁愿住现在的旧房子更好。

（3）姉より弟の方がよっぽどよく家事を手伝ってくれる。／比起姐姐来，弟弟帮家里做事更多一些。

（4）入学試験を受ける兄より母の方がよっぽど神経質になっている。／比起参加考试的哥哥来，妈妈更紧张。

（5）こんなにつらいのなら死んだほうがよほどましだ。／与其这么痛苦，还不如死了更好。

后面续形容词・动词。以"(Xより)Yのほうがよほど"的形式，将两个事物加以比较。表示Y方程度更高。多表示更满意Y方。和"ずっと(更)"意思相同。

2 よほどV-よう　很想…、差一点就…、真想…。

（1）こんなつまらない仕事、よほど辞めようかと思った。／真想辞了这么无聊的工作。

（2）あいつに失礼なことを言われて腹がたったので、よほど言い返してやろうかと思ったが、大人げないので黙っていた。／因他说了失礼的话，我很生气，真想回他几句，但又觉得太没大人样了，所以就什么都没说。

（3）彼の皿の洗い方があまりにも不器用なので、よっぽど自分でやってしまおうと思ったが、我慢して見ていた。／看他洗盘子笨手笨脚的样子，真想自己去洗，但还是忍住了在一边看着。

（4）その講演はあんまりつまらなかったので、よっぽど途中で帰ろうと思ったが、誰も席を立たないのでしかたなく最後まで聞いていた。／那个演讲太没有意思了，真想中途回来，但没有人退席，只好听到了最后。

多和"と思った"一起使用，是更想"做…"的意思。用于只是想但没有做时，后面多续逆接的句子。

【よもや】

未必、不至于、难道。

[よもや　…ないだろう／…まい]

（1）よもや負けるまいと思われていた選手が予選落ちした。／大家认为未必会输的选手，

却在预赛中落选了。
（2）いくらお金に困っているといっても、よもやサラ金に手を出したりはしていないでしょうね。／不管在钱上再怎么困难，那也不至于向高利贷借钱吧。
（3）あんな雪山の遭難ではよもや助かるまいと思っていたが、彼は奇跡的に助かった。／在那种雪山中遇难，以为不可能获救了，但他却奇迹般地活了下来。
（4）よもやばれることはないだろうと思っていたのに、母は私の嘘を見抜いていた。／我想不至于暴露吧，可是妈妈却看穿了我的谎言。

和推量的表达方式一起使用，表示那种事决不会发生的强烈否定心情。

【より】

1 …より（も／は）　…比…。
[N／V　より（も／は）]
（1）今年の冬は昨年よりも寒い。／今年冬天比去年还冷。
（2）このシャツの方がさっき見たのより色がきれいだ。／这件衬衫比刚才看到的那件颜色漂亮。
（3）休みの日は外へ出かけるよりうちでごろごろしている方が好きだ。／休息日，比起外出我还是喜欢在家闲呆着。
（4）田中さんの送別会は予想していたよりずっと多くの人が集まってくれました。／田中的欢送会，比预想的出席人数多得多。
（5）やらずに後悔するよりは、無理にでもやってみた方がいい。／与其没干而后悔，还不如硬干一下试试。
（6）仕事は思ったよりも大変だった。／工作比想像的更难做。
（7）事件の背景は、私が考えていたよりも複雑なようだ。／事件的背景，似乎比我想像的要复杂。

以"XよりもYのほうがZ"、"YはXよりもZ"的形式，表示X是比较的基准。在通俗的口语中有时像下列例子那样使用"よりか"、"それよか"等形式。

（例）レストランよりか居酒屋の方がリラックスできていいんじゃないかな。／比起餐馆来，小酒馆不是更放松吗。
（例）今から外食しに行くのもいいけど、それよか一緒に買い物に行ってうちで作って食べない？／现在去外面吃也可以，不过还不如一起去买东西，然后在家做着吃不好吗？

2 …というより　与其说…还(到)不如。
（1）彼は堅実家というよりけちだと言う方が当たっている。／说他是稳重派还不如说吝啬更合适。

（2）彼女はきれいというよりはむしろ個性的なタイプで、独特のファッション感覚がある。／与其说她漂亮倒不如说她有个性，具有独特的时装品味。

（3）彼の書いた英文は、できが悪いというより、むしろもう絶望的だと言った方がいいくらいひどい。／他写的英文，糟糕得与其说写得不好，倒不如说已到了令人失望的地步。

（4）あいつは酒を飲むというより流し込むと言った方がいいような飲み方をする。／与其说他是喝酒倒不如说他是往嘴里倒酒更好。

（5）こんなパーティは、楽しいというよりも退屈なだけで、一部の人のためのバカ騒ぎとしか思えない。／这样的晚会，与其说愉快还不如说就只是无聊，就只是为了部分人的胡闹。

用于就某事物的表现或判断的方法加以比较时。意思是"X这种说法·看法也可以，但比较的话Y这种说法·看法更妥当"。像例(2)、(3)那样多和"むしろ"一起使用。

3…よりない

a V-るよりない　只有、只能。

（1）どうしても大学に通う気が起きないのなら、もう退学するよりないだろう。／如果怎么也唤不起上大学的兴趣的话，那只有退学了？

（2）文句を言っても仕方がない。とりあえず今できることを一生懸命やるよりない。／发牢骚也没用。只有先努力干自己现在能干的事。

（3）こんな不景気なら、どこでもいいから採用してくれるところに就職するよりなさそうだ。／这么不景气，哪儿都可以，看样子只好在能录用的地方就职了。

表示问题处于某种状态，除此之外没有其他解决办法。也可以说"…しかない、…以外にない"。

b V-るよりほか（に／は）ない　只好、只有。

（1）今さらあれはうそだったともいえないし、隠しとおすよりほかにない。／事已至此，已没法说那是假的了，只能继续隐瞒了。

（2）雪はだんだん激しくなってきたが、引き返すこともできないし、とにかく山小屋まで歩くよりほかはなかった。／雪越下越猛，反正也回不去了，只好步行到山上小屋。

（3）放っておけばあの地域のリゾート開発は進む一方だし、こうなったら反対運動を起こすよりほかにないと思った。／放任不管的话，那一带

的度假村开发就会进一步发展，这样只好发起反对运动了。

表示问题处于某种状态，除此之外没有其他解决办法。也可以说"…しかない"、"…以外にない"。

c …よりほかに…ない 除此之外，没有…、只有…。

[Nよりほかに…ない]
[V-るよりほかに…ない]

（1）その部屋は静かで、時計の音よりほかに何の物音も聞こえなかった。／那间屋子安静得除了钟表的声音外听不到其他任何声音。
（2）田中さんよりほかにこの仕事を任せられる人はいない。／除了田中，没有人能胜任这项工作了。
（3）あなたよりほかに頼れる人がいないから、忙しいのを承知でお願いしているのです。／除你之外没有能托付的人了，我知道你忙但也只能求你了。
（4）せっかくのお休みで天気もいいのに、うちでテレビを見るよりほかにすることはないのですか。／难得的休息日，天气也好，难道除了在家看电视就没有其他可干的了吗？

后面伴随着否定表达方式，用于强调"それ以外にない（除此之外，没有…）"。也可以说"…しか…ない"、"…以外に…ない"。

d V-るよりしかたがない 除此之外，别无他法，只有，只好。

（1）お金がないのなら、旅行はあきらめるよりしかたがないね。／如果没钱的话，旅行那就只好不去啦。
（2）自分の失敗は自分で責任を持って始末するよりしかたがない。／自己的失败，只有自己来承担责任。
（3）終電が出てしまったので、タクシーで帰るよりしかたがなかった。／末班电车已经开出，只好打出租车回家了。
（4）あさってからスキーに行きたいのなら、さっさとレポートを書いてしまうよりしかたがないでしょう。／后天要想去滑雪的话，只有尽快把报告书写出来，不是吗？

为了解决某个问题，既使不情愿，也只能那么做。也可以说"…ほかしかたがない"、"…以外しかたがない"。

【よる】
→【によって】、【によらず】、【により】、【によると】、【によれば】

【らしい】
1 Nらしい
a Nらしい N 像样的…、有…风度

的、典型的。
(1) 最近は子供らしい子供が少なくなった。／最近孩子气十足的孩子不多了。
(2) 男らしい男ってどんな人のことですか。／你说的有男子汉风度的是什么样的人啊？
(3) あの人は本当に先生らしい先生ですね。／他真是个典型的老师啊。
(4) このところ雨らしい雨も降っていない。／最近也没下点儿像样的雨。

反复使用同一名词，表示在该名词表示的事物中是很典型的。

b N らしい　像…样的、典型的。
(1) 今日は春らしい天気だ。／今天真是典型的春天的天气。
(2) 弱音を吐くなんて君らしくないね。／说泄气话这可不像你啊。
(3) 彼はいかにも芸術家らしく奇抜なかっこうで現れた。／他完全以典型的艺术家的奇特妆扮出现了。
(4) 彼女が選んだ花束はいかにも彼女らしいやさしい色合いだった。／她选择的花束的色调完全像她一样那么柔和。

后接名词，表示充分反应出该事物的典型的性质。

2 …らしい　似乎、好像。
[N／Na／A／V らしい]

(1) 天気予報によると明日は雨らしい。／据天气预报说明天好像有雨。
(2) 新しく出たビデオカメラはとても便利らしい。／新出的摄像机好像非常好用。
(3) みんなの噂では、あの人は国では翻訳家としてかなり有名らしい。／听大家传说，好像他在国内作为一名翻译家相当出名。
(4) 彼はどうやら今の会社を辞めて、自分で会社を作るらしい。／大概他要辞去现在公司的工作，自己成立公司。
(5) 兄はどうも試験がうまくいかなかったらしく、帰ってくるなり部屋に閉じこもってしまった。／哥哥似乎考试没考好，一回到家，就闷在屋里不出来。
(6) その映画は予想以上におもしろかったらしく、彼は何度もパンフレットを読み返していた。／那个电影似乎比想像的有意思，他几次反复的翻看内容说明书。
(7) 料理はいかにも即席で用意したらしく、インスタントのものがそのまま並んでいた。／饭菜果然像是临时准备的，就摆了几样速成加工食品。

接在句尾，表示说话人认为该内容

是确信程度相当高的事物。该判断的根据是外部来的信息或是可观察事物等客观的东西,而不是单纯想像的。例如,例(1)判断的"雨らしい",是根据天气预报这一信息来判断的。例(5)所判断的"考试没考好"是根据"一回家就闷在屋里不出来"这一状况来判断的。

和"みたいだ"、"そうだ"的不同点,请参照"みたいだ2"。

【られたい】
→【せられたい】

【られる₁】

表示被动。"V-られる"的V是五段活用动词时,像"行く→行かれる"、"飲む→飲まれる"那样,将词典形的词尾改成ア段音,加上"れる"。一段活用时,像"食べる→食べられる"那样,在词干"食べ"后加上"られる"。"来る"成为"こられる","する"成为"される"。"V-られる"按照一段动词的活用形变化。

1 NがV-られる＜直接被动＞
(表示直接被动)。

(1) この地方ではおもに赤ワインが作られている。/这个地方主要生产红葡萄酒。

(2) 木曜日の会議は3時から開かれることになっている。/星期四的会议决定于3点召开。

(3) この辞書は昔から使われているいい辞書だが、最近の外来語などはのっていない。/这本词典是过去一直被使用着的不错的词典,但是上面没有最近的外来语什么的。

(4) 昨夜、駅前のデパートで1億円相当のネックレスや指輪が盗まれた。/昨天晚上,在站前的商场,价值1亿日元的项链和戒指被人偷走了。

(5) 来月発表される車のカタログを手に入れた。/我得到了下月将要公布生产的汽车商品目录。

将接受动作或作用的事物作为主语来叙述时。在事实的描写句、报道性文章中多被使用。由于动作主体不能特定,所以一般在文中不显示。

2 NがNにV-られる
a NがNに(よって)V-られる＜直接被动＞ 被…、由…、受到…。

(1) 漫画週刊誌は若いサラリーマンによく読まれている。/漫画周刊杂志多被年轻的工薪者阅读。

(2) その寺院は7世紀に中国から渡来した僧侶によって建てられた。/这一寺院是由7世纪从中国来的僧侣建造的。

(3) このあたりの土地はダイオキシンに汚染されている。/这一带土地被二垩烷污染了。

(4) 地震後、その教会は地域の住民によって再建された。/地震后,那座教堂被当地居民重建。

(5) その展覧会はフォード財団

によって支援されている。／那个展览会，受到福特财团的援助。

将接受动作或作用的事物作为主语来叙述。多在事实的描写句、报道性文章中被使用。动作的主体以"Nに"或"Nによって"来表示。主要表示物品(作品·建筑物等)被生产或表示郑重说法时，使用"によって"。

b NがN に／から V－られる＜直接被动＞ 被…、受到、在…下。

（1）おばあさんが犬にかまれた。／老奶奶被狗咬了。

（2）その子は母親にしかられて、泣き出した。／那孩子被妈妈训叱，哭了。

（3）彼女は皆にかわいがられて育った。／她在大家的疼爱下成长。

（4）森さんは知らない人から話しかけられた。／一个不认识的人向森先生搭了话。

（5）彼は正直なので、だれからも信頼されている。／他很正直，受到所有人的信赖。

（6）夜中に騒いだら、近所の人に注意されてしまった。／夜里吵闹，受到邻里的警告。

将接受动作或作用的人作为主语来叙述。这是将二者之间发生的事，从动作主体以外的人的视点来叙述的说法。动作主体用"Nに"来表示，不过在表示由动作主体给与的感情·信息·言语等的行为时也可使用"Nから"的形式。当表示涉及说话人的行为时，由于是从说话人的视点来叙述，所以多使用被动。另外，一般一句话由一个人的视点来叙述。

（误）夜中に騒いだら、近所の人が注意した。

（正）夜中に騒いだら、近所の人に注意された。／夜里吵闹，被邻里警告了。

c NがNにV－られる＜间接被动＞ 被…。

（1）忙しいときに客が来られて、仕事ができなかった。／正忙的时候，来了客人，结果工作没干成。

（2）A：日曜日はいかがでしたか。／星期天过得怎么样啊？

B：家族でハイキングに行ったんですが、途中で雨に降られましてね。／一家人去郊游，结果途中被雨淋了。

A：それは大変でしたね。／那可真够呛啊。

（3）彼は奥さんに逃げられて、すっかり元気をなくしてしまった。／他老婆跑了，他非常沮丧。

（4）子どもに死なれた親ほどかわいそうなものはない。／没有比失去了孩子的父母更可怜的了。

从由于发生某事态而间接地受到麻烦的人的立场来叙述时，使用该句型。一般分别对应"客が来る"、"雨が降る"等自动词的能动句。动作主体要用"Nに"来表示，不能使用"Nによって"或"Nから"。

3 NがNにNをV－られる

a NがNにNをV-られる＜物体所有者被动＞ …被…。

(1) 森さんは知らない人に名前をよばれた。／森先生被不认识的人叫了名字。(有个不认识的人叫了森先生的名字。)

(2) わたしは今朝、電車の中で足をふまれた。／今天早晨，我在电车上被人踩了脚。

(3) 犯人は警官に頭を撃たれて重傷を負った。／凶犯被警官击中头部，受了重伤。

(4) 先生に発音をほめられて英語が好きになった。／因被老师夸赞发音好而喜欢上了英语。

用于将接受动作或作用的事物的所有者作为主语来叙述时。用于表示由于某人的行为，该事物的所有者受到麻烦或受到困惑时。属于所有者的(名字、脚、头等)。用"Nを"的形式来表示。如将这些所属物作为主语的话，多给人不自然的感觉。

(误) 私の足がふまれた。

(正) 私は足をふまれた。／我被人踩了脚。

表示从说话人的视点来看应受欢迎的事时，使用"V-てもらった"等表示恩惠的表达方式比较多。像例(4)的"ほめる"那样，本来具有正面意思的动词成为被动时，多少含有"不好意思"、"很得意"等感情变化的意思。

b NがNにNをV-られる＜间接被动＞ (表示间接被动)。

(1) せまい部屋でタバコを吸われると気分が悪くなる。／在窄小的房间里闻到抽烟的烟味儿就不舒服。

(2) 夜遅くまで会社に残って仕事をされると、電気代がかかって困る。／如果你们留在公司加班到很晚那还得多花电费，不行。

(3) 次々に料理を出されて、とても食べきれなかった。／一道一道地上菜，怎么吃都没吃完。

(4) 台所のテーブルの上に宿題を広げられると晩御飯のしたくができないから、はやくどけなさい。／在厨房的桌子上堆着作业没法准备晚饭了，赶快挪一边儿去！

(5) 結婚はおめでたいけど、今あなたに会社をやめられるのは痛手だなあ。／结婚是件可喜的事，可现在你辞去公司的工作对我们是重大的损失啊。

从由发生某事态而间接地受到麻烦的人的立场来叙述时，使用该句型。与"(だれかが)タバコを吸う"、"(だれかが)仕事をする"等他动词的能动句对应，表示说话人由于这些原因而困惑。动作主体要以"Nに"来表示，不能使用"Nによって"、"Nから"。动作主体多不表示出来。

【られる₂】 能, 可以。

(1) 大きすぎて穴から出られなくなった。／太大了从洞里

出不来了。
（2）そんなに早くは起きられない。／起不了那么早。
表示可能。
→【れる1】

【れる1】

表示可能。"V-れる"的V是五段活用动词时,像"行く→行ける"、"飲む→飲める"那样,将词典形的末尾改成エ段的音,加上"る"。是一段活用时,像"食べる→食べられる"那样在词干"食べ"后加上"られる"。"来る"成为"こられる"、"これる"。另外,有关"する",要使用"できる"。"V-れる"作为一段动词使用。

V是五段活用动词时,表示可能的"V-れる"和表示被动的"V-られる"形式不同(比如:表示可能时是'飲める・書ける',表示被动时是'飲まれる・書かれる')。然而,一段活用动词表示可能和被动的是同一形式(比如:表示可能和被动都是'食べられる'、'起きられる')。但是,在最近的口语中,将表示可能的"V-れる"中的"ら"去掉说成"食べれる"、"起きれる"的人日益增多。另外,不说"NがV-れる"而说"NをV-れる"的人也在增加。

1 NはNがV-れる

一般经常使用"NはNがV-れる"的句子,但表示具有能力・可能性的人时要用"Nに"来表示,有时也可成为"NにNがV-れる"。

a NはNがV-れる＜能力＞　能…、可以…。

（1）リンさんはなっとうが食べられますか。／小林能吃纳豆吗？

（2）かれにできないスポーツはない。／没有他不会的体育运动。

（3）わたしにかれらの指導ができるだろうか。／我能指导他们吗？

（4）読めない漢字があったら、そう言ってください。／有不会念的汉字的话,说出来。

（5）この本は読み出したら、やめられない。／这本书你只要一读,就不能作罢。

（6）どうしてもあの先生の名前が思い出せなくて冷や汗をかいた。／怎么也想不起那位老师的名字,急得直出冷汗。

（7）朝6時から練習を開始しますので、起きられたら来てください。／早晨6点开始练习,能起来的话就来吧。

表示以能力、技术或意志的力量能做到的事物。

b NはNがV-れる＜可能性＞　可以,可能、能。

（1）あの店ではいつも珍しいものが食べられる。／在那个店经常能吃到珍奇的东西。

（2）仕事場の人はだれでもそのファックスが使用できる。／工作单位的人都可以使用那台传真机。

（3）この動物園では、子供は無料でイルカのショーが見られる。／在这个动物园,孩子

可以免费看海豚表演。
（4）わたしが直接話せたらいいのですが、あいにく都合が悪いんです。／我要是可以直接说的话当然好，可是不巧正好不方便。
（5）両親に言えないことでも、友達になら言える。／即使是对父母难以启齿的事，但也可以和朋友说。
（6）辞書は図書館で借り出せないので、ひまなときに調べに行くつもりだ。／因图书馆的词典不能借出，所以我打算有空的时候去查。
（7）昨日は答えが聞けなかったので、きょうもう一度たずねてみます。／昨天没能问到答案，所以今天再试着问一次。

　　表示根据状况或机会是有可能性的"見られる"、"見える"是相似的表达方式，但有所不同。"見える"是自然地看在眼里，而"見られる"表示因有那种情况和机会才是可能的。
（正）昨夜のスポーツニュースはいそがしくて見られなかった。／忙得昨天晚上的体育新闻没能看到。
（誤）昨夜のスポーツニュースはいそがしくて見えなかった。
（正）ここから白い建物が見えます。／从这里可以看到一座白色建筑物。
（誤）ここから白い建物が見られます。

　　"聞ける"、"聞こえる"也是一样。"聞こえる"是自然听到耳朵里，而"聞ける"表示的是，因有那种情况和机会才是可能的。
（正）携帯ラジオをもってきたので、どこでも天気予報が聞ける。／因带着便携式收音机，所以在哪儿都能听到天气预报。
（誤）携帯ラジオをもってきたので、どこでも天気予報が聞こえる。
（正）どこからか鳥の声が聞こえた。／不知何处传来鸟的叫声。
（誤）どこからか鳥の声が聞けた。
　　表示视力・听力时使用"見える"、"聞こえる"。
（例）生まれたばかりの猫の子は目が見えない。／刚生下来的小猫眼睛看不见。
（例）補聴器をつけたら、耳がよく聞こえるようになった。／戴上助听器，耳朵就能听清了。

2 NはV-れる＜性质＞　能、可以。
（1）この野菜はなまでは食べられない。／这个菜生的不能吃。
（2）この泉の水は飲めます。／这泉水可以喝。
（3）悲しい映画かと思ったが、見てみるとけっこう笑える映画だった。／以为是悲剧，可一看却是个很引人发笑的电影。
（4）この教室は300人は楽に入れます。／这一教室可以很宽松的容纳300人。
　　表示作为某事物的性质"可以…"的意思。

【れる₂】

被…。
(1) 車にはねられて怪我をした。／被车轧着受了伤。
(2) 表紙に美しい絵が描かれている。／封面上画着美丽的画。

表示被动。

→【られる1】

【ろく】

1 ろくなN…ない 没…象样的、不能令人满意。

(1) こんな安月給ではろくな家に住めない。／这么少的月工资，住不上象样的房子。
(2) 誰もパソコンが使えないのか。まったくこの課にはろくな奴がいないな。／谁都不会用计算机吗？真是这个处里没有一个令人满意的家伙。
(3) 上司には怒られるし、彼女にはふられるし、ろくなことがない。／又挨上司的骂，又被女朋友甩了，没有一件顺心的事。
(4) A：どうもごちそうさまでした。／谢谢你的款待。
B：いいえ、最近ろくなおかまいもできませんで。／不，没什么。最近也没什么象样的招待你。

表示不是很满足的事，或比一般情况还不如的不好的事。

2 ろくでもないN 并不怎么样、没什么价值、很一般。

(1) 花子はろくでもない男に夢中になっている。／花子对一个不怎么样的男人着了迷。
(2) そんなろくでもない本ばかり読んでいるから、成績が悪くなるのよ。／总是看那些无聊的书，所以成绩才下降的嘛。
(3) A：そんなに仕事がいやなら、早いとこお見合いでもして結婚したらどう？／如果那么讨厌工作的话，早点儿相亲后结婚怎么样？
B：そんなろくでもないこと言わないでよ。／不要说那些没用的话。

表示什么价值也没有。微不足道。不值钱。

3 ろくにV－ない 不正经地、不好好地。

(1) テストも近いというのに、あの子ったらろくに勉強もしないんだから。／眼看就要考试了，可那孩子还是不正经地学习。
(2) あいつは昼間から酒ばかり飲んでろくに仕事もしないくせに、食べるときは人一倍食べる。／那家伙白天就一直喝酒，也不好好工作，可

是吃起来却比别人多一倍。
（3） せっかく海に来たというのに、彼女はろくに泳ぎもしないで肌を焼いてばかりいた。／难得到海边来，可是她却不正经游泳，光在那儿晒太阳。
（4） ろくに予習しなくたって、あの授業は先生がやさしいから何とかなる。／即使不好好预习也能过得去，因为那课的老师不厉害。
（5） そんな雑誌、ろくに読まなくてもだいたいどんなことが書いてあるかは見当が付くよ。／那种杂志，即使不好好看也大体能猜出写的是什么。

表示做得不完善、几乎不做…、不充分地做…。

【ろくろく】

[ろくろく V-ない] **不很好地、不充分地、不令人满意地。**
（1） 電気屋さんで新製品のカタログを山ほどくれたが、どれもろくろく見ないで捨ててしまった。／电器商店给了我很多新产品目录介绍，哪个我也没好好看就扔了。
（2） 兄はろくろく勉強もしないで、すんなり東大に合格してしまった。／哥哥也不好好学习，却毫不费力地通过

了东大的考试。
（3） 彼女はその手紙をろくろく読みもしないで破り捨ててしまった。／她也不仔细地看看那封信，就撕掉扔了。
（4） 隣に引っ越してきた人は、うちの前で顔を合わせてもろくろく挨拶もしないんだ。いったいどういうつもりなんだろう。／搬来隔壁的那人，在我家门口碰上也不正经打个招呼，到底他要打算怎样啊？

意思是"几乎不做…"、"不好好做…"，表示对不做某事持否定看法。像例（2）～（4）那样，以"R-もしない"的形式，多用于强调否定的意思时。

【わ…わ】

1 …わ…わ（で） **啦、呀、又…又…。**
（1） 昨日は山登りに行ったが、雨に降られるわ道に迷うわで、散々だった。／昨天去登山，又被雨淋又迷路，真是倒霉透了。
（2） 今週は試験はあるわレポートの締切は近いわで、寝る間もない。／这周又是考试，又是小论文的截止期限，连睡觉时间都没有。
（3） このごろ忙しくて、もう家事はたまるわ、まともな食事はしないわ……。／最近太忙结果家务活堆了一大堆，也没

（4）あいつは高校生のくせにタバコは吸うわお酒は飲むわ無断外泊はするわ、悪いことばかりしていて親を泣かせている。／他才是个高中生，可是又抽烟又喝酒又擅自在外过夜，净做坏事，让他父母伤心。

不好的事情赶在一起发生时，将这些列举排列，表示强调困窘的心情。后面接由于这些事而感到很麻烦很为难等内容。

2 V-るわV-るわ （列举事物，表示惊讶）…还是…、…又是…、…了又…。

（1）新しくできた水族館に行ったら、人がいるわいるわ、魚なんか全然見えないぐらいの人出だった。／去了新建的水族馆，结果除了人就是人，人多得几乎看不到鱼。

（2）忙しくて新聞がたまるわたまるわ、もう2週間分も読んでいない。／忙得每天的报纸都堆在那儿，已经有两周的报纸没看了。

（3）部屋を久しぶりに掃除したら、ごみが出るわ出るわ、段ボール箱にいっぱいになった。／打扫了一下很长时间都没打扫的房间，垃圾出了一大堆，装满了一纸箱。

重复使用同一动词，对存在或发生的量・频繁程度比想像的多表示吃惊。后面多接由此而发生的结果性事态。

【わけがない】

不可能…、不会…。
[N な／である わけがない]
[Na なわけがない]
[A／V わけがない]

（1）あいつが犯人なわけ(が)ないじゃないか。／他怎么会是罪犯呢。

（2）A：最近元気？／最近还好？
B：元気なわけ(が)ないでしょ。彼と仲直りできなくて、もう悲惨な状態なのよ。／怎么会好呢，和他没能言归于好，已经是无可就药了。

（3）北海道で熱帯の植物が育つわけがない。／在北海道不可能培育热带植物。

（4）こんな忙しい時期にスキーに行けるわけがない。／这么忙的时期不可能去滑雪的。

（5）勉強もしないで遊んでばかりいて、試験にパスするわけがないじゃないか。／不用功，光想着玩儿，怎么会通过考试呢。

（6）考えてみれば、彼女が彼に対してそんなひどいことを言うわけがなかった。／仔细想想，她不会对他说出那

么无情的话的。

表示强烈主张该事物不可能或没有理由成立。口语中像"わけない"那样,多将"が"省略掉。可以和"はずがない"互换使用。

【わけだ】

1 …わけだ＜独语型＞
[N な／である わけだ]
[Na なわけだ]
[A／V わけだ]

用于叙述从前面所表达的或前后文所表示的事实・状况等,合乎逻辑地导出结论时。用于说话人・文章作者就某些事进行说明解释时。

a …わけだ＜结论＞ 当然…、自然…、就是…。

(1) イギリスとは時差が8時間あるから、日本が11時ならイギリスは3時なわけだ。／和英国有8小时的时差,所以日本是11点的话,英国就是3点。

(2) 体重を測ったら52キロになっていた。先週は49キロだったから、一週間で3キロも太ってしまったわけだ。／测量了一下体重,是52公斤。上周是49公斤,也就是说一周胖了3公斤。

(3) 最近円高が進んで、輸入品の値段が下がっている。だから洋書も安くなっているわけだ。／最近日元持续升值,进口产品的价格有所下降。所以,进口书当然也就便宜了。

(4) 彼女は中国で3年間働いていたので、中国の事情にかなり詳しいわけである。／她在中国工作了3年,自然对中国的情况相当熟悉了。

(5) 私は昔から機械類をさわるのが苦手です。だから未だにワープロも使えないわけです。／我过去就对机器之类的东西不善长,所以至今也不会用文字处理机。

以"X。(だから) Yわけだ"的形式,表示Y是由X自然形成,必然得出的结论。多和"だから"、"から"、"ので"等一起使用。

b …わけだ＜换言＞ 也就是说、换句话说。

(1) 彼女の父親は私の母の弟だ。つまり彼女と私はいとこ同士なわけだ。／她的父亲是我母亲的弟弟,也就是说她和我是表兄妹。

(2) 彼女はフランスの有名なレストランで5年間料理の修行をしたそうだ。つまりプロの料理人であるわけだ。／听说她在法国有名的餐厅学习了5年的烹调技术,也就是说她是专业烹调师了。

(3) 彼は大学へ行っても部室でギターの練習ばかりしている。要するに講義にはほとんど出ていないわけだが、

それでもなぜか単位はきちんと取れているらしい。／他去了大学也只是在娱乐室练习吉他，也就是说几乎不去听课。可是不知为什么好像学分全拿到了。

（4）父は20年前に運転免許を取っていたが車は持っていなかった。つまり長い間ペーパードライバーだったわけだ。／父亲20年前就拿了驾驶执照，可是一直没车。也就是说这么长时间一直是个纸上司机。

（5）私はおいしいものを食べている時が一番幸せである。言いかえれば、まずいものを食べることほどいやなことはないわけで、それが強制されたものとなおさらである。／我在吃好吃的时候感觉是最幸福的。换句话说，就是我觉得没有比吃难吃的东西更痛苦的事了，那要是强迫我吃就更受不了了。

以"X。(つまり)Yわけだ"的形式，表示X和Y是一样的事。将X换一种说法用Y来说。多和"つまり"、"言いかえれば"、"すなわち"、"要するに"等一起使用。

c …わけだ＜理由＞　因为。

（1）今年は米のできが良くなかった。冷夏だったわけだ。／今年的大米收成不好，因为是凉夏。

（2）彼女は猫を3匹と犬を1匹飼っている。一人暮らしで寂しいわけだ。／她养着3只猫一条狗，因为一个人生活太寂寞了。

（3）姉は休みの度に海外旅行に出かける。日常の空間から脱出したいわけだ。／姐姐每次休假都去海外旅行，因为她想从日常生活的空间中逃脱出来。

（4）山田君は就職難を乗り越えて大企業に就職したのに、結局3カ月でやめてしまった。本当にやりたかった音楽関係の仕事をめざすことにしたわけだが、音楽業界も就職はむずかしそうなので、心配している。／山田君越过了就职难这一难关，进了大企业，可是结果3个月就辞了职。因为他决定去找真正想干的和音乐有关的工作，可是音乐界的就职好像也很难，真替他担心。

以"X。Yわけだ"的形式，表示Y是X的原因。也可以和"Yだからx"形式互换使用。

d …わけだ＜强调事实＞　就是、都是、应该是。

（1）4人とも車で来るわけだから、うちの前にずらっと4台路上駐車することになるね。／4个人都是开车来，

所以我们家门口就会并排停上4辆车了。

(2) 私は古本屋めぐりが好きで、暇があると古本屋を回っては掘り出し物を探しているわけですが、このごろはいい古本屋が少なくなってきたので残念に思っています。／我喜欢转旧书店，一有时间我就去旧书店转悠，寻找是否有新发现。可是最近好的旧书店越来越少，真让人感到遗憾。

(3) 私、国際交流関係のボランティア活動はすでに10年近くやってきているわけでして、自慢じゃありませんが、みなさんよりもずっと経験はあるわけです。そういう立場の者としてご提案させていただいているわけです。／国际交流关系的志愿者活动已干了近10年，不是自吹，我比大家有更多的经验。出于这一立场，所以请允许我提些建议。

(4) ねえ、聞いてくれる。昨日駅前に自転車置いて買い物に行ったんだけど、帰ってきたらなくなってるわけ。あちこち見てみたけど見つからなくて、しょうがないから警察に行ったわけよ。そしたら「鍵かけてなかったんじゃないの」なんて言われちゃって

…。／哎，听我说。昨天我去车站前放下自行车去买东西，可是回来后车没有了。到处找都没找到，没办法去找了警察。可是警察却说："你是不是没上锁？"…。

　　用于主张・强调自己所叙述的事是有合乎逻辑的根据的事实时。在口语中使用比较多，即使是没有什么特别合乎逻辑的根据时，有时也多作为终助词性质使用。一般在叙述自己的想法、说服对方时用得比较多。

　　这一用法，像例(2)、(3)、(4)那样，即使听话人不知道该事实时也能使用，这时含有"你不是也知道吗？"的意思，有时也会给人一种强加于人的语气。

2 …わけだ＜対話型＞

　　接对方的表达内容，用于叙述从该处引出的合乎逻辑的结论时。有时表示将该结论向对方确认，有时表示该结论已成为事实，从对方的表达内容中得出该合乎逻辑的根据并表示同意。

a …わけだ＜結論＞　也就是说、肯定。

[それなら…わけだ]
[それじゃ…わけだ]
[じゃ…わけだ]

(1) A：森さんは8年もフィンランドに留学していたそうですよ。／听说森先生在芬兰留学了8年。

B：へえ、そうなんですか。それならフィンランド語は得意なわけですね。／啊，是吗？那样的话他芬兰语肯定说得很好

(2) A：明日から2泊3日で熱海の温泉に行くの。/从明天起，我们去热海的温泉2夜3日游。

B：へえ、いいわね。じゃ、その間仕事のストレスからは解放されるわけね。/啊，太好了。那么也就是说这期间可以从工作的紧张状态中解放出来啦。

以"それなら/それじゃ/じゃ…わけだ"的形式，接对方的表达内容，表示必然从中得出的结论。

b …わけだ＜换言之＞ 换句话说、也就是说。

[つまり…わけだ]
[ようするに…わけだ]

(1) A：この間書いた小説、文学賞がもらえたよ。/上次写的小说，得了文学奖啦。

B：あなたもようやく実力が認められたわけね。/也就是说你的实力也终于被承认了。

(2) A：田中くん、富士山登山に行くのやめるんだって。帰った次の日がゼミの発表だから準備しなくちゃいけないらしいよ。/听说田中君，不去登富士山了。好像是因为回来的第二天要发表研究课题，所以必须准备。

B：ふうん。要するに体力に自信がないわけね。/哦？也就是说主要还是体力上不自信吧。

以"つまり/要するに…わけだ"的形式，用于将对方刚刚表达的内容，换成其他的表达方式来说。

c …わけだ＜理由＞ 因为。

(1) A：川本さん、車大きいのに買いかえたらしいよ。/听说川本换了辆大车。

B：へえ。子供が生まれて前のが小さくなったわけだな。/哦，因为生了小孩儿，以前的车太小了吧。

A：いや、そうじゃなくて、単に新車がほしくなっただけのことらしいけど。/不，不是，好像就是想要辆新车。

(2) A：ぼく、今度一軒家に引っ越すことにしたんですよ。/我，这次决定搬个独门独院的家。

B：いいですね。でも家賃高いんでしょう。ってことは、お給料、けっこうたくさんもらってるわけですね。/真不错。不过房租贵吧。看来，你的工资拿得不少

啊。

A：いや、それほどでもないですけどね。／不，没那么多，不过…。

表示对方所述事情的理由和原因。

d …わけだ＜理解＞　所以、怪不得、原来如此。

[だから…わけだ]
[それで…わけだ]
[なるほど…わけだ]
[どうりで…わけだ]

（1）A：山本さん、結婚したらしいですよ。／听说山本结婚了。

B：ああ、そうだったんですか。それで最近いつもきげんがいいわけだな。／啊，是吗？我说最近他怎么老是那么高兴呢。

（2）A：彼女は3年もアフリカにフィールドワークに行っていたそうですよ。／听说她去了非洲，进行了3年的实地考察。

B：そうですか。道理で日本の状況がよくわかっていないわけですね。／是吗？怪不得她对日本的状况不太清楚呢。

（3）A：隣りの鈴木さん、退職したらしいよ。／隔壁的铃木好像退休了。

B：そうか。だから平日の昼間でも家にいるわけだ。／是吗？怪不得他平时的白天也在家呢。

（4）あ、鍵が違うじゃないか。なんだ。これじゃ、いくらがんばっても開かないわけだ。／啊，是不是钥匙错了啊。我说呢，怪不得怎么开也开不开呢。

（5）田中さん、一カ月で4キロやせようと思ってるんだって。なるほど、毎日昼ご飯を抜いているわけだわ。／田中说要在一个月中减少4公斤。怪不得他每天不吃中午饭呢。

多以"だから／それで／なるほど／道理で…わけだ"的形式使用。以"X。(だから) Y わけだ"等形式，表示开始会很奇怪，为什么是Y呢。听到对方的话后，当得知该原因·理由的信息时就会产生"原来如此是因为X才是Y呀"的理解心情。

因为是自己理解，所以"わけだ"后没必要加"ね"。但是使用"…わけです"这种礼貌语时一定要加上"ね"、"な"等。

例(1)中的意思是"山本最近很高兴，但不知道为什么"，当得到A的"听说结婚了"这一信息时，才得以理解原来是"因为结婚了，所以最近才高兴"。例(4)是一个人的自言自语，表示开始"不知道门为什么开不开？"，当发现"钥匙错了"时，才得以理解原来"因为钥匙错了，门才打不开"。也有像例(4)、(5)那样的用法，自己叙述自己发现的或从他人处听到的信息时，将已知事实结合起来表示理解。

3…わけだから

a…わけだから…はとうぜんだ
因为…当然就…。

（1）小池さんは何年もインドネシア駐在員だったわけだから、インドネシア語が話せるのは当然です。／因为小池在印度尼西亚常驻了几年，当然能说印度尼西亚啦。

（2）あの議員は履歴を偽って国民をだましていたわけだから、辞職は当然のことだ。／那个议员伪造履历欺骗了国民，辞职是理所当然的了。

（3）A：あの人、クビになったんだってよ。／听说他被解雇了。
　　B：当然よ。会社のお金、何百万も使い込んでるのがばれたわけだから。／当然啦，因为他挪用公司几百万日元的事败露了。

以"Xわけだから Yは当然だ"的形式，表示以确凿的事实X为根据，主张因为X是事实所以Y就是当然的结果。

b…わけだから…てもとうぜんだ
因为…所以…也是当然的。

（1）彼女は大学を出てからもう8年も経っているわけだから、結婚していても当然だろう。／因为她大学毕业已经8年了，所以结婚了也是理所当然的啊。

（2）彼は工学部を卒業しているわけだからパソコンが使えても当然なのに、まったく使えないらしい。／他是工学系毕业的，按说会使用计算机是理所当然的，可是听说他根本不会用。

（3）これだけ利用者が増えているわけだからもっと安くしても当然なのに、電車やバスの運賃は値上がりする一方だ。／乘客增加得这么多就是再便宜一些也是理所当然的，可是电车和公共汽车的票价却还是一个劲儿地上涨。

以"XわけだからYても当然だ"的形式，意思是如果将确凿事实的X看成根据，那么Y成为事实也就不奇怪了。像例（2）、（3）那样，实际发生与想像不同的和Y正相反的情况时，使用的也比较多。

4というわけだ／ってわけだ　就是说…。

（1）イギリスとは時差が8時間あるから、日本が11時ならイギリスは3時（だ）というわけだ。／和英国有8小时时差，也就是说日本如果是11点英国就是3点。

（2）彼女の父親は私の母の弟だ。つまり彼女と私はいとこ同士（だ）というわけだ。／她父亲是我母亲的弟弟，也就是说她和我是表兄妹关系。

（3）A：あしたから温泉に行く

んだ。／明天我们去温泉。

B：へえ、いいね。じゃ、仕事のことを忘れて命の洗濯ができるというわけだ。／啊，太好了。那么也就是说可以忘掉工作清静清静啦。

（4）A：川本さん、車買いかえたらしいよ。／听说川本买了辆新车。

B：あ、そう。子供が生まれて前のが小さくなったってわけか。／啊，是吗。是不是生小孩以前那辆车太小了。

是将"わけだ1"和"わけだ2"的＜结论＞＜换言之＞＜理由＞等用法和"という"结合起来用的形式。

【わけではない】

1 …わけではない　并不是…、并非…。

（1）このレストランはいつも客がいっぱいだが、だからといって特別においしいわけではない。／这个餐厅经常是客人满满的，尽管如此，但并非特别好吃。

（2）私はふだんあんまり料理をしないが、料理が嫌いなわけではない。忙しくてやる暇がないだけなのだ。／我平时不怎么做饭，并非讨厌做，只是因为太忙没有时间做罢了。

（3）私の部屋は本で埋まっているが、全部を読んだわけではなく、買ってはみたものの開いたことさえないというものも多い。／我的房间全被书埋没了，并非都看过，也有好多书虽然买来了可从来连翻都没翻过。

（4）来月から英会話を習うことにした。全然話せないわけではないのだが、日頃英語をしゃべる機会がないので、いざというとき口から出てこないのだ。／我决定从下月开始学习英语会话，并不是一点不能说，而是平时说英语的机会很少，一旦有什么事时怕张不开口。

（5）娘の外泊をただ黙って見のがしているわけではないが、下手に注意したらかえって反発するので、どうしたものかと考えあぐねている。／并非对女儿夜不归宿漠视不管，而是怕提醒不好反而会起反作用，我正在发愁不知该怎么办呢。

（6）弁解をするわけではありませんが、昨日は会議が長引いてどうしても抜けられなかったのです。／我不是辩解，而是昨天的会拖得太长，

怎么也脱不开身。

(7) A：イギリスへ行ってしまうんだそうですね。／听说你要去英国？

B：ええ。でも別に永住するわけじゃありませんし、5年たったらまた帰ってきますよ。／是的。但是并不是永远住下去，5年过后还回来呢。

(8) A：今度の日曜日に映画に行きませんか。／这个星期日不去看电影吗？

B：日曜ですか。／星期日？

A：予定があるんですか。／有其他安排吗？

B：いえ、予定があるわけではないのですが、その日はうちでゆっくりしたかったので…。／不，没什么别的事，不过那天就想在家放松放松…。

用于否定从现在的状况或表达内容中引出的必然结果时。多和"だからといって"、"別に"、"特に"等一起使用。

如例(1)，从"经常是客人满满的"中一般得出的结论是"饭菜一定好吃"，但是在例(1)中认为这结论是错的而加以否定。"おいしいわけではない"的意思是"饭菜好吃这种结论是错的"。但这种形式和直接否定"料理はおいしくない(饭菜不好吃)"的形式相比，是一种间接否定方式，是委婉的表达方式。因此，像例(8)那样时，比说"予定はありませんが(没有约定可是)"更能委婉地表达谢绝，也可以说"そういうわけではないのですが(并不是那样，可是)"。另外，像例(3)、(4)那样，和"全部・みんな"、"全然・まったく"等词一起使用时，是部分否定，意思是"读了一点"、"能说一点"。

2 というわけではない

ってわけではない　并不是说…、并非是…、并不是因为…。

(1) このレストランはいつも満員だが、だからといって特においしいというわけではない。／这个餐厅总是满满的，尽管如此，并不是说就特别的好吃。

(2) 私はふだんあまり料理をしないが、料理がきらい(だ)というわけではない。忙しくてやる暇がないだけだ。／我平时不怎么做饭，并不是讨厌做，而是太忙，没有时间做。

(3) A：あした映画に行かない？／明天，不去看电影？

B：あした、か。うーん。／明天，是吗？嗯一。

A：私とじゃいやだってこと？／不愿意和我去？

B：いや、いや(だ)ってわけじゃないんだけど…。／不，并不是不愿意…。

（4）今日は学校へ行く気がしない。雨だから行きたくないというわけではない。ただ何となく今日は何もする気になれないのだ。／今天真不想去学校。并不是因为下雨不想去，只是因为今天什么都不想干。

是"わけではない 1"和"という／って"结合一起使用的形式。像例（4）的"雨だから行きたくない"那样，"XだからY"这一结论在同一句中明确表示出来时，一般不使用"わけではない"而使用"というわけではない"。

【わけても】

特別、尤其。

（1）この山は、わけても5月がうつくしい。／这座山，尤其是5月最漂亮。

（2）そのクラスの学生はみんな日本語がうまいが、わけてもAさんは上達がはやかった。／那个班的学生日语都很好，特别是小A进步得很快。

（3）彼はスポーツ万能だ。わけてもスキーはプロなみだ。／他体育无所不能，尤其是滑雪水平和专业运动员相差无几。

（4）北風が身を切る季節になったが、給料日前の今夜はわけても寒さが身にしみる。／已是北风刺骨的季节，而

发薪日前的今天晚上尤其感到寒气逼人。

意思是在某事物中也是特别的。不加"も"的形式现在很少。属书面语。口语中不用。

【わけにはいかない】

1 V-るわけに(は)いかない 不能…、不可…。

（1）ちょっと熱があるが、今日は大事な会議があるので仕事を休むわけにはいかない。／虽然有点发烧，但是今天有重要的会议，不能请假不去。

（2）カラオケに誘われたが、明日から試験なので行くわけにもいかない。／有人约我去卡拉OK，但是从明天开始就要考试了，所以不能去。

（3）体調を崩した仲間を残して行くわけにもいかず、登山隊はしかたなくそこから下山することになった。／不能抛下体力不支的同伴不管，登山队只好决定就此下山。

（4）いくらお金をもらっても、お宅の息子さんを不正に入学させるわけにはいきません。／不管您出多少钱，也不能让您的儿子走后门入学。

（5）もう30近い娘をいつまでも甘やかしておくわけにもいかないが、かと言って自立

わけにはいかない 835

能不…、不可不…、必须。

(1) 他の人ならともかく、あの上司に飲みに誘われたら付き合わないわけにはいかない。断わると後でどんなめんどうな仕事を押しつけられるかわからないのだから。／别人的话暂且不说，如果是那个上司让你去喝酒的话就不能不去。拒绝的话，日后还不知会强加给你什么棘手的工作呢。

(2) 実際にはもう彼を採用することに決まっていたが、形式上はめんどうでも試験と面接をしないわけにはいかなかった。／实际上已经决定录用他了，但是在形式上即使麻烦也必须得进行笔试和面试。

(3) 今日は車で来ているのでアルコールを飲むわけにはいかないが、もし先輩に飲めと言われたら飲まないわけにもいかないし、どうしたらいいのだろうか。／今天我是开车来的，不能喝酒，可是如果前辈一定要让喝的话不喝又不行，那该怎么办呢？

(4) A：あんなハードな練習、もうやりたくないよ。疲れるだけじゃないか。／那么强度的训练，我已经不想再练

できる収入もないのに出て行けと放り出すわけにもいかない。／不能总是娇惯已经快要30的女儿，不过话又说回来，也不能将没有收入还不能自力的她轰出去啊。

(6) A：うちで猫を飼っていること、大家さんには内緒にしてもらえませんか。／在家养猫这件事，能否向房东保守秘密？

B：いや、そういうわけにはいきませんよ。契約ではだめなことになっているんですから。それにみんな猫の鳴き声で迷惑しているんですよ。／不，那不可能的。合同上规定是不准养的。而且猫叫声也令大家讨厌。

　　表示"那样做是不可能的"。不是单纯的"不行"，而是"从一般常识或社会上的普遍想法、过去的经验来考虑，不行或不能做"的意思。

　　"私は酒が飲めない(我不能喝酒)"表示的是体质上不胜酒力所以不能喝的意思。但使用"お酒を飲むわけにはいかない(不能喝酒)"时，并不是体质上不胜酒力，而是像"今日は車で来ているから飲めない(今天是开车来的所以不能喝)"那样，是不许喝的意思。另外，也可以像例(6)的"そういうわけにはいかない(＝内緒にするわけにはいかない(不能保守秘密)"那样，接前面句子内容来使用。

2 V-ないわけに(は)いかない 不

了，不就是个累嘛。
B：そういうわけにはいかないだろう。監督に逆らったらレギュラーから降ろされるぞ。／那样不行吧。要是和教练执拗的话，就会把你从正式队员中撤换下来的。

　　接动词否定形，表示一种"不做那动作是不可能的＝必须的"义务。这也是使一般常识，社会理念和过去的经验成为这一义务的理由。也可以像例（4）那样，接前句或所表达的内容。以"そういうわけ"（＝やらないわけ）的形式使用。

【わざわざ】

特意。
（1）山田さんはわたしの忘れ物をわざわざうちまでとどけてくれた。／山田特意把我忘的东西送到家里来。
（2）わざわざとどけてくださって、ほんとうにありがとうございました。／特意给我送来，实在感谢。
（3）かぜだというから、わざわざみかんまで買っておみまいに行ったのに、そのともだちはデートにでかけたと言う。／听说朋友感冒了，我特意买了橘子去看他，可是他家里人却说他出去约会了。
（4）そんな集まりのためだけにわざわざ東京まで行くのはめんどうだ。／仅为了那样的集会，特意跑到东京真麻烦。
（5）心配してわざわざ来てあげたんだから、もうすこし感謝しなさいよ。／因为担心你才特意来的，你要有点感激之情哟。

　　表示并不是干别的什么时顺便来干这件事，而是专门就为了这件事而做的。还表示不是出于义务而是出于好意・善意・担心等才做的。多和"のだから"、"のに"等一起使用。

【わずか】

仅仅、一点、少、才、稍、微。
（1）さいふの中に残っていたのはわずか200円だった。／钱包里就仅有200日元了。
（2）その会議のその日の出席者はわずか5人だった。／那个会议那天的出席人数才5个人。
（3）社員わずか300人たらずのその会社がいま大きな注目を集めている。／仅有300人不到的那个公司，现在很受人注目。
（4）わずかな日数で大きな仕事をなしとげた。／在短短的几天中完成了一项大工作。
（5）飢饉のため、わずかな食糧で暮らしている。／由于饥荒，靠仅有的粮食度日。
（6）あの会社もわずかに社員8

名を残すだけとなった。／那个公司仅仅留下了8名职工。

后面伴随着表示数量的表达方式，表示说话人认为那一数量很少的意思。另外，以"わずかに"的形式，表示数量极少的状态。只，仅。

【わたる】
→【にわたって】

【わり】
1 わりと／わりに 比较、格外、分外。
(1) わりとおいしいね。／挺好吃啊。
(2) きょうの試験はわりとかんたんだった。／今天的考试比较简单。
(3) ああ、あの映画？わりにおもしろかったよ。／啊，那个电影？挺有意思的哟。

意思是与从某种状况中想像的事加以比较。比如例(2)有"和平时的考试比较"、"与大家猜想的可能很难吧相反"这样的意思。不是按照某一基准来说的。正面的评价负面的评价都可以使用。在生硬的句中不太使用。

2 わりに(は) (比较起来)虽然…但是，比起…虽然不…但是(不过)…。
[Nのわりに]
[Naなわりに]
[A-いわりに]
[Vわりに]
(1) あのレストランは値段のわりにおいしい料理を出す。／那个餐厅价格不算太贵，菜可好吃。
(2) このいすは値段が高いわりには、すわりにくい。／这把椅子价格很贵，可坐起来不舒服。
(3) あの人は細いわりに力がある。／他比较瘦，可是挺有劲儿。
(4) ひとの作った料理に文句ばっかり言ってるわりにはよく食べるじゃないか。／对别人做的菜总是发牢骚，吃时可不少吃。
(5) あまり勉強しなかったわりにはこの前のテストの成績はまあまあだった。／不怎么学习，可是上次的考试成绩还马马虎虎。
(6) 山田さん、よく勉強したわりにはあまりいい成績とは言えないねえ。／山田学习很努力，可成绩不能说太好啊。

意思是，和从某种状态中常识性地去猜想的基准做比较。正面的评价负面的评价都不是按照某一基准来说的。在生硬的句子中不太使用。

【を…とする】
以…为…、把…(作为)当作…。
[NをNとする]
(1) その中学はその生徒を退学処分とするという決定をおこなったようだ。／那所中

（2） 我々は、ここに、我々の国を本日より共和制とすることを宣言する。／我们在此宣告，从今日起我国开始实施共和制。

→【とする2】2a

【を…にひかえて】

面临、靠近。
[NをNにひかえ(て)]
（1） 試験を来週にひかえ、図書館は毎日おそくまで学生でいっぱいである。／临近下周考试，图书馆里每天到很晚都有很多学生。
（2） 出産をまぢかにひかえて、その母親ゾウに対する飼育係の人たちの気の使いようはたいへんなものだった。／大象临近产期，饲养母象的人们那个担心劲儿就别提了。
（3） 首脳会談を5日後にひかえ、事務レベルの協議は最後の詰めにはいっている。／5天后首脑会议就要召开，事务性的准备工作已进入最后阶段。

后面的N使用表示时间的名词，表示某事在时间上已经很紧迫了，像以上例句那样，多用于伴有某些紧张感的事物时。属书面语。

【をおいて】

除…之外。
[Nをおいて]
（1） 都市計画について相談するなら、彼をおいて他にはいないだろう。／有关城市规划，要进行协商的话，除他之外别人不行吧。
（2） マスメディアの社会への影響について研究したいのなら、この大学をおいて他にはない。／要想研究宣传媒介对社会的影响，只有考这所大学。
（3） もし万一母が倒れたら、何をおいてもすぐに病院に駆けつけなければならない。／如果妈妈有什么万一的话，无论什么都得先放下不管，必须马上赶到医院。

意思是"除外／除了…"。例(3)的"何をおいても"是"どんな状況でも(无论什么情况)"意思的惯用句。

【をかぎりに】

仅限于…、以…为界(最后)、…为止、以最大限度。
[Nをかぎりに]
（1） 今日をかぎりに今までのことはきれいさっぱり忘れよう。／让我们以今天为界，把这以前的事完全彻底地忘掉吧。
（2） 明日の大晦日をかぎりにこ

の店を閉店する。／这个店营业到明天除夕以后就关张。

（3）この会は今回をかぎりに解散することとなりました。／本会，在此次会议后就解散了。

（4）みんなは声を限りに叫んだが、何の返事も返ってこなかった。／大家拚命地喊，但也没有任何反应。

加上"今日"、"今回"等表示时间的词，表示"以这个时间为最后一次"的意思。多使用表示含有发话时的时间的词句。例（4）是惯用说法，意思是"发出最大的声音"。

【をかわきりとして】

→【をかわきりに】

【をかわきりに】

以…为开端、开始…、以…为契机。

[Nをかわきりに]

（1）彼女は、店長としての成功を皮切りに、どんどん事業を広げ、大実業家になった。／她以一店之长取得了成功，并以此为开端，不断地扩大事业，成了大实业家。

（2）その歌のヒットを皮切りに、彼らはコマーシャル、映画、ミュージカルなどあらゆる分野へ進出していった。／他们以那首歌的成功为契机，

闯入了广告、电影、轻音乐剧等各个领域。

（3）太鼓の合図を皮切りに、祭りの行列が繰り出した。／以大鼓为信号，节日的庆典游行队伍开始出发。

意思是"以此为出发点"。一般用于叙述这之后繁荣飞跃发展的情景。有时也可使用"…をかわきりにして"、"…をかわきりとして"的形式。

【をかわきりにして】

→【をかわきりに】

【をきんじえない】

不禁…、禁不住…。

（1）思いがけない事故で家族を失った方々には同情を禁じえません。／对因意外事故而失去亲人的人们不胜同情。

（2）戦場から切々と訴えかける手紙に涙を禁じえない人も多いだろう。／面对从战场寄来的悲切述说的书信，有很多人会禁不住流泪吧。

（3）母の死を知らず無邪気に遊んでいる子供にあわれみを禁じえなかった。／看到对母亲的死漠然不知还无忧无虑地玩耍的孩子不禁哀怜。

（4）この不公平な判決には怒りを禁じえない。／对这不公正的判决不禁愤然。

（5）期待はしていなかったが、受

賞の知らせにはさすがに喜びを禁じ得なかった。／面对未抱希望却得了奖的通知，不禁喜上眉梢。

表示面对某种情景，不得不感到愤怒或同情的情感。用于表达想抑制也抑制不了的感情时。是生硬的书面语。

【をけいきとして】

趁着…、以…为契机。

[Nをけいきとして]

(1) 彼女は大学入学を契機として親元を出た。／她把上大学作为机会，离开了父母的身边。

(2) 彼は就職を契機として生活スタイルをガラリと変えた。／他以就职为契机，完全改变了生活方式。

(3) 日本は敗戦を契機として国民主権国家へと転換したと言われている。／人们认为日本是以战败为契机，转向了国民主权国家的。

(4) 今回の合併を契機として、我が社は21世紀をリードする企業としてさらに発展してゆかなければならない。／我公司作为领先21世纪的企业，要以这次合资为契机，更深入地发展下去。

用于表示"入学"、"就職"等动作的名词之后，表示"以某事为契机·转折点"的意思。也可以说"…をけいきに"、"…をけいきにして"。

(例) 彼女は大学入学を契機に（して）親元を出た。／她趁上大学这一机会，离开了父母的身边。是书面语。

【をこめて】

集中、倾注。

[Nをこめて]

(1) 母親のために心をこめてセーターを編んだ。／满怀真情为母亲织了件毛衣。

(2) この花を、永遠に変わらぬ愛を込めてあなたに贈ります。／把这束倾注了永远不变的爱情之花送给你。

(3) 彼女は、望郷の思いを込めてその歌を作ったそうです。／听说她是满怀思乡之情的那首歌。

(4) 彼は、長年の恨みを込めて、痛烈な一撃をその男の顔面に食らわせた。／他集中了长年的愤恨，在那男人脸上给了重重的一击。

表示"对某事倾注了爱或思念等的情感"的意思。修饰名词时成为"NをこめたN"，更多的时候成为"NのこもったN"。

(例) 子供たちが心を込めた贈り物をした。／孩子们赠送了倾注全部心血的礼物。

(例) 子供たちが心のこもった贈り物をした。／孩子们赠送了倾注全部心血的礼物。

有时也有像下列例句那样不加"を"的惯用表达方式。

（例）父は丹精込めて育てたその菊をことのほか愛している／父亲格外喜欢他倾注全部精力栽培的菊花。

【をして…させる】

使…、让…。

[NをしてV-させる]

（1）あのきびしい先生をして「もう教えることは何もない」と言わせたのだから、あなたはたいしたものだよ。／能让那位严厉的老师说："已经没的教你了"，你可真不得了啊。

（2）あのわからず屋の親をして「うん」と言わせるには、ちょっとやそっとの作戦ではむりだよ。／要想让你那顽固的老爸点头说："嗯"，就那么简简单单地蒙蒙他是不行的哟。

（3）あのがんこ者をしてその気にさせたのだから、誠意のたいせつさをわかいあなたに教えられた気がする。／能说动那么顽固的人，我感觉从年轻你的身上学到了诚心诚意的可贵性。

在N处几乎所有的场合都使用表示人的名词。意思和"…に…させる"、"…を…させる"一样，不过如使用了"をして"，多半的意思是表示让很难说得动的对方做某事时。是较陈旧死板的说法。

【をする】

→【する】8

【をぜんていに】

以…为前提、以…为条件。

[NをぜんていにV]

（1）彼女は記事にしないことを前提にそのことを記者に話した。／她以不做报道为条件，向记者说了那件事。

（2）では、そのことを前提に（して）、今後のことを話しあっていきたいと思います。／那么，以此为前提，我想就以后的事继续交谈下去。

（3）政府は、その問題の解決を前提に援助交渉にのぞむ方針をかためたもようである。／政府决定了以解决那一问题为前提，才能进行经济援助谈判的方针。

意思是如果不能满足做某事的前提条件，就不能进入下一阶段，而要在满足这一条件的基础上才能做。比如例（1）的"不做报道"就是条件。是书面语。口语中也可以使用"…をぜんていにして／として"的形式。

【をたよりに】

依靠、借助。

[NをたよりにV]

（1）あなたがいなければ、これからわたしは何をたよりに（して）生きていけばいいの

ですか。／如果没你，今后我靠什么生活下去呢？
(2) その留学生は、辞書をたよりに、ひとりで「橋のない川」を読みつづけている。／那个留学生，借助词典一个人在读着《没有桥的河》这本书。
(3) 白いつえだけをたよりに、その人は70年生き、そして死んでいった。／他只是借助着白色手杖活了70年，然后死去了。
(4) もちまえの行動力だけをたよりに、彼女はバイクで世界中を旅している。／她只是仗着天生的活动能力，骑摩托车周游着世界。

意思是"借某种帮助"、"依靠某事"。口语中也说"…をたよりにして"、"…をたよりとして"。近似的表达方式有"…をたのみにして"、"…をたのみとして"。

【をちゅうしんに】

以…为中心、以…为重点、围绕着…。

[Nをちゅうしんに V]
(1) そのグループは山田さんを中心に作業を進めている。／那个小组以山田为中心进行着操作。
(2) そのチームはキャプテンを中心によくまとまったいいチームだ。／那支队伍是一支以队长为中心的非常有实力的队伍。
(3) 太陽系の惑星は太陽を中心としてまわっている。／太阳系的行星围绕着太阳旋转。
(4) 台風の影響は、九州地方を中心に西日本全体に広がる見込みです。／预计台风的影响将以九州地区为中心，扩展到整个西日本地区。
(5) このバスは、朝7時台と夕方6時台を中心に多くの便数がある。／这趟公共汽车以早七点和晚六点为高峰，发的班次比较多。

意思是"以…为中心"。表示某事位于中心的行为・现象・状态范围时使用。也有"…をちゅうしんにして"、"…をちゅうしんとして"的形式。是书面语。

【をつうじて】

通过…。

1 Nをつうじて V
(1) その話は山田さんを通じて相手にもつたわっているはずです。／那件事应该是通过山田转达给对方了。
(2) A社はB社を通じてC社とも提携関係にある。／A公司通过B公司也和C公司建立了合作关系。
(3) 現地の大使館を通じて外務省にはいった情報によると、死者は少なくとも100人をこえたもようである。／

根据通过当地大使馆传到外务省的信息，死者至少在100人以上。

意思是"经由…"。在叙述经由某事物来传达信息或建立关系时使用。传达的是信息·话·联络手段，但不能使用交通手段。

(误)　この列車はマドリッドをつうじてパリまで行く。

(正)　この列車はマドリッド{を通って／を経由して}パリまで行く。／这趟列车经由马德里开往巴黎。

2　Nをつうじて　贯穿始终、在(整个)…的时间、在(整个)…范围内。

(1)　その国は一年をつうじてあたたかい。／那个国家一年到头都是暖和的。

(2)　このあたりは四季をつうじて観光客のたえることがない。／这一带一年四季游客不断。

(3)　その作家は、生涯を通じて、さまざまな形で抑圧されてきた人々を描きつづけた。／那位作家，整个一生描写了各种受压迫的人们。

附在表示时间的名词后，表示"在某固定时期不间断一直…"的意思。是书面语。也可以说"…をとおして"。

【をとおして】
　→【とおして】

【をとわず】

无论…、不管…、不分…、不限…、不拘…。

[Nをとわず]

(1)　彼らは昼夜を問わず作業を続けた。／他们不分昼夜连续作业。

(2)　意欲のある人なら、年齢や学歴を問わず採用する。／不限年龄学历，只要有热情都录用。

(3)　近ごろは男女を問わず大学院に進学する学生が増えている。／最近无论男女，上研究生院的学生增多了。

(4)　新空港の設計については、国の内外を問わず広く設計案を募集することとなった。／就新机场的设计问题，决定在国内国外广泛征集设计方案。

表示的意思是"与其没关系"、"不将此作为问题"。多使用"昼夜"、"男女"等表示正反意的名词。有时也可以像下列例句那样，使用"Nはとわず"的形式。

(例)　(アルバイトの広告で)販売員募集。性別は問わず。／(在招募临时工的告示中)招募售货员，性别不限。

是书面语的表达方式。

【をのぞいて】

除了…之外，不算…。

[Nをのぞいて(は)]

(1)　山田さんをのぞいて、みんな来ています。／除去山田

之外，大家都来了。
(2) 火曜日をのぞいて(は)だいたいあいています。/除了星期二，大体都有空。
(3) その国は、真冬の一時期をのぞいて(は)だいたい温暖な気候だ。/那个国家除了隆冬那一个时期，大体都是温暖的气候。
(4) 全体的には、この問題をのぞいて、ほぼ解決したと言ってよいだろう。/可以这么说吧，除此问题以外，基本上都解决了。

表达的是"把那个作为例外"的意思。是书面语，口语中经常使用"…をのぞけば"或"…のほかは"。

【をふまえ】

根据、依据、在…基础上。
[Nをふまえ(て)V]
(1) いまの山田さんの報告をふまえて話し合っていただきたいと思います。/想请大家根据刚才山田的报告一起谈一谈。
(2) 前回の議論をふまえて議事を進めます。/在上次议论的基础上，展开讨论。
(3) そのご提案は、現在我々がおかれている状況をふまえてなされているのでしょうか。/那一提案是根据我们现在所处的状况下成形的吗？

(4) 今回の最終答申は、昨年の中間答申をふまえ、さまざまな角度から議論を重ねたうえで出されたものだ。/这次的最终报告，是依据去年的中间报告，并在从各种角度反复讨论的基础上拿出的。

表达的意思是，在将某事作为前提或判断的根据或考虑进去的基础上。是生硬的书面表达方式。

【をもって】

→【もって2】

【をもとに】

在…的基础上、以…为基础、根据…。
[Nをもとに(して)]
(1) 実際にあった話をもとにして脚本を書いた。/以真实事件为基础写出了剧本。
(2) 人のうわさだけをもとにして人を判断するのはよくない。/仅仅根据人们的传言来判断一个人是不对的。
(3) この地方に伝わる伝説をもとにして、幻想的な映画を作ってみたい。/我想根据流传在这一地带的传说制作一部幻想电影。
(4) 調査団からの報告をもとに救援物資の調達が行われた。/根据调查团发来的报

告，进行救援物资的调拨。
（5）史実をもとにした作品を書き上げた。／写出了以史实为依据的作品。

表示"将某事作为材料・启示・根据等"的意思。修饰名词时，像例（5）那样成为"Nをもとにした N"的形式。

【をものともせずに】

不当回事、不放在眼里、不理睬。

［Nをものともせずに］
（1）彼らのヨットは、嵐をものともせずに、荒海を渡り切った。／他们的快艇，面对暴风雨豪不畏惧，穿过了波涛汹涌的大海。
（2）ばくだいな借金をものともせずに、彼は社長になることを引き受け、事業を立派に立て直らせた。／他没把庞大的债务放在眼里，担当了总经理，并出色地重振了事业。
（3）周囲の批判をものともせずに、彼女は自分の信念を貫き通した。／她不理睬周围的批评，将自己的信念贯穿始终。

意思是"豪不畏惧地去应付严峻的条件"。后面接表达解决问题意思的表达方式。是书面语。

【をよぎなくさせる】

迫不得已、迫使…不得不…。

［Nをよぎなくさせる］
（1）台風の襲来が登山計画の変更を余儀なくさせた。／由于台风的袭击，迫不得已改变了登山计划。
（2）思いがけないゲリラの反撃が政府軍の撤退を余儀なくさせた。／游击队的突然反击，迫使政府军不得不撤退。

用于表示动作的名词之后，表示"不得不那么做的状态"。用于表示引起令人不满意的事态时。

【をよぎなくされる】

不得已、没办法、只能、必须。

［Nをよぎなくされる］
（1）火事で住まいが焼けたため、家探しを余儀なくされた。／因房子被火烧掉了，只得去找房子。
（2）長時間の交渉の結果、妥協を余儀なくされた。／长时间交涉的结果，不得不妥协。
（3）事業を拡張したが、売り上げ不振のため、撤退を余儀なくされる結果になった。／虽然扩大了事业，但因销售不佳，结果只得后撤。
（4）これ以上の争いをさけるために全員が協力を余儀なくされた。／为了避免更大的竞争，全员必须携手共进。

用于表示动作的名词之后，意思为

"到了没办法，必须那么做的地步"。是书面语。

【んじゃ】
…的话。
[N／Na （なん）じゃ]
[A／V んじゃ]
(1) 雨なんじゃしかたがない。あしたにしよう。／下雨的话没办法，明天吧。
(2) そんなに臆病なんじゃ、どこにも行けないよ。／那么胆小的话，哪儿都去不成哟。
(3) こんなに暑いんじゃ、きょうの遠足はたいへんだろうね。／这么热的话，今天的郊游可够呛呀。
(4) こんなにたくさんの人に見られているんじゃ緊張してしまうな。／被那么多人看着，会紧张的呀。

是"(の)では"的口语表达方式。
→【のでは】

【んじゃない】

1 んじゃない 不…吗、没…吗。
[N／Na （なん）じゃない]
[A／V んじゃない]
(1) あの人、山田さんなんじゃない？／那个人不是山田吗？
(2) ほら、顔があかくなった。あなた、山田さんが好きなんじゃないの？／啊，脸红了。你是不是喜欢山田啊？
(3) それ、いいんじゃない？悪くないと思うよ。／那个，不挺好吗？我认为不错哟。
(4) かぎ？テーブルの上にあるんじゃない？／钥匙？没在桌子上吗？
(5) 佐藤さん？もう帰ったんじゃない？／佐藤？不是已经走了吗？

是"のではないか"的随意表达方式。用上升语调。也可以像例(2)那样用"んじゃないの"。男性除此之外还使用"んじゃないか"。敬体形式是"んじゃありません"。
→【ではないか2】

2 V-るんじゃない 不许…、不要…。
(1) そんなところで遊ぶんじゃない。／不要在那种地方玩儿！
(2) 電車の中で走るんじゃない！／不要在电车里跑！
(3) そんなきたないものを口にいれるんじゃない！／不要把那种脏东西放进嘴里！
(4) そんな小さい子を突き飛ばすんじゃない！／不要撞那么小的孩子！
(5) いじめられて大きな心の傷を負っている子供に対して、そんなに頭ごなしに「もっと強くなれ」だなんて言うんじゃないよ。／对被人欺负心灵受到很大伤害的孩子，不要那么不问情由地说什么："要更坚强一些"之类的话呀。

是禁止听话人行为的表达方式。用下降语调。属口语。男性多使用。女性多使用敬体形式"んじゃありません"。

【んじゃないか】

是不是…、莫非是…、难道是…。
[N／Na　（なん）じゃないか]
[A／V　んじゃないか]
（1）明日はひょっとしたら雪なんじゃないか。雪雲が出てきたよ。／明天莫非下雪？阴云都上来啦。
（2）あの人、野菜がきらいなんじゃないか。こんなに食べ残しているよ。／他是不是不喜欢蔬菜？吃剩下那么多。
（3）あの子、寒いんじゃないかな。くしゃみしてるよ。／那孩子，是不是冷啊？在打喷嚏啊。
（4）田中さんも来るんじゃないか。鈴木さんがつれてくるって言ってたから。／田中是不是也来？因为铃木说要带他来。

是"(の)ではないか"的口语表达方式。敬体形式是"んじゃありませんか"。
→【じゃないか2】

【んじゃないだろうか】

不会是…吧、难道是…吗？会不会…吧。
[N／Na　（なん）じゃないだろうか]
[A／V　んじゃないだろうか]
（1）こんなことが起きるなんて信じられない。夢（なん）じゃないだろうか。／发生这种事真让人难以置信，不会是做梦吧？
（2）あの人、ワインの方が好きなんじゃないだろうか。ワインばかり飲んでたよ。／他大概喜欢喝葡萄酒吧，一个劲儿地只喝葡萄酒来着。
（3）いくら浅い川だといっても、あのへんは深いんじゃないだろうか。／虽说这条里的水很浅，可那一带还是很深的吧。
（4）雪が降っている。故郷ではもうずいぶん積もったんじゃないだろうか。／下雪了。家乡会不会已经积满了雪呀。

是"(の)ではないだろうか"的口语表现形式。敬体形式是"んじゃないでしょうか"。
→【ではないだろうか】

【んじゃなかったか】

不是…了(的)吗？
[N／Na　（なん）じゃなかったか]
[A／V　んじゃなかったか]
（1）あの人はもっと有能なんじゃなかったか。／他不是很有才能的吗？
（2）二度としないと誓ったんじゃなかったか。／不是发

誓说不干了吗？

是"(の)ではなかったか"的口语表达方式。

→【ではなかったか】2

【んだ】

1 …んだ（说明、主张）。

[N／Na なんだ]
[A／V んだ]

（1） A：どうしたの。元気ないね。／怎么啦？没精神呐。

　　　 B：かぜなんだ。／我感冒了。

（2） A：どうしてさっき山田さんとしゃべらなかったの？／为什么刚才没和山田说话？

　　　 B：あの人はちょっと苦手なんだ。／我有点怕他。

（3） やっぱりこれでよかったんだ。／还是这样好啊。

（4） コンセントが抜けてる。だからスイッチを入れてもつかなかったんだよ。／原来插销没插。所以按了开关也不亮。

是"のだ"的口语表达方式。敬体形式是"んです"。

→【のだ】

2 V-るんだ（指示、命令）。

（1） かぜなんだから、早く寝るんだ。／感冒了。所以要早睡。

（2） さっさと食べるんだ。／赶紧吃。

（3） 呼ばれたら返事をするんだよ。／别人叫你的话，你要答应哟。

（4） いいかい、なるべく早く迎えにくるようにするから、おとなしく待ってるんだよ。／听懂了吗？我尽量早点儿来接你，要乖乖地等着哟。

（5） 人質の安全が第一だ。ここは犯人の要求どおりにするんだ。／人质的安全第一。在这一点上要按凶犯的要求去做。

表示指示・命令。主要是男性使用。女性像"早く寝るんです"或"早く寝るの"那样多使用"んです"或"の"。像例（3）、（4）那样加上"よ"，可减弱命令的口气。

【んだった】

…就好了，真该…。

[V-るんだった]

（1） あと10分あれば間に合ったのに。もう少し早く起きるんだったな。／再有10分钟就赶上了。再早点儿起就好啦。

（2） A：ひどい成績だね。／这成绩真差劲啊。

　　　 B：うん、こんなことになるのなら、もう少し勉強しておくんだった。／嗯．要知道弄成这样，再用点功就好了。

（3） あれ？パンがたりない。

もっと買っておくんだったな。/哎哟，面包不够啦。再多买点就好了。
(4) こんな事態になる前に、何か手を打っておくんだった。/在形成这种事态之前，采取些措施就好了。

是"のだった"的口语表达方式。
→【のだった】

【んだって】

听说…。

(1) 山田さん、お酒きらいなんだって？/听说山田不喜欢喝酒，是吗？
(2) あの店のケーキ、おいしいんだって。/据说那个店的蛋糕很好吃。

→【って】5

【んだろう】

…吧。

[N／Na なんだろう]
[A／V んだろう]

(1) 子どもたちがたくさん遊んでいる。もう夏休みなんだろう。/很多孩子在玩儿。已经放暑假了吧？
(2) A：あの人、酒ばかり飲んでね。/他一个劲光在那喝酒啊。
B：よっぽど好きなんだろうね。/看来很喜欢酒吧。
(3) 田中さんはずっと笑いっぱなしだ。何がそんなにおかしいんだろう。/田中一直在笑，是什么那么可笑啊？
(4) A：君も行くんだろう？/你也去吧？
B：はい、行くつもりです。/是，我打算去。

是"んだ"和"だろう"组合使用的形式。
→【のだろう】

【んで】

因为、所以。

[N／Na なんで]
[A／V んで]

(1) かぜなんで、今日は休みます。/因为感冒，今天休息。
(2) 雨が降りそうなんで洗濯はやめときます。/看样子要下雨，所以不洗衣服了。
(3) あんまりおいしかったんで、ぜんぶ食べてしまった。/因为非常好吃，所以都吃了。
(4) 残った仕事はあした必ずかたづけるんで、今日は勘弁してください。/剩下的工作我明天一定处理完，所以今天你就原谅我吧。
(5) 急いで作ったんで、おいしくないかもしれませんよ。/急急忙忙做的，可能不好吃哟。

是"ので"的随意说法。因为给人感觉很不礼貌，所以对身份、地位、年龄比自己

高的人不能使用。
→【ので】

【んです】

（主张、说明）。

[N／Na　なんです]
[A／V　んです]

(1) A：どうしたんですか。元気がありませんね。／怎么啦？那么没精神。
　　 B：ちょっとかぜなんです。／有点儿感冒。
(2) A：どうしてさっき山田さんとしゃべらなかったの？／为什么刚才没和山田说话呀？
　　 B：あの人はちょっと苦手なんです。／我跟他有点怕他。
(3) A：どうしたの？退屈？／怎么啦？无聊吗？
　　 B：いえ、ちょっとねむいんです。／不，有点儿困。
(4) コンセントが抜けています。だからスイッチをいれてもつかなかったんですよ。／原来插销没插。所以按开关也不亮啊。

　　是"んだ"的敬体表现。也可以说"のです"。
→【のです】

50音順索引

F

副詞＋する ------------ 203

H

何＋疑問詞＋か／いくつか 86

J

極端事例＋も ---------- 741

S

数詞／なん／いく／とおり
------------------- 421
数量詞＋あまり --------- 16
数量詞＋いか ---------- 27
数量詞＋いじょう ------- 38
数量詞＋がかり --------- 93
数量詞＋から ---------- 115
数量詞＋からある／からする
------------------- 116
数量詞＋からの -------- 115
数量詞＋くらい -------- 134
数量詞＋する --------- 203
数量詞＋と ----------- 386
数量詞＋と…ない ------- 386
数量詞＋ばかり -------- 637
数量詞＋ほど --------- 682
数量詞＋も ----------- 741
数量詞＋も…か -------- 743
数量詞＋も…ない ------- 741
数量詞＋も …ば／…たら
------------------- 742
数量詞＋や＋数量詞 ---- 778

Y

擬態詞＋と ----------- 386
疑問詞…か ------------ 86
疑問詞（＋格助詞）＋なりと
------------------- 532
疑問詞＋かというと ---- 106
疑問詞…かとおもったら 419

疑問詞＋（助詞）＋ともなく
------------------- 474
疑問詞＋（助詞）＋も -- 743
疑問詞＋…たら…のか -- 276
疑問詞…ても ------ 363, 364
疑問詞＋にしたって ---- 568
疑問詞＋にしても ------ 573
疑問詞…のだ --------- 607
疑問詞…のやら -------- 785
疑問詞＋…ば…のか ---- 624
疑問詞＋も ---------- 743
疑問詞＋やら --------- 785
疑問表達方式＋だい ---- 240

Z

最小数量＋も…ない ---- 742

あ

あいだ --------------- 2
あいだに -------------- 3
あいまって　→とあいまって
あえて --------------- 3
あえて…ない ----------- 5
あえて…ば ------------ 4
あがる ------------- 5, 6
あくまで -------------- 6
あくまで（も） ------ 6, 7
あげく --------------- 7
あげくのはてに（は） ---- 8
あげる ------------- 8, 9
あたかも -------------- 9
あっての ------------- 10
あと -------- 10, 11, 12
あと＋数量詞 ---------- 12
あとから ------------- 13
あとで -------------- 13
あと　で／に --------- 11
あとは…だけ ---------- 13
あまり --------------- 14
あまり／あんまり ------ 14
あまり／あんまり …ない 14
あまり（に） --------- 15
あまりに（も） -------- 14

あまりに（も）…と ---- 15
あまりの… に／で ---- 14
あらためる ----------- 16
あるいは ------------- 16
あるいは…あるいは ----- 18
あるいは…かもしれない - 17
あるのみだ ---------- 618
あるまじき…だ --------- 18
あれで --------------- 19
あれでも ------------- 19
あんまり ------------- 20
あんまり…ない -------- 20
あんまり（にも） ------ 14
あんまり（にも）…と ---- 15

い

いい ---------------- 21
いいから／いいよ ------ 22
いう -------------- 23, 23
いうまでもない -------- 25
いうまでもないことだが - 26
いうまでもなく -------- 26
いか -------------- 27, 28
いか＋数量詞 --------- 27
いがい --------------- 28
いがいに…ない -------- 28
いかだ -------------- 27
いかなる ------------- 28
いかなる…でも -------- 29
いかなる…とも -------- 29
いかなる…（＋助詞）も - 28
いかに -------------- 30
いかに…か ----------- 30
いかに…ても --------- 30
いかに…といっても ---- 30
いかに…とはいえ ------ 31
いかにも ------------ 32
いかにも…そうだ ------ 32
いかに…ようと（も） --- 31
いかにも…らしい ------ 32
いかにも　…らしい／…そうだ
------------------- 32
いかん -------------- 33
いかんで ------------- 33

いかんで ─ 33	いっさい ─ 49	**え**
いくら ─ 33	いつしか ─ 49	える ─ 66
いくら…からといって（も） ─ 35	いっそ ─ 50	**お**
いくら…たところで ─ 36	いったい ─ 51	おいそれと（は）…ない ─ 70
いくら…ても ─ 34, 363	いったらありはしない →といったらありはしない	お…いたす ─ 66
いくら…といっても ─ 35	いったらない →といったらない	お…いただく ─ 67
いくらでも ─ 34	いったん…と ─ 51	お…ください →お…くださる
いくらなんでも ─ 36	いっぽう ─ 52	お…くださる ─ 67
いくらも…ない ─ 34	いっぽうでは…たほうでは 52	お…する ─ 68
いけない →てはいけない、なくてはいけない、なければ2	いない ─ 53	お…です ─ 68
いご ─ 36	いまからおもえば ─ 80	お…なさい →なさい
いささか ─ 37	いまごろ ─ 53	お…なさる ─ 69
いささかも…ない ─ 37	いまごろ…ても／…たところで ─ 54	お…になる ─ 69, 535
いざしらず ─ 37	いまごろになって ─ 53	お…ねがう ─ 70
いざとなったら ─ 459	いまさら ─ 54	おいて ─ 71
いざとなると ─ 461	いまさら…たところで ─ 54	おうじて →におうじて
いざとなれば ─ 462	いまさら…ても ─ 54	おかげだ →の…はだ4
いじょう ─ 38, 41, 42	いまさらながら ─ 55	おかげで ─ 71
いじょうに ─ 39	いまさらのように ─ 55	おきに ─ 72
いじょうの ─ 38	いまだ ─ 55	おそらく ─ 72
いじょう（の）＋数量詞/… ─ 41	いまだに ─ 55	おそれがある ─ 73
いじょう（は） ─ 41	いまだ（に）…ない ─ 56	おなじ ─ 73
いずれ ─ 42, 43	いまでこそ ─ 56	おなじ…る なら／の だったら ─ 73
いずれにしても ─ 42	いまとなっては ─ 459	おぼえはない ─ 74
いずれにしろ ─ 43	いまに ─ 57	おまけに ─ 75
いずれにせよ ─ 43	いまにも ─ 57	おもう ─ 75, 77
いずれも ─ 43	いまや ─ 57	おもえば ─ 79
いぜん ─ 44, 45	いらい ─ 58	おもったものだから ─ 771
いたって →にいたる3	いわば ─ 59	おもったら ─ 81
いたっては →にいたる4	いわゆる ─ 59	および ─ 81
いたっても →にいたる5	**う**	おり ─ 82
いたり ─ 46	うえ ─ 60	おりから ─ 82
いたる →にいたる	うえ（に） ─ 62	おりからの ─ 82
いちがいに…ない ─ 46	うち ─ 62, 63	おり（に） ─ 82
いちど ─ 47	うちが ─ 65	**か**
いちど …と／…たら ─ 47	うちに ─ 63	か ─ 83, 85
いちど …ば／…たら ─ 47	うちにはいらない ─ 63	か…か ─ 83
いつか ─ 47	うちは ─ 64	か…かで ─ 84
いつか…た ─ 48	うる ─ 66	か…ないか ─ 85
いつかの ─ 48		
いつか（は） ─ 48		
いっこうに ─ 49		

か…ない (か) ―――― 85
か＋疑问词＋か ―――― 84
が ―――――――― 87, 90
が…だから ―――――― 87
が…だけに ―――― 88, 257
が…だとすれば ―――― 452
が…てほしい ―――― 680
が…なら…(が) ―――― 89
が…なら…は…だ ―― 524
が…なら…も…だ ― 89, 525
が…に/から…られる 819
が…に(よって)…られる 818
が…に…られる ―― 818, 819
が…に…を…させる ―― 170
が…に…を…られる ―― 819
が/…のが やっとだ ― 783
が…みえる ―――― 717
が…られる ――――― 818
が…を…させる ―――― 171
が…を/に…させる 170
が…を…みせる ―――― 723
か、あるいは ――――― 17
かい ――――――――― 91
がい ――――――――― 91
がいい ―――――――― 23
かいが ある/ない ―― 91
かえって ―――――― 92
かえる ――――――― 93
かおをみせる ―――― 722
がかり ――――― 93, 94
がかる ――――――― 94
かぎり ――――― 95, 96
かぎりが ある/ない ― 95
かぎりなく…にちかい ― 95
かぎりに →をかぎりに
かぎる ――――――― 98
かくして ―――――― 98
かくて →かくして
かけ ―――――――― 99
かける ――――― 99, 100
がさいご ―――――― 100
がする ―――――― 204
がたい ―――――― 101
かたがた ―――――― 101
かたわら ―――――― 102

がち ――――― 102, 103
かつ ―――――――― 103
かつて ―――――― 104
がてら ―――――― 104
かというと ―――― 105
かといえば →かというと
かどうか ―――――― 84
かとおもうと ―――― 107
かとおもうほど ― 107, 418
かとおもうまもなく →とおもう8
かとおもえば ―― 107, 418
かとおもったら ―――― 107
かとなると ―――― 462
かとなれば ―――― 463
かな ――――――― 107
がな ――――――― 108
かな (あ) ―――― 482
がないでもない ―――― 488
がなくもない ―――― 499
かなにか ―――――― 508
かならず ―――――― 108
かならずしも…ない ―― 109
かなんか ―――――― 537
かにみえる ―――― 719
かねない ―――――― 109
かねる ――――――― 110
かのごとき →ごとし
かのごとし ―――― 152
かのよう →ようだ1b
かのようにみえる ―― 719
がはやいか ―――― 110
がほしい ―――― 679
がほしいんですが ―― 680
がまま ―――――― 712
がみえる ――― 716, 717, 720
かもしれない ―――― 111
かもわからない ―― 113
か (も) わからない ―― 113
がゆえ ―――――― 786
がよかろう →よかろう
から ―――― 114, 116
から…にいたるまで ―― 114
から…にかけて ―――― 559
から…まで ――― 114, 704

からある →から19b
からいい ―――――― 117
からいいが ――――― 117
からいいようなものの ― 117
からいう ―――――― 118
からいうと ―――― 118
からいえば →からいう
からいったら →からいう
からいって ―――― 119
からか/…せいか/…のか 86
からが →にしてからが
からこそ ―――――― 119
からしたら →からする
からして ―――――― 120
からする ―――――― 120
からすると ―――― 120
からすれば →からする
からだ ―――――― 117
からって ―――――― 121
からでこそ →それでこそ
からでないと →てから2
からでなければ →てから2
からといって ―――― 121
からといって＋否定表达方式
―――――――――― 121
からとおもって ―――― 419
からとて ―――――― 456
からなる ―――――― 533
からには ―――――― 121
からみたら →からみる
からみて ―――――― 122
からみる ―――――― 122
からみると ―――― 122
からみれば →からみる
がり →がる
かりそめにも ―――― 123
かりに ―――――― 123
かりに …たら/…ば ― 123
かりに …ても/…としても
―――――――――― 124
かりに …とすれば/…としたら ――――― 123
かりにも ―――――― 124
かりにも …なら/…いじょうは ―――――― 124

かりにも＋禁止／否定表达方式 ------- 124
がる ------------- 125
かれ ------------- 126
かろう ----------- 126
かろうじて ------- 126
かろうじて…た --- 126
かろうじて…ている -- 127
かろうじて…る --- 127
かわきりに →をかわきりに
かわりに --------- 128

き

きく →ときく
きっかけ --------- 128
きっと ----------- 128
ぎみ ------------- 129
きらいがある ----- 129
きり ------------- 130
きる ------------- 130
きれない --------- 131
きわまりない ----- 131
きわまる →きわまりない
きわみ ----------- 132
きんじえない →をきんじえない

く

くさい ----------- 132
くせ ------------- 133
くせして --------- 133
くせに ----------- 133
ください →てください
くださる →てくださる
くもなんともない - 549
くらい 134, 135, 136, 138, 139
くらい…はない --- 135
くらいだ --------- 137
くらいだから ----- 137
くらいなら ------- 136
くらいの…しか…ない - 137
くらべる →にくらべて
くれ →てくれ

くれる →てくれる
くわえて --------- 139

け

げ --------------- 140
けっか ----------- 140
けっきょく ------- 141
けっして…ない --- 141
けど ------------- 142
けれど ---- 142, 143, 144
けれども --------- 144
げんざい --------- 144

こ

こういうふう ----- 658
ごし ------------- 145
こしたことはない →にこしたことはない
こそ ------------- 145
こそ…が --------- 146
こそ あれ／すれ - 146
こと --------- 147, 148
こと／…ところ から -- 115
ことうけあいだ --- 149
ことか ----------- 150
ことがある ------- 150
ことができる ----- 151
ことこのうえない - 152
ごとし ----------- 152
ことだ ----------- 153
ことだから ------- 154
ことだし --------- 154
ことだろう ------- 154
ことで ----------- 155
こととおもう ----- 155
こととしだいによって - 184
こととする ------- 449
こととて --------- 156
ことなく --------- 156
ことなしに ------- 156
ことに ----------- 157
ごとに ----------- 157
ことにしている --- 158

ことにする ------- 158
ことになっている - 159
ことになる ---- 159, 160, 533
ことには --------- 160
ことによると／ばあいによると ------- 596
ことは…が ------- 161
ことはない ------- 162
ことはならない --- 162
このたび --------- 163
このぶんでいくと - 663
このぶんでは ----- 663
こむ ------------- 163
ごらん ----------- 164
これ／それ／あれ いじょう ------------- 39
これ／それ までだ -- 708
これいじょう…て - 40
これいじょう…ば - 39
これいじょう…は＋含否定意义的表达方式 ------- 40
これいじょう＋修飾句＋…は…ない ------- 39
これだけ…のだから - 255
これだと --------- 164
これでは --------- 164
これといって…ない - 404

さ

さあ ------------- 165
さい ------------- 165
さいご →がさいご
さいちゅう ------- 166
さえ ------------- 166
さえ …たら／…ば - 167
さしあげる →てさしあげる
さしつかえない --- 167
さすが ----------- 167
さすがに --------- 168
さすが(に)…だけあって ------- 168
さすがに…だけのことはある ------- 169
さすがの…も ----- 169

させてあげる ―― 172
させておく ―― 172
させてください ―― 172
させてほしい(んだけれど)
　　―― 681
させて　もらう／くれる　173
させられる ―― 173
させる ―― 169
さぞ…ことだろう　→ことだろう
さっぱり ―― 174
さっぱり…ない ―― 174
さっぱりだ ―― 174
さて ―― 174
さて…てみると ―― 174
さほど ―― 175
さほど…ない ―― 175
さも ―― 175
さらに ―― 176
さることながら　→もさることながら
ざるをえない ―― 176
されている　→とされている

し

し ―― 177
し、…から ―― 178
し、それに ―― 177
しいしい ―― 179
しか ―― 179
しか…ない ―― 179
しかし ―― 181
しかしながら ―― 182
しかたがない ―― 182
しかも ―― 182
しだい ―― 183
しだいだ ―― 183
したがって ―― 184
じつのところ ―― 186
じつは ―― 184
じつをいうと ―― 185
して　→て
しないで　→ないで
しなくて　→なくて

しはする ―― 186
しまつだ ―― 187
じゃあ ―― 187
じゃ(あ) ―― 188
じゃあるまいし ―― 178
じゃない ―― 188
じゃないか ―― 188, 189
じゃないが ―― 190
じゃないだろうか ―― 190
じゅう ―― 190
しゅんかん ―― 191
じょう ―― 191
しょうがない ―― 192

す

ず ―― 192
ず…ず ―― 193
＋数量詞＋にたいして ―― 576
＋数量詞＋にたいする ―― 577
＋数量詞＋について ―― 579
＋数量詞＋につき ―― 580
すえに ―― 193
すがたをみせる ―― 722
すぎ ―― 194
すぎない ―― 194
すぎる ―― 194
すぐ ―― 195
すくなくとも ―― 195
すぐにでも ―― 196
ずくめ ―― 196
すこしも…ない ―― 196
ずして ―― 197
ずじまいだ ―― 197
ずつ ―― 197
ずとも ―― 198
すなわち ―― 198
ずに ―― 198
ずにいる ―― 199
ずにおく ―― 199
ずにすむ ―― 200
ずにはいられない ―― 200
ずにはおかない ―― 200
ずにはすまない ―― 201
すまない　→ずにはすまない

すむ ―― 201
すむことではない ―― 202
すら ―― 202
すら…ない ―― 203
する ―― 204
すればいいものを ―― 776

せ

せい ―― 206
せいか ―― 86, 208
せいぜい ―― 208
せいで ―― 206
せいにする ―― 207
せずに　→ずに
せっかく ―― 209
せっかく…からには ―― 209
せっかく…けれども ―― 209
せっかく…のだから ―― 209
せっかく…のだったら ―― 210
せっかく　…のに／…ても
　　―― 210
せっかく＋連体修飾句＋…
　　―― 211
せっかくですが ―― 211
せっかくですから ―― 211
せっかくの ―― 211
せつな ―― 212
ぜひ ―― 212
せめて ―― 213
せめて…だけでも ―― 213
せめて…なりとも ―― 213
せめてもの ―― 214
せよ　→にせよ
せられたい ―― 214
せる　→させる
ぜんぜん…ない ―― 214

そ

そう…ない ―― 215
そういえば ―― 215
そうしたら ―― 216
そうして ―― 217
そうすると ―― 217

そうだ — 218, 219, 220, 222	それまでだ — 237	だけど — 258
(そう)だとしたら — 443	それゆえ — 237	だけに — 256
そうにしている — 220	それを — 238	だけにかえって — 257
そうにない — 221		だけになおさら — 256
そうになる — 221, 533	**た**	だけのことだ — 252
そうにみえる — 220, 718		だけのことはある — 257
そうもない — 221	たあとから — 11	だけましだ — 255
そこで — 222, 223	たい — 238	たことが ある／ない — 150
そこへ — 223	だい — 240	たしかに…かもしれない 112
そこへいくと — 224	たいがい — 241	ただ — 258
そしたら — 224	たいした — 241	ただ…だけでは — 251
そして — 224	たいした…だ — 241	ただし — 259
その…その — 225	たいした…ではない — 241	ただでさえ — 260
そのうえ — 225	たいしたことはない — 242	たためしがない — 272
そのうち — 225	たいして…ない — 242	たっけ — 260
そのくせ — 133, 226	だいたい — 243	だったら — 260
そのとたん(に) — 453	たいだけ — 254	たって — 260, 261, 309
そのはんめん(では) — 652	たいてい — 243	だって — 262
そのもの — 226	たいとおもう — 77	たつもりで — 314
そのものだ — 226	たいばかりに — 642	たつもりはない — 314
そばから — 227	たいへん — 244	たて — 264
そもそも — 227	たいへんだ — 244	だと — 264
そもそも…というのは — 227	たいへんな — 244	だといい — 264
そもそもの — 227	(たい)ほうだい — 675	だといって — 265
それが — 228	たいものだ — 770	たとえ — 265
それから — 228	たいんですが — 240	たとえば — 265
それこそ — 229	たうえで — 61	たとおもうと — 420
それだけ — 229	たおぼえはない — 74	たとおもったら →とおもう 9b
それで — 230	たかが — 244	たとき — 426, 427
それでこそ — 230	たかが…ぐらいで — 245	たところ — 433
それでは — 231	たがさいご →がさいご	たところが — 433
それでも — 232	たかだか — 245	たところだ — 437
それどころか — 232	だから — 246, 247	たところで — 439, 440
それとも — 232, 233	だから …のだ／…わけだ — 246, 613	たところで…だけだ — 251
それなら — 233	だからこそ — 248	たところで…ない — 440
それなり — 532	だからといって — 249	だとすると — 266, 450
それに — 234	たがる — 240, 249	だとすれば — 266, 452
それにしては — 235	たきり…ない — 130	たとたん(に) — 452
それにしても — 235	たくても…れない — 366	たなら — 526
それにはおよばない — 586	だけ — 250, 253, 256	たなり — 528
そればかりか — 644	だけしか…ない — 252	たなり(で) — 528
それはそうと — 236	だけだ — 250	だなんて — 267
それはそれでいい — 236	だけで — 251	だにしない — 267
それはそれとして — 236	だけでなく…も — 252	だの — 268
それほど — 237		

たばかりだ ―― 639
たはず ―― 648
たび →このたび
たびに ―― 268
たぶん ―― 269
たまで(のこと)だ ―― 708
たままを ―― 712
たまらない ―― 269
ため ―― 270, 271
ためし ―― 271
ためしに…てみる ―― 271
ために ―― 270
たものだ ―― 770
たものではない ―― 772
たものでもない ―― 772
たら ―― 272, 276, 280, 281
たら+請求・勧誘 ―― 280
たら…た ―― 277
たら …だろう／…はずだ ―― 276
たら…で ―― 279
たら…ところだ ―― 438
たら+詢問 ―― 275
たら+情感表達・祈使 ―― 273
たら+未実現的事物 ―― 272
たらいい ―― 281, 282
だらけ ―― 283
たらさいご ―― 279
たらどうか ―― 283
たらどんなに…か ―― 276, 277
たらよかった ―― 282
たり ―― 284
たり…たり ―― 285
たり…たりする ―― 284
たり したら／しては ―― 285
たりして ―― 285
たりとも ―― 286
たりなんかして ―― 538
たる ―― 286
たると…たるとをとわず 286
たるべきもの ―― 287
たるや ―― 287
たろう ―― 287
だろう ―― 288, 289
だろうか ―― 289

だろうが、…だろうが ―― 290
だろうに ―― 291

ち

ちがいない ―― 292
ちっとも…ない ―― 292
ちなみに ―― 293
ちゃんと ―― 294
ちゃんとする ―― 294
ちゅう ―― 295
ちょっと 296, 297, 298, 299
ちょっと…ない ―― 298
ちょっとした ―― 299

つ

つ…つ ―― 299
つい ―― 300
ついて →について
ついでに ―― 300
ついで(に) ―― 301
ついては ―― 301
ついに ―― 301
ついに…た ―― 301
ついに…なかった ―― 302
ついには ―― 302
つぎのように／いかのように ―― 799
つきましては ―― 303
っきり ―― 303
っけ ―― 303
っこない ―― 303
ったって ―― 261
ったら ―― 304, 305
ったらない ―― 305
っつ ―― 305
っつある ―― 306
っつも ―― 306
って ―― 307, 308
ってば ―― 309, 630
ってわけではない ―― 833
っぱなし ―― 650
っぽい ―― 310
つまり ―― 310

つまり…のだ ―― 607
つまり…のです ―― 613
つまり(は) ―― 311
つもり ―― 311
つもりだ ―― 313, 314
つれて →につれて

て

て ―― 315
で ―― 316, 317
てあげてください ―― 317
てあげてくれ(ないか) ― 317
てあげる ―― 317
てある ―― 318
であれ ―― 319
であろうと ―― 319
であろうと、…であろうと 319
であろうとなかろうと ―― 320
であろうと(も) ―― 471
ていい ―― 320
ていく ―― 320, 321
ていけない ―― 322
ていただきたい ―― 323
ていただく ―― 322, 323
ていただける ―― 323
ていただけるとありがたい ―― 324
ていただけるとうれしい 324
ていたところだ ―― 437
ていては ―― 343
ていない ―― 328
ていはしまいか ―― 324
ていらい ―― 58
ていらいはじめて ―― 58
ている ―― 325, 326, 327, 328
ている／…る うちに ―― 64
ているところだ ―― 437
ているところをみると ―― 432
ているばあいではない ―― 632
ておく ―― 328
てから ―― 329
てからでないと ―― 329
てからでないと…ない ―― 329
てからでないと…る ―― 330

てからというもの(は) - 330	ではならない →てはならない	てやってもらえるか ---- 378
てください ------------ 330	てほしい --------- 357, 679	てやまない ----------- 378
てくださる ----------- 331	てほしい(んだけれど) - 681	てやる ------------- 378
てくる ---------- 332, 333	てまもなく →まもなく	てよかった ---------- 807
てくれ -------------- 334	てみせる ----------- 357	てん --------------- 379
てくれない(か) ------- 479	てみたら ----------- 359	
てくれまいか --------- 691	てみたらどう --------- 360	## と
てくれる -------- 334, 335	てみてはじめて -------- 358	
てこそ -------------- 336	てみる ------------- 358	と -- 380, 381, 382, 385, 386
てさしあげる --------- 336	てみると ----------- 358	と…た ---------- 383, 384
てしかたがない -------- 337	ても ----------- 360, 361	と…た(ものだ) ------- 381
でしかない ------ 180, 338	ても…きれない -------- 365	と…る ------------- 381
てしまいそうだ -------- 222	ても…すぎることはない 195	と＋未実現的事情 ------ 382
てしまう ------------ 338	ても…た ------------ 365	とあいまって --------- 387
てしまっていた -------- 339	ても…ただろう -------- 365	とあって ----------- 387
でしょう →だろう	ても…ても ---------- 362	とあっては ---------- 388
てしょうがない -------- 339	ても…なくても -------- 362	とあれば ----------- 388
てたまらない ----- 269, 339	でも --------- 366, 367, 368	といい ---------- 388, 389
てちょうだい --------- 340	でも…のに ---------- 616	といい…といい ------- 390
てっきり…とおもう ---- 340	でもあり、でもある ---- 368	といいますと --------- 390
て…て ------------- 316	でもあるまい --------- 690	という ----- 23, 24, 391, 392
てでも ------------- 341	でもあるまいし ---- 369, 690	というか ----------- 392
でなくてなんだろう ---- 341	てもいい --------- 369, 370	というか…というか ---- 392
でなくては →なくては	てもかまわない ---- 371, 372	ということ ---------- 393
てならない ---------- 341	てもさしつかえない ---- 373	(という)こと --------- 147
てのこと ----------- 342	てもしかたがない ------ 373	ということだ --------- 394
ては ---------- 343, 344	でもしたら ---------- 368	ということなら -------- 523
では ---------- 345, 346	でもって ----------- 374	ということにする →というこ
ではあるが ---------- 347	てもどうなるものでもない --	とにする2
ではあるまいか ---- 347, 690	----------------- 366	ということは…(ということ)
てはいけない --------- 348	てもともとだ -------- 763	だ -------------- 394
てはいられない -------- 349	でもない ----------- 374	というだけ(の理由)で 253
ではいられない -------- 349	でもなんでもない ------ 543	というてん ---------- 380
てばかりいる --------- 638	てもみない ------ 360, 375	というと -------- 395, 396
てばかりもいられない -- 642	てもよろしい ----- 375, 376	というと…のことですか 395
てはだめだ -------- 349, 350	てもよろしいでしょうか 375	というところだ -------- 396
ては…、…ては ------- 345	てもよろしいですか ---- 375	というのなら ---------- 523
てはどうか ---------- 350	てもらう ----------- 376	というのは ---------- 396
ではない ----------- 351	てもらえないか -------- 377	というのは…ということだ
ではないか ------- 352, 354	てもらえまいか -------- 691	----------------- 397
ではないだろうか -- 290, 355	てもらえるか -------- 377	いうのは…のことだ ---- 397
ではなかったか ------- 355	てもらえるとありがたい 377	というのも ---------- 397
ではなかろうか ------- 356	てもらえるとうれしい -- 377	というのも…からだ ---- 398
ではなくて ------- 352, 356	てやってくれないか ---- 335	というふうに --------- 659
てはならない --------- 357	てやってもらえないか -- 378	というほかはない ------ 678

というほどではない —— 685	どうせ…（の）なら —— 410	とか（…とか） —— 422
というもの —— 765	どうせ…のだから —— 411	とか…とか（いう） —— 423
というものだ —— 398	どうせ…るいじょう（は） 410	とか（いう） —— 423
というものではない —— 398	どうせ…るからには —— 410	とかいうことだ —— 424
というものは…だ —— 765	どうせ（のこと）だから 411	とかく —— 424
というより —— 399, 814	どうぜん —— 411	とかく…がちだ —— 424
というよりむしろ…だ — 733	とうてい…ない —— 412	とかで —— 424
というわけだ／ってわけだ —	どう…ても —— 364	とかなんとかいう —— 546
—— 831	とうとう —— 412	とかんがえられている — 425
というわけではない —— 833	とうとう…た —— 412	とかんがえられる —— 425
といえど —— 399	とうとう…なかった —— 413	とき —— 426
といえども —— 399	どうにか —— 413	どき —— 427
といえなくもない —— 400	どうにかする —— 413	ときく —— 428
といえば —— 400	どうにかなる —— 413	ときたひには —— 428
といえば…が —— 400	どうにも —— 414	ときたら —— 429
といえば…かもしれない 401	どうにも…ない —— 414	ときているから —— 429
といえば…ぐらいのことだ —	どうにも　ならない／できない	ときとして —— 430
—— 401	—— 414	ときとして…ない —— 430
といけない —— 401	どうも —— 414, 415	ときに —— 430
といった —— 402	どうも…そうだ／…ようだ／	ときには —— 430
といったところだ —— 402	…らしい —— 414	どこか —— 430, 431
といったらありはしない 402	どうもない —— 415	どことなく —— 431
といったらありゃしない 403	どうやら —— 415	ところ —— 431, 433
といったらない —— 403	どうやら（こうやら）— 415	どころ —— 433
といって —— 404	どうやら…そうだ —— 415	ところが —— 435, 436
といっている —— 23	どうり —— 416	どころか —— 433
といっては —— 405	どうりがない —— 416	どころか…ない —— 434
といっても —— 405, 406	どうりで —— 416	ところだ —— 437, 438
といっても…ない —— 406	どおし —— 416	ところだった —— 438
といってもいいすぎではない	とおして —— 416	ところで —— 439
—— 407	とおす —— 417	どころではない —— 435
といってもいいだろう — 407	とおなじ —— 73	ところに —— 440
といってもせいぜい…だけだ	（とおなじ）くらい —— 135	ところによると —— 596
—— 251	（とおなじ）くらいの — 135	どころの　はなし／さわぎでは
といってもまちがいない 407	とおもいきや —— 419	ない —— 435
といわず…といわず —— 408	とおもう —— 75, 418	ところを —— 441
といわれている —— 23	とおもうと —— 420	ところ（を） —— 441
といわんばかり —— 469	とおもうまもなく —— 420	ところをみると —— 729
どうしたもの（だろう）か —	とおもったものの　→ものの	とされている —— 442
—— 768	とおもったら —— 419	としか…ない —— 180
どうしても —— 408	とおもっている —— 76	としたら —— 442, 443
どうしても…たい —— 408	とおもわれる —— 76	として —— 444
どうしても…ない —— 408	とおり —— 421	として…ない —— 445
とうじに —— 409	どおり —— 421	としての —— 444
どうせ —— 410	とか —— 423	としては —— 445

50音順索引

としても ——— 444, 446	とばかりはいえない —— 642	ないである ——— 485
とすぐ ——— 385	とはちがって →とちがって	ないでいる ——— 485
とする ——— 204, 447, 448	と(は)はんたいに —— 651	ないでおく ——— 485
とすると ——— 449	(…とは)べつに ——— 670	ないでくれ ——— 334, 486
とすれば ——— 451	とみえて ——— 470	ないですむ ——— 202, 486
とたん ——— 452	とみえる ——— 470, 719	ないではいられない —— 486
とたんに ——— 453	とも ——— 470	ないではおかない ——— 486
とちがって ——— 453	ども ——— 471, 472	ないではすまない ——— 487
とちゅう ——— 454	ともあろうものが ——— 472	ないでもない ——— 487
とちゅうで ——— 454	ともいうべき →とでもいうべき	ないでもよい ——— 488
とちゅう(で／に)—— 454	ともかぎらない ——— 473	ないと ——— 488
とちゅう(は)——— 454	ともかく ——— 473	ないと…ない ——— 488
どちらかというと ——— 455	ともすると ——— 474	ないと＋負面評価内容 — 488
どちらかといえば →どちらかというと	ともなう →にともなって	ないといい ——— 489
どちらのほう ——— 673	ともなく ——— 474	ないと いけない／だめだ — 489
とて ——— 455, 456	ともなって →にともない、にともなって	ないともかぎらない ——— 490
とて(も)——— 455	ともなると ——— 475, 534	ないまでだ ——— 709
とても ——— 456	ともなれば ——— 475	ないまでも ——— 490
とても…ない ——— 456	ともに →とともに	ないものか ——— 491
とでもいう ——— 457	ともよい →なくともよい	ないものだろうか ——— 767
とでもいうべき ——— 457	とやら ——— 476	ないものでもない ——— 772
とどうじに ——— 409	とよかった(のに)——— 389	ないわけに(は)いかない — 835
とともに ——— 457	とりわけ ——— 476	なお ——— 491
となく ——— 458	とわず →をとわず	なおす ——— 492
となったら ——— 458	とんだ ——— 477	なか ——— 493
となっては ——— 459, 460	とんでもない ——— 477	ながす ——— 493
となる ——— 460, 534	どんな ——— 478	ながら ——— 494
となると ——— 460, 461, 534	どんなに ——— 478	ながら(も／に)——— 495
となれば ——— 462	どんなに…だろう(か)- 478	なかを ——— 493
とにかく ——— 463	どんなに…ても ——— 363, 479	なきゃ ——— 496
との ——— 464, 465		なくしては ——— 496
とのことだ ——— 464	## な	なくちゃ ——— 496
とは ——— 465, 466		なくて ——— 496
とは…のことだ →とは	ないうちに ——— 64	なくては ——— 497
とはいいながら ——— 466	ないか ——— 479	なくてはいけない — 349, 497
とはいうものの 467, 775, 776	ない(か)——— 479, 480, 481	なくてはならない →なければ2
とはいえ ——— 467, 468	ないかぎり ——— 97	なくてもいい ——— 498
とはいっても ——— 468	ないかしら ——— 481, 482	なくともよい ——— 498
とはうってかわって —— 468	ないかな ——— 482	なくもない ——— 499
とはおもわなかった —— 76	ないことには ——— 161	なけりゃ ——— 499
とはかぎらない ——— 468	ないことはない ——— 483	なければ ——— 500
とばかり ——— 469	ないこともない ——— 483	なければ…た ——— 501
とばかりおもっていた — 642	ないで ——— 484	
とばかり(に)——— 643		

なければ…ない	500	
なければいけない	500	
なければだめだ	500	
なければならない	500	
なければよかった	808	
なければよかったのに	809	
なさい	501	
なさんな	502	
なしでは…ない	502	
なしに	502	
なぜ…かというと	503	
なぜか	503	
なぜかというと…からだ	504	
なぜかといえば…からだ	504	
なぜならば…からだ	504	
など	505	
など…ない	505	
など…るものか	506	
などと	505	
なに…ない	506, 507	
なにか	507, 508	
なにかしら	508	
なにかと	509	
なにかというと	509	
なにがなんでも	509	
なにがなんでも＋貶义评价	510	
なにかにつけて	510	
なにげない	510	
なにしろ	511	
なににもまして	512	
なにひとつ…ない	506	
なにも	512	
なにも…ない	512	
なにも…わけではない	513	
なにもかも	514	
なにやら	514	
なにより	515	
なによりだ	515	
なまじ	516	
なら	516, 518, 524	
なら…だ	517	
なら…なり	530	
ならいい	526	
ならでは	527	

ならない	527	
ならば →なら		
なら（ば）	524, 525	
なら（ば）…ところ だが／を	438	
ならびに	527	
なり	528, 530	
なり…なり	529	
なりと	532	
なりと（も）	532	
なりなんなり	529	
なる	532	
なるたけ	535	
なるべく	535	
なるべくなら	535	
なるほど	536	
なるほど…かもしれない	112	
なれた	536	
なれば	537	
なんか	537, 538	
なんか…ない	539	
なんか…ものか	539	
なんだか	540	
なんだって →って5		
なんだろう →でなくてなんだろう		
なんて	540, 541, 542	
なんてあんまりだ	20	
なんて（いう）…	540	
なんて（いう）…だ	540	
なんてことない	541	
なんでも	542	
なんでも …らしい／…そうだ	543	
なんでもない	543	
なんて…んだろう	541	
なんと	544	
なんと…のだろう	544	
なんという	544	
なんという…だ	544	
なんという＋連体修飾語＋…	544	
なんということもない	545	
なんとか	545	
なんとかいう	546	

なんとかなる	546	
なんとしても	547	
なんとなく	547	
なんとはなしに	547	
なんとも	547	
なんとも…ない	548	
なんとも…ようがない	548	
なんともおもわない	548	
なんともない	548	
なんにしても	549	
なんにしろ	550	
なんら…ない	550	
なんらの…も…ない	550	
なん＋量詞＋…ても	364	
なん＋量詞＋となく	458	
なん＋量詞＋も	744	
なん＋量詞＋も…ない	744	

に

に	550	
に…てほしい	679	
にあたって	551	
にあたらない →にはあたらない		
にあたり	552	
にあって	552	
にあっては	552, 553	
にあっても	552	
にいたって	554	
にいたっては	554	
にいたっても	555	
にいたる	553	
にいたるまで	554	
にいわせれば	555	
において	556	
におうじた →におうじて		
におうじて	557	
におかれましては	557	
における	557	
にかかったら →にかかっては		
にかかっては	557	
にかかると →にかかっては		
にかかわらず	558	
にかかわる	558	

にかぎったことではない ― ― ― ― ― ― ― 98, 559	にそって ― ― ― ― ― 575	によったら →によると1b
にかぎる ― ― ― ― ― 98	にたいして ― ― ― ― 576	によって ― ― 593, 594, 595
にかけたら ― ― ― ― 559	にたいする ― ― ― ― 576	によらず ― ― ― ― ― 595
にかけて ― ― ― ― ― 559	にたえない ― ― ― ― 577	により ― ― ― ― ― ― 595
にかけて(も) ― ― ― ― 560	にたえる ― ― ― 577, 578	による ― ― ― ― ― ― 595
にかこつけて ― ― ― ― 560	にたりない ― ― ― ― 578	によると ― ― ― ― ― 596
にかたくない ― ― ― ― 560	にたる ― ― ― ― ― ― 578	によれば ― ― ― ― ― 597
にかまけて ― ― ― ― ― 561	にちがいない →ちがいない	にわたって ― ― ― ― ― 597
にかわって ― ― ― ― ― 561	について ― ― ― ― ― 579	にわたり ― ― ― ― ― 597
にかわり ― ― ― ― ― 562	につき ― ― ― ― 579, 580	
にかわる →にかわって	につけ ― ― ― ― ― ― 580	**ぬ**
にかんして ― ― ― ― ― 562	につけ…につけ ― ― ― 580	
にかんする →にかんして	につれて ― ― ― ― ― 581	ぬ ― ― ― ― ― ― ― 598
にきまっている ― ― ― 562	にて ― ― ― ― ― ― ― 581	ぬうちに ― ― ― ― ― 598
にくい ― ― ― ― ― ― 563	にとおもって ― ― ― ― 421	ぬき ― ― ― ― ― ― ― 599
にくらべて ― ― ― ― ― 563	にとって ― ― ― ― ― 581	ぬきで ― ― ― ― ― ― 599
にくらべると →にくらべて	にどと…ない ― ― ― ― 582	ぬきに…れない ― ― ― 599
にくわえ ― ― ― ― ― 564	にとどまらず ― ― ― ― 582	ぬく ― ― ― ― ― ― ― 599
にくわえて ― ― ― ― ― 564	にともない ― ― ― ― ― 582	ぬばかり ― ― ― ― ― 598
にこしたことはない ― ― 564	にともなって ― ― ― ― 583	ぬまでも ― ― ― 598, 600
にこたえ ― ― ― ― ― 565	になく ― ― ― ― ― ― 583	ぬまに ― ― ― ― ― ― 599
にこたえて ― ― ― ― ― 565	になる ― ― ― ― ― ― 534	
にさいし ― ― ― ― ― 566	になると ― ― ― 534, 583	**ね**
にさいして ― ― ― ― ― 566	ににあわず ― ― ― ― ― 583	
にさきだち ― ― ― ― ― 566	には ― ― ― ― ― ― ― 583	ねばならない ― ― ― ― 600
にさきだって ― ― ― ― 567	には…なり ― ― ― ― ― 531	ねばならぬ ― ― ― ― ― 600
にしたがい ― ― ― ― ― 567	にはあたらない ― ― ― 585	
にしたがって ― ― ― ― 567	にはおよばない ― ― ― 585	**の**
にしたって ― ― ― ― ― 568	にはむりがある ― ― ― 734	
にしたら ― ― ― ― ― 569	にはんし ― ― ― ― ― 586	の ― ― ― 600, 601, 602, 603
にして ― ― ― ― ― ― 569	にはんして ― ― ― ― ― 586	の…ないの ― ― ― ― ― 604
にしてからが ― ― 115, 570	にひきかえ ― ― ― ― ― 587	の…ないのって ― ― ― 605
にしては ― ― ― ― ― 571	にほかならない ― ― 588, 678	の…ないのと ― ― ― ― 604
にしてみたら →にしてみれば	にみる ― ― ― ― ― ― 728	の…の ― ― ― ― 602, 604
にしてみれば ― ― ― ― 571	にむかって ― ― ― ― ― 588	の…のと ― ― ― ― ― 604
にしても ― ― ― ― ― 572	にむけて ― ― ― ― 589, 590	のあいだ ― ― ― ― ― ―2
にしても…にしても ― ― 573	にめんした →にめんして	のいたり →いたり
にしろ ― ― ― ― ― ― 573	にめんして ― ― ― ― ― 590	のうえで(は) ― ― ― ― 60
にすぎない →すぎない	にも ― ― ― ― ― 590, 591	のうち ― ― ― ― ― ― 62
にする ― ― ― ― 204, 574	にもかかわらず ― ― ― 591	のか ― ― ― ― ― ― ― 606
にせよ ― ― ― ― ― ― 574	にもとづいた →にもとづいて	のきわみ →きわみ
にそういない ― ― ― ― 574	にもとづいて ― ― ― ― 592	のこと ― ― ― ― ― ― 149
にそくして ― ― ― ― ― 574	にもなく ― ― ― ― ― 592	(のこと)となったら ― ― 459
にそった →にそって	にもならない ― ― ― ― 592	(のこと)となると ― ― ― 462
	にもまして ― ― ― ― ― 695	(のこと)となれば ― ― ― 463
		(のこと)をおもう ― ― ― 79

(のこと)を…という ── 25
のだ ──────── 607
のだから ─────── 608
のだった ────── 608, 609
のだったら ────── 609
のため ──────── 270
のだろう ────── 609, 610
のだろうか ────── 610
ので ───────── 611
のであった ────── 611
のである ─────── 612
のです ──────── 612
のですか ─────── 613
のですから ────── 613
のでは ────── 343, 346, 613
のではあるまいか →ではあるまいか
のではないか →ではないか2
(の)ではないか ─── 354
(の)ではないかとおもう 354
のではないだろうか →ではないだろうか
(の)ではなかったか ────── 355, 356
のではなかろうか →ではなかろうか
のところ ─────── 431
のなか ──────── 493
のなかで ─────── 493
(の)なら ────── 518, 519
(の)なら…で ──── 521
(の)なら…と ──── 522
(の)ならべつだが ── 522
のなんの ─────── 605
のなんのって ───── 605
のなんのと ────── 605
のに ────── 614, 615, 616
のにたいして ───── 576
のは…おかげだ ──── 617
のは…からだ ──── 117, 617
のは…ぐらいのものだ ─ 139
のは…せいだ ──── 207, 618
のは…だ ─────── 617
のは…ためだ ───── 617

のは …だ／…+助詞+だ ── 617
のは…ゆえである ─── 786
のまえに ─────── 691
のみ ───────── 618
のみならず ───── 618, 619
のみならず…も ──── 618
のもと(で) ───── 761
のもとに ─────── 762
のもむり(は)ない ── 735
のもむりもない ──── 735
のやら…のやら ──── 784
のゆえに ─────── 786

は

は、…いらいだ ───── 58
は…が…れる ───── 821
は…がへただ ───── 667
は…し、…は…しで ── 178
は…なり ─────── 531
は…れる ─────── 822
ば ───────── 619, ── 620, 621, 625, 627, 629
ば+請求・勧誘 ───── 628
ば+意志・希望 ───── 622
ば…た ──────── 620
ば …た／…ていた ── 627
ば／…たら …かもしれない ───────── 112
ば／…たら …たかもしれない ───────── 113
ば／…たら …るかもしれない ───────── 112
ば …だろう／…はずだ 625
ば…で ──────── 628
ば+発問 ──────── 624
ば…ところだ(った) ── 626
ば …のに／…のだが ── 625
ば+呼呼・要求 ───── 623
ば…ほど ────── 630, 686
ば+未実現的事物 ──── 621
ば…る ──────── 620
ば…るだけ ────── 255
ばあい ──────── 631

ばあいによっては →によって5
ばあいもある ───── 632
ばあいをのぞいて ─── 632
はい ────── 632, 633, 634
ばいい ──────── 635
はいいとしても ──── 447
はいうまでもない ─── 25
はいざしらず →いざしらず
はおろか ─────── 636
ばかり ────── 637, 638, 640
ばかりか ─────── 643
ばかりか …も／…まで 643
ばかりで ─────── 639
ばかりでなく…も ─── 644
ばかりに ─────── 641
ばかりの ─────── 640
ばかりは ─────── 639
ばこそ ──────── 645
はじめ ──────── 645
はじめて ─────── 646
はず ───────── 646
はずがない ────── 648
はずだ ────── 646, 647
はずだった ────── 648
はずではなかった ─── 648
はずみ ──────── 649
はたして ─────── 649
はたして…か ───── 649
はたして…した ──── 650
はたして…としても ── 650
はとにかく(として) ── 464
はともかく(として) ── 473
はとわず →をとわず
ぱなし ──────── 650
はぬきにして ───── 599
はべつとして ───── 669
はむりだ ─────── 734
はもちろん ────── 758
はもとより ────── 763
はやいか ─────── 650
ばよかった ───── 636, 807
ばよかったのに ──── 808
はんいで ─────── 651
はんたいに ────── 651

はんめん ──── 652

ひ

ひいては ──── 653
ひかえて ──── 653
ひさしぶり →ぶり2
ひじょうに ──── 653
ひではない ──── 653
ひとくちに…といっても 406
ひとつ ──── 654, 655
ひとつ…できない ──── 655
ひとつ…ない ──── 654
ひとつには…ためである 271
ひとつまちがえば ──── 656
ひとつも…ない ──── 654
ひととおり ──── 656
ひととおりではない ──── 657
ひととおりの ──── 657
ひとり…だけでなく ──── 657
ひとり…のみならず ──── 657
ひるとなくよるとなく ── 458

ふ

ふう ──── 658
ふしがある ──── 659
ふそくはない ──── 659
ふと ──── 659
ふと…ると ──── 660
ふとした ──── 660
ぶり ──── 660, 661
ぶる ──── 661
ぶん ──── 662
ぶん（だけ）──── 662
ぶんには ──── 663

へ

べからざる ──── 663
べからず ──── 664
べき ──── 664, 665
べきだ ──── 665
べき だった／ではなかった
──── 665
べく ──── 666

べく…た ──── 666
べくして…た ──── 666
べくもない ──── 666
べし ──── 666
へた ──── 667
へたに ──── 668
へたをすると ──── 668
べつだん ──── 669
べつだん…ない ──── 669
べつだんの ──── 669
べつとして ──── 669
べつに ──── 670
べつに…ない ──── 670
べつにして →べうとして

ほ

ぽい ──── 671
ほう ──── 671, 673
ほうが…より（も）──── 673
ほうがいい ──── 673
ほうがましだ ──── 674
ほうがよかった ──── 675
ほうがよほど ──── 813
ほうだい ──── 675
ほか ──── 676
ほかならない ──── 678
ほかならない／ほかならぬ
──── 678
ほかに（は）──── 676
ほかの ──── 677
ほかはない ──── 677
ほしい ──── 679
ほしいばかりに ──── 642
ほしい（んだけれど）──── 680
ほしがる ──── 682
ほど ──── 682, 683, 685
ほど…ない ──── 683
ほど…はない ──── 683
ほどだ ──── 684
ほどなく ──── 686
ほどの…ではない ──── 684
ほとんど ──── 687
ほとんど…た ──── 687
ほとんど…ない ──── 687

ま

まい ──── 688, 689
まいか ──── 690
まいとする ──── 689
まえ ──── 691
まさか ──── 692
まさか…とはおもわなかった
──── 693
まさか…ないだろう ──── 692
まさかの ──── 694
まさか＋否定表達方式 ── 693
まさに ──── 694
まさに…ようとしている（ところだ）──── 695
まじき →あるまじき…だ
まして ──── 695
まして（や）──── 695
まず ──── 696
まず …だろう／…まい 697
まずは ──── 696
また ──── 697, 698, 699
まだ ──── 699, 700, 701
まだ…ある ──── 701
まだ…ない ──── 699
またしても ──── 702
またの ──── 699
または ──── 702
またもや ──── 703
まったく ──── 703
まったく…ない ──── 703
まで ──── 704, 705
までして ──── 707
までだ ──── 708
までに ──── 709
まま ──── 709
ままだ ──── 709
まま（で）──── 710
まま（に）──── 711
ままに なる／する ──── 712
まみれ ──── 712
まもなく ──── 713
まるで ──── 713
まるで…ない ──── 714
まわる ──── 714

まんざら —— 715
まんざら…ではない —— 715
まんざら…でもない —— 715
まんざらでもない —— 715
まんまと —— 716

み

みえる —— 716, 717
みこみ —— 720
みこみがある —— 720
みこみがたつ —— 721
みこみだ —— 721
みこみちがいだ／みこみはずれだ —— 721
みこんで —— 721
みせる —— 722
みたい —— 723, 726
みたいだ —— 723, 724, 725
みたいな —— 724
みたいなものだ —— 725
みたいに —— 724
みだりに —— 727
みる —— 727
みるからに —— 729

む

むき —— 729
むきになる —— 730
むきもある —— 730
むく —— 731
むけ —— 731
むけて —— 732
むけに —— 731
むけの —— 731
むしろ —— 732
むやみに —— 733
むり —— 734
むりに —— 734
むりをする —— 735

め

めく —— 735
めぐって —— 736

めったな —— 737
めったに —— 736
めったに…ない —— 736

も

も —— 737, 744
も…あれば…もある →も10
も…し、…も —— 177
も…ずに —— 746
も…だが —— 745
も…ない —— 746
も…なら —— 745
も…ば —— 630
も…ば…も —— 630
も…も —— 738, 740
も…も…ない —— 738
もあり…もある —— 745
もあれば…もある —— 745
もう —— 749, 751, 752
もう ＋時間／＋年齢 —— 749
もう＋数量詞 —— 747
もう… だ／もういい —— 750
もう…ない —— 750
もう＋否定表達方式 —— 751
もういい —— 751
もうすぐ —— 752
もうすこし —— 748
もうすこしで…そうだった —— 748
もうすこしで…るところだった —— 748
もうすこし／もうちょっと —— 748
もうひとつ／いまひとつ…ない —— 655
もかまわず —— 753
もくされている —— 753
もさることながら —— 753
もし —— 754
もし…たら —— 754
もし …ても／…としても —— 754
もしかしたら —— 755
もしかしたら…か —— 755

もしかしたら…かもしれない —— 755
もしくは —— 756
もしも —— 756
もしも…たら —— 757
もしもの… —— 757
もちまして →もって2
もちろん —— 757
もって —— 758, 759
もっと —— 759
もっとも —— 760
もっとも …が／…けど —— 760
もっぱら —— 761
もっぱらの —— 761
もと —— 761
もどうぜん —— 411, 762
もともと —— 762
もとより —— 763
もなにも —— 513, 514
もなにもない —— 740
もの —— 764
もの／…こと も…ない —— 747
もの／…もん —— 766
ものか —— 767
ものか／…もんか —— 767
ものがある —— 768
ものだ —— 768, 769
ものだから —— 770
ものではない —— 771
ものでもない —— 772
ものとおもう —— 772
ものとおもっていた —— 773
ものとおもわれる —— 773
ものとかんがえられている —— 426
ものとかんがえられる —— 426
ものとする —— 449, 773
ものともせずに →をものともせずに
ものなら —— 773
ものの —— 774
ものを —— 776
もはや —— 777
もはや…だ —— 777
もはや…ない —— 777

もまた ― 698	ようで (は) ― 787	よほど…よう ― 813
もらう →てもらう	ようではないか ― 353	よもや ― 813
てもらおう ― 789	ようでもあり ― 801	より ― 814
もらおうか／…てもらおうか ― 791	ようでもあるし ― 801	よりいっそ (のこと) ― 50
	ようと ― 792	よりない ― 815
や	ようと…まいと ― 793	よりほかに…ない ― 678, 816
	ようと…ようと ― 793	よりほかは…ない ― 678
や ― 778	ようとおもう ― 78, 793	より (も) ― 814
やがて ― 779	ようとする ― 449, 794	より (も) むしろ ― 732
やすい ― 779	ようとはおもわなかった ― 795	よる →によって、によらず、により、によると、によれば
やたらに ― 780	ようとも ― 793	
やっと ― 780, 781	ようと (も) ― 471	**ら**
やっと…た ― 781	ようと (も／は) しない ― 795	
やっと…だ ― 782	ような ― 798, 802	らしい ― 816
やっと…ている ― 781	ような…ような ― 802	られたい →せられたい
やっと…る… ― 782	ような／…ように ― 798	られる ― 818, 820
やっとの… ― 783	ようなかんじがする ― 800	られるおぼえはない ― 74
やっぱり ― 783	ようなきがする ― 800	られるまま (に) ― 711
やなにか ― 508	ようなら／…ようだったら ― 802	
やなんか ― 538	ように ― 798, 799, 802	**る**
やなんぞ ― 783	ように おもう／かんじる ― 78, 800	
やむ ― 784	ようにする ― 206	る十いっぽう (で) ― 52
やら ― 784	ようにみえる ― 718	る／…た うえは ― 61
やら…やら ― 784	ようにみせる ― 723	る／…た かのようだ ― 797
やらなにやら ― 515	ようにも ― 591	る／…た しだいだ ― 183
やる →てやる	ようにも…ない ― 591	る／…た だけのことはする ― 254
	ようにも…れない ― 591, 795	る／…た とおり ― 422
ゆ	ようによっては ― 788	る／…ている かぎり ― 97
	ようものなら ― 774	る／…ている／…た かぎり ― 96
ゆえ ― 786	ようやく ― 805	る／…ている ところの ― 432
	ようやく…た ― 806	る／…ない こと ― 148
よ	ようやく…ている ― 806	る／…ない ことがある ― 150
	ようやく…る… ― 807	る／…ない ことだ ― 153
よう ― 787, 788	よかった ― 807	る／…ない つもりだ ― 311
ようか ― 790	よかろう ― 809	る／…ない ようでは ― 344
ようが ― 791	よぎなくさせる →をよぎなくされる	る／…ない よう (に) ― 803, 804
ようがない ― 787		る／…ない よう (に) いう ― 804
ようが…まいが ― 792	よく ― 809	る／…ない ようにする ― 804
ようが…ようが ― 791	よく (ぞ) ― 810	る／…ない ようになる ― 805
ようじゃないか ― 189, 792	よく (も) ― 810	るいぜん ― 45
ようするに ― 796	よく (も) …ものだ ― 769	るいっぽうだ ― 53
ようだ ― 796, 799	よそに ― 811	
ようったって ― 261	よほど ― 812	
ようで (いて) ― 801		
ようでは ― 801		

るうえで ─── 60	るのみだ ─── 618	わけにはいかない ─── 834
るかとおもうと →とおもう 2a	るばかりだ ─── 639, 640	わざわざ ─── 836
	るのまえに ─── 692	わずか ─── 836
るかとおもえば ─── 418	るまで ─── 705	わたる →にわたって
るかとおもえば…も ─── 418	るまでになる ─── 706	わり ─── 837
るか…ないうちに ─── 64	るまで（のこと）だ ─── 708	わりと／わりに ─── 837
るか、もしくは ─── 756	るまで（のこと）もない ─── 707	わりに（は） ─── 837
るがはやいか →はやいか	るまま（に） ─── 711	わ…わ ─── 824
るきにもならない ─── 593	るも…ないもない ─── 739	わ…わ（で） ─── 824
るぐらいならむしろ ─── 733	るものではない ─── 771	
ることには ─── 160	るや ─── 778	**を**
ることもあるまい ─── 690	るやいなや ─── 779	
ることをとおして ─── 417	るよりしかたがない ─── 816	を…という ─── 24
るしかない ─── 180	るよりない ─── 815	を…とおもう ─── 79
るだけ…て ─── 253	るよりほか（に／は）ない ─── 815	を…とする ─── 449, 837
るだけの… ─── 255		を…とすれば ─── 452
るだけは… ─── 254	るわ…るわ ─── 825	を…にする ─── 206
るつもり ─── 311	るわけに（は）いかない ─── 834	を…にひかえて ─── 587, 838
るつもりで ─── 313	るんじゃない ─── 846	を…みる ─── 728
るつもりではない ─── 312	るんだ ─── 848	をいう ─── 24
るつもりはない ─── 312		をおいて ─── 838
ると／…て まもなく ─── 713	**れ**	をかぎりに ─── 838
るといい ─── 388		をかわきりとして →をかわきりに
るとか（…るとか） ─── 422	れないものは…れない ─── 765	
るとき ─── 427	れる ─── 821, 823	をかわきりに ─── 839
るところだ ─── 437	れるだけ ─── 253	をかわきりにして →をかわきりに
るところとなる ─── 431		
るところに よると／よれば ─── 432	**ろ**	をきんじえない ─── 839
		をけいきとして ─── 840
るところまで ─── 432	ろく ─── 823	をこめて ─── 840
るともなく ─── 475	ろくでもない ─── 823	をして…させる ─── 841
るなどする ─── 505	ろくな…ない ─── 823	をしている ─── 327
るなら ─── 526	ろくに…ない ─── 823	をする ─── 205, 206, 841
るなり ─── 528	ろくろく ─── 824	（を）する ─── 205
るなり…ないなり ─── 529		をぜんていに ─── 841
るに…れない ─── 551	**わ**	をたよりに ─── 841
るにしたがって ─── 567		をちゅうしんに ─── 842
るにしたって ─── 568	わけがない ─── 825	をつうじて ─── 842, 843
るにたえない ─── 577	わけだ 826, 827, 828, 830	をとおして ─── 416, 417, 843
るにつけ ─── 580	わけだから ─── 831	をとわず ─── 843
るには ─── 584	わけだから…てもとうぜんだ ─── 831	をのぞいて ─── 843
るには…が ─── 584		をはじめ（として）…など ─── 645
るのだった ─── 608	わけだから…はとうぜんだ ─── 831	
る（の）なら…がいい ─── 520		をはじめ（として）…まで ─── 645
る（の）なら …しろ／…するな ─── 521	わけではない ─── 832	
	わけても ─── 834	

をふまえ ————— 844
をまえに（して）——— 692
をみせる ————— 722
をみる ————— 727
をもちまして ———— 759
をもって ———— 759, 844
をもとに ————— 844
をものともせずに ——— 845
をよぎなくさせる ——— 845
をよぎなくされる ——— 845
をよそに ———— 811, 812

ん

んがため ————— 271
んじゃ ————— 846
んじゃない ————— 846
んじゃないか ———— 847
んじゃないだろうか —— 847
んじゃなかったか ——— 847
んだ ————— 848
んだった ————— 848
んだって ———— 309, 849
んだろう ——— 609, 610, 849
…んだろうか ———— 610
んで ————— 849
んです ————— 850
んばかり ————— 640

末尾語逆引き索引

874 索引

ある

かいがある	91
きらいがある	129
ふしがある	659
ことがある	150
ものがある	764
みこみがある	720
かぎりがある	95, 96
にはむりがある	734
おそれがある	73
まだ…ある	701
つつある	306
てある	318
ないである	485
のは…ゆえである	786
のである	612
ひとつには…ため である	271
だけのことはある	257
さすがに…だけの ことはある	169
ばあいもある	632
むきもある	730
でも…のに	616
でもあり、でもある	368
もあり…もある	745
数量詞＋からある	116

いい

いい	21
もういい	751
がいい	23
ほうがいい	674
る（の）なら がいい	520
ていい	320
それはそれでいい	236
といい	388, 389
といい…といい	390
ないといい	489
だといい	264
るといい	388
ばいい	635
てもいい	369, 370
なくてもいい	498
からいい	117
たらいい	281, 282
ならいい	526

いる

ている	325, 326, 327, 328
ないでいる	485
ようやく…ている	806
そうにしている	220
ことにしている	158
といっている	23
ことになっている	159
にきまっている	562
とおもっている	76
かろうじて…ている	127
やっと…ている	781
もくされている	753
とされている	442
とかんがえられている	425
ものとかんがえ られている	426
ずにいる	199
てばかりいる	638

か

か	83, 85
数量詞＋も…か	743
もしかしたら…か	755
疑問詞…か	86
か＋疑問詞＋か	84
はたして…か	649
いかに…か	30
たらどんなに…か	276, 277
せいか	87, 208
ないか	479
ではないか	352, 354
ようではないか	353
（の）ではないか	354
ようじゃないか	189, 792
んじゃないか	847
てやってくれないか	335
まいか	690
ていはしまいか	324
ではあるまいか	347, 690
てくれまいか	691
はやいか	650
がはやいか	110
というか	392
というか…というか	392
もらおうか	791
かどうか	84
てはどうか	350
たらどうか	283
ようか	790
ではなかろうか	356
だろうか	289
ではないだろうか	290, 355
じゃないだろうか	190
のだろうか	610
どうしたもの（だろう）か	768
てもよろしいですか	375
というと… のことですか	395
のですか	613
のではなかったか	614
（の）ではなかったか	355, 356
んじゃなかったか	847
ことか	150
なにか	507, 508
かなにか	508
のか	86, 600
疑問詞＋…ば…のか	624

疑問詞+…たら		ようとする	449, 794	ずじまいだ	197	
…のか	276	るなどする	505	は、…いらいだ	58	
ものか	767	ものとする	449, 773	くらいだ	137	
なんか…ものか	539			そうだ	218, 221, 222	
など…るものか	506	ちゃんとする	294	どうも…そうだ	414	
ないものか	491	せいにする	207	なんでも…そうだ	543	
ばかりか	643	るようにする	804	いかにも…そうだ	32	
そればかりか	644	ことにする	158	どうやら…そうだ	415	
てもらえるか	377	ままにする	712	てしまいそうだ	222	
てやってもらえるか	378	を…にする	206	るいっぽうだ	53	
はおろか	637	しはする	186	ようだ	796, 799	
どころか	433	るだけのことはする	254	たかのようだ	797	
それどころか	232	からする	120	いかだ	27	
なんか	537, 538	数量詞+からする	116	べきだ	664	
かなんか	537	たり…たりする	284	だけだ	250	
もんか	767	をする	205, 206	といっても せいぜい…だけだ	251	
から		むりをする	735	わけだ	826, 827, 828, 830	
から	114, 116	副詞+する	203	ほうがましだ	674	
いいから	22	**だ**		だけましだ	255	
し、…から	178			はずだ	646, 647	
さっかくですから	211	もう…だ	750	ば…はずだ	625	
てから	329	たいした…だ	241	たら…はずだ	276	
あとから	13	が…なら…も…だ	89, 525	ただ	258	
たあとから	11	もはや…だ	777	は…がへただ	667	
ことから	115	なんて（いう）…だ	540	とかく…がちだ	424	
そばから	227	なんという…だ	544	しまつだ	187	
おりから	82	あるまじき…だ	18	までだ	708	
ときているから	429	やっと…だ	782	それまでだ	237	
それから	228	のは…だ	617	ことだ	153	
数量詞+から	115	というものは…だ	765	ないことだ	153	
する		が…なら…は…だ	524	とかいうことだ	424	
		なら…だ	517	ということだ	394	
する	204	というよりむしろ…だ	733	ということは… （ということ）だ	394	
にたいする	576	みこみちがいだ／ みこみはずれだ	721	というのは… ということだ	397	
お…する	68	のは…せいだ	207, 618	といえば… ぐらいのことだ	401	
がする	204	しだいだ	183	だけのことだ	252	
ようなきがする	800	るしだいだ	183	たまで（のこと）だ	708	
どうにかする	413	みたいだ	723, 724, 725			
とする	204, 447, 448					
まいとする	689					

とのことだ	464	とんだ	477	いざとなったら	459
がやっとだ	783	たいへんだ	244	おもったら	81
ほどだ	684	るんだ	848	とおもったら	419
てもともとだ	763	のは…＋助詞＋だ	617	いちど…たら	47
のだ	603			かりに…たら	123
だから…のだ	262, 613	**だから**		てみたら	359
疑問詞…のだ	607	だから	246, 247	もしも…たら	757
ものだ	768, 769			数量詞＋も…たら	742
たいものだ	770	くらいだから	136		
みたいなものだ	725	が…だから	87	**だろう**	
のは…ぐらいのものだ	139	わけだから	831	だろう	288
そのものだ	226	ことだから	154	といってもいいだろう	407
ままだ	709	のだから	608	まさか…ないだろう	693
みこみだ	721	せっかく…のだから	209	まず…だろう	697
るのみだ	618	これだけ…のだから	255	ば…だろう	625
ないとだめだ	489	どうせ…のだから	410	たら…だろう	276
てはだめだ	349	ものだから	770	ても…ただろう	365
のは…ためだ	617	おもったものだから	771	ことだろう	154
なければだめだ	500			のだろう	609, 610
からだ	117	**たら**		なんと…のだろう	544
なぜかというと …からだ	504	たら	272, 276, 280, 281	んだろう	609, 849
なぜならば…からだ	504	さえ…たら	167	なんて…んだろう	541
というのも…からだ	398	ときたら	429	でなくてなんだろう	341
たばかりだ	639	にかけたら	559		
るばかりだ	639, 640	そうしたら	216	**ても**	
		もしかしたら	755		
さっぱりだ	174	そしたら	224	ても	360
なんてあんまりだ	20	としたら	442, 443	いくら…ても	34, 363
はむりだ	734	（そう）だとしたら	443	もし…ても	754
つもりだ	313, 314	かりに…としたら	123	いかに…ても	30
なによりだ	515	にしたら	569	どんなに…ても	363, 479
ところだ	437, 438	もし…たら	754	いまさら…ても	54
というところだ	396	でもしたら	368	いまごろ …ても	54
たところだ	437	たりしたら	285	疑問詞…ても	363, 364
ていたところだ	437	ったら	304, 305	どう…ても	364
といったところだ	402	だったら	260	せっかく…ても	210
たら…ところだ	438	ようだったら	802	ても…なくても	362
んだ	848	のだったら	609	わけても	834
わけだから…は		せっかく…のだったら	210	どうしても	408
とうぜんだ	831	おなじ…るのだったら	73	またしても	702
		となったら	458		

としても	444, 446	このぶんでいくと	663	としか…ない	180
		そこへいくと	224	くらいの…	
はいいとしても	447	といいますと	390	しか…ない	137
はたして…としても	650	だと	264	どころか…ない	434
かりに…としても	124	これだと	164	なんか…ない	539
なんとしても	550	など	505	まったく…ない	703
にしても	572	の…ないのと	604	まだ…ない	699
いずれにしても	42	の…のと	604	ひとつ…ない	654
それにしても	235	のなんのと	605	いまひとつ…ない	655
なんにしても	549	あまりに（も）…と	15	あえて…ない	5
疑問詞＋にしても	573	（の）なら…と	522	たいして…ない	242
にあっても	556	なりと	532	けっして…ない	141
といっても	405, 406	疑問詞（＋格助詞） ＋なりと	532	として…ない	445
				ときとして…ない	430
ひとくちに… といっても	406	わりと	837	これといって…ない	404
		そうすると	217	まるで…ない	714
いくら…からと		とすると	449	たところで…ない	440
いって（も）	35	だとすると	266, 450	ないと…ない	488
いくら…といっても	35			てからでないと…ない	329
にいたっても	555	ともすると	474	ちょっと…ない	298
とても	456	からすると	120	にどと…ない	582
		へたをすると	668	など…ない	505
と		ふと…ると	660	ほど…ない	683
		となると	460, 461	さほど…ない	175
と	380, 381, 382, 385, 386			数量詞＋と…ない	386
		（のこと）となると	462	ろくな…ない	824
いちど…と	47	になると	534	いがいに…ない	28
いったん…と	51	てみると	358	いちがいに…ない	46
ないと	488	さて…てみると	174	よりほかに…ない	678, 816
てからでないと	329	からみると	122		
というと	395, 396	ところをみると	729	ろくに…ない	824
		ているところをみると	432	めったに…ない	736
かというと	105	によると	596	いまだ（に）…ない	56
なぜ…かというと	503	ばあいによると	596	べつに…ない	670
なにかというと	509	るところによると	432	なに…ない	506, 507
どちらかというと	455	ところによると	596		
疑問詞＋かというと	106	なんと	544	なしでは…ない	502
からいうと	118	ちゃんと	294	なければ…ない	500
じつをいうと	185	擬態詞＋と	387	こていじょう＋修飾句 ＋…は…ない	39
それはそうと	236			も…ない	746
とおもうと	420	**ない**		いささかも…ない	37
ようと	792	とうてい…ない	412	すこしも…ない	196
ようと…ようと	793	もう…ない	750	かならずしも…ない	109
であろうと	319	しか…ない	179	ひとつ…ない	654
であろうとなかろうと	320	だけしか…ない	252		
なにかと	509				

どうしても…ない	408	てしかたがない	337	ないことはない	483
といっても…ない	406	たことがない	150	にこしたことはない	564
とても…ない	456	どうりがない	416	ても…すぎる	
なんとも…ない	548	かぎりがない	95	ことはない	195
どうにも…ない	414	すぎない	194	おいそれと	
ようにも…ない	591	にかたくない	560	（は）ない	70
なにも…ない	512	ていけない	322	にはおよばない	585
ものも…ない	747	といけない	401	たつもりはない	314
なんらの…も…ない	550	てはいけない	348	るつもりはない	312
も…ない	738	なくてはいけない	497	ないではすまない	487
いくらも…ない	34	なにげない	510	ずにはすまない	201
なん＋量詞＋も…ない	744	っこない	303	てやまない	378
数量詞＋も…ない	741	だにしない	267	てもみない	360
もはや…ない	777	ようと（は）しない	795	そうもない	221
なんら…ない	550	といったら		どうもない	415
たきり…ない	130	ありはしない	402	なくもない	499
さっぱり…ない	174	くらい…はない	135	といえなくもない	400
あまり…ない	20	おぼえはない	74	がなくもない	499
あんまり…ない	20	たおぼえはない	74	べくもない	666
ぜんぜん…ない	214	ほかはない	677	でもない	374
べつだん…ない	669	というほかはない	678	ないでもない	487
いない	53	るよりほか		たものでもない	772
にそういない	574	（は）ない	815	いうまでもない	25
ちがいない	292	ふそくはない	659	まんざら…でもない	715
ていない	328	ではない	351	まんざらでもない	715
なんてことない	541	ているばあい		とんでもない	477
ことこのうえない	152	ではない	632	なんでもない	543
さしつかえない	167	といってもいい		でもなんでもない	543
てもさしつかえない	373	すぎではない	407	なんということもない	545
をきんじえない	839	どころのはなし／		るまで（のこと）	
にたえない	577	さわぎではない	435	もない	707
ざるをえない	176	わけではない	832	にともない	582
かいがない	91	というわけではない	833	もなにもない	740
わけにはいかない	834	なにも…わけではない	513	のもむりもない	735
ないわけに（は）		たいした…ではない	241	じゃない	188
いかない	835	にかぎったこと		んじゃない	846
ようがない	787	ではない	98	るんじゃない	846
しょうがない	192	すむことではない	202	うちにはいらない	63
てしょうがない	339	ほどの…ではない	684	か（も）わからない	113
なんとも…ようがない	548	ものではない	771	かもわからない	113
わけがない	825	というものではない	398	とはかぎらない	468
でしかない	180	たものではない	772	ともかぎらない	473
たためしがない	272	ひではない	653	ないともかぎらない	490
はずがない	648	ひととおりではない	657	（＋助詞）すら…ない	203
しかたがない	182	ことはない	162	にはあたらない	585

ったらない	305		518, 524	**ば**		
といったらない	403	くらいなら	134			
ならない	527	ようなら	802		ば	619,
にほかならない	588, 678	なるべくなら	535		620, 621, 625, 627, 629	
てならない	341	たなら	526	これいじょう…ば	39	
てはならない	357	（の）なら	518, 519	あえて…ば	4	
ねばならない	600			いちど…ば	47	
なければならない	500	というのなら	523	かりに…ば	123	
にもならない	592	どうせ…（の）なら	410	数量詞＋も…ば	742	
どうにもならない	414	ものなら	773	そういえば	215	
るきにもならない	593	ようものなら	774	といえば	400	
たまらない	269	も…なら	745	ひとつまちがえば	656	
にたりない	578	かりにも…なら	124	さえ…ば	167	
よりない	815	るなら	526	たとえば	265	
きれない	131	おなじ…るなら	73	おもえば	79	
ても…きれない	365	それなら	234	かとおもえば	107, 418	
かもしれない	111	（助詞）なら	516			
たしかに… かもしれない	112			いまからおもえば	80	
ば…かもしれない	112	**なる**		ってば	309, 630	
あるいは… かもしれない	17	なる	532	なければ	500	
といえば …かもしれない	401	いかなる	28	とすれば	451	
もしかしたら …かもしれない	755	なんとかなる	546	だとすれば	266, 452	
ば…るかもしれない	112	どうにかなる	413	が…だとすれば	452	
ぬきに…れない	599	るところとなる	431	かりに…とすれば	123	
るに…れない	551	になる	534	にいわせれば	555	
れないものは…れない	765	そうになる	221, 533	なれば	537	
たくても…れない	366	るようになる	805	となれば	462	
てはいられない	349	お…になる	69	かとなれば	463	
ないではいられない	486	むきになる	730	いざとなれば	462	
ずにはいられない	200	るまでになる	706	ともなれば	475	
てばかりもいられない	642	ことになる	160	にしてみれば	571	
ようにも…れない	591, 795	ままになる	712	によれば	597	
てもかまわない	371, 372	からなる	533	るところによれば	432	
なんともおもわない	548	**のに**		いわば	59	
なら		のに	614, 615, 616			
なら	516,	せっかく…のに	210			
		ば…のに	625			
		でも…のに	616			
		ばよかったのに	808			
		なければよかったのに	809			

意味機能別項目索引

言い換え
- ------------ ことになる
- ------------ すなわち
- ------------ つまり
- ------ つまり…のだ
- ----- というわけだ／ってわけだ
- ------------ わけだ

意志・意向
- ---------- あくまで（も）
- ------- なにがなんでも
- ---------------- まい
- ------------ まいとする
- ---------- もらおう／てもらおう
- ------ もらおうか／てもらおうか
- ---------------- よう
- ---------- ようとおもう
- ------------ ようとする

依頼
- ------------ お…ねがう
- ------ がほしいんですが
- ------------ てください
- ------------ てくださる
- ------------ てくれ
- ------ てくれない（か）
- ---------- てちょうだい
- --- てほしい（んだけど）
- -------- てもらえないか
- -------- てもらえまいか
- --------- てもらえるか

驚き
- ------------ あれで
- ---------------- こと
- ---------- じゃないか
- ---------- ではないか
- -------- なんと…だろう
- ----- なんという＋連体修飾句＋N
- -------- なんという…だ
- ------------ のか
- ------------ よく（も）

概数
- ---------- 数量詞＋くらい
- ---------- 数量詞＋ばかり
- ---------- 数量詞＋ほど

確認
- ---------- じゃないか
- ------ じゃないだろうか
- ------------ たっけ
- ------------ だろう
- ---------- ではないか
- ----- というと…のことです
- ---------------- か
- ---------- ない（か）
- ---------------- の

可能・可能性
- ---------------- うる
- ------------ かねない
- ------------ そうだ
- ------------ っこない
- ---------- ばあいもある
- ---------- はずがない
- -------- ひとつ…できない
- ---------- ようがない
- -------- ようにも…れない
- ---------- るに…れない
- --- れないものは…れない
- ---------------- れる

感慨
- ---------------- こと
- ------------ ことか
- ------------ のだった
- ------------ ものだ
- ---------- よく（ぞ）
- ----- よく（も）…ものだ

勧告・忠告
- ---------- ことはない
- ---------- たらどうか
- ------------ ていては
- --- ているばあいではない
- ---------- てはどうか
- -------- でもあるまいし
- ------------ ないと
- ---------- ほうがいい
- ------------ べきだ
- ------ る／…ない ことだ
- - る／…ない よう（に）

感情
- ---------- てならない
- ---------- てやまない
- ---------- をきんじえない

願望
- ---------- が…てほしい
- ---------------- がいい
- ------------ たいだけ
- ---------- たいとおもう
- ---------- たいばかりに
- ---------- たいものだ
- ------------ たらいい
- ------ たらどんなに…か
- ---------------- といい
- ------------ ないかしら
- ------------ ないといい
- ------------ ないものか
- ---------- ないものだろうか
- ---------- に…てほしい
- ---------------- ばいい
- - る／…ない よう（に）

勧誘・勧め
- ---------------- さあ
- ---------------- たら
- ------------ たらいい
- ---------- たらどうか
- ---------- てはどうか
- ---------- ない（か）
- ---------------- ば
- ---------------- ばいい
- ---------------- よう
- ------------ ようか
- ---------- ようじゃないか
- ---------- ようではないか
- ------------ るといい
- -- る（の）なら…がいい

完了
- ---------------- ついに
- ------------ ていない
- ---------------- ている
- ------------ てしまう
- -------- てしまっていた
- ------------ とうとう
- ---------- まだ…ない
- ---------------- もう

意味機能別項目索引 883

―――――― やっと
―――――― ようやく
関連・相応
―――――― いかん
―――――― いかんで
―――――― そういえば
―――――― におうじて
―――――― にかかわる
―――――― にかけて
―――――― にかんして
―――――― めぐって
―――――― ようで（は）
―――――― ようによっては
期間
―――――― あいだ
―――――― あいだに
―――――― うちが
―――――― うちに
―――――― じゅう
―――――― ちゅう
―― ている／…る　うちに
―――――― ないうちに
―――――― ぬまに
期限
―――――― まで
―――――― までに
基準
―――――― いか
―――――― いじょう
―――――― 数量詞＋いか
―――――― 数量詞＋いじょう
―――――― としては
―――――― にくらべて
―――――― にしては
―――――― には
―――――― のもとに
―――――― をちゅうしんに
期待
―――――― きっかけ
―――――― さすが
―――――― さすが（に）
―――――― …だけあって
―――――― 数量詞＋も…ない
―――――― だけにかえって
―――――― だけになおさら

―――――― としては
―――――― にしてからが
―――――― はずだ
―――――― も…ずに
―――――― も…ない
――もうひとつ／
　いまひとつ…　ない
―――――― もちろん
―――――― たところが
―――――― てみたら
―――――― てみると
―――――― と…た
―――――― なにかというと
―――――― なにかにつけて
―――――― につけ
―――――― ふと
―――――― ふとした
―――――― をけいきとして
起点
―――――― いらい
―――――― から
―――――― をかわきりに
起点と終点
―――― から…にいたるまで
―――――― から…まで
疑問
―――――― いったい
―――――― の
―――――― のか
―――――― はたして…か
強制
―――――― させる
―――――― をよぎなくさせる
強調
―――――― あえて
―――――― 疑問詞＋も
―――――― こそ
――― こそ　あれ／すれ
―――――― ことか
―――――― 数量詞＋も
―――――― それどころか
―――――― なんて
―――――― も
―――――― も…なら
―――――― もっと

許可
―――――― させてあげる
させて　もらう／くれる
―――――― させる
―――――― てもいい
―――――― てもかまわない
―――――― てもよろしい
―――――― ならいい
―――――― よかろう
許可・要求
―――――― させてください
させてほしい（んだけど）
―――――― てもいい
― てもよろしい（ですか
　／で　しょうか）
極端な程度
―――――― あがる
―――― あまり／あんまり
―――――― あまり（に）
―― あまりに（も）…と
―――― あまりの…に／で
― あんまり（にも）…と
―――――― いかに…ても
―――― なんてあんまりだ
―――――― の…ないのって
―――――― のなんのって
極端な例
いかなる…（＋助詞）も
―――――― いかなる…でも
―――――― いかなる…とも
―――――― 極端事例＋も
―――――― くらいなら
禁止
―――――― ことはならない
―――――― てはいけない
―――――― てはでめだ
―――――― てはならない
―――――― ないでくれ
―――――― の
―――――― べからず
―――――― みだりに
―――――― むやみに
―――――― るんじゃない
空間的関係
―――――― あと

―――――――――― ごし
―――――――――― じゅう
―――――――――― にむかって
―――――――――― にめんして
―――――――――― のあいだ
―――――――――― のまえに
―――――― をまえに（して）

くり返し・習慣
―――――――――― おきに
――――――― ことにしている
―――――――――― たものだ
―――――――――― たり…たり
―――――――――― つ…つ
―――――――――― ている
―――――――――― ては
―――――――― てばかりいる
―――――――――― と
―――――― と…た（ものだ）
―――――――――― ば
―――――――――― また
――――――――― またしても
る／…ない　ようにする

継起
―――――――――― そうして
―――――――――― それから
―――――――――― てから
―――――――――― るなり

経験
―― いちど　…と／…たら
―― いちど　…ば／…たら
――――――― たおぼえはない
―― たことが　ある／ない
―――――――――― ている
―――――――― てみてはじめて

傾向
―――――――――― がち
―――――――――― ぎみ
―――――――― きらいがある
――――――― とかく…がちだ
――――― どちらかというと

軽視
―――――――――― くらい
―――――――――― たかが
―――――――――― など
――――――― など…るものか

―――――――――― なんて

継続
―――――――――― ちゅう
―――――――――― つつある
―――――――――― ていく
――――――― ていたところだ
―――――――――― ている
――――――― ているところだ
―――――――――― てくる
―――――――――― まだ
―――――――――― ままだ
―――――――― まま（で）
――― ままに　なる／する

経由・経過
―――――――――― あげく
――― あげくのはてに（は）
―――――――――― しだいだ
―――――――――― をつうじて

決意・決定
―――――――― ことにする
――――― ことになっている
―――――――― ことになる
――――――― にかけて（も）
―――――――――― のだ
――― るまで（のこと）だ

結果
―――――――――― あげく
――― あげくのはてに（は）
―――――――――― かくして
―――――――――― けっきょく
――――――― そうしたら
――――――― そうすると
―――――――― それゆえ
―――――――――― だから
―― だから　…のだ／
　　　　　　…わけだ
――――――― ついに…た

結果の状態
―――――――――― てある
―――――――――― ている

結論
―――――――― かくして
―――――――― けっきょく
―――――――― ついては
――――――― ってわけだ

―――――――― つまり（は）
―― …ということは…
　　　　（ということ）だ
―――――――― というわけだ
―――――――― ようするに
―――――――――― わけだ

原因・理由
―――――――――― おかげで
――――――――― が…だから
――――――――― が…だけに
―――――――――― から
――― からか／…せいか
　　　　　　／…のか
―――――――――― からこそ
―――――――――― からだ
―――――――――― からって
――――――― からといって
―――――――――― からとて
―――――――――― からには
―――――――――― がゆえ
―――――――――― し
――――――――― し、…から
―――――――――― しだいだ
―――――――――― せい
―――――――――― せいで
――――――――― せいにする
――― せっかく…からには
―――――――――― そこで
―――――――――― それで
―――――――――― それでこそ
―――――――――― だから
―――――――――― だからこそ
―――――――――― だって
―――――――――― ため
―――――――――― ために
―――――――――― ついては
―――――――――― て
――― というのも…からだ
――― というわけだ／
　　　　　　ってわけだ
―――――――― といって
―――――――――― とかで
―――――――――― ないで
―――――――――― なくて
―――――― なぜ…かというと

意味機能別項目索引

―――― なぜかというと…からだ
―――― なぜかといえば…からだ
―――― なぜならば…からだ
―――――――― によって
―――――――― による
――――――― のだから
―――――――― ので
――――――― のは…からだ
――――――― のは…せいだ
――――― のは…ゆえである
―――――――― のゆえに
――――――― ばかりに
――― ひとつには…ためである
――――――― もの／…もん
―――――――― ものだから
――――――――― ゆえ
――――――――― わけだ
――――――― わけだから

限界・極限
― これいじょう＋修飾詞
　　　　　　＋…は…ない
――― これいじょう…は
　　＋含否定意义的表达方式
―― これ／それ　までだ
―――――――― かぎり
― かぎりが　ある／ない
― かぎりなく…にちかい
――――――― きわまりない
―――――――― きわみ
――― ことこのうえない
――― せめて…だけでも
―――――― それまでだ
―――――――― やっと
――――― るところまで
――――― をかぎりに

限定
――――― あるのみだ
―――― いがいに…ない
―――――――― かぎり
――――――――― きり
――――― しか…ない
――― せめて…だけでも
――――――――― だけ
――――― だけしか…ない
―――― だけのことだ

――――――――― ただ
――――― てばかりいる
――――― としか…ない
――――― なくては
―― のは…ぐらいのものだ
―――――――― のみ
――――――――― ばかり
―――――――― もっぱら
――――― るいっぽうだ
― る／…ている　かぎり
――――― るしかない
―――― るだけ…て
――――― るだけは
――――― るのみだ
――――― るばかりだ
――――― るよりない
―る よりほか(に／は) ない

後悔
―――― なければよかった
―――― ほうがよかった
るのだったるべきだった
　　　　／ではなかった

断り
――――――― あとで
――――――――― いい
――――― せっかくですが
――――― にはおよばない
――――――― もういい

根拠
―――――――― からいうと
―――――――― からいって
―――――――― からして
―――――――― からすると
―――――――― からみて
―――――――― からみると
――――― くらいだから
― こと／…ところ　から
―――――― ことだから
――――――― ことだし
――――――― てみると
――――― ところをみると
――――――― によって
―――――――― による
―――――――― によると
―――――――― みるから

―――――― をもとに

最上級
―――――――― いたり
――――― くらい…はない
――― これいじょう…は
　＋含否定意义的表达方式
――――― なににもまして
――――――― なによりだ
――――――― にかぎる

時点
――――――― いまごろ
―― いまごろ　…ても／
　　　　　…たところで
―― いまごろになって
――――――― おりから
―――――――― おり(に)
――――――――― さい
――――――――― そこで
――――――――― たとき
――――――― たところで
――――――― にさいして
――――――― のところ

修正
――――――― といっても
――――――――― なおす

受益
――――――――― てあげる
――――――――― ていただく
――――――――― てくださる
――――――――― てくれる
――――――― てさしあげる
――――――――― てもらう
――――――――― のため

手段・方法
――――――― こういうふう
――――――――― てでも
――――――――― でもって
――――――― というふうに
――――――――― なんとか
――――――― なんとしても
――――――――― によって
――――――――― をたよりに
――――――――― をもって

主張（強い断定）
――――――― あくまで(も)

―――――――――― ってば
―――――――― でしかない
―――― といってもいい
　　　　　　　　すぎではない
―――――――― としか…ない
―――――――― ない（か）
―――――――― にきまっている
―――――――――― のだ
―――――――― ほかならない
―――――――― もの／…もん
―――――――― わけがない
―――――――――― わけだ

主張（婉曲的断定）
――――――― ではあるまいか
――――――― ではなかろうか
――――― とおもわれる
―――― ように　おもう／
　　　　　　　　　　かんじる

条件（一般条件）
―――――――――― と
―――――――――― ば

条件（仮定条件）
　　　かりにも　…たら／…ば
―――かりにも　…ても／
　　　　　　　　　…としても
かりにも　…とすれば／
　　　　　　　　　…としても
―― 疑問詞＋…たら…のか
―――― 疑問詞＋…ば…のか
―――――― これいじょう…ば
―――――――― たら＋詢問
―― たら＋情感表達・祈使
―――― たら＋未実現的事物
―――――― たらどんなに…か
―――― と＋未実現的事物
―――――――――― としたら
――――――――――― とする
―――――――――― とすると
――――――――――― とすれば
―――――――――― となったら
――――――――――（の）なら
――――――――――― なら（ば）
――――――――― なるべくなら
―――――――――― ば＋意志・希望
―――――――――― ば＋发问

―――――― ば＋呼吁・要求
―――――― ば＋未実現的事物
―――― はたして…としても
――――――――― もし…たら
――――― もし　…ても／
　　　　　　　　　…としても
――――――――― もしも…たら
―――――――――― ものなら
――――――――― ようものなら

条件（十分条件）
― いちど　…ば／…たら
――― さえ　…たら／…ば
――― 数量詞＋も　…ば／
　　　　　　　　　　　…たら

条件（反事実条件）
―――――――― たなら
―― たら　…だろう／
　　　　　　　…はずだ
―――――― たら…ところだ
―――――― たらどんなに…か
――――――― たらよかった
――――― とよかった（のに）
――――――――― なら（ば）
――――――――（の）なら
―――― ば　…た／…ていた
―――― ば　…だろう／…はずだ
――― ば…ところだ（った）
――――― ば　…のに／…のだが

条件（必要条件）
―――――――― あっての
―――――――― ことなしに
―――――――― たうえで
―――――――― てのこと
――――――― ないと…ない
―――― ないと＋負面評価内容
――――――― なくてはいけない
――――――― なければ…た
――――――― なければ…ない
――――――― なしでは…ない
―――――――――― なしに
――――――― ぬきに…れない

承諾・同意
――――――――― いかにも
――――――――― せっかくですから
――――――――― ちがいない

―――――――― なるほど
――――――――――― はい

譲歩
――――――――― ことは…が
――――――――― てもいい
―――――――― てもかまわない
―――― てもさしつかえない
――――――――― てもよろしい
―――――――――― といえど
―――――――――― といえども
―――――――――― とはいえ
――――――――――― にしても
――――――――――― ほかはない
――――― るよりしかたがない

情報源
――――――――――― では
――――――――――― によると
――――――――― のうえで（は）
―――――――― ることには
- るところに　よると／
　　　　　　　　　　よれば

推量
―――――――――― おそらく
―――――――― おそれがある
――――――――――― かな
―――――――――― かもしれない
―――――――― かもわからない
――――――――――― かろう
――――― たしかに…かもしれない
――――――――――― たぶん
――――――――――― たろう
――――――――――― だろう
――――――――――― だろうに
―――――――――― ちがいない
―――――――― ではあるまいか
―――――――― ではないだろうか
―――――――― ではなかったか
―― どうも…そうだ／
　　　　　…ようだ／…らしい
――――― どうやら…そうだ
――――――――― ないかしら
――――――――― にきまっている
―――――――――― のだろう
――――――――――― まい
――― まず　…だろう／…まい

---------- みたいだ
------ もしかしたら…か
― もしかしたら…かも
　　　　　　　しれない
---------- ものとおもう
------ ものとおもわれる
------------- よう
-------------- ようか
-------------- ようだ

推論
------------ したがって
----------- じゃ（あ）
------------ それでは
------------ だとすると
------------ だとすれば
------------- では
------------ となると

数量の多少
--------- いくらも…ない
-------- 数量詞＋あまり
-------- 数量詞＋から
…数量詞＋　からある／
---------- からする
-…といってもせいぜい
　　　　　　　…だけだ
-------- なん＋量詞＋も
------------- よく
---------- るわ…るわ
------------ わずか

説明
――…ということは…
　　　（ということ）だ
----------- というと
----------- というのは
---- というのも…からだ
---------- というものだ
----------- といえば
------ といったところだ
---- なぜ…かというと
　　　　　　　…からだ
なぜかというと…からだ
なぜかといえば…からだ
---- なぜばらば…からだ
------------- のだ

前後関係

---------- あと
---------- あとから
---------- あとで
------------ いご
------------ いぜん
----------- てから
- てからというもの（は）
--------- にさきだって
---------- のまえに
----------- るいぜん
----------- るまえに
------ をまえに（して）

選択
---------- あるいは
------------ か…か
---------- か…ないか
----------- かどうか
----------- それとも
------------- ほう
--------- ほうがましだ
------------- また
------------- または
----------- もしくは

前提
--------- のもとに
--------- をぜんていに
--------- をふまえて

尊敬・謙譲
---------- お…いたす
---------- お…いただく
---------- お…くださる
------------ お…する
------------ お…です
---------- お…なさる
---------- お…になる
--------------- には

対比
----------- いっぽう
------ いっぽうでは
　　　…たほうでは
---------- いまでこそ
----------- かわりに
----------- くらいなら
------------ こそ…が
--- そのはんめん（では）

---------- というより
----------- とおなじ
---------- とちがって
---- と（は）はんたいに
----------- にたいして
----------- にひきかえ
---------- のにたいして
----------- はんたいに
------------ はんめん
-------- るいっぽう（で）

立場・観点
---------- からいうと
----------- かたみて
―かりにも …なら／
　　　　　…いじょうは
-------------- たら
------------- として
------------ としての
------------ としては
------------ としても
-------------- なら
------------ にしたら
------------ にとって
--------------- ば

達成
------------- ついに
------------- とうとう
------------- やっと
------------ ようやく
る／…ない ようになる

短時間
------------ いまにも
-------------- すぐ
------------ そのうち
------------ ほどなく
------------ まもなく
------------- やがて
---------- るやいなや

直後
---------- がはやいか
---------- たところだ
----------- とすぐ
----------- まもなく
― ると／…て　まもなく
------------- るなり

直前
　　────── ようとする
　　────── るところだ
　　────── を…にひかえて
訂正
　　────── ではなくて
　　────── もっとも
　　もっとも …が／…けど
程度の強調
　　────── あくまで（も）
　　────── いくらでも
　　────── きわまりない
　　────── ことこのうえない
　　────── それこそ
　　────── それどころか
　　────── とても
　　────── とりわけ
　　────── にもまして
　　────── の…ないのって
　　────── まで
　　────── やたらに
　　────── よほど
伝聞
　　────── そうだ
　　────── という
　　────── ということだ
　　────── とか（いう）
　　────── とかいうことだ
　　────── とやら
　　────── んだって
同時
　　────── かたがた
　　────── かたわら
　　────── がてら
　　────── かとおもうと
　　────── がはやいか
　　────── せつな
　　────── つつ
　　────── でもあり、でもある
　　────── どうじに
　　────── とき
　　────── とどうじに
　　────── ながら
　　────── るやいなや

当然
　　────── が…だけに
　── だから …のだ／…わけだ
　　──── にこしたことはない
　　──── はいうまでもない
　　────── はずだ
　　────── はもとより
　　────── べきだ
　　────── べくして…た
　　────── べし
　　────── もちろん
　　──── ものとかんがえられる
到達
　　────── なる
　　────── にいたって
　　────── にいたっては
　　────── にいたっても
　　────── にいたる
　　────── にして
　　──── もう ＋時間／年齢
　　────── るまでになる
途中
　　────── かけ
　　────── かける
　　────── とちゅうで
発言
　　────── いう
　　────── という
　　────── といっている
　　────── といわれている
　　────── る／…ない
　　────── よう（に）いう
　　────── を…という
　　────── をいう
場面・場合
　　──── …ことによると／
　　　　　　ばあいに　よると
　── ているばあいではない
　　────── でもあるまい
　　────── において
　　────── における
　　────── にさいして
　　────── ばあい
範囲

　　────── いない
　　────── うち
　　────── うちにはならない
　　────── から…にかけて
　　────── から…まで
　　────── きり
　　────── ないかぎり
　　────── なか
　　────── にいたるまで
　　────── にわたって
　　────── にわたり
　　── る／…ている　かぎり
比較
　　────── というより
　── というよりむしろ…だ
　　────── ほう
　　──── ほうが…より（も）
　　────── ほうがよほど
　　────── ほど…ない
　　────── むしろ
　　────── より（も）
　　────── より（も）むしろ
　　──── るぐらいならむしろ
　　────── わりと／わりに
　　────── わりに（は）
必要・義務
　　──── それにはおよばない
　　────── ことはない
　── ないと　いけない／
　　　　　　　　だめだ
　　────── なくともよい
　　────── なければ…ない
　　────── なければいけない
　　────── なければだめだ
　　────── なければならない
　　────── にはあたらない
　　────── にはおよばない
　　────── ねばならぬ
　　──── ることもあるまいし
　　── るまで（のこと）もない
否定強調
　　────── いっさい
　　──── 最小数量＋も…ない
　　────── さっぱり…ない
　　────── 数量詞＋も…ない

意味機能別項目索引　889

ちっとも…ない
とんでもない
なにひとつ…ない
なん＋量詞＋も…ない
なんか…ない
なんか…ものか
なんら…ない
なんらの…も…ない
にどと…ない
ひとつ…ない
まったく…ない
まるで…ない
もなにもない
ものか／もんか
ものではない
もの／こと　も…ない
ようと（も／は）しない

非難
あるまじき…だ
いくらなんでも
が…なら…も…だ
じゃないか
すればいいものを
だいたい
ではないか
なにがなんでも＋
　　　　　負面評価内容
のではなかった
までして
も…だが
も…なら
もう
よく（も）
る／…ない　ようでは

比喩・比況
いわば
かとおもうほど
かのごとし
ばかりの
まるで
みたいだ
みたいな
みたいに
ようだ

ような
ように
る／…た　かのようだ
んばかり

評価
いかだ
たかが
たかが…ぐらいで
たものではない
といえば…
ぐらいのことだ
どちらかというと
にあっては
まんざら…でもない
るきにもならない

比例・平行
数量詞＋にたいして
におうじて
にたいする
について
につれて
にともなって
ば…ほど
ほど1

付加
あと
あと＋数量詞
あとは…だけ
あるいは…かもしれない
いか＋数量詞
うえ（に）
おまけに
かつ
くわえて
し、それに
しかも
そのうえ
それに
そればかりか
だけでなく…も
ちなみに
ついでに
でもって
なお
ならびに

にくわえて
のみならず…も
ばかりか…も／…まで
ばかりでなく…も
はもちろん
ひとり…だけでなく
ひとり…のみならず
また
またの
も
も…も
もう＋数量詞
もうすこし／
　　もうちょっと
もまた

付帯
ことなく
ないで
ぬきで
ば…ほど
はぬきにして
るにしたがって
をこめて

不変化
いぜん
いまだ
ずにいる
きり
たなり
ないうちに
ないかぎり
ないである
ないでいる
ばなし
まだ
まま

不明確
かどうか
かなんか
疑問詞…のやら
疑問詞＋やら
どうも
どこか
とやら
なぜか

——————— なにか	——————— と	——————— るんだ
——————— なにかしら	——————— ば	申し出
——————— なにやら	見なし	——————— お…する
——————— なんか	——————— とする	——————— てもいい
——————— なんだか	——————— ものとする	——————— よう
——————— なんて	——————— を…とする	——————— ようか
——————— なんとなく	無関係	目的・目標
——————— やなんか	——————— いざしらず	——————— ために
並列・列挙	——————— かれ	——————— にとおもって
——— あるいは…あるいは	——————— たら…で	——————— にむけて
——————— および	— だろうが、…だろうが	——————— のに
——————— かつ	——————— であれ	——————— まで
——————— そして	——— …であろうと、	- る／…ない よう（に）
——————— それから	…であろうと	——————— るには
——————— だの…だの	— であろうとなかろうと	——————— んがため
——————— たり…たりする	——————— とにかく	様子
——————— といい…といい	——————— にかかわらず	——————— くさい
——— とか…とか（いう）	——— にしても…にしても	——————— そうだ
——————— なり…なり	——————— にしろ	——————— ていく
——————— にして	——————— にせよ	——————— てくる
——————— の…のと	——————— につけ…につけ	——————— ながら
——————— また	——————— にもかかわらず	——————— ぬばかり
——— も…し、…も	——————— によらず	——————— ふう
——— も…ば…も	——————— ようが…まいが	——————— ぶり
——— もあり…もある	——————— ようが…ようが	——————— めく
——— もあれば…もある	——————— ようと…まいと	——————— ようだ
——————— や	——————— ようと…ようと	——————— らしい
——————— やら…やら	——————— ようとも	予想外
——— るとか／（…るとか）	——————— をとわず	——— さすがの…も
——————— わ…わ（で）	——————— をよそに	——————— とは
方向	命令・定義	——————— とんだ
——————— あがる	——————— という	——————— とんでもない
——————— あげる	— というのは…のことだ	——————— のに
——————— にむかって	——— （のこと）を…という	— まさか…
——————— にむけて	命令	とはおもわなかった
——————— ほう	——————— ことだ	——— まさか…ないだろう
——————— むき	——————— せられたい	まさか＋含否定意
前置き	——————— てください	义的表达方式
いうまでもないことだが	——————— てくれ	——————— まさかの
——— いうまでもなく	——————— ないか	予想通り
——————— が	——————— なさい	——————— さすがに
——————— けれど	——————— の	さすが（に）…だけあって
——— じゃないが	——————— べし	——— はたして…した
——— せっかく…のだから	——— る／…ない こと	予想との食い違い
——————— たら	- る／…ない よう（に）	——— いかに…といっても

いかに…とはいえ
いかに…ようと(も)
いくら…
からといって(も)
いくら…ても
いくら…といっても
が
かえって
かというと
かとおもえば
かとおもったら
くせして
くせに
けれど
しかし
しかしながら
それが
それでも
それにしては
それを
だけど
たって
つつ
つつも
ではあるが
ても…ても
でも
といえば…が
とうとう…なかった
ところが
どころか
としても
とはいうものの
とはいえ
どんなに…ても
ながら(も／に)
にあって
にあっても
にしては
にしても
にしろ
にせよ
のに
ようったって
るには…が

類似性
あたかも
とおなじ
みたいだ
めく
もどうぜん
ようだ

例外
いがい
さすがの…も
ただ
ただし
ときには
とばかりいえない
ともかく
になく
ばあいをのぞいて
はともかく(として)
はべつとして
をのぞいて

例示
かなにか
だって
たとえば
だの
たり…たりする
たりなんかして
だろうが、…だろうが
つぎのように／
いかのように
でも
といい…といい
といった
といわず…といわず
とか(…とか)
とか…とか(いう)
など
なり…なり
なんか
にしてからが
にしても
の…のと
のなんのと
みたい
もあり…もある

もあれば…もある
やなにか
やなんぞ
やら…やら
やらなにやら
ような
ように
ると(…るとか)
るなどする
をはじめ(として)…など
をはじめ(として)…まで

話題
かとなれば
それなら
ったら
って
というと
といえば
ときたひには
ときたら
とすれば
となったら
となると
となれば
とは
なお
なら(ば)
なら…だ
なんて
のです

話題転換
さて
しかし
じゃ(あ)
それでは
それはそうと
それはそうとして
では
ときに
ところで
はとにかく(として)
なお

著者紹介

グループ・ジャマシイ

砂川　有里子 (代表) 筑波大学名誉教授	駒田　聡 アゴラ・ソフィア(ブルガリア)
下田　美津子 元 神戸松蔭女子学院大学教授	鈴木　睦 元 大阪大学言語文化研究科教授
筒井　佐代 大阪大学言語文化研究科教授	蓮沼　昭子 創価大学文学部教授
ベケシュ　アンドレイ リュブリャーナ大学文学部非常勤講師	森本　順子 元京都外国語大学外国語学部教授

翻訳者紹介

徐一平 (代表)	Xu Yibing	北京外国語大学教授
陶振孝	Tao Zhenxiao	北京外国語大学教授
巴玺维	Ba Xiwei	北京外交学院　教授
陈娟	Chen Juan	北京旅游学院　教授
滕军	Teng Jun	北京大学　教授

中文版日本語句型辞典
日本語文型辞典
中国語訳簡体字版

2001年10月10日　第 1 刷発行
2017年10月12日　第15刷発行

● 編著者　グループ・ジャマシイ

翻訳者　徐一平 (代表)
　　　　陶振孝　巴玺维　陈娟　滕军

繁体字版校閲　于之玲

版元　くろしお出版
〒113-0033
東京都文京区本郷3-21-10-6F
TEL　03-5684-3389
FAX　03-5684-4762
e-mail: kurosio@9640.jp
http://www.9640.jp/

装丁　Fukunny Art Studio
組版　Fukunny Art Studio
印刷　株式会社シナノ

© Kurosio Publishers 2001

● 乱丁・落丁はおとりかえいたします。無断複製を禁じます。

ISBN978-4-87424-238-4　C3581